le Guide du ro

Directeur de collect
Philippe GLO

Cofondateurs
Philippe GLOAGUEN et Michel DUVAL

Rédacteur en chef
Pierre JOSSE

Rédacteurs en chef adjoints
Amanda KERAVEL et Benoît LUCCHINI

Directrice de la coordination
Florence CHARMETANT

Directrice administrative
Bénédicte GLOAGUEN

Direction éditoriale
Catherine JULHE

Rédaction
Olivier PAGE, Véronique de CHARDON, Isabelle AL SUBAIHI, Anne-Caroline DUMAS, Carole BORDES, André PONCELET, Marie BURIN des ROZIERS, Thierry BROUARD, Géraldine LEMAUF-BEAUVOIS, Anne POINSOT, Mathilde de BOISGROLLIER, Alain PALLIER, Gavin's CLEMENTE-RUÏZ et Fiona DEBRABANDER

TOSCANE / OMBRIE

2011

hachette

Avis aux hôteliers et aux restaurateurs

Les enquêteurs du *Guide du routard* travaillent dans le plus strict anonymat. Aucune réduction, aucun avantage quelconque, aucune rétribution n'est jamais demandé en contrepartie. Face aux aigrefins, la loi autorise les hôteliers et restaurateurs à porter plainte.

Hors-d'œuvre

Le *Guide du routard,* ce n'est pas comme le bon vin, il vieillit mal. On ne veut pas pousser à la consommation, mais évitez de partir avec une édition ancienne. Les modifications sont souvent importantes.

routard.com dépasse 2 millions de visiteurs uniques par mois !

• ***routard.com*** • Sur notre site, tout pour préparer votre périple. Des fiches pratiques sur plus de 200 destinations, de nombreuses informations et des services : photos, cartes, météo, dossiers, agenda, itinéraires, billets d'avion, réservation d'hôtels, location de voitures, visas... Et aussi un vaste forum pour échanger ses bons plans, partager ses photos, définir son passeport routard ou trouver son compagnon de voyage. Sans oublier *routard mag,* ses reportages, ses carnets de route et ses infos pour bien voyager. La boîte à outils indispensable du routard.

Petits restos des grands chefs

Ce qui est bon n'est pas forcément cher ! Partout en France, nous avons dégoté de bonnes petites tables de grands chefs aux prix aussi raisonnables que la cuisine est fameuse. Évidemment, tous les grands chefs n'ont pas été retenus : certains font payer cher leur nom pour une petite table qu'ils ne fréquentent guère. Au total, 580 adresses réactualisées, dont 120 nouveautés, retenues pour la qualité et la créativité de la cuisine, sans pour autant ruiner votre portefeuille.

Nos meilleurs campings en France

Se réveiller au milieu des prés, dormir au bord de l'eau ou dans une hutte, voici nos 1 850 meilleures adresses en pleine nature. Du camping à la ferme aux équipements les plus sophistiqués, nous avons sélectionné les plus beaux emplacements : mer, montagne, campagne ou lac. Sans oublier les balades à proximité, les jeux pour enfants... Des centaines de réductions pour nos lecteurs.

Avis aux lecteurs

Les réductions accordées à nos lecteurs ne sont jamais demandées par nos rédacteurs afin de préserver leur indépendance. Les hôteliers et restaurateurs sont sollicités par une société de mailing, totalement indépendante de la rédaction, qui reste donc libre de ses choix. De même pour les autocollants et plaques émaillées.

Le contenu des annonces publicitaires insérées dans ce guide n'engage en rien la responsabilité de l'éditeur.

Mille excuses, on ne peut plus répondre individuellement aux centaines de CV reçus chaque année.

TABLE DES MATIÈRES

Nous avons divisé l'Italie en plusieurs titres. En effet, la très grande majorité d'entre vous ne parcourt pas tout le pays. Et ces contrées sont tellement riches culturellement qu'elles nécessitent 6 ou 7 guides à elles seules. Rassemblées en un seul volume, nos ouvrages atteindraient 1 500, voire 2 000 pages. Ils seraient alors intransportables et coûteraient... 3 fois plus cher ! Nous souhaitons conserver un format pratique à un prix économique, tout en vous fournissant le maximum d'informations sur des régions qui méritent d'être développées. Voilà !

La rédaction.

LE VAL DI CHIANA

LE VAL D'ELSA

LUCQUES ET SES ENVIRONS

CARRARE ET LA VERSILIA

BAGNI DI LUCCA ET LA GARFAGNANA

LA TOSCANE LITTORALE

LA MAREMME

LE SUD DE LA VALLÉE DU TIBRE

LES VALLÉES DE LA NERA ET DE SES AFFLUENTS

112 : voici le numéro d'urgence commun à la France et à tous les pays de l'UE, à composer en cas d'accident, agression ou détresse. Il permet de se faire localiser et aider en français, tout en améliorant les délais d'intervention des services de secours.

Recommandations à nos lecteurs qui souhaitent profiter des réductions et avantages proposés dans le *Guide du routard* par les hôteliers et les restaurateurs : à l'hôtel, prenez la précaution de les réclamer **à l'arrivée,** et au restaurant, **au moment** de la commande (pour les apéritifs) et surtout **avant** l'établissement de l'addition. Poser votre *Guide du routard* sur la table ne suffit pas : le personnel de salle n'est pas toujours au courant et une fois le ticket de caisse imprimé, il est difficile pour votre hôte d'en modifier le contenu. En cas de doute, montrez la notice relative à l'établissement dans le guide et ne manquez pas de nous faire part de toute difficulté rencontrée.

LES GUIDES DU ROUTARD 2011-2012

(dates de parution sur **routard.com**)

France

Nationaux

- Nos meilleures chambres d'hôtes en France
- Nos meilleurs campings en France
- Nos meilleurs hôtels et restos en France
- Nos meilleurs produits du terroir en France
- Petits restos des grands chefs
- Tourisme responsable

Régions françaises

- Alpes
- Alsace (Vosges)
- Ardèche, Drôme
- Auvergne
- Berry
- Bordelais, Landes, Lot-et-Garonne
- Bourgogne
- **La Bretagne et ses peintres (avril 2011)**
- Bretagne Nord
- Bretagne Sud
- Champagne-Ardenne
- Châteaux de la Loire
- Corse
- Côte d'Azur
- Dordogne-Périgord
- Franche-Comté
- Guadeloupe, Saint-Martin, Saint-Barth
- Languedoc-Roussillon
- Limousin
- Lorraine
- Lot, Aveyron, Tarn
- Martinique
- Nord-Pas-de-Calais
- Normandie
- La Normandie des impressionnistes
- Pays basque (France, Espagne), Béarn
- Pays de la Loire
- Picardie
- Poitou-Charentes
- Provence
- Pyrénées, Gascogne et Pays toulousain
- Réunion

Villes françaises

- Lyon
- Marseille
- **Nantes (avril 2011)**
- Nice

Paris

- Environs de Paris
- Junior à Paris et ses environs
- Paris
- Paris à vélo
- Paris balades
- Paris la nuit
- Paris, ouvert le dimanche
- Paris zen
- Restos et bistrots de Paris
- Le Routard des amoureux à Paris
- Week-ends autour de Paris

Europe

Pays européens

- Allemagne
- Andalousie
- Angleterre, Pays de Galles
- Autriche
- Baléares
- Belgique
- Catalogne (+ Valence et Andorre)
- Crète
- Croatie
- Danemark, Suède
- Écosse
- Espagne du Nord-Ouest (Galice, Asturies, Cantabrie)
- Finlande
- Grèce continentale
- Hongrie, République tchèque, Slovaquie
- Îles grecques et Athènes
- Irlande
- Islande
- Italie du Nord
- Italie du Sud
- Lacs italiens
- Madrid, Castille (Aragon et Estrémadure)
- Malte
- Norvège
- Pologne
- Portugal
- Roumanie, Bulgarie
- **Sardaigne (avril 2011)**
- Sicile
- Suisse
- Toscane, Ombrie

LES GUIDES DU ROUTARD 2011-2012 (suite)

(dates de parution sur **routard.com**)

Villes européennes

- Amsterdam et ses environs
- Barcelone
- Berlin
- Bruxelles
- Florence
- Lisbonne
- Londres
- Moscou, Saint-Pétersbourg
- Prague
- Rome
- Venise

Amériques

- Argentine
- Brésil
- Californie
- Canada Ouest et Ontario
- Chili et île de Pâques
- Équateur et les îles Galápagos
- États-Unis Nord-Est
- Floride
- Guatemala, Yucatán et Chiapas
- Louisiane et les villes du Sud
- Mexique
- New York
- Parcs nationaux de l'Ouest américain et Las Vegas
- Pérou, Bolivie
- Québec et Provinces maritimes

Asie

- Bali, Lombok
- Birmanie (Myanmar)
- Cambodge, Laos
- Chine (Sud, Pékin, Yunnan)
- Inde du Nord
- Inde du Sud
- Istanbul
- Jordanie, Syrie
- Malaisie, Singapour
- Népal, Tibet
- Sri Lanka (Ceylan)
- Thaïlande
- Tokyo, Kyoto et environs
- Turquie
- Vietnam

Afrique

- Afrique de l'Ouest
- Afrique du Sud
- Égypte
- Kenya, Tanzanie et Zanzibar
- Maroc
- Marrakech
- Sénégal, Gambie
- Tunisie

Îles Caraïbes et océan Indien

- Cuba
- Guadeloupe, Saint-Martin, Saint-Barth
- Île Maurice, Rodrigues
- Madagascar
- Martinique
- République dominicaine (Saint-Domingue)
- Réunion

Guides de conversation

- Allemand
- Anglais
- Arabe du Maghreb
- Arabe du Proche-Orient
- Chinois
- Croate
- Espagnol
- Grec
- Italien
- Japonais
- Portugais
- Russe

Et aussi...

- G'palémo

Nous tenons à remercier tout particulièrement Loup-Maëlle Besançon, Thierry Bessou, Gérard Bouchu, François Chauvin, Grégory Dalex, Fabrice Doumergue, Cédric Fischer, Carole Fouque, Michelle Georget, Claude Hervé-Bazin, Emmanuel Juste, Fabrice de Lestang, Romain Meynier, Éric Milet, Pierre Mitrano, Jean-Sébastien Petitdemange, Thomas Rivallain, Dominique Roland et Solange Vivier pour leur collaboration régulière.

Et pour cette nouvelle collection, nous remercions aussi :

David Alon
Gwladys Bonnassie
Jean-Jacques Bordier-Chêne
Michèle Boucher
Raymond Chabaud
Alain Chaplais
Stéphanie Condis
Agnès Debiage
Stéphanie Déro
Solenne Deschamps
Tovi et Ahmet Diler
Florence Douret
Céline Druon
Nicolas Dubois
Clélie Dudon
Sophie Duval
Alain Fisch
Éléonore Friess
David Giason
Adrien et Clément Gloaguen
Stéphane Gourmelen
Xavier Haudiquet
Bernard Hilaire
Sébastien Jauffret
François et Sylvie Jouffa
Dimitri Lefèvre
Jacques Lemoine
Sacha Lenormand
Valérie Loth
Catarina Mano
Jacques Muller
Caroline Ollion
Nicolas Pallier
Martine Partrat
Odile Paugam et Didier Jehanno
Xavier Ramon
Corinne Russo
Prakit Saiporn
Jean-Luc et Antigone Schilling
Claudio Tombari

Direction : Nathalie Pujo
Contrôle de gestion : Maria Dorriots, Héloïse Morel d'Arleux et Aurélie Knafo
Secrétariat : Catherine Maîtrepierre
Direction éditoriale : Catherine Julhe
Édition : Matthieu Devaux, Géraldine Péron, Olga Krokhina, Gia-Quy Tran, Julie Dupré, Christine de Geyer, Julien Hunter, Barbara Janssens et Aurélie Lorot
Préparation-lecture : Danielle Blondy
Cartographie : Frédéric Clémençon et Aurélie Huot
Fabrication : Nathalie Lautout et Audrey Detournay
Relations presse France : COM'PROD, Fred Papet. ☎ 01-70-69-04-69.
• *info@comprod.fr* •
Direction marketing : Dominique Nouvel, Lydie Firmin et Claire Bourdillon
Responsable des partenariats : André Magniez
Édition des partenariats : Juliette de Lavaur et Mélanie Radepont
Informatique éditoriale : Lionel Barth
Couverture : Clément Gloaguen et Seenk
Relations presse : Martine Levens (Belgique) et Maureen Browne (Suisse)
Régie publicitaire : Florence Brunel

Remerciements

Pour l'édition de ce guide, nous remercions tout particulièrement :

– Domenico di Salvo, directeur de l'ENIT à Paris ;

– Anne Lefèvre et Géraldine Stefanon, chargées des relations avec la presse à l'ENIT ;

– Lara Fantoni, directrice de l'office de tourisme de Florence ;

– Roberta Romoli, responsable des relations presse à l'office de tourisme de Florence, et Susana Scali, pour leur accueil, leur gentillesse et leur disponibilité ;

– Giovanna Calcinai, del Centro Arte e Cultura, pour Florence vue d'en haut ;

– Laurence Aventin, pour son immense culture florentine et son aide précieuse ;

– Nicole Boy-Briand, perspicace, qui a arpenté le pavé florentin sans relâche ;

– Caroline Yon-Raoux pour son dynamisme et sa bonne humeur ;

– Antonella Giusti, de l'APT de Lucca, pour sa vivacité, sa patience et ses précieux conseils ;

– Fabrizio Quochi, de l'APT de Pise, pour l'aide apportée et le temps qu'il nous a consacré ;

– Luigina Benci et l'équipe de l'office de tourisme de Sienne ;

– La famille Ferré pour son accueil chaleureux ;

– Dottore Icilio Disperati, directeur de l'APT de l'île d'Elbe et toute sa sympathique équipe ;

– Carlo Eugeni pour son aide précieuse sur place et ses dégustations de produits du terroir elban ;

– Luca La Marca pour ses bons tuyaux ;

– Gabrielle Bourdon, de l'office de tourisme de Pérouse, pour son dynamisme, son amitié et ses précieux renseignements ;

– Toute l'équipe de l'office de tourisme de Foligno, pour sa totale disponibilité ;

– Toute l'équipe de l'office de tourisme de Spolète, pour la précision et la pertinence de ses informations ;

– Joëlle Salières, qui a su, dans son accueil, allier la bonhomie de son Brabant natal à la convivialité de son Ombrie d'adoption ;

– Angela et Alessandro Zucconi, pour leur aide dans notre recherche de tables satisfaisantes à Orvieto ;

– Laura Cardi, de l'office de tourisme d'Orvieto, qui a répondu à nos questions avec empressement et gentillesse, malgré un emploi du temps bien chargé et le défilé des clients se trompant de porte ;

– Les employés des autres offices de tourisme d'Ombrie, ainsi que des musées et des divers lieux de visite de cette province, pour le temps qu'ils ont passé à nous communiquer leur amour pour leur région.

LES QUESTIONS QU'ON SE POSE LE PLUS SOUVENT

➤ Quelle est la meilleure saison pour y aller ?
Les intersaisons (mai-juin et septembre-octobre) car la fréquentation est moins dense qu'en été et le temps plus agréable. Au printemps, la nature explose et les jardins sont en fleurs, puis l'automne pare la nature de ses couleurs chaudes.

➤ Quel est le meilleur moyen pour y aller ?
L'avion est la solution la plus rapide, surtout pour un court séjour. Les compagnies aériennes pratiquent des prix compétitifs, surtout les *low-cost.*

➤ La vie est-elle chère ?
Il faut prévoir dans votre budget un poste conséquent pour l'hébergement, même si on obtient facilement des réductions hors saison. Pour se restaurer, on peut manger sur le pouce sans pour autant vider son porte-monnaie.

➤ Les enfants sont-ils les bienvenus ?
Bien sûr ! Cependant, le riche patrimoine italien (surtout à Florence) risque d'épuiser vos chérubins. Préférez alors les balades pittoresques aux visites quotidiennes de musées.

➤ Faut-il parler l'italien pour se faire comprendre ?
Comme partout, on vous conseille d'apprendre quelques mots basiques. Cependant, beaucoup d'Italiens comprennent ou parlent le français.

➤ Peut-on facilement se déplacer sans voiture en Toscane ou en Ombrie ?
Difficilement. Il est préférable de louer une voiture, beaucoup plus pratique quand on veut sortir des sentiers battus.

➤ Doit-on prévoir un gros budget pour les visites culturelles ?
Enchaîner visite sur visite finit par revenir cher, alors la plupart des villes ont mis en place des systèmes de *pass* (sauf Florence) qui permettent de réaliser de sacrées économies. Une formule avantageuse si l'on possède un gros appétit culturel.

➤ Doit-on redouter la chaleur ?
Oui, en juillet-août. Dans les villes comme Florence ou Sienne, la chaleur est étouffante. Préférez donc les saisons intermédiaires.

➤ Que peut-on rapporter de Toscane et d'Ombrie ?
La liste est longue... huile d'olive, charcuterie, vin (l'incontournable chianti), céramique, maroquinerie, ainsi que du papier marbré, la grande spécialité de Florence.

➤ À quoi reconnaît-on une bonne bouteille de chianti ?
À l'emblème du coq noir *(gallo nero)* et au liseré rouge sur le goulot de la bouteille.

LES COUPS DE CŒUR DU ROUTARD

À FLORENCE ET DANS SES ENVIRONS

- Admirer les fesses musclées de David à l'Accademia à Florence.

- Découvrir Florence à ses pieds en grimpant les 400 marches du Campanile...

- Se balader dans le jardin Bardini en admirant la vue magnifique sur Florence.

- Retrouver la sérénité après avoir vu les cellules des moines franciscains, peintes par Fra Angelico et ses disciples, au Museo di San Marco.

- S'aventurer dans les quartiers de l'Oltrarno, et profiter de l'*aperitivo* pour faire de belles rencontres...

- Admirer le coucher du soleil au belvédère de San Miniato al Monte. Inoubliable... À deux de préférence !

- Pour les amateurs d'abats, avaler un sandwich aux tripes, LA spécialité de Florence, au marché San Lorenzo, avec les gens du cru... atmosphère, atmosphère !

- Parcourir la campagne environnante et pousser jusqu'à Fiesole, à 7 km de Florence, petit bourg qui inspira Boccace et André Gide.

EN TOSCANE...

- Déambuler (presque) seul au monde, le nez en l'air, au lever du soleil, sur la magnifique piazza del Campo à Sienne... Un souvenir unique.

- Profiter des nombreuses dégustations de chianti dans les *aziende* vinicoles entre Florence et Sienne (mais n'oubliez pas : « C'est celui qui ne boit pas qui conduit » !).

- À San Gimignano, grimper en haut de la Rocca, où le point de vue sur la campagne est... renversant !

- Profiter du calme de l'abbaye Sant' Antimo, près de Castelnuovo dell'Abate.

- S'émerveiller de la vue imprenable des remparts du village de Capálbio en Maremme.

- Admirer les fresques de Piero della Francesca au Duomo d'Arezzo.

- Prendre un thé aux thermes Tettuccio de Montecatini Terme et se laisser bercer par la mélodie du pianiste.

- Parcourir le paysage lunaire des Crete Senesi dans la campagne siennoise.

- Déguster quelques cochonnailles du coin accompagnées d'un petit verre sur la place triangulaire de Greve in Chianti... Extra !

... ET EN OMBRIE

- Se promener le long des cascades de Marmore et, si vous avez le cœur bien accroché, assister aux lâchers d'eau... Un spectacle époustouflant.

- Assister à la Fête des Cierges à Gubbio et à la course folle qui s'ensuit dans les rues de la ville.

- Admirer la fresque de saint François parlant aux oiseaux, un chef-d'œuvre absolu de la Renaissance, dans la basilique de Saint-François à Assise.

- Se frotter les yeux devant la beauté des champs de fleurs du piano Grande de Castelluccio di Norcia.

- Rapporter dans ses valises d'excellentes cochonnailles de Nursie ainsi que la *caciotta*, un goûteux fromage de brebis.

- Lors du festival Umbria Jazz à Pérouse, en juillet, assister sur le corso Vannucci à un concert improvisé... ambiance assurée !

- Parcourir à pied le chemin franciscain (prévoir les chaussures de randonnée) et découvrir des villages ravissants, surtout le soir au soleil déclinant...

COMMENT Y ALLER ?

EN VOITURE

De France, plusieurs routes possibles, mais n'oubliez pas d'emporter une bonne carte routière.

➢ ***À partir de Paris :*** prendre l'A 6 (en direction de Lyon) jusqu'à Mâcon. Puis Bourg-en-Bresse et Bellegarde. Autoroute vers Chamonix (A 6-E 15), puis traverser le tunnel du Mont-Blanc (compter 35 € la traversée ; 44 € l'aller-retour ; attention : le retour doit se faire 8 j. après la date d'émission du ticket). Arrivé en Italie, prendre ensuite la direction de Turin (A 5-E 25), Alessandria (A 26-E 25) et Gênes (A 12-E 80), puis rejoindre l'autoroute jusqu'à Pise (toujours l'A 12) et prendre l'A 11-E 76 pour Florence. Compter 11h de trajet, sans les pauses.

➢ ***Par l'autoroute du Sud :*** de Marseille (A 7-E 712), prendre la direction d'Aix-en-Provence (A 8-E 80), puis Nice (A 10-E 80) et la frontière italienne, Menton et Vintimille. Le voyage se poursuit sur les autoroutes à péage italiennes via Gênes (A 12-E 80) en longeant la côte ligure (San Remo, Imperia, Savona). À Gênes, prendre l'A 12 jusqu'à Lucques (Lucca), puis l'A 11 jusqu'à Florence. Compter 6h de trajet, sans les pauses.

➢ ***Par le tunnel du Fréjus :*** autoroute du Sud jusqu'à Lyon, autoroute A 43 Lyon-Chambéry-Montmélian, puis la vallée de la Maurienne jusqu'à Modane. Péage pour le tunnel : compter 35 € la traversée, puis direction Turin, Gênes et Florence.

➢ ***Ceux qui habitent l'est ou le nord de la France*** ont intérêt à prendre l'autoroute en Suisse ***à partir de Bâle.*** Passer par Lucerne et le tunnel du Gothard, puis direction Milan, Bologne et Florence. À prendre en compte : le droit de passage (30 € pour l'année) en Suisse.

Attention : en Italie, sur autoroute, les panneaux indicateurs sont de couleur verte ; les bleus concernent les autres routes, notamment les nationales ou les routes secondaires. **Les feux de croisement sont également obligatoires le jour sur les autoroutes et le réseau national... sous peine d'amende.**

EN BUS

▲ CLUB ALLIANCE

– Paris : 33, rue de Fleurus, 75006. ☎ 01-45-48-89-53. Ⓜ Rennes, Saint-Placide ou Notre-Dame-des-Champs. Lun-ven 11h-19h, sam 14h-19h.

Spécialiste des week-ends (Milan et lacs italiens) et des ponts de 4 jours (Rome, Venise, Florence, lac Majeur, lac de Garde...). Propose aussi des circuits économiques de 1 à 16 jours. En Italie et dans toute l'Europe, y compris en France. Brochure gratuite sur demande.

▲ EUROLINES

☎ 08-92-89-90-91 (0,34 €/mn), tlj 8h-21h, dim 10h-17h. • eurolines.fr • Vous trouverez également les services d'Eurolines sur • routard.com • Eurolines propose 10 % de réduction pour les jeunes (12-25 ans) et les seniors. Deux bagages gratuits par personne en Europe et 40 kg gratuits pour le Maroc.

– Gare routière internationale : 28, av. du Général-de-Gaulle, 93541 Bagnolet Cedex. Ⓜ Gallieni.

Premier *low-cost* par bus en Europe, Eurolines permet de voyager vers plus de 1 500 destinations en Europe et au Maroc avec des départs quotidiens depuis 110 villes françaises.

Pass Eurolines : pour un prix fixe valable 15 ou 30 jours, vous voyagez autant que vous le désirez sur le réseau entre 45 villes européennes. Également un *minipass* pour visiter deux capitales européennes (six combinés possibles).

▲ **VOYAGES 4A**
– Tarnos : 306, rue de l'Industrie, 40220. Rens et résas : ☎ 05-59-23-90-37. • voyages4a.com • Lun-ven 9h30-12h, 14h-18h.
Spécialiste des voyages en autocar à destination de toutes les grandes cités européennes. Week-ends, séjours et circuits en bus toute l'année, grands festivals et événements européens, Formules pour tout public, individuel ou groupe, au départ de toutes les grandes villes de France.

EN TRAIN

– On conseille de réserver au moins 1 mois à l'avance, surtout en haute saison. ***Artesia,*** filiale de la SNCF et des Chemins de fer italiens, assure les liaisons ferroviaires entre la France et l'Italie.

Comment y aller ?

Des trains de nuit partent tous les soirs au départ de Paris-gare de Bercy.
➢ ***Pour Florence et la Toscane :*** 1 aller/j. avec un départ de Paris vers 19h, arrivée vers 7h le lendemain matin à la gare de Florence-Santa Maria Novella. Pour le retour : départ vers 21h, arrivée à Paris vers 9h.

Pour préparer votre voyage

– ***Billet à domicile :*** commandez et payez votre billet par téléphone au ☎ 36-35 (0,34 € TTC/mn) ou sur Internet, la SNCF vous l'envoie gratuitement à domicile.
– ***Service « Bagages à domicile » :*** appelez le ☎ 36-35 (0,34 € TTC/mn), la SNCF prend en charge vos bagages où vous le souhaitez, et vous les livre là où vous allez en ***24h de porte à porte.***

Pour voyager au meilleur prix

La SNCF propose des tarifs adaptés à chacun de vos voyages.
➢ ***TGV Prem's, Téoz Prem's et Lunéa Prem's :*** des petits prix disponibles toute l'année. Tarifs non échangeables et non remboursables (offres soumises à conditions).
– ***Prem's :*** pour des prix mini si vous réservez jusqu'à 90 j. avant votre départ, à partir de 22 € l'aller en 2de classe avec TGV, 17 € en 2de classe avec Téoz et 35 € en 2de classe en couchette avec Lunéa (32 € sur Internet).
– ***Prem's Dernière Minute :*** des offres exclusives à saisir sur Internet. Bénéficiez jusqu'à 50 % de réduction sur des places encore disponibles quelques jours avant le départ du train.
– ***Prem's Vente Flash :*** des promotions ponctuelles.
– ***TGV Prem's Week-End :*** 25 € ou 45 € garantis en 2de classe pour des départs sur les derniers TGV des vendredi et dimanche soir (une offre exclusive TGV).
➢ ***Les tarifs Loisir***
Une offre pour tous ceux qui programment leurs voyages mais souhaitent avoir la liberté de décider au dernier moment et de changer d'avis (offres soumises à conditions, tarifs échangeables et remboursables). Pour bénéficier des meilleures réductions, pensez à réserver vos billets à l'avance (les réservations sont ouvertes jusqu'à 90 j. avant le départ) ou à voyager en période de faible affluence.
➢ ***Les cartes***
Pour ceux qui voyagent régulièrement, profitez de réductions garanties tout le temps avec les Cartes Enfant +, 12-25, Escapades ou Senior (valables 1 an).
– Vous voyagez avec un enfant de moins 12 ans : pour 70 €, la ***Carte Enfant +*** permet aux accompagnateurs (jusqu'à 4 adultes ou enfants, sans obligation de lien

de parenté) de bénéficier de réductions allant jusqu'à 50 %, et à l'enfant titulaire de la carte de payer la moitié du prix adulte après réduction (s'il a moins de 4 ans, l'enfant voyage gratuitement).
– Vous avez entre 12 et 25 ans : avec la ***Carte 12-25,*** pour 49 €, vous bénéficiez jusqu'à 60 % de réduction et - 25 % garantis sur tous vos voyages, même au dernier moment.
– Vous avez entre 26 et 59 ans : avec la ***Carte Escapades,*** pour 85 €, vous bénéficiez jusqu'à 40 % de réduction et - 25 % garantis sur tous vos voyages, même au dernier moment. Ces réductions sont valables pour tout aller-retour de plus de 200 km effectué sur la journée du samedi ou du dimanche, ou comprenant la nuit du samedi au dimanche sur place.
– Vous avez plus de 60 ans : avec la ***Carte Senior,*** pour 56 €, vous bénéficiez jusqu'à 50 % de réduction et - 25 % garantis sur tous vos voyages, même au dernier moment.

➢ ***Pass InterRail***

– Avec les ***Pass InterRail,*** les résidents européens peuvent voyager dans 30 pays d'Europe, dont l'***Italie.*** Plusieurs formules et autant de tarifs, en fonction de la destination et de l'âge.
À noter que le *Pass InterRail* n'est pas valable dans votre pays de résidence (cependant l'*InterRail Global Pass* offre une réduction de 50 % de votre point de départ jusqu'au point frontière en France).
– Pour les grands voyageurs, l'***InterRail Global Pass*** est valable dans l'ensemble des 30 pays européens ; intéressant si vous comptez parcourir plusieurs pays au cours du même périple. Il se présente sous 4 formes au choix. Deux formules flexibles : utilisable 5 j. sur une période de validité de 10 j. (249 € pour les + de 25 ans, 159 € pour les 12-25), ou 10 j. sur une période de validité de 22 j. (359 € pour les + de 25 ans, 239 € pour les 12-25). Deux formules « continues » : *pass* 22 j. (469 € pour les + de 25 ans, 309 € pour les 12-25), *pass* 1 mois (599 € pour les + de 25 ans, 399 € pour les 12-25). Ces 4 formules existent aussi en version 1re classe !
– Si vous ne parcourez que l'***Italie,*** le ***One Country Pass*** vous suffira. D'une période de validité de 1 mois et utilisable, selon les formules, 3, 4, 6 ou 8 j. en discontinu ; à vous de calculer avant votre départ le nombre de jours dont vous aurez besoin pour voyager : 3 j. (112 € pour les + de 25 ans, 73 € pour les moins de 25 ans, 56 € pour les 4-11 ans), 4 j. (139 € pour les + de 25 ans, 90 € pour les moins de 25 ans, 69,50 € pour les 4-11 ans), 6 j. (189 € pour les + de 25 ans, 123 € pour les moins de 25 ans, 94,50 € pour les 4-11 ans) ou 8 j. (229 € pour les + de 25 ans, 149 € pour les moins de 25 ans, 114,50 € pour les 4-11 ans). Là encore, ces formules existent en version 1re classe (mais ce n'est pas le même prix, bien sûr). *InterRail* vous offre également la possibilité d'obtenir des réductions ou avantages à travers toute l'Europe avec ses partenaires bonus (musées, chemins de fer privés, hôtel, etc.).
Pour plus d'infos sur le Pass InterRail : • interrailnet.com • Adressez-vous aussi à la gare ou boutique SNCF la plus proche.

Pour obtenir plus d'informations sur les conditions de réservation et d'achat de vos billets

– ***Internet :*** *• voyages-sncf.com • tgv.com • corailteoz.com • coraillunea.fr •*
– ***Téléphone :*** *☎ 36-35 (0,34 €/mn).*
– *Également dans les gares, les boutiques SNCF et les agences de voyages agréées SNCF.*

EN AVION

Les compagnies régulières

▲ **AIR FRANCE**

Rens et résas au ☎ 36-54 (0,34 €/mn – tlj 6h30-22h), sur • airfrance.fr •, dans les agences Air France (fermées dim) et dans ttes les agences de voyages.

➢ Dessert Florence avec 6 vols directs/j. et Pise avec 3 vols/j. au départ de Paris-Charles-de-Gaulle, aérogare 2.
Air France propose à tous des tarifs attractifs toute l'année. Vous avez la possibilité de consulter les meilleurs tarifs du moment sur Internet dans l'onglet « Achats & enregistrement en ligne », rubrique « Promotions ».
Le programme de fidélisation Air France KLM permet de cumuler des *miles* à son rythme et de profiter d'un large choix de primes. Avec votre carte *Flying Blue,* vous êtes immédiatement identifié comme client privilégié lorsque vous voyagez avec tous les partenaires.
Air France propose également des réductions jeunes avec la carte *Flying Blue Jeune,* réservée aux jeunes âgés de 2 à 24 ans résidant en France métropolitaine, dans les départements d'outre-mer, au Maroc, en Algérie ou en Tunisie. Avec plus de 18 000 vols/j., 900 destinations, et plus de 100 partenaires, *Flying Blue Jeune* offre autant d'occasions de cumuler des *miles* partout dans le monde.

▲ **ALITALIA**
Résas et infos : ☎ 0820-315-315 (0,12 €/mn). ● *alitalia.com* ● *Lun-ven 8h-20h.*
➢ Dessert Florence 6 fois/j. et Pise 3 fois/j. en partenariat avec Air France. Navettes tlj entre les aéroports de Florence et Pise.

▲ **BRUSSELS AIRLINES**
Rens : ☎ 0892-64-00-30 (depuis la France), ☎ 0902-51-600 (en Belgique ; lun-ven 9h-19h, sam 9h-17h). ● *brusselsairlines.com* ●
➢ Liaisons à destination de Bruxelles depuis Paris-CDG, Genève, Lyon, Marseille, Nice, Strasbourg et Toulouse.
➢ De Bruxelles, vols tlj pour Florence.

Les compagnies *low-cost*

Ce sont des compagnies dites « à bas prix ». De nombreuses villes de province sont desservies, ainsi que les aéroports limitrophes des grandes villes. Ne pas trop espérer trouver facilement des billets à prix plancher lors des périodes les plus fréquentées (vacances scolaires, w-e...). À bord, c'est service minimum. Afin de réduire les files d'attente dans les aéroports, certaines font même payer l'enregistrement aux comptoirs d'aéroport. Pour éviter cette nouvelle taxe qui ne dit pas son nom, les voyageurs ont intérêt à s'enregistrer directement sur Internet où le service est gratuit. La résa se fait parfois par téléphone (pas d'agence, juste un numéro de réservation et un billet à imprimer soi-même) et aucune garantie de remboursement n'existe en cas de difficultés financières de la compagnie. En outre, les pénalités en cas de changement d'horaires sont assez importantes et les taxes d'aéroport rarement incluses. Il faut aussi rappeler que plusieurs compagnies facturent maintenant les bagages en soute. Ne pas oublier non plus d'ajouter le prix du bus pour se rendre à ces aéroports, souvent assez éloignés du centre-ville. Au final, même si les prix de base restent très attractifs, il convient de prendre en compte tous ces frais annexes pour calculer le plus justement son budget.
➢ Les compagnies qui atterrissent à l'aéroport de Pise ont toutes des navettes qui font le trajet pour Florence.

▲ **EASYJET**
Résas : ● *easyjet.com* ●
➢ De Paris-Orly à Pise, 2 allers-retours/j.

▲ **RYANAIR**
Résas : ☎ 0892-232-375 (0,34 €/mn). ● *ryanair.com* ● *Lun-sam 8h-19h.*
➢ De Paris-Beauvais, 1 aller-retour/j. à destination de Pise. Également de Bruxelles-Charleroi, 1 à 2 allers-retours/j. Navettes tlj entre Pise et Florence.

LES ORGANISMES DE VOYAGES

EN FRANCE

– Ne pas croire que les vols à tarif réduit sont tous au même prix pour une même destination à une même époque : loin de là. On a déjà vu, dans un même avion partagé par deux organismes, des passagers qui avaient payé 40 % plus cher que les autres. De plus, une agence bon marché ne l'est pas forcément toute l'année (elle peut n'être compétitive qu'à certaines dates bien précises). Donc, contactez tous les organismes et jugez vous-même.
– Les organismes cités sont classés par ordre alphabétique, pour éviter les jalousies et les grincements de dents.

▲ AUTREMENT L'ITALIE ET LA SICILE

– Paris : 76, bd Saint-Michel, 75006. ☎ 01-44-41-69-95. • autrement-italie.net • RER B : Luxembourg. Lun-ven 9h30-19h ; sam 10h-13h, 14h-17h.
Autrement permet de voyager en toute liberté en Italie et en Sicile en construisant son voyage sur mesure avec l'aide de spécialistes : locations d'appartements, de villas dans la région des lacs, la Toscane, la côte amalfitaine et dans des grandes villes culturelles comme Rome, Venise, Florence ou Naples. Également des billets d'avion et des locations de voitures.
Possibilité aussi de s'initier à la cuisine italienne ou encore de réserver des billets pour des grandes manifestations culturelles (théâtres, opéras, concerts, expositions...).

▲ BOURSE DES VOLS / BOURSE DES VOYAGES

• bdv.fr • ou ☎ 01-42-61-66-61, lun-sam 8h-20h.
Agence de voyages en ligne, BDV.fr propose une vaste sélection de vols secs, séjours et circuits à réserver en ligne ou par téléphone. Pour bénéficier des meilleurs tarifs aériens, même à la dernière minute, le service de Bourse des Vols référence en temps réel un large panel de vols réguliers, charters et dégriffés au départ de Paris et de nombreuses villes de province. Promotions toute l'année sur une large sélection de séjours.

▲ BRAVO VOYAGES

– Paris : 5, rue de Hanovre, 75002. ☎ 01-45-35-43-00. • bravovoyages.com • Ⓜ Opéra ou Quatre-Septembre. Lun-ven 9h-19h ; sam 10h-17h.
Agence spécialisée sur l'Italie du nord au sud, les Villes d'Art, la Campanie et, plus particulièrement, sur la Sicile, les îles Éoliennes et la Sardaigne. Bravo propose des séjours en hôtels ou en clubs, des circuits, des croisières et des locations de villas et d'appartements sur l'Italie et ses îles. Vols réguliers hebdomadaires sur la Sicile et la Sardaigne. Brochures à consulter en ligne.

▲ COMPTOIR DE L'ITALIE ET DE LA CROATIE

– Paris : 6, rue des Écoles, 75005. ☎ 0892-237-037 (0,34 €/mn). Fax : 01-53-10-21-71. • comptoir.fr • Ⓜ Cardinal-Lemoine. Lun-ven 9h30-18h30, sam 10h-18h30.
– Lyon : 10, quai Tilsitt, 69002. ☎ 0892-230-465 (0,34 €/mn). Ⓜ Bellecour. Lun-sam 9h30-18h30.
– Toulouse : 43, rue Peyrolières, 31000. ☎ 0892-232-236 (0,34 €/mn). Ⓜ Esquirol. Lun-sam 10h-18h30.
La dolce vita, la magie de la Renaissance italienne, le bleu de la mer et les îles croates ne sont jamais bien loin lorsque leurs conseillers vous aident à bâtir un voyage. Comptoir de l'Italie et de la Croatie propose un grand choix d'hébergements de charme, des week-ends insolites, des idées de voyages originales, et bien d'autres suggestions à combiner selon son budget, ses envies et son humeur. Chaque Comptoir est spécialiste d'une ou plusieurs destinations : Afrique, Amérique centrale et Caraïbes, Brésil, Canada, Chine, Égypte, États-Unis, Grèce, îles (Polynésie française et îles de l'océan Indien), Indonésie, Inde et Sri Lanka, Islande

Visitez l'Italie avec les yeux des Italiens
l'Italie chez l'habitant
Bed & Breakfast Italia le premier réseau de logement chez l'habitant en Italie
Plus de 500 localités dispersées sur toute l'Italie avec 1500 habitation privées sélectionnées avec soin pour vous garantir le meilleur séjour dans un cadre familial, accueillant et chaleureux.
Bed & Breakfast
ITALIA
www.bbitalia.it
e-mail: info@bbitalia.it
Tel. +33(0)1 82880145 - fax +33(0)1 72729074
3% de réduction aux amis du Routard en se connectant à la page: www.bbitalia.it/routard

et terres polaires, Italie et Croatie, Japon, Maroc, Moyen-Orient, pays andins, pays celtes, pays scandinaves, pays du Mékong.

▲ FUAJ

– Paris : antenne nationale, 27, rue Pajol, 75018. ☎ 01-44-89-87-27. Ⓜ La Chapelle, Marx-Dormoy ou Gare-du-Nord. Mar-ven 13h-17h30. Rens dans ttes les auberges de jeunesse, les points d'information et de résa en France et sur le site • fuaj.org •

La FUAJ (Fédération unie des auberges de jeunesse) accueille ses adhérents dans 160 auberges de jeunesse en France. Seule association française membre de l'IYHF *(International Youth Hostel Federation),* elle est le maillon d'un réseau de 4 200 auberges de jeunesse réparties dans 81 pays. La FUAJ organise, pour ses adhérents, des activités sportives, culturelles et éducatives, ainsi que des rencontres internationales. Vous pouvez obtenir gratuitement les brochures *Printemps-Été, Hiver, le dépliant des séjours pédagogiques, la carte pliable des AJ et le Guide des AJ en France.*

▲ LINEA ITALIA

– Paris : 15, rue du Surmelin, 75020. ☎ 01-43-61-10-00. Ⓜ Pelleport. Lun-ven 9h30-12h30, 13h30-18h30 (17h30 ven).

Linea Italia offre une nouvelle ligne de programmes pour concevoir ses vacances selon son plaisir et à son rythme : soit détente et farniente, soit découverte des trésors culturels ou d'un événement. Linea Italia, c'est aussi des vols spéciaux ou réguliers à prix réduits, un choix d'hôtels du 2-étoiles au palace, hôtels-clubs, villages de vacances, location d'appartements et location de voitures, sélectionnés par une équipe italienne de spécialistes.

▲ LOOK VOYAGES

Les brochures sont disponibles dans ttes les agences de voyages. Infos et résas : • look-voyages.fr •

Ce tour-opérateur propose une grande variété de produits et de destinations pour tous les budgets : séjours tout inclus en club *Lookéa,* séjours classiques, circuits, vols charters exclusifs et vols réguliers à tarifs négociés.

▲ NOUVELLES FRONTIÈRES

– Rens et résas dans tte la France : ☎ 0825-000-825 (0,15 €/mn). • nouvelles-frontieres.fr •

Les brochures Nouvelles Frontières sont disponibles gratuitement dans les 300 agences du réseau, par téléphone et sur Internet.

Plus de 40 ans d'existence, 1 000 000 clients par an, 250 destinations, des hôtels-clubs Nouvelles Frontières et une compagnie aérienne, *Corsairfly.* Pas étonnant que Nouvelles Frontières soit devenu une référence incontournable, notamment en matière de tarifs. Le fait de réduire au maximum les intermédiaires permet d'offrir des prix « super-serrés ». Un choix illimité de formules vous est proposé : des vols sur la compagnie aérienne de Nouvelles Frontières au départ de Paris et de province, en classe Horizon ou Grand Large, et sur toutes les compagnies aériennes régulières, avec une gamme de tarifs selon votre budget. Sont également proposés toutes sortes de circuits, aventure ou organisés ; des séjours en hôtels, en hôtels-clubs et en résidences ; des week-ends, des formules à la carte (vol, nuits d'hôtel, excursions, location de voitures...), des séjours neige, des croisières, des séjours thématiques, plongée, thalasso.

Avant le départ, des réunions d'information sont organisées. Intéressant : des brochures thématiques (plongée, aventure, rando, trek, sport et nouvelles rencontres).

▲ PARTIRENEUROPE.COM

– Grenoble : 45, rue Lesdiguières, 38000. ☎ 04-76-47-19-18. • partireneurope.com • Lun-ven 9h-12h30, 14h-18h30 (17h30 ven).

Une agence dynamique qui organise des séjours économiques en Europe et en Russie dans les grandes capitales européennes au départ de 30 villes de France.

Plusieurs formules d'hébergement, de la cité U aux hôtels 3 étoiles. Départs toute l'année et pour des concerts et des festivals rock en Europe. Nouveau : départs possibles chaque semaine avec des formules bus + hôtels dans les capitales européennes.

▲ PROMOVACANCES.COM

Les offres Promovacances sont accessibles sur • promovacances.com • ou au ☎ 0899-654-850 (1,35 € l'appel, puis 0,34 €/mn) et dans 10 agences situées à Paris et à Lyon.

N° 1 français de la vente de séjours sur Internet, Promovacances a fait voyager plus de 2 millions de clients en 10 ans. Le site propose plus de 10 000 voyages actualisés chaque jour sur 300 destinations : séjours, circuits, week-ends, thalasso, plongée, golf, voyages de noce, locations, vols secs... L'ambition du voyagiste : prouver chaque jour que le petit prix est compatible avec des vacances de qualité. Grâce aux avis clients publiés sur le site et aux visites virtuelles des hôtels, vous réservez vos vacances en toute tranquillité.

▲ PROMOVOLS

Infos et résas : • promovols.com • ou ☎ 0899-01-01-01 (1,35 €/mn). Lun-ven 9h-19h, sam 10h-18h.

Spécialiste de la vente de billets d'avions sur Internet, Promovols vous propose une vaste sélection de vols réguliers, charters et dégriffés au départ de Paris et de la plupart des villes de province. Grâce à son moteur de réservation très performant, cette agence de voyages en ligne vous garantit les meilleurs prix du marché quelle que soit votre destination.

Promovols propose également un très large choix d'hôtels, séjours et circuits à prix extrêmement compétitifs sur plus de 200 destinations.

▲ VOYAGES-SNCF.COM

• *voyages-sncf.com* •, acteur majeur du tourisme français qui recense 9 millions de visiteurs par mois, propose d'acheter en ligne des billets de train, d'avion, des chambres d'hôtel, des locations de voitures, de vacances et des séjours clés en main ou Alacarte®, ainsi que des spectacles, des excursions et des musées. Un large choix et des prix avantageux sont offerts toute l'année, pour tous types de voyages dans le monde entier : SNCF, 180 compagnies aériennes, 84 000 hôtels référencés et les principaux loueurs de voitures.

Leur site • *voyages-sncf.com* • permet d'accéder tlj, 24h/24 à plusieurs services : envoi gratuit des billets à domicile, Alerte Résa pour être informé de l'ouverture des résas et profiter du plus grand choix, calendrier des meilleurs prix (TTC), mais aussi des offres de dernière minute et des promotions...

Pratique : • *voyages-sncf.mobi* • , le site mobile pour réserver, s'informer et profiter des bons plans n'importe où et à n'importe quel moment.

Et grâce à l'ÉcoComparateur, en exclusivité sur • *voyages-sncf.com* •, possibilité de comparer le prix, le temps de trajet et l'indice de pollution pour un même trajet en train, en avion ou en voiture.

▲ VOYAGEURS EN ITALIE

Le spécialiste du voyage en individuel sur mesure. • *vdm.com* •

– Paris : La Cité des Voyageurs, 55, rue Sainte-Anne, 75002. ☎ 01-42-86-17-20. Ⓜ Opéra ou Pyramides. Lun-sam 9h30-19h.

– Également des agences à Bordeaux, Caen, Grenoble, Lille, Lyon, Marseille, Montpellier, Nantes, Nice, Rennes, Rouen, Strasbourg et Toulouse.

Pour partir à la découverte de plus de 120 pays, des experts pays, de près de 30 nationalités et grands spécialistes de leurs destinations, guident à travers une collection de 30 brochures (dont 6 thématiques) comme autant de trames d'itinéraires destinés à être adaptés à vos besoins et à vos envies pour élaborer étape après étape votre propre voyage en individuel.

Dans chacune des *Cités des Voyageurs,* tout appelle au voyage : librairies spécialisées, boutiques d'accessoires de voyage, expositions-ventes d'artisanat ou

encore cocktails-conférences. Toute l'actualité de Voyageurs du monde et des devis en temps réel à consulter sur leur site internet.
Voyageurs du Monde est membre de l'association ATR (Agir pour un Tourisme Responsable) et a obtenu en 2008 sa certification Tourisme Responsable AFAQ AFNOR.

Comment aller à Roissy et à Orly ?

À Roissy-Charles-de-Gaulle 1, 2 et 3

Attention : si vous partez de Roissy, pensez à vérifier de quelle aérogare votre avion décolle car la durée du trajet peut considérablement varier en fonction de cette donnée.
Bon à savoir :
- ***Le pass Navigo*** est valable pour Roissy-Rail (RER B, zones 1-5) et Orly-Rail (RER C, zones 1-4).
- ***Le billet Orly-Rail*** permet d'accéder sans supplément aux réseaux métro et RER.

Transports collectifs

Les cars Air France : *☎ 0892-350-820 (0,34 €/mn). • cars-airfrance.com • Paiement par CB possible à bord.*
➢ *Paris-Roissy :* départ pl. de l'Étoile (1, av. Carnot), avec un arrêt pl. de la Porte-Maillot (bd Gouvion-Saint-Cyr). Départs ttes les 30 mn 5h45-23h. Durée du trajet : 35-50 mn env. Tarifs : 15 € l'aller simple, 24 € l'aller-retour.
Autre départ depuis la gare Montparnasse (arrêt rue du Commandant-Mouchotte, face à l'hôtel *Méridien Montparnasse*), ttes les 30 mn 6h30-21h30, avec un arrêt gare de Lyon (20 bis, bd Diderot). Tarifs : 16,50 € l'aller simple, 27 € l'aller-retour.
➢ *Roissy-Paris :* les cars *Air France* desservent la pl. de la Porte-Maillot, avec un arrêt bd Gouvion-Saint-Cyr, et se rendent ensuite au terminus de l'av. Carnot. Départs ttes les 30 mn 5h45-23h des terminaux 2A et 2C (porte C2), 2E et 2F (niveau « Arrivées », porte 3 de la galerie), 2B et 2D (porte B1), et du terminal 1 (porte 34, niveau « Arrivées »).
À destination de la gare de Lyon et de la gare Montparnasse, départs ttes les 30 mn 7h-21h des mêmes terminaux. Durée du trajet : 45 mn env.

Roissybus : *☎ 32-46 (0,34 €/mn). • ratp.fr •* Départs de la pl. de l'Opéra (angle rues Scribe et Auber) ttes les 15 mn (20 mn à partir de 19h) 5h45-23h. Durée du trajet : 45-60 mn. De Roissy, départs 6h-23h des terminaux 1, 2A, 2B, 2C, 2D et 2F, et à la sortie du hall d'arrivée du terminal 3. Tarif : 9,10 €.

Bus RATP n° 351 : de la pl. de la Nation, 5h30-20h20. Solution la moins chère mais la plus lente. Compter en effet 1h30 de trajet. Ou ***bus n° 350,*** de la gare de l'Est (1h15 de trajet). Arrivée Roissypôle-Gare RER.

RER ligne B + navette : départ ttes les 15 mn. Compter 30 mn de la gare du Nord à l'aéroport (navette comprise). Un 1er départ à 4h56 de la gare du Nord et à 5h26 de Châtelet. À Roissy-Charles-de-Gaulle, descendre à la station (il y en a 2) qui dessert le bon terminal. De là, prendre la navette adéquate. Tarif : 8,50 €.

Si vous venez du nord, de l'ouest ou du sud de la France en train, vous pouvez rejoindre les aéroports de Roissy sans passer par Paris, la gare SNCF Paris-Charles de Gaulle étant reliée aux réseaux TGV.

Taxis collectifs

Liaisons avec les aéroports depuis Paris-Île-de-France, l'Eure et l'Oise. Moins cher qu'un taxi puisque les tarifs sont forfaitaires. Véhicules adaptés aux familles et aux personnes handicapées. Possibilité de devis en ligne. *Résas : • atafrance.com • Avec le code « Routard », bénéficiez de 10 % de réduc.*

Taxis

Compter au moins 50 € du centre de Paris, en tarif de jour.

En voiture

Chaque terminal a son propre parking. Compter 30 € par tranche de 24h. Également des parkings longue durée (PR et PX), plus éloignés des terminaux, qui proposent des tarifs plus avantageux (forfait 24h 22 €, forfait 6 à 7 j. 130 €). Possibilité de réserver sa place de parking via le site • *aeroportsdeparis.fr* • Stationnement au parking Vacances (longue durée), situé à 200 m du P3 Est. Formules de stationnement 1-30 j. (120-190 €). Réservation sur Internet uniquement.

Comment se déplacer entre Roissy-Charles-de-Gaulle 1, 2 et 3 ?

Les rames du CDG-VAL font le lien entre les 3 terminaux en 8 mn. Fonctionne tlj, 24h/24. Gratuit. Accessible aux personnes à mobilité réduite. Départ ttes les 5 mn, et ttes les 20 mn minuit-4h. Desserte gratuite vers certains hôtels, parkings, gares RER et gares TGV.

À Orly-Sud et Orly-Ouest

Transports collectifs

Les cars Air France : *☎ 0892-350-820 (0,34 €/mn).* • *cars-airfrance.com* • *Tarifs : 11,50 € l'aller simple, 18,50 € l'aller-retour. Paiement par CB possible dans le bus.*
➢ *Paris-Orly :* départs de l'Étoile, 1, av. Carnot, ttes les 30 mn 6h-23h20. Arrêts au terminal des Invalides (Ⓜ Invalides), Gare Montparnasse (rue du Commandant-Mouchotte, face à l'hôtel *Méridien Montparnasse* ; Ⓜ Montparnasse-Bienvenüe, sortie Gare SNCF), et Porte d'Orléans (arrêt facultatif).
➢ *Orly-Paris :* départs 6h15-23h15 d'Orly-Sud, porte L, et d'Orly-Ouest, porte B, niveau « Arrivées ».

RER C + navette Orly-Rail : *☎ 0891-362-020 (0,23 €/mn).* • *transilien.com* • Prendre le RER C jusqu'à Pont-de-Rungis (un RER ttes les 15-30 mn). Compter 25 mn depuis la gare d'Austerlitz. Ensuite, navette Orly-Rail pdt 15 mn pour Orly-Sud et Orly-Ouest. Compter 6 €. Très recommandé les jours où l'on piétine sur l'autoroute du Sud (w-e et jours de grands départs) : on ne sera jamais en retard. Pour le retour, départs de la navette depuis la porte G des terminaux Sud et Ouest (4h46-23h30).

Bus RATP Orlybus : *☎ 32-46 (0,34 €/mn).* • *ratp.fr* •
➢ *Paris-Orly :* départs ttes les 15-20 mn de la pl. Denfert-Rochereau. Compter 25 mn pour rejoindre Orly (Ouest ou Sud). La pl. Denfert-Rochereau est très accessible : RER B, 2 lignes de métro et 3 lignes de bus. Orlybus fonctionne lun-jeu et dim 5h35-23h, jusqu'à 0h05 ven, sam et veilles de fêtes dans le sens Paris-Orly ; et lun-jeu et dim 6h-23h30, jusqu'à 0h30 ven, sam et veilles de fêtes dans le sens Orly-Paris.
➢ *Orly-Paris :* départ d'Orly-Sud, porte H, quai 4, ou d'Orly-Ouest, porte J, niveau « Arrivées ». Compter 6,40 € l'aller simple.

Orlyval : *☎ 32-46 (0,34 €/mn).* • *ratp.fr* • Ce métro automatique est facilement accessible à partir de n'importe quel point de la capitale ou de la région parisienne (RER, stations de métro, gare SNCF). La jonction se fait à Antony (ligne B du RER) sans aucune attente. Permet d'aller d'Orly à Châtelet et vice versa en 40 mn env, sans se soucier de la densité de la circulation automobile.
➢ *Paris-Orly :* départs pour Orly-Sud et Orly-Ouest ttes les 4-8 mn 6h-23h.
➢ *Orly-Paris :* départ d'Orly-Sud, porte J, à proximité de la livraison des bagages, ou d'Orly-Ouest, porte W du hall 2, niveau « Départs ». Compter 9,85 € l'aller simple entre Orly et Paris. Billet Orlyval seul : 7,60 €.

Taxis collectifs (voir plus haut)

Taxis

Compter au moins 35 € en tarif de jour du centre de Paris, selon circulation et importance des bagages.

En voiture

À proximité d'Orly-Ouest, parkings P0 et P2. À proximité d'Orly-Sud, P1 et P3 (à 50 m du terminal, accessible par tapis roulant). Compter 23,30 € par tranche de 24h. Ces 4 parkings à proximité immédiate des terminaux proposent un forfait intéressant : « week-end » valable du ven 0h01 au lun 23h59 (40 €). Dans les P0, P2 et P5 (excentrés), forfait « grand week-end » du jeu 15h au lun soir (55 €).
Les P4, P7 (en extérieur) et P5 (couvert) sont des parkings longue durée, plus excentrés, reliés par navettes gratuites aux terminaux. Compter 115 € pour 8 j. et 10h au P4, 115 € pour 6 j. et 8h au P7 (45 j. de stationnement max). En revanche, ne sont pas moins chers pour des séjours de courte durée, w-e inclus. *Rens : ☎ 01-49-75-56-50.* Comme à Roissy, possibilité de réserver en ligne sa place de parking (P0) sur • *aeroportsdeparis.fr* • Les frais de résa (en sus du parking) sont de 8 € pour 1 j., de 12 € pour 2-3 j. et de 20 € pour 4-10 j. de stationnement.

Liaisons entre Orly et Roissy-Charles-de-Gaulle

Les cars Air France : *☎ 0892-350-820 (0,34 €/mn). • cars-airfrance.com •* Départs de Roissy-Charles-de-Gaulle depuis les terminaux 1 (porte 34, niveau « Arrivées »), 2A et 2C (porte C2), 2B et 2D (porte B1), 2E et 2F (niveau « Arrivées », porte 3 de la galerie) vers Orly 5h55-22h30. Départs d'Orly-Sud (porte K) et d'Orly-Ouest (porte B-C, niveau « Arrivées ») vers Roissy-Charles-de-Gaulle 6h30 (7h le w-e)-22h30. Ttes les 30 mn (dans les 2 sens). Durée du trajet : 50 mn env. Tarif : 19 €.

RER B + Orlyval : *☎ 32-46 (0,34 €/mn).* Depuis Roissy, navette puis RER B jusqu'à Antony et enfin Orlyval entre Antony et Orly, 6h-23h. On obtient alors la combinaison gagnante pour rejoindre l'aéroport. Tarif : 17,60 €.

– ***En taxi collectif :*** voir plus haut.
– ***En taxi :*** compter 50-55 € en journée.

EN BELGIQUE

▲ AIRSTOP

Pour ttes les adresses Airstop, un seul numéro : ☎ 070-233-188. Lun-ven 9h-18h30, sam 10h-17h. • airstop.be •
– Bruxelles : bd E.-Jacquemain, 76, 1000.
– Anvers : Jezusstraat, 16, 2000.
– Bruges : Dweersstraat, 2, 8000.
– Gand : Maria Hendrikaplein, 65, 9000.
– Louvain : Tiensestraat, 5, 3000.
Airstop offre une large gamme de prestations, du vol sec au séjour tout compris à travers le monde.

▲ CONNECTIONS

Rens et résas : ☎ 070-233-313. • connections.be • Lun-ven 9h-19h, sam 10h-17h.
Fort d'une expérience de plus de 20 ans dans le domaine du voyage, Connections dispose d'un réseau de 28 *travel shops* dont un à Brussels Airport. Connections propose des vols dans le monde entier à des tarifs avantageux et des voyages destinés à des voyageurs désireux de découvrir la planète de façon autonome et de vivre des expériences uniques. Connections propose une gamme complète de produits : vols, hébergements, locations de voitures, autotours, vacances sportives, excursions, assurances « Protections »...

▲ NOUVELLES FRONTIÈRES

– Bruxelles (siège) : bd Lemonnier, 2, 1000. ☎ 02-547-44-44. • nouvelles-frontie res.be •
– Également d'autres agences à *Bruxelles, Charleroi, Liège, Mons, Namur, Waterloo, Wavre* et au *Luxembourg.*
Voir texte dans la partie « En France ».

▲ SERVICE VOYAGES ULB

– Bruxelles : campus ULB, av. Paul-Héger, 22, CP 166, 1000. ☎ 02-650-40-20.
– Bruxelles : rue Abbé-de-l'Épée, 1, Woluwe, 1200. ☎ 02-742-28-80.
– Bruxelles : hôpital universitaire Érasme, route de Lennik, 808, 1070. ☎ 02-555-38-63.
– Bruxelles : chaussée d'Alsemberg, 815, 1180. ☎ 02-332-29-60.
– Ciney : rue du Centre, 46, 5590. ☎ 083-216-711.
– Marche (Luxembourg) : av. de la Toison-d'Or, 4, 6900. ☎ 084-31-40-33.
– Wepion : chaussée de Dinant, 1137, 5100. ☎ 081-46-14-37.
• servicevoyages.be •
Service Voyages ULB, c'est le voyage à l'université. Billets d'avion sur vols charters et sur compagnies régulières à des prix compétitifs.

▲ TAXISTOP

Pour ttes les adresses Taxistop : ☎ 070-222-292. • taxistop.be •
– Bruxelles : rue Théresienne, 7a, 1000.
– Gent : Maria hendrikaplein, 65b, 9000.
– Ottignies : bd Martin, 27, 1340.
Taxistop propose un système de covoiturage, ainsi que d'autres services comme l'échange de maisons ou le gardiennage.

▲ VOYAGEURS DU MONDE

Le spécialiste du voyage en individuel sur mesure. *• vdm.com •*
– Bruxelles : chaussée de Charleroi, 23, 1060. ☎ 0900-44-500 (0,45 €/mn).
Voir texte dans la partie « En France ».

EN SUISSE

▲ STA TRAVEL

• statravel.ch • ☎ 058-450-49-49.
– Fribourg : rue de Lausanne, 24, 1701. ☎ 058-450-49-80.
– Genève : rue de Rive, 10, 1204. ☎ 058-450-48-00.
– Genève : rue Vignier, 3, 1205. ☎ 058-450-48-30.
– Lausanne : bd de Grancy, 20, 1006. ☎ 058-450-48-50.
– Lausanne : à l'université, Anthropole, 1015. ☎ 058-450-49-20.
Agences spécialisées notamment dans les voyages pour jeunes et étudiants. Gros avantage en cas de problème : 150 bureaux STA et plus de 700 agents du même groupe répartis dans le monde entier sont là pour donner un coup de main *(Travel Help).*
STA propose des voyages très avantageux : vols secs *(Blue Ticket),* hôtels, écoles de langues, *Work & Travel,* circuits d'aventure, voitures de location, etc. Délivre la carte internationale d'étudiant et la carte Jeune.
STA est membre du fonds de garantie de la branche suisse du voyage ; les montants versés par les clients pour les voyages forfaitaires sont assurés.

▲ TUI – NOUVELLES FRONTIÈRES

– Genève : rue Chantepoulet, 25, 1201. ☎ 022-716-15-70.
– Lausanne : bd de Grancy, 19, 1006. ☎ 021-616-88-91.
Voir texte dans la partie « En France ».

▲ VOYAGES APN

– Carouge : rue Saint-Victor, 3, 1227. ☎ *022-301-01-50.* • *apnvoyages.ch* • Voyages APN propose des destinations hors des sentiers battus, particulièrement en Europe (Grèce, Italie et pays du Nord), avec un contact direct avec les prestataires, notamment dans le cadre de l'agritourisme. Certains programmes sont particulièrement adaptés aux familles. L'accent est mis sur le tourisme responsable et durable. Dans ce cadre, une sélection de destinations telles que la Bolivie ou le Bénin est proposée.

AU QUÉBEC

▲ EXOTIK TOURS

Rens sur • exotiktours.com • ou auprès de votre agence de voyages.
La Méditerranée, l'Europe, l'Asie et les Grands Voyages : Exotik Tours offre une importante programmation en été comme en hiver. Ses circuits estivaux se partagent notamment entre la France, l'Autriche, la Grèce, la Turquie, l'Italie, la Croatie, le Maroc, la Tunisie, la République tchèque, la Russie, la Thaïlande, le Vietnam, la Chine... Dans la rubrique « Grands voyages », le voyagiste suggère des périples en petits groupes ou en individuel. Au choix : l'Amérique du Sud (Brésil, Pérou, Argentine, Chili, Équateur, îles Galapagos), le Pacifique sud (Australie et Nouvelle-Zélande), l'Afrique (Afrique du Sud, Kenya, Tanzanie), l'Inde et le Népal. L'hiver, des séjours sont proposés dans le Bassin méditerranéen et en Asie (Thaïlande et Bali). Durant cette saison, on peut également opter pour des combinés plage + circuit. Le voyagiste a par ailleurs créé une nouvelle division : Carte Postale Tours (circuits en autocar au Canada et aux États-Unis). Exotik Tours est membre du groupe *Intair.*

▲ RÊVATOURS

• *revatours.com* • Ce voyagiste, membre du groupe Transat A.T. Inc., propose quelque 25 destinations à la carte ou en circuits organisés. De l'Inde à la Thaïlande en passant par le Vietnam, la Chine, Bali, l'Europe centrale, la Russie, des croisières sur les plus beaux fleuves d'Europe, la Grèce, la Turquie, l'Italie, la Croatie, le Maroc, l'Espagne, le Portugal, la Tunisie ou l'Égypte et l'Amérique du Sud, le client peut soumettre son itinéraire à Rêvatours qui se charge de lui concocter son voyage. Parmi ses points forts : la Grèce avec un bon choix d'hôtels, de croisières et d'excursions, les *Fugues Musicales* en Europe, la Tunisie et l'Asie. Nouveau : deux programmes en Scandinavie, l'Italie en circuit, Israël pouvant être combiné avec l'Égypte et la Grèce et aussi la Dalmatie.

▲ TOURS CHANTECLERC

• *tourschanteclerc.com* • Tours Chanteclerc est un tour-opérateur qui publie différentes brochures de voyages : Europe, Amérique du Nord, Amérique du Sud, Asie et Pacifique sud, Afrique et le bassin méditerranéen en circuits ou en séjours. Il se présente comme l'une des « références sur l'Europe » avec deux brochures : groupes (circuits guidés en français) et individuels. « Mosaïque Europe » s'adresse aux voyageurs indépendants qui réservent un billet d'avion, un hébergement (dans toute l'Europe), des excursions ou une location de voiture. Aussi spécialiste de Paris, le grossiste offre une vaste sélection d'hôtels et d'appartements dans la Ville Lumière.

▲ VOYAGES CAMPUS / TRAVEL CUTS

• *voyagescampus.com* • Campus / Travel Cuts est un réseau national d'agences de voyages spécialisées pour les étudiants et les voyageurs qui disposent de petits budgets. Le réseau existe depuis 40 ans et compte plus de 50 agences dont 6 au Québec. Voyages Campus propose des produits exclusifs comme l'assurance « Bon voyage », le programme de Vacances-Travail (SWAP), la carte d'étudiant internationale (ISIC) et plus. Ils peuvent vous aider à planifier votre séjour autant à l'étranger qu'au Canada et même au Québec.

TOSCANE-OMBRIE UTILE

« Les Italiens sont des Français de bonne humeur. »

Jean Cocteau.

ABC DE L'ITALIE

DE L'ITALIE EN GÉNÉRAL...

- ***Superficie :*** 302 000 km², avec deux États indépendants enclavés, le Vatican et Saint-Marin.
- ***Population :*** 60 400 000 hab.
- ***Capitale :*** Rome.
- ***Langue officielle :*** italien.
- ***Régime :*** démocratie parlementaire.
- ***Président de la République :*** Giorgio Napolitano depuis le 10 mai 2006.
- ***Président du Conseil :*** Silvio Berlusconi depuis le 14 avril 2008 (3e mandat !).

AVANT LE DÉPART

Adresses utiles

En France

i ***Office national italien de tourisme (ENIT) :*** *23, rue de la Paix, 75002 Paris. Infos : ☎ 01-42-66-03-96 (standard). • infoitalie.paris@enit.it • enit.it • (site très complet, à consulter absolument avt de partir).* Ⓜ *Opéra. Lun-ven 11h-16h45.*
L'ENIT *(Ente nazionale italiano per il turismo)* est l'organisme national chargé de la promotion touristique de l'Italie à l'étranger (France, Belgique, Suisse, Canada). L'ENIT est en relation constante avec les administrations touristiques des différentes régions et est susceptible de vous donner les meilleures informations « à chaud » (fêtes, festivals...). Dans les petites villes, vous trouverez des syndicats d'initiative ou *Pro Loco* dépendant, souvent, de la mairie.

■ ***Consulats d'Italie en France :*** *– Paris : 5, bd Émile-Augier, 75016. ☎ 01-44-30-47-00. • consolato.parigi@esteri.it • consparigi.esteri.it •* Ⓜ *La Muette. Lun-ven 9h-12h, plus mer 14h30-16h30. Infos téléphoniques lun-ven 9h-18h.*

■ *Autres* ***vice-consulats d'Italie*** *à Bordeaux, Lille, Lyon, Marseille, Metz, Nice et Toulouse.*

■ ***Ambassade d'Italie :*** *51, rue de Varenne, 75007 Paris. ☎ 01-49-54-03-00. • ambparigi.esteri.it •* Ⓜ *Rue-du-Bac ou Varenne.* Superbe hôtel particulier... malheureusement fermé au public.

■ ***Institut culturel italien*** *(hôtel de Galliffet) : 73, rue de Grenelle, 75007 Paris. ☎ 01-44-39-49-39. • iicparigi.esteri.*

it • Lun-ven 10h-13h, 15h-18h. Accès pour les manifestations du soir à la même adresse. Ⓜ *Varenne, Rue-du-Bac ou Sèvres-Babylone. Bibliothèque de consultation :* ☎ *01-44-39-49-25. Fermé lun mat.*

Loisirs

■ ***Centre culturel italien :*** *4, rue des Prêtres-Saint-Séverin, 75005 Paris.* ☎ *01-46-34-27-00. • centreculturelitalien.com •* Ⓜ *et RER B ou C : Saint-Michel ou* Ⓜ *Cluny-La Sorbonne. Lun-ven 9h30-19h ; sam 9h30-13h.* Propose des séjours linguistiques, des cours d'italien, mais également des expos, des conférences, des cours d'histoire de l'art, de cuisine... On peut demander le programme des activités culturelles par téléphone ou par mail.

■ ***Théâtre de la comédie italienne :*** *17, rue de la Gaîté, 75014 Paris.* ☎ *01-43-21-22-22. • comedie-italienne.fr •* La programmation de ce théâtre perpétue la tradition de la *Commedia dell'arte.*

■ ***Radici :*** ☎ *05-62-17-50-37. • radici-press.net •* Revue bimensuelle centrée sur l'actualité, la culture et la civilisation italiennes. Articles en français et en italien.

■ ***Radio Aligre :*** ☎ *01-40-24-28-28. • aligrefm.org • FM 93.1.* Le dimanche, de 10h30 à 12h, journalistes et invités débattent sur les problématiques franco-italiennes. La série « L'Italie en direct au quotidien », présentée du lundi au vendredi de 6h30 à 8h, est, quant à elle, plus centrée sur la musique et l'actualité. Accès aux émissions via le site internet.

■ ***Cours de cuisine italienne :*** *36, rue de la Roquette, 75011 Paris.* ☎ *01-44-64-86-00. • info@casadarno.com • casadarno.com •* Ⓜ *Bastille. Mer et sam 11h-14h. Possibilité de résa pour les groupes en dehors de ces horaires. À partir de 60 €/pers selon menu. Atelier de 8 pers.* Cours orchestrés par Elisabetta Arno, de l'agence *Casa d'Arno* (voir plus loin la rubrique « Hébergement »). Un thème culinaire est abordé chaque semaine, avec comme fil conducteur une région italienne. À la fin de l'atelier, on déguste ce qu'on a préparé, arrosé (ça va de soi) d'un bon cru local.

En Belgique

ℹ ***Office de tourisme :*** *av. Louise, 176, Bruxelles 1050.* ☎ *02-647-11-54. • brussels@enit.it • enit.it • Lun-ven 11h-16h.*

■ ***Ambassade d'Italie :*** *rue Émile-Claus, 28, Bruxelles 1050.* ☎ *02-643-38-50. • ambbruxelles.esteri.it • Lun-ven 9h-13h, 14h30-17h30.*

■ ***Consulat d'Italie :*** *rue de Livourne, 38, Bruxelles 1000.* ☎ *02-543-15-50. • segreteria.bruxelles@esteri.it • Lun-ven 9h-17h.*

En Suisse

ℹ ***Office de tourisme :*** *Uraniastrasse 32, 8001 Zurich.* ☎ *04-346-640-40. Fax : 04-346-640-41. • zurich@enit.it • Lun-ven 9h-17h.*

■ ***Ambassade d'Italie :*** *Elfenstrasse 14, 3006 Berne.* ☎ *031-350-07-77. Fax : 031-350-07-11. • ambberna.esteri.it • Lun-ven 8h30-17h30 (16h30 ven).*

■ ***Consulat d'Italie :*** *Belpstrasse 11, 3007 Berne.* ☎ *031-390-10-10. • segreteria.consberna@esteri.it • Mar et jeu, 15h-17h30 ; mer et ven 9h-12h30 ; sam 9h-13h.*

Au Canada

ℹ ***Office national italien du tourisme :*** *175 Bloor Street E., suite 907, South Tower, Toronto (Ontario) M4W-3R8.* ☎ *(416)925-48-82. • toronto@enit.*

it • *Lun-sam 9h-17h.*

■ ***Ambassade d'Italie :*** *275 Slater Street, 21st floor, Ottawa (Ontario) K1P-5H9.* ☎ *(613) 232-24-01. Fax : (613) 233-14-84.* • *ambasciata.ottawa@esteri.it* • *Lun-ven 9h-12h, plus mer 14h-16h.*

Formalités d'entrée

Pas de contrôles aux frontières, puisque l'Italie fait partie de l'espace Schengen. Néanmoins, quelques précautions d'usage :

➢ ***Pour un séjour de moins de 3 mois :***

– ressortissants de l'Union européenne ainsi que de la Suisse : carte d'identité en cours de validité ou passeport ;

– ressortissants canadiens : passeport en cours de validité.

➢ ***Pour les mineurs accompagnés,*** quel que soit leur âge, ils doivent impérativement avoir une carte nationale d'identité à leur nom.

➢ ***Pour les mineurs non accompagnés de leurs parents,*** une autorisation de sortie du territoire est indispensable.

➢ ***Pour une voiture :*** permis de conduire à 3 volets, carte grise et carte verte d'assurance internationale.

➢ ***Pensez à scanner*** passeport, visa, carte bancaire, billet d'avion et *vouchers* d'hôtel. Ensuite, adressez-les-vous par e-mail, en pièces jointes. En cas de perte ou vol, rien de plus facile pour les récupérer dans un cyber-café. Les démarches administratives seront bien plus rapides !

Avoir un passeport européen, ça peut être utile !

L'Union européenne a organisé une assistance consulaire mutuelle pour les ressortissants de l'UE en cas de problème en voyage.

Vous pouvez y faire appel lorsque la France (c'est rare) ou la Belgique (c'est plus fréquent) ne disposent pas d'une représentation dans le pays où vous vous trouvez. Concrètement, elle vous permet de demander assistance à l'ambassade ou au consulat (pas à un consulat honoraire) de n'importe quel État membre de l'UE. Leurs services vous indiqueront s'ils peuvent directement vous aider ou vous préciseront ce qu'il faut faire.

Leur assistance est, bien entendu, limitée aux situations d'urgence : décès, accidents ayant entraîné des blessures ou des lésions, maladie grave, rapatriement pour raison médicale, arrestation ou détention. En cas de **perte ou de vol de votre passeport,** ils pourront également vous procurer un **document provisoire** de voyage.

Cette entraide consulaire entre les 27 États membres de l'UE ne peut, bien entendu, vous garantir un accueil dans votre langue. En général, une langue européenne courante sera pratiquée.

Assurances voyages

■ ***Routard Assurance*** *(c/o AVI International) : 28, rue de Mogador, 75009 Paris.* ☎ *01-44-63-51-00.* • *avi-international.com* • Ⓜ *Trinité-d'Estienne-d'Orves.* Depuis 1995, *Routard Assurance,* en collaboration avec *AVI International,* spécialiste de l'assurance voyage, propose aux routards un tarif à la semaine qui inclut une assurance bagages de 2 000 € et une assurance appareils photo de 300 €. Pour les séjours longs (2 mois à 1 an), il existe le *Plan Marco Polo.* Depuis peu, également un nouveau contrat pour les seniors, en courts et longs séjours. *Routard Assurance* est aussi disponible en version « light » (durée adaptée aux week-ends et courts séjours en

Europe). Vous trouverez un bulletin de souscription dans les dernières pages de chaque guide.

■ ***AVA :*** *25, rue de Maubeuge, 75009 Paris.* ☎ *01-53-20-44-20.* • *ava.fr* • Ⓜ *Cadet.* Un autre courtier fiable pour ceux qui souhaitent s'assurer en cas de décès-invalidité-accident lors d'un voyage à l'étranger, mais surtout pour bénéficier d'une assistance rapatriement, perte de bagages et annulation. Attention, franchises pour leurs contrats d'assurance voyage.

■ ***Pixel Assur :*** *18, rue des Plantes, 78600 Maisons-Laffitte.* ☎ *01-39-62-28-63.* • *pixel-assur.com* • *RER A : Maisons-Laffitte.* Assurance de matériel photo et vidéo tous risques dans le monde entier. Devis basé sur le prix d'achat de votre matériel. Avantage : garantie à l'année.

Carte internationale d'étudiant (ISIC)

Elle prouve le statut d'étudiant dans le monde entier et permet de bénéficier de tous les avantages, services, réductions étudiants du monde concernant les transports, les hébergements, la culture, les loisirs, le shopping... C'est la clé de la mobilité étudiante !

La carte ISIC donne aussi accès à des avantages exclusifs sur le voyage (billets d'avion, hôtels et auberges de jeunesse, assurances, cartes SIM, location de voitures...).

Pour plus d'informations sur la carte ISIC et pour la commander en ligne, rendez-vous sur le site • *isic.fr* •

Pour l'obtenir en France

Pour localiser le point de vente le plus proche de chez vous : ☎ *01-40-49-01-01 ou* • *isic.fr* •

Se présenter au point de vente avec :

– une preuve du statut d'étudiant (carte d'étudiant, certificat de scolarité...) ;
– une photo d'identité ;
– 12 €, ou 13 € par correspondance, incluant les frais d'envoi des documents d'information sur la carte.

Émission immédiate sur place ou envoi à votre domicile le jour même de votre commande en ligne.

En Belgique

La carte coûte 9 € et s'obtient sur présentation de la carte d'identité, de la carte d'étudiant et d'une photo auprès de :

■ ***Connections :*** *rens au* ☎ *070-233-313.* • *isic.be* •

En Suisse

Dans toutes les agences *STA Travel* (☎ *058-450-40-00),* sur présentation de la carte d'étudiant, d'une photo et de 20 Fs. Commande de la carte en ligne : • *isic.ch* • *statravel.ch* •

Au Canada

La carte coûte 16 $Ca. Elle est disponible dans les agences *TravelCuts/Voyages Campus,* mais aussi dans les bureaux d'associations d'étudiants. Pour plus d'infos : • *voyagescampus.com* •

Carte FUAJ internationale des auberges de jeunesse

Cette carte, valable dans plus de 90 pays, vous ouvre les portes des 4 000 auberges de jeunesse du réseau *Hostelling International,* réparties dans le monde entier. Les périodes d'ouverture varient selon les pays et les AJ. À noter, la carte est obligatoire pour séjourner en auberge de jeunesse, donc nous vous conseillons de vous la procurer avant votre départ.

Pour adhérer

- En ligne, avec un paiement sécurisé, sur le site • *fuaj.org* •
- Directement dans une auberge de jeunesse à votre arrivée.
- Auprès de l'antenne nationale : *27, rue Pajol, 75018 Paris.* ☎ *01-44-89-87-27.* • *fuaj.org* • Ⓜ *Marx-Dormoy ou La Chapelle.* Horaires d'ouverture disponibles sur le site internet, rubrique « Nous contacter ».

Les tarifs de l'adhésion

Pour les mineurs, une autorisation parentale et la carte d'identité du parent tuteur sont nécessaires pour l'inscription.
- Carte internationale FUAJ moins de 26 ans : 11 €.
- Carte internationale FUAJ plus de 26 ans : 16 €.
- Carte internationale FUAJ Famille : 23 €.

Seules les familles ayant un ou plusieurs enfants de moins de 16 ans peuvent bénéficier de la carte « famille » sur présentation du livret de famille. Les enfants de plus de 16 ans devront acquérir une carte individuelle.
- La carte donne également droit à des réductions sur les transports, les musées et les attractions touristiques dans plus de 90 pays. Ces avantages varient d'un pays à l'autre, ce qui n'empêche pas de la présenter à chaque occasion. Liste de ces réductions disponible sur • *hihostels.com* • et celle des réductions en France sur • *fuaj.org* •

En Belgique

La carte d'adhésion est obligatoire. Son prix varie selon l'âge : de 3 à 15 ans, 3 € ; de 16 à 25 ans, 9 € ; plus de 25 ans, 15 €.

■ ***LAJ :*** *rue de la Sablonnière, 28, Bruxelles 1000.* ☎ *02-219-56-76.* • *info@laj.be* • *laj.be* •

■ ***Vlaamse Jeugdherbergcentrale (VJH) :*** *Van Stralenstraat, 40, B 2060 Antwerpen.* ☎ *03-232-72-18.* • *info@vjh.be* • *vjh.be* •

- Votre carte de membre vous permet d'obtenir de 3 à 20 € de réduction sur votre première nuit dans les réseaux LAJ, VJH et CAJL (Luxembourg), ainsi que des réductions auprès de nombreux partenaires en Belgique.

En Suisse (SJH)

Le prix de la carte dépend de l'âge : 22 Fs pour les moins de 18 ans, 33 Fs pour les adultes et 44 Fs pour une famille avec des enfants de moins de 18 ans.

■ ***Schweizer Jugendherbergen*** *(SJH), service des membres des auberges de jeunesse suisses, Schaffhauserstr. 14, 8042 Zurich.* ☎ *01-360-14-14.* • *bookingoffice@youthhostel.ch* • *youthhostel.ch* •

Au Canada

Elle coûte 35 $Ca pour une durée de 16 à 28 mois et 175 $Ca pour une validité à vie. Gratuit pour les enfants de moins de 18 ans qui accompagnent leurs parents.

■ ***Auberges de jeunesse du Saint-Laurent / St Laurent Youth Hostels :***
– À Montréal : 3514, av. Lacombe, (Québec) H3T 1M1. ☎ (514) 731-10-15. N° gratuit (au Canada) : ☎ 1-866-754-1015.
– À Québec : 94, bd René-Lévesque Ouest, (Québec) G1R 2A4. ☎ (418) 522-2552.

■ ***Canadian Hostelling Association :*** *205 Catherine St bureau 400, Ottawa, (Ontario) K2P 1C3. ☎ (613) 237-78-84. • info@hihostels.ca • hihostels.ca •*

ARGENT, BANQUES, CHANGE

Banques

Horaires variables selon les saisons, mais les banques sont généralement ouvertes du lundi au vendredi de 8h30 à 13h30 et de 14h45 à 15h30 ou 16h. Fermées les week-ends et jours fériés, mais la plupart dispose d'un distributeur de billets à l'extérieur. Certaines sont ouvertes le samedi matin, mais c'est plutôt rare. Il faut souvent s'armer de patience car le service peut être très long. Nos amis francophones, en particulier les Suisses et les Québécois, peuvent convertir leurs monnaies d'origine en euros dans les bureaux de change : ouvert tous les jours, même les jours fériés.

Cartes de paiement

La majorité des restaurants, hôtels et, dans une moindre mesure, les stations-service les acceptent. Sur place, vous verrez en principe l'autocollant *Carta Si* sur les vitrines des établissements prenant les cartes. Nous vous signalons, dans la mesure du possible, nos adresses qui les refusent. De nombreux distributeurs automatiques *(Bancomats)* acceptant, entre autres, les cartes *MasterCard* et *Visa internationales* sont disséminés un peu partout, prêts à satisfaire le moindre de vos besoins. Vérifiez avant votre départ et auprès de votre banque le plafond autorisé pour vos retraits. Ces distributeurs disposent d'une traduction en français.

– Petite mesure de précaution : si vous retirez de l'argent dans un distributeur, utilisez de préférence les distributeurs attenants à une agence bancaire. En cas de pépin avec votre carte (carte avalée, erreurs de numéro...), vous aurez un interlocuteur dans l'agence, pendant les heures ouvrables du moins.

ORIGINE DE LA BANQUE

Au Moyen Âge, les prêteurs sur gage travaillaient sur un comptoir (il banco). *C'est l'origine de ces établissements financiers. Quand ils faisaient faillite, ils étaient obligés de casser, de rompre ce comptoir* (banco rotto). *D'où le mot banqueroute.*

En cas d'urgence – dépannage

Quelle que soit la carte que vous possédez, chaque banque gère elle-même le processus d'opposition et le numéro de téléphone correspondant ! Avant de partir, notez donc bien le numéro d'opposition propre à votre banque (il figure souvent au dos des tickets de retrait, sur votre contrat, ou à côté des distributeurs de billets), ainsi que le numéro à 16 chiffres de votre carte. Bien entendu, conservez ces informations en lieu sûr et séparément de votre carte. Par ailleurs, l'assistance médicale se limite aux 90 premiers jours du voyage.

– ***Carte Bleue Visa :*** *assistance médicale ; numéro d'urgence (Europe Assistance) :* ☎ *(00-33) 1-41-85-85-85.* • *carte-bleue.fr* • *Pour faire opposition, contactez le numéro communiqué par votre banque. Ou, si vous êtes en France, le* ☎ *0892-705-705 (0,34 €/mn).*
– ***Carte MasterCard :*** *assistance médicale incluse ; numéro d'urgence :* ☎ *(00-33) 1-45-16-65-65.* • *mastercardfrance.com* • *En cas de perte ou de vol, composez le numéro communiqué par votre banque ou à défaut le numéro général :* ☎ *(00-33) 892-69-92-92 pour faire opposition. Ou, si vous êtes en France, le* ☎ *0892-705-705 (0,34 €/mn). Numéro également valable pour les autres cartes de paiement émises par le* Crédit Agricole *et le* Crédit Mutuel.
– ***Carte American Express :*** *téléphoner en cas de pépin au* ☎ *(00-33) 1-47-77-72-00. Numéro accessible tlj 24h/24.* • *americanexpress.fr* •
– *Pour ttes les cartes émises par* ***La Banque Postale,*** *composer le* ☎ *0825-809-803 (0,15 €/mn) et pour les DOM ou depuis l'étranger le* ☎ *(00-33) 5-55-42-51-96.*

Western Union Money Transfer

En cas de besoin urgent d'argent liquide (perte ou vol de billets, chèques de voyage, carte de paiement), vous pouvez être dépanné en quelques minutes grâce au système *Western Union Money Transfer.* Pour cela, demandez à quelqu'un de vous déposer de l'argent en euros dans l'un des bureaux *Western Union* ; les correspondants en France de *Western Union* sont *La Banque Postale (fermée sam ap-m, n'oubliez pas !* ☎ *0825-00-98-98 ; 0,15 €/mn)* et *Travelex* en collaboration avec la *Société Financière de Paiement (SFDP ;* ☎ *0825-825-842 ; 0,15 €/mn).* L'argent vous est transféré en moins d'un quart d'heure. La commission, assez élevée, est payée par l'expéditeur. Possibilité d'effectuer un transfert en ligne 24h/24 par carte de paiement (*Visa* ou *MasterCard* émise en France).
• *westernunion.com* •
En Italie, se présenter à une agence *Western Union (n° Vert* ☎ *800-788-935, tlj 8h-20h)* avec une pièce d'identité.

ACHATS

N'oubliez pas que beaucoup de magasins, même certains supermarchés, sont fermés entre 13h et 15h30 (voire 16h), ainsi que toute la journée le dimanche et les jours fériés. L'usage veut que la fermeture hebdomadaire soit le lundi pour les boutiques de luxe et le mercredi après-midi pour les boutiques d'alimentation.
Quelques idées :
– *la maroquinerie,* pas donnée mais quelle qualité ! Vêtements, ceintures, sacs, porte-monnaie, chaussures. Marques : Raspini, Ferragamo (un peu moins cher qu'à Paris), Tod's, Beltrami, Furla...
– *Les textiles et foulards de soie.*
– *Les* vêtements de grandes marques de la collection précédente qu'on trouve dans des *outlets* dans les environs de Florence : Dolce et Gabbana, Fendi, Prada, Gucci, Giorgio Armani...
– *Les céramiques,* à Deruta, Gubbio et Orvieto. Pots, vases, assiettes peintes à la main avec des motifs Renaissance ou modernes.
– *La papeterie de luxe :* cartes de vœux, agendas, tout en papier marbré, spécialité de Florence.
– *Le vin :* du chianti, naturellement, mais aussi bien d'autres, comme le Brunello di Montalcino, par exemple, ou le Sagrantino de Montefalco et les vins d'Orvieto.
– *Les terracotte :* nombreux objets décoratifs, grandes jarres, cruches... en terre cuite, spécialité d'Impruneta. Nombreux ateliers d'artisans dans le village et les environs.
– *Les produits alimentaires hauts de gamme :* huile d'olive de première qualité, truffes noires, cèpes *(funghi porcini)* séchés, excellentes charcuteries de Nursie (*Nor-*

cia, au sud-est de l'Ombrie), fromages de la Valnerina (Ombrie), *panforte* de Sienne, différents types de miel, etc.
– *Les tissus et dentelle :* superbes jacquards à Montefalco, dentelle à Orvieto (les plus belles reproduisent les motifs de la façade du Duomo).
– *Les statuettes* en marbre de Carrare (voir la rubrique « Marbre » dans « Hommes, culture et environnement ») ou en albâtre (Volterra).
– *Les bijoux :* Gherardi (corail), Piccini, Settepasi Faraone (sur le ponte Vecchio à Florence).

BUDGET

La Toscane et, dans une moindre mesure, l'Ombrie restent des destinations onéreuses.

Hébergement

L'hébergement risque de plomber votre budget. La Toscane est l'une des régions les plus chères d'Italie, et l'Ombrie n'arrive pas loin derrière. Il est bon de savoir que les prix dans les hôtels ne sont pas toujours affichés. Avec un peu de chance, en se tordant le cou, on les apercevra derrière la réception, mais rarement bien lisibles... Mieux vaut consulter les sites internet, la majeure partie les indiquant clairement. Ils sont aussi extrêmement fluctuants, dépendant de la saison et, dans beaucoup d'hôtels ou d'agritourismes, de la chambre (avec ou sans vue, spacieuse ou exiguë, rénovée ou non...), voire de la durée du séjour. Évidemment, en basse saison, les prix diminuent, mais ils peuvent aussi baisser en haute saison selon le remplissage de l'établissement, voire la tête du client. La crise économique n'ayant pas arrangé les affaires des hôteliers, beaucoup se battent pour remplir leur établissement, et ces quelques recommandations vous permettront d'alléger significativement votre budget :
– Si vous connaissez votre itinéraire, avant de partir, envoyez une demande à différents hôtels que vous avez sélectionnés dans ce guide, de préférence par mail ou via leur site internet. Indiquez bien le nombre de nuits que vous comptez rester (au minimum trois), le nombre de personnes et les dates. Surtout (mais pas uniquement) en moyenne saison, vous aurez la surprise de recevoir des offres qui peuvent se situer parfois jusqu'à 15 ou 20 % en dessous des tarifs mentionnés.
– Vous pouvez aussi (à vos risques et périls) vous présenter directement à la réception en indiquant clairement que vous souhaitez rester plusieurs jours.
– Scrutez les sites internet des hôtels les plus chic, qui proposent souvent des offres spéciales qui vous permettent d'y séjourner au prix d'un hôtel de catégorie moyenne. C'est un privilège qui ne se refuse pas !
– La location d'appartement, proposée par beaucoup d'agritourismes, peut constituer une alternative avantageuse (voir également notre rubrique « Hébergement »). Économies non seulement sur les nuits, mais aussi sur les repas (très intéressant pour les familles).
– Pour les routards aux budgets serrés, il reste les AJ, dont la plupart propose des chambres doubles, et les campings, dont certains mettent à disposition des bungalows ou des caravanes à un prix bien inférieur à celui d'une chambre d'hôtel.
Ajoutons que, comme bien souvent, la classification ne correspond pas vraiment à celle que nous connaissons en France : par exemple, un 3-étoiles *(tre stelle)* italien n'offre souvent pas plus que ce que propose un 2-étoiles français. Ce décalage est valable pour toutes les catégories.
Pour une chambre double en haute saison :
– ***bon marché :*** moins de 60 € ;
– ***prix moyens :*** de 60 à 110 € ;
– ***chic :*** au-delà de 110 € ;
– ***très chic :*** des établissements exceptionnels aux tarifs très élevés, que nous citons surtout pour leur renommée et leur décor.

Restaurants

– Les restaurants ont des cartes très complètes, avec tous les prix indiqués. Faites cependant attention : poissons souvent facturés au poids en fonction du prix du jour.
– Pour goûter aux spécialités régionales avec un repas complet (entrée, plat, dessert, pain et couverts), prévoir environ 25-30 €, ou même beaucoup moins, pour un menu touristique (mais qualité moindre). Au-dessus de 35-40 € : la classe ou... l'arnaque dans certains endroits touristiques.
– Attention, sauf rares exceptions, il vous faudra penser à rajouter à l'addition le *pane e coperto* (de 2 à 3 € en moyenne ; au-delà de 4 €, c'est du vol), ainsi que la bouteille d'eau minérale (environ 2 €). Il arrive de plus en plus souvent que, en plus du couvert et de l'eau minérale, on vous compte le service (10 à 15 %). Nous avons même vu, comportement extrême, facturer 2 € pour l'huile d'olive ! L'addition peut donc monter très vite !
– Rassurez-vous, on peut très bien se régaler d'une part de pizza *al taglio,* d'un sandwich (à l'italienne bien sûr !), d'une salade ou d'un plat chaud, le plus souvent debout mais en économisant en plus sur le service et le couvert. On indique quelques adresses dans la rubrique « Où manger sur le pouce ? ». Sinon, on peut aussi faire son marché...

Voici ci-dessous notre fourchette ; les prix s'entendent par personne, boisson non comprise :
– ***sur le pouce :*** moins de 10 € ;
– ***très bon marché :*** de 10 à 17 € ;
– ***bon marché*** : de 17 à 25 € ;
– ***prix moyens :*** de 25 à 35 € ;
– ***chic :*** au-delà de 35 €.

Visites des sites et musées

Bien sûr, les églises sont gratuites (sauf les accès aux « trésors »). En ce qui concerne les grands sites ou musées, leurs tarifs varient en moyenne de 7 à 12 € d'un site à l'autre et selon que s'y déroule une exposition temporaire (et elles sont fréquentes !) ou pas, et si on a effectué une réservation avant de venir. Bref, pas simple à comprendre ni à calculer. Les musées moins connus présentent généralement des tarifs allant de 4 à 7 € (variant selon les mêmes conditions). Prévoir donc un budget conséquent : les sites les plus courus vendent leurs entrées à prix d'or (tour de Pise, Galeries des Offices et palais Pitti de Florence...). Les professeurs, les étudiants de moins de 24 ans et les jeunes de 18 à 24 ans, à condition d'être ressortissants de l'Union européenne, ont souvent droit à une réduction de 50 % ; les jeunes de moins de 18 ans, ainsi que les personnes de plus de 65 ans faisant partie de l'UE, bénéficient de réductions importantes, voire de la gratuité, dans bon nombre de musées et sites nationaux. Munissez-vous donc de votre carte d'identité. Les réductions étudiant sont peu fréquentes. Depuis quelque temps, les grandes villes toscanes (sauf Florence !) et ombriennes telles que Sienne, Pise, Assise, Pérouse ou Orvieto proposent des ***passes*** ou des ***cartes*** pour faciliter l'accès aux musées. Ils offrent généralement des réductions non négligeables. Renseignez-vous à l'office de tourisme dès votre arrivée. Attention, tous les musées sont fermés le jour de Noël, et pratiquement tous le Jour de l'an. Enfin, prévoyez de la menue monnaie pour l'éclairage des plus belles œuvres d'art de certaines églises (1 à 2 €).

Réductions

Attention, si vous voulez bénéficier des avantages, remises et gratuités (apéro, café, digestif) que nous avons obtenus pour les lecteurs de ce guide, n'oubliez pas de les réclamer AVANT que le restaurateur ou l'hôtelier n'établisse l'addition. La loi italienne l'oblige à vous remettre une *ricevuta fiscale* qu'il ne peut en aucun cas modifier après coup. Ce serait dommage qu'il vous la refuse pour cette raison.

Par ailleurs, nous rappelons que **ces remises sont valables pour les guides de l'année en cours.** En bref, pour ceux qui ont oublié que les guides sont remis à jour chaque année et qui voyagent toutefois avec des guides datés, l'hôtelier n'est pas tenu de vous accorder en 2011 une remise indiquée dans le guide 2006-2007.

CLIMAT

La Toscane est une région de transition entre le Nord et le climat méditerranéen du Mezzogiorno. On peut aussi bien subir les pires chaleurs dans les villes touristiques (Florence et Sienne sont étouffantes en été) que les pluies diluviennes (surtout au mois d'août).

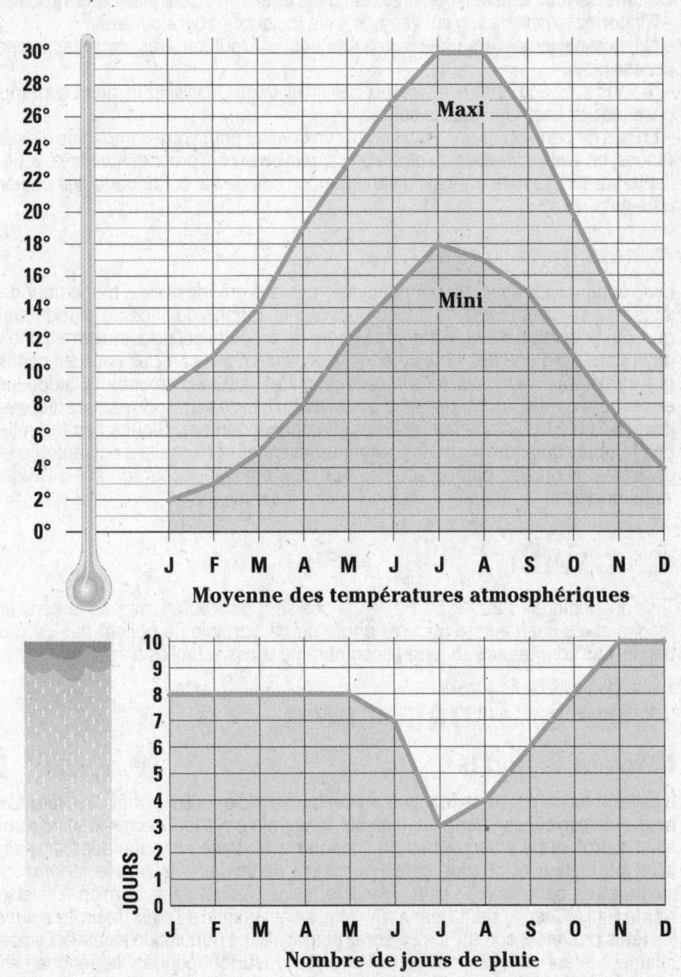

Les montagnettes préapennines de l'Ombrie souffrent d'un climat relativement humide et assez rigoureux l'hiver. Les étés sont la plupart du temps orageux et chauds.
Les meilleures saisons sont le printemps et l'automne, avec des températures agréables (autour de 25 °C), peu de précipitations et des lumières caressantes du plus bel effet.

DANGERS ET ENQUIQUINEMENTS

Vol

Comme partout, le risque de vol existe, donc attention ! Quelques petits rappels...
- Ne portez jamais de sac sur l'épaule mais toujours en bandoulière.
- Ne laissez jamais rien dans vos poches, surtout arrières, trop facilement accessibles.
- Si vous avez une voiture, ne mettez rien en évidence et laissez le moins de temps possible vos bagages dans le coffre.
- En cas de perte ou de vol, faites établir un constat pour votre compagnie d'assurances, en vous adressant au poste de *carabinieri* le plus proche. Adressez-vous à l'antenne du consulat français uniquement en cas de vol ou de perte des papiers d'identité.

Achats dans la rue

Les vendeurs à la sauvette sont dans les rues des grandes villes, tout autour des sites touristiques. Évitez de succomber aux imitations de sacs de grande marque. On vous rappelle qu'acheter ce genre de produits est rigoureusement interdit et passible d'une très forte amende. Non seulement le produit vous est confisqué immédiatement mais vous risquez jusqu'à 10 000 € d'amende. À la douane, en rentrant chez vous, si vous êtes pris la main dans le sac, vous risquez de payer jusqu'à 300 000 € d'amende et 3 ans d'emprisonnement. Gloups ! ça fait réfléchir ! Depuis quelque temps, les autorités italiennes et françaises ont renforcé les contrôles. N'oubliez pas qu'acheter ces faux articles encourage aussi l'esclavage moderne.

ÉLECTRICITÉ

Tension électrique : 230 V, 50 Hz, les prises sont différentes mais en général les rasoirs et les chargeurs d'appareil photo ou de portable ne posent pas de problème. Les adaptateurs sont peu encombrants et assez faciles à trouver.

FÊTES ET JOURS FÉRIÉS

Fêtes et festivals

L'Italie (et en particulier la Toscane et l'Ombrie) a toujours eu le goût de la fête. Les festivités religieuses y tiennent, bien sûr, la première place. Chaque localité a son saint patron et ne manque pas de l'honorer avec faste ; chaque quartier a son saint protecteur et chaque église son saint dédicataire. L'Ombrie regorge de saints et de sanctuaires : saint François, sainte Claire, saint Damien à Assise, sainte Rita à Cascia, saint Benoît à Norcia, saint Valentin à Terni... Mais il y a aussi les fêtes profanes, comme les célèbres carnavals. La population locale est viscéralement attachée à ses traditions. Vous verrez (surtout pendant la période estivale) de nombreuses manifestations dédiées aux reconstitutions historiques comme le *Calcio storico* de Florence, le *Palio* de Sienne, la *festa dei Ceri* de Gubbio, la *Quintana* de Foligno et le superbe *Mercato delle Gaite* de Bevagna. Ajoutons aussi les nombreux festivals, notamment celui d'Art lyrique de Spolète ou encore l'*Umbria Jazz* à Pérouse.

LE CARNAVAL

Cette fête vient des cultes païens romains et fut récupérée par le christianisme. D'ailleurs, son étymologie est latine : carnis levare *qui signifie ôter, retirer la viande, qui annonce les 40 jours de jeûne avant Pâques. D'où le mot carême. Durant le carnaval, les codes sont inversés. On vit une période de libération des autorités religieuses et royales. On nomme un roi de fantaisie, souvent simple d'esprit. Un âne, symbole de Satan, est vêtu des habits épiscopaux. On porte un masque pour préserver l'anonymat.*

En Toscane

Mars

– À Viareggio : *carnaval.*
– À Florence : *Scoppio del carro* (explosion du char). *Le dim de Pâques.* Feux d'artifice tirés depuis un char conduit par deux bœufs se dirigeant vers les portes de la cathédrale. Un feu réussi annonce de bonnes récoltes.
– À San Miniatola : *festi degli Aquiloni* (fête des cerfs-volants). *1er dim après Pâques.*

Avril

– À Lucca : *Sagra musicale lucchese* (concerts de musiques sacrées) dans les églises de la ville.
– À Florence : *Mostra internazionale dell'Artigianato* (fête des artisans d'Europe). ● *mostraartigianato.it* ●

Mai

– À Florence : *festa del Grillo* (fête du grillon). *Le 1er dim après l'Ascension.* C'est la fête du printemps, qui se déroule dans le parc de l'ouest de la ville. Les enfants libèrent les grillons achetés la veille. Symbole de liberté et de bonheur. *Maggio musicale* (festival de musique classique). Très renommé. *Infos tlj 10h-18h :* ☎ *055-277-93-50. Vente de billets :* call center, ☎ *899-666-805 lun-ven 8h-20h, sam 8h-15h.*
– À Massa Marittima : *balestro del Girifalco* (rencontre du faucon). *1er dim après le 22 mai.*

Juin

– À Pise : le *Luminara (le 16 juin),* avec illumination des palais au bord de l'Arno et du campo dei Miracoli, *regate di San Ranieri* (régates sur l'Arno) en costumes d'époque *(le 17 juin),* suivies du *gioco del Ponte* (joutes sur le pont) le dernier dim de juin.
– À Florence : *Calcio in costume,* qui rappelle le rugby et oppose quatre équipes, chacune représentant un quartier de Florence. *Le 24 juin pour la fête de San Giovanni,* sur la Piazza Santa Croce.

Juillet

– À Sienne : célèbre *corsa del Palio. Le 2 juil. Settima musicale,* concerts de musique de chambre.
– À Pistoia : festival de musique *Pistoia blues.*
– À Lucca : *Summer festival,* grand festival de musique rock et pop réunissant les stars de la scène nationale et internationale.

Août

– À Albarese : rodéos et démonstrations d'adresse des éleveurs de vaches de la Maremme durant tout le mois.
– À Sienne : 2e édition annuelle du *corsa del Palio. Le 16 août.*
– À Montepulciano : *Il Baccanale* (fête du vin). *L'avt-dernier sam du mois.*

Septembre

– À Arezzo : *giostra del Saraceno* (joute du Sarrasin). *Le 1er dim du mois.*
– À Sansepolcro : *palio della Balestra* (fête de l'arbalète). Compétitions à l'arbalète entre Sansepolcro et Gubbio en Ombrie.
– À Lucca : *Luminare di Santa Croce (le 13 sept),* et nombreuses autres fêtes tout le mois en l'honneur des saints patrons de la ville.
– À Pise : *Anima Mundi,* festival de musique sacrée avec concerts dans le *Duomo.*

Novembre
– À Florence : *festival del Popoli* (festival du cinéma), au Palais des congrès. Nombreux films en version originale.
– À Lucca : *Lucca Comics & Games,* un grand festival de B.D.

En Ombrie

Mai
– À Assise : *Calendimaggio. Du 6 au 8 mai.* Grande reconstitution historique de l'époque médiévale. Cortèges, spectacles de danse, représentations théâtrales, chants...
– À Gubbio : *Festa dei Ceri* et *Palio della Balestra. Les 15 et 30 mai.* Incontournables fêtes populaires. Courses de rues et concours de tir à l'arbalète en costume.
– À Orvieto : *Palio dell'Oca. En fin de mois.* Querelles de clocher entre quartiers rivaux de la ville.

Juin
– À Spolète : *Festival dei Due Mondi. 2 sem au début du mois.* Musique classique, jazz, opéra et spectacles de danse, devant le *Duomo* notamment.
– À Bevagna : *Mercato delle Gaite. Du 18 au 27 juin.* Reconstitution d'un marché médiéval dans les rues de la bourgade. Très convainquant.
– À Castelluccio : *La Fiorita.* Lorsque les fleurs éclosent sur la plaine de Castelluccio, les foules accourent pour assister à ce magnifique spectacle.

Juillet
– À Pérouse : *Umbria Jazz. Les dates varient d'une année à l'autre.* Les plus grands noms du jazz animent les rues de la ville.

Août
– À Corciano : *Agosto Corcianese.* Reconstitutions historiques durant tout le mois.
– À Assise : *Palio di San Rufino. En fin de mois.* Spectacle de tir à l'arbalète. Cortèges historiques.

Septembre
– À Foligno : *La Quintana. Les 18 et 19 sept.* Reconstitution médiévale de joutes. Spectaculaire.
– À San Gemini : *Giostra dell'Arme.* Reconstitutions historiques et médiévales pendant deux semaines *(à partir du dernier dim de sept).*

Octobre
– À Pérouse : le festival *Eurochocolate.* Renommée pour ses chocolats, les *Baci,* la ville se transforme en gigantesque pâtisserie pendant une semaine *(la 2e quinzaine du mois).*

Novembre
– À Città di Castello : *Mostra del Tartufo. Début du mois.* Une fête autour de la truffe blanche et des produits de sous-bois. Marché et dégustations.

Jours fériés

Ne pas confondre *giorno feriale* qui, en italien, signifie jour ouvrable, avec *giorno festivo* qui se traduit par jour férié mais qui s'applique aussi au samedi et au dimanche...
Les jours fériés et chômés sont à peu près identiques aux nôtres. Ils sont cependant moins nombreux (l'Ascension et le lundi de Pentecôte ne sont pas fériés). Mai est donc un mois plus laborieux en Italie qu'en France.
– ***1er janvier :*** *Capodanno.*
– ***6 janvier :*** *Epifania* ; mais pour tous les Italiens, c'est le jour de la *Befana,* une gentille sorcière qui circule à califourchon sur son balai de paille. Aux enfants méchants, elle dépose du charbon dans la chaussette suspendue à la cheminée. Aux gentils, des confiseries et des cadeaux.
– ***Lundi de Pâques :*** *Pasquetta.*
– ***25 avril :*** *liberazione del 1945.*

- ***2 juin :*** *festa della proclamazione della Repubblica.*
- ***1er mai :*** *festa del Lavoro.*
- ***15 août :*** *festa dell'Assunta, Ferragosto.*
- ***1er novembre :*** *Ognissanti.*
- ***8 décembre :*** *Immacolata Concezione.*
- ***25 et 26 décembre :*** *Natale* et *Santo Stefano.*

Sont aussi considérés comme des jours semi-fériés les 14 août, 24 et 31 décembre. Certaines fêtes comme celle du 15 août peuvent durer plusieurs jours et paralyser une grande partie de la vie économique. Attention aux fermetures des banques notamment.
Renseignez-vous auprès de l'office de tourisme sur l'actualité festive dans les villes et les petits villages de votre séjour. Les saints patrons, la *sagra* du sanglier, des pâtes, du vin (toutes les occasions sont bonnes !) sont l'objet de manifestations souvent hautes en couleur (lanceurs de drapeaux, dégustations...).

La Settimana della Cultura

Huit jours au printemps (généralement entre fin mars et début mai), dans toute l'Italie. Un peu l'équivalent des Journées du patrimoine en France : musées, sites et monuments sont gratuits, et certains sites habituellement fermés ouvrent exceptionnellement leurs portes. Grosse affluence, bien sûr. Programme sur • *beniculturali.it* •

HÉBERGEMENT

Ainsi que l'indique notre rubrique « Budget », le gros de vos dépenses sera consacré à l'hébergement. Il est parfois plus prudent de réserver depuis la France, en particulier pendant les périodes de fêtes (Florence, Sienne et Pérouse notamment), de festivals locaux, de salons et de foires. Attention, lorsque vous demandez une chambre double, précisez *doppia* ou *matrimoniale* si vous êtes en couple, car sinon vous risquez de vous retrouver avec deux lits séparés !

La location d'appartements et de maisons depuis la France

Nombre de particuliers ont rénové la vieille maison de famille, qui n'était plus guère habitée, afin de la louer (souvent à la semaine) aux visiteurs de passage, pour des raisons personnelles ou simplement financières. Il est très intéressant (financièrement) de louer une maison ou un appartement dans les collines siennoises ou florentines. La location est l'une des solutions pratiques et économiques de l'hébergement en Italie, à condition bien sûr de rester plusieurs jours.

■ ***Casa d'Arno :*** *36, rue de la Roquette, 75011 Paris. ☎ 01-44-64-86-00.* Ⓜ *Bastille.* Location d'appartements de standing et même de *palazzi* en Toscane, notamment dans le Chianti, mais aussi à Florence ou à la mer. En Ombrie, possibilité d'être logé au calme, dans des gîtes ruraux. Également une sélection de *B & B* pour un séjour de plus courte durée. Conseils et accueil par une Italienne extrêmement sympathique qui connaît parfaitement son pays. Il est préférable de téléphoner pour prendre rendez-vous. Possibilité de réserver une voiture de location, un transfert à l'aéroport, des cours de cuisine et des visites guidées sur mesure. Pour d'autres destinations en Italie, brochures sur simple demande.

■ ***Far Voyages :*** *8, rue Saint-Marc, 75002 Paris. ☎ 01-40-13-97-87.* • *info@locatissimo.com* • Ⓜ *Bourse ou Grands-Boulevards. Catalogue gratuit sur simple demande ainsi que sur* • *locatissimo.com* • Propose un service de location à la campagne dans les *agriturismi,* fermes restaurées dans le respect des structures originelles, simples ou luxueuses. Également des appartements et résidences dans toutes les régions d'Italie. Accueil professionnel.

■ ***Italie Loc'Appart :*** *75, rue de la Fontaine-aux-Rois, 75011 Paris. ☎ 01-45-27-56-41. • contact@locappart.com • locappart.com • Ⓜ Goncourt. Accueil téléphonique assuré à Paris, lun-ven 10h30-13h et 14h-19h, par des responsables de destinations ayant une bonne connaissance de Florence et de la Toscane, et, sur place, par des correspondantes bilingues qui interviennent en cas de problème. Réception sur rdv uniquement. Italie Loc'Appart* propose la location d'appartements en Italie (depuis le studio jusqu'au F4) et de maisons à Florence, en Toscane et en Ombrie (grandes maisons rurales aménagées en appartements, dans les environs de Sienne, d'Arezzo et d'Orvieto), pour un minimum de 3 nuits à partir de n'importe quel jour d'arrivée de votre choix. Une agence que nous recommandons chaleureusement. Service proposé également à Venise, Rome, Naples, sur la côte amalfitaine et en Sicile. Accueil professionnel.

Les campings

Il arrive très souvent de payer plus de 30 € pour deux avec une petite tente et une voiture en haute saison. Se faire préciser si la douche (chaude) est comprise dans le prix et à tout moment de la journée. Toutefois, en cherchant bien, on trouve encore des campings (2-étoiles ou l'équivalent) pratiquant des prix raisonnables, autour de 22 € pour deux en haute saison. Si vous êtes accompagné d'enfants, il existe généralement un tarif « spécial *bambini* » pour les moins de 12 ans. Demandez-le. Beaucoup d'établissements se transforment peu à peu en parkings pour camping-cars et autres *motor homes,* bien plus rentables que les emplacements pour tentes. D'aucuns consacrent une partie de leur terrain à des bungalows ou mobile homes, autrement plus lucratifs. Certains campings disposent d'une piscine (prévoir un bonnet de bain, c'est exigé).
Les campings étoilés classés par catégories sont généralement ouverts d'avril à octobre. Toutefois, certains restent ouverts toute l'année. Vous pourrez vous procurer la *Guida ai Campeggi,* une brochure avec la liste complète des terrains de camping éditée par la *Confédération italienne de camping,* dans des librairies de la péninsule ou, avant le départ, à l'adresse suivante :

■ ***Fédération française de camping et caravaning :*** *78, rue de Rivoli, 75004 Paris. ☎ 01-42-72-84-08. • info@ffcc.fr • ffcc.fr • Ⓜ Hôtel-de-Ville. Lun-ven 8h30-12h30, 13h30-17h30 (17h ven).* Possibilité de se procurer la liste des campings (16 €, frais d'envoi compris). Possibilité également d'acheter la *camping card international* qui permet de bénéficier de réductions.

Les auberges de jeunesse

On compte plus d'une centaine d'auberges de jeunesse *(ostello della gioventù)* officielles en Italie, dont 10 en Toscane et 10 en Ombrie. Elles sont généralement bien entretenues mais n'ont pas toujours (comme dans la plupart des pays voisins) de cuisine à disposition. La carte internationale est obligatoire. Vous pouvez vous la procurer en France auprès de *Hostelling International,* représenté à Paris par la *Fédération unie des auberges de jeunesse (FUAJ).* Coordonnées plus haut dans la rubrique « Avant le départ ». On peut acheter la carte sur place, mais, bien sûr, c'est plus cher. En cas d'oubli, on peut également se la procurer sur Internet.
En haute saison, il est conseillé de **réserver.** Plusieurs possibilités :
– ***par téléphone ou e-mail,*** en contactant directement l'AJ ;
– ***par courrier,*** en écrivant directement à l'AJ, mais ça prend du temps et, franchement, c'est moins commode.
– Vous pouvez aussi vous adresser directement au central de réservation des auberges de jeunesse italiennes pour plus d'informations :

■ ***Associazione italiana alberghi per la gioventù :*** *piazza San Bernardo, 107, 00187 Roma. ☎ 06-489-07-740. • info@aighostels.com • aighostels.com •*

Le logement dans les communautés religieuses

– Pour être hébergé dans les monastères, il n'est pas nécessaire d'être bigot. L'essentiel est de se montrer respectueux. Toutefois, les couples non mariés se renseigneront avant. Certaines communautés n'acceptent que les filles.
– Le logement s'organise, le plus souvent, dans des chambres communes, généralement des cellules monacales de cinq ou six lits. Cette forme d'hébergement est des plus agréable, surtout si vous avez la chance d'être reçu, entre autres, dans un ravissant monastère du XIIIe s à Assise. Les offices de tourisme disposent des listes de ces hébergements.
– Deux légers inconvénients : le réveil matinal (merci les cloches) et le couvre-feu (horaires souvent contraignants). Deux points forts cependant : tranquillité et propreté.

Les chambres d'hôtes et gîtes ruraux

C'est dans les deux régions de la Toscane et de l'Ombrie que le tourisme vert a percé. Et son expansion continue ! Se procurer le *Guida dell'ospitalità rurale, agriturismo e vacanze verdi,* auprès d'*Agriturist : corso Vittorio Emanuele II, 101, 00186 Roma ; ☎ 06-68-52-342 ; • agriturist.it •* Voir aussi le très populaire site internet *• agriturismo.it •* Les adresses y sont classées par régions et pourvues d'une description assez détaillée : situation, nombre de chambres, commodités, catégories de confort et de prix... Adressez-vous aussi aux offices de tourisme locaux.
Vous logerez en milieu rural ou dans une ferme divisée en appartements. Un véhicule est indispensable car on n'a pas encore transféré les campagnes au cœur des villes !

Les *Bed & Breakfast*

Vous pouvez également loger chez l'habitant grâce à l'organisme *Bed & Breakfast Italia* qui propose 1 600 appartements ou maisons à travers l'Italie et permet aussi bien d'obtenir une chambre simple pour deux nuits qu'un appartement pour six personnes pendant un mois.

■ *Vous pouvez vous adresser directement au* ***central de réservation de Bed & Breakfast Italia à Rome :*** *Palazzo Sforza Cesarini, corso Vittorio Emanuele II, 282, 00186 Rome. ☎ 06-687-86-18. Lun-ven 9h-18h30. Possibilité de résa en ligne : • bbitalia.it •*

Les pensions

Ces pensions, appelées jadis *affittacamere* ou *pensione* et désormais *locanda* (plus joli, ce qui permet de monter les prix), sont souvent plus familiales que les hôtels, mais pas toujours meilleur marché. On n'est pas obligé d'y prendre ses repas ni de rester un minimum de nuits. Théoriquement, elles sont contrôlées par l'office de tourisme et donc de qualité correcte, mais en haute saison, dans les centres touristiques, il arrive que les habitants transforment leur maison en pension temporaire ou, plus tendance, en *B & B.* Le prix dépend alors de la loi de l'offre et de la demande, et on y trouve tout et son contraire. Il n'y a aucun recours en cas de contestation.

Les hôtels

Pour vous aider dans votre choix, demandez en arrivant la *lista degli alberghi* (ou, en Ombrie, la brochure *Ospitalità* qui regroupe tous les types d'hébergements dépendant de l'office de tourisme de la zone où vous vous trouvez) à l'office de tourisme. Ils sont classés en 5 catégories (L pour luxe et de 5 étoiles à 1 étoile pour les plus simples). Cette classification est souvent surestimée par rapport à celle de la France ou de la Suisse. De plus, les prix sont très supérieurs pour un confort et un service souvent discutables. Bien souvent, sous prétexte d'avoir un passé à vendre, ils oublient le confort du présent. Dans la course au gain de place, beaucoup de salles de bains disposent d'une cabine de douche de type box dont l'exiguïté oblige parfois à laisser la porte ouverte pour se savonner. Les prix doivent toujours être affichés dans les chambres ; ils sont (évidemment) indicatifs et rarement exacts. Il faut savoir que les hôtels consentent des réductions importantes aux tour-opérateurs. On a donc tout intérêt à passer par une agence pour certains établissements. Un conseil : ne prenez pas le petit déjeuner à l'hôtel, souvent cher et décevant, sauf s'il est compris dans le prix de la chambre (c'est souvent le cas dans les hôtels 3 étoiles et plus). Préférez les bars-*pasticcerie* où l'on sert de vrais cafés italiens et des brioches, pas des poudres solubles et des croissants sous Cellophane ! Un comble dans le pays de l'espresso !

L'échange d'appartements et de maisons

Une formule de vacances originale pour les propriétaires d'une maison, d'un appartement ou d'un studio. On échange son logement contre celui d'un adhérent du même organisme, dans le pays de son choix, pendant la période des vacances. Cette formule offre l'avantage de passer des vacances à l'étranger à moindres frais, en particulier pour les jeunes couples avec enfants. Voici deux agences qui ont fait leurs preuves :

■ ***Homelink International :*** *19, cours des Arts-et-Métiers, 13100 Aix-en-Provence. ☎ 04-42-27-14-14. • homelink.fr* • Adhésion annuelle : 125 € avec annonce sur Internet valable 1 an.

■ ***Intervac :*** *230, bd Voltaire, 75011 Paris. ☎ 0820-888-342 (0,11 €/mn). • intervac-homeexchange.com • Ⓜ Rue-des-Boulets.* Adhésion annuelle : 95 € comprenant une annonce valable 12 mois sur Internet (avec photo).

HORAIRES

Les horaires officiels, que nous vous donnons à titre indicatif, ne sont pas toujours respectés. Inutile, donc, de nous écrire pour nous injurier : la mise à jour est faite avec soin, mais entre le moment où nous soumettons le guide à l'imprimeur et celui où il sort en librairie, il y a déjà des modifications... On vous conseille donc de vous adresser à l'office de tourisme concerné, qui distribue gratuitement une liste régulièrement mise à jour des lieux de visite (très utile pour les expos temporaires).

– *Restaurants :* de 12h30 à 15h et de 19h à 23h (plus tard dans les endroits touristiques). Quant au dîner, c'est rarement avant 20h30. La possibilité d'être servi jusqu'à 23h et au-delà n'a rien d'exceptionnel.

– *Banques :* du lundi au vendredi de 8h30 à 13h30 et de 14h45 à 15h30-16h. Certaines sont ouvertes le samedi matin, mais rarement en Ombrie où il faut d'ailleurs prévoir une fermeture à 15h30 en semaine.

– *Églises :* ouvertes généralement tôt le matin pour la messe (souvent dès 6h30), elles ferment ensuite au moment du déjeuner, pour rouvrir, souvent, à partir de 15h ou 16h. On arrive parfois à les visiter les samedi et dimanche, en raison de nombreuses cérémonies religieuses. Les églises-musées ont des horaires plus étendus, mais il faut savoir que certains édifices religieux n'ouvrent jamais leurs portes.

– *Musées :* voir « Patrimoine culturel » dans « Hommes, culture et environnement ».

– *Poste :* du lundi au vendredi, approximativement de 8h à 13h30 ; le samedi ainsi que le dernier jour du mois, de 8h30 à 13h. Dans les grandes villes, la poste centrale est ouverte l'après-midi.

– *Bureaux et administrations :* ouverts le matin seulement.
– *Magasins :* en règle générale, de 9h à 13h et de 16h à 19h30 ; toujours fermés le dimanche et une demi-journée par semaine (souvent le lundi matin, à l'exception des magasins d'alimentation qui ferment le mercredi après-midi). Fermeture fréquente le samedi après-midi en été.

ITINÉRAIRES CONSEILLÉS

Attention ! Florence méritant à elle seule un voyage (prévoir 5-6 jours), nous ne l'incluons pas dans nos propositions.
Voici quelques suggestions de parcours pour apprécier la richesse du patrimoine toscan et ombrien, entre les sites étrusques, les pinacothèques, les églises à fresques et la mer... Voici quelques itinéraires selon la durée de votre séjour ; libre à vous bien évidemment de vous en inspirer pour en faire votre « parcours routard » préféré !

Itinéraire d'une semaine en Toscane

Premier jour : Lucques

Cette ville aux origines romaines (son amphithéâtre) permet aussi d'apprécier les charmes de la Renaissance. À voir : le *Duomo,* la *torre dei Guinigi,* la *piazza San Michele* et son église. Pour les amoureux de l'opéra, la *maison natale de Giacomo Puccini.* S'il vous reste du temps, évadez-vous pour apprécier les villas patriciennes des XVIe et XIXe s qui se trouvent dans les environs : *Villa Reale, Villa Mansi* et *Villa Camigliano.*

Deuxième jour : Pise

Le centre historique n'est pas bien grand et le point fort de la visite est le *campo dei Miracoli,* avec le *baptistère,* la fameuse *tour* penchée et le *Duomo.*

Troisième et quatrième jours : San Gimignano et Volterra

San Gimignano est un ancien bourg médiéval. Son centre historique se prête parfaitement à la marche à pied : prenez les rues qui vous conduisent à la *Collegiata,* la *piazza del Duomo* et la *piazza del Popolo.* Petit *Museo civico* à ne pas dédaigner.
À Volterra, d'étonnants vestiges. À voir : le *musée étrusque Garnacci* et le *théâtre romain.*

Cinquième jour : le Chianti

Étape gastronomique. Flânez dans cette très belle région entre Florence et Sienne, et appréciez les paysages envoûtants des villages comme *Greve in Chianti, Radda in Chianti, Castellina* ou *Gaiole.* Attention sur les routes, ça tourne !

Sixième jour : Sienne

Sienne mérite une bonne journée de visite. La ville aux sept collines se découvre sur ses hauteurs, et tout au long de la balade, vous pourrez apercevoir différents panoramas. À ne manquer sous aucun prétexte : la *pinacoteca nazionale,* le *Duomo* (avec la très belle *bibliothèque Piccolomini*), la *piazza del Campo* et le *palazzo Pubblico.*

Septième jour : le parc naturel de la Maremme

Profitez du *parc naturel de l'Uccellina,* où les espèces naturelles sont protégées. Grâce à des sentiers balisés, vous pourrez pénétrer les secrets de cette nature encore sauvage.

Itinéraire de dix jours vers l'Ombrie

Reprenez l'itinéraire d'une semaine en Toscane et, pour les chanceux qui peuvent encore profiter de leurs vacances, poursuivez le voyage. Le parcours des trois premiers jours reste le même ; dirigez-vous, ensuite, de Volterra à Sienne et dans la région du Chianti (4e et 5e jours).

Sixième jour : Arezzo

Une ville à visiter à pied. À voir : les fresques de la sainte Croix par Piero della Francesca au *Duomo* dans la *cappella Baci* et la magnifique *chiesa Santa Maria della Pieve.*

Septième jour : Gubbio

Quittez la Toscane pour le poumon vert de l'Italie ! Commencez par Gubbio, qui s'érige sur une haute colline. À voir : le *palazzo dei Consoli* et sa *pinacoteca,* ainsi que le *museo d'Arte Palazzo Ducale.*

Huitième jour : Assise

Une ville étape qu'il ne faut absolument pas manquer car incontestablement mystique, même pour les athées ! Baladez-vous dans ses ruelles médiévales et visitez la *basilique San Francesco,* la *Rocca Maggiore,* la petite *pinacothèque* et l'*église Santa Chiara.*

Neuvième jour : Pérouse

Le chef-lieu de la région mérite son titre, et il faudra une bonne journée pour le visiter en l'appréciant à sa juste valeur. Certes, on ne saurait que trop vous conseiller d'y rester une nuit pour profiter de son festival de jazz, l'*Umbria jazz* (si vous y êtes en juillet). À voir dans la ville : le *palazzo dei Priori* abritant l'incontournable *Galerie nationale de l'Ombrie* (qui réserve une place d'honneur aux tableaux du Pérugin), la *chiesa San Pietro*, le *tempio Sant'Angelo,* sans oublier l'étonnante petite ville souterraine que constitue la *Rocca Paolina.*

Dixième jour : le lac Trasimène

Pour la fin de votre séjour, nous vous proposons une étape « détente » aux tendres couleurs du lac Trasimène qui, dit-on, furent source d'inspiration aux compositions du Pérugin. Visitez en priorité les bourgades médiévales que sont *Panicale* et *Città della Pieve* et profitez de la plage, du farniente et de jolies excursions sur les îles du lac.

Itinéraire « tutto » toscan de dix jours

Reprenez les six premiers jours de l'itinéraire précédent.

Septième jour : Montepulciano

Encore un bourg médiéval à la beauté préservée qui se dresse tout en haut d'une colline. Très jolie vue sur la campagne toscane des alentours. Les atouts de Montepulciano sont ses dédales de ruelles ombragées aux recoins secrets et son vin gouleyant !

Huitième jour : Orvieto

L'exception ombrienne de notre parcours, mais elle vaut le détour. Elle conserve sa mémoire étrusque avec la *nécropole du Crucifix du Tuf,* mais ses monuments principaux sont le *Duomo* et le *pozzo San Patrizio.* Avant de quitter la ville, faites le tour de ses remparts.

Neuvième jour : au choix, Satúrnia, Montemerano ou Scansano

Vous reprenez la route pour rejoindre le point d'embarquement de l'île d'Elbe et plusieurs villages aux charmes discrets mais certains s'offrent à vous. *Sovana* est reconnu pour ses eaux thermales des *Cascate del Gorello.*

Dixième jour : Piombino et embarquement pour l'isola d'Elba

Piombino est le port d'embarquement pour l'île d'Elbe... Le bateau vous conduit à Portoferraio ; de là, allez jusqu'aux plages de sable et de galets, bordées d'oliviers et surmontées de falaises !

Itinéraire d'une semaine en Ombrie

Commencez par la ville de *Gubbio* (jour 1) pour vous diriger vers *Assise* (jour 2) en vous arrêtant à l'*eremo delle Carceri* si vous ressentez une forte envolée mystique. Le voyage continue sur *Pérouse* (jour 3) et le proche *lac Trasimène* (jour 4).

Cinquième jour : Todi

Attention, ça monte ! Vue imprenable sur la vallée du Tibre. On adore ! Nous vous conseillons la promenade dans les ruelles, offrant au voyageur les attraits de ses vieilles maisons. Pour les accros : le *Duomo,* le *tempio San Fortunato* et son campanile, et enfin la *chiesa Santa Maria della Consolazione.*

Sixième jour : Spolète

La ville a su concilier son passé médiéval et une architecture plus contemporaine. Les Italiens apprécient... et nous aussi ! À voir : les églises *San Salvatore* et *San Ponziano,* le *ponte delle due Torri,* le *Duomo* et le *Musée diocésain* incorporant la surprenante *chiesa Sant'Eufemia.*

Septième jour : les chutes de Marmore et l'abbaye San Pietro in Vialle

« Le » site, dans cette partie de l'Ombrie. Oubliez un peu vos musées et envisagez un bref, mais intense, retour à la nature. Brumisation assurée. Terminez ensuite ce voyage en rendant gloire au Créateur à l'*abbazia San Pietro in Vialle.*

Itinéraire ombrien de dix jours

Reprenez les six premiers jours de l'itinéraire précédent.

Septième jour : Orvieto

Orvieto, perchée sur son rocher volcanique, vous attend de pied ferme. Visitez son merveilleux *Duomo* et l'ensemble de sites qui constituent le *Museo dell'Opera del Duomo,* sans oublier le fameux *pozzo San Patrizio.*

Huitième jour : la basse vallée de la Nera

Musardez ensuite via *Amelia* et *Narni,* avant de passer du culturel au naturel aux *chutes de Marmore,* d'où vous ressortirez rafraîchi et ébahi.

Neuvième jour : la haute vallée de la Nera

Visitez l'*abbazia San Pietro in Vialle* et continuez vers les petits villages de la haute vallée, jusqu'à *Cascia* où vous brûlerez un cierge à sainte Rita en sa basilique.

Dixième jour : Nursie et les monts Sibyllins

Au programme de ce dernier jour, gastronomie, culture et nature, un trio de choc ! Faites à *Norcia* le plein de victuailles, visitez l'*abbazia Sant'Euzidio* en rendant au passage hommage à saint Benoît, puis terminez votre périple en vous ébaubissant devant l'étonnant site de *Castelluccio,* ou en vous dégourdissant les jambes dans le parc national des monts Sibyllins.

LANGUE

Comme vous le découvrirez vite, l'italien est une langue facile pour les francophones. En peu de temps, vous pourrez apprendre quelques rudiments suffisants pour vous débrouiller. Pour vous aider à communiquer, n'oubliez pas notre ***Guide de conversation du routard*** en italien.
L'Italie, c'est aussi le foisonnement des dialectes. En tendant l'oreille, vous remarquerez peut-être que les Florentins ont tendance à aspirer le « c ». Si vous demandez une chambre, qui se dit *camera,* ils prononceront « hamera », un peu comme la *jota* espagnole. Dans les environs de Sienne, on a coutume de transformer les « c » en « h ». Ainsi entend-on souvent demander un « hoca-hola ». Dans les environs de Livourne, le « r » prend une teinte étrange. Le mieux pour s'en rendre compte « à froid » est de se procurer *Il vernacoliere* (littéralement, « le vernaculaire ») pour lire le livournais.
Toutefois, ne vous découragez pas : il vous restera toujours la possibilité de joindre le geste à la parole.

Linguistique

Le toscan, langue des Italiens ?

Le toscan a été choisi comme langue officielle italienne grâce au rayonnement et au prestige de la culture toscane à travers l'histoire de l'Italie. En effet, à partir du XIIe s, Florence se distingue par son dynamisme politique, économique et commercial et va imposer sa langue par le biais de sa littérature florissante (Dante, Boccace et Pétrarque). Supplantant petit à petit le latin, le toscan s'étendra dans la Botte, consacré par les grammairiens du XVIe s. Sur le papier, le toscan aurait dû totalement uniformiser le pays, linguistiquement parlant. Mais cela n'a pas été le cas, et les dialectes occupent toujours une place prépondérante dans certaines régions italiennes. À titre d'exemple, pendant la Seconde Guerre mondiale, certains soldats italiens ne se comprenaient pas car ils parlaient des dialectes différents. Quelle en est donc la raison ? De l'Antiquité à l'unité italienne en 1870, la péninsule et ses îles ont constamment subi des invasions de toutes parts, devenant le terrain de jeu favori des grandes puissances qui ont morcelé le territoire entre royaumes, duchés, États... La présence de ces occupants a insidieusement influé sur les us et coutumes des territoires occupés.
Il s'en est suivi des traditions, des coutumes, des rivalités, une histoire propre à chaque ville, provoquant des différences de parlers et générant, par la même occasion, une certaine rivalité entre les habitants de deux villes proches (Florence et Sienne, Pise et Livourne...). Les dialectes tels que nous les connaissons aujourd'hui sont donc un héritage du latin abâtardi par les anciennes populations qui ont peuplé ces terres ainsi que par l'influence des pays limitrophes (France, Autriche, Croatie...). Dans certaines régions, les dialectes sont encore fréquemment utilisés en famille, dans la rue et au travail même si, depuis l'unification, ils ont perdu beaucoup de terrain. En effet, l'État italien a imposé le toscan par le biais de la scolarité, du service militaire (jusqu'en 2005) et, à partir des années 1950, de la télévision.
À noter que cinq régions d'Italie possèdent un statut spécial d'autonomie : la Vallée d'Aoste pour sa communauté francophone, le Trentin-Haut-Adige pour sa minorité germanophone, le Frioul-Vénétie-Julienne pour ses communautés slovènes et yougoslaves, la Sicile et la Sardaigne pour leurs volontés indépendantistes. Comme quoi, l'Italie n'est pas si unifiée que ça...

Quelques éléments de base

Politesse

Bonjour	*Buongiorno*
Bonsoir	*Buonasera*
Bonne nuit	*Buonanotte*
Excusez-moi	*Scusi*
S'il vous plaît	*Per favore*
Merci	*Grazie*

Expressions courantes

Je ne comprends pas	*Non capisco*
Parlez lentement	*Parla lentamente*
Pouvez-vous me dire ?	*Può dirmi ?*
Combien ça coûte ?	*Quanto costa ?*
C'est trop cher	*È troppo caro*
L'addition, s'il vous plaît	*Il conto, per favore*

Le temps

Lundi	*Lunedì*
Mardi	*Martedì*
Mercredi	*Mercoledì*
Jeudi	*Giovedì*
Vendredi	*Venerdì*
Samedi	*Sabato*
Dimanche	*Domenica*
Aujourd'hui	*Oggi*
Hier	*Ieri*
Demain	*Domani*

Les nombres

Un	*Uno*
Deux	*Due*
Trois	*Tre*
Quatre	*Quattro*
Cinq	*Cinque*
Six	*Sei*
Sept	*Sette*
Huit	*Otto*
Neuf	*Nove*
Dix	*Dieci*
Quinze	*Quindici*
Cinquante	*Cinquanta*
Cent	*Cento*

Transports

Un billet pour...	*Un biglietto per...*
À quelle heure part... ?	*A che ora parte... ?*
À quelle heure arrive... ?	*A che ora arriva... ?*
Gare	*Stazione*
Horaire	*Orario*

À l'hôtel

Hôtel	*Albergo*
Pension de famille	*Pensione familiare*

Je désire une chambre	*Desidero una camera*
À un lit	*A un letto*
À deux lits	*A due letti*

LIVRES DE ROUTE

– ***Histoire de l'Italie*** (2003), Catherine Brice. Éd. Perrin, coll. Tempus. L'histoire de l'Italie ou « des Italies » est retracée de la fin de l'âge de bronze à aujourd'hui. Ce livre est notre « botte » secrète pour comprendre tous les aspects du caractère contrasté et bouillonnant des Italiens. Et tout ça en moins de 500 pages, abordable donc (même pour les plus pressés) !
– ***Histoires de Toscane*** (2002), Lucien d'Azay. Éd. Les Belles Lettres, coll. Sortilèges, 2002. Toscane des villes ou Toscane des champs, 22 textes évoquent les infinies variations de cette région italienne au travers du temps et des regards. De Florence à Sienne en passant par Lucques, les impressions et émotions d'écrivains aussi différents que Mme de Staël ou Somerset Maugham, Dante ou Stendhal. Si les frères Goncourt trouvent en Florence et ses habitants un manque de tenue sans nom, ils ne peuvent cependant s'empêcher de goûter la beauté de ses campagnes. Camus en parle comme la source même de l'art de vivre terriblement humain des Florentins. Cet échange entre beauté urbaine et magie de la campagne attire depuis des siècles écrivains, artistes et simples quidams. Pour y retourner ou s'y retrouver, au choix de chacun.
– ***Chroniques italiennes*** (1837-1839), Stendhal. Éd. Gallimard, coll. Folio n° 392, 2001. Recueil de nouvelles. En fouillant les archives de Civitavecchia, Stendhal se constitua une étonnante collection de procès-verbaux relatant des faits divers qui ensanglantèrent certaines grandes familles italiennes du XVIe s : on complote, on aime, on tue avec cette fièvre et cette exaltation latines qui, même en Italie, ont disparu depuis longtemps. Du même auteur et dans la même collection, lire aussi ***Promenades dans Rome*** et ***Rome, Naples, Florence*** (essai).
– ***Voyage en Italie*** (1954), Jean Giono. Éd. Gallimard, coll. Folio n° 1143, 1979. Loin de sa Provence, Giono est perdu. Dès lors, la découverte de l'Italie en 1953 par ce vieux jeune homme de près de 60 ans est un heureux hasard pour la littérature. Cette escapade de quelques semaines dans une guimbarde, sur les routes de Toscane et de la plaine du Pô, Giono la vit comme une renaissance et un éblouissement.
– ***Place de Sienne, côté ombre*** (1983), Carlo Fruttero et Franco Lucentini. Éd. Le Seuil, coll. Points-Roman n° R 284, 1998. La ville de Sienne célèbre chaque année la fête du *Palio,* dont le fleuron est une spectaculaire course de chevaux. À cette occasion, tous les coups sont permis. Une mort suspecte, un jockey fantôme et une mystérieuse famille sont autant d'énigmes à résoudre dans un roman où la petite ville médiévale joue un rôle essentiel.
– ***Le Décaméron*** (1350-1353), Giovanni Boccaccio, dit Boccace. Éd. Gallimard, coll. Folio classique, n° 4352, 2006. Lors de la grande peste de 1348 à Florence, sept femmes et trois hommes, réfugiés à la campagne, décident que chacun racontera, chaque jour, dix histoires aux autres. Texte classique par excellence, les cent nouvelles du *Décaméron* composent un tableau haut en couleur, comique, licencieux, sentimental, tragique et pathétique aussi, de l'Italie du XIVe s.
– ***Le Clan des Médicis,*** Jacques Heers. Éd. Perrin, 2008. Un portrait juste de la famille Médicis, son ascension, sa grandeur et sa faillite. Un livre qui va à l'encontre des idée reçues et nous permet d'approfondir l'histoire unique d'une famille qui a fait d'une ville son territoire personnel.
– ***Le Dernier des Médicis*** (1994), Dominique Fernandez. Éd. Le Livre de Poche n° 13928, 1994. Une peinture impitoyable de la dégénérescence d'un grand-duc toscan, dernier descendant d'une bien illustre famille, dans une Florence tiraillée entre les factions politiques rivales.

– ***L'Art italien,*** André Chastel. Éd. Flammarion, coll. Tout l'Art, 2008. Panorama complet de l'art italien jusqu'au XXe s par celui qui fut le spécialiste en la matière. Incontournable.
– ***Avec vue sur l'Arno*** (1970), E. M. Forster. Éd. 10/18, coll. Domaine étranger, n° 1545, 2006. Un roman initiatique dans le plus pur esprit british, dont la première partie se déroule à Florence et dans les collines du Chianti. Entre bienséance et amour véritable, le cœur de la jeune Lucy Honeychurch balance... Roman à l'origine du film *Chambre avec vue,* de James Ivory.
– ***La Passion Lippi*** (2004), Sophie Chauveau. Éd. Gallimard, coll. Folio, 2006. Biographie romancée de Filippo Lippi, l'un des peintres les plus célèbres du Quattrocento. Remarqué dans les rues de Florence par Cosme de Médicis, ce peintre-moine (élève de Fra Angelico) a défrayé la chronique par son libertinage et sa manière de peindre. Donne un bon aperçu du milieu artistique de l'époque. Dans la même veine, ***Le Rêve de Botticelli,*** éd. Gallimard, coll. Folio, 2007, et ***L'Obsession Vinci,*** éd. Gallimard, coll. Folio, 2009, du même auteur.
– ***Le Menteur d'Ombrie,*** Bjarne Reuter. Éd. Babel, 2007. Vous suivrez les aventures de Giuseppe Pagamino, herboriste et menteur comme un arracheur de dent, qui traverse l'Ombrie pour trouver une rognure d'ongle du Diable (rien que ça !) afin de fabriquer une potion d'immortalité. Mais ce défi comporte des risques, et Pagamino n'est pas au bout de ses peines !
– ***Infrarouge,*** Nancy Huston. Éd Acte Sud, 2010. On (re)découvre Florence, ses œuvres d'art, ses rues, ses artistes à travers l'héroïne, une photographe spécialisée dans la photo infrarouge. Accompagnée de son père et de sa belle-mère, elle est aussi confrontée à son passé familial et sentimental, ses relations difficiles avec son père.

PERSONNES HANDICAPÉES

On a pu constater que les Italiens étaient plus en avance que nous (pas difficile !) pour tous les aménagements concernant les personnes à mobilité réduite. Ainsi, de nombreux hébergements sont équipés d'au moins une chambre adéquate (mais pas les pensions, souvent situées au deuxième ou troisième étage sans ascenseur). N'hésitez pas à appeler pour vous renseigner, même si le symbole ♿ ne figure pas dans l'adresse que nous indiquons, car de plus en plus d'hôtes aménagent leur structure en conséquence. Cela dit, certains déclarent aussi des aménagements qui se révèlent inexistants...

PHOTOS

Qu'ils soient partisans du « tout numérique » ou fidèles défenseurs de l'argentique, les amateurs seront comblés. Paysages et monuments sont magnifiques. Les occasions ne manquent pas, surtout lorsque la lumière est au rendez-vous.
On peut photographier librement partout, sauf dans la plupart des musées (même si on vous laisse conserver votre appareil photo). Généralement, les galeries de peinture interdisent toute utilisation du flash et du pied. Il est préférable de se conformer au règlement (les éclairs de flash nuisent à la conservation des fresques et des peintures). Sinon, vous verrez arriver en courant les personnes chargées de la surveillance des lieux, qui sont intraitables et peuvent éventuellement vous flanquer à la porte.
Des tirages peuvent être effectués dans des délais records chez des photographes équipés de machines automatiques (pas toujours de bonne qualité, il faut le reconnaître) ou dans de nombreux points Internet qui permettent le transfert de photos sur la carte mémoire, sur CD ou DVD. Mais évitez les magasins à proximité des monuments : arnaque garantie.

POSTE

– Les bureaux de poste sont ouverts en général du lundi au vendredi de 8h à 13h30 et le samedi de 8h30 à 13h. Dans les grandes villes, la poste centrale est ouverte l'après-midi. Fermés les dimanche et jours fériés.
– La poste italienne a mis en circulation un timbre avec la mention *Posta prioritaria,* obligatoire sur le territoire national mais aussi vers les pays européens, à 0,65 €, qui permet d'envoyer une lettre en 1 journée pour l'Italie et 2 ou 3 jours pour l'étranger. Ce timbre peut être acheté dans un bureau de tabac *(tabacchi).*
– Pour recevoir du courrier poste restante, tenir compte des délais d'acheminement et demander à l'expéditeur de rédiger l'enveloppe avec la mention : « Fermo posta, posta centrale di... » et le nom de la ville en italien, précédé, si possible, du code postal comme en France.
– Pour tout autre renseignement, n'hésitez pas à appeler le *call center* au ☎ 803-160. Des opérateurs parlant aussi bien l'italien que l'anglais et le français répondent à vos questions de 8h à 20h. Vous pouvez également vous renseigner sur • *poste.it* •

POURBOIRE ET TAXE

Pourboire

Rien ne vous oblige à laisser un pourboire *(una mancia).* Libre à vous d'en décider selon la qualité du service dont vous avez pu bénéficier. Les chauffeurs de taxi et employés d'hôtels, lorsqu'ils portent vos bagages, attendent une *mancia.* Dans les églises, les sacristains sont souvent remplacés par des tirelires électriques (0,50 à 2 €) qui illuminent les chefs-d'œuvre sans avoir à forcer la main.

L'addition

Ne vous étonnez pas de voir votre addition majorée du traditionnel *pane e coperto* (lequel a théoriquement été supprimé, mais il continue d'être appliqué dans la majorité des restos). Telle est la pratique en Italie. Il varie entre 2 et 3 € ; au-delà de 4 €, cela devient du vol. Il doit être signalé sur la carte, quand il y en a une ! Ajoutez à cela une bouteille d'eau minérale (autour de 2 €), et vous comprendrez rapidement pourquoi l'addition grimpe si vite.
En tout cas, n'oubliez pas de bien vérifier l'addition avant de payer, quitte à passer pour un touriste étranger enquiquinant.
Si on ne vous propose pas de carte en arrivant dans un resto, demandez-la. Sachez que si vous décidez de faire confiance au patron pour le choix des plats, vous mangerez sûrement délicieusement, mais l'addition peut faire mal (et peut parfois être établie à la louche si vous n'avez pas vu les prix avant). Nombre de nos lecteurs ont eu ainsi l'impression de se faire avoir.

SANTÉ

Carte européenne d'assurance maladie

Pour un séjour temporaire en Italie, pensez à vous procurer la carte européenne d'assurance maladie. Il vous suffit d'appeler votre centre de sécurité sociale (ou de vous connecter au site internet de votre centre, encore plus rapide !), qui vous l'enverra sous une quinzaine de jours. Cette carte fonctionne avec tous les pays membres de l'Union européenne (y compris les 12 petits derniers), ainsi qu'en Islande, au Lichtenstein, en Norvège et en Suisse. C'est une carte plastifiée bleue du même format que la carte Vitale. Elle est valable 1 an, gratuite et personnelle (chaque membre de la famille doit avoir la sienne, y compris les enfants). Conservez bien toutes les factures pour obtenir les remboursements au retour.

Vaccins

Aucun n'est obligatoire, mais il est préférable d'avoir son rappel antitétanique à jour, surtout si l'on fait du camping. Nous vous recommandons chaudement un répulsif antimoustiques (ces charmantes petites bêtes étant très virulentes en période estivale).

■ ***Catalogue Santé Voyage (Astrium) :*** *☎ 01-45-86-41-91 (lun-ven 14h-19h).* Les produits et matériels utiles aux voyageurs, assez difficiles à trouver, peuvent être achetés par correspondance sur le site • *sante-voyages.com* • Infos complètes toutes destinations, boutique web, paiement sécurisé, expéditions Colissimo Expert ou Chronopost.

■ ***Dépôt-vente AccesProVisas :*** *26, rue de Wattignies, 75012 Paris. ☎ 01-43-40-11-34. • accespro-visas.fr • Ⓜ Dugommier ou Daumesnil.*

Assurances

Ne partez pas sans vous être assuré que vous l'êtes bien !

– En France, vous pouvez bien sûr vous assurer auprès de *Routard Assurance.*

– En Belgique, vous pouvez faire appel à *Eurocross.* Si vous êtes malade, un coup de téléphone en PCV au ☎ 32-22-70-09-00 (numéro en Belgique) suffit pour qu'ils vous assistent.

SITES INTERNET

Sur l'Italie

• ***routard.com*** • Tout pour préparer votre périple. Des fiches pratiques sur plus de 200 destinations, de nombreuses informations et des services : photos, cartes, météo, dossiers, agenda, itinéraires, billets d'avion, réservation d'hôtels, location de voitures, visas... Et aussi un espace communautaire pour échanger ses bons plans, partager ses photos, définir son passeport routard ou trouver son compagnon de voyage. Sans oublier *routard mag,* ses reportages, ses carnets de route et ses infos pour bien voyager. La boîte à outils indispensable du routard.

• ***enit.it*** • En français. Site de l'office de tourisme, très riche en informations. Nombreuses rubriques pratiques qui vous aideront à préparer votre séjour. Permet également de faire un tour d'horizon complet de la culture italienne.

• ***paginegialle.it*** • Correspond à nos Pages Jaunes.

• ***museionline.it*** • En anglais et/ou en italien. Un site incontournable si vous vous apprêtez à visiter tous les musées d'Italie. Ils y sont tous, répertoriés par catégories, avec les prix, les horaires et le site de chaque musée. En plus, il vous donne la liste des expos temporaires dans la région visitée (régulièrement mise à jour). On vous le recommande chaudement.

• ***ambafrance-it.org*** • Le site français en Italie, avec la liste complète des ambassades, consulats, centres culturels et alliances françaises, ainsi qu'un dossier sur les rapports économiques franco-italiens. Infos intéressantes pour les étudiants qui veulent y séjourner.

• ***gelatoartigianale.it*** • En italien. Le site de la très sérieuse *Accademia del Gelato.* Spécialement conçu pour les gélatophiles avertis ! Vous saurez tout sur les quelque 400 000 tonnes de glace annuelles, sur les 25 000 *gelaterie* disséminées à travers tout le pays, ainsi que sur les 14 kg ingurgités par personne chaque année. Adhésion (gratuite) au *Club del Gelato* pour accéder à l'histoire de la glace, sa fabrication, sa conservation et ses nombreuses recettes !

Sur la Renaissance italienne

• ***edelo.net*** • Très beau site perso en français, fait par un passionné de voyages, et notamment de l'Italie et de la Toscane. De nombreux liens très intéressants, par exemple sur la Toscane et les peintres de la Renaissance. Un bon site à découvrir !

Sur le cinéma

• ***cinecitta.it*** • Site officiel du géant italien avec le box-office de chaque semaine, des infos et l'actualité du cinéma.
• ***cinema-italien.cinemotions.com*** • Plus de 1 800 films (et coproductions) italiens recensés sur ce site, des résumés de chaque film, le tout illustré par des superbes affiches d'époque.

Sur la Toscane et sur l'Ombrie

• ***turismo.intoscana.it*** • Site officiel de la région, très clair et très bien documenté.
• ***cultura.toscana.it*** • Site uniquement consacré à la culture toscane, comme son nom l'indique.
• ***toscane-toscana.org*** • Site sur la région, en français, avec cartes interactives « cliquables » donnant des infos pratiques, culturelles et gastronomiques.
• ***polomuseale.firenze.it*** • Site donnant une foule de renseignements (tarifs, horaires...) sur tous les musées, les expos et toutes les bibliothèques de la ville de Florence.

Sur l'Ombrie

• ***regioneumbria.eu*** • Site officiel de la région, très bien documenté.

TABAC

En Italie, **la cigarette est interdite dans TOUS les lieux publics** (restaurants, cafés, bars, discothèques et trains). Si les partisans du « vietato fumare » se réjouissent de pouvoir désormais dîner sans craindre l'asphyxie, les accros au tabac ont, quant à eux, la vie dure. Aussi étonnant que cela puisse paraître, cette loi est scrupuleusement respectée par la population. Alors, à bon entendeur... D'autant plus qu'en cas d'infraction, une grosse amende vous attend : 27 € à la moindre cigarette allumée (275 € s'il y a des enfants ou des femmes enceintes à proximité). Quant aux restaurateurs, ils encourent une peine de 2 200 € s'ils ne font pas respecter cette loi dans leur établissement.
Le soir, lorsqu'ils ferment, les *tabacchi* laissent place à un distributeur automatique. Attention, ces derniers ne rendent pas toujours la monnaie ; ils délivrent alors un ticket qu'il faut présenter au comptoir aux heures d'ouverture pour se faire rembourser. Mieux vaut donc prévoir l'appoint.

TÉLÉPHONE – TÉLÉCOMMUNICATIONS

Téléphone

L'usage du portable est très répandu en Italie (comme partout d'ailleurs), et son utilisation en est parfois excessive (en particulier au volant...), à tel point que des règlements en interdisent l'utilisation dans certains lieux publics. Ne vous étonnez pas non plus des numéros de téléphone fixe dont le nombre de chiffres varie (généralement de 8 à 10), c'est normal !

PLANS ET CARTES EN COULEURS

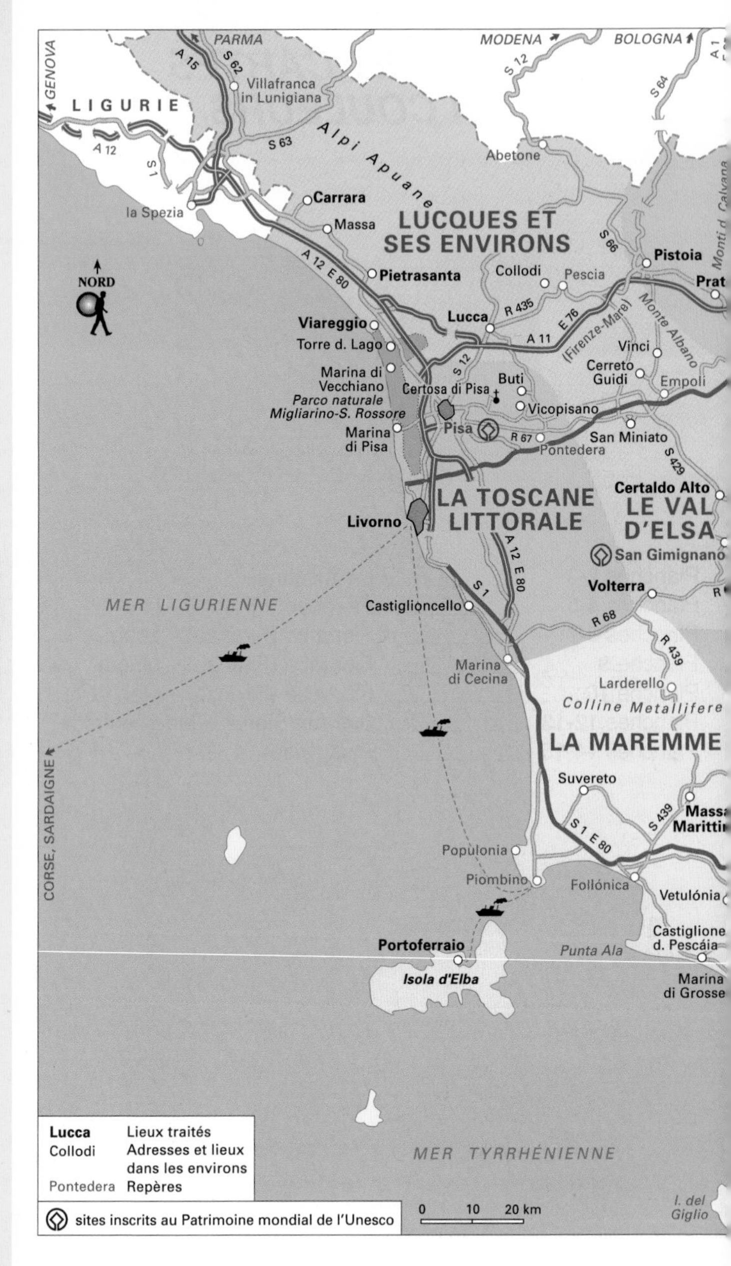
PARMA
MODENA
BOLOGNA
GENOVA
LIGURIE
Villafranca in Lunigiana
Alpi Apuane
Abetone
Carrara
Massa
la Spezia
LUCQUES ET SES ENVIRONS
NORD
Pietrasanta
Collodi
Pescia
Pistoia
Prat
Monte Albano
Viareggio
Torre d. Lago
Lucca
Vinci
Cerreto Guidi
Empoli
Marina di Vecchiano
Certosa di Pisa
Buti
Parco naturale Migliarino-S. Rossore
Vicopisano
Marina di Pisa
Pisa
San Miniato
Pontedera
Certaldo Alto
LA TOSCANE LITTORALE
LE VAL D'ELSA
Livorno
San Gimignano
Volterra
MER LIGURIENNE
Castiglioncello
Marina di Cecina
Larderello
Colline Metallifere
LA MAREMME
CORSE, SARDAIGNE
Suvereto
Massa Marittima
Populonia
Piombino
Follónica
Vetulónia
Castiglione d. Pescáia
Portoferraio
Punta Ala
Isola d'Elba
Marina di Grosseto
MER TYRRHÉNIENNE
Lucca Lieux traités
Collodi Adresses et lieux dans les environs
Pontedera Repères
sites inscrits au Patrimoine mondial de l'Unesco
0 10 20 km
I. del Giglio

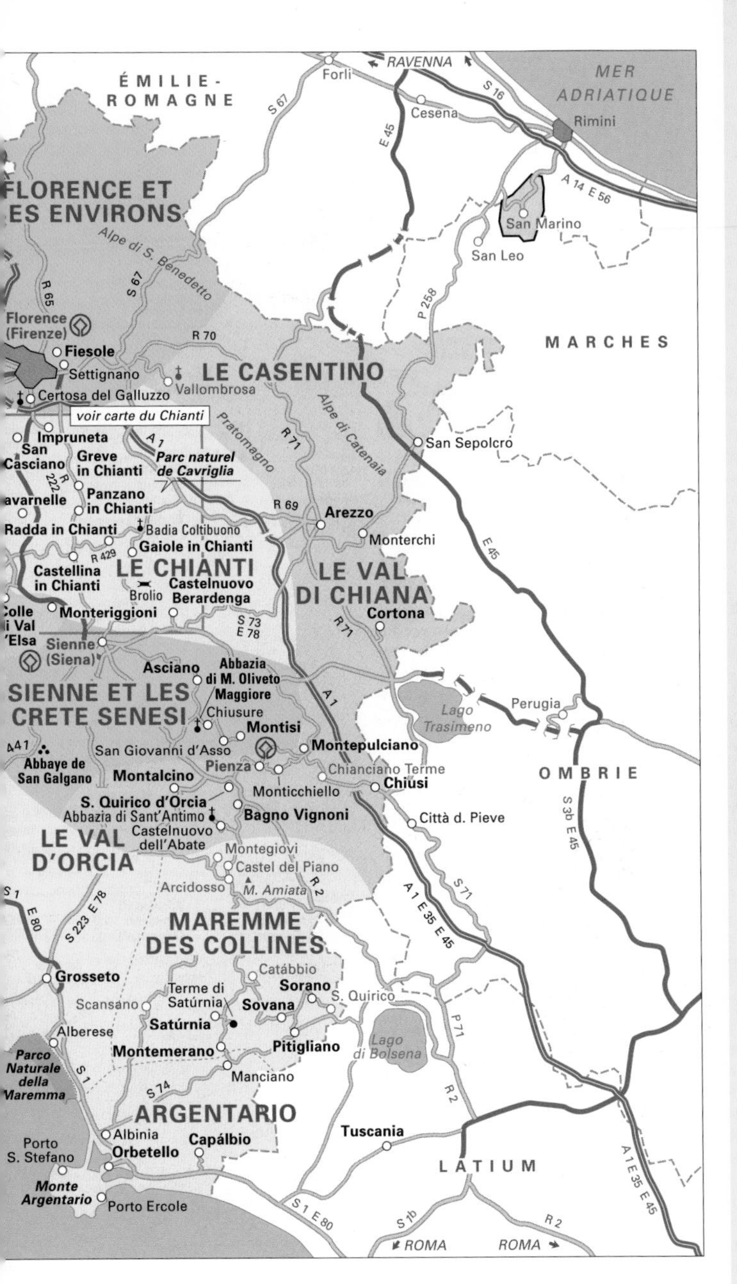

ÉMILIE-ROMAGNE
MER ADRIATIQUE
RAVENNA
Forli
Cesena
Rimini
San Marino
San Leo
FLORENCE ET LES ENVIRONS
Alpe di S. Benedetto
Florence (Firenze)
Fiesole
Settignano
Vallombrosa
LE CASENTINO
MARCHES
Certosa del Galluzzo
voir carte du Chianti
Impruneta
San Casciano
Greve in Chianti
Parc naturel de Cavriglia
Pratomagno
Alpe di Catenaia
San Sepolcro
Panzano in Chianti
Radda in Chianti
Badia Coltibuono
Gaiole in Chianti
Arezzo
Monterchi
Castellina in Chianti
LE CHIANTI
Castelnuovo Berardenga
Brolio
LE VAL DI CHIANA
Monteriggioni
Cortona
Sienne (Siena)
Asciano
Abbazia di M. Oliveto Maggiore
SIENNE ET LES CRETE SENESI
Chiusure
Montisi
Lago Trasimeno
Perugia
Abbaye de San Galgano
San Giovanni d'Asso
Montepulciano
Pienza
Chianciano Terme
OMBRIE
Montalcino
Monticchiello
Chiusi
S. Quirico d'Orcia
Abbazia di Sant'Antimo
Bagno Vignoni
Città d. Pieve
LE VAL D'ORCIA
Castelnuovo dell'Abate
Montegiovi
Castel del Piano
Arcidosso
M. Amiata
MAREMME DES COLLINES
Grosseto
Catábbio
Sorano
S. Quirico
Terme di Satúrnia
Scansano
Sovana
Satúrnia
Alberese
Pitigliano
Lago di Bolsena
Parco Naturale della Maremma
Montemerano
Manciano
ARGENTARIO
Albinia
Capálbio
Tuscania
Porto S. Stefano
Orbetello
LATIUM
Monte Argentario
Porto Ercole
ROMA
ROMA
LA TOSCANE

LA TOSCANE

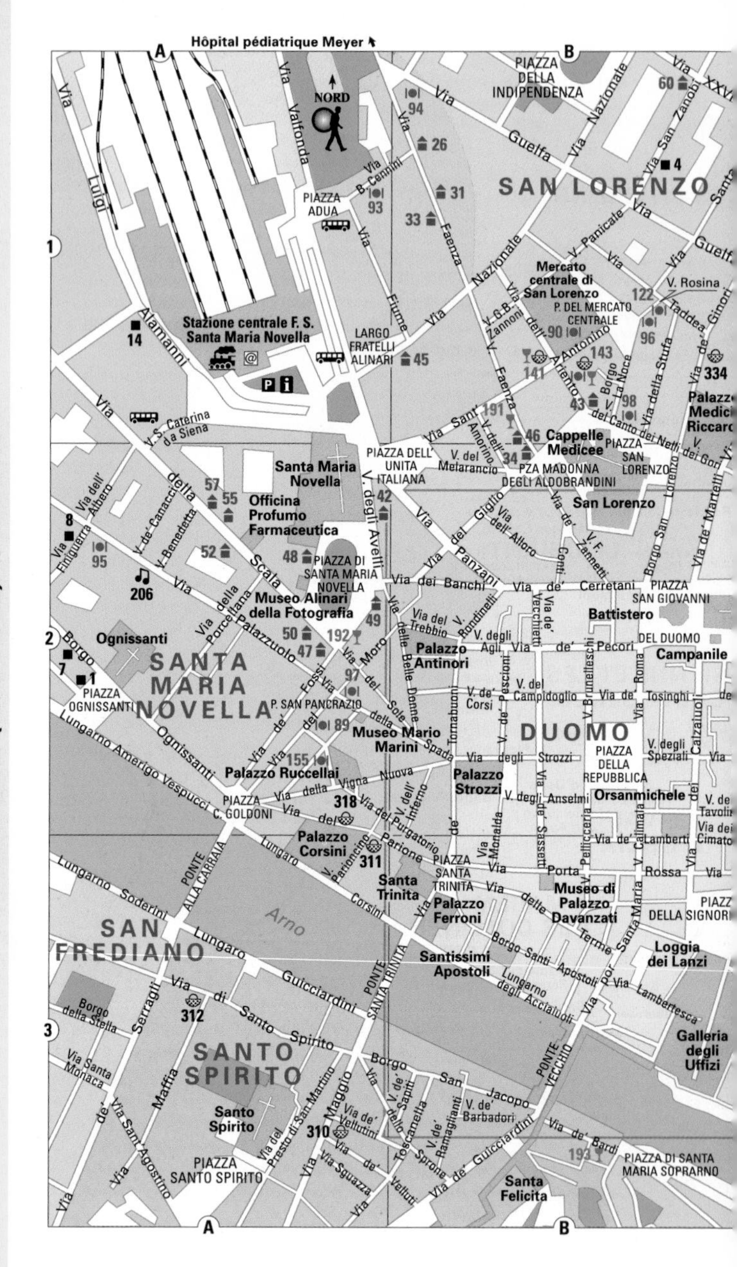
Hôpital pédiatrique Meyer
A
B
1
2
3
NORD
PIAZZA DELLA INDIPENDENZA
SAN LORENZO
SANTA MARIA NOVELLA
DUOMO
SAN FREDIANO
SANTO SPIRITO
Stazione centrale F. S. Santa Maria Novella
PIAZZA ADUA
LARGO FRATELLI ALINARI
Mercato centrale di San Lorenzo
P. DEL MERCATO CENTRALE
Cappelle Medicee
PIAZZA SAN LORENZO
PZA MADONNA DEGLI ALDOBRANDINI
San Lorenzo
Palazzo Medici Riccardi
PIAZZA DELL' UNITA ITALIANA
Santa Maria Novella
Officina Profumo Farmaceutica
PIAZZA DI SANTA MARIA NOVELLA
Museo Alinari della Fotografia
Ognissanti
PIAZZA OGNISSANTI
P. SAN PANCRAZIO
Museo Mario Marini
Palazzo Ruccellai
Palazzo Antinori
PIAZZA SAN GIOVANNI
Battistero
DEL DUOMO
Campanile
PIAZZA DELLA REPUBBLICA
Palazzo Strozzi
Orsanmichele
PIAZZA C. GOLDONI
Palazzo Corsini
PIAZZA SANTA TRINITA
Santa Trinita
Palazzo Ferroni
Museo di Palazzo Davanzati
PIAZZ DELLA SIGNORI
Loggia dei Lanzi
Santissimi Apostoli
Galleria degli Uffizi
PONTE ALLA CARRAIA
PONTE SANTA TRINITA
PONTE VECCHIO
Arno
Santo Spirito
PIAZZA SANTO SPIRITO
Santa Felicita
PIAZZA DI SANTA MARIA SOPRARNO
Via Valfonda
Via Luigi Alamanni
Via B. Cennini
Via Faenza
Via Fiume
Via Guelfa
Via Nazionale
Via San Zanobi
V. Panicale
V. Rosina
Via Taddea
Via Ginori
Via dell'Ariento
V. G.B. Zannoni
Via Sant' Antonino
Borgo La Noce
Via della Stufa
Via de' Ginori
V. del Canto dei Nelli
V. dei Gori
V. dell' Amorino
V. del Melarancio
Via del Giglio
Via dell' Alloro
Via de' Conti
V. F. Zannetti
Borgo San Lorenzo
Via de' Martelli
Via Panzani
Via dei Banchi
Via de' Cerretani
V. S. Caterina da Siena
Via della Scala
Via dell' Albero
Via Finiguerra
V. de' Canacci
V. Benedetta
Via della Porcellana
Via Palazzuolo
V. degli Avelli
Via del Moro
Via del Trebbio
V. Rondinelli
Via delle Belle Donne
Via de' Fossi
Via del Sole
Via della Spada
Via dei Pecori
V. degli Agli
Via de' Vecchietti
V. Brunelleschi
Via Roma
V. de' Corsi
V. del Campidoglio
Via de' Tosinghi
V. de' Pescioni
Via Tornabuoni
Via de' Calzaiuoli
V. degli Speziali
Via degli Strozzi
V. degli Anselmi
V. de' Tavolini
Via dei Cimatori
Via de' Sassetti
Via Pellicceria
Via de' Lamberti
V. Calimala
Via Porta Rossa
Via delle Terme
Borgo Ognissanti
Lungarno Amerigo Vespucci
Via della Vigna Nuova
Via del Purgatorio
V. dell' Inferno
Via del Parione
V. Parioncino
Via Monalda
Lungarno Corsini
Lungarno Soderini
Lungarno Guicciardini
Borgo Santi Apostoli
Lungarno degli Acciaiuoli
Via Por Santa Maria
Via Lambertesca
Via di Santo Spirito
Borgo della Stella
Via Serragli
Via Santa Monaca
Via Maffia
Via de'
Via Sant'Agostino
Borgo San Jacopo
Via del Presto di San Martino
Via Maggio
Via de' Velluti
Via Sguazza
V. de' Sapiti
Via dello Sprone
Via Toscanella
V. de' Ramaglianti
V. de' Barbadori
Via de' Guicciardini
Via de' Bardi
14
8
7
1
4
60
94
26
31
93
33
45
122
96
90
141
143
334
43
98
191
46
34
42
57
55
52
48
95
206
49
50
47
192
97
89
155
318
311
312
310
193

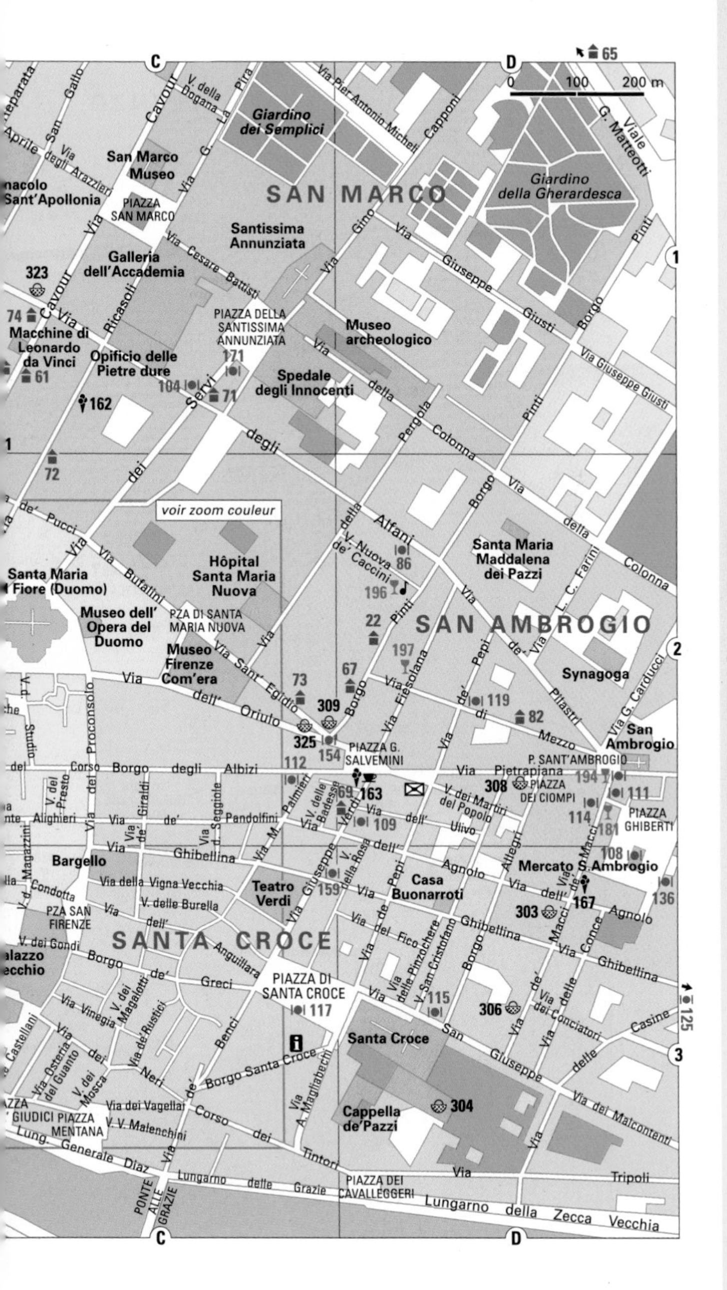

FLORENCE (FIRENZE) – PLAN I

FLORENCE (FIRENZE) – PLAN I

SAN LORENZO
DUOMO
S. M. NOVELLA
SANTO SPIRITO
Via del Giglio
V. dell' Alloro
Via dei Panzani
Via dei Banchi
Via dei Cerretani
V. de Conti
V. F. Zanetti
Borgo S. Lorenzo
Battistero
PIAZZA DI S.GIOVANNI
S. Maria Maggiore
Via dei Rondinelli
Via delle Belle Donne
V. del Moro
Palazzo Antinori
PIAZZA ANTINORI
V. degli Agli
Via dei Pecori
Museo del Bigallo
S. Gaetano
V. de' Giacomini
V. de Corsi
Loggia dei Tornaquinci
Palazzo de' Larderei
V. della Spada
Via de' Vecchietti
Via de' Brunelleschi
Via Roma
V. del
Via de' Tosinghi
V. de Medici
PIAZZA DELLA REPUBBLICA
Via degli Strozzi
Via d. Speziali
V. della Vigna Nuova
Via de' Tornabuoni
Palazzo Strozzi
PIAZZA STROZZI
V. degli Strozzi
Via d. Anselmi
Via dei Sassetti
V. Orsanmichele
Orsanmichele
V. dell' Inferno
Via Monalda
Chiasso dei Soldanieri
PIAZZA DE' DAVANZATI
Pellicceria
Via de Lamberti
Via Calimala
V. del Parione
Via Porta Rossa
PIAZZA S. TRINITÀ
Santa Trinità
Pal. Bartolini-Salimbeni
Museo di Palazzo Davanzati
Loggia del Mercato Nuovo
Calimaruzza
Museo Salvatore Ferragamo
Palazzo Feroni
Borgo
Via delle Terme
Ch. d. Cornino
Pal. di Cap. Parte Guelfa
V. Vacchereccia
PIAZZA D. LIMBO
S.S. Apostoli
Borgo S.S. Apostoli
Lungarno degli Acciaiuoli
PONTE S.TRINITA
Viccolo dell'Oro
Via por Santa Maria
V. Lambertesca
Ch. de' Baroncelli
San Stefano
Lung. Archibusieri
V. dei Georgofili
Museo Galileo
Arno
Ponte Vecchio
Borgo San Jacopo
Via de' Sapiti
A
B
2
3
38
40
99
58
11
13
15
32
101
305
145
329
66
207
85
324
189
91
187
172
321
205
51
314
107
173
118
14
100
53
188
56
301
168
184
80
156
313

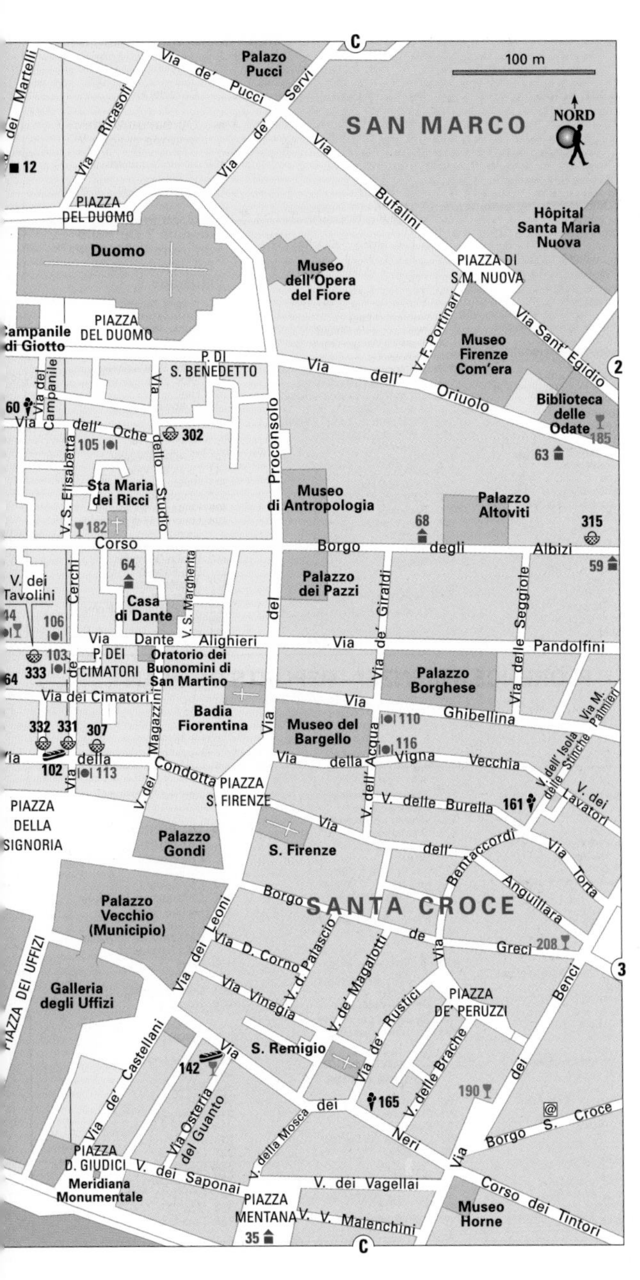

FLORENCE (FIRENZE) – ZOOM

Adresses utiles

- Offices de tourisme
- Postes
- Internet Train
- Parcheggio Stazione Santa Novella
- 1 Institut français de Florence, consulat de France et Librairie française
- 4 Alinari
- 7 Europcar
- 8 Hertz
- 11 Librairie Feltrinelli
- 14 Box Office

Où dormir ?

- 22 Istituto oblate dell'Assunzione
- 26 Ostello Archi Rossi
- 31 Albergo Merlini, Albergo Paola et Hotel Azzi – Locanda degli artisti
- 33 Il Ghiro, Locanda Giovanna et Hotel Nella
- 34 Hotel Lorena
- 42 Domus Florentiae
- 43 Hotel Giada
- 45 Hotel Cosimo de Medici
- 46 Hotel Accademia
- 47 J.K. Place
- 48 Grand Hotel Minerva
- 49 Hotel Santa Maria Novella
- 50 Tourist House
- 52 Bellevue House
- 55 Hotel Pensione Elite
- 57 Casa Howard Guest House
- 60 Tourist House Liberty
- 61 Hotel Europa
- 65 Il Giglio d'Oro
- 67 Albergo Chiazza
- 69 Residenza d'Epoca Verdi
- 70 Hotel Casci
- 71 Hotel Arti & Hotel
- 72 Hotel California
- 73 Palazzo Galletti
- 74 Hotel Il Guelfo Bianco
- 82 The J and J Historic House Hotel

Où manger ? Où déguster une bonne pâtisserie ?

- 86 Caffè Latteria-Caffelatte
- 89 Trattoria Garga
- 90 Trattoria da Nerbone
- 93 I Due G.
- 94 Trattoria Guelfa
- 95 Trattoria Il Contadino
- 96 Trattoria Mario
- 97 Ristorante La Spada
- 98 Trattoria Sergio Gozzi
- 104 La Mescita
- 108 Da Rocco
- 109 Enoteca-Salumeria Verdi
- 111 Trattoria Il Cibreo et Ristorante Il Pizzaiuolo
- 112 Ristorante-pizzeria I Ghibellini
- 114 Teatro del Sale
- 115 Baldovino
- 117 Boccadama
- 119 La Pentola dell'Oro
- 122 Osteria Pepò
- 125 Ristorante Le Carceri
- 136 Semolina
- 154 Café Medoro
- 155 Il Latini
- 159 Enoteca Boccanegra
- 171 Robiglio

Bars à vins *(vinai, enoteche)*

- 141 Fratelli Zanobini
- 143 Casa del Vino

Où savourer de bonnes glaces ?

- **162** Gelateria Carabe
- **163** Vestri
- **167** Gelateria Il Gallo Ghiottone

Où prendre un café ? Où boire un verre ? Où sortir ? Où écouter de la musique ?

- 141 Fratelli Zanobini
- 181 Cibreo Caffè
- 191 Dublin Pub
- 192 The Fiddlers Elbow Irish Pub
- 193 Golden View
- 194 Caffè Sant'Ambrogio
- 196 Jazz Club
- 197 Rex
- 206 Space Electronic

Shopping

- **141** Fratelli Zanobini
- **143** Casa del Vino
- **303** Bacco Nudo
- **304** Scuola del Cuoio
- **306** I Mosaici di Lastrucci
- **308** Marché de la piazza dei Ciompi
- **309** Sbigoli Terrecotte
- **310** Enrico Giannini
- **311** Elio Ferraro
- **312** Angela Caputi
- **318** Il Parione
- **323** La Libreria del Cinema
- **325** Tuorlo
- **334** Abacus

FLORENCE (FIRENZE) – REPORTS DU PLAN I

Adresses utiles

- Poste centrale
- Internet Train
- 11 Librairie Feltrinelli
- 12 Librairie Martelli
- 13 Melbookstore
- 15 Pharmacie All'Insegna del Moro

Où dormir ?

- 32 Hotel Abaco
- 35 Hotel Balestri
- 38 Residenza Castiglioni et Hotel Burchianti
- 40 Hotel Varsavia
- 51 Hotel Scoti
- 53 Hotel Bretagna
- 56 Hotel Cestelli
- 58 Hotel Canada
- 59 Hotel Locanda Orchidea
- 63 Hotel Dali
- 64 Albergo Firenze
- 66 Hotel Maxim et Hotel Axial
- 68 Hotel Bavaria
- 80 Hotel Hermitage

Où manger ?

- 85 Leopoldo Procacci
- 91 Obikà Mozzarella Bar
- 99 Cipolla Rossa
- 100 Trattoria Le Antiche Carrozze
- 101 Trattoria al Trebbio
- 102 Il Cernacchino
- 103 Osteria I Buongustai
- 105 Coquinarius
- 106 Ristorante Paoli
- 107 Rose's
- 110 Il Gatto e la Volpe
- 113 La Canova di Gustavino
- 116 Trattoria Acqua al 2
- 118 La Bussola
- 156 Il Ristoro dei Perditempo
- 184 INO

Bars à vins *(vinai, enoteche)*

- 140 I Fratellini
- 142 All'Antico Vinaio
- 144 Cantinetta da Verrazzano
- 145 Cantinetta Antinori

Où savourer de bonnes glaces ?

- **160** Grom
- **161** Gelateria Vivoli
- **164** Perchè No !...
- **165** Gelateria dei Neri
- **168** Carapina

Où déguster une bonne pâtisserie ?

- 172 Caffè Pasticiera Donnini
- 173 Arte del Cioccolato

Où prendre un café ? Où boire un verre ? Où sortir ?

- 182 Chiaroscuro
- 185 Caffetteria delle Oblate
- 187 Giubbe Rosse
- 188 Rivoire
- 189 Caffetteria Le Terrazze della Rinascente
- 190 Moyo
- 205 YAB
- 207 Caffè Giacosa
- 208 Oibó Café

Shopping

- **301** La Bottega dell'Olio
- **302** Pegna
- **305** Bojola
- **307** Bartolucci
- **313** Obsequium
- **314** Letizia Fiorini
- **315** La Tartaruga
- **321** Olfattorio
- **324** Bialetti
- **329** Old England Store
- **331** Cartoleria Vannuchi
- **332** Mywalit
- **333** Falsi Gioielli

FLORENCE (FIRENZE) – REPORTS DU ZOOM

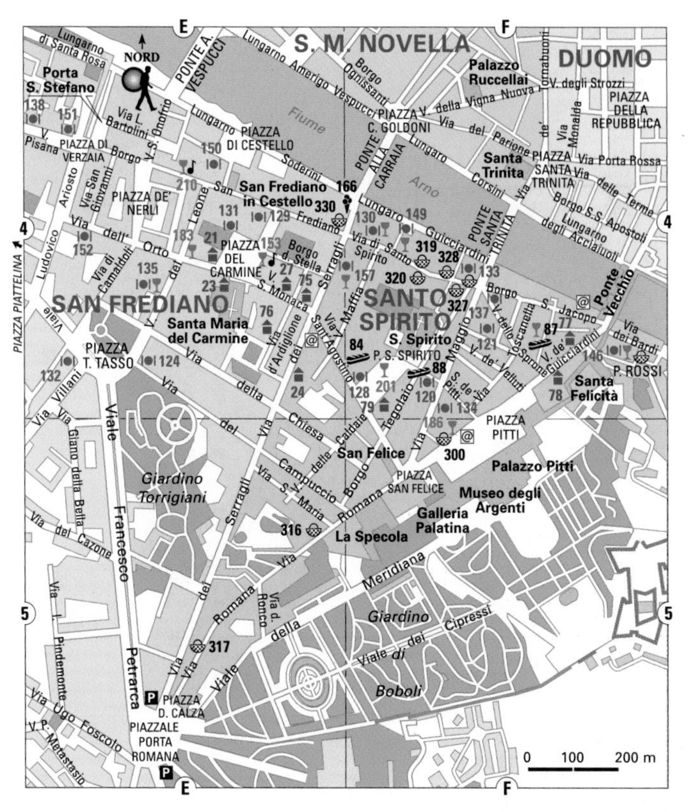

FLORENCE (FIRENZE) – PLAN II

Adresses utiles

- @ Internet Pitti
- P Parcheggio Oltrarno

Où dormir ?

- 21 Casa Santo Nome di Gesù
- 23 L'Ospitale delle Rifiorenze
- 24 Foresteria Istituto Gould
- 27 Ostello Santa Monaca
- 75 Casa Pucci
- 76 Residenza Il Carmine
- 77 Florence Old Bridge
- 78 Hotel La Scaletta
- 79 Residenza S. Spirito

Où manger ?

- 84 Il Forno Galli
- 87 Caffè degli Artigiani
- 88 Gustapanino
- 120 Trattoria La Casalinga
- 121 Il Magazzino
- 124 Al Tranvai
- 128 Osteria Santo Spirito
- 129 Trattoria del Carmine
- 130 Il Santo Bevitore
- 131 Napo Leone
- 132 Alla Vecchia Bettola
- 133 Olio & Convivium
- 134 Gustapizza
- 135 Enoteca Le Barrique
- 137 Trattoria Cammillo
- 138 Vico del Carmine
- 150 Ristorante Pane e Vino
- 151 Trattoria Sabatino
- 152 Trattoria Il Guscio
- 157 Cuculia

Bars à vins *(vinai, enoteche)*

- 146 Le Volpi e l'Uva
- 149 Il Santino

Où savourer de bonnes glaces ?

- 166 Gelateria La Carraia

Où boire un verre ? Où sortir ? Où écouter de la musique ?

- 87 Caffè degli Artigiani
- 153 Dolce Vita
- 183 Bar Hemingway
- 186 Caffè Pitti
- 201 Pop Café
- 210 Libreria Café La Cité

Shopping

- 133 Olio & Convivium
- 146 Le Volpi e l'Uva
- 300 Botteghina
- 316 Le 18 Lune
- 317 Le Zebre
- 319 Quelle Tre
- 320 Aprosio & Co
- 327 Il Ippogrifo
- 328 La Bottega de Gepetto
- 330 Amarù

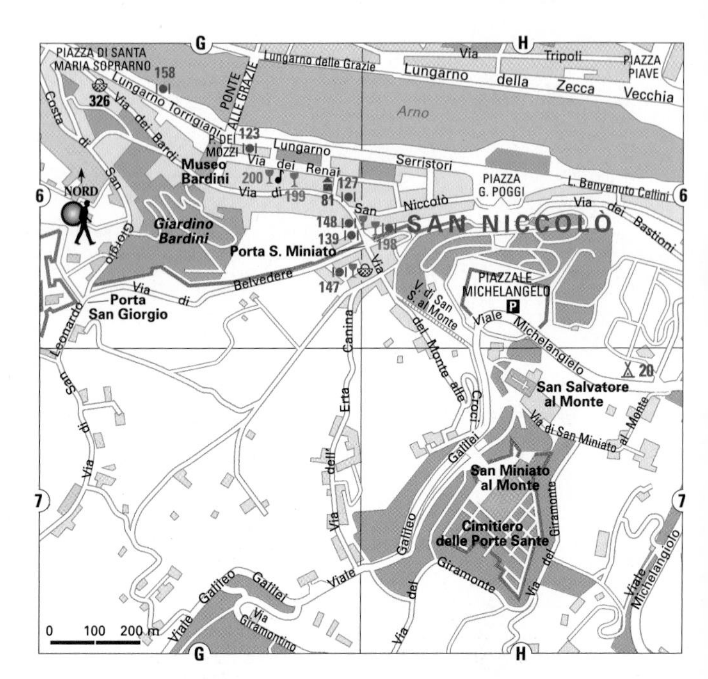

FLORENCE (FIRENZE) – PLAN III

Où dormir ?

20 Camping Michelangelo
81 Silla Hotel

Où manger ?

123 I Tarocchi
127 Antica Mescita San Niccolò
139 ZEB – Zuppa e Bollito
158 Lung Arno 23

Bars à vins *(vinai, enoteche)*

147 Enoteca-bar Fuori Porta
148 Bevo Vino

Où boire un verre ? Où sortir ?

198 Rifrullo
199 Zoe
200 Negroni

Shopping

147 Enoteca-bar Fuori Porta
326 Il Torchio

■ **Adresses utiles**

- APT
- 2 Librairie Feltrinelli
- @ 4 Internet Point Refe Nero
- @ 5 Internet Train 2
- @ 6 Internet Train 1
- @ 7 Point soluzioni grafiche
- 10 Farmacia Quattro Cantoni
- 12 Libreria Senese

Où dormir ?

- 17 Palazzo Bruchi
- 18 Locanda Garibaldi
- 19 Albergo Tre Donzelle
- 23 Antica Residenza Cicogna
- 25 Hotel Alma Domus, Santuario S. Caterina
- 26 Albergo Cannon d'Oro
- 27 Albergo Bernini
- 28 Piccolo Hotel Etruria
- 29 Albergo Centrale
- 30 Albergo Chiusarelli
- 31 Albergo La Toscana
- 32 Palazzo Fani Mignanelli, Residenza d'epoca

Où manger ?

- 46 Osteria Boccon del Prete
- 49 Osteria Il Grattacielo
- 50 Antica Trattoria Papei
- 51 Ristorante da Mugolone
- 53 Ristorante Medio Evo
- 54 Osteria Le Logge
- 55 Grotta Santa Caterina
- 56 Ristorante Gallo Nero
- 57 Pizzeria di Nonno Mede
- 60 Compagnia dei Vinattieri
- 61 Ristorante La Buca di Porsenna
- 62 Trattoria da Gano
- 63 Osteria Il Carroccio

Bar à vins *(vinai, enoteche)*

- 72 Enoteca I Terzi

Où boire un bon café ?
Où boire un verre ?
Où sortir ?

- 71 Key Largo bar
- 73 Fiorella 3
- 74 Barché
- 75 Tea Room
- 76 Bella Vista Social Pub

Où déguster une glace ?

- 81 Gelateria Kopakabana
- 82 Bar-gelateria Il Camerlengo

Où savourer de bonnes pâtisseries ?

- 83 La Nuova Pasticceria
- 84 Forno dei Galli
- 85 Pasticceria-bar Nannini

Où acheter de bons produits ?

- 90 Drogheria Manganelli
- 91 La Vecchia Dispensa
- 93 Morbidi 1925
- 94 Consorzio agrario di Siena
- 95 Enoteca San Domenico

SIENNE (SIENA) – REPORTS DU PLAN CENTRE

Stadio
PIAZZA G. MATTEOTTI
Santa Maria delle Nevi
PIAZZA S. DOMENICO
S. Domenico
Santa Caterina
Santuario di Santa Caterina
Fonte Branda
Porta Fontebranda
PIAZZA INDIPENDENZ
PIAZZA S. GIOVANNI
Battistero
Duomo
PZA JACOPO D. QUERCIA
PIAZZA DEL DUOMO
Museo dell'Opera
Santa Annunziata
PIAZZETTA DELLA SELVA
San Sebastiano
Ospedale Santa Maria della Scala
PZA DI POSTIERLA
Viale dei Mille
Viale dello Stadio
Viale Curtatone
Via del Paradiso
V. F. Tozzi
Via Montanini
V. di Vallerozz
V. Pianigiani
Costa dell'Incrociat
Via della Sapienza
Costa S. Antonio
Via Camporegio
V. dei Pittori
V. D. Tiratoio
Via S. Caterina
V. del Forcone
V. d. Macina
Via della Galluzza
Via Fontebranda
Via del Costone
V. di Vallepiatta
Via di Vallepiatta
V. del Pozzo
Via dei Fusari
Franciosa
V. d. Pellegri
V. di Monna Agnese
Arco di P. Salar
Via del Fosso di S. Ansano
Via del Capitano
Via di Stalloreggi
V. S. Pietro
Costa Larga
0 50 100 m
A
B
1
2
3
4

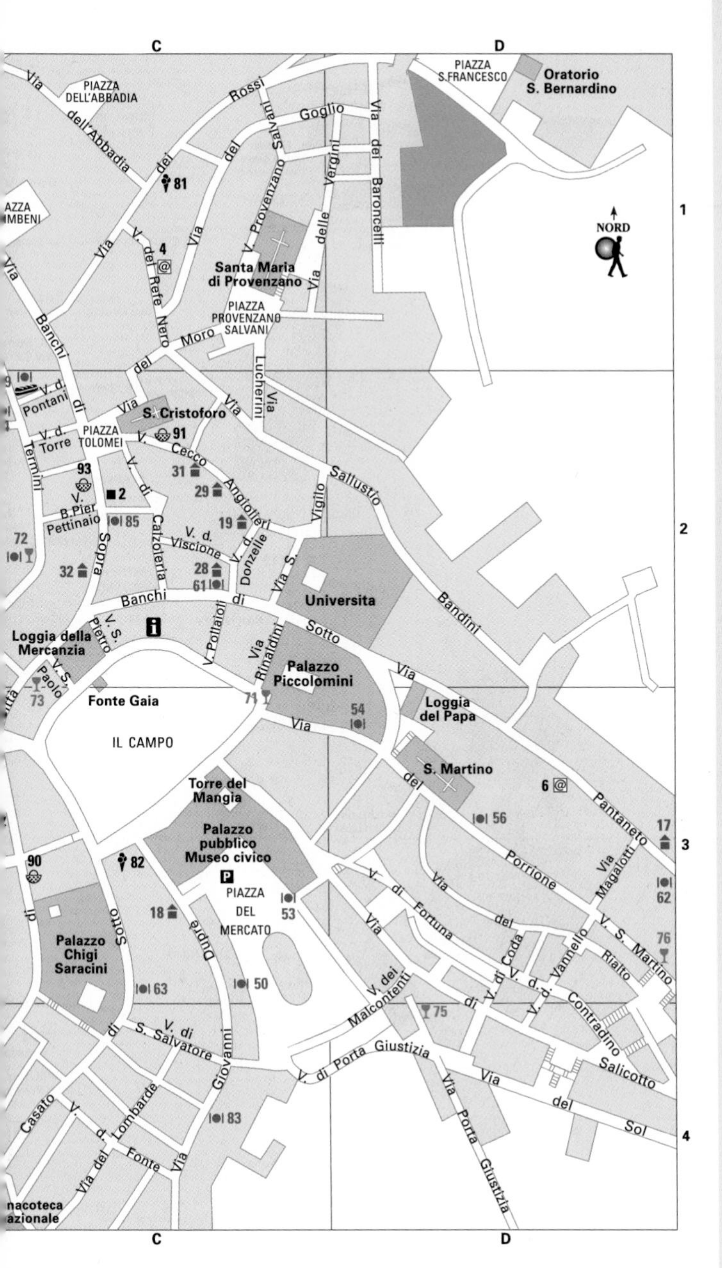

SIENNE (SIENA) – PLAN CENTRE

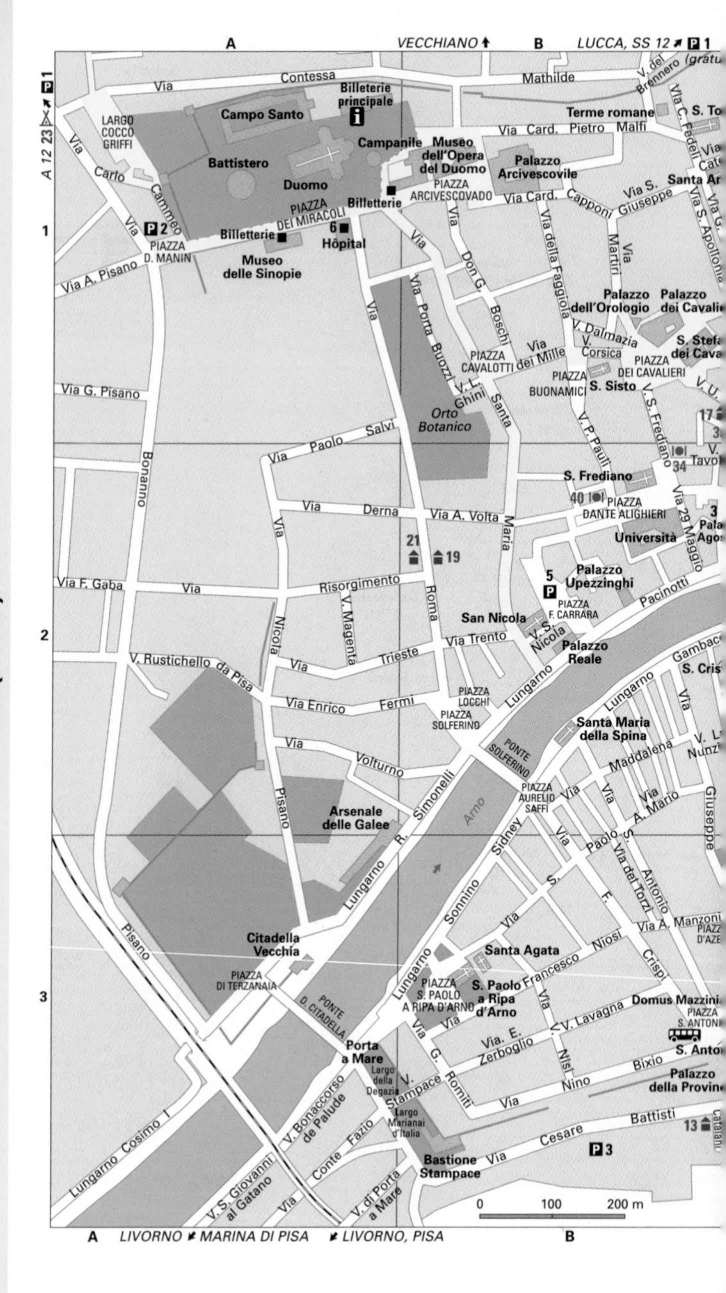

VECCHIANO
LUCCA, SS 12
Campo Santo
Billetterie principale
Battistero
Duomo
Campanile
Museo dell'Opera del Duomo
Palazzo Arcivescovile
PIAZZA ARCIVESCOVADO
PIAZZA DEI MIRACOLI
Billetterie
Hôpital
Museo delle Sinopie
LARGO COCCO GRIFFI
PIAZZA D. MANIN
Terme romane
Palazzo dell'Orologio
Palazzo dei Cavalieri
PIAZZA DEI CAVALIERI
PIAZZA CAVALOTTI
PIAZZA BUONAMICI
S. Sisto
Orto Botanico
S. Frediano
PIAZZA DANTE ALIGHIERI
Università
Palazzo Upezzinghi
PIAZZA F. CARRARA
San Nicola
Palazzo Reale
PIAZZA LOCCHI
PIAZZA SOLFERINO
PONTE SOLFERINO
Santa Maria della Spina
PIAZZA AURELIO SAFFI
Arno
Arsenale delle Galee
Citadella Vecchia
PIAZZA DI TERZANAIA
PONTE D. CITADELLA
Santa Agata
PIAZZA S. PAOLO A RIPA D'ARNO
S. Paolo a Ripa d'Arno
Domus Mazzini
Porta a Mare
Largo della Degazia
Largo Marianai d'Italia
Bastione Stampace
Palazzo della Provincia
Via Contessa Mathilde
Via Card. Pietro Malfi
Via Card. Capponi
Via Carlo Cammeo
Via A. Pisano
Via G. Pisano
Via Bonanno
Via Paolo Salvi
Via Derna
Via A. Volta
Via F. Gaba
Via Risorgimento
Via Roma
Via Nicola Pisano
V. Magenta
Via Trieste
Via Trento
V. Rustichello da Pisa
Via Enrico Fermi
Via Volturno
Lungarno R. Simonelli
Lungarno Pacinotti
Lungarno Gambacorti
Via Maddalena
Lungarno Sonnino
Via Porta Buozzi
Via della Faggiola
Via Don G. Boschi
Via dei Mille
V. Dalmazia
V. Corsica
V. S. Frediano
V. P. Pauli
Via Santa Maria
Via 29 Maggio
Via Francesco Crispi
Via A. Manzoni
V. Lavagna
Via E. Zerboglio
Via Nino Bixio
Via Cesare Battisti
V. Stampace
Via G. Romiti
V. Bonaccorso de Palude
Via Conte Fazio
V. S. Giovanni al Gatano
V. di Porta a Mare
Lungarno Cosimo I
0 100 200 m
LIVORNO
MARINA DI PISA
LIVORNO, PISA

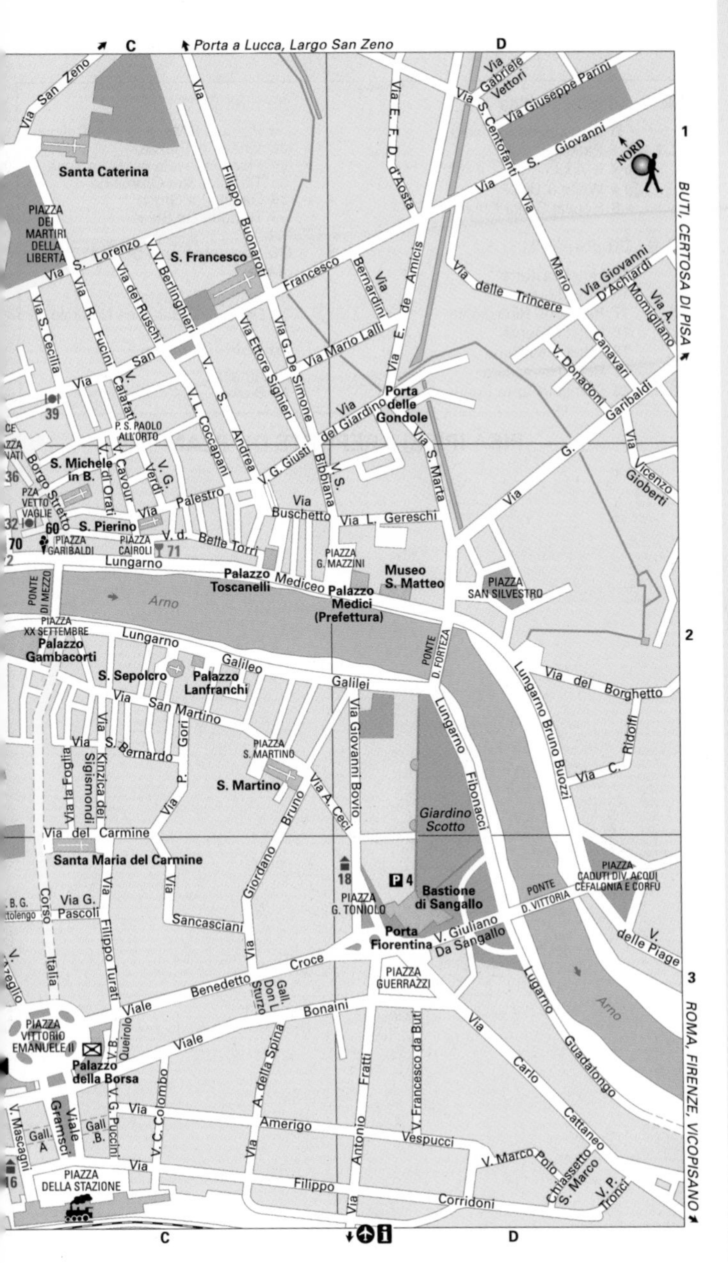
Porta a Lucca, Largo San Zeno
Santa Caterina
S. Francesco
Porta delle Gondole
S. Michele in B.
S. Pierino
Palazzo Toscanelli
Palazzo Medici (Prefettura)
Museo S. Matteo
Arno
Palazzo Gambacorti
S. Sepolcro
Palazzo Lanfranchi
S. Martino
Giardino Scotto
Santa Maria del Carmine
Bastione di Sangallo
Porta Fiorentina
Palazzo della Borsa
PIAZZA DELLA STAZIONE
BUTI, CERTOSA DI PISA
ROMA, FIRENZE, VICOPISANO
NORD

PISA (PISE)

■ **Adresses utiles**

- Bureaux de tourisme
- 1, 2, 3, 4, 5 Parkings
- @ 3 Il Vicolo
- @ 4 White & Black
- 6 Hôpital Santa Chiara

Où dormir ?

- 13 Hotel La Torre
- 16 Hotel Milano
- 17 Pensione Rinascente
- 18 Hotel Minerva
- 19 Hotel Amalfitana
- 21 Hotel Novecento
- 23 Camping Torre Pendente

Où manger ?

- 30 Pizzeria Il Montino di J. Collodi
- 32 Vineria di Piazza
- 34 Pizzeria-tavola calda La Tana
- 36 Trattoria San Omobono
- 39 Osteria La Grotta
- 40 Trattoria Da Stelio

Où déguster une bonne glace ?

- 60 Bottega del Gelato
- 70 De Coltelli Gelateria Naturale

Où boire un verre ?

- 71 Amaltea
- 72 Bazeel

PISA (PISE) – REPORTS DU PLAN

Le téléphone portable

Le routard qui ne veut pas perdre le contact avec sa tribu peut utiliser son propre téléphone portable en Italie avec l'option « Europe » ou « Monde ». Mais gare à la note salée en rentrant chez vous ! On conseille donc d'acheter en arrivant une carte SIM locale prépayée chez les principaux opérateurs *(Vodaphone, Tim, Wind)*, qui disposent tous de boutiques officielles dans les principales villes du pays. Après avoir montré votre carte d'identité et donné l'adresse de votre hébergement du moment, on vous attribue un numéro de téléphone local et un petit crédit de communication, généralement environ 10 €. Avant de signer le contrat et de payer, essayez donc la carte SIM du vendeur dans votre téléphone – préalablement débloqué – afin de vérifier si celui-ci est compatible. Ensuite, les cartes permettant de recharger votre crédit de communication s'achètent dans les boutiques des opérateurs, les stations-service, tabacs-journaux, etc., pour 10, 15, 20, 25 €... C'est toujours plus pratique pour trouver son chemin vers l'*agriturismo*, pour les réservations de restos ou de visites guidées, et bien moins cher que si vous appeliez avec votre carte SIM personnelle. Malin, non ! ?

Urgence : en cas de perte ou de vol de votre téléphone portable

Suspendre aussitôt sa ligne permet d'éviter de douloureuses surprises au retour du voyage ! Voici les n^os^ des trois opérateurs français, accessibles depuis la France et l'étranger :
– ***SFR :*** *depuis la France,* ☎ *1023 ; depuis l'étranger,* ☎ *+33-6-1000-1900.*
– ***Bouygues Télécom :*** *depuis la France comme depuis l'étranger,* ☎ *0-800-29-1000 (remplacer le « 0 » initial par « 33 » depuis l'étranger).*
– ***Orange :*** *depuis la France comme depuis l'étranger,* ☎ *+33-6-07-62-64-64.*
Vous pouvez aussi demander la suspension depuis le site internet de votre opérateur.

Les cabines téléphoniques

Mêmes si celles-ci tendent de plus en plus à disparaître, on les trouve encore dans le centre-ville. Elles fonctionnent avec des cartes magnétiques qui s'achètent dans les bureaux de poste, les tabacs (signalés par un « T » blanc sur fond noir) et quelques bars-restaurants ; il existe aussi des distributeurs automatiques de cartes. N'oubliez pas de plier le coin en plastique de la carte pour téléphoner (gage que la carte n'a jamais été utilisée) et d'appuyer sur la touche « OK » après avoir composé le numéro de votre correspondant. On peut également téléphoner dans les centres *Telecom Italia* ou à la poste centrale.

Appels nationaux et internationaux

– Pour un appel d'***urgence,*** composez le ☎ 112.
– ***Italie → Italie :*** pour les numéros de téléphone fixe, il faut impérativement composer le numéro de votre correspondant précédé du « 0 » et de l'indicatif de la ville.
– ***France → Italie :*** composez le 00 + 39 + indicatif de la ville (précédé du 0) + n° du correspondant. Pour les portables, 00 + 39 + numéro à 10 chiffres. Tarification selon votre opérateur.
– ***Italie → France :*** 00 + 33 + numéro à 9 chiffres de votre correspondant (c'est-à-dire le numéro à 10 chiffres sans le zéro).
– ***Italie → Belgique :*** le code pays est le 32.
– ***Italie → Suisse :*** code 41.
– ***Italie → Canada :*** code 1.
– ***Italie → Luxembourg :*** code 352.

Tarification

Les prix des télécommunications varient beaucoup selon le type de forfait souscrit. Pour s'y retrouver, ce n'est pas toujours évident. Tous les opérateurs Internet avec

téléphonie illimitée proposent les communications gratuites vers certains pays européens (dont l'Italie). Renseignez-vous ! Toujours pratique quand on veut réserver les musées ou hôtels.
– Un conseil : sur place, évitez d'appeler de votre hôtel, vous auriez la mauvaise surprise de voir votre communication fortement majorée !

Internet

On trouve des centres Internet dans la plupart des villes. Ils sont généralement ouverts tous les jours (sauf dans de rares cas le dimanche) et ferment leurs portes vers 21h dans les agglomérations de taille moyenne, voire minuit dans les grandes villes. Munissez-vous d'une pièce d'identité, elle vous sera demandée en arrivant. Les connexions sont rapides et de bonne qualité mais souvent chères. Sinon, presque tous les hébergements proposent un accès Internet, bien souvent gratuit. Et de plus en plus d'hôtels sont équipés en wifi. À Florence, le service *Firenze Wifi* permet 1h de navigation gratuite par jour sur les principales places de la ville, à condition d'avoir un téléphone portable avec un numéro italien (voir plus haut). Demande préalable au ☎ 055-465-00-34.

TRANSPORTS INTÉRIEURS

L'avion

Coûteux mais il permet de gagner beaucoup de temps. Florence, Pise et Pérouse ont des aéroports accueillant les vols internationaux, dont des vols *low-cost.*

Le train

Réservations et informations

– Les Chemins de fer italiens (*Ferrovie dello Stato* opérant désormais sous le nom *Trenitalia*) proposent des réductions intéressantes, quel que soit votre âge, pour voyager à travers toute l'Italie, mais également pour rejoindre les grandes villes européennes (Paris ou Bruxelles). Penser aux tarifs *Prem's,* par exemple : à acheter de préférence 2 mois à l'avance, les billets proposés présentent des réductions considérables. Seul bémol : ils ne sont ni échangeables ni remboursables. Autrement dit, mieux vaut être sûr de son coup... Concernant la *Carte Inter-Rail,* elle n'est intéressante que si vous prolongez votre périple en Italie, voire en Grèce, Turquie et Slovénie. En effet, elle vous permet d'emprunter tous les trains que vous souhaitez (attention aux suppléments !) pour aller où vous voulez pendant la période choisie, mais elle reste assez chère. Une autre solution économique pour les non-motorisés : le billet kilométrique. On achète 3 000 km d'un coup et on peut même les partager avec plusieurs personnes. Pour toute information, consulter le site • *ferroviedellostato.it* • Possibilité de réserver en ligne. Vous pouvez également les joindre au ☎ 89-20-21 (numéro unique). Gratuit quand on appelle de l'Italie. En Ombrie, il existe une compagnie régionale, la *Ferrovia Centrale Umbra (FCU),* qui relie le nord de l'Ombrie (Città di Castello) au sud (Todi, Terni...) via Pérouse. Certaines gares ne sont desservies que par FCU, d'autres par FCU et FS.
– Les agences de voyages autorisées vendent tous les types de billets de train possibles et imaginables. Vous pouvez également acheter et retirer vos billets aux guichets automatiques des grandes gares.

Horaires

– Retards rares sur les grandes lignes mais fréquents sur les petites. Si votre train a un retard de plus de 30 mn, vous pouvez demander une indemnisation, sous forme d'avoir.

– Se présenter assez tôt à la *stazione,* car il arrive qu'un train annoncé au départ sur un quai parte finalement d'un autre quai...
– Prévoyez large pour les correspondances.
– En Italie, les horaires sont disponibles chez certains marchands de journaux. On peut aussi utiliser les digiplans dans les gares. Ils donnent des infos sur les horaires des trains partant de la gare émettrice, à destination des localités mentionnées, et sur ceux des trains reliant les principales villes du pays ou le réseau européen. Tout cela régi par un code couleur : vert et noir pour les trains régionaux et interrégionaux, rouge pour les trains *Intercity,* bleu pour les *Eurostar.*

Les types de trains

– *Le Diretto,* par exemple, n'est pas si direct que ça ! Il relie les différentes gares d'une région et les villes des régions limitrophes. Il est cependant un peu plus rapide et s'arrête moins souvent que les *Regionali* qui sont, comme leur nom l'indique, des trains à desserte régionale et qui s'arrêtent partout (des omnibus, quoi).
– Pour accéder à la vitesse supérieure et limiter les arrêts, on passe aux trains *Interregionali* qui relient des distances plus grandes et, le plus souvent, des destinations touristiques. Tous ces trains ont en tout cas un point commun : leur manque de confort.
– Pour rejoindre plus rapidement et plus confortablement les villes de moyenne importance aussi bien que les plus grandes villes de toute l'Italie, vous utiliserez l'*Intercity.* Sur ces trains, la réservation est optionnelle et coûte 3 €.
– Enfin, les routards pressés et plus aisés emprunteront les trains à grande vitesse, les *Eurostar,* qui relient les grandes villes entre elles (Naples, Rome, Florence, Bologne, Venise, Milan ou Turin). Réservation automatique à l'émission du ticket et donc obligatoire. Le mieux question rapidité et confort, mais aussi le plus cher.
Beaucoup de lignes secondaires, peu rentables, ont été remplacées par des services de bus.
Comme chez nous, les billets de train se compostent aux oblitérateurs jaunes avant le départ (en cas d'oubli ou de manque de temps, partez à la recherche du contrôleur après être monté dans le train).

Le bus

Sur les grands axes (Livourne, Pise, Lucques, Florence, Pérouse), autant privilégier le train, plus rapide et pas forcément plus cher. Sinon, le bus s'avère idéal pour parcourir la Toscane ou l'Ombrie, surtout en semaine, mais bien moins de liaisons le samedi et zéro pointé le dimanche. Les gares routières sont généralement assez proches des centres-ville. Les guichets des principales compagnies sont généralement proches les uns des autres. Cela dit, dans la plupart des villes petites et moyennes, ce sont souvent les bars qui font office de billetterie, voire on achète les billets directement dans le bus, car il n'y a guère de gares routières *(autostazione).*
En conclusion, la combinaison train-bus vous permet de voir un maximum de choses à des prix très raisonnables dans les coins les plus reculés... à condition d'avoir du temps devant vous. Pour les courts séjours, une voiture de location est sans doute préférable. Se méfier toutefois du respect pas toujours scrupuleux des horaires : il peut même arriver qu'un bus parte quelques minutes en avance !
Il est très facile d'obtenir des renseignements sur les lignes et les horaires en consultant les sites internet des compagnies ou en s'adressant aux offices de tourisme. De plus, de nombreux sites ne sont pas desservis par le train, et seuls les bus permettent d'y accéder.

Le scooter

Qui n'a pas rêvé de parcourir, cheveux au vent, les villes de Toscane ou d'Ombrie en scooter ? Un conseil : si vous n'en avez jamais fait, ce n'est pas le moment de

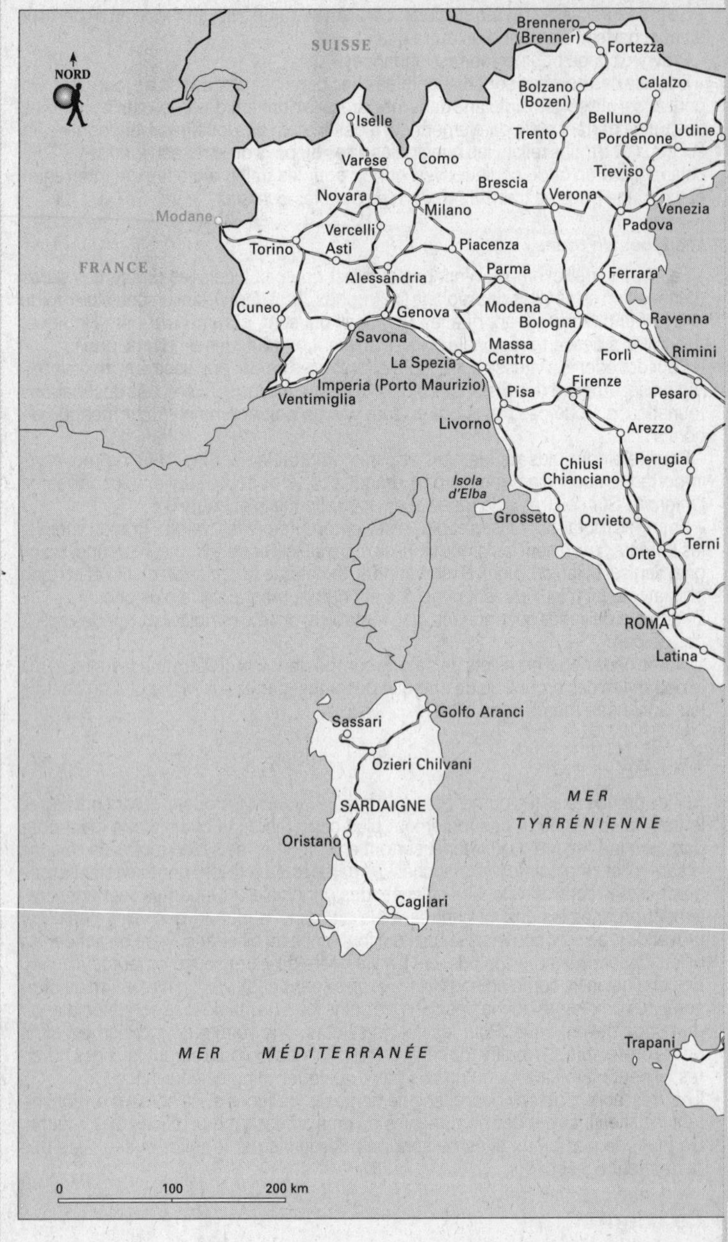
NORD
SUISSE
FRANCE
Modane
Brennero
(Brenner)
Fortezza
Bolzano
(Bozen)
Calalzo
Belluno
Udine
Pordenone
Trento
Iselle
Varese
Como
Treviso
Brescia
Novara
Verona
Venezia
Milano
Padova
Vercelli
Torino
Asti
Piacenza
Alessandria
Parma
Ferrara
Cuneo
Modena
Genova
Bologna
Ravenna
Savona
Massa
Centro
La Spezia
Forlì
Rimini
Imperia (Porto Maurizio)
Ventimiglia
Firenze
Pisa
Pesaro
Livorno
Arezzo
Chiusi
Chianciano
Perugia
Isola
d'Elba
Grosseto
Orvieto
Terni
Orte
ROMA
Latina
Sassari
Golfo Aranci
Ozieri Chilvani
SARDAIGNE
MER
TYRRÉNIENNE
Oristano
Cagliari
MER MÉDITERRANÉE
Trapani
0
100
200 km

LE RÉSEAU FERROVIAIRE ITALIEN

commencer. Le port du casque est obligatoire (contrairement aux clichés). Vérifiez que vous êtes bien assuré ; un accident est vite arrivé...

La bicyclette

Un moyen de transport qui se répand de plus en plus dans le centre historique des villes, où la circulation automobile est réglementée (Florence, Lucques...). D'ailleurs, on trouve quelques loueurs de vélos. Un seul problème (et pas le moindre), ça monte ! Et c'est peu dire. Cela explique peut-être le lent développement du vélo et l'absence de pistes cyclables.
Pour les cyclistes expérimentés, équipés et amateurs de routes pentues en lacet, la région du Chianti est un paradis. En effet, elle est plus fréquentée par les coureurs du dimanche en maillot et cuissard que par le touriste en tongs qui prend le vélo une fois l'an ! Quand on les voit grimper sur les routes pentues sous 40 °C l'été, on se dit qu'ils doivent vraiment aimer ça ! Même chose pour les chemins verdoyants de la Valnerina, au sud-est de l'Ombrie. Les différents offices de tourisme ont des brochures bien faites sur les diverses randonnées possibles dans le coin...

Le taxi

Ils ont mauvaise réputation, et ce n'est pas totalement injustifié. Ne prendre que des taxis officiels, généralement de couleur blanche. Des suppléments peuvent être exigés pour les bagages, les services de nuit ou les jours de fête, affichés dans tous les taxis. Exigez la mise en marche du compteur dès que vous entrez dans le taxi.

La voiture

C'est bien entendu le moyen idéal pour découvrir la région et ses coins cachés car, hormis les grands axes, on ne peut pas compter sur les liaisons très aléatoires des transports en commun. La *macchina* donne une autonomie totale au routard, qui peut aller d'un point à un autre sans contrainte. Cependant elle constitue un handicap terrible dès qu'il s'agit de s'infiltrer dans les cœurs historiques exigus et pentus des vieilles cités toscanes et ombriennes.

Quelques infos pratiques

– Il est **obligatoire de rouler avec ses feux de croisement allumés le jour** sur les autoroutes et le réseau national, sous peine d'amende.
– Les stations-service sont fréquentes sur les autoroutes, où elles ne ferment pratiquement jamais.
– Les stations-service en ville ou hors autoroute sont généralement fermées le dimanche et entre 12h30 et 15h30. Si elles sont fermées, on peut toujours régler en espèces ou avec une carte de paiement. Ces distributeurs automatiques prennent généralement les billets (ce sont souvent des billets de 20 € qu'on vous demande), mais il se peut que la carte *Visa* ne soit pas reconnue par la machine. Après avoir introduit vos billets ou votre carte bancaire (avec le montant que vous souhaitez) dans le distributeur, vous choisissez le numéro de la pompe. Elle se déclenche et voilà, le tour est joué ! Mais, pour peu qu'on ne connaisse pas le système ou la langue italienne, s'en servir est loin d'être évident. Soyez donc prévoyant et faites votre plein avec des « humains » tant à la pompe qu'au comptoir pendant les heures d'ouverture.

Location de voitures

La solution la plus heureuse (mais pas la moins onéreuse) si l'on envisage un circuit à travers la campagne toscane ou ombrienne ! Il est beaucoup plus avantageux de

TABLEAU DES DISTANCES ENTRE LES VILLES

Distances en miles	Arezzo	Assise	Cortona	Florence	Grosseto	Gubbio	Livorno	Lucques	Massa Marittima	Orvieto	Pérouse	Pise	Prato	San Gimignano	Sienne	Spoleto	Volterra
Arezzo	-	115	30	75	133	86	162	151	129	109	93	173	95	122	68	153	118
Assise	115	-	67	171	195	48	289	244	189	91	24	269	191	169	126	46	180
Carrare	200	308	240	128	206	300	74	57	178	302	287	67	121	130	226	346	148
Città di Castello	42	65	53	117	171	49	236	190	184	125	52	216	140	160	120	104	182
Cortona	30	69	-	115	138	68	206	188	134	96	48	215	138	112	72	108	123
Florence	75	171	115	-	149	161	94	79	126	166	151	101	23	64	78	211	83
Greve in Chianti	71	167	112	30	116	160	147	189	106	161	146	127	51	39	68	206	62
Grosseto	133	195	138	149	-	204	150	182	47	125	174	157	157	114	75	204	114
Gubbio	86	48	68	161	204	-	281	236	199	126	42	261	183	178	135	104	190
Livorno	162	289	206	94	150	281	-	49	108	286	271	25	107	85	127	330	74
Lucques	151	244	188	79	182	236	49	-	154	239	224	30	61	78	141	284	75
Massa Marittima	129	189	134	126	47	199	108	154	-	187	168	130	139	83	64	228	65
Orvieto	109	91	96	166	125	126	286	239	187	-	79	263	185	164	121	103	175
Pérouse	93	24	48	151	174	42	271	224	168	77	-	248	170	148	105	62	160
Pise	173	269	215	101	157	261	25	30	130	263	248	-	87	76	118	310	68
San Gimignano	122	169	112	64	114	178	85	78	83	164	148	76	77	-	44	210	30
Sienne	68	126	72	78	75	135	127	141	64	121	105	118	91	44	-	164	54
Spoleto	153	46	108	211	204	104	330	284	228	103	62	310	234	210	164	-	219
Terni	171	77	128	229	176	131	348	302	249	76	83	328	252	232	169	33	241
Volterrra	118	180	123	83	114	190	74	75	65	175	160	68	95	30	54	219	-

retenir votre voiture depuis la France dans le cadre d'un forfait « avion + voiture ». Car les prix pratiqués sur place sont beaucoup plus élevés. Il y a parfois aussi des différences d'un loueur à l'autre. Ne pas hésiter à lire entièrement le contrat, à passer la voiture en revue, surtout lorsqu'il s'agit de petits loueurs locaux, et à réclamer un horodateur *(disco orario)*. Attention, le loueur conserve une empreinte de votre carte bancaire (même si votre voyagiste a tout réglé d'avance).

■ ***Auto Escape :*** *☎ 0820-150-300 (0,12 €/mn).* • *autoescape.com* • *Vous trouverez également les services d'Auto Escape sur* • *routard.com* • L'agence Auto Escape réserve auprès des loueurs de véhicules de gros volumes d'affaires, ce qui garantit des tarifs très compétitifs. Il est recommandé de réserver à l'avance. Auto Escape offre 50 % de remise sur l'option d'assurance « zéro franchise » (soit 3 € par jour au lieu de 6 €) pour les lecteurs du *Guide du routard.*

■ ***BSP Auto :*** *☎ 01-43-46-20-74 (tlj).* • *bsp-auto.com* • Les prix proposés sont attractifs et comprennent le kilométrage illimité et les assurances. *BSP Auto* vous propose exclusivement les grandes compagnies de location sur place, vous assurant un très bon niveau de services. Les plus : vous ne payez votre location que 5 jours avant le départ + réduction spéciale aux lecteurs de ce guide avec le code « routard ».

Et aussi :

■ ***Hertz :*** • *hertz.com* • *☎ 01-41-91-95-25 (0,15 €/mn).*

■ ***Europcar :*** • *europcar.fr* • *☎ 0825-358-358 (0,15 €/mn).*

■ ***Avis :*** • *avis.fr* • *☎ 0820-050-505 (0,12 €/mn).*

Les routes

– ***Le réseau routier*** est moins dense qu'en France mais bien entretenu dans l'ensemble, et il permet de se rendre partout. Avec plus de 6 000 km d'autoroutes, l'Italie se place au deuxième rang européen. À quelques exceptions près, les autoroutes sont payantes, mais moins chères qu'en France.
– Les autorités ont créé la ***Viacard*** pour les péages. Fonctionne suivant le même principe que les cartes téléphoniques. À chaque péage, la valeur du trajet effectué est débitée de la valeur de la carte. Vous pouvez vous la procurer en France, dans les bureaux de l'Automobile Club de votre région (coordonnées auprès de la *Fédération française des Automobiles Clubs, ☎ 01-53-30-89-30 ou* • *automobileclub.org* •) ; et en Italie, dans les bureaux *ACI* et *TCI,* les Autogrills, les principales stations autoroutières et dans de nombreux bureaux de tabac. Les autres cartes de paiement sont également acceptées.
– ***La signalisation :*** le matraquage de panneaux publicitaires au bord des routes à l'approche des villes, ainsi que le foisonnement de panonceaux indiquant les directions des hôtels, restos, monuments, sites, etc., font qu'il est souvent très difficile de s'y retrouver. Pour vous repérer, sachez que **l'autoroute est signalée en vert et les routes nationales en bleu** (le contraire de la France).
Si vous supputez que la direction à prendre vient de vous passer sous le nez car il n'y avait pas de panneau, retournez-vous (restez prudent tout de même !). Il se peut que l'indication soit dans votre dos car les panneaux n'ont pas été placés dans les deux sens (et puis quoi encore ?). Dans ce cas, n'hésitez pas à demander et gardez votre calme. D'une part, vous êtes en vacances, et d'autre part, les Italiens, bien que sensibles aux accélérations, se montrent plutôt cool et très coopératifs dès qu'ils voient que vous cherchez votre chemin.
– Attention au ***code de la route*** des Italiens. Il arrive que le feu rouge ne s'éteigne jamais et qu'apparaisse simultanément la flèche verte ! Attention aussi à la priorité à droite sur les ronds-points... Un routard avisé en vaut deux ! Par ailleurs, la conduite italienne reste plus nerveuse que la nôtre (mais c'est surtout valable pour les très grandes villes, où il vaut mieux avoir les nerfs solides), les distances de sécurité ne sont pas toujours respectées et le stationnement en double file est fréquent. Cela étant, en Ombrie, l'automobiliste est étonnamment courtois, ne s'impa-

tiente jamais et n'utilise son avertisseur sonore qu'en cas d'extrême urgence. Comme quoi il ne faut pas se fier aveuglément aux clichés !
– ***La limitation de vitesse*** est calculée en fonction de la cylindrée des véhicules. Dans les agglomérations, elle est de 50 km/h.

	Autoroute	Route
Autos (jusqu'à 1 099 cm^3)	110 km/h	90 km/h
Motos (de 150 à 349 cm^3)	110 km/h	90 km/h
Autos (plus de 1 099 cm^3)	130 km/h	90 km/h
Motos (plus de 349 cm^3)	130 km/h	90 km/h
Autobus de plus de 8 t	90 km/h	70 km/h

Les excès de vitesse et autres infractions sont sanctionnés essentiellement par des amendes qui coûtent un tiers moins cher si on les règle sur-le-champ. Attention à l'état de vos feux, la gendarmerie est assez pointilleuse là-dessus.

Les cartes routières

En plus des cartes de l'Italie, il est utile, si vous allez visiter les villages de la Maremme des collines, d'avoir une carte détaillée. La meilleure est celle offerte par les offices de tourisme, provenant de l'ENIT *(ministero del Turismo)* : la Toscane à l'échelle 1/275 000. Elle offre l'avantage supplémentaire de présenter au dos tous les plans des principales villes. Les offices de tourisme de l'Ombrie possèdent une excellente documentation avec des cartes très détaillées (en général gratuites).

Le stationnement

Les villes italiennes n'ont jamais été conçues pour la circulation automobile. En conséquence, le cauchemar des touristes en Toscane et en Ombrie, c'est le stationnement. La plupart des villes ont des rues étroites et possèdent des remparts très bien conservés. C'est d'ailleurs pour cette raison que très souvent, le centre est fermé aux voitures de tourisme par une ZTL *(Zona Traffico Limitato)*. Les véhicules ne peuvent circuler que selon certaines règles (voire sont carrément interdits dans les villages de la Maremme des collines, par exemple). Le panneau avec le cercle rouge sur fond blanc indique que seuls les véhicules des résidents peuvent y pénétrer et parfois se garer. La circulation des véhicules de tourisme est limitée aux déchargement et chargement des effets devant l'hôtel, et souvent il faut posséder un macaron de couleur (chaque quartier peut avoir une couleur différente) délivré par l'hôtelier.
Dans les grandes villes de Toscane et d'Ombrie, toutes perchées, de grands parcs de stationnement ont été installés en dehors du centre historique, auquel chacun est relié par un *percorso mecanizzato* constitué d'ascenseurs, de tapis roulants ou d'escaliers mécaniques comme à Sienne ou Arezzo, voire d'un funiculaire comme à Orvieto. La plupart de ces parcs sont payants. Bien entendu, plus ils sont éloignés, moins ils sont chers (parfois gratuits) !
– ***Types de stationnement :*** les emplacements marqués en jaune sont réservés aux résidents et véhicules prioritaires. Les blancs signalent normalement un stationnement gratuit mais limité dans le temps (et c'est là qu'on sort le petit disque bleu de stationnement à apposer derrière le pare-brise) et les bleus sont les stationnements payants. En Toscane et en Ombrie, le parcmètre que nous connaissons bien a une place privilégiée par rapport aux cartes de stationnement (à gratter genre loto et à acheter dans les débits de tabac). *Attention :* à la différence de la France, ce ne sont pas des contractuelles qui vérifient votre situation, mais des gardiens permanents affectés à une zone délimitée. Parfois, même en l'absence de machine, c'est à eux que vous devrez vous adresser pour payer. Quant aux panneaux indicatifs des stationnements, c'est une véritable jungle. Les paiements s'effectuent en fonction des jours ouvrables ou fériés, des heures de la journée ou même de la nuit, et des événements (foires, travaux) prévus. Signification des

sigles : les deux marteaux croisés signifient jours ouvrables ; la croix signifie dimanche et parfois jours fériés. Presque toujours, le stationnement autorisé et payant est limité dans le temps : cela va de 10 mn à 2h, rarement plus ; même pour un parking de supermarché. Lorsqu'il devient gratuit, il faut souvent apposer son disque de stationnement *(disco orario)* sur le pare-brise. Car même dans ce cas-là, le stationnement est limité en temps, ne pas l'oublier.

Les pannes et réparations

Il existe en Italie, le long des routes, des *officine meccaniche* ou *meccanico.* On vous y prêtera facilement des outils si vous savez bricoler ; en revanche, en cas de panne, ça risque d'être long et très cher. Mieux vaut essayer à tout prix de rejoindre un concessionnaire de votre marque dans une grande ville.
Sur les autoroutes, utilisez, comme chez nous, les bornes d'appel SOS. Sur le reste du réseau routier, les touristes circulant avec une voiture immatriculée à l'étranger peuvent bénéficier des secours routiers gratuits et illimités sur tout le territoire italien de l'*Automobile Club Italia* en composant le ☎ 803-116. Ils seront reliés à un standard multilingue. Les touristes circulant à bord d'une voiture de location doivent appeler leur loueur, sauf sur les autoroutes où ils utilisent la borne SOS.
Il est obligatoire d'avoir dans le coffre de sa voiture un gilet de sécurité fluorescent et un triangle de présignalisation.

URGENCES

On ne vous demande pas de les apprendre par cœur, mais c'est bon à savoir au cas où...

- ***Numéro d'urgence européen :*** ☎ *112.* Voici le numéro d'urgence commun à la France et à tous les pays de l'UE, à composer en cas d'accident, agression ou détresse. Il permet de se faire localiser et aider en français, tout en améliorant les délais d'intervention des services de secours.
- ***Police :*** ☎ *113.* En cas de vol ou d'agression, on vous communiquera l'adresse du commissariat *(questura)* le plus proche de l'endroit où vous êtes.
- ***Croce rossa italiana*** *(CRI)* ***:*** ☎ *118.*
- ***Pompiers*** *(Vigili del Fuoco)* ***:*** ☎ *115.*
- ***Pompiers pour les incendies de forêt :*** ☎ *1515.*
- ***Assistance routière :*** ☎ *803-803.*
- ***Automobile Club Italia :*** ☎ *803-116 (avec répondeur).*
- ***Dépannage routier*** *(ACI)* ***:*** ☎ *803-116.*

HOMMES, CULTURE ET ENVIRONNEMENT

BOISSONS

Le vin

L'Italie a mis tardivement de l'ordre dans ses vins en créant, en 1963 puis en 1992 avec la loi Goria, trois catégories correspondant à des appellations contrôlées. Les *IGT (indicazione geografica tipica)* sont des vins de table portant une indication géographique. Les *DOC (denominazione di origine controllata)* sont des appellations d'origine contrôlée qui doivent être conformes à certaines règles. Des règles qui freinent parfois l'imagination des producteurs, aussi n'est-il pas rare de voir certains d'entre eux commercialiser des vins d'une très grande qualité (l'ornellaia, le sassicaia et le tignanello) sous le nom surprenant de vin de table. Les *DOCG (denominazione di origine controllata e garantita)* subissent une réglementation encore plus contraignante. Cette dernière appellation est accordée par le président de la République lui-même, sur avis du ministère de l'Agriculture et des Forêts. Les grands noms du vin italien *(barolo, brunello di Montalcino, vino nobile di Montepulciano, chianti classico, sagrantino...)* appartiennent à cette dernière catégorie. Noblesse oblige.

Les contrôles de qualité, de plus en plus sérieux, sont assurés par l'Institut national pour la surveillance des appellations d'origine, constitué lui-même par le ministère de l'Agriculture et des Forêts. Un contrôle supplémentaire, dans l'intérêt des producteurs, est assuré par des *consorzi* (consortiums) dans des conditions qui pourraient être optimisées.

La régionalisation étant assez poussée, on trouve surtout les grands vins près de leur appellation d'origine.

Les vins de Toscane

La Toscane a beau fournir moins de 5 % de la production nationale, près de la moitié de celle-ci correspond à des appellations d'origine contrôlée, voire garantie (les DOC et DOCG).

Pas moins de onze appellations ont droit à la DOCG, le top du top en Italie. La première d'entre elles est le chianti, qui couvre un espace de 70 000 ha entre Florence et Sienne. On dit du chianti que c'est un vin « polyvalent » : jeune, il accompagne les charcuteries, les pâtes et la viande blanche ; vieilli, il se marie avec les viandes rouges et le gibier. On le sert à température ambiante (donc souvent chaud) ; nos palais y sont peu habitués. C'est dans le cœur de cette région que nous trouvons le *chianti classico,* reconnaissable au coq noir qui figure sur le col des bouteilles (l'emblème de la « Ligue du Chianti médiéval », qui défendit âprement ses droits !). Pour les puristes, rien de ce qui se fait en dehors du secteur du *chianti classico* n'est véritablement du chianti. L'essentiel du chianti, en termes de production, ne serait donc pas du chianti. Propos un peu exagérés qui ne sont pas sans expliquer la naissance d'un deuxième consortium, à côté du *chianti classico,* le *chianti putto.* Il regroupe les autres dénominations : colli Fiorentini, Rufina, Montalbano, colli Senesi, colli d'Aretini (d'Arezzo), colli Pisane (de Pise). Pour info, *putto* veut dire « petit amour », ce qui explique la présence du chérubin décorant le col des bouteilles desdites dénominations.

De couleur rouge rubis, le chianti devient grenat en vieillissant. Charpenté, son parfum est intense. Les chiantis de base sont des vins à boire jeunes et frais. Ils peuvent être pétillants *(frizzante)*, mais bon nombre d'entre eux ne manqueront pas de vous décevoir. Sans faire une fixation sur le *chianti classico* (il y a de très bons chiantis parmi les *chianti putto*), soyez plutôt attentif à ce que vous dit l'étiquette. S'il s'agit d'une *riserva*, cela signifie que votre vin a vieilli 3 ans avant d'être commercialisé : une garantie de qualité.

Pour avoir la main sûre, retenez les *cantine* (caves à vin) ou autres *fattorie* (producteurs) suivants : Marchese Antinori, Badia a Coltibuono, Castello dei Rampolla, Castello di Ana, Castello di Brolio, Castello di Verrazzano, Marchese de Frescobaldi, Nozzole, Poliziano... Après l'achat de plusieurs bouteilles, vous vous rendrez compte que celles-ci, par leur forme, ressemblent à nos bouteilles de bordeaux.

Un autre vin rouge fait la renommée de la Toscane : le *vino nobile di Montepulciano.* C'est un vin de garde plutôt généreux en bouche, souvent très puissant. Les impatients se jetteront sur le *rosso di Montepulciano*, un vin plus jeune, plus souple, qui n'est pas à dédaigner pour autant (votre porte-monnaie vous conduira d'ailleurs naturellement vers lui). Les autres pourront adhérer à la devise « *Il montepulciano d'ogni vini è il re* » (« Le montepulciano est le roi de tous les vins »). Vous pouvez retenir ces producteurs pour goûter au meilleur de ce vin produit par les familles nobles de Montepulciano (ville située à 45 km au sud de Sienne) : Avignonesi, Fattoria del Cerro, Poliziano... Là encore, n'économisez pas vos sous, car il faut privilégier la *riserva.*

UN VRAI FIASCO !

Le fiasco (flasque), bouteille recouverte d'une enveloppe de paille, ne se retrouve guère que sur les tables des gargotes pour entretenir le folklore. Il fut pourtant à l'origine du succès du chianti et servait à protéger les bouteilles lors du transport. Cet emballage a quasiment disparu au profit des bouteilles « bordelaises », plus sérieuses. Mais si vous voulez transformer votre cuisine en pizzeria, n'hésitez pas à en rapporter quelques-unes ! Cependant, sachez que la plupart des housses de paille sont aujourd'hui importées des Philippines !

Un second « vin star » est le *brunello di Montalcino.* Il s'agit d'une véritable petite merveille... malheureusement méconnue des Français. C'est un vin de grande garde, qui peut vieillir sans problème 25 ans avant d'atteindre son apogée. La *riserva* ne peut être vendue avant cinq ans. Un minimum, car ce vin exige beaucoup de patience... contrairement au *rosso di Montalcino*, qui provient de vignes plus jeunes. Le *brunello*, d'un prix élevé, est dur et tannique. Très complexe, il ne déçoit qu'exceptionnellement. Les plus grands producteurs sont le Castello Banfi, Biondi-Santi (le nec plus ultra), Lisini, Caparzo, Col d'Orcia...

Deux autres appellations ont droit au titre honorifique de DOCG. Le *carmignano*, un excellent vin rouge nettement moins cher que les précédents. Deux producteurs à retenir : Capezzana et la Fattoria di Artimino. Et le *vernaccia di San Gimignano*, un vin blanc généralement sec. Très doux (et non plus sec), il peut être légèrement poivré. Vous aurez plus de chance de le rencontrer sur l'autel de l'église du coin que dans votre verre. À l'origine, il s'agit en effet d'un vin de messe.

Nous passerons sur la quantité d'autres appellations que nous rencontrons en Toscane (une trentaine de DOC) pour vous dire tout le bien qu'il faut penser de certains vins de table, même si l'on trouve le pire comme le meilleur. Ceux qui découvriront un *tignanello* (Antinori), un *ornellaia* (Tenuta dell'Ornellaia) ou un *sassicaia* (Tenuta San Guido) ne jugeront plus de haut le vin italien.

Comment faire son choix parmi tous ces crus d'exception ? Chance inouïe pour l'amateur, les restaurateurs proposent généralement leurs bouteilles sans majoration excessive. Du coup, chaque repas donne l'occasion d'une nouvelle dégustation... De quoi établir sa petite liste avant de rentrer à la maison ! Par ailleurs, la qualité des crus toscans est telle que même le vin en carafe *(vino della casa)* se laisse boire sans hésitation. Du moins la plupart du temps... De quoi se faire plaisir à moindres frais !

Le vin santo et la grappa

Un peu partout en Toscane vous sera proposé, en guise de dessert, un verre de *vin santo* accompagné des *biscotti di Prati (cantucci)* à tremper dans cet élixir. Ce dernier s'obtient par la vinification de raisins séchés à l'ombre après avoir été suspendus aux poutres des greniers. D'une couleur ambre foncé, doré, le « vin pour les saints » (à l'origine consommé par les prêtres) vous séduira par sa douceur qui compense une forte teneur en alcool. Il accompagnera également très bien un assortiment de *crostini*.
La *grappa* est le nom italien du marc... donc de l'eau-de-vie de marc de raisin distillé. Sa teneur en alcool avoisine les 45 °C, elle n'est donc pas conseillée aux débutants. Elle n'est pas toujours médiocre, contrairement à certaines idées reçues. Que les sceptiques trempent leurs lèvres dans la *grappa de brunello di Montalcino* pour réviser leur jugement. Vous retrouverez la grappa un peu partout en Italie... y compris dans votre café (il s'agit alors d'un *caffè corretto*).

Chianti : la légende du Coq noir

Au Palazzo Vecchio de Florence, sur les panneaux du plafond du salon des Cinquecento, vous pourrez admirer une peinture de Vasari représentant un coq noir *(gallo nero)*. La légende du coq noir raconte la naissance même de la ville. Curieusement, elle évoque à la fois un conte de fées et une fable de La Fontaine. Il était une fois deux rivales, Florence et Sienne, qui n'arrêtaient pas de se battre pour agrandir leur territoire. Un jour, la sagesse l'emporta : au lieu de continuer ces luttes meurtrières, les deux villes misèrent le sort des conquêtes sur deux coqs. Au chant du coq choisi par chaque cité, un cavalier devait partir en direction de l'autre ville et le point de rencontre déterminerait la frontière. Sienne la magnifique se devait d'avoir le plus beau coq. On choisit un superbe coq blanc qui fut bichonné et nourri comme... un coq en pâte ! Florence, ville naissante et pauvre, n'avait qu'un coq noir et maigre qu'il lui fut difficile d'entretenir. Le jour J, le pauvre coq florentin se mit à chanter tant il avait faim, alors que l'aurore n'était pas encore levée, pendant que son alter ego faisait la grasse matinée. C'est, paraît-il, la raison pour laquelle le territoire de Florence est bien plus étendu que celui de Sienne. Depuis, le coq noir est l'emblème des caves de certains chiantis, dont celles du *Consorzio del Gallo Nero*. L'estampille « Gallo Nero » est l'appellation qui distingue le bon grain de l'ivraie. Pour acheter une bonne bouteille, fiez-vous au liseré rosé en haut de la bouteille : c'est le signe qu'il vient de cette région.

Les vins d'Ombrie

Justice a enfin été rendue aux vins d'Ombrie, dont la montée en gamme est assez récente même si son passé viticole remonte... aux Étrusques. Et pourtant, son grand voisin toscan continue encore de lui faire de l'ombre (ah, ah !). À ce titre, cette région peut être comparée à la Bourgogne. La *Borgogna italiana* a, en effet, du mal à s'affirmer face au *Burdigala italiana* (le Bordelais italien), la Toscane.
Une larme de vin d'Ombrie vient s'ajouter aux tonneaux italiens (1,69 % de la production, pour être très précis). Près de 20 % de la production correspondent à des appellations. Deux seulement ont droit au titre honorifique DOCG, le *torgiano* et le *sagrantino di Montefalco*. Les autres sont des DOC (*colli Altotiberini, colli Amerini, colli del Trasimeno Grechetto, colli Martani, colli Perugini, Orvieto* et *Montalcino*).
Montefalco est perché comme un faucon sur son repaire (d'où son nom). Des remparts ne datant pas d'hier entourent cette petite ville de 5 000 âmes. Elles se penchent depuis plus d'un bail sur les vignes et oliviers qui ont poussé à flanc de colline. Un tout petit territoire de 155 ha où fleurissent deux appellations. La première,

le *sagrantino di Montefalco,* est un cépage unique en Italie, qui donne un vin à la robe rubis foncé, aux arômes de fruits rouges et un goût de terroir très prononcé surtout pour la version « sec ». On peut le trouver très tannique, mais il existe des mélanges très réussis qui le rendent plus doux. À propos de vins fruités et intenses, les amateurs de vins d'apéritif opteront pour le *sagrantino passito,* obtenu à partir de grappes mûres, un vrai délice. Voir dans la partie Montefalco « Où acheter une bonne bouteille ? ». Quant au *Torgiano rosso riserva,* produit au sud-est de Pérouse, il tire son nom de la tour de Janus *(turris Janis)* érigée dans le coin. Il peut être blanc, rosé ou rouge. Le *torgiano* est bien parfumé et devient au fil des années charpenté et gras à souhait. Une valeur sûre étonnamment abordable.
L'*orvieto* est le vin blanc le plus connu de la région. On le trouve dans les parages d'Orvieto, aussi bien en Ombrie que dans le Latium voisin. Les goûts évoluant, les vignerons du coin le proposent aujourd'hui davantage sec *(secco)* que demi-sec (*amabile* ou *abboccato*), au grand dam de certains traditionalistes. Sachez encore que l'orvieto, tout comme le chianti, peut être *classico* s'il provient d'un terroir à proximité immédiate d'Orvieto. Ses caractéristiques (très aromatiques avec des nuances de miel) en font l'un des vins blancs les plus agréables d'Italie. Les caves où il vieillit sont creusées à même la falaise. Elles contribuent certainement à sa qualité constante. Pour varier les plaisirs tout en restant dans les blancs, vous pouvez également essayer le *grechetto* produit dans les environs du lac Trasimène, à l'arrière-goût légèrement amer et idéal par grosses chaleurs estivales.
Les autres appellations (vins blancs et rouges) se rencontrent autour du lac Trasimène *(colli del Trasimeno),* sur les collines de Pérouse *(colli Perugini),* au nord des Apennins (*altotiberini,* dont les vignes dominent la vallée du Tibre).
Le marquis Piero Antinori, autre aristocrate mais Toscan cette fois-ci (l'aristocratie domine depuis longtemps le domaine viticole, en Ombrie comme en Toscane), se fait remarquer depuis une dizaine d'années avec son *castello della Sala.* Ce domaine produit des vins de table remarquables, comme le *cervaro,* un des meilleurs vins blancs italiens... à condition de le laisser vieillir. La maison produit un bon vin rouge (le *pinot nere*) et un délicieux vin doux, le *muffato,* qui vaut bien certains de nos sauternes.

Le café

Tout le monde connaît l'incontournable *espresso,* mais rares sont les Italiens qui le demandent tel quel. En effet, certains le souhaitent *ristretto* (serré), ou au contraire *lungo* (préciser *una tazza grande,* ça fait toujours une gorgée de plus). D'autres le veulent *al vetro* (dans un verre) ou bien *macchiato* (« taché » d'une goutte de lait froid, tiède ou chaud). Le café au lait se demande : *caffè latte, latte macchiato.* À ne pas confondre avec le fameux *cappuccino, espresso* coiffé de mousse de lait et saupoudré, si on le demande, d'une pincée de poudre de cacao. Sublime quand il est bien préparé ! À moins que vous ne préfériez le *caffè corretto,* c'est-à-dire « corrigé » d'une petite liqueur ou eau-de-vie. Mieux vaut le boire debout au comptoir, à l'italienne (souvent moins de 1 €)... Si vous êtes assis, il pourra vous coûter cinq fois plus cher !

Le chocolat

Pérouse est l'autre fief de la chocolaterie italienne avec Turin, et les deux villes revendiquent l'ancienneté de leur tradition de fabrication. Les *Baci* (baisers) de Pérouse sont des bouchées en chocolat, enrobant une noisette et enveloppées dans un petit message d'amour. Ils sont confectionnés par la grande chocolaterie industrielle de Pérouse, la *Perugina,* appartenant au groupe Nestlé. La ville est si fière de cette gourmandise qu'elle organise chaque année une grande fête en son honneur, l'*Eurochocolate.*
C'est un marchand florentin du nom d'Antonio Carletti qui découvrit le chocolat à boire lors d'un voyage en Espagne en 1606. La *cioccolata* (et non le *cioccolato* qui

est le chocolat à croquer) est, pour certains, meilleure que le *cappuccino* qui, dans bien des endroits touristiques, se transforme de plus en plus en un banal café au lait. Ce chocolat chaud, élaboré dans les règles de l'art, est tellement onctueux et épais (la cuillère tient quasiment toute seule) qu'on croirait de la crème (et pour cause : le lait est remplacé par de la crème fraîche). Un vrai régal !

L'eau

L'eau du robinet, bien que potable, n'est jamais servie dans les restaurants où l'on vous proposera toujours de l'eau minérale. Précisez *naturale* si vous souhaitez de l'eau plate, *frizzante* ou *con gas* pour de l'eau gazeuse. Si vous tenez vraiment à l'eau du robinet, demandez *acqua del rubinetto,* mais le goût est parfois métallique (et c'est plutôt mal vu, ça vous catalogue illico *turista*).

CINÉMA

La Toscane offre un cadre privilégié pour le cinéma en raison de l'exceptionnelle beauté de ses paysages. ***Roberto Benigni,*** originaire de Castiglion Fiorentino, a tourné les premières scènes de *La Vie est belle* à Arezzo (à 15 km de sa ville natale). Autre figure cinématographique de la région : ***Franco Zeffirelli,*** né à Florence. Premier assistant de ***Visconti*** au début des années 1950, il réalisa ensuite de nombreux films, dont *Un thé avec Mussolini* qui a pour cadre sa Toscane natale. ***Paolo et Vittorio Taviani,*** eux, sont nés dans le village de San Miniato, dans la province de Pise. Ils consacrent leur premier documentaire au massacre perpétré par les nazis dans la cathédrale du bourg et, en 1982, ils tournent *La Nuit de San Lorenzo* au même endroit. Ensuite se dérouleront plusieurs autres fictions dans la région : à Florence et à Pise *(Les Affinités électives, Good morning Babilonia)* et à San Gimignano *(Le Pré)...*

PAPARAZZO

En 1959, Fellini sort son chef-d'œuvre, La Dolce Vita, *avec Marcello Mastroianni. On y raconte les tribulations d'un photographe pour vedettes, plutôt sans foi ni loi. Dans le film, il s'appelle Paparazzo. Ce qui donne, au pluriel, paparazzi. Ce nom propre deviendra vite un nom commun.*

Auteur de nombreux films, essentiellement comiques, sur le ton de la critique sociale, ***Mario Monicelli*** a tourné à Florence *Mes chers amis,* avec Philippe Noiret et Ugo Tognazzi, et *Pourvu que ce soit une fille* dans la campagne siennoise. À Florence également se déroule l'action de *Metello* et de *La Viaccia* (avec Belmondo et la belle Claudia Cardinale) de ***Mauro Bolognini.*** C'est aussi le lieu de tournage privilégié de ***Leonardo Pieraccioni,*** dont les films comiques ont beaucoup de succès en Italie *(Le Cyclone).* ***Luigi Comencini,*** quant à lui, tourna *La Ragazza,* film psychologique et historique qui recrée l'atmosphère de l'après-guerre en Toscane. Et ***Bernardo Bertolucci*** choisit cette région en 1996 pour *Beauté volée* avec Liv Tyler, l'histoire d'une jeune Américaine qui va émoustiller les sens quelque peu endormis d'un groupe d'artistes locaux. Ou encore Marco Tullio Giordana avec *Nos meilleures années,* qui retrace l'histoire de deux frères et de leur famille dans l'Italie de la fin des années 1960, grande crue de Florence en 1966, lutte contre la mafia...

Mais il ne faut pas oublier que la Toscane a aussi inspiré des réalisateurs du monde entier, dont James Ivory *(Chambre avec vue),* Ridley Scott *(Gladiator, Hannibal),* Brian de Palma *(Obsession).* Sans oublier Kenneth Branagh qui a tourné le magnifique *Beaucoup de bruit pour rien* dans la région du Chianti, Jane Campion dont le *Portrait de femme* (avec Nicole Kidman) se situe à Lucca, Anthony Minghella qui a fait de nombreuses prises à Pienza pour *Le Patient anglais.* En 2008, la petite ville médiévale de Talamone (près de Grosseto) a vu débarquer toute l'équipe de tournage du 22e James Bond, *Quantum of Solace,* avant que la cohorte de techniciens,

de cascadeurs, et ses tonnes de matériels, ne fassent escale dans la capitale mondiale du marbre (Carrare) pour mettre en boîte quelques secondes de la scène de pré-générique de ce 22e volet. Enfin, au festival de Cannes 2010, Juliette Binoche reçoit la palme de l'interprétation féminine pour son rôle dans le film *Copie conforme,* dont l'action se passe près de San Gimignano, et déclare « La Toscane reste un lieu où le miracle est possible. » Et si l'on remonte dans le temps, Gérard Oury a filmé de nombreuses scènes du *Corniaud* à Pise et dans sa région.
En ce qui concerne l'Ombrie, on ne peut pas dire qu'elle ait, pour l'heure, inspiré beaucoup de réalisateurs. Begnini y tourna tout de même quelques scènes du film *Pinocchio,* à Città di Castello (dans la haute vallée du Tibre), ville de naissance de la *bellissima* Monica Bellucci.

CUISINE

La carte des restaurants se divise en cinq grands chapitres : *gli antipasti, il primo, il secondo, i contorni* et *i dolci.* Il faut faire un choix en sachant que les Italiens eux-mêmes, en dehors de certains repas de fêtes, se contentent de deux ou trois chapitres selon leur faim. Sinon, bonjour l'addition... et la digestion !
La cuisine est très marquée régionalement, plus encore qu'en France, du fait de l'unification tardive de l'Italie. Chaque région a ses recettes, ses spécialités et, finalement, la cuisine est restée cloisonnée bien après 1870. Aujourd'hui, avec le développement du tourisme et des transports, on assiste comme partout à l'émergence d'une cuisine plus collective, moins typique, ce qui n'empêche pas les Italiens de rester très fidèles à leur patrimoine culinaire.

Les spécialités culinaires de Toscane

La cuisine toscane est simple mais variée. Sobre, rigoureuse, voire sévère, elle n'est pas sans faire penser aux Toscans eux-mêmes. Elle est, en fait, le reflet de leur caractère. Des influences étrusques seraient toujours visibles. Au moment de la Renaissance, la cuisine florentine s'est enrichie de produits étrangers provenant d'Amérique, à commencer par la tomate... devenue incontournable.

À Florence

Les anciennes recettes florentines se retrouvent dans la *ribollita,* la *pappa al pomodoro,* la *bistecca...* Malheureusement, beaucoup d'autres ont été perdues. Un mouvement italien pousse cependant à la redécouverte du passé gastronomique des régions, comme en témoigne la floraison des gargotes traditionnelles (les fameuses *osterie*), et plus spécialement le mouvement *Slow food* (voir plus loin la rubrique « Le succès du *slow food* »). Tout n'est donc pas définitivement perdu.

POURQUOI TOMATE SE TRADUIT PAR POMODORO ?

Les grands navigateurs découvrirent la tomate chez les Aztèques, au Mexique. Elle avait bien la forme d'une pomme et valait le prix de l'or, car elle était particulièrement difficile à conserver. Assez fade, il fallut plus d'un demi-siècle pour savoir l'utiliser en cuisine, en imaginant la vinaigrette !

À Sienne

On déguste bien sûr à Sienne la cuisine toscane, légèrement plus relevée qu'à Florence et souvent avec des herbes aromatiques (une tradition étrusque). Ici, les gens adorent les champignons *(funghi).* Les spaghettis sont souvent à l'huile et aux *pepe-*

roncini, sorte de poivron très parfumé dont l'odeur « colle aux pâtes ». Bien sûr, goûtez aux célèbres *tortellini alla panna* (à la crème) et aux *pici,* spécialité de pâtes de forme cylindrique.
Quelques plats typiques : *acquacotta* (champignons frits au pain grillé, fromage *pecorino,* œufs, céleri, oignons, tomates), *bistecchine di maiale* (porc à la braise avec une sauce à l'ail, sauce tomate et vin rouge), *chiocciole alla senese* (escargots cuits dans une sauce au vin et à la tomate, ail, estragon, piments), *lepre e cinghiale in dolce e forte* (lièvre et sanglier au vin rouge, pignons de pin, raisins secs, amandes effilées, fruits confits, miel et une once de... cacao).

... et en Toscane en général

Pour simplifier, on pourrait dire que trois cuisines se rencontrent en Toscane : celle des terres, que vous retrouverez à Florence, à Sienne et dans le Chianti ; celle de la côte, que vous goûterez notamment à Livourne et qui fait une belle place au poisson ; et celle de la Maremme, symbolisée par le sanglier. Les ingrédients essentiels sont : le pain sans sel *(filone)* – présent dans beaucoup de recettes classiques, depuis l'*antipasto* jusqu'au dessert –, l'huile d'olive, omniprésente (les grands domaines viticoles produisent toujours de l'huile d'olive), et certaines herbes aromatiques comme le romarin, l'origan, le thym, la sauge et le fenouil.

Antipasti

– **Les crostini :** tartines croustillantes, garnies de pâté (à base de foie de volaille), de fromages ou de légumes, et servies partout comme entrée.
– **La bruschetta :** tranche de pain grillée, frottée à l'ail et recouverte d'huile et de tomates coupées en petits morceaux. On la rencontre le plus souvent dans sa version régionale, la *fett'unta.* La Toscane dans toute sa simplicité.
– **La charcuterie :** *lardo di colonnata.* À l'origine, il s'agissait de la nourriture des pauvres tailleurs de pierre de la région de Carrare. Il est aujourd'hui très recherché. Le *lardo di colonnata* se mange sur des morceaux de pain grillé. Délicat, il tire son nom de sa blancheur marmoréenne et de ses veines rosées qui évoquent des colonnes de marbre. À savourer également : la *finocchiona,* un saucisson aromatisé de graines de fenouil sauvage, et divers *prosciutti...*

I primi

– Ici, un peu moins qu'ailleurs cependant, la ***pasta*** occupe une place de choix. On trouve souvent des *taglioni al tartufo* (fines tagliatelles aux truffes) ou les *spaghetti al ragù* (avec une sauce proche de la bolognaise). Les *pappardelle al sugo di lepre* (sorte de lasagnes avec une sauce au lièvre) sont une petite merveille qui ne demande pas moins de 2h30 de préparation.
– **Le risotto toscano** est préparé avec du foie de poulet, de l'oignon, de l'ail, du persil et du céleri.
– **Les minestre e zuppe :** la variété et le charme de la cuisine toscane passent également par de nombreux et délicieux potages et autres soupes. La *ribollita* est une soupe épaisse à base de légumes dont le *cavalo nero* (chou noir). On y trouve aussi du pain, seul ingrédient nutritif et tenant un peu au corps. Ce plat est emblématique d'une certaine cuisine diététique : on choisira du pain toscan rassis et sans sel pour ne pas dénaturer le goût. Le nom originel est *minestra di pane.* Son nouveau titre, *ribollita,* tient au fait que la soupe est cuisinée pour quelques jours et, à partir du deuxième, est réchauffée et rebouillie. Et, bien sûr, le plat n'a rien à voir avec celui du premier jour.
À noter, d'autres soupes : l'*acquacotta* (bouillon agrémenté de coulis de tomates, cèpes, ail, persil et servi avec des tranches de pain huilé), la *panzanella,* les *minestre di farro* (épeautre), *di ceci* (pois chiches), *di fagioli* (haricots), et la *zuppa di vongole* (sur la côte seulement).

– ***La pappa al pomodoro :*** panade à la tomate. Un des incontournables de la cuisine toscane, au même titre que la *ribollita.*

I secondi

– ***La bistecca :*** une merveille, mais un peu ruineuse. Attention ! Les prix sont souvent mentionnés *per un'etto* (pour 100 g) à moins qu'il ne soit précisé que c'est au kilo. Compter entre 200 g et 400 g par personne. La *bistecca* est une viande de grande qualité provenant d'un élevage bovin du val di Chiana (région au sud d'Arezzo). Cette tranche de bœuf épaisse, comprenant l'aloyau et le filet, se cuisine à la braise et se consomme saignante, voire bleue. La *bistecca* donne lieu à une *sagra* (foire), qui se déroule les 14 et 15 août à Cortone. Des milliers de *bistecche* sont alors cuites au charbon de bois sur un gril immense (14 m) en plein cœur de la ville.
– ***Le gibier :*** le lièvre est cuisiné avec les fameuses *pappardelle al sugo di lepre* ou à l'aigre-doux *(lepre in dolce e forte).* Le sanglier est omniprésent en Toscane (plus rarement à Florence), à tel point que dans le bourg médiéval de Capalbio, on lui organise une petite fête le 2e week-end de septembre. Le lapin « façon chasseur » *(coniglio alla cacciatora)* est apprécié des voraces Toscans.
– ***Les abats :*** la *trippa fiorentina,* le *lampredotto* ou encore la *zampa alla parmigiana* témoignent du goût des Toscans pour les abats.
– ***Le poulet*** *(pollo)* n'est pas oublié non plus : le *pollo alla toscana,* le *pollo alla diavola* (à la diable) ou les *colli di pollo ripieni* sont des recettes que vous rencontrerez sur les cartes des restos de la région.
– ***Des fritures :*** *cervelli e carciofi fritti, pollo e coniglio fritto.*
– ***Le poisson :*** on trouve des spécialités de poisson principalement sur la côte, comme le *cacciucco alla livornese* (sorte de bouillabaisse), le *baccalà* (morue) *alla livornese,* le *baccalà con i ceci,* les *calamari in zimino* ou encore le *tonno e fagioli.*

I contorni

Sachez que lorsque vous commandez un plat de viande ou de poisson, il n'est jamais accompagné de légumes. Ceux-ci se demandent séparément (et en supplément) si vous en désirez.
– ***Les fagioli*** *(haricots)* constituent la véritable viande des pauvres *(carne dei poveri).* Importés en Italie depuis la découverte de l'Amérique, ils constituent l'une des bases de l'alimentation toscane. On les utilise pour enrichir les soupes et potages, ou en guise de *contorni* pour accompagner les viandes (la *bistecca* notamment) et le gibier. Les plus fréquents dans le coin portent le nom de *cannellini* (à ne pas confondre avec... les cannellonis). Petits et blancs, ils n'ont rien à voir avec les *fagiolini di Sant'Anna* qui ne manqueront pas de vous impressionner par leur longueur.
– En dehors des *fagioli,* vous rencontrerez les ***patate in umido*** (pommes vapeur en ragoût), le fameux ***cavolo nero*** (chou noir), les ***funghi porcini*** (cèpes) et quantité d'autres légumes.

I dolci

Ce n'est pas la plus belle page de la cuisine florentine, mais voici quelques spécialités. Beaucoup d'entre elles sont liées aux saisons ou à un événement précis : la *schiacciata con l'uva* (pain garni de raisins que l'on trouve uniquement en période de vendanges) ou bien encore la *schiacciata alla fiorentina* (sorte de pain de Gênes plat aromatisé aux agrumes, un mets typique du carnaval).
– ***Le bugie :*** beignet frit saupoudré de sucre qu'on prépare surtout au moment du carnaval.
– ***Le zuccotto :*** gâteau glacé à la crème d'amande et au chocolat, spécialité de Florence.

– ***Le castagnaccio :*** mélange de farine de châtaigne, le tout cuisiné dans un four et agrémenté de pignons, d'huile, de romarin et de raisins secs.
– ***La colomba :*** brioche aux fruits confits et amandes en forme de colombe, qu'on mange traditionnellement à Pâques.
– ***Le panforte :*** spécialité de Sienne. Riche en épices, fruits confits et amandes. Consommé traditionnellement à Noël, on en trouve désormais toute l'année en Toscane.
– ***Les biscotti di Prato*** (ou *cantucci*) **:** biscuits secs parfumés aux amandes que l'on trempe dans un verre de *vino santo.* Les Siennois ne sont pas en reste avec leurs délicieux *ricciarelli* (comparables aux calissons d'Aix sans le nappage de sucre glace) et autres *cavalucci* (gâteaux secs parfumés à l'anis).

Les spécialités culinaires d'Ombrie

Solitaire et raffinée, voilà comment la cuisine de ce « petit pays » pourrait être définie. Solitaire : la Toscane voisine ne l'a guère influencée, de même que les autres régions limitrophes, à commencer par le Latium. Raffinée : les sceptiques cesseront de l'être après avoir découvert certaines spécialités régionales.

UN TARTUFO, ÇA TRUFFE ÉNORMEMENT !

Drôle de jeu de mots ! En italien, la truffe se dit tartufo *et le verbe* truffare *signifie « tricher, tromper ». Curieux rapprochement linguistique entre ces fripons restaurateurs qui font passer la fausse truffe pour de la vraie...*

En ***antipasto,*** les excellentes charcuteries de Norcia, ville située dans les hauteurs de la Valnerina, se déclinent en une grande variété de saucissons (de porc ou de sanglier, souvent aux formes cocasses...), de *prosciutto* et de *capocolli* alléchants. Elles sont accompagnées de *crescia,* des tartines garnies de divers pâtés, et de tourtes salées. Moins convaincante, la *torta al testo,* entre la pizza et la galette, faite d'une pâte non salée fourrée de jambon donc un peu fade. Des ***primi*** bien plus goûteux : la *minestra di farro* (soupe d'épeautre) et les pâtes locales *(strangozzi, umbricelli)* aux sauces consistantes, comme celle aux cèpes *(funghi porcini)* ou aux viandes diverses. Parmi les ***secondi,*** les côtelettes de porc, d'agneau ou le poulet à la broche sont souvent proposés. Côté viandes rouges, vous y rencontrerez la tendre *razza chianina.* Moins connus (et en accord avec le cadre médiéval des villes ombriennes), les plats et daubes à base de gibier (sanglier, lapin), les volailles rares (faisan, pigeon) en sauté ou en ragoût, le *friccò* (fricandeau) à base de viandes blanches ou d'agneau ou les *salsiccie* (saucisses) grillées. Il faut absolument goûter à la *porchetta,* jeune cochon désossé et rôti à la broche avec des herbes... un délice ! Bien que dépourvue de toute façade maritime (un cas unique en Italie), l'Ombrie n'ignore pas le poisson. Ceux des torrents, des rivières et du lac Trasimène vous surprendront par leur saveur, comme la truite *(trota),* le brochet *(luccio),* la carpe et l'anguille. Une autre originalité : les multiples façons d'apprêter la truffe, comme dans ces plats qui font l'unanimité dans la plupart des menus, tels les *strangozzi al tartufo* (pâtes de type tagliatelles, mais sans œufs), les spaghettis sur lesquels on râpe de la truffe noire ou le filet. La truffe noire *(tartufo nero)* est bien plus parfumée que la blanche et aussi nettement plus coûteuse. Du coup, tout produit « truffé » double, voire triple sa valeur. On la trouve donc dans l'huile, les saucissons, les biscuits, le chocolat et même dans la grappa ! Mais d'autres mets locaux bien plus simples subissent une inflation démesurée lorsqu'ils sont étiquetés bio ou « manger équilibré ». À commencer par les cèpes, habituellement présentés en sauce pour les pâtes, et que l'on propose désormais comme légume en accompagnement. Les lentilles de Castelluccio (d'appellation contrôlée s'il vous plaît !), l'épeautre bio ou les fèves *(fave)* souvent servies avec de la *pancetta* (poitrine de lard) subissent le même sort.

Enfin, un avis aux fins gourmets soucieux de leur bourse : le succès touristique aidant, certains restaurateurs peu scrupuleux font payer le prix fort pour un mélange d'olives noires pilées et de trompettes de la mort (plutôt goûteux, il faut le reconnaître) que l'on fait passer pour de la truffe noire. De même pour quelques lamelles d'une truffe blanche dite « estivale » très peu savoureuse. Ou encore pour des mets agrémentés de sauces *al sagrantino,* faites avec des vins d'origine bien plus lointaine que les hauteurs de Montefalco... Vous voici prévenu de quelques dérives « marketing » liées aux produits locaux à forte valeur ajoutée. Du reste, la cuisine ombrienne est un vrai régal !

Les fromages de Toscane et d'Ombrie

– ***Le pecorino*** se décline de multiples façons selon la provenance régionale : *siciliano, romano, sardo...* et *toscano.* Ce dernier a longtemps été le seul à garnir la table du peuple. Plus qu'un simple fromage, le *pecorino* était la « viande » des pauvres. Et pourtant, dans la Garfagnana (nord-ouest de la Toscane), on n'hésite pas – aujourd'hui encore – à s'en servir pour pratiquer la *ruzzola* (sorte de pétanque, mais à la place des boules, on lance... des fromages !). On le produit dans différentes zones de Toscane : la Maremme, le Valdichiana, le Casentino, la région de Sienne *(pecorino senese)* et celle des crêts de Sienne *(pecorino delle crete senesi).* Le secret du *pecorino* est dans les herbes savoureuses et parfumées de Toscane qui donnent au lait son goût inimitable, et dans le choix des races de brebis. Il peut être consommé frais *(fresco)* ou affiné (*semi stagionato* ou *stagionato*). On trouve parfois aussi du *pecorino con le pere* (poire), à l'automne, ou *con bacceli* (fèves), au printemps.
– En dehors du *pecorino,* il existe en Ombrie la ***caciotta,*** un autre fromage de brebis qui peut être parfumé aux truffes *(al tartufo),* à l'oignon *(alla cipolla)...* D'ailleurs, dans cette même région, on trouve le *pecorino dell'Umbria.* Y a-t-il une contrée du centre ou du sud de l'Italie qui n'ait pas son *pecorino* ?
– Rare dans les pays de montagne, on trouve quand même quelques fromages de chèvre dans la Valnerina.

Enfin, dommage que pour accompagner le fromage ombrien, le pain local soit aussi insipide. C'est que, traditionnellement, les Ombriens n'ajoutent pas de sel dans leurs pâtes à pain. Ceux qui suivent un régime hyposodique apprécieront, tandis que les inconditionnels de la baguette prendront leur mal en patience. En tout cas, on aime tellement cette région et ses habitants qu'on en oublie ce manque de goût, faisant désormais partie des habitudes gastronomiques et du passé de la région.

UNE NOTE SALÉE... TOUJOURS REFUSÉE !

Dans les années 1530, le pape Jules II avait besoin de financer ses campagnes. Loin de la mer, on imposa à Pérouse un impôt sur le sel. Les Perugini décidèrent alors de se passer de cette denrée, et depuis, ils ne salent plus leurs pâtes à pain. Une tradition qui s'est répandue dans toute la région et que les Ombriens se font une fierté de conserver.

L'huile d'olive

Que serait la *bruschetta* sans l'huile d'olive ? La réputation de l'huile de Toscane, due à sa fragrance et à son onctuosité, n'est pas volée. Les oliviers reçoivent les mêmes attentions et les mêmes soins que les pieds de vigne. Comme pour le vin, il y a des crus, et les goûteurs d'huile doivent avoir les mêmes qualités que les œnologues. De même qu'il existe différents crus dans la même variété, il y a également différentes qualités dans la même variété. Celles-ci dépendent du sol des plantations, de leur exposition et du type de presse utilisée pour l'extraction. Les meilleu-

res huiles se font avec des olives noires, transformées avec des presses de pierre, mais elles sont de plus en plus rares. Actuellement, les presses automatiques en acier sont naturellement les plus utilisées. L'huile la plus recherchée est celle de première pression à froid, elle a pour nom *Extra Vergine.* Elle possède moins de 1 % d'acidité. Viennent ensuite les huiles de deuxième pression à froid ou à chaud : *Sopra Vergine* et *Fina Vergine.* Dans toute la région du Chianti, de nombreuses *fattorie* (fermes) produisent leurs propres huiles. Toutes sont vraiment excellentes. Se reporter plus loin à « La région du Chianti » où nous indiquons de nombreuses adresses.
Quant à l'huile d'olive ombrienne, qui n'a rien à envier à sa voisine toscane, elle bénéficie d'un climat idéal pour le développement des fruits. Trois variétés sont utilisées : *moraiolo, frantoio* et *leccino* et la cueillette se fait d'octobre à décembre, ce qui rend le produit final plus piquant s'il s'agit d'une récolte précoce, ou plus rond quand l'olive est plus mûre. Sans doute, l'une des meilleures terres au monde pour les oliviers en raison d'une acidité très basse du fruit. Mais vous n'aurez qu'à comparer les différentes qualités d'*extra vergine* pour vous faire votre propre idée !

La pizza

Si la Toscane et l'Ombrie ne sont pas le vrai royaume de la pizza, chaque ville qui se respecte compte quelques *pizzerie* traditionnelles. La pizza naquit, il y a longtemps, dans les quartiers pauvres de Naples. C'était la nourriture des dockers. La pâte, agrémentée d'un petit quelque chose suivant la richesse du moment (huile, tomates, fromage...), que l'on roulait sur elle-même, constituait leur casse-croûte de midi. Elle a fait du chemin depuis : il y aurait, d'après les spécialistes, près de 200 façons de la préparer. La recette de base est *alla napoletana* (recouverte de tomates et d'anchois avec de l'huile d'olive). Les bonnes *pizze* sont cuites au feu de bois et préparées par un *pizzaiolo* qui a la responsabilité de la fabrication de la pâte, de sa décoration et de sa cuisson. Tout un art !

PIZZA ROYALE !

C'est en l'honneur de la reine Marguerite de Savoie, femme d'Umbert Ier (fin XIXe s), lors d'une réception, que l'on prépara une pizza spéciale. Sans ail évidemment, rapport à l'haleine ! On décida alors de rendre hommage à la nation nouvellement unifiée, en évoquant le drapeau italien : tomate pour le rouge, mozzarella pour le blanc et basilic pour le vert. La Margharita était née.

La *pasta* (les pâtes)

La *pasta* méritait bien une rubrique à elle seule. Voir donc un peu plus loin « La *pasta* (les pâtes) ».

Le succès du *slow food*

De plus en plus de restaurants italiens affichent désormais l'autocollant *Slow food* (reconnaissable au symbole du petit escargot), et c'est tant mieux. Ce mouvement culinaire, né en Italie en 1989 (le siège de l'association se trouve à Bra, dans le Piémont), a décidé de défendre les valeurs de la cuisine traditionnelle, particulièrement celles des petites *trattorie* du terroir. Il était grand temps de sauvegarder les bons produits et les plats de tradition.
Le retour du bien-manger et la volonté de préserver la biodiversité sont apolitiques. Le *slow food* ne s'oppose pas à la modernisation, à condition qu'elle soit au service du goût. L'idée, c'est aussi de respecter la nature et d'attendre le bon moment pour apprécier un légume ou un fruit. À quoi cela sert-il de manger une fraise (insipide) en décembre ?

La carte est souvent remplacée par l'ardoise, et surtout, on prend le temps de manger... et d'apprécier. Les restaurants *slow food* (on en sélectionne certains) ne sont pas forcément bon marché, car ils privilégient justement la cuisine dite du marché. Attention cependant, un resto *slow food* n'est pas une assurance de qualité, on peut avoir de bons produits et ne pas savoir les cuisiner ; mais n'ayez pas trop d'inquiétude, la plupart du temps, vous vous régalerez.
Pour plus de renseignements, vous pouvez consulter leur site • *slowfood.com* •

Petit lexique culinaire

Arrosto	rôti
Asparagi	asperges
Baccalà	morue
Bistecca alla fiorentina	bifteck épais assaisonné de poivre et d'huile d'olive
Casalinga (alla)	comme à la maison, « ménagère »
Dolci	desserts
Fagioli	haricots blancs
Gamberetti	crevettes
In umido	en ragoût
Maiale	porc
Mela	pomme
Melanzana	aubergine
Minestrone	soupe aux légumes avec riz ou pâtes et des haricots blancs
Noci	noix
Panna	crème épaisse ou chantilly
Peperoni	poivrons verts ou rouges
Pesce	poisson
Pollo	poulet
Pomodoro	tomate
Ragù	sauce à la viande
Risotto	riz cuisiné
Sarde	sardines
Torta	gâteau, tarte
Tortelli	raviolis farcis de fromage frais et d'herbes
Vitello	veau
Vongole	palourdes, coques ou clovisses
Zucchine	courgettes

DROITS DE L'HOMME

Le succès remporté par la Ligue du Nord lors des élections régionales de mars 2010 a une nouvelle fois renforcé l'aile la plus xénophobe de la coalition gouvernementale menée par Silvio Berlusconi. Mais les discours de plus en plus virulents tenus à l'encontre des populations immigrées ou des Roms ont comme conséquence un accroissement des violences racistes dans tout le pays. À Rosarno (Calabre), au début de l'année 2010, une « chasse à l'homme » de deux jours a fait des dizaines de blessés parmi les ouvriers agricoles d'origine immigrée. La *Ndrangheta,* puissante organisation mafieuse qui sévit dans la région et « gère » de façon féodale cette main-d'œuvre fragile et très bon marché, est certes soupçonnée d'avoir attisé les braises pour des raisons économiques. Mais l'épisode a montré une fois de plus les dangers de ce populisme raciste qui empoisonne la vie politique italienne. Les mesures législatives adoptées à l'encontre des migrants et des Roms (tests ADN, nouveau « délit » d'immigration clandestine, etc.) sont extrêmement contrai-

gnantes et liberticides, et de plus en plus dénoncées, y compris au sein de la majorité gouvernementale. Elles ne devraient pas en tout cas freiner une immigration clandestine largement contrôlée par les mafias, ni les milliers de candidats à tenter l'aventure au départ de la Libye ou de la Tunisie... au péril de leur vie. De nombreuses personnalités, organisations et journalistes s'inquiètent en outre des abus répétés de Silvio Berlusconi (omniprésence dans les médias, agressions verbales envers des journalistes et des intellectuels...) et de ses attaques à l'encontre du système judiciaire. Le président du Conseil, qui joue sur tous les plateaux de télévision les victimes persécutées, vient en effet de faire adopter une nouvelle loi sur mesure, qui autorise tout membre du gouvernement – dont lui-même – à suspendre un procès à son encontre pendant une durée de 18 mois.
Pour en savoir plus, n'hésitez pas à contacter :

■ ***Fédération internationale des Droits de l'homme (FIDH) :*** *17, passage de la Main-d'Or, 75011 Paris. ☎ 01-43-55-25-18. • fidh.org • Ⓜ Ledru-Rollin.*

■ ***Amnesty International*** *(section française)* ***:*** *76, bd de la Villette, 75940 Paris Cedex 19. ☎ 01-53-38-65-65. • amnesty.fr • Ⓜ Belleville ou Colonel-Fabien.*

N'oublions pas qu'en France aussi, les organisations de défense des Droits de l'homme continuent à se battre contre les discriminations, le racisme et agissent en faveur de l'intégration des plus démunis.

ÉCONOMIE

La Toscane et l'Ombrie conjuguent parfaitement passé, présent et futur. Tradition et modernité s'allient pour donner des merveilles, aussi bien dans le domaine de la gastronomie que de l'habillement, de l'ameublement ou du patrimoine artistique.

Distretti industriali et savoir-faire familial

Contrairement aux régions du nord de l'Italie, la Toscane et l'Ombrie n'ont pas connu l'hyper-industrialisation du « miracle économique » des années 1970 et ont trouvé leur propre « style ». L'industrie représente 34 % des emplois, ce qui fait de la région une des plus industrielles d'Europe (le complexe industriel de Terni). Bien sûr, l'industrie lourde est présente dans les secteurs de la sidérurgie, de la chimie (Montecatini), ou de la métallurgie (souvenez-vous de ces petits deux-roues fabriqués à Pontedera par la famille Piaggio, symbole de liberté en 1946 et appelés « Vespa »). Mais aujourd'hui, c'est le modèle des *distretti industriali* (« districts industriels ») qui soutient en grande partie l'économie toscane. Ces districts regroupent des petites et moyennes entreprises familiales qui misent sur un savoir-faire artisanal local.

Le « Made in Italy »

Cette spécialisation les pousse à travailler en réseau mais aussi à rechercher la perfection afin de se démarquer des concurrents. Cette émulation a permis à des entreprises familiales de devenir des industries prestigieuses et a donné naissance au *Made in Italy*, symbole de la qualité et du bon goût. Les noms de Roberto Cavalli, Gucci, Fendi, Ferragamo, Tacchini ou Tod's vous disent quelque chose ? Et pour cause ! Ces entreprises familiales ont à peu près toutes connu le même destin : un savoir-faire hérité de père en fils, une petite boutique utilisant des matières premières locales de qualité, puis l'ouverture à l'international : le nom de famille devient une marque renommée luxueuse, et les créations sont parfois considérées comme des œuvres d'art. De plus, ces grands noms de la mode dynamisent l'économie en continuant à passer commande à leurs petites sœurs. L'industrie textile de Prato

(où 3 millions de mètres de tissu sont produits chaque jour) et les artisans peaussiers de Florence ou de Grosseto restent leurs principaux fournisseurs.
Les ressources du sol sont aussi exploitées... comme le Carrare (voir la rubrique « Marbre »), la géothermie de Larderello, dans les monts métallifères, ou encore l'industrie du papier de Lucques. Certaines villes tirent leurs ressources en majorité de ces districts, comme à Quarrata, où l'ameublement et la menuiserie représentent 80 % de leurs revenus.

DÉLOCALISATION LOCALE

À Prato, on assiste depuis quelques années à un nouveau phénomène : des milliers de travailleurs chinois et leurs familles viennent travailler dans les usines de textile tenues par leurs compatriotes. Eh oui ! les Italiens ne sont pas les seuls à travailler en famille ! Bien sûr, le travail au noir n'est pas en reste, et les autorités italiennes tentent d'y remédier. Pour autant, cette « mini » Chinatown *est plutôt bien intégrée dans le paysage social de la région qui compte quelque 60 000 immigrés chinois.*

Agriculture et gastronomie

L'agriculture a aussi son rôle dans la prospérité de la région, bien qu'elle n'occupe que 4 % de la population. Certaines productions sont reconnues mondialement... l'huile d'olive extra-vierge, le chianti ensoleillé, le *pecorino* affiné à point et la *bistecca* feront le bonheur de vos papilles ! Et la pêche dans tout ça ? Malgré la longueur de la côte, la pêche reste marginale. La Toscane a préféré concentrer ses efforts sur la terre, maîtriser l'irrigation, assainir les marécages des plaines de l'Arno et de la Maremme et en faire des collines verdoyantes et fécondes. Quant à l'Ombrie, elle est la seule région en Italie qui ne possède pas de littoral.

Tourisme et tertiaire

Depuis les années 1970, la Toscane-Ombrie est surtout devenue une région tertiaire (62 % des actifs) avec le développement du tourisme et des activités commerciales. La richesse de son patrimoine culturel, la beauté de ses paysages entre mer et montagne, et la douceur de son climat laissent rêveur. Sienne, Pise et Florence vivent presque entièrement grâce à leurs visiteurs (essentiellement européens). Les hôtels et restaurants ne désemplissent pas, et depuis une quinzaine d'années la redécouverte des « vieilles pierres », sculptures et tableaux ne cesse de passionner les Italiens. L'histoire est à portée de main, et le moindre vestige est chouchouté.
Bref, une économie florissante, des industries entreprenantes, un artisanat valorisé et un secteur tertiaire en plein essor, que demander de plus ?

GÉOGRAPHIE

La géographie, qu'elle soit humaine, économique ou électorale, réserve à la Toscane et à l'Ombrie une position charnière entre le Nord et le Mezzogiorno. Presque enclavées au nord et à l'est par les montagnes des Apennins, et ouvertes sur la vaste plaine du Latium romain, ces régions sont trop diverses pour former un ensemble homogène.
– ***Au nord,*** on trouve les massifs schisteux et argileux, terrains de prédilection des châtaigniers et des rendements céréaliers qui déchantent. La mise en valeur du sol est relativement limitée et peu gratifiante.
– ***Au sud,*** sous les taillis, les bocages et les petites parcelles de céréales se trouve un substratum rocheux prépliocène (dixit les manuels spécialisés), comme du côté des monts Métallifères dans les environs de Massa Marittima. Du côté de Sienne, vers l'abbaye du monte Olivetto, les mêmes collines sont plus jeunes ou plus vieilles

et datent de l'âge plaisancien. Très fertiles, elles sont modelées en mamelons et n'en finissent plus d'onduler. Sur leurs hauteurs se réfugient les petits villages médiévaux tels que Pienza, Montalcino ou Montepulciano.
– ***Au centre,*** entre Sienne et Florence, le cépage San Giovanese du chianti, mais aussi les oliviers et les cultures fruitières s'épanouissent sur des dépôts à la fois sableux, caillouteux, argileux et gréseux. La relative richesse minérale du val d'Elsa reste inexploitée pour des raisons principalement économiques. Seul le *monte Amiata* des Étrusques procurait jusqu'à une période récente une part importante de la production de mercure mais, pour des questions de rentabilité, l'exploitation a cessé en 1975.
– ***À l'est,*** la majeure partie de l'Ombrie non montagneuse est formée par une vallée centrale ouverte par le cours du Tibre *(Tevere),* alimentée par une succession de cours d'eau disposés perpendiculairement. Les flancs de ces vallées sont pour la plupart arborés d'immenses champs d'oliviers et exploités sous la forme du métayage. Ils sont aussi intensément utilisés, grâce à leur ensoleillement, pour la culture de la vigne.
– ***Le val d'Arno :*** axe principal (pour ne pas dire unique) de la région, il concentre à lui seul la majeure partie de l'habitat des deux régions. C'est le cœur de l'activité toscane.
L'ensemble de la région est caractérisé par des failles qui entaillent de part en part ce cœur de l'Italie. Cela explique le caractère spectaculaire des tremblements de terre, comme ceux de 1997.

HISTOIRE

Les Étrusques

Caton l'Ancien, Virgile ou Catulle y sont allés de leur couplet sur les Étrusques, ce peuple mystérieux qui défia les Romains. Berceau de la civilisation étrusque, l'actuelle Toscane connut à partir du IIe millénaire av. J.-C. deux vagues successives d'envahisseurs. Les Indo-Européens vinrent en effet se mêler aux éléments méditerranéens indigènes (la population « villanovienne ») pour donner naissance à des peuples très diversifiés sur les plans culturel, linguistique et technique. Si les Phéniciens et les Grecs (775 av. J.-C.) eurent également un rôle civilisateur considérable, les premiers à tenter l'unification politique et culturelle de la péninsule italienne furent les Étrusques.

À la recherche de la civilisation étrusque

Le Moyen Âge n'a pas été très riche en vestiges. Il faudra attendre le XVIe s, quasiment 1 000 ans après leur âge d'or, pour que les Étrusques sortent de l'ombre. Les Médicis, et notamment Laurent le Magnifique, figurent parmi les premiers à s'y intéresser. Tout le monde s'y met, et cela devient presque une contagion. On remarque chez Michel-Ange, pour ne citer que lui, de nombreuses références. Par exemple, sur la *Pietà* de la cathédrale de Florence, on repère un personnage qui a enfilé une tête de loup. Celui-ci est clairement inspiré des nombreuses fresques des nécropoles qui présentent le « dieu du monde d'en bas » des Étrusques. Mais le tournant des recherches apparaît avec la fin du XVIIIe s et au XIXe s. Ce sont les Anglais qui se passionnent pour l'étude de cette civilisation. Un noble, Thomas Coke, donne le la, et vers 1760, James Byres publie un ouvrage richement illustré, véritable manuel du parfait « étruscologue ». À la fin des guerres napoléoniennes, les premières routardes anglo-saxonnes, des *ladies* de la haute, parcourent la campagne toscane pour visiter les tombeaux et constatent, déjà, la détérioration des nombreuses peintures. Plus tard, la guerre inventa la prospection aérienne. À partir de photographies prises de montgolfière, puis des clichés effectués en 1944, on constata des taches plus ou moins sombres révélant la présence de tumulus (éminence artificielle recouvrant une sépulture). De cette manière, Bradford, un agent des services de renseignements de Sa Majesté, cartographia en quelque sorte les nécropoles étrusques. Il inventa même une méthode de prospection électrique pour connaître leur contenu sans les ouvrir. À l'aide de deux électrodes fichées en terre de part et d'autre d'un tumulus, sachant que la terre est plus conductrice que l'air, il pouvait détecter la présence d'objets. Ensuite, un petit trou permettait à une caméra miniature de détailler avec plus de précision l'intérieur des tombes.

Le B.A.-BA de l'abc étrusque

Vers le milieu du XIXe s, un aristocrate croate acheta à un antiquaire d'Alexandrie une momie enrubannée dans son linceul. L'étoffe était maculée de sang par endroits, mais sur toute sa longueur on pouvait distinctement repérer deux écritures. L'une de couleur rouge, l'autre de couleur noire. De récentes datations au carbone 14 ont révélé que la toile datait du IVe s avant notre ère. Les bandelettes de la momie de Zagreb, telles qu'on les appela par la suite, devinrent le principal document exploitable pour la compréhension de l'étrusque. Il détaille avec précision les rites funéraires, ainsi que le panthéon des dieux étrusques.
La langue étrusque a fasciné très tôt les spécialistes pour la bonne et simple raison qu'elle n'avait aucun lien de parenté avec les autres langues du Bassin méditerranéen. Selon une interprétation, Hérodote s'est même amusé à brouiller les pistes, puisqu'il fait remonter leur origine jusqu'au fils du roi lydien, Tyrrhenos (d'où *il mare Tirreno* tire son nom).
Outre les bandelettes de la momie de Zagreb, on dispose d'une série très limitée de sources sur des supports variés : tablettes de Pyrgi, huile de Capoue, stèle de Pérouse, plaquette d'or ou de plomb.

L'alphabet étrusque

L'écriture apparaît en Étrurie (Toscane actuelle) aux alentours de 700 av. J.-C., au moment où les contacts entre les Étrusques et les Grecs – qui sont arrêtés au sud de l'Italie – se font plus intenses.
Pour adapter l'alphabet grec aux exigences de leur langue, les Étrusques le modifient en procédant à des suppressions et des ajouts qui entraînent des variantes dans les différentes zones de l'Étrurie.
Nous connaissons aujourd'hui près de 13 000 inscriptions en langue étrusque. Le vocabulaire dont nous disposons est donc très pauvre et le travail des linguistes avance à petits pas.
La découverte en 1964 des tablettes de Pyrgi, comportant un texte bilingue en étrusque et en phénicien, n'a même pas permis de trancher définitivement la question des origines de la langue. L'étude en cours du « livre d'or » d'une trentaine de feuilles, découvert en 1940 en Bulgarie et confié récemment à des chercheurs, après avoir été conservé en secret, permettra peut-être de faire avancer la question.

Géopolitique étrusque

En 396 av. J.-C., Furius Camillus, dont le nom indique qu'il était plutôt mécontent de la grandeur étrusque, fait de la spéléo dans les environs de Véies. Avec ses hommes, armés de glaives, il s'introduit dans l'un des boyaux construits par les Étrusques, conduisant aux puits de la ville. Il ne leur reste que quelques centimètres pour remonter à la surface quand ils entendent une voix : celle d'un haruspice de la cité. En effet, les Étrusques, comme les Grecs, avaient la manie de lire le futur dans les entrailles des volailles, des moutons... et des humains. Ils en déduisaient la volonté divine et agissaient en fonction. À Véies, l'haruspice annonce que la victoire reviendrait aux possesseurs du foie posé sur l'autel. Les Romains sortent de leur trou comme d'une boîte de Pandore et se mettent à massacrer tout le monde. L'haruspice avait dit vrai.
Quoi qu'il en soit de cette histoire digne d'une bande dessinée, la pierre d'achoppement sur laquelle butèrent les Étrusques fut le début de leur fin. Les principales

cités étrusques (Cerveteri, Chiusi, Cortona, Orvieto, Pérouse, Populonia, Roselle, Tarquinia, Véies, Vetulonia, Volterra et Vulci) formaient le cœur de leur civilisation qui n'avait pour équivalent que celles d'Athènes ou de Phénicie. Ce peuple n'avait cessé de s'épanouir et d'essaimer son pouvoir depuis le nord de Ravenne jusqu'au sud du territoire romain pendant près de sept siècles (du XIe au IIIe s av. J.-C.). Il s'appuyait sur de petites cités-États dirigées par des oligarchies familiales. Leurs seuls liens fédérateurs, et leurs principaux problèmes, étaient la religion et, peut-être, une conscience trop orgueilleuse de leur singularité.

Les cités se jalousaient leur autonomie, et aucun commandement commun ne pouvait prendre la direction des affaires politiques et militaires. Leur seule force provenait de la mer. L'île d'Elbe accouchait chaque année de 10 000 t de minerai, transformé dans les hauts fourneaux de Populonia par leurs esclaves. Les Grecs et les Phéniciens y accouraient et lestaient leurs navires pour ensuite transformer le matériau en armes. Le *monte Amiata* fournissait quant à lui du cuivre, de l'étain et du plomb argentifère. Le rayonnement économique des Étrusques s'étendait sur une zone géographique considérable : l'actuel Danemark, le cours du Rhin, Londres, la Bretagne gauloise, la côte ouest de la péninsule Ibérique depuis la Galice jusqu'à Cadix, Carthage, la Sicile, le cours du Danube, Naucratis (le supermarché égyptien de l'Antiquité)... Bref, les Étrusques étaient d'infatigables voyageurs et de sacrés commerçants. Ils avaient également réussi à s'allier aux Carthaginois, ce qui leur conférait un contrôle, relatif, des mers. De - 616 à - 509, l'Étrurie domina Rome et lui donna même deux rois, dont Tarquin l'Ancien.

L'alliance fonctionna à merveille avec Carthage, mais en - 474 ce furent les Syracusains qui sonnèrent le glas de l'Étrurie. Les Étrusques perdirent la domination des routes commerciales. Comme la scène se passait à Cumes et que, depuis - 509, Rome n'était plus sous leur jurisprudence, ils furent acculés et ne purent communiquer avec leurs positions de Campanie. Les amis d'hier sont les ennemis d'aujourd'hui. Les Syracusains ne se bornèrent pas à leur flanquer une déculottée ; ils vinrent même jusque sur leurs terres chercher l'embrouille. Les Étrusques virent également leurs territoires du nord menacés par les Gaulois. Le vaisseau des « Tusques » (sobriquet donné par les Romains) avait pris l'eau de toutes parts, et Rome eut alors les coudées franches pour se jeter sur sa dépouille.

Essor de la chrétienté

Le 25 juillet de l'an 306, Constantin Ier fut proclamé premier empereur chrétien par ses légions de Germanie. Au même moment à Rome, Maxence, porté par sa garde prétorienne, devenait lui aussi empereur ! Le choc final se produisit le 28 octobre 312, à la bataille du pont Milvius. Constantin aurait alors vu une croix dans le ciel avec les mots *In hoc signo vinces* : « Par ce signe tu vaincras. » C'est effectivement après cette bataille, dont il sortit vainqueur, que Constantin favorisa la religion chrétienne par l'édit de Milan en 313.

Enfin, le 20 mai 325, pour la première fois de son histoire, l'Église chrétienne triomphante rassembla librement à Nicée tous les évêques de l'Empire romain en un concile œcuménique qui devait régler le délicat problème de la Sainte-Trinité.

Peu de temps après son baptême, Constantin mourut, en 337. Sa dépouille fut ensevelie dans l'église des Saints-Apôtres de Constantinople. À sa mort, Rome, qui n'était plus résidence impériale depuis 285, vit s'élever les premières

LE DIMANCHE AU SOLEIL

Constantin donna au monde le « dimanche férié », en ordonnant que le « jour vénérable du Soleil » soit un jour de repos obligatoire pour les juges, les fonctionnaires et les plébéiens urbains. Ce jour, célébré par les adeptes du culte solaire, dont fit longtemps partie Constantin lui-même, correspondait au « jour du Seigneur » chrétien. Par cette loi – qui fut comme un pont jeté entre deux religions – se trouvait aussi officialisé le découpage en semaines qu'ignorait le calendrier romain.

basiliques chrétiennes grâce aux donations de l'empereur. Elles s'installèrent aux abords de la ville, sur les emplacements des cimetières chrétiens devenus lieux de pèlerinage.

Quand l'Église prend goût au pouvoir

Débuts et expansion de l'Église romaine

Théodose le Grand fut le dernier empereur à régner sur l'ensemble du territoire de l'empire, de 379 à 395. Il le partagea entre ses deux fils : Honorius pour l'Occident et Arcadius pour l'Orient. Sous le règne de Théodose, le christianisme devint religion d'État, mais cela ne l'empêcha pas de connaître quelques déboires avec l'Église : saint Ambroise l'excommunia pour avoir massacré 700 insurgés en l'an 390. Ainsi, pour la première fois, l'État romain se soumit à la puissance de l'Église.

Rome perd sa toute-puissance

Sous le règne d'Honorius, le 24 août 410, les Wisigoths, le roi Alaric à leur tête, pénétrèrent dans Rome. Honorius était alors dans sa résidence à Ravenne et refusa d'accorder à Alaric l'or et les dignités qu'il convoitait. En représailles, les Wisigoths pillèrent Rome. La chute de la ville, inviolée depuis plus de huit siècles, provoqua un énorme retentissement, faisant douter les païens de sa puissance. Huit ans plus tard, le roi Wallia obtint de l'empire – ou plutôt de ce qu'il en restait – le droit d'installer ses Wisigoths en Aquitaine : c'était la première fois qu'un royaume barbare s'établissait sur le sol romain !
Puis ce fut au tour des Vandales, cousins germains – ou plutôt germaniques – des Wisigoths, qui, après avoir pris Carthage en 439, pillèrent Rome pendant 15 jours en 455, sans toutefois massacrer la population ni incendier la ville, selon un accord passé avec le pape Léon Ier ! Vinrent ensuite les Ostrogoths – les Goths de l'est du Dniepr – qui, eux, occupèrent toute l'Italie, la France méridionale jusqu'à Arles, et l'ex-Yougoslavie.

L'héritage de Charlemagne

En 843, l'empire de Charlemagne est divisé entre ses trois petits-fils. Les Francs occidentaux s'étant retirés, c'est au tour des Francs orientaux de faire sentir leur influence sur la moitié nord de la péninsule italienne et de perpétuer l'empire. Frédéric Ier Barberousse entérine son héritage en prenant Naples en 1162, et en faisant reculer les hordes de Vikings qui avaient envahi la région. Cependant, sur la question politique se greffe un abcès religieux, celui de la querelle des Investitures. En 1059, le pape Nicolas II décide que l'élection du souverain pontife sera soustraite à l'influence de l'empereur. Il s'ensuit une longue lutte d'influence entre le Saint Empire romain germanique et le Saint-Siège. Elle n'aboutira qu'en 1122, avec le concordat de Worms : le pouvoir spirituel est dévolu à la seule autorité religieuse. Le pouvoir temporel ne doit pas s'en mêler. En Bavière, les ducs se font appeler les *Welfs* (d'où les « guelfes ») et défendent leur bout de gras bec et ongles pour pouvoir s'installer dans la Ville éternelle (Rome). Mais les seigneurs de Souabe (les *Waiblingen,* d'où les « gibelins ») ne l'entendent pas de cette oreille et veulent, eux aussi, pouvoir influer sur la nomination du vicaire de Jésus-Christ. Le débat se transpose en Italie puisque Barberousse a un pied dans la péninsule et compte bien mettre la main sur les possessions du pape et des Angevins.
En Toscane, donc, les partisans du pape et de Charles d'Anjou, les guelfes, s'opposent aux partisans de Barberousse, les gibelins. Sur le cours de l'Arno et dans les environs de Sienne, les cités s'organisent en minirépubliques indépendantes, gouvernées par une aristocratie « locale » tantôt guelfe, tantôt gibeline. C'est dans cet état d'esprit de rivalité, ponctué d'actions punitives, que s'épanouit la Renaissance.

De l'âge d'or à l'obscurantisme

Les compagnies commerciales de Florence, Pise ou Lucques jouissaient, dans l'Europe médiévale, d'une place primordiale. La région était le cœur névralgique de l'économie. Ses satellites étaient les foires de Champagne et du Lyonnais, les villes hanséatiques du nord de l'Europe, les comptoirs commerciaux de Londres et les îles de la Méditerranée. Ses ports : Gênes, Venise et Pise. Au XIIIe s, Pise connut un essor fantastique grâce aux industries drapières. Mais elle attira la jalousie de ses proches et, en 1284, sa flotte se fit littéralement damer le pion par les Génois. Pise tomba dans la sphère d'influence de Florence, qui concentra alors tous les pouvoirs. Le val d'Arno devint le Manhattan de l'Italie. La plupart des commerçants étaient des banquiers qui supportèrent l'industrie lainière naissante. L'une des plus grandes familles de l'époque, les Borromeo, provenait de San Miniato, petite bourgade entre Pise et Florence. La victoire de Charles d'Anjou donna un coup de fouet au dynamisme naissant. Les hommes de Florence et de Sienne qui l'avaient soutenu eurent alors les coudées franches pour pouvoir s'imposer dans le domaine du commerce, de la banque, de la frappe de la monnaie, de l'assurance, des transports, de l'information et du renseignement.
Florence était désormais le siège où convergeaient les commandes, les lettres de change, les chèques (qu'ils furent les premiers à adopter), et les bords de l'Arno se peuplaient d'entrepôts. Tout ce qui était vendable était acheté. Les denrées alimentaires locales, comme l'huile et les vins, partaient à destination de l'Aragon, des pays du Nord et des côtes tunisiennes ; la soie, les produits tinctoriaux et le poivre provenaient de Chine et du Moyen-Orient, puis étaient redistribués dans l'ensemble de la chrétienté ; les métaux et les armes achetés en Pologne, en Scandinavie et à Londres étaient écoulés en petite quantité sur le chemin du retour ; les laines (sous forme de toison) d'Angleterre, du Pays basque ou de Bourgogne passaient dans les « petites mains » pisanes, puis étaient réexportées. Leur puissance commerciale était tentaculaire. Ainsi, pour armer les troupes d'Édouard Ier et d'Édouard II, les Italiens prêtèrent-ils aux souverains 122 000 livres sterling gagées sur les mines d'argent du Devon. Tout le monde y trouvait son compte, les Italiens étaient exempts d'impôts et de droits de douane, et les souverains pouvaient concrétiser leurs ambitions de puissance.
Mais à la fin du XIVe et au début du XVe s, plusieurs éléments vont amorcer leur déclin. La peste noire, tout d'abord, puis le lourd passif des rois de France, incapables de rembourser les dettes de la guerre de Cent Ans. Enfin, la fermeture des routes commerciales orientales, à cause de la prise de Constantinople par les Turcs en 1453, fit chanceler l'édifice. Henri VIII, en mauvais terme avec le pape, et Louis XI bannirent les Italiens. Mais les causes externes exacerbaient une situation intérieure instable. Florence fut acculée. Les Génois tentèrent tant bien que mal de résister en essayant de contourner l'Afrique pour trouver une route maritime directe et supplanter ainsi les routes de la soie, terrestres mais dangereuses. Parmi eux, le fils d'un tisserand, cabaretier à ses heures, s'embarqua sur un bâtiment en 1476 pour l'Angleterre. Peu après le détroit de Gibraltar, le navire sombra, attaqué par un corsaire à la solde du roi de France. Le jeune homme gagna à la nage (ou dériva ?) les côtes de la péninsule Ibérique. Il s'appelait Cristoforo Colombo...

La Renaissance

Dès le XIIIe s, Florence devint une ville de grande tradition festive, laquelle se développa au moment du règne de Laurent le Magnifique. Plusieurs fois par an, et à chaque événement un peu extraordinaire, la ville se transformait en une sorte d'immense carnaval où se déployaient la fantaisie, l'exotisme, la richesse et les déguisements les plus extravagants. Aux XIVe, XVe et XVIe s, elle fut la seule république d'Italie, avec Venise, mais une république gouvernée seulement par les familles riches et influentes ! La richesse était bien mieux acceptée que la noblesse à Florence. C'est pourquoi les Médicis, bourgeois issus du peuple, purent-ils pren-

dre le pouvoir et régner si longtemps. Ce fut aussi l'une des seules cités à accorder un rôle très important à la critique et à la dialectique. On organisait même des concours publics où s'affrontaient les goûts, les styles et les idées ! En toute logique, les premiers signes révélateurs d'un changement d'état d'esprit, dans tous les domaines, se manifestèrent à Florence.
La littérature s'épanouit avec des poètes comme Laurent de Médicis, Pétrarque, Pogge, et des écrivains comme Boccace et Dante. Tous abandonnèrent le latin pour le toscan, langue jugée plus vivante et alerte.
En politique, l'art de gouverner fut réinventé et décrit en 1513 par le Florentin Niccolò Machiavelli dans son ouvrage à portée universelle, *Le Prince.* Homme politique et philosophe, il nous a donné une vision des mécanismes politiques qui reste tout à fait actuelle, en particulier dans les régimes politiques à parti unique où le pouvoir est absolu. Il est évident que ses écrits ont été à l'origine de nouveaux courants de pensée qui, liés aux récentes facilités de transmission du savoir et des idées, ont ouvert grand les portes de l'humanisme.
Les nouvelles données du commerce furent brillamment analysées dans *La Pratica della mercatura* du Florentin Pegolotti.
On a l'habitude d'appeler la Renaissance italienne du XVe s le *Quattrocento,* et celle du XVIe s, le *Cinquecento.*

Les Médicis en Toscane

Les Médicis étaient, pense-t-on communément, médecins apothicaires depuis le XIIe s. Le succès et la fortune rapides les transformèrent en hommes d'affaires, puis en banquiers.
Florence, aux XIVe et XVe s, était régie par une constitution oligarchique : le pouvoir se trouvait entre les mains de la famille la plus influente de la cité. Quand l'occasion se présenta, Cosme l'Ancien (1389-1464) ne la laissa pas passer : profitant du fait que la famille en place était déstabilisée, il prit le pouvoir à la mort de son père en 1429, qu'il ne céda qu'à sa propre mort (et encore, à son fils Pierre). Il n'exerça pas lui-même les magistratures et les confia à ses partisans dévoués. Mais il fut bel et bien le personnage politique le plus important de Florence. Homme d'État d'une grande habileté, il fut également un mécène remarquable (Brunelleschi, Fra Filippo Lippi, Donatello firent partie des artistes qu'il favorisa) et surtout un excellent homme d'affaires. Il amplifia l'héritage déjà considérable légué par son père, en particulier une compagnie bancaire et commerciale qui prêtait de l'argent aux rois et aux princes et qui n'avait pas moins de dix filiales dans la péninsule et à l'étranger. Sans jamais quitter son image de marchand, par sa modestie et sa simplicité, il sut conquérir le cœur des Florentins. À sa mort, ils lui donnèrent le titre de « Père de la Patrie ».

AH ! LES BOULES !

Six boules rouges sur fond doré, surmontées du lys royal ajouté quand le roi de France anoblit la famille : voici les armoiries des Médicis ! La légende dit que Evrard de Médicis, chambellan de Charlemagne, tua l'oppresseur Mugel avec sa massue, de laquelle pendaient six boules et qui imprimèrent six taches ensanglantées sur son bouclier d'or. D'autres pensent qu'il s'agit de pièces de monnaie ou encore de poids pour peser l'or : hypothèse la plus vraisemblable.

Son fils, Pierre le Goutteux, eut moins de prestige et ne resta au pouvoir que 5 ans. À sa mort, son fils aîné, Laurent le Magnifique (1449-1492), prit la relève. Son surnom de Magnifique ne lui venait pas de sa beauté (il était même plutôt laid !) mais de sa générosité (surtout financière) envers les Florentins (*magnifico* : généreux). Son frère Julien et lui étaient tellement aimés dans la cité que lors de l'attentat qui coûta la vie à Julien en 1478, le peuple sortit spontanément dans les rues en criant le nom des Médicis, ce qui, en grande partie, sauva la vie de Laurent.

Dur et cynique, Laurent le Magnifique sut pourtant charmer son monde et exerça un véritable ascendant sur son entourage. Mais moins avisé que son grand-père, il laissa s'affaiblir la compagnie familiale, et des filiales firent faillite. Son mécénat manqua d'ampleur ; les grands artistes de sa génération (Alberti et Botticelli, par exemple) furent soutenus par d'autres que lui. En revanche, son œuvre poétique est d'une indéniable qualité. Très à l'aise avec les princes, il fut traité par eux comme l'un des leurs ; il faut dire que sa cour était des plus brillantes. Son fils Pierre prit la succession mais fut chassé en 1494, lors de la venue en Italie du roi de France, Charles VIII.

Exilés, les Médicis gardèrent cependant des partisans dans Florence, et si leur fortune fut touchée, elle ne fut pas anéantie. Ils furent toujours traités en égaux par les grands et, au début du XVIe s, deux Médicis devinrent papes sous les noms de Léon X et Clément VII. En 1512, ils se réinstallèrent au pouvoir pour 15 ans.

Trois ans de république, puis ils revinrent aux affaires grâce aux armées pontificales et impériales. À partir de 1530 et pendant 207 ans, Florence fut gouvernée par les Médicis qui portèrent dès lors le titre prestigieux de duc, puis de grand-duc de Toscane. Le premier duc, Alexandre, fut assassiné en 1537 par son cousin Lorenzino, plus connu sous le nom de Lorenzaccio (le mauvais Laurent), qui finira lui aussi assassiné.

En dehors de ces querelles de famille, les Médicis se débrouillèrent plutôt bien. Des alliances consolidèrent leur pouvoir, les heureuses épouses étant choisies parmi les plus grandes familles européennes. Les mariages du reste de la famille ne furent pas moins prestigieux. N'oublions pas les reines de France, Catherine et Marie de Médicis, respectivement femmes d'Henri II et d'Henri IV.

Le règne des Médicis s'arrêta avec la mort sans descendance du dernier d'entre eux, Jean-Gaston de Médicis en 1737. François Ier (duc de Lorraine et époux de l'impératrice Marie-Thérèse d'Autriche) prit les rênes du grand-duché de Toscane. En réalité, le gouvernement fut confié à plusieurs régents, et en 1765 il passa aux mains de Pierre-Léopold Ier. Ce dernier lança plusieurs réformes, comme l'abolition de l'Inquisition, souhaitant réellement améliorer la vie des Toscans.

L'unification de l'Italie ou « Il Risorgimento »

Du rêve à la réalité

Quand Bonaparte se lança dans sa campagne d'Italie, le 11 avril 1796, il ne se doutait guère qu'il serait à l'origine de l'émergence du sentiment nationaliste. En 1799, il reprit Florence et en donna le commandement à sa sœur Elisa Baciocchi. Quant à l'Ombrie, les Français tentèrent de lui refaire une santé et de dynamiser son économie. L'occupation de l'Italie dura jusqu'en 1814. Entre le Vatican et Napoléon, les relations n'étaient pas au mieux : le pape Pie VII refusait d'accorder l'annulation du mariage de Jérôme Bonaparte et d'Elisabeth Paterson ; de son côté, Napoléon voulait contrôler l'Église tant en France qu'en Italie.

Le traité de Paris, en 1814, livra l'Italie aux Autrichiens, mais le mouvement nationaliste devint de plus en plus actif, et dès 1821 eurent lieu les premières insurrections, notamment à Turin. En 1825, un Génois, Mazzini, créa le « Mouvement de la Jeune Italie » ; la conscience de faire partie d'une même nation était désormais dans le cœur de tous les Italiens. Même le pape Pie IX, fervent lecteur des philosophes, adhéra aux théories de Vincenzo Gioberti, prêtre philosophe et homme politique qui prôna l'idée d'une fédération... sous la direction du pape. Mais il fut aussi un sympathisant des idées de Mazzini qui, lui, souhaitait une république. En 1848, toutes les villes italiennes connurent une certaine agitation au contact de ces idées progressistes. Livourne et Pise furent le théâtre d'insurrections car les partisans réclamaient une constitution toscane, et le roi de Piémont-Sardaigne, Charles-Albert Ier – qui n'avait pourtant aucune sympathie pour ces mouvements – déclara la guerre à l'Autriche. La cause italienne fut rapidement écrasée, même si Venise résista jusqu'en août 1849. De ces événements allait sortir la leçon suivante : peu importe la forme que prendrait une Italie unifiée – royaume, fédération ou république –, l'essentiel était d'abord d'expulser les Autrichiens, ce qui ne pourrait se faire qu'avec une aide extérieure.

Les acteurs de l'Unité

Camillo Benso Cavour créa en 1847 le journal *Il Risorgimento,* modéré mais libéral. Appelé à jouer des rôles ministériels sous le roi Charles-Albert et son successeur et fils Victor-Emmanuel II, il devint le véritable maître de la politique piémontaise. Il fonda une société dans laquelle un autre jeune homme allait très vite se distinguer dans cette marche vers l'indépendance : Giuseppe Garibaldi. Né en 1807, Garibaldi fut contraint de s'exiler au Brésil en raison de ses sympathies pour Mazzini. Après ce séjour aux Amériques, au cours duquel il prit part à une insurrection brésilienne et combattit pour l'Uruguay, il revint en Italie, d'abord en 1848, échouant militairement, puis en 1854 aux côtés de Cavour. Petit à petit se dessinait la force qui allait renvoyer les Autrichiens de l'autre côté des Alpes.

Le 14 janvier 1858, un autre événement se produisit : la tentative d'assassinat de Napoléon III par Orsini. Avant d'être exécuté, le coupable écrivit à Napoléon III pour le supplier d'intervenir en faveur de l'unité italienne. Impressionné par la teneur de la lettre, l'empereur conclut un accord avec Cavour : la France fournirait 200 000 hommes pour appuyer la libération, mais, en échange, le Piémont céderait la Savoie et le comté de Nice. Un peu réticent au début, Cavour réalisa plus tard la nécessité de ce sacrifice. En 1859, Garibaldi leva une armée de 5 000 chasseurs et vainquit les Autrichiens à Varese et à Brescia. L'année suivante, il s'empara de la Sicile et de Naples grâce aux *Chemises rouges,* une armée formée de volontaires internationaux. Élu ensuite député, Garibaldi – natif de Nice – ne tarda pas à entrer en conflit avec Cavour au sujet de la cession du comté de Nice, puis à propos du problème des États pontificaux.

Les premiers pas de l'Italie naissante

Victor-Emmanuel II fut proclamé roi d'Italie en mars 1861. Son royaume comprenait – outre le Piémont et la Lombardie – la Romagne, Parme, Modène, la Toscane, le royaume des Deux-Siciles, les Marches et l'Ombrie. Restait le problème de la Vénétie et de Rome, laissé en suspens avec la mort de Cavour. Victor-Emmanuel II prit la tête de l'armée italienne pour tenter de récupérer Venise. Ce fut un échec cuisant mais, par un extraordinaire tour de passe-passe diplomatique (et la défaite des Autrichiens à Sadowa contre les Prussiens), Venise fut remise aux mains de Napoléon III qui, à son tour, la céda aux représentants vénitiens ! Après un vote de 647 246 voix contre 69, Venise intégra l'union italienne et le roi déclara : « C'est le plus beau jour de ma vie : l'Italie existe, même si elle n'est pas encore complète... » Il faisait allusion à Rome, que les Français, pas plus que le pape, n'avaient l'intention d'abandonner... Puisque la « cité éternelle » était encore occupée en 1865, Florence fut donc désignée comme capitale de cette union naissante. La ville en profita pour se moderniser et lancer de grands chantiers d'aménagement urbain. Le 18 juillet 1870, le XXIe concile œcuménique proclama l'infaillibilité du pape. Bien que les forces armées françaises se fussent retirées du territoire dès le mois de décembre 1861, les forces pontificales se composaient largement de Français.

Le 16 juillet 1870, Napoléon III eut la malencontreuse idée de déclarer la guerre aux Prussiens et, le 3 septembre, la nouvelle de la chute de l'Empire français parvint en Italie. Les troupes pontificales baissèrent les armes face aux Italiens, et Rome rejoignit la jeune nation pour reprendre son statut de capitale. Le gouvernement italien proposa un acte, connu sous le nom de loi des Garanties papales, où l'Italie reconnaissait l'idée d'une Église libre dans un État libre, la personne du pape étant considérée comme sacrée. Il lui fut accordé annuellement une somme de 3 225 000 lires, les propriétés du Vatican et du palais du Latran, ainsi que la villa de Castel Gandolfo. Il put aussi entretenir une petite force pontificale : les fameux gardes suisses.

Ce transfert de pouvoir fut un désastre économique pour Florence qui s'était beaucoup endettée et qui dut attendre le début du XXe s pour retrouver son souffle.

De 1870 à nos jours

L'entrée dans le XXe siècle

Tout d'abord, un régime parlementaire fut institué, et le système des élections devint habituel. Dix ans à peine après la fin des luttes pour l'unité, la droite se retrouva en minorité, et la gauche arriva au pouvoir. La colère monta en Toscane et en Ombrie car les conditions de vie dans ces régions étaient misérables. C'est alors que des mouvements socialistes et anarchistes se développèrent et que la région devint (et resta) un réservoir de votes pour les partis de gauche. L'Italie connaissait alors de grosses difficultés : le fossé économique et culturel entre le Nord et le Sud continuait de se creuser, et 80 % de la population rurale étaient illettrée. Au début du XXe s, l'ouvrier italien était l'un des plus mal payés d'Europe et il travaillait plus qu'ailleurs, quand il pouvait travailler.
Avec l'unification, la croissance démographique connut son taux le plus haut. C'est aussi à ce moment que l'émigration fut la plus forte : entre 1876 et 1910, environ 11 millions de personnes émigrèrent, surtout vers l'Amérique du Nord, enrichissant les pays d'accueil des particularismes italiens.

L'arrivée du fascisme

Au terme de la Grande Guerre, la paix rendit à l'Italie Trieste, le Trentin, le Haut-Adige et l'Istrie, mais l'après-guerre fut accompagnée de grèves et d'une succession de gouvernements, ce qui créa un terrain favorable à la montée du fascisme. Mussolini et ses *Chemises noires* donnèrent un temps l'illusion d'une prospérité, qui profita surtout à la petite bourgeoisie. Les représailles fascistes furent plus violentes qu'ailleurs, en Toscane et en Ombrie, dans ces régions rebelles de gauche qui n'avaient pas peur de critiquer le gouvernement. Engagé dans la conquête éthiopienne et rejeté par les démocraties occidentales, Mussolini finit par s'allier avec Hitler, après avoir été son plus fervent adversaire. Il fit notamment capoter la première tentative d'*Anschluss* (intégration de l'Autriche à l'Allemagne) en 1934, en massant ses chars à la frontière autrichienne. Beaucoup plus faible que son allié allemand, le régime fasciste italien rencontra au sein du pays une résistance ouverte dès 1941-1942.

LES LECTURES CACHÉES DE BENITO

Mussolini écrivit une quinzaine d'ouvrages. Il créa même un journal. Les Italiens le considéraient comme un intellectuel. Son fils Romano avouera que le Duce avait, en fait, une véritable passion pour... Mickey. Il en dévorait tous les albums et visionnait les films. Il invitera même Walt Disney à Rome, en 1935, alors que l'Union sacrée avec l'Allemagne était officielle.

La ville de Florence n'attendit même pas les Alliés pour se libérer du joug allemand en août 1944. C'est un soulèvement presque spontané de sa population qui la mena à la liberté !
Littéralement occupée par les Allemands, l'Italie fut la première des forces de l'Axe à subir l'assaut des Anglais et des Américains. Mussolini fut tué par des partisans italiens.
Après la Seconde Guerre mondiale, l'Italie était dans une situation dramatique : usines, réseau de chemin de fer, villes, tout n'était que ruines.

L'après-guerre

Devenue république par référendum en juin 1946, après l'abdication de Victor-Emmanuel III et la mise à l'écart de son fils Umberto II, l'Italie a connu une vie politique particulièrement agitée. La première République italienne, il est vrai, a rencontré toutes sortes de difficultés : terrorisme d'extrême gauche (les Brigades rouges) et d'extrême droite, de type néofasciste, corruption généralisée grippant les rouages de l'État et touchant les plus hauts responsables gouvernementaux, scandales divers (la loge secrète P2 et ses relations avec les banquiers du Vatican)... Sans parler des remous sociaux, de la crise économique... L'Italie paraissait ingouvernable, livrée aux jeux d'alliance (et surtout de retournements d'alliance). Tout a semblé prendre une nouvelle tournure dans les années 1990 avec, enfin, des signes forts de l'État, apparemment décidé à se faire entendre : rigueur économique, opération « Mains propres » qui dénonce le rôle occulte de la mafia au sein même de l'État, conduisant à un grand nettoyage de la vie politique (1 500 personnes mises en examen, dont des parlementaires). Le socialiste Bettino Craxi, ancien président du Conseil, prend alors la fuite pour échapper à la justice et se réfugie en Tunisie, où il reste jusqu'à sa mort. Giulio Andreotti, autre ancien président du Conseil, de couleur démocrate-chrétienne, est aussi mis en cause : il est blanchi, faute de preuve, de l'accusation d'« association mafieuse ». Sa carrière est terminée et sa formation politique balayée. De nouveaux visages apparaissent. Surgit ainsi un histrion nommé Umberto Bossi qui cherche à fanatiser les Italiens du Nord pour leur vendre son concept de Padanie, « pays » aux frontières incertaines incarné dans la *Lega Nord.* De nouvelles têtes donc... mais l'expérience ne dure pas, et la gauche revient au pouvoir en 1996. L'Italie semble alors reprendre sa route vers l'Europe dans une relative sérénité, le gouvernement essayant de travailler dans la durée. Mais « l'Olivier » (*l'Ulivo,* nom de la coalition de gauche) est miné par des divisions internes et affaibli par le long exercice du pouvoir (sans oublier l'accomplissement de la marche vers l'Europe). Le Parti démocrate est fondé en 2007, autour de la personnalité de Romano Prodi afin d'unir les forces de gauche, mais la coalition est divisée. La droite de Silvio Berlusconi reprend les rênes du pouvoir en 2008.

La parenthèse Prodi

Après un coude-à-coude difficile à démêler, c'est finalement Romano Prodi, le leader de l'*Unione* (coalition de gauche), qui gagne les élections législatives de 2006. Cependant, cette coalition hétéroclite de 11 formations différentes qui place des catholiques progressistes au côté de l'extrême gauche ne réussit pas à trouver une ligne d'action commune. Romano Prodi ne parvient pas à s'imposer et le *Cavaliere* fait son retour sur la scène politique gagnant les élections d'avril 2008.

Énième crise politique

Le sort de Romano Prodi est scellé en janvier 2008 suite à la démission du ministre de la Justice, Clemente Mastella, accusé de corruption et de trafic d'influence. Cette énième crise politique met en relief le problème de la loi électorale italienne faisant la part belle à la proportionnelle et à l'instabilité. Prodi comptait la modifier, raison supplémentaire pour l'Udeur de sortir de la coalition, cette toute petite formation risquant tout simplement de disparaître ! L'ingérence grandissante de l'Église catholique dans la politique italienne annonce le retour des valeurs conservatrices. Adversaire de Prodi sur son projet de Pacs à l'italienne, elle tente aussi de revenir sur le droit à l'avortement...

Berlusconi : l'éternel retour

Après la chute de Prodi, le président Napolitano refuse puis accepte finalement d'organiser des élections anticipées pour le mois d'avril 2008. À la grande satisfaction de Berlusconi qui les avait réclamées, pour ne pas dire exigées, et qui s'annonce de nouveau grand favori... C'est le maire de Rome, Walter Veltroni, classé au centre gauche, qui prend la tête du combat contre Berlusconi. Le ras-le-bol des Italiens de gauche profite à Berlusconi qui gagne largement les élections en dépit

d'une participation en baisse. Il obtient même la majorité absolue dans les deux chambres (Sénat et Assemblée nationale), ce qui lui permet de caresser deux rêves : faire à nouveau l'intégralité de ses 5 ans de mandat... et postuler plus tard à la présidence de la République. Néanmoins, il lui faudra compter avec la Ligue du Nord, le parti d'extrême droite, qui a obtenu 8,2 % des voix et exige des mesures plus strictes contre l'immigration clandestine. Un créneau qui a également porté un ancien militant d'extrême droite à la mairie de Rome, Gianni Alemanno, dans la foulée des élections. Bref, 2008 aura annoncé le retour de la droite italienne.
Quant à 2009 et 2010, elles ont été marquées par les frasques multiples de Berlusconi, tant dans sa vie privée que dans sa vie publique. Le chef du gouvernement a été notamment éclaboussé par de nombreux scandales politiques qui ont poussé une partie de la population à organiser des manifestations géantes dans tout le pays. Ces « No Berlusconi days » ont remporté un grand succès.

Petite chronologie

Avant J.-C.

- ***900 :*** installation dans la région (en plus de l'Ombrie et du Latium) des Étrusques. Ils donnent le nom de Tusci à la région.
- ***753 :*** fondation de Rome.
- ***509 :*** Brutus chasse les Étrusques et fonde la république.
- ***500 (environ) :*** installation des Étrusques dans la plaine du Pô.
- ***396 :*** prise de Véies par Rome.
- ***390 :*** incursion de Gaulois jusqu'à Rome et dévastation des villes étrusques.
- ***295 :*** Rome bat les Étrusques à Sentinum.
- ***254 :*** chute de Volsinies (Orvieto), dernière cité étrusque libre.
- ***205 :*** les cités étrusques aident Scipion contre Carthage.
- ***59 :*** fondation de Florentina (Florence).
- ***42 :*** Octave détruit Pérouse.
- ***27 :*** fondation de l'Empire romain par Auguste qui crée l'Étrurie.
- ***20 :*** fondation de Sienne.

Après J.-C.

- ***250 :*** introduction du christianisme par des marchands orientaux.
- ***313 :*** statut officiel accordé au christianisme.
- ***405 :*** les Ostrogoths assiègent Florence.
- ***800 :*** Charlemagne est sacré empereur.
- ***1065 :*** Pise conquiert la Sicile et devient le premier port de Méditerranée.
- ***1115-1200 :*** lutte des empereurs germaniques contre la papauté. Les cités toscanes se rangent sous la bannière des premiers (gibelins) ou des seconds (guelfes). Elles acquièrent leur indépendance.
- ***1224 :*** développement du christianisme avec saint François d'Assise.
- ***1250 :*** développement du système bancaire et des prêts aux papes et aux rois.
- ***1265 :*** Charles d'Anjou, frère de Louis IX, est couronné roi de Sicile.
- ***1284 :*** Gênes bat Pise et prend sa place en Méditerranée. Florence prend alors le dessus et met les villes de Toscane sous sa coupe, à l'exception de Lucques et de Sienne.
- ***1294 :*** décret publié en vue de la construction du *Duomo* de Florence. Début des travaux en 1296.
- ***1350 :*** construction de la tour de Pise.
- ***1400-1500 :*** apothéose de la Toscane. Époque dorée de la Renaissance et de l'humanisme.
- ***1494-1498 :*** les Français de Charles VIII entrent à Florence, les Médicis sont chassés et Savonarole prend le pouvoir.
- ***1499 :*** la république est réinstaurée.
- ***1512 :*** les Médicis reviennent au pouvoir.

- ***1513 :*** Jean de Médicis devient Léon X.
- ***1523 :*** Jules de Médicis devient pape sous le nom de Clément VII.
- ***1530 :*** Alexandre de Médicis devient premier duc de Toscane.
- ***1532 :*** publication du *Prince* de Machiavel.
- ***1537 :*** Cosme Ier est élu duc de Florence et réunit les différentes cités de la région.
- ***1569 :*** création du grand-duché de Toscane.
- ***1737 :*** fin des Médicis, remplacés par la Maison de Lorraine.
- ***1801 :*** traité de Lunéville : la France récupère les territoires italiens des Habsbourg. Création du royaume d'Étrurie au profit de Louis de Bourbon-Parme, gendre du roi d'Espagne.
- ***1802 :*** la France hérite de l'île d'Elbe.
- ***1806 :*** occupation par les troupes de Napoléon et création de trois départements rattachés à l'Empire.
- ***1809-1814 :*** résurrection du grand-duché de Toscane pour Élisa Bacciochi, sœur aînée de Napoléon.
- ***1814-1848 :*** le grand-duché est dirigé par les Habsbourg, et s'agrandit en 1847 du duché de Lucques.
- ***1848-1849 :*** interlude de la République.
- ***1849-1859 :*** rétablissement du grand-duché par les Habsbourg.
- ***1859 :*** Napoléon III conduit avec Victor-Emmanuel II les armées franco-piémontaises. Après la victoire de Solferino, Cavour intègre la Lombardie au Piémont, puis les duchés d'Italie centrale. Nice et la Savoie seront rattachées à la France après plébiscite.
- ***1860 :*** c'est la montée du *Risorgimento.* L'expédition des Mille, ou Chemises rouges, conduite par Garibaldi, achève le mouvement de l'unité italienne.
- ***1861 :*** proclamation de l'unité italienne.
- ***1866 :*** guerre austro-prussienne. La Vénétie devient italienne par l'échec autrichien contre la Prusse.
- ***1870 :*** avec la défaite de la France face à l'Allemagne tombe le dernier obstacle pour faire de Rome la capitale du royaume d'Italie.
- ***1918 :*** la paix donne à l'Italie Trieste, le Trentin, le Haut-Adige et l'Istrie.
- ***1922 :*** la « marche sur Rome » d'un certain Mussolini ouvre l'ère fasciste.
- ***1924 :*** dictature fasciste de Mussolini.
- ***1929 :*** la papauté recouvre sa souveraineté sur le Vatican et l'État italien un bel allié.
- ***1945 :*** exécution de Mussolini et de ses ministres.
- ***1946 :*** plébiscite pour la République italienne, caractérisée par une forte instabilité ministérielle.
- ***1962-1965 :*** concile de Vatican II convoqué par Jean XXIII. Concile œcuménique en vue d'adapter l'Église catholique au monde moderne.
- ***1970 :*** fondation des Brigades rouges par Renato Curcio.
- ***1978 :*** Aldo Moro, enlevé par les Brigades rouges, est assassiné. Lois sur le divorce et l'avortement. Élection du pape Jean-Paul Ier, qui décède deux mois après son intronisation. Karol Wojtyla, cardinal de Cracovie, entre en scène.
- ***1980 :*** attentat néofasciste à la gare de Bologne, faisant plus de 85 morts. Le cabinet de Francesco Cossiga tombe.
- ***1981 :*** début des arrestations des chefs historiques des Brigades rouges.
- ***1987 :*** aux élections législatives, la démocratie chrétienne reste largement le premier parti italien (34 %), tandis que le PCI recule (26,6 %). Les Verts entrent au parlement avec 13 députés.
- ***1989 :*** le PCI amorce sa transformation en parti démocratique de la gauche, sans la mention « communiste ».
- ***1992 :*** élections législatives avec une émergence de la « Ligue lombarde ». Démission du président Francesco Cossiga. Assassinat des juges Falcone et Borsellino, à Palerme.

– ***1993 :*** l'enquête « Mani Pulite » sur la corruption liée aux partis politiques met en cause Bettino Craxi, secrétaire général du parti socialiste, et plus de 150 politiciens. Elle provoque aussi la démission de plusieurs ministres. Levée de l'immunité parlementaire de Giulio Andreotti, ancien président du Conseil et démocrate-chrétien, accusé de collusion avec la Mafia. Arrestation en janvier du numéro 1 de la Mafia, Salvatore Riina, recherché depuis 23 ans, suivie en mai de celle du numéro 2, Nitto Santapaola. Attentat à la voiture piégée, en mai à Florence, provoquant la mort de 5 personnes et des dégâts importants à la Galerie des Offices. Attentats à Rome contre deux monuments du patrimoine national : Saint-Jean-de-Latran et San Giorgio al Velabro.
– ***1994 :*** retour de la droite au pouvoir. Démission de Berlusconi en décembre, suite à une manifestation géante dans les rues de Rome.
– ***1995 :*** une « nouvelle » droite fascisante et pour le moins inquiétante (Ligue du Nord et son leader, Umberto Bossi) continue son ascension.
– ***Avril 1996 :*** véritable alternative depuis 1946. Victoire de la coalition de gauche, au nom prometteur de l'Olivier, conduite par Romano Prodi.
– ***1998 :*** l'Italie entre, le 1er mai, dans le club très fermé de l'euro à la suite des restrictions budgétaires menées par Prodi, ancien professeur d'économie.
– ***1999 :*** nomination de Romano Prodi en septembre à la présidence de la Commission de la Communauté européenne.
– ***2000 :*** élections régionales remportées par la droite, autour de Silvio Berlusconi, démission de Massimo d'Alema. Giuliano Amato lui succède.
– ***2001 :*** en mai, les élections législatives et sénatoriales donnent une majorité confortable à la Maison des Libertés, la coalition menée par Berlusconi. Ce dernier est nommé président du Conseil.
– ***2003 :*** soutien de Berlusconi pour l'intervention militaire des États-Unis en Irak, malgré la vive opposition de l'opinion publique.
– ***2005 :*** défaite massive de la droite de Berlusconi aux élections régionales... Dix régions sur treize passent à la coalition de gauche (dont les régions du Latium et des Pouilles, historiquement fidèles à la droite). Mort de Jean-Paul II. Son successeur, Benoît XVI, n'est autre que son ancien bras droit, le cardinal allemand Ratzinger.
– ***Avril 2006 :*** élections législatives et sénatoriales des plus rocambolesques ! L'équipe de Romano Prodi l'emporte de justesse au Sénat et à la Chambre des députés.
– ***Mai 2006 :*** élection du sénateur centre gauche Giorgio Napolitano au poste de président de la République. Il est le premier président issu du parti communiste italien (PCI).
– ***2007 :*** retrait définitif des troupes italiennes en Irak. Le *Dico,* projet de loi sur le concubinage (homosexuels compris), a été rejeté en mars, créant ainsi des manifestations à Rome. Crise des poubelles à Naples.
– ***2008 :*** réélection de Silvio Berlusconi à la tête du gouvernement pour la 3e fois (sa « prophétie » s'est réalisée). Élection de Gianni Alemanno – ancien néofasciste – à la mairie de Rome, crise des déchets à Naples et, par ricochet, affaire de la mozzarella contaminée.
– ***2009 :*** frasques privées et publiques de Berlusconi qui voit une partie de ses amis politiques le lâcher, et succès des « No Berlusconi days ».
– ***2010 :*** opposition de plus en vive entre Silvio Berlusconi et Gianfranco Fini, président de la chambre des députés.

LITTÉRATURE

Le lien entre la Toscane et la littérature est essentiellement florentin. ***Dante,*** grand poète devant l'Éternel, est né à Florence en 1265 et a écrit la plus belle partie de son œuvre pour une certaine Béatrice, croisée trois fois en tout et pour tout et à

qui il n'a jamais adressé la parole (ah, l'amour !). On doit à cette femme mystérieuse l'existence de *La Vita nuova* et son ombre flotte sur *La Divine Comédie*.
Son œuvre sera commentée par ***Boccace,*** qui aura, lui, pour égérie, la fille illégitime du roi de Naples, Maria de Conti d'Aquino, la *Fiammetta* de son récit. De 1349 à 1353, il écrit *Le Décaméron*, œuvre magistrale, dans laquelle dix personnages se réfugient à la campagne pour fuir l'épidémie de peste de 1348 qui sévit à Florence.
De son côté, son ami ***Pétrarque,*** originaire d'Arezzo, aime d'un amour platonique (décidément !) Laure de Noves, rencontrée en Avignon. Elle lui inspire plus de 300 poèmes, essentiellement des sonnets (317), regroupés dans le *Canzoniere*. Le recueil célèbre cet amour impossible et a donné forme au « pétrarquisme ».

SANS MENTIR !

Journaliste florentin du XIXe *s, on doit à Carlo Collodi la plus mythique des marionnettes :* Pinocchio. *La légende voudrait que, à la suite de dettes contractées au jeu, il commence l'écriture des aventures du petit garçon désobéissant, d'abord publiées en feuilleton. L'ouvrage fut maintes fois adapté au cinéma. Pinocchio, dont le nom signifie « pignon » en toscan, est connu pour avoir le nez qui grandit à chaque mensonge, et une conscience qui lui parle. Les bonnes valeurs du travail et de la famille prônées dans ce chef-d'œuvre ont été traduites en 400 langues et dialectes depuis 1881. Voilà un bon exemple pour les enfants bien sages.*

Quant à ***Machiavel,*** homme politique par tradition familiale, excellent négociateur et philosophe, il est écarté du pouvoir lorsque Florence se soumet aux Médicis (1512). Il dédie tout de même *Le Prince* à Laurent de Médicis, qui ne lit même pas l'ouvrage (il aurait pu en prendre de la graine !). Selon lui, le pouvoir n'est pas compatible avec la morale et mieux vaut être craint qu'être aimé.
Les siècles suivants sont plutôt calmes côté littérature toscane.
Cependant, dans la vague du roman noir italien de ces dernières années, ***Nino Filasto,*** fin connaisseur des milieux de l'art florentin *(Cauchemar de dame)* et de la politique – il est avocat de formation –, propose des livres sombres à la frontière du fantastique *(L'Éclipse du crabe).*

MARBRE

La Toscane est le plus gros producteur au monde de marbre. Les gisements sont situés au nord-ouest du pays, dans les Alpes apuanes. Près de 500 000 t sont extraites chaque année sur environ 300 carrières. On en comptait près de 1 000 il y a plusieurs siècles. La région de Carrare est la plus réputée : elle donne un marbre blanc, de renommée mondiale. Curieusement, il ne fut pas utilisé par les Étrusques ; les Romains seront les premiers à en couvrir les sols et les murs de leurs palais. La Renaissance fut également une grande utilisatrice de marbre.
En dehors du marbre blanc, le plus beau et le plus prisé, surtout pour la sculpture, il existe plusieurs variétés : le *bardiglio chiaro* ou *cupo*, le marbre gris, ou, proche du turquoise, la *breccia violetta*, la *breccia medica* et l'*arabescarto*.

MÉDIAS

Votre TV en français : TV5MONDE

TV5MONDE est reçu partout dans le monde par câble, satellite et sur Internet. Voyage assuré au pays de la francophonie avec films, fictions, divertissements, sport, informations internationales et documentaires.

En voyage ou au retour, restez connecté ! Le site internet • *tv5monde.com* • et sa déclinaison mobile • *m.tv5monde.com* • offrent de nombreux services pratiques et permettent de prolonger ses vacances à travers des blogs et des visites multimédia. Demandez à votre hôtel sur quel canal vous pouvez recevoir TV5MONDE et n'hésitez pas à faire vos remarques sur le site • *tv5monde.com/contact* •

FRANCE 24

La chaîne française d'information internationale en continu, France 24, apporte 24h/24 et tlj un regard nouveau sur l'actualité mondiale. Diffusée en trois langues (français, anglais et arabe) dans plus de 160 pays, France 24 est également disponible en direct sur Internet (• *france24.com* •) et sur les mobiles pour vous accompagner tout au long de vos voyages.

Journaux

Deux grands quotidiens nationaux se partagent le gâteau : *Il Corriere della Sera* et *La Repubblica.* Vous les trouverez posés sur les tables des cafés dès le petit déjeuner pour que les clients puissent les feuilleter. Mais il existe une myriade de journaux locaux, parfois pour toute une région, mais aussi simplement pour une ville (*La Nazione* à Florence ou *Il Tirreno* à Livourne). La presse spécialisée talonne de près ces journaux généralistes puisque *La Gazzetta dello Sport* arrive en troisième position des ventes (sur près de 90 titres pour un lectorat oscillant entre 5 et 6 millions) avec 400 000 exemplaires vendus par jour ; les ventes ont même dépassé les 2 300 000 exemplaires lorsque l'Italie a été sacrée championne du monde de football en 2006, un record ! De même, le quotidien économique *Il Sole 24 Ore* diffuse à près de 350 000 exemplaires. Dans les kiosques, les librairies françaises, les centres culturels, vous trouverez une sélection de quotidiens et hebdomadaires français. Certaines librairies, à Florence et à Sienne notamment, ont un rayon d'ouvrages et de presse en français, ainsi qu'un choix de livres de poche.

Radio

Il existe plus de 1 300 stations de radio, pour la plupart locales, réparties sur tout le territoire. La radio d'État, la *RAI (Radio Audizione Italia),* est toute-puissante, mais on compte aussi des dizaines de radios libres, dont *Radio Kiss Kiss,* spécialisée dans la variété, et *Radio Marte,* la préférée de la jeune génération. De plus, sur les grandes ondes, selon l'endroit où l'on se trouve, on peut parfois capter certains postes français tels que *Radio Monte-Carlo, Europe 1, France-Inter...* La réception n'est pas toujours fameuse cependant. *Radio Vaticana* diffuse des informations en français, plusieurs fois par jour.

Télévision

Difficile de parler de la télévision italienne sans évoquer le groupe *Fininvest* de « Monsieur Télévision », Silvio Berlusconi. Le monopole d'État ayant été levé en 1975, les chaînes privées ont envahi le petit écran. C'est en 1970 que Silvio Berlusconi a pris le contrôle de *Canale 5,* puis, au début des années 1980, il s'est porté acquéreur de *Italia 1* et de *Rete 4,* regroupés sous *Mediaset.* Pour infos, depuis la loi Maccanico de 1997, *Rete 4* ne devrait plus émettre sur les ondes hertziennes nationales. En effet, cette loi stipule qu'une entreprise privée ne peut détenir plus de deux chaînes nationales. L'État avait ensuite adjugé les droits à *Europe 7,* et cette station est, depuis 1999, autorisée à émettre mais ne dispose pas de fréquence. En 2004, la Cour constitutionnelle a décrété que *Rete 4* devrait cesser toute émission et se transférer sur le câble. Aujourd'hui, Rete 4 émet toujours en toute illégalité et Europe 7 n'a toujours pas son espace. Pour la petite histoire, l'empire médiatique de Berlusconi lui a valu le surnom de *Sua Emittenza :* une combinaison du qualificatif des cardinaux catholiques, *Sua Eminenza,* et du mot italien *emittente* qui signifie « émetteur ». Quel meilleur nom pour qualifier sa puissance et son influence dans le monde des médias ?

Liberté de la presse

En Italie, les menaces contre la liberté de la presse proviennent essentiellement des mafias qui œuvrent dans le sud du pays. La période des assassinats politiques des années 1990 semble révolue, mais la mafia a compris le parti qu'elle pouvait tirer du contrôle de l'information et s'intéresse de plus en plus aux journalistes. Près de dix d'entre eux travaillent sous protection policière. La Calabre et la Sicile sont les deux régions les plus dangereuses pour ceux qui enquêtent ou critiquent les chefs mafieux. Les cas de menaces, les lettres anonymes, les pneus crevés, les voitures rayées s'y comptent par centaines. Tous les journalistes qui écrivent sur les activités de la mafia ont, à un moment ou à un autre, reçu un message, un signal, les avertissant qu'ils étaient sous surveillance. Face à une telle situation, de nombreux journalistes font le « choix contraint » de l'autocensure. Les rapports entre la presse et le président du Conseil, Silvio Berlusconi, demeurent tendus et se sont considérablement dégradés au cours de l'année 2009. Silvio Berlusconi jouit toujours d'une très grande influence, dans les médias privés comme publics. À quelques semaines des élections régionales, et sous couvert de garantir l'égalité de traitement des différentes forces politiques, il a décidé de supprimer toutes les émissions politiques sur les trois chaînes de la RAI. Une mainmise qui n'a cependant pas empêché la presse d'aborder les problèmes de corruption liés à l'organisation de réceptions pour le chef du gouvernement ou les aspects les plus controversés de la vie intime du président du Conseil, s'exposant cependant, là encore, à la vindicte de ce dernier qui a réclamé un million d'euros de dommages et intérêts au quotidien *La Repubblica* et trois millions d'euros à *L'Unita.* Silvio Berlusconi a par ailleurs menacé de poursuivre également une partie de la presse européenne qui enquête sur les mêmes sujets. Sous couvert de la défense des droits et propriétés intellectuels, le gouvernement s'est, par décret, arrogé un contrôle direct sur les télévisions indépendantes diffusées sur Internet. Ces dernières seront bientôt soumises à l'obtention d'une licence de diffusion accordée par le ministère. Seraient concernés les sites tels que Youtube, Dailymotion, les blogs, médias en ligne... La situation italienne ne semble cependant pas trop inquiéter une bonne partie du Parlement européen qui a refusé d'en débattre et à plus forte raison de prendre une résolution.

Ce texte a été réalisé en collaboration avec *Reporters sans frontières.* Pour plus d'informations sur les atteintes à la liberté de la presse, n'hésitez pas à les contacter :

■ ***Reporters sans frontières :*** *47, rue Vivienne, 75002 Paris. ☎ 01-44-83-84-84. • rsf@rsf.org • rsf.org • Ⓜ Grands-Boulevards ou Bourse.*

LA *PASTA* (LES PÂTES)

Premiers producteurs de pâtes sèches, les Italiens en sont aussi les premiers consommateurs avec pas moins de 28 kg par personne et par an.

Petite histoire de la *pasta*

L'Antiquité nous fournit bon nombre de preuves, comme le bas-relief de Cerveteri (célèbre nécropole étrusque au nord de Rome) représentant différents instruments nécessaires à la transformation de la *sfoglia* (feuille) en tagliatelle. Ou encore le livre de cuisine d'Apicius, où nous retrouvons l'ancêtre de la lasagne, la *patina.*

Au travers de ces témoignages étrusques et romains, les *macaroni* pourraient revendiquer la paternité de la *pasta*. Mais cet italianisme n'est pas si incontestable que cela. La Sicile arabe (IXe-XIe s) n'est pas pour rien, en effet, dans l'introduction de la *pasta secca* en Italie, les Arabes semblant avoir inventé la technique de séchage pour se garantir des provisions lors des déplacements dans le désert. Le savoir-faire aurait ensuite rayonné à travers l'Italie.

MARCO POLO A BIDONNÉ !

Partout, on prétend que Marco Polo a rapporté les pâtes grâce à son voyage en Chine. Des chercheurs, italiens bien sûr, prétendent avoir trouvé des machines à spaghetti dans les ruines de Pompéi. Un médecin de Bergame parle des pâtes, dans un récit du XIIIe s, avant le voyage de Marco Polo. En espérant que tant de conjectures ne vous coupent pas l'appétit !

Avalant les siècles goulûment, nous voici, à la fin du XIXe s, à Naples, qui peut être considérée par bien des côtés comme la patrie de la *pasta secca*. C'est ici qu'une véritable industrie se mit en place, favorisant la diffusion à travers toute l'Italie des pâtes sèches... qui voyagent mieux, il va sans dire, que la *pasta fresca*.

Pâtes et sauce tomate : une grande histoire d'amour

Pendant des siècles, les pâtes furent l'apanage des tables royales et aristocratiques. Il fallut attendre l'invention des pâtes sèches pour qu'elles se démocratisent et passent au rang d'aliment populaire. Sain, simple et nourrissant, le plat de pâtes mit néanmoins du temps à conquérir son public. C'est seulement à la fin du XVIIIe s, quand on eut l'idée d'associer pâtes et tomates, qu'elles connurent le succès. Il faut dire que l'alchimie est parfaite. La « pomme d'or », pourtant ramenée des Amériques depuis le XVIe s, fit du même coup une entrée fracassante dans la cuisine italienne. Le clergé européen l'avait jusque-là taxée de tous les maux. Trop bon, trop rouge, ce ne pouvait être que le fruit du diable ! La magie de la sauce tomate ? Elle est la seule à s'accorder à toutes les pâtes, longues ou courtes, lisses ou striées, plates ou tarabiscotées. Ce qui n'est pas le cas des autres sauces, car, en Italie, il est une affirmation qui pourrait passer au rang de proverbe : « À chaque sauce, sa pâte ! » Tout est question d'accord avec la sauce. Voilà pourquoi les *maccheroni*, longtemps servis accompagnés de trois fois rien (beurre, fromage sec râpé, sucre...), connurent par la suite tant de diversité.

Les macaronis *(maccheroni)*

Par ce mot d'origine grecque (*macarios* signifiant heureux), on désigne l'ancêtre de toutes les pâtes, un peu comme le mot « nouille » chez nous. D'ailleurs, le sens figuré de *maccherone* (nigauds à la tête vide) n'est guère plus gentil et ne manquera pas de nourrir l'humeur caustique de nos compatriotes. Car pour les Français, il a longtemps désigné l'ensemble des Italiens. C'est du même tonneau que « rosbif » ou « frogies ». En Italie du Sud, *maccheroni* désignait aussi l'ensemble des pâtes sèches, d'où la fréquente confusion entre *maccheroni* et macaronis, ces derniers étant à ranger définitivement dans la famille des pâtes courtes.

Les pâtes courtes

Il en existe une grande variété, surtout depuis l'invention des pâtes sèches industrielles, les machines permettant toutes sortes de fantaisies. Ainsi, les ***fusilli*** (originaires de Campanie) sont le résultat d'évolutions techniques considérables. Au début, les *fusilli* étaient des cordons de pâte de blé dur enroulés en spirale autour d'une aiguille de fer. L'aiguille était retirée une fois la pâte sèche. On pourrait également citer les ***farfalle*** (ou papillons), originaires de la région de Bologne.

Plus traditionnels : ***penne, maccheroni, tortiglioni, giganti, bombardoni...*** (À noter que les ***penne rigate*** représentent, à elles seules, près du quart du marché de la pâte sèche, juste derrière les *spaghetti.*)
Les pâtes courtes et grosses, comme les ***orecchiette*** ou les ***trofie,*** aiment les sauces à base d'huile (par exemple le *pesto*) ou de légumes, tandis que les courtes et creuses comme les ***rigatoni*** ou les ***conchite*** aiment les sauces à la viande, plus épaisses.

Les *spaghetti*, ou les pâtes longues

Qui n'a pas un faible pour les spaghettis ? Cette forme de pâtes se mange depuis belle lurette dans toute l'Italie. Garibaldi et sa fameuse expédition des Mille en 1860 n'y seraient pas pour rien. Remontant du Sud vers le Nord, il aurait en effet fortement contribué à la généralisation des pâtes sèches et des spaghettis en particulier. *Unità per la pasta !*
Pourtant, certaines, faciles à faire à la main, et donc à la maison, remontent aux origines même des pâtes... Encore faut-il savoir ce que l'on entend par pâtes longues. On les classe en fonction de leur largeur.
– Les larges et plates : comme les ***lasagnette,*** les ***fettuccine,*** les ***tagliatelle...*** À utiliser de préférence avec des sauces au beurre, à la crème, aux coulis de courgettes, de poivrons, de tomates... Ou encore les ***pici,*** spécialité siennoise, excellentes avec une sauce aux truffes...
– Plus larges encore : les ***pappardelle*** jusqu'aux ***lasagnes*** (que l'on fait cuire au four).
– Les longues et fines : comme les ***linguine,*** les ***linguinette,*** les ***fettucelle*** et, bien sûr, les ***spaghetti...*** Elles raffolent des sauces à base d'huile mais sont finalement assez polyvalentes...
– Les ultrafines : les ***vermicelli, capelletti*** (dites également ***capellini,*** c'est-à-dire fins cheveux), ***capelli d'angelo*** (cheveux d'ange), que l'on utilise principalement en soupe et en bouillon.
– Les ***bigoli*** ou les ***bucatini*** sont des pâtes bâtardes, à la fois spaghettis creux et macaronis longs. On les réserve volontiers aux sauces à la viande. Les plus gros sont les ***ziti.***
En Ombrie, les *spaghettoni* rustiques portent des noms différents selon les villes. À Terni, ce sont des *ciriole,* à Gubbio des *bigoli,* à Pérouse et Orvieto des *umbricelli,* à Spolète des *strozza preti* ou *strangolapreti* (littéralement des étrangleurs de prêtres, un peu étouffe-chrétien, en somme !). Quand ils sont plus minces, on les appelle des *strengozzi* ou *strangozzi.*

Petit lexique

Pâtes sans œufs

– *Spaghetti :* long et rond.
– *Bucatini :* spaghetti géant avec un tout petit trou.
– *Ziti :* spaghetti géant avec un grand trou.
– *Rigatoni :* court, en forme de polochon.
– *Penne :* sorte de tuyau biseauté, en forme de plume.
– *Conchiglie :* en forme de coquillage.
– *Puntine :* petits points.
– *Farfalle :* papillons.
– *Maccheroni :* macaronis.
– *Fusilli :* pâtes en forme de spirale.

Pâtes aux œufs

– *Fettuccine :* long et plat.
– *Tagliatelle :* comme les *fettuccine.*

- *Tonnarelli :* spaghetti carré, blanc ou vert.
- *Lasagne :* large, long et plat, blanc ou vert, que l'on superpose.
- *Cannelloni :* en forme de polochon, fourré.
- *Ravioli :* en forme de coussin, fourré.
- *Tortellini :* en forme d'anneau, fourré.
- *Tortelloni :* la taille au-dessus, fourré.
- *Capellini :* petits cheveux.

PATRIMOINE CULTUREL

Petit B.A.-BA à l'usage des visiteurs « musévores »

- *Chiuso* est un petit mot italien signifiant « fermé » et qui décore parfois la porte d'un musée qui devrait être ouvert. La fantaisie, qui fait partie des charmes de l'Italie, n'est pas exclue, tant s'en faut.
- En principe donc, les musées sont ouverts l'été de 9h-10h à 18h-19h (souvent un peu plus tôt le vendredi) et fermés le lundi (parfois le mardi ou le mercredi).
- De nombreux sites à ciel ouvert sont accessibles de 9h à l'heure précédant le coucher du soleil. Le mieux est, dès votre arrivée dans une ville, de vous renseigner à l'office de tourisme, qui publie une liste des sites et musées remise à jour très régulièrement (notamment à Florence et à Sienne).
- ***Tarifs :*** les prix des sites et musées demeurent élevés. Les étudiants en histoire de l'art ou en architecture peuvent entrer gratuitement dans les musées. Le mieux est de demander un laissez-passer à l'office de tourisme. Quant aux jeunes de 18 à 25 ans, aux enseignants et aux personnes de plus de 65 ans faisant partie de l'Union européenne, ils bénéficient de réductions dans bon nombre de musées et sites nationaux. Munissez-vous donc toujours de votre carte d'identité. Pour les jeunes de moins de 18 ans, c'est gratuit dans la très grande majorité des musées.
- Vous avez également la ***possibilité de réserver vos places.*** Pour la *Galleria degli Uffizi*, l'*Accademia ou* le *Palazzo Pitti* à Florence, c'est très pratique et cela vous évite d'attendre 2h minimum ! Voir plus loin le début du chapitre « À voir » à Florence. Il est également conseillé de réserver si vous souhaitez visiter la tour de Pise. Évidemment cela vous coûtera encore un peu plus cher (compter env 3 € de plus).
- Petit conseil : des ***audioguides*** sont disponibles la plupart du temps à l'accueil des musées (en général autour de 4 €). Si vous le pouvez, prenez-en, car ils s'avèrent bien utiles pour comprendre toute la complexité de l'art italien.

Les sites incontournables en Toscane

- *Florence :* la Galerie des Offices, la Galerie de l'Académie, le palais Pitti avec la Galerie Palatine et le jardin de Boboli, le *Duomo* et son baptistère, le ponte Vecchio, le musée du Bargello, le palazzo Vecchio.
- *Sienne :* le *Duomo* et l'incontournable piazza del Campo, la pinacothèque nationale, le musée de la Ville.
- *Pise :* la célèbre tour, le *Duomo* et le baptistère.
- *San Gimignano :* le musée de la Ville.
- *Volterra :* le musée étrusque Garnacci et le site archéologique étrusque.
- *Lucca :* le centre-ville.

En Ombrie

- *Pérouse :* la Galerie nationale de l'Ombrie.
- *Assise :* la basilique Saint-François.
- *Orvieto :* la cathédrale.
- *Spolète :* le ponte delle Torri.
- *Gubbio :* les palais Pretorio et dei Consoli.

HOMMES, CULTURE ET ENVIRONNEMENT

La peinture toscane

La Toscane : berceau de la Renaissance ?

La révolution artistique apparue en Toscane entre la fin du XIIe s et le XVIe s tient presque du miracle. La situation politique, géographique, démographique, économique, religieuse et intellectuelle a permis un véritable bouleversement artistique (peintres, sculpteurs, architectes...) avec, en tout premier lieu, une montée en puissance de l'humanisme. Cette évolution a été paradoxalement, et en partie, à l'initiative de l'Église qui fit la promotion des artistes en les finançant et parfois en les censurant.

En ce qui concerne Florence, la cité des Médicis apparaît aujourd'hui à la fois initiatrice et dépositaire de la Renaissance italienne dans l'imaginaire occidental. Si une telle affirmation est en partie vraie (et ce, notamment grâce au succès du fameux livre du XVIe s sur la vie des grands peintres italiens par Giorgio Vasari, peintre florentin maniériste au service des Médicis, et donc d'un parti pris proflorentin sans égal...), elle mérite toutefois quelques nuances.

Au cours des Xe, XIe et XIIe s, la culture gothique francilienne s'est largement répandue dans l'Europe entière. C'est à la fin du XIIe s que la sculpture italienne s'émancipe, redécouvrant un certain naturalisme issu de l'Antiquité romaine, incarné par exemple par le célèbre sculpteur pisan Nicola Pisano. Peu à peu, les peintres suivront les sculpteurs, s'affranchissant quant à eux de la rigidité et du formalisme byzantin.

C'est à Assise, à la fin du XIIIe et au début du XIVe s, au sein de la basilique franciscaine, que le célèbre peintre florentin Cimabue et son élève Giotto vont révolutionner la peinture occidentale. Le chantier d'Assise fut une aventure extraordinaire, car les plus grands peintres italiens de l'époque (siennois, romains, florentins, etc.) s'y retrouvèrent pour partager leurs expérimentations au service de la toute nouvelle idéologie franciscaine dédiée à une foi sincère, faite d'humilité et de proximité, sentiments parfaitement incarnés par le naturalisme « giottesque ». Les personnages semblent être des portraits d'époque, développés au sein d'un cadre architectural et d'une nature environnante bien plus proches de la réalité qu'auparavant.

Cependant, le XIVe s n'est pas le triomphe de la peinture « giottesque ». Si, à Florence, les héritiers de Giotto sont nombreux, le courant artistique dominant est siennois, mené par Simone Martini et les frères Lorenzetti qui couvrent de fresques les palais de Sienne et influencent tout l'art occidental via Avignon, où se réfugient un temps la papauté et certains peintres siennois. Or, l'art siennois est très ornemental, gothique. On apprécie encore les décors dorés en stuc, l'émotion prime sur le réalisme, d'où un certain expressionnisme, aux antipodes du naturalisme idéalisé florentin. Par ce passage des Siennois en Avignon, un courant de peinture élégant, précieux et décoratif, appelé gothique international, va alors dominer l'Occident, de Prague à Rome. Ses représentants sont Pisanello, Masolino ou Gentile Da Fabriano. Toujours pas de Florentins à l'horizon.

Entre-temps, la grande peste de 1348 a, en partie, dévasté la glorieuse génération siennoise et orienté les représentations picturales vers plus de pessimisme. Mais les survivants veulent croquer la vie à pleines dents, et l'économie redémarre.

C'est seulement au début du XVe s que l'assistant de Masolino, le Florentin Masaccio, va reprendre à son compte l'ancienne leçon de Giotto (soit près d'un siècle après !). Dans la chapelle Brancacci de Florence, on peut admirer ces deux grands artistes et apprécier la modernité sculpturale et réaliste de Masaccio. De là découle toute la première génération florentine (plus toscane que florentine, en fait) de la première moitié du Quattrocento (Fra Angelico, Filippo Lippi, Andrea del Castagno, Piero della Francesca, Paolo Uccello, Donatello, Ghiberti, Brunelleschi...), pleine d'équilibre, d'harmonie, de majesté et de puissance. Les couleurs sont froides et le dessin ciselé. À cette époque, le nombre d'artistes majeurs se formant ou travaillant à Florence est impressionnant. Viendront ensuite Ghirlandaio, Verrocchio,

Botticelli... Bref, le Quattrocento florentin constitue une véritable explosion picturale, architecturale et sculpturale.

Cependant, cette situation hors normes ne doit pas faire oublier l'influence majeure, à cette même époque, des peintres flamands. Œuvres marquées par leur souci du réalisme, leur découverte de la peinture à l'huile et leur perspective naturelle (Van Eyck, Van der Weyden, Van der Goes).

Peintres : la bande des trois de la Renaissance

Le Quattrocento est en réalité la période la plus féconde de l'art florentin. Mais, alors même que Rome, dès le début du XVIe s, reprend la main en faisant travailler les plus grands artistes, l'année 1504 voit séjourner ensemble à Florence et pour quelques mois les trois figures artistiques centrales de ce siècle : ***Léonard de Vinci*** (le plus vieux), ***Michel-Ange*** (le seul Florentin) et ***Raphaël*** (originaire d'Urbino, dans les Marches). La conscience de la Renaissance était accompagnée chez chacun d'eux d'une vocation universaliste. Tous trois apportèrent la preuve de l'accession de l'artiste à une dignité nouvelle. Leonardo mit fin aux rapports d'humilité en traitant d'égal à égal avec les « grands » de ce monde.

Est-ce pour conjurer sa propre laideur que Michel-Ange se mit à développer le culte du beau ? Toujours est-il qu'il eut l'audace de rompre en sculpture avec la tradition du retour aux sources romaines (les Romains avaient copié les Grecs !). Jusqu'à lui, on cherchait à restituer fidèlement le modèle. Lorsqu'une main était petite, on la faisait petite, proportionnellement à tout le reste du corps. Michel-Ange n'hésite pas à faire une grosse main pour qu'en comparaison un buste ait l'air élancé. Chaque fois qu'il veut nous donner l'idée d'une qualité physique (associée à une qualité morale, d'ailleurs), il l'impose en proportionnant une partie du corps par rapport à une autre. Ses statues conservent toujours les traits humains. Conclusion, aucune d'entre elles n'est anatomiquement valable, affirment les médecins ! L'important, c'est de comprendre les sentiments qui animent le sujet, disent les artistes. Regardez, détaillez les statues... on aime ou on n'aime pas. Ça permet de savoir si l'on est plutôt artiste ou plutôt médecin...

De ces trois génies, Raphaël est certainement celui qui incarne le mieux l'idéal de la Renaissance. Son œuvre est le triomphe du beau à la fois idéalisé et réaliste. Cet équilibre ne se retrouve ni chez Léonard de Vinci ni chez Michel-Ange. Son amour de l'expérimentation et son génie scientifique conduisirent Vinci à un certain « inachèvement ».

Pour ce qui est de Michel-Ange, il privilégia le dessin au détriment de la couleur, apportant un sens tragique aux destinées humaines, ouvrant ainsi la voie au baroque. Le pape en personne, Jules II, ne s'était pas trompé ; il ira jusqu'à bouleverser l'ordonnance des travaux au Vatican pour lui confier les fresques du plafond de la chapelle Sixtine !

LÉONARD, DILETTANTE ?

De Vinci était tellement doué dans tant de matières qu'il touchera à tout, sans faire des œuvres cohérentes entre elles. Au total, il n'acheva qu'une quinzaine de tableaux et encore moins de statues. Il dessina plein de plans sans ériger un seul bâtiment. Il conçut de nombreuses machines géniales sans en construire une seule. Il résume son œuvre à la fin de sa vie : « J'ai perdu mon temps. »

Le XVIe siècle et le maniérisme

Derrière ces trois monstres, la génération suivante se devait d'innover afin d'éviter une certaine fadeur ou froideur. On savait représenter la réalité, pas de problème. D'où un retour aux sentiments, à l'émotion, le cadre architectural devenant secondaire et anecdotique : on utilise des couleurs froides, auparavant jamais associées, comme le fait Michel-Ange à la chapelle Sixtine. Comme lui également, on s'affranchit du réel, l'anatomie et les mouvements deviennent subjectifs, au service d'une émotion qui prime. Finalement, ces maniéristes sont très proches de notre modernité artistique ! Là encore,

Florence prédomine avec ***Pontormo*** et ***Rosso Fiorentino*** (qui acceptera l'invitation de François Ier à Fontainebleau, où il sera à l'origine du maniérisme français, dit « bellifontain »), les élèves d'***Andrea del Sarto,*** immense artiste lui aussi. Parmi les maniéristes, citons ***Beccafumi,*** le Parmesan...
Venise prend à son tour une place fondamentale dans l'histoire de l'art avec le trio ***Tintoret, Véronèse*** et, bien sûr, ***Titien.*** L'école vénitienne privilégie les couleurs chaudes et les sujets intimistes, la lumière est dorée et scintillante. Son maniérisme est plus décoratif et classique que le maniérisme florentin.

Le caravagisme et le baroque au XVIIe siècle

Cette période consacre définitivement la fin de la prééminence florentine sur l'art italien au profit de Rome, où travaille un OVNI de la peinture, à l'origine d'une révolution réaliste : ***Le Caravage.*** Par ailleurs, les frères ***Carrache*** (bolonais) inventent la peinture baroque, financée par l'Église toute puissante du concile de Trente, désireuse de faire rêver les foules et de concurrencer le protestantisme. Le baroque en peinture est un art protéiforme, mélange de classicisme dans les couleurs (un retour à l'art de Raphaël en quelque sorte), de réalisme et d'explosion des repères picturaux (la peinture déborde du cadre, les stucs sont foisonnants).

Quelques peintres qui ont mis la Toscane à l'honneur

– ***Giotto di Bondone, dit Giotto*** *(1266-1337).* Né à Colle di Vespignano dans une famille paysanne. Son talent aurait été décelé alors qu'il était encore berger et s'amusait à faire des croquis de ses brebis. Peintre et architecte, il innova dans l'art de la fresque en se démarquant des peintres du Moyen Âge et en assurant aux œuvres une meilleure conservation. Giotto représente l'homme et cherche à introduire des décors. Il orne la chapelle de la Madeleine de la basilique inférieure San Francesco d'Assise et travaille, par exemple, dans d'autres chapelles à Florence. À partir de 1320-1325, son œuvre se rapproche du gothique. De 1328 à 1333, il est au service de Robert d'Anjou à Naples. Rénovateur de l'art pictural, son atelier a rayonné dans toute l'Italie. Son œuvre n'a eu une influence sur l'Europe qu'à partir de la seconde moitié du XIVe s.
– ***Sandro di Mariano Filipepi, dit (Sandro) Botticelli*** *(1445-1510).* Né à Florence. Son surnom vient de *botticello* qui signifie « petit tonneau », attribué à son frère aîné ou à l'orfèvre chez qui Sandro fut mis en apprentissage. Vers 1460, il entre dans l'atelier de Fra Filippo Lippi, peintre florentin de renom. Il y apprend la peinture, l'orfèvrerie, la gravure, la ciselure et les émaux jusqu'en 1467, date à laquelle Lippi quitte Florence. Botticelli ouvre son propre atelier à Florence (via della Porcellanna). En 1468, il peint *L'Adoration des Rois mages.* Le tableau représentant *La Force* en 1470 lui apporte une certaine reconnaissance. En 1481 et 1482, l'artiste travaille à Rome à la réalisation de fresques pour la chapelle Sixtine. Il reçoit des commandes de toutes les grandes familles de Toscane. Botticelli utilise la technique de la détrempe alors que la peinture à l'huile est couramment employée à Florence depuis 1475. En 1482, il peint la fresque *Le Printemps* pour la famille Médicis. En 1483, il réalise *Vénus et Mars* et, en 1485, *La Naissance de Vénus* qui représente pour la première fois une femme non biblique nue. En 1487, il peint *La Madone à la grenade.* Dans la dernière période de sa vie, son art se consacre exclusivement aux thèmes religieux. En 1501, il crée notamment *La Nativité mystique.* Il est considéré comme le plus grand peintre de son époque.
– ***Michelangelo Buonarroti, dit Michel-Ange*** *(1475-1564).* Né à Caprese près d'Arezzo, il est à la fois sculpteur, peintre, architecte et poète. Lié aux Médicis par son père, il fait montre de son talent dès son jeune âge. Entre 1501 et 1504, il sculpte un David géant en marbre pour la seigneurie de Florence. Son premier tableau est le *Tondo Doni* (musée des Offices, Florence), dans lequel il a essayé d'appliquer à la peinture la matière de la sculpture.

– ***Giovanni Cimabue*** *(vers 1240-1302).* Ce peintre marque la période de transition entre la peinture du Moyen Âge, sous les influences byzantines et gothiques, et la révolution de Giotto, dont il était, comme par hasard, le maître. Le style de Cimabue naît lors de son voyage à Rome (1270-1275), presque en opposition avec les peintures de Constantinople, dont le savoir-faire s'était diffusé dans la péninsule suite à la fuite des iconoclastes ! Il développe le *chiaroscuro,* technique unique à l'époque, ce qui donne à l'image une vibration inconnue à l'art byzantin. Si le crucifix de San Domenico à Arezzo (vers 1265) témoigne encore des influences de l'école pisane, le style propre de l'artiste est superbement illustré dans les décorations de la basilique supérieure à Assise (les fresques de l'histoire de la Vierge, scène de l'Apocalypse, histoire de saint Pierre) et le Crucifix de Santa Croce à Florence, sérieusement endommagé lors de l'inondation de la ville en 1966.

– ***Paolo di Dono, dit Paolo Uccello*** *(1397-1475).* À dix ans, il travaille avec le jeune Donatello à l'atelier de Ghiberti, pendant la construction de la première porte du baptistère. À cette époque, on lui donne le surnom de *Uccello* (en V.F., « oiseau »), probablement à cause de sa manière de dessiner les oiseaux et autres bêtes. Il s'inscrit à la Compagnie des peintres mais, en 1425, il quitte Florence pour Venise, où il se spécialise dans l'art des vitraux et des mosaïques. À son retour, la ville a subi la révolution artistique de Masaccio. C'est alors qu'il travaille à *La Création* et au *Déluge* (1445-1450), la décoration du cloître de Santa Maria Novella. Ses chefs-d'œuvre restent les épisodes de la *Bataille de San Romano* : les trois panneaux étaient une décoration du palazzo Medici mais se sont dispersés aujourd'hui aux Offices, au Louvre et à Londres.

– ***Fra Giovanni da Fiesole, dit Fra Angelico*** *(vers 1400-1455).* Cet artiste du début de la Renaissance réalise ses premières œuvres au moment de la mort de Masaccio. De son passé mystérieux, nous ne connaissons pas grand-chose. Moine dominicain, il s'oriente de par sa formation de miniaturiste vers une composition suave et courtoise de l'art gothique. Toutefois, sa peinture garde un ton de propagande car son souhait est l'élaboration d'un humanisme chrétien... Ses principales œuvres sont *Le Couronnement de la Vierge* (vers 1434), aujourd'hui au Louvre, les fresques au couvent San Marco (1440) qui racontent les épisodes de la vie de Jésus et les fresques du *Jugement dernier* (1447) à la cathédrale d'Orvieto. Il mourra en 1455, lors d'un séjour romain pour décorer les chambres du Vatican, soulagé, nous l'imaginons, d'être en terre bénie !

– ***Tommaso di Ser Giovanni di Mone Cassai, dit Masaccio*** *(1401-1428).* En 1422, il se rend à Florence, où il s'inscrit à la corporation des médecins et pharmaciens. Il entre donc dans le cercle de Masolino et autres peintres florentins. Selon Léonard de Vinci, son art renouvelle la peinture florentine, qui déclinait après la mort de Giotto par de viles et stériles imitations du grand maître. Masaccio développe le travail sur le naturalisme : par son œuvre, nombreux sont ceux qui le considèrent comme l'inventeur de la perspective et, à ce titre, le premier peintre de la Renaissance italienne. Sa courte vie (il meurt à l'âge de 27 ans) lui permettra malgré tout de réaliser quelques chefs-d'œuvre, comme *La Trinité* à Santa Maria Novella à Florence et le polyptyque du Carmine de Pise (1426). Il meurt à Rome, après avoir accompli le polyptyque de Santa Maria Maggiore, *La Madone de la neige,* et les fresques de la chapelle du cardinal Branda Castiglione.

– ***Piero della Francesca*** *(vers 1416-1492).* Peintre toscan de formation mathématicienne, il développe l'art de la perspective et de la géométrie. À l'âge de 16 ans, il rencontre le peintre Domenico Veneziano qui l'emmène à Florence et qui le garde plusieurs années en tant qu'apprenti. Sa première œuvre date de 1445, un tableau d'autel à l'hôpital de Borgo San Sepolcro. Son talent reconnu partout, il devient l'un des portraitistes les plus appréciés de son temps : il fait le portrait du seigneur de Rimini, Sigismond Malatesta, et de sa quatrième épouse, Iseult. Pour l'anecdote, le puissant seigneur avait répudié sa première femme, empoisonné la deuxième et étranglé la troisième, et voulait par là même sceller son amour (ô combien éphémère) pour sa quatrième épouse ! Vers 1466, il achève les fresques du chœur de l'église Saint-François à Arezzo, *La Légende de la Sainte Croix*. Il réalise aussi les peintures religieuses de *L'Assomption* dans l'église Santa Chiara à Borgo San Sepolcro, sa ville natale, *Jésus devant Pilate* à la cathédrale d'Urbino (1469) et *Le Baptême du Christ*, aujourd'hui à la National Gallery. L'écrivain Vasari nous raconte que le peintre, frappé de cécité, dut interrompre sa carrière.

– ***Pietro Vannucci, dit le Pérugin*** *(vers 1448-1523)*. L'art du peintre ombrien reflète l'intimité religieuse propre à sa région et les doux paysages du lac Trasimène. Originaire de Città della Pieve (Ombrie), il se déplace à Lucques puis à Florence, où il fréquente l'atelier d'Andrea del Verrocchio. Sa peinture va se distinguer par la conscience du paysage et la conquête de l'espace, grâce aux travaux élaborés avec Léonard de Vinci. En 1478, il réalise les fresques pour l'église du Cerqueto à Pérouse, tandis que son *Adoration des Mages* (1473) est conservée aujourd'hui à la Galerie nationale de l'Ombrie. Il travaille avec Botticelli à la décoration de la chapelle Sixtine, où il accomplit son œuvre la plus importante : *La Remise des clés à saint Pierre*. De retour dans sa région natale, il y restera jusqu'à sa mort tout en produisant encore quelques tableaux comme *Le Mariage de la Vierge* (1500-1504). Parmi ses œuvres majeures, citons les fresques du *Collegio del Cambio* de Pérouse. Il inspira l'iconographie religieuse jusqu'au XIXe s. Son jeune apprenti répondait au nom de Raphaël !

– ***Raffaello Sanzio, dit Raphaël*** *(1483-1520)*. Célèbre peintre de la Renaissance, il naquit en Ombrie, à Urbino. Il fit d'ailleurs son apprentissage auprès du Pérugin, qu'il supplanta rapidement. Lors de son séjour à Florence, il assimila les études de Léonard de Vinci en matière d'anatomie, ainsi que les techniques de Michel-Ange. Appelé à Rome, en 1508, il y devint le peintre officiel de la papauté et signa bientôt son œuvre majeure dans les trois *Stanze* du Vatican (1509-1511). Il peignit plusieurs Vierges, dont la plus célèbre est *La Madone à la chaise* (1514-1515). « Quand il ferma les yeux, la peinture devint aveugle », dit Vasari lorsque mourut Raphaël à Rome.

– ***Amedeo Modigliani*** *(Livourne 1884-Paris 1920)*. En 1902, il entre à l'école libre du nu, à l'académie des Beaux-Arts de Florence. Il s'initie alors à la peinture impressionniste des « Macchiaioli » et fait connaissance avec le chef de file du mouvement, Giovanni Fattori. À partir de 1906, il s'installe à Paris et s'inspire de Toulouse-Lautrec, Cézanne ou encore Picasso pour tirer le portrait de ses amis (Blaise Cendrars, Jean Cocteau, Diego Rivera et autres « connaissances » de Montmartre). En 1910, il y découvre les arts primitifs au musée de l'Homme et se lance dans la sculpture, mais abandonne très vite car il a une santé fragile et ne supporte pas les poussières de pierre. Certes, Modigliani est un jeune homme maladif, mais sa vie dissolue n'arrange rien et il ne peut participer à la Première Guerre mondiale. En 1917, sa première exposition est un fiasco et elle est fermée pour outrage à la pudeur : le nu féminin est son autre domaine de prédilection, et cela fait scandale ! Cette année-là il rencontre Jeanne Hébuterne, l'amour de sa vie, qui se suicide en 1920 lorsqu'il meurt d'une méningite à trente-six ans. Sa fille Jeanne écrira une biographie détaillée, intitulée *Modigliani : Homme et mythe*.

– ***Gerardo Dottori*** *(1884-1977)*. Un des artistes les plus importants du courant futuriste, il est surtout connu pour sa technique dite de « l'aéropeinture ». En 1904, il entre à l'académie des Beaux-Arts de Pérouse et adhère au mouvement Futuriste en 1912, choix qui influencera toute son œuvre. Pendant la Grande Guerre, il écrit *Parole in libertà* (« Mots en liberté ») et à son retour des tranchées, il fonde la revue futuriste *Griffa*. De 1940 à 1947, il dirige l'académie des Beaux-Arts de Pérouse, qui l'a formé, et y enseigne jusqu'en 1967. Entre temps, il signe le Manifeste futuriste de l'aéropeinture (1941) et tente de faire connaître son art et sa conception du paysage en Ombrie. Son œuvre est construite autour de perspectives aériennes, de formes qui semblent être en mouvement et de couleurs vibrantes. Dottori s'est toujours inspiré du paysage ombrien, et cela jusqu'à sa mort, en 1977.

L'école siennoise

– ***Duccio di Buoninsegna*** *(vers 1255-1318).* Peintre toscan considéré comme le fondateur de l'école siennoise. Son art est le point culminant du gothique en Italie, ce qui précède le ravissement de la Renaissance. Curieusement, nous pouvons retracer le parcours de cet artiste grâce à des amendes, mentionnées dans le registre de la commune de Sienne ! Dès 1278, il décore les tablettes de bois de la *Biccherna* à l'Office financier. Des commandes similaires suivent jusqu'en 1295, à l'exception des années 1280, ce qui permet d'établir sa participation aux travaux de décoration de la basilique supérieure Saint-François. À Assise, le peintre entre en contact, et en subit les influences, avec le savoir-faire de Cimabue. L'ascendant de ce dernier engendra l'erreur pour l'attribution de l'œuvre *La Madone Rucellai* (1285), que Vasari même avait allouée à Cimabue, mais qui revient à Duccio. Cette célèbre peinture, commanditée par la Compagnie des chantres de Santa Maria Novella, fait preuve d'une grande liberté dans le choix des couleurs et d'un début de logique des proportions, anticipant la démarche naturaliste. Toutefois, c'est en 1308, avec la création de *La Maestà* pour l'autel majeur de la cathédrale de Sienne, que l'artiste atteint sa plus haute gloire. Pour être sûre de son entier dévouement à l'œuvre, la commune lui verse une discrète somme d'argent et le contraint à jurer sur l'Évangile de respecter *bona fede sine fraude* (en V.F., « bonne foi sans fraudes ») les clauses de son contrat, le pacte étant alors scellé aux yeux de Dieu !

– ***Simone Martini*** *(vers 1284-1344).* Peintre originaire de Sienne, dont nous ne connaissons pas vraiment la formation artistique. Les critiques le supposent élève de Duccio di Buoninsegna, car ses premières œuvres présentent de fortes influences de cet artiste. En 1315, il réalise les fresques de *La Maestà* pour le Palazzo Pubblico de Sienne, ce qui prouve que, malgré sa jeunesse, il est déjà un artiste confirmé. D'ailleurs, il est cité par le poète Pétrarque qui l'imagine au paradis pour, ensuite, dessiner les traits de sa bien-aimée. Rappelez-vous, nous sommes en plein courant poétique de la femme-ange, aux hautes valeurs morales et à la pureté absolue ! Sa plus grande œuvre reste la décoration, par des fresques et des vitraux, de la chapelle de San Martino dans la basilique inférieure Saint-François à Assise (vers 1317). Ce travail représente une alliance parfaite entre les valeurs laïques et religieuses, considérée alors comme la plus haute expression de valeurs courtoises et chevaleresques.

Quelques noms de la sculpture

– ***Donatello*** *(1386-1466).* Il fait ses premiers pas dans le contexte de la sculpture florentine, et se lie d'amitié avec Brunelleschi. Tous deux partent ensemble pour Rome, afin d'étudier l'art classique. L'expérience acquise lors de ce voyage se développe dans ses compositions, telles que la statue de *Saint Jean l'Évangéliste* (1415), celle de *Saint Georges* (1416) ou le *Sacrifice d'Isaac* pour le Campanile. En 1425, il ouvre un atelier avec Michelozzo : leur partenariat produira les fonts baptismaux de Sienne et les tombeaux de l'antipape Jean XXIII et du cardinal Brancacci. Ses derniers chefs-d'œuvre sont le *David* (vers 1430) et la *Cantoria* (1439). Toujours à Florence, il s'occupera de la décoration de la Sagrestia Vecchia de San Lorenzo (1435-1443) avant de se déplacer à Padoue, ville où il restera une dizaine d'années. Lorsqu'il revient à Florence, c'est un vieil homme, certes, mais il poursuit son activité.

– ***Michelangelo Buonarotti, dit Michel-Ange*** *(1475-1564).* Cet artiste polyvalent pourrait être cité dans chacune de nos rubriques artistiques, car il a déployé ses talents tour à tour en peinture, sculpture et architecture ! Ses principales sculptures sont la *Pietà* (1499), le *David* et les *Esclaves,* statue destinée au tombeau de Jules II mais aujourd'hui conservée à la Galerie de l'Académie à Florence.

Quelques noms de l'architecture

– ***Filippo Brunelleschi*** *(1377-1446).* Il donne naissance à la figure moderne de l'architecte, qui dessine et exécute le projet. Il entreprend tout d'abord une formation d'orfèvre et de sculpteur dans un atelier florentin, pour se démarquer en 1401 en remportant, ex æquo avec Lorenzo Ghiberti, le concours pour la porte du baptistère. Quand le travail est finalement confié à Ghiberti, il part à Rome étudier l'art classique avec son ami Donatello. En 1404, il entre dans la corporation des Orfèvres, mais son goût pour les maths et pour l'étude des monuments anciens le conduit vers l'architecture ! Ainsi, il travaille pour la coupole de l'église Santa Maria del Fiore, dont il gagne le concours en 1418. Il s'occupe ensuite de l'hôpital des Innocents (1419), de la chapelle des Pazzi (1429) et des sacristies des églises San Lorenzo (1420) et Santo Spirito (1435), sans oublier le Ponte a Mare de Pise.
– ***Michelozzi Michelozzo di Bartolomeo*** *(1396-1472).* Disciple de Brunelleschi, il travaille à l'atelier de Ghiberti pendant la composition de la porte nord du baptistère, avec Donatello. L'enseignement de Brunelleschi et sa formation de sculpteur lui permettent d'apprendre les deux grandes notions de l'architecture : la perspective et l'utilisation des arcades. En voulant exploiter ce talent, Cosme l'Ancien lui commandite la construction de son propre palais (palais Medici-Riccardi, 1444-1459), ainsi que la restructuration du couvent dominicain San Marco. L'édification du palais avait d'abord été confiée à Brunelleschi, mais Cosme refusa les plans du maître pour accepter ceux de Michelozzo, au dessin plus sobre. Quand l'élève dépasse le maître..., le modèle du palais florentin à trois niveaux voit le jour ! Ses autres œuvres sont les villas médicéennes aux alentours de Florence, celles de Trebbio, Cafaggiolo et Careggi, qui donnent aux châteaux médiévaux une interprétation architecturale renaissante.

Petite chronologie artistique

– ***1063 :*** construction du Duomo de Pise.
– ***1153 :*** construction du baptistère à Pise.
– ***1173 :*** construction de la tour de Pise.
– ***1228 :*** Grégoire IX commandite la construction de la basilique à Assise.
– ***1240 :*** naissance de Cimabue.
– ***1255 :*** naissance de Duccio di Buoninsegna.
– ***1265 :*** Crucifix de S. Domenico à Arezzo, par Cimabue.
– ***1266 :*** naissance de Giotto.
– ***1278 :*** Duccio décore les tablettes de bois à la Biccherna, à Sienne.
– ***Vers 1280 :*** Cimabue décore la basilique inférieure d'Assise.
– ***1284 :*** naissance de Simone Martini.
– ***1285 :*** réalisation de la *Madone Rucellai* de Duccio.
– ***1290 :*** construction de la cathédrale d'Orvieto.
– ***1296 :*** Giotto réalise les fresques de *L'Histoire de saint François* à Assise. Construction du Duomo à Florence.
– ***1302 :*** mort de Cimabue.
– ***1308 :*** la *Maestà* de Duccio.
– ***1315 :*** les fresques de la *Maestà* au Palazzo Pubblico de Sienne, par Simone Martini.
– ***Vers 1317 :*** les fresques de Simone Martini à la basilique inférieure Saint-François, à Assise.
– ***1318 :*** mort de Duccio di Buoninsegna.
– ***1320 :*** les fresques de Giotto commencent à la chapelle Bardi. Début de la construction de la cathédrale Santa Maria del Fiore à Florence, avec Giotto comme maître d'œuvre.
– ***1334 :*** Giotto est nommé contremaître pour l'église Santa Maria del Fiore, à Florence.
– ***1337 :*** mort de Giotto.

– ***1338 :*** fresques d'Ambrogio Lorenzetti au palazzo Pubblico de Sienne.
– ***1344 :*** mort de Simone Martini.
– ***1377 :*** naissance de Filippo Brunelleschi.
– ***1378 :*** naissance de Lorenzo Ghiberti.
– ***1386 :*** naissance de Donatello.
– ***1396 :*** naissance de Michelozzo.
– ***1397 :*** naissance de Paolo Uccello.
– ***Vers 1400 :*** naissance de Fra Angelico.
– ***1401 :*** naissance de Masaccio.
– ***1401 :*** Ghiberti remporte par concours la porte nord du baptistère à Florence, puis la troisième en 1425 (surnommée la « porte du Paradis » par Michel-Ange).
– ***1415 :*** statue de *Saint Jean l'Évangéliste* par Donatello.
– ***Vers 1416 :*** naissance de Piero della Francesca.
– ***1419 :*** construction de l'hôpital des Innocents par Brunelleschi.
– ***1420 :*** Brunelleschi commence la construction de la coupole du dôme de Florence (terminée en 1438).
– ***1425-1428 :*** fresques de la chapelle Brancacci dans l'église du Carmine à Florence par Masalino et Masaccio.
– ***1426 :*** Masaccio réalise le polyptyque du *Carmine* à Pise.
– ***1428 :*** mort de Masaccio.
– ***1429 :*** construction de la chapelle des Pazzi à l'église Santa Croce par Brunelleschi.
– ***Vers 1430 :*** le *David* de Donatello.
– ***1434 :*** *Le Couronnement de la Vierge* de Fra Angelico.
– ***1435 :*** Donatello commence la décoration de la Sagrestia Vecchia de San Lorenzo à Florence. Construction de l'église Santo Spirito par Brunelleschi.
– ***1436 :*** fresque du condottiere John Hawkhood de Uccello. Sassetta peint les scènes de *La Vie de saint Antoine* à la pinacothèque de Sienne.
– ***1440 :*** fresque du couvent San Marco par Fra Angelico.
– ***1444 :*** Michelozzo entreprend la construction du palais Medici-Riccardi (terminé en 1459).
– ***1445 :*** naissance de Botticelli à Florence.
– ***1446 :*** mort de Filippo Brunelleschi.
– ***1447 :*** fresques de Fra Angelico à la cathédrale d'Orvieto.
– ***Vers 1448 :*** naissance du Pérugin.
– ***1452 :*** naissance de Léonard de Vinci. Achèvement des portes du baptistère de Florence par Ghiberti.
– ***1455 :*** mort de Lorenzo Ghiberti et de Fra Angelico.
– ***1466 :*** mort de Donatello. Fresques de Piero della Francesca à l'église San Francesco à Arezzo.
– ***1468 :*** *L'Adoration des Rois mages* par Botticelli.
– ***1469 :*** *Jésus devant Pilate* de Piero della Francesca.
– ***1473 :*** *L'Adoration des Mages* du Pérugin.
– ***1475 :*** naissance de Michel-Ange.
– ***1478 :*** Le Pérugin réalise les fresques pour l'église du Cerqueto.
– ***1481 :*** *La Remise des clés à saint Pierre* du Pérugin.
– ***1483 :*** naissance de Raphaël, à Urbino.
– ***1485 :*** *La Naissance de Vénus* de Botticelli.
– ***1492 :*** mort de Piero della Francesca.
– ***1499 :*** Michel-Ange termine la *Pietà*.
– ***1500-1504 :*** le Pérugin peint *Le Mariage de la Vierge*.
– ***1500-1506 :*** retour de Léonard de Vinci à Florence, où il peint la *Joconde*.
– ***1501-1504 :*** Michel-Ange sculpte le *David*.
– ***1514-1515 :*** *La Madone à la chaise* par Raphaël.
– ***1519 :*** mort de Léonard de Vinci.
– ***1520 :*** mort de Raphaël.

– *1523 :* mort du Pérugin.
– *1530 :* *Vierge à l'Enfant* de Michel-Ange à la chapelle Médicis de l'église San Lorenzo, à Florence.
– *1564 :* mort de Michel-Ange.
– *1600 :* essor de l'art baroque.
– *1603 :* *La Fuite en Égypte* par Annibal Carrache.
– *1606 :* Le Caravage fait scandale avec son tableau *La Mort de la Vierge.*
– *1625 :* *Apollon et Daphné* par Le Bernin.
– *1637 :* la *Chiesa d'Ognissanti,* à Florence, est achevée dans le pur style baroque florentin ; et fresques du palais Pitti par Pierre de Cortone.
– *1684-1686 :* *La Création de l'homme,* fresque du Palazzo Riccardi à Florence par Luca Giordano.
– *1700 :* naissance de l'art rococo en Italie. En Toscane et à Rome, le baroque continue de dominer.
– *1752 :* *Allégorie des planètes et des continents* par Giambattista Tiepolo.
– *1770 :* mort de Tiepolo et épanouissement du néoclassicisme.
– *1779 :* *Dédale et Icare,* sculpture de Canova.
– *1804-1810 :* *Mausolée de Vittorio Alfieri,* en l'église Santa-Croce à Florence, par Antonio Canova.
– *1848 :* création du mouvement des *Macchiaioli* à Florence.
– *1866 :* *La Rotonda di Palmieri* par Giovanni Fattori.
– *1870 :* réaménagement des murailles de Lucques en jardins par Elisa Baciocchi (sœur de Napoléon).
– *1878 :* *Le Train passe* par Giuseppe de Nittis.
– *1884 :* naissance de Gerardo Dottori et d'Amedeo Modigliani.
– *1910 :* essor du futurisme ; Giorgio de Chirico et sa peinture métaphysique.
– *1917 :* première exposition des portraits et des nus de Modigliani, fermée pour « indécence ».
– *1924 :* *Aeropeinture* de Gerardo Dottori.
– *1967 :* création du mouvement de *l'arte povera.* Exposition *Oggetti in meno* (« Objets en moins ») de Michelangelo Pistoletto.

PERSONNAGES

Panthéons toscan et ombrien

La Toscane et l'Ombrie n'ont pas été avares de personnages hauts en couleur. Il n'y eut pas que les Médicis et les artistes de la Renaissance qui naquirent sur ces terres bénies des dieux et des muses.
– **Saint Valentin** *(mort en 268).* Martyr né à Terni. Le patron des amoureux, refusant de désavouer sa foi, fut livré au supplice par les Romains avec d'autres chrétiens. Pour ceux qui ne le sauraient pas (ou qui auraient encore oublié !), sa fête est le 14 février.
– **Saint Benoît** *(480-547).* Né à Nursie, au pied des Apennins, il est le fondateur du monachisme occidental. Élevé dans une famille de nobles romains, il se retire dans la grotte du Sagro Speco avant de fonder l'ordre des Bénédictins vers 529 à Monte Cassino. La règle des bénédictins se résume ainsi : « Prie et travaille. » Sa fête est le 11 juillet.
– **Saint François d'Assise** *(1182-1226).* Fils d'un riche drapier, il ne semblait pas vraiment destiné à passer à la postérité comme chantre de la pauvreté et de l'humanité. Né à Assise, il eut une jeunesse turbulente et mondaine. Blessé et fait prisonnier à l'issue d'une guerre avec Pérouse, il découvre sa voie. Pieds nus, une simple étoffe sur le dos, une corde pour ceinture, il passera désormais sa vie à prêcher et à recruter des fidèles. Surnommé *Il Poverello,* il aida sainte Claire à fonder l'ordre des Clarisses et créa bien évidemment le sien : les Frères mendiants, devenus plus

tard les franciscains. Très mystique, saint François serait même parvenu à parler aux oiseaux et reçut les stigmates du Christ. Il est canonisé en 1228. Sa fête est le 4 octobre.

– ***Sainte Claire*** *(1193-1253).* Santa Chiara naquit à Assise. Partageant l'idéal ascétique de saint François, elle fonda l'ordre des Clarisses (pauvreté, obéissance et chasteté). Sa fête est le 11 août.

– ***Durante Alighieri, dit Dante*** *(1265-1321).* Originaire de Florence et grand poète devant l'Éternel. Son inspiration lui vint d'une femme, Béatrice, qu'il idéalisa. Sa mort prématurée donna le jour à la *Vita nuova,* alternant lettres intimes et poèmes. Mêlé à la vie politique, comme Machiavel bien plus tard, il devint successivement membre du Conseil des Cent, prieur et ambassadeur. Puis il fut banni, tout comme Machiavel. Mais au lieu de se fixer, il entama une vie d'errance entre plusieurs villes italiennes. Il rédigea alors *Le Banquet,* et surtout de nombreuses épîtres exhortant les Italiens à mettre fin à leurs querelles permanentes. Condamné à l'exil, il eut tout le loisir de peaufiner son chef-d'œuvre, *La Divine Comédie.* Poème épique en trois volets (*L'Enfer, Le Purgatoire* et *Le Paradis*), il est la consécration parfaite et aboutie de l'humanisme chrétien au XIIIe s.

– ***Pétrarque*** *(1304-1374).* Francesco Petrarca représente à merveille la Renaissance franco-italienne, humaniste et esthétique. Originaire d'Arezzo, il fait ses études à Montpellier, puis écrit et voyage beaucoup entre la France du Midi, où résident les papes (Avignon), et sa Toscane natale. Son *Canzoniere,* recueil de poésie lyrique en italien, devient le modèle de la poésie courtoise en Italie et en France (Ronsard s'en inspire pour composer ses *Sonnets pour Hélène,* par exemple). Il reçoit la couronne de laurier offerte aux grands poètes. Paris et Rome se le disputent. Il opte pour Rome. À la mort de sa muse française, Laure de Noves, il cesse de voyager et s'établit à Lucques avec sa fille. Son influence est telle qu'elle a donné naissance au « pétrarquisme », forme littéraire et vision particulière de l'amour.

– ***Boccace*** *(1313-1375).* Giovanni Boccaccio est né à Certaldo Alto au centre de la Toscane, d'une riche famille de négociants. Il fait des études de commerce et de droit, mais semble plus doué pour la *dolce vita* de la cour de Robert d'Anjou. Son père le rappelle pour l'aider à Florence. Fini les jolies filles ! Son expérience servira de cadre à son chef-d'œuvre, *Le Décaméron,* qu'il rédige certainement entre 1349 et 1353. L'ouvrage est présenté sous forme de nouvelles que se racontent en dix jours dix jeunes gens *(la onesta brigata)* ayant fui la peste, réfugiés dans une enceinte protégée. Chacune des cent nouvelles, presque des contes, met en place dans une nature bien présente toutes sortes de personnages, souvent ecclésiastiques, dans des positions tant physiques que morales assez délicates, ou peu conformes aux règles de la société. Boccace commencera à regretter son œuvre proche de la licence lors d'une crise mystique (c'était la mode dans la région à cette époque). Son ami Pétrarque le dissuadera de la renier. Boccace commentera *La Divine Comédie* de Dante, et ce jusqu'à sa mort. Pasolini a superbement adapté à l'écran quelques contes du *Décaméron.*

– ***Sainte Catherine de Sienne*** *(1347-1380).* Caterina Benincasa, issue d'une famille de teinturiers, aurait eu 24 frères et sœurs ! Ses visions, apparues dès son plus jeune âge, lui font penser qu'elle a une mission à accomplir ici-bas. En attendant son heure, elle entre au couvent et soigne les pestiférés. Sa mission consiste à convaincre le pape d'Avignon, Grégoire XI, de revenir à la maison... Rome, bien sûr ! Ce qu'il fait en 1377. Enterrée à Rome, Catherine est canonisée par un pape (Pie II) compatriote de Sienne en 1461. Puis, en 1939, Pie XII lui donne le titre de patronne de l'Italie, et en 1970, Paul VI celui de docteur de l'Église. Sa fête est le 29 avril.

– ***Bernardin de Sienne*** *(1380-1444).* Il naît au moment où meurt sa voisine Catherine. D'origine noble, son vrai nom est Bernardin Albizzeseschi. Orphelin très jeune, il est pris en charge par sa tante qui lui fait suivre de solides études. Comme Catherine, il soigne les pestiférés, puis entre chez les franciscains. Il profite de sa grande éloquence et prêche. Après avoir fondé le couvent de l'Osservanza, il devient en 1438 vicaire général de l'ordre de la Stricte Observance. Canonisé en 1444 par Nicolas V, il faisait pleurer les foules lorsqu'il parlait du Christ. Sa fête est le 20 mai.

– ***Sainte Rita*** *(1381-1457).* Née à Roccaporena, près de Cascia, Rita s'est senti toute jeune une vocation religieuse mais fut contrainte au mariage par ses parents. Après la mort violente de son mari et de ses fils, elle fut admise au couvent des augustines. La réputation de ses miracles lui valut le surnom de « sainte des causes désespérées ». Les gens accouraient pour la voir, car lui parler suffisait à régler les problèmes les plus compliqués. Elle reçut les stigmates du Christ : une épine dans le front qui, s'infectant, causa sa mort. Elle fut canonisée au XXe s. Sa fête est le 22 mai.

– ***Savonarole*** *(1452-1498).* Originaire de Ferrare, il entre jeune dans les ordres et devient dominicain. Écœuré par la corruption ambiante, il passe son temps à prêcher. Bologne le chasse. Il se réfugie à Florence, où ses prêches attirent les foules. Lorsque les Français entrent dans la ville en 1494 et que Pierre le Malchanceux (un Médicis) s'enfuit, il profite du pouvoir vacant pour installer sa théocratie. Dieu devient la source de toute loi. Il est nommé roi de Florence, et les écrits et tableaux licencieux sont brûlés sur des « bûchers des vanités » (qui feront des émules durant plusieurs siècles). Naturellement, une fois confronté au pape Borgia, il est excommunié. Mais il continue de plus belle ses critiques sur la curie. Sa vie se termine sombrement : arrêté, puis jugé pour hérésie, il est condamné à mort et brûlé sur la place publique.

– ***Pic de la Mirandole*** *(1463-1494).* L'homme universel de cette époque est bien Giovanni Pico della Mirandola. Doué pour les études et doté d'une mémoire phénoménale, il aborda avec succès tous les sujets : philosophie, sciences, littérature, mathématiques et arts. Ses connaissances lui donnèrent une vision globale du monde, où toutes les sciences et les philosophies connues convergeaient vers le christianisme. Ses 900 thèses furent condamnées par la curie, comme les œuvres de Galilée... Trop avant-gardiste. Il écrivit également des poèmes en toscan. Laurent le Magnifique le protégea de l'Inquisition, mais il mourut empoisonné par son secrétaire. Il reste le symbole de la connaissance encyclopédique. Le mouvement philosophico-métaphysique d'origine américaine, le *New Age,* le cite comme un de ses auteurs de référence.

– ***Machiavel*** *(1469-1527).* Niccolò Machiavelli est né à Florence, où son père était médecin. Il fut le témoin du règne glorieux de Laurent le Magnifique, de l'arrivée des Français et de la théocratie de Savonarole. Après de sérieuses études de droit, il devient chef de la chancellerie de la ville à la mort de Savonarole ; à ce titre, il fréquente toutes les cours d'Italie et de France. Mis en disgrâce en 1512, lors du renversement de la république par les Médicis, il se réfugie avec sa famille dans la propriété de son père. Il met à profit son temps libre et ses connaissances pour rédiger le best-seller planétaire des hommes de pouvoir, *Le Prince* (1513). La plupart des hommes d'État occidentaux ont surtout retenu la notion de raison d'État... qui les arrangeait bien. Sans le vouloir, Machiavel est devenu le théoricien de l'absolutisme.

– ***Roberto Benigni*** *(né en 1952).* Bouffon comique, volubile, délirant et irrévérencieux, il est originaire d'Arezzo. Il y a d'ailleurs tourné quelques scènes de *La Vie est belle*. Avant ce film, qui lui a valu le Grand Prix du jury à Cannes et trois oscars, il a réalisé d'autres films moins connus en France et a tourné dans de nombreux films italiens, notamment avec Fellini *(La Voce della Luna),* et américains, avec Jim Jarmusch *(Down by Law).* On l'a vu dernièrement à l'écran dans *Astérix et Obélix contre César.*

– ***Monica Bellucci*** *(née en 1969).* La belle Monica voit le jour à Città di Castello, dans la haute vallée du Tibre. Elle se lance dans une carrière de mannequin pour financer ses études de droit, qu'elle abandonne pour signer avec une agence prestigieuse. S'orientant vers la comédie, elle rencontre Francis Ford Coppola, qui lui donne un rôle dans *Dracula* (1992). Après quelques films en Italie, elle arrive en France. En 1996, elle joue dans *L'Appartement* de Gilles Mimouni, aux côtés de son futur époux, Vincent Cassel. Elle est nommée pour ce rôle au César du meilleur espoir féminin. Depuis, elle alterne les films français et américains, tels *Suspicion* avec Stephen Hopkins, *Doberman* de Jan Kounen, *Mission Cléopâtre* d'Alain Chabat, *Matrix Reloaded* des frères Wachowski, *La Passion du Christ* de Mel Gibson, *Combien tu m'aimes ?* de Bertrand Blier, *Le Tigre et la Neige* de et avec Roberto Benigni... En 2008, elle est à l'affiche de *Une histoire italienne,* présenté hors compétition à Cannes, et incarne l'actrice Luisa Ferida compromise avec le fascisme.

POPULATION

L'Italie, pays vieillissant ? L'image persistante de ribambelles d'enfants jouant sur les places des villages ne sera-t-elle bientôt plus qu'un cliché ? À en croire les recensements, le vieillissement de la population touche la péninsule de façon alarmante. En 2006, l'annuaire statistique publié par l'Istat (Institut supérieur de statistiques italiennes) démontre que la population italienne continue à augmenter ; l'étude précise néanmoins que cette croissance s'opère « sous l'effet des flux migratoires ». L'Italie peut en effet compter sur ses quelque 5 000 000 d'étrangers (dont 1 000 000 en situation irrégulière). Le retour d'anciens émigrés et l'afflux de travailleurs issus du Maroc, d'Albanie, de Roumanie, de Chine ou d'ex-Yougoslavie, attirés par le développement économique de l'« eldorado » italien, contribuent ainsi à combler le solde naturel négatif du pays.

Avec un taux de fécondité faible (1,31 enfant par femme) et une espérance de vie qui s'allonge (83 ans pour les femmes, 77 ans pour les hommes), la moitié de la population italienne risque d'avoir plus de 65 ans dans un quart de siècle ! Le changement des mentalités est l'une des principales causes de ce déclin démographique. La famille nombreuse a perdu son aura chez des jeunes qui commencent à travailler de plus en plus tard et qui, face à la difficulté de trouver un logement, restent chez papa-maman jusqu'à la trentaine. À cela s'ajoutent le déclin religieux et l'augmentation du nombre de femmes à exercer un emploi. Mais si les nouvelles conditions de vie font qu'il y a de moins en moins de bébés, l'enfant reste roi dans ce pays culturellement maternel.

RESTAURANTS

Où manger ?

Le routard risque d'être désorienté les premiers jours devant la variété des enseignes : *snack-bar, caffè, rosticceria, tavola calda, pizzeria, enoteca, trattoria, osteria, ristorante...* Les voici classées de la plus populaire à la plus chic. Sachez également que dans les trois dernières catégories vous payerez systématiquement le couvert (certaines pizzerias l'appliquent aussi). Dans ces types d'établissements, vous trouverez souvent des menus à midi (en semaine) ou vous pourrez vous contenter d'un *antipasto* et d'un plat, ou bien d'un *primo* et d'un dessert. Mais, le soir venu, il est très mal vu d'aller au resto pour ne consommer qu'un plat de pâtes et une eau minérale pour deux. Certes, on vous donne une carte et vous pouvez choisir ce qui vous plaît, mais les habitudes italiennes (et d'autres pays aussi) veulent que l'on commande en général une entrée ou un *primo,* puis un plat principal et un accompagnement (servis et payés séparément). Le snack-bar et le *caffè* vendent des gâteaux, des *panini* et des *tramezzini* (pain de mie en triangles). Parfait pour un encas rapide avant ou après une visite culturelle un peu longue ; cependant, ce n'est pas si bon marché car vous risquez de payer souvent le même prix qu'un menu servi le midi. Sans parler des cafés avec terrasse stratégique... là, gare au portefeuille !

– *La rosticceria,* qui correspond au traiteur français, vend des plats à emporter, mais on peut se restaurer sur place (quelques tables).

– *La tavola calda* (une sorte de cantine ou self) est un endroit où l'on sert une restauration rapide, offrant un nombre assez limité de plats déjà cuisinés (souvent depuis plusieurs jours, surtout dans les grandes villes) à un prix très abordable.
– Dans une *pizzeria,* vous pourrez manger... des pizzas, voyons ! Les vraies *pizzerie* ne possèdent qu'un four à pizzas, et il n'est guère possible de consommer autre chose, hormis quelques petites fritures en entrée. Au sud du Pô, on ne mange la pizza que le soir, à l'exception des grandes villes où on les trouve aussi au déjeuner. Souvent, les restaurants font aussi *pizzerie,* de manière à diversifier l'offre ; sachez cependant que leur four n'est généralement allumé que le soir. Il y a des *pizzerie* où l'on consomme assis et d'autres où l'on emporte. À noter aussi que l'on peut acheter des pizzas dans certaines boulangeries *(panetterie).*
– On trouve aussi des *enoteche,* des bars à vins, qui proposent aussi de bons produits régionaux à déguster sur place. Le cadre est souvent très soigné et les prix sont plutôt raisonnables, selon l'emplacement.
– *La trattoria* est un restaurant pas trop cher à gestion (théoriquement) familiale. Comparable au bistrot du coin français, la *trattoria* propose une cuisine faite maison (*casareccia* ou *casalinga*). Tendance depuis quelques années : la trattoria chic avec une déco recherchée, souvent rustique, avec tables carrées et nappes à carreaux. Attention : la carte n'offre pas un grand choix de plats (une poignée d'entrées, quatre plats de pâtes, trois ou quatre viandes), mais ceux-ci peuvent se révéler très goûteux.
– Tout comme l'*osteria* qui, à l'origine, était un endroit modeste où l'on allait pour boire et qui proposait un ou deux plats pour accompagner la boisson... L'appellation a été reprise par des restaurateurs (parfois en ajoutant un *h* – « *hosteria* » – pour faire plus chic) pour donner un goût d'antan tout en appliquant des tarifs plus élevés... On peut le comparer à nos brasseries.
– Enfin, le *ristorante* correspond au resto gastronomique. Dans cette catégorie, on trouve tout et son contraire, surtout la note salée en fin de repas. C'est souvent le cas des établissements en bord de mer, proposant du poisson au poids ou des spécialités locales.

Cafés et bars

Les Italiens consomment plutôt debout au comptoir, après avoir réglé à la caisse située à l'entrée (bien moins cher qu'en France). On économise ainsi le service. Si vous êtes servi à une table, le prix de la consommation peut être majoré (de plus en plus rare toutefois).
Quant aux terrasses, elles fleurissent aux beaux jours. Souvent prises d'assaut, il faudra vous armer de patience.

Enoteca

On y mange et on y boit. Les œnothèques s'enorgueillissent de leur riche sélection de vins, servis au verre ou à la bouteille, mais leur choix de fromages et de charcuteries est tout aussi fabuleux. Certaines s'avèrent être de véritables restos. D'autres accueillent les œnophiles à l'heure de l'apéro, pour grignoter au comptoir, un verre à la main. On a repéré pour vous quelques bonnes adresses.

Les marchés alimentaires

Véritable institution dans les villes et villages italiens, le *mercato* a lieu une à plusieurs fois par semaine. On y trouve les excellents produits du terroir local : charcuterie, fromages, vins, miel, fruits, légumes, etc., mais aussi des petits traiteurs qui étalent d'alléchants *antipasti.* Idéal pour se constituer un excellent pique-nique ou une dînette improvisée à prix juste et sans se ruiner du tout. Nous indiquons donc systématiquement les jours et lieux où se trouvent ces marchés.

SAVOIR-VIVRE ET COUTUMES

– *Tenues dans les églises :* une tenue correcte est à respecter pour y pénétrer, et tout particulièrement pour la basilique Saint-François à Assise. Un gardien est là pour vous le rappeler, et il n'a aucune indulgence pour ce qui est considéré comme indécent (à savoir, shorts pour les hommes, robes découvrant les genoux et les épaules pour les femmes). Un truc simple : toujours avoir un grand foulard ou paréo plié dans son sac.

La *siesta*

La sieste fait partie des traditions depuis l'Antiquité. L'été surtout, la ville s'endort après le déjeuner. Les boutiques ferment, la circulation ralentit et les travailleurs de la sixième heure (sieste vient de *sexta hora*) sont l'exception. Le plus sage, après tout, serait pour le visiteur de suivre ce rythme réputé reconstituant pour l'esprit et le corps. Mais un changement est actuellement entrepris par les autorités pour transformer les habitudes.

LA FRENCH TOUCH

Un proverbe italien prétend : « Quand vient l'heure de la sieste, seuls les chiens et les Français se promènent. » À méditer...

La *passeggiata*

L'une des images les plus évocatrices est sans nul doute cette coutume venue du Sud. Elle persiste surtout dans les villages. Il n'est pas rare, en effet, de voir les gens sortir de leur maison vers 17h-18h et installer des chaises pour faire un brin de causette avec la voisine ou se saluer entre connaissances. Disons-le tout net, la *passeggiata* est de moins en moins pratiquée dans les grandes villes, et cette disparition montre à quel point les mœurs ont changé depuis quelques années.

Chants traditionnels

Moins connus en France que les chants corses, les chants toscans polyphoniques n'en sont pas moins beaux. Les groupes, mixtes ou non (cela peut se réduire au simple duo), accompagnés le plus souvent par un accordéon – jadis c'était le luth, la viole ou la cornemuse (*zampogna* ou *surdulina*) –, se mettent à l'unisson pour chanter des ballades *(ballate),* des textes narratifs *(cantastorie),* des chants à couplets *(stornelli)* ou des comptines *(filastroce).* Vous aurez peut-être l'occasion d'entendre chanter des groupes de femmes à Casciana, ou à Limano près de Lucques, et un groupe d'hommes de Castel del Piano près de Grosseto. Chaque année à Arezzo, fin août-début septembre, a lieu un grand rassemblement international de chanteurs polyphoniques.

SITES INSCRITS AU PATRIMOINE MONDIAL DE L'UNESCO

Organisation des Nations Unies pour l'éducation, la science et la culture

En coopération avec le centre du patrimoine mondial de l'UNESCO

Pour figurer sur la Liste du patrimoine mondial, les sites doivent avoir une valeur universelle exceptionnelle et satisfaire à au moins un des dix critères de sélection. La protection, la gestion, l'authenticité et l'intégrité des biens sont également des considérations importantes.

Le patrimoine est l'héritage du passé dont nous profitons aujourd'hui et que nous transmettons aux générations à venir. Nos patrimoines culturel et naturel sont deux sources irremplaçables de vie et d'inspiration. Ces sites appartiennent à tous les peuples du monde, sans tenir compte du territoire sur lequel ils sont situés. Pour plus d'informations : • *whc.unesco.org* •

– ***Centre historique de Florence.*** Inscrit en 1982. Symbole de la Renaissance et réputée pour sa créativité artistique, Florence est l'une des plus belles villes du monde. Ses monuments principaux : le Duomo, Santa Croce, la galerie des Offices et le palazzo Pitti.

– ***Centre historique de Sienne.*** Inscrit en 1995. La piazza del Campo constitue le centre névralgique de cette magnifique cité médiévale.

– ***Centre historique de San Gimignano.*** Inscrit en 1990. Ville perchée réputée pour ses 14 tours, pouvant atteindre jusqu'à 50 m de haut.

– ***Centre historique de Pienza.*** Inscrit en 1996. Conçue comme une ville idéale, elle représente la première application du concept humaniste de l'urbanisme Renaissance.

– ***La Piazza del Duomo à Pise.*** Inscrite en 1997. Ensemble célèbre dans le monde entier avec ses quatre chefs-d'œuvre de l'architecture médiévale : la cathédrale, le baptistère, le campanile (la célèbre Tour penchée) et le cimetière.

– ***Paysage de la vallée de l'Orcia.*** Inscrit en 2004. Arrière-pays agricole de Sienne. Paysage presque lunaire avec ses plaines de craie. A inspiré de nombreux artistes de la Renaissance.

– ***La basilique Saint-François à Assise.*** Inscrite en 2000. Assise est le lieu de naissance de saint François. Elle est étroitement associée au travail de l'Ordre des franciscains.

UNITAID

UNITAID a été créé pour lutter contre le VIH/Sida, le paludisme et la tuberculose, principales maladies meurtrières dans les pays en développement. Le financement d'UNITAID provient principalement d'une contribution de solidarité sur les billets d'avion. UNITAID intervient en facilitant l'accès aux médicaments et aux diagnostics, en en baissant les prix, dans les pays en développement. En France, la taxe est de 1 € (ce qui correspond à deux enfants traités pour le paludisme) en classe économique. En moins de 3 ans, UNITAID a perçu près de 900 millions de dollars, dont 70 % proviennent de la taxe sur les billets d'avion. Les financements d'UNITAID ont permis à près de 200 000 enfants atteints du VIH/Sida de bénéficier d'un traitement et de délivrer plus de 11 millions de traitements. Moins de 5 % des fonds sont utilisés pour le fonctionnement du programme, 95 % sont utilisés directement pour les médicaments et les tests. Pour en savoir plus : • *unitaid.eu* •

LA TOSCANE

« On quitte ordinairement la Toscane au moment
où l'on allait s'y trouver à peu près bien.
Il en résulte que, chaque fois qu'on y revient,
on s'y trouve mieux... »

Alexandre Dumas, *Impressions de voyage*, 1867.

ABC DE LA TOSCANE

- ***Superficie :*** 22 993 km^2.
- ***Densité :*** 153 hab./km^2.
- ***Population :*** 3 619 872 hab.
- ***Divisions administratives :*** 9 provinces ; capitale de région : Florence.
- ***Principales ressources :*** vin, cuir, terre cuite, textile, marbre.
- ***Tourisme :*** 10 millions de visiteurs par an.

La Toscane ! Un mot magique qui donne envie de s'évader, voire de s'exiler... Des bosquets de cyprès disposés parcimonieusement sur les collines et les interfluves. Les vieilles fermes du Chianti plongées dans une marée de chênes verts, avec comme son et lumière le chant stridulant des cigales et la pesanteur zénithale du soleil. La Maremme fiévreuse et son arrière-pays étrusque truffé de catacombes à ciel ouvert. Les chapelles romanes et les hameaux coiffés de leur pigeonnier carré. Les chemins de terre poussiéreux bordés de murs de pierres sèches et d'oliviers. Nourricière, enchanteresse, authentique, cette région parle autant à l'esprit qu'au corps. Mais le décor (magnifique) a beau être planté, il lui faut encore des artistes pour lui donner son vrai visage, le magnifier et l'interpréter. Or, la Toscane n'a jamais manqué d'artistes, notamment à la Renaissance, avec des peintres, comme Piero della Francesca, qui ont su capter et mettre en valeur l'essence des paysages. On peut croire qu'ils ont été bien inspirés puisque, avant eux, les éléments de la nature, lorsqu'ils étaient représentés, étaient purement et simplement d'origine biblique. En revanche, les peintres du Quattrocento ont montré (et même médiatisé) le pays. Pour ce faire, ils ont utilisé la *veduta* : une fenêtre ouverte sur la campagne, qui, malgré son format réduit, donne une profondeur au tableau. Le genre était né. Pour la première fois, des peintres plantaient le décor.

Il faut musarder dans cette campagne, symbole de douceur de vivre. Se créer son parcours imaginaire n'est pas bien difficile. Et l'extraordinaire richesse artistique de la région est là pour vous y aider ! Florence, Sienne, Pise ne sont que les exemples les plus éclatants d'un art toscan florissant entre le Moyen Âge et la Renaissance. Bien d'autres villes laisseront le visiteur enchanté et émerveillé : San Gimignagno, Volterra, Lucca ou Massa Marittima. *Small is beautiful,* les petits villages médiévaux ne démentent pas la formule. Peu d'endroits au monde peuvent se vanter d'une concentration aussi dense de

chefs-d'œuvre. Peu d'endroits au monde ont vu naître autant de génies : Giotto, Michel-Ange, Botticelli, Dante, Machiavel et tant d'autres.
En outre, toute la Toscane est truffée d'agritourismes de très grande qualité (donc parfois un peu chers), et nul ne s'en plaindra car voilà bien le mode d'hébergement idéal pour profiter de cette célèbre campagne.

FLORENCE ET SES ENVIRONS

FLORENCE (FIRENZE)

(50100) 380 000 hab.

Pour les plans I, II, III et le zoom de Florence, se reporter au cahier couleur.

Florence est, sans nul doute, l'une des plus belles villes d'Italie. C'est une capitale mondiale de l'art qui a su conserver tous les attraits de son riche passé. La ville n'a jamais manqué d'artistes, notamment à la Renaissance. Cité mondiale des arts, elle est l'emblème de la Renaissance et le berceau du Quattrocento – le XVe s. Un véritable siècle d'or et une floraison artistique dont la ville conserve de précieux témoignages.
La capitale toscane a su aussi préserver son charme. D'autant que la campagne n'est pas loin : pas de banlieue, peu de constructions modernes, on passe tout de suite de la ville à la campagne verdoyante. Il suffit de prendre un peu de hauteur (au sommet du Duomo, par exemple) pour voir poindre l'herbe juste au-delà des toits de tuiles rouges. Redescendez au cœur de la ville et laissez-vous gagner par sa magie en vous perdant au gré des venelles, c'est le meilleur moyen de la connaître. Florence n'est pas seulement une ville-musée, c'est aussi une ville qui bouge et qui s'amuse ! Il suffit de voir fleurir les nombreuses *enoteche* (bars à vins). Vers 19h, à l'heure de l'*aperitivo,* allez prendre un verre du côté de l'Oltrarno vers San Frediano et San Spirito.
On peut trouver, à la nuit tombée, une certaine solitude, ô combien méritée après une journée harassante à piétiner au milieu du flot touristique ! Tout alors devient calme et douceur. C'est à ce moment, si vous le pouvez, qu'il faut partir à la découverte de la ville, de sa vie nocturne, de ses mystères. Florence retrouve toute sa noblesse...

L'ARNO PEUT-IL ENCORE INONDER FLORENCE ?

Le 4 novembre 1966, la ville de Florence, construite au fond d'une vallée encaissée, fut engloutie par les eaux dévastatrices de l'Arno. Les Florentins assistèrent impuissants à la catastrophe qui s'abattit sur leur cité avec une violence inouïe. Il faut presque remonter à l'an 1333 pour se souvenir d'une telle calamité. Dans le quartier de l'église Santa Croce, le niveau des eaux atteignit 5 m ! Les portes de bronze du baptistère de la piazza del Duomo furent défoncées par le courant, certains panneaux arrachés et retrouvés à plus de 2 km à la ronde. De nombreux chefs-d'œuvre exposés dans les églises de la ville furent défigurés par la boue mazoutée et rongés par l'humidité. Certaines restaurations sont encore en cours.
Chaque année en octobre et novembre, le niveau de l'Arno monte irrésistiblement, sans provoquer d'inondation. Cependant, certains observateurs estiment que les risques d'une nouvelle crue ne sont pas totalement écartés. Malgré les travaux de canalisation entrepris après 1966 et la construction de digues, Florence ne serait

toujours pas, selon eux, à l'abri d'une inondation destructrice. Comme l'a si bien dit Jean Giono : « C'est un torrent qui a du caractère... C'est un fleuve comme un chat est un tigre. »

LE SYNDROME DE STENDHAL

Le 22 janvier 1817, Stendhal visite Florence « dans une sorte d'extase ». Dans l'église Santa Croce, un moine lui ouvre les portes de la chapelle Niccolini abritant les fresques du Volterrano. « Absorbé dans la contemplation de la beauté sublime », il atteint un degré extrême d'émotion « où se rencontrent les sensations célestes données par les beaux-arts et les sentiments passionnés ». En sortant de l'église Santa Croce, son cœur bat fort, et il se sent épuisé. Il marche avec la crainte de tomber. Il s'assied enfin sur un banc, sort de sa poche des vers du poète Foscolo et les relit avec délice pour se rassurer. « J'avais besoin de la voix d'un ami partageant mon émotion. » Cet épisode personnel relaté sommairement dans *Rome, Naples et Florence* a donné naissance à un phénomène universellement reconnu aujourd'hui sous le nom de « syndrome de Stendhal ».
L'expression a été inventée par la psychiatre florentine Graziella Magherini. Il ne s'agit pas d'une maladie comme les autres, mais d'une crise psychique violente constatée auprès d'un certain nombre de touristes à Florence. Comme leur illustre prédécesseur, ces voyageurs manifestent des réactions d'hypersensibilité et de souffrance psychique face aux œuvres d'art : crise de panique (peur de mourir ou de devenir fou), sensations de dépersonnalisation (dépression totale ou euphorie). Comme Stendhal, ils sont victimes de troubles somatiques (perception troublée de la réalité, amnésie, vertiges). La majorité d'entre eux ne sont pas mariés, et le pourcentage de femmes célibataires entre 26 et 40 ans est élevé.
Il y aurait, en gros, trois raisons pour expliquer le « syndrome de Stendhal ». D'abord, la crise touche des personnalités très sensibles (et créatives). Elle se produit dans des villes d'art, face à une production artistique, mais d'autres lieux chargés d'histoire peuvent provoquer ces réactions (il existe aussi un « syndrome de Jérusalem »). Ensuite, le voyage est déstabilisant, souvent épuisant pour ces touristes qui veulent tout voir et tout faire en très peu de temps. Enfin, le troisième facteur, c'est l'œuvre d'art en elle-même. Son pouvoir est tel qu'elle peut toucher l'inconscient de la personne. La crise ne dure pas, et les victimes du syndrome retrouvent vite leur état normal. Inspiré, le cinéaste Dario Argento en a tiré un film d'horreur, *Le Syndrome de Stendhal,* sorti en 1996.

Arriver – Quitter

En avion

✈ ***Aéroport Amerigo-Vespucci*** *(hors plan d'ensemble) : via del Termine, 11 (Peretola). Petit aéroport régional situé à 5 km au nord-ouest du centre de Florence. ☎ 055-30-615 (infos 8h-23h30). Rens sur les vols : ☎ 055-30-61-700 ou 702 (24h/24). • aeroporto.firenze.it •*

■ ***Compagnies aériennes :*** elles sont toutes installées à l'aéroport de Florence. ***Alitalia,*** *☎ 06-2222 (24h/24) ou (00-33) 820-315-315 (en appelant en France), • alitalia.it • ;* ***Meridiana,*** *☎ 199-111-333 (appel de l'Italie slt), • meridiana.it • ;* ***Air France,*** *☎ 848-884-466, • airfrance.fr •*
– Possibilité de retirer de l'argent au distributeur ***Bancomat*** (dans le hall des départs à l'extrémité droite en entrant dans le bâtiment).
🛈 On trouve un petit comptoir de l'***office de tourisme*** *de Florence (au terminal des arrivées). Tlj 8h30-18h30. ☎ 055-31-58-74. • infoaeroporto@aeroportofirenze.it •*
■ Également des ***loueurs de voitures*** *(bureaux situés à gauche en sortant du terminal des arrivées) :* ***Avis,*** *☎ 055-31-*

55-88 (tlj 8h-23h30) ; **Hertz,** ☎ *055-30-73-70 (lun-ven 8h30-22h30, w-e 9h30-22h30)* ; **Europcar,** ☎ *055-31-86-09 (tlj 9h-23h)* ; **Maggiore/National,** ☎ *055-31-12-56 (tlj 8h30-22h40).*

■ **Assistance bagages :** ☎ *055-30-61-302 (tlj 8h-14h, 16h-23h).*

Pour aller de l'aéroport Amerigo-Vespucci au centre-ville

➢ **En bus :** la navette *Vola,* à droite en sortant du terminal des arrivées à votre gauche, vous mène en 20 mn env en plein centre-ville, au terminus situé à côté de la gare ferroviaire Santa Maria Novella *(plan couleur I, A1).* Départ ttes les 30 mn 6h-20h30, puis à 21h30, 22h30 et 23h30. Dans l'autre sens, 1er départ de la gare routière, tout à côté de la gare ferroviaire Santa Maria Novella, à 5h30, ttes les 30 mn jusqu'à 20h, puis à 21h, 22h et 23h. Le billet (5 €) est à acheter dans le bus. *Rens auprès de* Ataf-Sita « Vola in bus » service. *Sita :* ☎ *800-37-37-60 (lun-ven 8h-19h, w-e 8h-13h) ou • sitabus.it • Ataf :* ☎ *800-42-45-00 (mêmes horaires) ou • ataf.net •*

➢ **En taxi :** prix fixe de 20 € pour relier le centre-ville avec un supplément de 1 €/bagage. Prix majorés de 22h à 6h ainsi que les j. fériés. *Résas :* ☎ *055-42-42, 44-99, 43-90 ou 47-98.*

Autre aéroport

✈ **Aéroport Galileo-Galilei :** *à Pise (à env 80 km de Florence).* ☎ *050-84-91-11 (standard) ou 050-84-93-00 (infos sur les vols). • pisa-airport.com •*

➢ 7 liaisons quotidiennes entre l'aéroport de Pise et la gare Santa Maria Novella de Florence assurées par *Trenitalia* (prévoir env 1h15 de trajet). Premier train à 6h41 ; dernier à 22h20. En sens inverse : premier train à 6h37 ; dernier à 22h07. Compter 6 € l'aller.

➢ Liaisons également avec les compagnies de bus *Terravision* et *3MT.* Compter 10 € l'aller (16 € l'aller-retour si on l'achète en même temps). Ticket à acheter à l'aéroport de Pise ou dans le bus. Une quinzaine de liaisons/j. *• terravision.eu •*

En train

Stazione centrale Santa Maria Novella (plan couleur I, A1) **:** *la gare principale de Florence, en plein centre-ville. Il existe un seul et unique numéro pour tte l'Italie :* ☎ *89-20-21 (prix d'un appel local, 7h-21h pour les infos ; 9h-13h, 15h-18h pour les résas). Depuis l'étranger :* ☎ *848-888-088. Pour les horaires et les résas : • ferroviedellostato.it •*

■ **Consigne à bagages** *(deposito bagagli a mano)* **:** *gare centrale, le long du quai n° 16.* ☎ *055-23-52-190. Tlj 6h-minuit. Compter 4 € pour 5h puis 0,60 € de la 6e heure à la 11e ; à partir de la 12e : 0,20 €.*

■ **Objets trouvés à la gare et dans les trains** *(oggetti smarriti)* **:** *gare centrale.* Même endroit (et mêmes horaires) que la consigne à bagages.

Stazione F. S. Campo di Marte *(hors plan d'ensemble)* **:** *via Mannelli, 12. Deuxième gare de Florence, située à l'est, à quelques km du centre historique. Accueil et rens 7h-21h.* Gare pour ceux qui veulent aller à Rome sans prendre l'Eurostar. On peut également de celle-ci rejoindre la petite ville de Fiesole.

➢ De la gare, vous pouvez rejoindre le centre avec les bus nos 12, 13 et 33, ou en train (5/j.) pour la gare Santa Maria Novella en 7-8 mn. Attention, pas de consigne à bagages.

En bus

■ **ATAF Bus** *(plan couleur I, A1)* **:** *piazza della Stazione (à droite de la gare quand on lui fait face). Infos :* ☎ *800-42-45-00 (d'un fixe) ou 199-10-42-45 (d'un porta-*

FLORENCE ET SES ENVIRONS

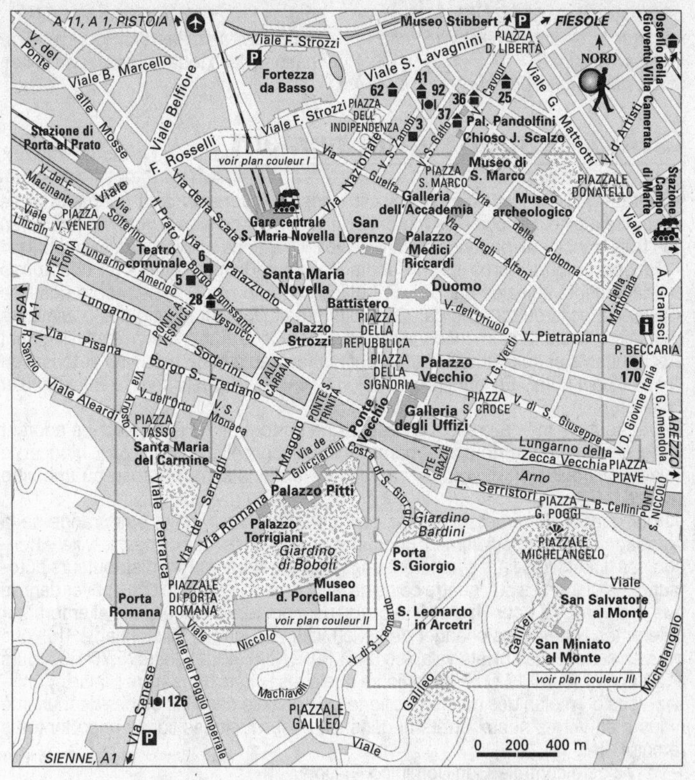

FLORENCE (FIRENZE) – PLAN D'ENSEMBLE

■ **Adresses utiles**

- 🛈 Office de tourisme
- P Parcheggio del Parterre
- **3** Florence By Bike
- **5** Program
- **6** Avis

Où dormir ?

- **25** Ostello Gallo d'Oro
- **28** Hotel Argentina
- **36** Residenza Johlea et Antica Dimora Johlea
- **37** Antica Dimora Firenze
- **41** Hotel Royal
- **62** Plus Florence

|●| **Où manger ? Où déguster une bonne pâtisserie ?**

- **92** Il Vegetariano
- **126** Trattoria da Ruggero
- **170** Dolci e Dolcezze

ble) tlj 6h-21h. • ataf-linea.it • Compagnie chargée du ***transport par bus dans Florence*** (voir ci-après « Circulation et stationnement »). Site internet très complet, vivement conseillé avant votre arrivée afin d'éviter une attente trop longue au centre de renseignements de la gare.

➢ ***Pour le transport dans la province (le Chianti surtout) et au-delà, plusieurs compagnies :***

■ ***SITA*** *(plan couleur I, A1)* ***:*** *via S. Caterina da Siena, 17 r. ☎ 800-37-37-60. • sita-bus.it •*

■ ***LAZZI*** *(plan couleur I, A1)* ***:*** *piazza della Stazione, 3 r (à l'angle avec la* *piazza Adua).* ☎ *055-21-51-55.* • *www.lazzi.it* • *Lun-sam 6h10-20h15, dim et j. fériés 7h-19h20.*

■ ***Eurolines*** *(plan couleur I, A1) : juste à côté de* Lazzi, *Ticket Point.* ☎ *055-21-51-55. Lun-sam 9h-19h.* Pour des destinations dans toute l'Europe, via Milan.

Circulation et stationnement

– Tout ce qu'il faut voir à Florence est rassemblé dans un petit périmètre et se découvre à pied. Si vous êtes motorisé, le mieux est de laisser votre voiture à l'un des trois principaux parkings de la ville (voir « Parkings publics » dans la rubrique « Transports intra-muros »). En dehors de ces parkings payants (et des autres emplacements signalés par un « P » blanc sur fond bleu), il est encore possible (mais pas facile du tout) de garer sa voiture gratuitement le long des boulevards circulaires (le stationnement dans le centre historique étant réservé exclusivement aux habitants et aux véhicules affichant sur leur tableau de bord une autorisation délivrée par l'hôtel). En effet, la circulation en centre-ville est interdite entre 8h30 et 18h30.

– Ayez tout de même présent à l'esprit que partout en Italie les voleurs adorent visiter les voitures, surtout étrangères ! Alors un conseil : videz la vôtre, bloquez le volant et simulez un désordre ; ça vous évitera une serrure forcée ou une vitre cassée !

– Pour gagner du temps, n'hésitez pas à emprunter les petits ***bus*** orange de la compagnie ***ATAF,*** spécialement conçus pour les petites rues du centre-ville. Attention, les tickets *(biglietti)* s'achètent dans les bars-tabac ou les distributeurs automatiques dispersés aux quatre coins de la ville. Vous ne pouvez pas payer dans le bus. Compter 1 € pour 1h d'utilisation (on peut prendre plusieurs bus et emprunter différentes lignes sans changer de ticket). Outre le simple billet valable 1h, vous pouvez acheter des billets valables 3h (1,80 €), 24h (4 €), 2 jours (5,70 €), 3 jours (7,20 €) ou 7 jours (12 €). Ayez toujours quelques tickets dans votre poche. Munissez-vous d'un plan des différentes lignes, disponible dans les offices de tourisme (vous n'en verrez ni aux arrêts ni dans les bus). Quelques lignes importantes à retenir :

➢ n° 7 : gare centrale, San Dominico, Fiesole ;
➢ n° 10 : gare centrale, Duomo, San Marco, Settignano ;
➢ n° 13 : gare centrale, piazza Libertà, piazzale Michelangelo, porta Romana ;
➢ n° 23 : gare centrale, Duomo, palazzo Vecchio, Santa Croce ;
➢ n° 28 : gare centrale, Fortezza da Basso, Sesto Fiorentino ;
➢ n° 37 : gare centrale, ponte alla Carraia, porta Romana, chartreuse de Galuzzo.

Orientation

– ***Numérotage des maisons :*** les plaques sont noires ou rouges et, même s'ils sont côte à côte, les chiffres ne se suivent pas ; les plaques rouges sont réservées aux entreprises commerciales (notamment aux restaurants) et les noires (parfois bleu foncé) aux maisons particulières et aux hôtels. Les chiffres sont suivis d'un « r » pour les plaques rouges et d'un « n » pour les noires.

Adresses et infos utiles

Offices de tourisme

Le site internet de l'office de tourisme de Florence fourmille de renseignements pratiques en anglais et en italien : • *firenzeturismo.it* • ou le *call center :* ☎ 055-055.

🅘 ***Office de tourisme – APT*** *(plan couleur I, C1)* **:** *via Cavour, 1 r.* ☎ *055-29-08-32 ou 33.* • *firenzeturismo.it* • *Tlj 8h30-18h30 (13h30 dim et j. fériés).* Une partie du personnel parle très bien le français. Fournit un plan de la ville, un plan des lignes de bus, une brochure avec tous les hôtels (pour les retardataires !), ainsi qu'une liste régulièrement mise à jour des heures d'ouverture et des tarifs des musées et des sites (indispensable dès votre arrivée à Florence). Renseignements sur les manifestations culturelles et festives de la province. Enfin, si vous estimez que vous avez été victime d'une arnaque ou tout simplement de mauvaises prestations (hôtelières ou autres), vous pouvez lui adresser une plainte, il la fera suivre. Sympathique et efficace. 2 autres points info, l'un à l'aéroport (voir plus haut), et l'autre via Manzoni *(plan d'ensemble), lun-ven 9h-13h.*

🅘 Sinon, il existe 2 autres ***offices de tourisme*** à Florence (qui dépendent de la *Commune de Florence,* • *comune.fi.it* •) : *piazza della Stazione, 4 (plan couleur I, A1),* ☎ *055-21-22-45, tlj 8h30-19h (14h dim et j. fériés). Et borgo Santa Croce, 29 r (plan couleur I, C3),* ☎ *055-234-04-44, tlj 9h-19h (14h dim et j. fériés) ; horaires restreints nov-mars.*

Visites guidées en français

Il vous est certainement arrivé d'avoir envie de faire appel à un guide pour partir à la découverte de tel ou tel musée, ou de tel ou tel quartier. Si vous êtes plus de trois ou quatre, pourquoi ne le feriez-vous pas ? C'est une solution économique, originale et loin du cliché des visites en groupes. Nul doute que vous visiterez Florence sous un autre angle...

– *Contact :* ***Laurence Aventin,*** 📱 *(00-39) 32-89-12-40-21. Il est préférable de lui envoyer un mail avt votre arrivée (surtout en pleine saison) :* • *guideflorence@libero.it* • *arteflorence.com* • *guiderome.com* • *Compter env 130 € la visite (max 5 pers), le mat ou le soir.* Laurence fait partie d'un réseau de guides francophones en Italie. Dotée d'une solide culture en histoire de l'art, guide conférencière agréée, elle est incollable sur l'histoire de Florence. Elle propose des visites classiques (les Offices, le palazzo Pitti, le palazzo Vecchio) mais aussi des visites thématiques et originales : Florence au féminin, Florence littéraire, parfum de Florence... Elle peut aussi s'adapter à vos envies culturelles. Une visite qui ne manquera pas de compléter agréablement votre séjour florentin.

Informations pratiques pour les sorties : expos, spectacles, concerts

– ***Firenze Spettacolo :*** *en vente à 1,80 € dans ts les kiosques. Sinon, il est également possible de consulter le site* • *firenzespettacolo.it* • À vous procurer dès votre arrivée à Florence, le magazine mensuel le plus complet pour connaître les programmes de spectacles, concerts (classiques, variétés, pop, rock, jazz), expos, ou encore les nouveaux restos branchés de la capitale toscane.

– ***Florence concierge Information :*** magazine mensuel au petit format (pratique !), distribué gratuitement à l'aéroport et à l'office de tourisme de la gare Santa Maria Novella. C'est une mine d'infos pour les spectacles, les expos mais aussi pour les horaires des trains et des avions ou encore pour trouver la pharmacie de garde ouverte 24h/24. Pour en savoir plus : • *florence-concierge.it* •

– ***Florence & Tuscany news :*** un mensuel petit format qui a l'avantage de donner un calendrier exhaustif des expos, concerts, foires... à Florence et dans sa région. Également des infos pratiques ainsi qu'un plan de la ville.

■ ***Box Office*** *(plan couleur I, A1,* ***14****)* **:** *via Alamanni, 39.* ☎ *055-21-08-04.* • *firenze@boxoffice.it* • *boxofficetoscana.it* • *Lun-ven 9h30-19h, sam 9h30-14h. Pas de résa ni de vente par téléphone.* Situé juste à côté de la gare ferroviaire. On s'y procure des billets pour les spectacles en général (théâtre, concerts, etc.).

Représentations diplomatiques

■ ***Consulat de France*** *(plan couleur I, A2,* ***1****)* **:** *piazza Ognissanti, 2. ☎ 055-230-25-56. • consul.honoraire-florence@diplomatie.gouv.fr • Lun-ven 9h-13h, 14h-17h (ap-m sur rdv slt).*

■ ***Consulat de Belgique*** *(plan couleur I, C2)* **:** *via dei Servi, 28. ☎ 055-28-20-94 ou 97. • consubel.firenze@tiscali.it • Lun-ven 9h-12h.*

■ ***Consulat de Suisse*** *(plan d'ensemble)* **:** *piazzale Galileo, 5. ☎ 055-22-24-34. • cons.suisse.firenze@fol.it • Ouv mar et ven 16h-17h.* Sinon, il délivre tous les jours, en semaine, toutes les informations utiles par téléphone.

Poste

✉ ***Poste centrale*** *(zoom couleur, B2-3)* **:** *via Pellicceria, 3, juste à côté de la piazza della Repubblica. ☎ 055-273-64-81. Lun-sam 8h15-19h.* D'autres bureaux de poste un peu partout dans la ville dont voici les principaux :
– *Via Pietrapiana, 53 (plan couleur I, D2). ☎ 055-26-74-21. Lun-ven 8h15-19h, sam 8h15-12h30.*
– *Via Cavour, 71 a (plan couleur I, C1). ☎ 055-46-35-01. Lun-ven 8h15-19h, sam 8h15-12h30.*
– *Galerie des Offices : mar-dim 8h15-18h45.*
– D'autres bureaux : *via Barbadori, 37 r ; piazza Brunelleschi ; via Alamanni, 18 r ; piazza della Libertà, 40 r ; via Magenta, 13 r.*

Internet et wifi

La municipalité de Florence a mis en place une connexion facile et gratuite dans 12 endroits stratégiques de la ville : piazza della Signoria, piazzale Michelangelo, Santa Croce, Santo Spirito, S.S. Annunziata, Libertà, Alberti, Bambini di Beslan, via Canova, Cascine e Parco di S. Donato. Pour avoir la connexion, il suffit d'appeler le ☎ 055-465-00-34 et on vous indiquera la marche à suivre (voir également « Toscane-Ombrie utile », rubrique « Téléphone – télécommunications »).
– ***Internet*** **:** les centres Internet ont poussé comme des champignons après la pluie. On en trouve partout. Différents forfaits intéressants pour les insatiables. On vous signale juste la chaîne *Internet Train* pour ses horaires étendus, mais vous n'aurez aucun mal à en trouver partout dans le centre et ailleurs.

@ ***Internet Train*** **:** *• internettrain.it • Une dizaine d'antennes, dont une à la gare de S. M. Novella (plan couleur I, A1 ; lun-ven 8h30-20h30, sam 9h-20h30, dim 11h-20h), une autre au 33 r du borgo Santa Croce (zoom couleur, C3 ; lun-sam 10h-minuit, dim 11h-minuit), ou encore au 30 r du borgo San Jacopo (zoom couleur, B3 ; tlj 11h-23h).*

@ ***Internet Pitti*** *(plan couleur II, F5)* **:** *piazza Pitti, 7-8 r. ☎ 055-272-88-36. Face au palazzo Pitti. Tlj 11h-23h.* Beaucoup de postes et connexion rapide.

Transports intra-muros

À pied !

C'est vraiment à pied que l'on découvre le mieux la ville. Il faut se perdre dans les ruelles et aller au gré de ses envies d'un musée à un glacier, sinon, possibilité de balades accompagnées (voir « Visites guidées en français » plus haut).

Location de vélos et scooters

■ ***Florence By Bike*** *(plan d'ensemble,* ***3****)* **:** *via San Zanobi, 120-122 r (parallèle à la piazza dell'Indipendenza). ☎ 055-48-89-92. • florencebybike.it • Tlj*

9h-19h30. Loc de bicyclettes, de VTT et de scooters. Compter 14 €/j. pour un vélo de ville et 65 € pour un scooter. Propose des tours accompagnés dans Florence (3h) et dans le Chianti (une journée), pique-nique et découverte des vignobles inclus.

■ ***Alinari*** *(plan couleur I, B1,* ***4****)* **:** *via S. Zanobi, 38 r. ☎ 055-28-05-00. • alinari rental.com • Lun-sam 9h30-13h, 14h30-19h, et dim mat. Compter 55 €/j. pour un scooter et 12 € pour un vélo. Balades à vélo à travers la ville mer-ven : départ à 10h de l'agence.*

Location de voitures

■ ***Program*** *(plan d'ensemble,* ***5****)* **:** *borgo Ognissanti, 135 r. ☎ 055-238-27-24. Lun-ven 8h-18h, sam 8h-13h.* Tarifs avantageux.

■ ***Avis*** *(plan d'ensemble,* ***6****)* **:** *borgo Ognissanti, 128 r. ☎ 055-21-36-29. Ouv 8h-19h (13h dim et j. fériés). Autre bureau à l'aéroport : ☎ 055-31-55-88 (8h-23h30).*

■ ***Europcar*** *(plan couleur I, A2,* ***7****)* **:** *borgo Ognissanti, 53-55 r. ☎ 055-29-04-38. Lun-ven 8h-19h, sam 8h-15h30, dim 8h30-12h30. Bureau à l'aéroport : ☎ 055-31-86-09 (9h-23h).*

■ **Hertz** *(plan couleur I, A2,* ***8****)* **:** *via Maso Finiguerra, 33 r. ☎ 055-23-98-205. Lun-ven 8h-20h, sam 8h-19h, dim 8h-13h. Bureau à l'aéroport : ☎ 055-30-73-70, lun-ven 8h30-22h30, sam-dim 9h30-22h30.*

Parkings publics

Il existe 12 parkings publics à Florence dont les principaux sont :

🅿 ***Parcheggio del Parterre*** *(plan d'ensemble)* **:** *piazza della Libertà (entrée via Madonna della Tosse). Ouv 24h/24. Compter 1,50 €/h ; forfait journalier de 24h à 18 € ; 65 €/sem. Capacité : 650 places.*

🅿 ***Parcheggio Oltrarno*** *(plan couleur II, E5)* **:** *porta Romana (entrée piazza della Calza). Ouv 24h/24. Prévoir 1,50 €/h ; forfait journalier de 24h à 18 € ; 63 €/sem (de 19h à 9h). Capacité : 220 places.*

🅿 ***Parcheggio Stazione Santa Novella*** *(plan couleur I, A1)* **:** *piazza della Stazione. Ouv 24h/24. Compter 2 €/h, puis 3 €/h à partir de la 3e h. Capacité : 620 places.*

– *Pour tt rens complémentaire, appeler le ☎ 055-50-30-21 ou consulter le site • firenzeparcheggi.it •*

– Petite astuce : pour éviter les parkings payants, la piazzale Michelangelo *(plan couleur III, H6)* dispose d'un nombre important d'emplacements gratuits, sans limitation dans le temps. Évitez simplement certaines dates en été, lorsque la place accueille différents concerts.

Institut, livres et journaux français

■ ***Institut français de Florence*** *(Palazzo Lenzi ; plan couleur I, A2,* ***1****)* **:** *piazza Ognissanti, 2. ☎ 055-271-88-01. • istitutofrancese.it • En été, lun-ven 10h-13h, 15h30-19h30 ; sam 10h-13h. En hiver, lun 15h30-19h30 ; mar-sam 10h-13h, 15h30-19h30.* Propose la plus grande sélection de livres francophones de Florence. En plus des cours de français qui y sont donnés, l'institut dispose d'une bibliothèque (accessible aux membres) et organise des conférences, des rencontres, des concerts, ainsi que la projection de films français.

■ ***Librairie française de Florence*** *(plan couleur I, A2,* ***1****)* **:** *piazza Ognissanti, 1 r. ☎ 055-21-26-59. • libfranflo rence@iol.it • En été, lun-ven 10h-19h, sam 10h-13h ; en hiver, lun 15h30-19h30, mar-sam 10h-19h.* Propose la plus grande sélection de livres francophones de Florence.

■ ***Librairies Feltrinelli*** **:** *2 adresses à Florence. Via dei Cerretani, 30-32 r*

FLORENCE ET SES ENVIRONS

*(zoom couleur, B2, **11**).* ☎ *055-238-26-52.* ● *lafeltrinelli.it* ● *Lun-ven 9h30-20h, sam 10h-20h, dim 10h30-13h30, 15h30-19h30. Via Cavour, 12 (plan couleur I, C1, **11**). Lun-sam 9h-19h30.* Un rayon de livres en français. Également une section tourisme conséquente avec cartes et plans (en français toujours).

■ **Librairie Martelli** *(zoom couleur, B2, **12**) : via dei Martelli, 22 r. Lun-sam 9h-20h, dim 10h-20h. Connexion Internet.* Grande librairie sur 2 étages. Un grand choix de livres sur la Toscane et Florence en italien bien sûr, mais également en anglais et en français, ainsi qu'un petit rayon de romans français. Terrasse au 1er étage sous une grande verrière où l'on peut boire un café, agréable aux beaux jours.

■ **Melbookstore** *(zoom couleur, B2, **13**) : via dei Cerretani, 16 r.* ☎ *055-28-73-39. Tlj 9h-20h (jusqu'à minuit jeu-sam).* Grand choix de livres avec un rayon en français correctement fourni.

Urgences

Voir aussi la rubrique « Urgences » dans « Toscane-Ombrie utile » en début de guide.

■ Pour toute plainte ou déclaration à faire à la police, adressez-vous à l'un des ***commissariats*** suivants :
– Police d'État, *via Pietrapiana, 50 r (plan couleur I, D2).* ☎ *055-20-39-11 (standard) ou* ☎ *055-203-912-27 et* ☎ *055-203-912-21 (agent francophone). Lun-ven 8h30-19h30, jusqu'à 13h30 sam.*
– Carabinieri, *borgo Ognissanti, 48 (plan couleur I, A2).* ☎ *055-248-11. Ouv 24h/24.*

■ ***Pharmacies :*** pour connaître l'adresse des pharmacies de garde, jetez un coup d'œil sur la vitrine de n'importe quelle pharmacie.
– Il existe 3 pharmacies ouv 24h/24 : *la **Comunale n° 13,** à la gare centrale (plan couleur I, A1), entre le* McDo *et la sortie de droite quand on fait face aux quais,* ☎ *055-28-94-35 ou 055-21-67-61 ; **Molteni,** via dei Calzaiuoli, 7 r (zoom couleur, B3),* ☎ *055-28-94-90 ; **All'Insegna del Moro,** piazza di San Giovanni, 20 r (zoom couleur, B2, **15**), face au baptistère,* ☎ *055-21-13-43.*
– 2 pharmacies ouv 20h-9h : ***Paglicci,*** *via della Sacla, 61,* ☎ *055-21-56-12, et **Di Rifredi,** piazza Dalmazia, 24 r,* ☎ *055-422-04-22.*

■ ***Médecin généraliste français :*** *Guy Brière, lungarno del Tempio, 40.* ☎ *055-66-08-67.*

■ ***Ambulances :*** ☎ *055-21-22-22 ou 055-21-55-55.*

■ ***Hôpital S. Maria Nuova*** *(plan couleur I, C2) : piazza S. Maria Nuova, 1.* ☎ *055-275-81.*

■ ***Hôpital pédiatrique Meyer*** *(hors plan couleur I par A1) : viale Pieraccini, 24, Careggi.* ☎ *055-566-21.* ● *ao-meyer.toscana.it* ●

Où dormir ?

Les prix sont très élevés en haute saison, qui correspond aux saisons intermédiaires : le printemps et l'automne. Il y fait moins chaud ; c'est donc une période idéale pour visiter Florence. C'est une idée répandue de croire que la période estivale est la plus dense pour les hôtels, bien au contraire ! Les hôteliers pratiquent des prix intéressants pour remplir leurs hôtels en juillet et août. En effet, c'est souvent à cette époque que les visiteurs délaissent la chaleur étouffante de Florence et ses musées (rarement climatisés) pour la région plus ombragée du Chianti. Hors saison (de novembre à mars), tout devient plus raisonnable... Attention cependant aux périodes de Noël et du Nouvel An où les hôteliers en profitent ! Quelques conseils :
– Les personnes voyageant seules sont désavantagées : le prix des chambres simples est peu inférieur à celui des doubles.
– N'oubliez pas la grande différence de prix entre la haute et la basse saison (cela peut aller du simple au double !).

– ***Sur Internet,*** on peut faire de bonnes affaires. N'hésitez pas à vous connecter régulièrement aux sites des hôtels ou *B & B* qui vous intéressent. En fonction du remplissage, il peut y avoir de belles surprises...
– ***Réservez votre hébergement le plus tôt possible.*** Méfiez-vous toutefois des réservations faites par téléphone, car l'hôtelier les « oublie » parfois. Faites-vous confirmer ces réservations par mail ou par courrier. C'est plus sûr.

AGENCES DE LOCATION D'APPARTEMENTS DEPUIS LA FRANCE

C'est un très bon moyen de faire des économies et d'apprendre à se débrouiller comme un autochtone, à condition bien sûr de rester plusieurs jours sur place. La différence n'est pas négligeable, surtout si vous êtes entre amis ou en famille ! Voir la rubrique « Hébergement » dans le chapitre « Toscane-Ombrie utile ».

CAMPINGS

Ostello della gioventù Villa Camerata *(hors plan d'ensemble)* **:** *voir plus loin la rubrique « Auberges de jeunesse et maisons d'étudiants » pour les coordonnées. Compter 25 € pour 2 avec tente et voiture.* Pas connu et par conséquent pas très fréquenté, un camping convivial tout simple dans un environnement calme et arboré à faible distance du centre-ville.

Camping Michelangelo *(plan couleur III, H7,* ***20****)* **:** *viale Michelangiolo, 80. ☎ 055-681-19-77. • michelangelo@ecvacanze.it • ecvacanze.it • Pour s'y rendre, prendre le bus n° 12 (à la gare centrale). Compter 35 € pour 2 avec tente et voiture. Également tente à louer équipée pour 2 (sommier et matelas) env 36 €. Internet, wifi.* Difficile de faire plus central ! Malheureusement, cette situation de monopole n'incite pas toujours la direction à faire du zèle. Beaucoup de monde en haute saison, ce qui contraint les campeurs à s'entasser. Atmosphère communautaire... et très bruyante. La vue sur la ville est superbe depuis les emplacements en escalier ou la terrasse du bar. Bien équipé : laverie, bar-resto, magasins, aire de jeux pour les enfants et... l'ombre des oliviers.

Camping Internazionale **:** *via San Cristofano, 2, 50029 Bottai-Impruneta. ☎ 055-237-47-04. • internazionale@florencecamping.com • florencecamping.com • À 6 km au sud de la ville. De l'autoroute A1, sortir à « Autosole Firenze-Certosa ». De la ville, emprunter la route de Sienne et de la Certosa del Galluzzo ; bien indiqué. Sinon, bus n° 37 (le jour) et n° 68 (21h-minuit). Ouv tte l'année. Compter 35 € pour 2 avec tente et voiture. Douches et électricité gratuites. Également mobile homes (4 pers) 60-80 € et chalets (2-4 pers) 50-115 € selon saison. Internet.* Vaste camping avec piscine situé pratiquement en face de la chartreuse de Galuzzo. Les emplacements ombragés tapissent une petite colline d'où l'on perçoit toutefois le ronronnement de l'*autostrada* voisine. Propre et bien équipé (épicerie, resto, piscine...), mais surpeuplé en saison. Hyper pratique pour aller dans le centre de Florence ou pour faire une excursion dans le Chianti. Et comme les emplacements ne sont pas délimités, on a vite l'impression de se retrouver comme des sardines dans une boîte !

AUBERGES DE JEUNESSE ET MAISONS D'ÉTUDIANTS

Mise en garde à l'intention des fêtards et des couples : les auberges de jeunesse imposent un couvre-feu... et la non-mixité des dortoirs pour la plupart.

À l'extérieur de la ville

Ostello della gioventù Villa Camerata *(hors plan d'ensemble)* **:** *viale Augusto Righi, 4. ☎ 055-60-14-51. • hihostels.com • Bus n° 17 (direc-*

tion Coverciano) depuis la gare de S. M. Novella ou la place du Duomo (l'auberge est à 4 km au nord-est). Ouv 7h-minuit (couvre-feu négociable pour les petits groupes). Résa indispensable et carte des AJ requise (ou prévoir un petit supplément). Compter 20 € en dortoir de 4 à 10 lits ; 33 € pour une double, petit déj compris. Également un terrain de camping tout simple (équipements min), mais très agréable et reposant. Prévoir moins de 25 € pour 2 avec tente et voiture. Douches chaudes gratuites. Chambres fermées 10h-14h. CB refusées. Internet. La plus grande auberge de jeunesse de la ville, avec près de 350 places. Excentrée, mais située dans un immense jardin à l'italienne planté d'espèces rares et de quelques vignes. Le bâtiment vaut le détour à lui tout seul avec sa façade ocre du XVe s et son vaste portique... Beaucoup de charme, même si les dortoirs se révèlent sans surprise et d'une simplicité toute fonctionnelle. Sanitaires communs propres. Laverie, cafétéria et projection quotidienne de films... en anglais.

Dans le centre

Ostello Gallo d'Oro *(plan d'ensemble, **25**) : via Cavour, 104. ☎ 055-552-29-64. • info@ostellogallodoro.com • ostellogallodoro.com • Au 1er étage.* Voir « Dans les quartiers de San Lorenzo et San Marco. Bon marché ».

Ostello Archi Rossi *(plan couleur I, B1, **26**) : via Faenza, 94 r. À 200 m de la gare ferroviaire. ☎ 055-29-08-04. • info@hostelarchirossi.com • hostelarchirossi.com • Réception 6h30-2h. La nuit en dortoir (3-11 lits) 18-26 €, petit déj léger compris. 2 doubles 80 €. Internet, wifi.* Une AJ hyper active, envahie de groupes de jeunes occupés à refaire le monde ou à jouer aux cartes. Déco kitschissime avec des fresques peintes par les étudiants des Beaux-Arts et une cour intérieure pseudo-antique. Dortoirs basiques mais nickel. Des petits « plus » : lave-linge, énorme télé-vidéo et consigne. Possibilité aussi d'y dîner (sauf le samedi) pour 6-8 € et de boire un verre au bar pour faire connaissance. Également, frigo et micro-ondes à disposition. Terrasse, jardin. Bref, que du bon !

Dans l'Oltrarno

L'Ospitale delle Rifiorenze *(plan couleur II, E4, **23**) : piazza Piattellina. ☎ 055-21-67-98. • info@firenzeospitale.it • firenzeospitale.it • Ouv début avr-fin oct slt. 20 chambres de 4 lits max. Compter 15 €/pers pour 4 ; 23 €/pers pour 2 ; 30 € pour 1 pers. Ajouter l'adhésion à l'association : 4 €/pers.* Gérée par une association humanitaire qui accueille durant l'hiver les SDF, cette auberge de jeunesse est tenue uniquement par des bénévoles. Chambres avec lits superposés hyper basiques mais très propres. Les jeunes qui viennent ici cherchent à profiter de Florence tout en étant des touristes responsables. Tous les lundis, séance ciné à 21h30 (gratuit une fois qu'on a adhéré), spectacles fréquents, concerts, etc. Un vrai lieu de vie, simple, une ambiance des plus conviviale propice aux rencontres. Situé dans le quartier animé de San Frediano... et, en plus, on fait une bonne action !

Foresteria Istituto Gould *(plan couleur II, E4, **24**) : via dei Serragli, 49. ☎ 055-21-25-76. • foresteriafirenze@diaconiavaldese.org • istitutogould.it • ♿ Réception lun-ven 8h45-13h, 15h-19h30 ; sam 9h-13h30, 14h30-18h ; fermé dim et j. fériés. Ici, pas de souci pour le soir, car la maison remet les clés. Résa conseillée. Dortoir (5 lits) 22 €/pers ; doubles avec sdb commune ou privée 56-66 €. Avr-oct, petit déj possible pour 5 €. Parking (payant).* Un bel établissement protestant tenu avec sérieux : chambres sobres, très propres, confortables et bien finies. Préférez celles qui donnent sur le paisible jardin intérieur (un poil plus chères). Pour info, il s'agit d'un organisme caritatif qui consacre ses bénéfices au soutien éducatif d'enfants en difficulté. Une excellente adresse qu'on vous recommande chaudement !

Ostello Santa Monaca *(plan couleur II, E4,* ***27****) : via Santa Monaca, 6. ☎ 055-26-83-38. • info@ostello.it • www.ostello.it • Résa par e-mail slt ; sinon, se présenter le mat, le plus tôt possible (ouv à 6h) et laisser son nom sur une liste d'attente. L'attribution se fait dès 9h30, lorsque les lits ont été libérés. Couvre-feu à 2h. Dortoirs mixtes de 4 à 20 lits 15-20 € (draps fournis). Également des chambres doubles (à partir de 80 €). Internet, wifi. Réduc de 10 % sur le prix de la chambre nov-fév (sf en déc) sur présentation de ce guide.* AJ ouverte à tous, sans limitation d'âge (carte AJ pas obligatoire). Attention, les chambres sont fermées de 10h à 14h. Située dans un palais du XVe s, c'est une vaste AJ privée, située à deux pas de la piazza del Carmine. La déco n'est pas exceptionnelle, mais les équipements et l'entretien sont tout à fait convenables. Dortoirs fonctionnels équipés de casiers et de ventilos, blocs sanitaires corrects. Côté services : cuisine basique à dispo (mais apporter son matériel), lave-linge, TV, consigne. Vaste salle commune aussi, avec distributeurs de boisson et snack.

LES INSTITUTIONS RELIGIEUSES

À l'extérieur de la ville

Antico Spedale del Bigallo : *via Bigallo e Apparita, 14, 50012 Bagno a Ripoli (suivre les panneaux marron indiquant ce monument historique). ☎ 055-63-09-07. • info@bigallo.it • bigallo.it • À 8 km au sud-est de Florence, compter 25 mn avec le bus n° 33 depuis la gare S. M. Novella ou la gare Campo di Marte (ou n° 71 21h-0h30), arrêt : La Fonte, puis 15 mn à pied. Fermé 1er janv-31 mars. Check in : 18h-22h. Compter env 25 € par lit, ou 78 € la chambre double, petit déj compris. Réduc de 10 % sur le prix de la chambre sur présentation de ce guide.* Depuis le XIIIe s, cette vieille hostellerie a pour vocation d'accueillir les pèlerins. Rien n'a vraiment changé, les messes en moins ! Dans la cuisine, la cheminée est assez grande pour rôtir des sangliers, la vaisselle est faite dans des éviers en pierre, et les grosses tables communes entretiennent la camaraderie. On dort dans différents dortoirs aux lits juchés sur des estrades ou répartis dans de petites alcôves aux allures monacales. Un dépouillement digne du *Nom de la rose*, qui ne manque pas de charme ! Et puis la campagne toscane est si belle...

Dans le centre

Istituto oblate dell'Assunzione *(plan couleur I, D2,* ***22****) : borgo Pinti, 15. ☎ 055-248-05-82. • sroblateborgopinti@virgilio.it • ♿ Résa indispensable car minuscule. Compter 90 € pour une chambre avec sdb, petit déj en sus (5 €). Chambres 1-4 pers. CB refusées. Parking privé (10 €/j.).* Derrière une entrée discrète, un couvent tout à fait recommandable : belles chambres (malgré une literie « d'époque »), très propres (salle d'eau impeccable) et équipées du téléphone. Certaines donnent sur un grand jardin intérieur accessible aux résidents. Évidemment atmosphère très tranquille, à l'inverse de la rue souvent bruyante... Couvre-feu à minuit. Accueil tout en simplicité et gentillesse.

Dans l'Oltrarno

Casa Santo Nome di Gesù *(plan couleur II, E4,* ***21****) : piazza del Carmine, 21. ☎ 055-21-38-56. • info@fmmfirenze.it • fmmfirenze.it • Fermé 3 sem en janv. Réception tlj 6h30-11h30. Résa conseillée. Doubles avec sdb com-*

mune ou privée 70-85 € selon saison, petit déj inclus. Chambres familiales également (4-5 lits) 120-175 €. Parking payant. Vieux palais florentin du XVe s à la façade ocre, tenu à la perfection par des sœurs franciscaines francophones, accueillantes et chaleureuses. Atmosphère feutrée propice au repos. Chambres plaisantes, pourvues d'un mobilier ancien, sans AC mais avec ventilos. Celles qui donnent sur la rue peuvent être un peu bruyantes. Le beau jardin du palais est seulement accessible aux résidents : dommage ! Si vous êtes 4, demandez la chambre n° 8, particulièrement agréable avec ses colonnes et sa fresque au plafond. Évitez les n°s 6 et 7, donnant directement sur la place. Avis aux fêtards, cette adresse n'est pas pour vous : couvre-feu à 23h30 (23h l'hiver !)...

HÔTELS, PENSIONS et B & B

Dans les quartiers de San Lorenzo et San Marco
(plan d'ensemble et plan couleur I, B-C-D1)

Bon marché

⌂ ***Plus Florence*** *(plan d'ensemble, **62**) : via Santa Caterina d'Alessandra, 15-17. ☎ 055-46-289-34. • plusflorence.com • Compter 22 €/pers en dortoir et env 30 € pour des chambres de 2 à 4 lits. Internet, wifi.* Voici un endroit étonnant, en plein centre de Florence, pour étudiants de tous pays. Tout est fonctionnel et d'une propreté irréprochable. Quant aux chambres, elles sont spacieuses et joliment colorées (avec une mention spéciale pour celles des filles aux murs parme). Ambiance conviviale où l'on croise des *backpackers* du monde entier, qui n'hésitent pas à se refiler moult conseils et bonnes petites adresses. Soirées à thème qui renforcent forcément les liens amorcés dans la journée au bar ou au bord de la piscine intérieure. Également une agréable terrasse sur le toit de l'immeuble, et quelle vue mes amis ! Un endroit à recommander, mais le bouche-à-oreille fonctionne tellement bien qu'il faut désormais réserver au plus vite...

⌂ ***Ostello Gallo d'Oro*** *(plan d'ensemble, **25**) : via Cavour, 104. ☎ 055-552-29-64. • info@ostellogallodoro.com • ostellogallodoro.com • Au 1er étage. Fermé 20 déc-4 janv. Lit env 30 € en chambre commune, ou double avec douche et w-c à partir de 70 € ; petit déj compris. Possibilité de parking (payant). Internet, wifi. Réduc de 10 % sur le prix de la chambre sur présentation de ce guide.* À voir cet immeuble moderne partagé entre médecins et avocats, on ne s'attend pas à dénicher ici une petite structure conviviale parfaitement tenue. Des chambres avec moquette et sanitaires propres, une salle à manger où l'on peut se préparer quelques petits plats. L'esprit d'une auberge de jeunesse, mais le confort d'un petit hôtel ! Sans doute l'un des meilleurs rapports qualité-prix du centre-ville, à une vingtaine de minutes à pied du *Duomo.*

Prix moyens

⌂ ***Il Giglio d'oro*** *(hors plan couleur I par D1, **65**) : via Pacinotti, 11. ☎ 055-011-27-39. • info@ilgigliodoro.eu • ilgigliodoro.eu • Au nord-est du centre-ville. Doubles 50-90 € selon saison. Wifi. B & B* un peu excentré certes, mais tellement agréable ! Petit havre de tranquillité joliment arrangé par un jeune couple franco-italien. Adorable petit jardin d'intérieur où il fait bon prendre son petit déj aux beaux jours ou se reposer après une journée de visite (les chaises longues sont si tentantes, ma foi !). Bonne literie et déco cosy (boutis, carrelage d'époque, rocking-chairs). C'est propre et l'accueil de Célia et Edo saura rendre votre séjour agréable.

⌂ ***Hotel Lorena*** *(plan couleur I, B1-2,*

34) : via Faenza, 1 (angle piazza Madonna). ☎ 055-28-27-85/86. • info@hotellorena.com • hotellorena.com • Fermeture 2h-6h du mat (fêtards, passez votre chemin !). Doubles avec sdb 50-108 € selon affluence et saison. Petit déj en sus 5 €. Parking à 50 m (20 €/j.). Internet, wifi. Très bien situé, ce petit hôtel familial dispose de chambres confortables (TV, double vitrage...) mais sans charme. Quelques privilégiées (les n°s 42 et 43) bénéficient d'une belle vue sur la piazza Madonna.

🏨 ***Hotel Accademia*** *(plan couleur I, B1-2, **46**) : via Faenza, 7. ☎ 055-29-34-51. • info@hotelaccademiafirenze.com • hotelaccademiafirenze.com • Doubles avec sdb 55-130 €, petit déj-buffet inclus. Internet.* L'entrée fait bonne impression, avec son escalier tout de velours rouge revêtu. Les chambres (TV, AC...) reliées par un dédale de couloirs sont confortables. Petite cour intérieure, salle pour le petit déj et espaces communs conviviaux (avec Internet, jeux de dames et d'échecs).

🏨 ***Hotel Giada*** *(plan couleur I, B1, **43**) : via del Canto dei Nelli, 2. ☎ 055-21-53-17 ou 79-80. • info@hotelgiada.com • hotelgiada.com • Doubles avec sdb 65-130 €, petit déj inclus. Également des triples et des quadruples (115-140 €).* Au cœur du marché San Lorenzo, un hôtel sans surprise qui a l'avantage d'être bien placé. Chambres pas bien grandes. Des améliorations au niveau de la déco et de la salle de bains seraient les bienvenues. Rien à redire sur la propreté.

De chic à plus chic

🏨 ***Residenza Johlea*** *(plan d'ensemble, **36**) : via San Gallo, 76. Pas très loin de la piazza della Libertà. ☎ 055-463-32-92 (précisez le nom de l'hôtel, car 4 autres hôtels font partie du même groupe). • johlea@johanna.it • johanna.it • Réception 8h30-20h. Doubles 90-120 €, petit déj compris.* Cette adresse intime a tout de la chambre d'hôtes : intérieur cossu, déco raffinée et atmosphère chaleureuse. Petits gâteaux et thé servis à toute heure de la journée. Un des meilleurs rapports qualité-prix et un accueil des plus charmant complètent ce tableau idyllique.

🏨 ***Antica Dimora Johlea*** *(plan d'ensemble, **36**) : via San Gallo, 80. ☎ 055-463-32-92. • johlea@johanna.it • johanna.it • Superbes doubles env 135-170 €. Internet, wifi.* Gérée par le même propriétaire que la précédente adresse, mais avec des chambres d'une gamme supérieure. Au dernier étage d'un palais du XIXe s, cette délicieuse demeure florentine offre de belles chambres avec de beaux espaces dont certains avec lits à baldaquin. Le privilège de cette adresse : la très jolie terrasse sur le toit où l'on peut prendre le petit déjeuner en profitant de la vue sur la coupole du *Duomo.* L'ambiance cosy et l'accueil affable incitent à y revenir. Excellent rapport qualité-prix.

🏨 ***Antica Dimora Firenze*** *(plan d'ensemble, **37**) : via San Gallo, 72. ☎ 055-462-72-96. • info@anticadimorafirenze.it • anticadimorafirenze.it • Chambres 100-150 €, petit déj compris. Internet, wifi. 2 nuits payées, la 3e offerte sur présentation de ce guide en nov, fév et mars.* Même direction que les 2 précédentes adresses et autant de charme. Avec ses lits à baldaquin et ses meubles de style, cette adresse discrète promet à ses hôtes un séjour de charme à la florentine. Rien n'est laissé au hasard, à l'image du thé servi dans le petit salon au retour d'une promenade. Luxe, calme et volupté...

🏨 ***Hotel Royal*** *(plan d'ensemble, **41**) : via delle Ruote, 50-54. ☎ 055-48-32-87. • info@hotelroyalfirenze • hotelroyalfirenze.com • Doubles 160-250 €. Parking. Internet.* Un véritable havre de paix non loin du bouillonnant quartier de la gare. Cet îlot résidentiel réjouira les amateurs de calme et de tranquillité. Bel endroit où le temps semble s'être arrêté. Jardin séculaire où la piscine vous attend et les chaises longues vous tendent les bras. Les chambres confortables et spacieuses ont été décorées avec goût et respect de la tradition toscane. Accueil élégant et professionnel.

Dans le quartier de Santa Maria Novella
(plan couleur I, A-B1-2 et zoom couleur, B2)

Bon marché

▲ ***Albergo Paola*** *(plan couleur I, B1,* ***31****) : via Faenza, 56. ☎ 055-21-36-82. • infoalbergo@paola.com • albergopaola.com • Au 3e étage. Double avec douche 66 €. Compter 20 €/pers en chambre de 6. Internet, wifi.* Un endroit qui tend plus vers une AJ qu'un hôtel. Il aligne une poignée de chambres au 3e étage (sans ascenseur) d'un immeuble très central. Les toilettes sont en commun, mais le niveau de confort est honnête. Mobilier gai et coloré. Une bonne option à prix doux, à deux pas du centre.

Prix moyens

▲ ***Hotel Abaco*** *(zoom couleur, B2,* ***32****) : via dei Banchi, 1. ☎ 055-238-19-19. • abacohotel@tin.it • hotelabaco.it • Doubles à partir de 70 € avec douche. Petit déj 5 €. Parking payant. Internet, wifi.* Au 3e étage sans ascenseur, voici un tout petit établissement qui plaît dès qu'on y entre : outre l'accueil de Bruno, le charmant propriétaire, on découvre des chambres pleines de personnalité, décorées avec goût et étonnamment confortables pour le prix (excellent double vitrage, et AC pour quelques euros de plus). Également un petit bar et un coin petit déj en vieux bois très convivial (servi un peu tard, donc peu pratique pour ceux qui veulent excursionner tôt dans la région). Plus qu'un hôtel, un lieu de séjour. Le personnel est extra. Un bon rapport qualité-prix dans le quartier.

▲ ***Il Ghiro*** *(plan couleur I, B1,* ***33****) : via Faenza, 63. ☎ 055-28-20-86. • info@ilghiro.it • ilghiro.it • Réception 9h-18h. Compter de 45-60 € (douche et w-c communs) à 70 € (avec sdb privée). 25 €/pers en dortoir. Internet, wifi.* Cette petite adresse dégage un je-ne-sais-quoi de vaguement rebelle et anticonformiste avec ses affiches pour le forum international. Rien de révolutionnaire toutefois, mais une *guesthouse* fraternelle tenue par des jeunes, avec une cuisine équipée pour partager ses spécialités ! Chambres très fréquentables et propres (elles ne sont que 2 à se partager une salle d'eau commune). Accueil joyeux.

▲ ***Hotel Nella*** *(plan couleur I, B1,* ***33****) : via Faenza, 69. ☎ 055-265-43-46. • welcome@hotelnella.net • hotelnella.net • Doubles à partir de 70 € sans ou avec sdb. Réduc de 10 % sur le prix de la chambre sur présentation de ce guide.* Pension sans charme aucun, mais la propreté des chambres et l'accueil sympathique de Mohamed convaincront les indécis. Celles au 2nd étage disposent même de l'AC.

▲ ***Albergo Merlini*** *(plan couleur I, B1,* ***31****) : via Faenza, 56. ☎ 055-21-28-48. • info@hotelmerlini.it • hotelmerlini.it • Au 3e étage sans ascenseur du palazzo Barbera. Fermeture des portes à 1h. Congés en août. À partir de 80 € la double selon saison. Petit déj en supplément (6 €). Internet. Réduc de 10 % sur le prix de la chambre sur présentation de ce guide.* Pension située dans un palais du XVIIIe s. Le tout est propre et bien tenu, avec un brin de caractère pour certaines chambres très calmes, surtout lorsqu'elles profitent de la vue sur le *Duomo,* le campanile et la chapelle médicéenne. Belle salle à manger. Les propriétaires sont hyper disponibles pour vous donner des infos pratiques sur la ville.

▲ ***Residenza Castiglioni*** *(zoom couleur, B2,* ***38****) : via del Giglio, 8. ☎ 055-239-60-13. • info@residenzacastiglioni.com • residenzacastiglioni.com • Au 2e étage (ascenseur). Chambres 75-180 €. Wifi.* La différence de prix se justifie par la présence ou l'absence de fresques peintes dans la chambre. À l'étage de la réception, chambres supérieures avec déco florentine plutôt réussie (un bémol pour le carrelage cependant). Au 3e étage, chambres plus modernes mais toutes avec un très bon confort. Coin salon-bar pour papoter avec les autres résidents ou avec l'intarissable patron. Une bonne adresse idéalement située.

Hotel Azzi – Locanda degli artisti *(plan couleur I, B1, **31**) : via Faenza, 56/58 r. ☎ 055-21-38-06. • info@hotelazzi.it • Doubles 80-120 € selon saison et standing, petit déj inclus. Possibilité de parking. Internet.* Également une suite avec Jacuzzi. Cette « pension d'artistes » possède un cachet certain avec ses chambres meublées à l'ancienne, son sol parqueté, sa vue sur les toits, son atmosphère confinée. Matériaux écolos, belle bibliothèque fournie, salon avec cheminée, une terrasse et un petit sauna. En un mot : tranquillité.

Hotel Cosimo de Medici *(plan couleur I, B1, **45**) : largo Fratelli Alinari, 15. ☎ 055-21-10-66. • info@cosimodemedici.com • cosimodemedici.com • Au rdc à gauche dans le hall d'entrée de l'immeuble. Doubles avec sdb 80-180 €, petit déj inclus. Parking privé payant. Internet, wifi.* Accueil professionnel (et francophone). Les chambres, avec leurs belles tentures, leur mobilier design, leurs lumières tamisées... ont tout le confort adéquat. Petite cour intérieure l'été pour le petit déj. Ambiance décontractée.

Hotel Varsavia *(zoom couleur, B2, **40**) : via dei Panzani, 5. ☎ 055-21-56-15. • info@hotelvarsavia.it • hotelvarsavia.it • Doubles avec douche et w-c ou bains 70-150 € selon saison, petit déj compris.* Complètement surestimé en haute saison, cet hôtel agréable devient une bonne affaire lorsque les chambres se négocient entre 70 et 100 €. Bon niveau de confort (TV, téléphone, AC) et un petit effort louable dans la déco. Et puis, si la rue Panzani est très bruyante, le triple vitrage a globalement raison de la *rumore,* comme on dit en italien.

Domus Florentiae *(plan couleur I, A2, **42**) : via degli Avelli (sur la piazza di Santa Maria Novella). ☎ 055-265-46-45. • info@domusflorentiahotel.com • domusflorentiahotel.com • Compter 95-250 € selon saison et vue, à l'arrière ou, le must, sur la place. Internet.* Dans un palais du XVIe s, un hôtel tout confort (TV, AC, frigo...), avec un mobilier choisi avec soin. Une adresse de haut standing à prix acceptable.

Hotel Burchianti *(zoom couleur, B2, **38**) : via del Giglio, 8. ☎ 055-21-27-96. • hotelburchianti@virgilio.it • hotelburchianti.it • Doubles avec douche et w-c 100-180 € (pour les suites) selon saison, petit déj compris.* Cette petite pension de charme, à l'abri des regards, occupe l'une de ces vieilles demeures qui fleure bon le Florence d'antan, à peine la lourde porte entrouverte. Des meubles de style agrémentent les vastes chambres, toutes couvertes de fresques du XVIIe s (celle réservée aux jeunes mariés en lune de miel est particulièrement jolie). De quoi faire de beaux rêves ! En revanche, le confort est bien du XXIe s. Une escapade romantique ? Cette adresse est pour vous. Accueil en français, de surcroît.

Très chic

J.K. Place *(plan couleur I, A2, **47**) : piazza di Santa Maria Novella, 7. ☎ 055-264-51-81. • jkplace@jkplace.com • jkplace.com • Chambres à partir de 300 € et jusqu'à... 1 000 € en hte saison pour une (superbe) suite. Internet.* Magnifique hôtel design alliant patrimoine de palais florentin avec une déco résolument moderne, très réussie. Les chambres, toutes différentes, toutes charmantes, offrent un confort irréprochable. Chaque meuble a été choisi avec soin, les pièces communes dégagent beaucoup de chaleur et le personnel est aux petits soins. Au dernier étage, somptueuse terrasse. Bien sûr, tout cela se paie (très cher) ! Également le *J.K. Lounge* (réservé à l'usage exclusif des hôtes), idéal pour prendre un dernier verre ou discuter avec les autres convives. Pour les routards amoureux aux portefeuilles bien fournis.

Grand Hotel Minerva *(plan couleur I, A2, **48**) : piazza di Santa Maria Novella, 16. ☎ 055-272-30. • info@grandhotelminerva.com • grandhotelminerva.com • Doubles à partir de 200 €, petit déj-buffet inclus. Internet, wifi. Remise* *intéressante en fonction du remplissage.* Idéalement situé, à deux pas du cœur historique, cet hôtel imposant aligne des chambres élégantes et sobres dans les tons crème et propose évidemment la panoplie complète des services attendus dans ce genre d'endroit... L'atout indéniable qui le différencie de ses homologues : la piscine et la terrasse sur le toit avec un panorama sur le *Duomo* et le campanile. Les portes des chambres ornées de photographies en taille réelle de vieilles portes florentines apportent une touche originale.

Hotel Santa Maria Novella *(plan couleur I, A2,* ***49****) : sur la place du même nom, au n° 1. ☎ 055-27-18-40. • info@hotelsantamarianovella.it • hotelsantamarianovella.it • Doubles 200-280 €, petit déj inclus. Internet, wifi.* Belles chambres joliment classiques et décorées dans un style florentin revisité. Salles de bains majestueuses en marbre, beaucoup de classe et confort douillet. Belle terrasse panoramique pour admirer les toits rouges de la ville et les plus beaux monuments. Sauna. Centre de fitness. Accueil très pro.

Entre Santa Maria Novella et l'Arno

(plan couleur I, A-B-C1-2 et zoom couleur, B-C2)

Prix moyens

Tourist House *(plan couleur I, A2,* ***50****) : via della Scala, 1. ☎ 055-26-86-75. • info@touristhouse.com • touristhouse.com • Double avec bains 90 €, petit déj compris. Wifi. Réduc de 10 % sur le prix de la chambre sur présentation de ce guide sf pont de l'Ascension, Pâques et fêtes de fin d'année.* Petite structure bien située, qui a le gros avantage de concentrer ses chambres sur l'arrière du bâtiment ou autour d'une petite cour intérieure. Les durs de la feuille pourront toujours choisir une chambre côté rue pour profiter à plein de l'animation de la piazza di Santa Maria Novella ! Pour le reste : propre, sobre et ventilo ou AC pour tout le monde.

Hotel Scoti *(zoom couleur, B2,* ***51****) : via dei Tornabuoni, 7. ☎ 055-29-21-28. • hotelscoti@hotmail.com • hotelscoti.com • Doubles avec bains 105-115 €, petit déj en sus (5 €). Familiales 130-155 €.* Sur l'une des avenues les plus prestigieuses de Florence, et niché dans un vaste palais du XVIe s, le *Scoti* se divise en 2 structures d'à peine une dizaine de chambres. D'une part, l'*albergo,* avec des chambres parfaitement calmes, adaptées et avantageuses pour les familles. D'autre part, des chambres classées « *Residenza d'Epoca* » côté avenue, à la déco assez sobre, impeccables, spacieuses, parfaitement équipées et indépendantes. L'ensemble a beaucoup de caractère avec ses appartements meublés à l'ancienne et ornés de fresques originelles dans les parties communes et sa vue sur les toits. En prime, accueil absolument charmant.

Bellevue House *(plan couleur I, A2,* ***52****) : via della Scala, 21. ☎ 055-260-89-32. • info@bellevuehouse.it • bellevuehouse.it • Doubles avec douche et w-c 60-110 €, triples 70-140 € sans petit déj.* B & B intime situé au 3e et dernier étage, mais, si vous n'avez pas prévenu de l'heure de votre arrivée, il faudra peut-être sonner au 1er où Antonio, le charmant propriétaire, a son appartement privé. Il s'agit d'un ancien palais, comme en témoigne la fresque tapissant la voûte de la cage d'escalier. Déco soignée, claire et accueillante pour quelques chambres confortables (AC et TV). Accueil sympathique et en français de surcroît !

Hotel Argentina *(plan d'ensemble,* ***28****) : via Curtatone, 12. ☎ 055-239-82-03. • info@hotelargentina.it • hotelargentina.it • Double 65 €. Parking. Internet.* Non loin de l'Arno, dans un quartier calme, tout en étant à proximité de la gare Santa Maria Novella, ce petit hôtel familial propose une vingtaine de chambres climatisées, propres et claires. Mobilier en fer forgé, copieux petit déjeuner. Accueil convivial. Bref, une valeur sûre !

Hotel Bretagna *(zoom couleur, A3,* ***53****) : lungarno Corsini, 6. ☎ 055-28-96-18. • info@hotelbretagna.net • hotelbretagna.net • Doubles 75-150 € sans ou avec sdb, petit déj compris.* Sur les bords de l'Arno, un hôtel de taille moyenne, situé dans le palazzo Gianfigliazzi (ancienne habitation de Louis Bonaparte). Les parties communes ont conservé le cachet de l'ancien et les chambres confortables (AC, TV) sont dotées de meubles chinés. La plupart donnent sur l'arrière, préférez les chambres avec Jacuzzi et vue sur le fleuve, qui ont été entièrement refaites (plus chères, forcément !).

Hotel Pensione Elite *(plan couleur I, A2,* ***55****) : via della Scala, 12. ☎ 055-21-53-95. • hotelelitefi@libero.it • Au 2e étage. Compter 75 € pour une double avec douche (w-c sur le palier) et 90 € avec sdb privée.* Sur 2 étages, une pension de taille moyenne sans prétention (qui porte donc assez mal son nom), mais qui propose des chambres tout à fait convenables et très bien tenues. Un petit peu de fantaisie dans la déco ne serait pas superflu. Accueil exceptionnellement souriant et humour (communicatif) de la patronne.

Très chic

Casa Howard Guest House *(plan couleur I, A2,* ***57****) : via della Scala, 18. ☎ 06-69924-555 (à Rome). • info@casahoward.com • casahoward.com • Doubles 160-260 € selon taille (chambres familiales) et saison. Wifi.* Halte-là : maison de charme ! Et quel charme... Massimiliano, le patron, a aménagé, avec l'aide de son épouse, dans cette somptueuse demeure appartenant autrefois à sa tante, une maison d'hôtes de 14 chambres à la déco de très bon goût, mais pour le moins (d)étonnante. Subtil et audacieux mélange d'ancien et d'ultramodernisme : lavabos en inox design et fauteuils imitation zèbre côtoient rideaux en toile de Jouy, ou autres tissus baroques. Les chambres, et même certaines salles de bains, sont équipées d'écrans plats et de hi-fi dernier cri ! Toutes sont différentes et ont leur spécificité. On a eu un faible pour la *Terrace room* dotée d'une terrasse privative ! La *Library room,* avec ses étagères remplies de livres, n'est pas mal non plus ! Parties communes (salon et terrasse intérieure) très agréables. Une adresse hors du commun où l'on résiderait volontiers plusieurs nuits...

Autour du Duomo *(plan couleur I, C-D2-3 et zoom couleur, B-C2)*

Prix moyens

Hotel Canada *(zoom couleur, B2,* ***58****) : borgo S. Lorenzo, 14. ☎ 055-21-00-74. • info@pensionecanada.com • pensionecanada.com • Au 2e étage sans ascenseur. Doubles 85-100 €, sans ou avec sdb et w-c privés.* Idéalement situé, à 50 m du baptistère, ce petit hôtel tenu par un couple très motivé dispose d'une poignée de chambres simples, mais spacieuses et confortables. Un petit coin salon TV vient même compléter le tout ! Propreté irréprochable et accueil dynamique.

Hotel Locanda Orchidea *(zoom couleur, C2,* ***59****) : borgo degli Albizi, 11. ☎ 055-248-03-46. • hotelorchidea@yahoo.it • hotelorchideaflorence.it • Aux 1er et 2e étages (ascenseur). Doubles avec sdb communes 50-80 €. Un petit appart' confortable qui conviendra aux familles ou groupes de 4-5 pers. Pas de petit déj. Parking payant. Réduc de 10 % sur la chambre nov-mars (sf Noël et 1er janv), sur présentation de ce guide.* Pension chaleureuse installée dans un petit palais du XIIe s où naquit et vécut la femme de Dante (voir la statue dans le hall de l'immeuble). Tenue par des anglophones souriantes. Une petite dizaine de chambres en tout, simples mais très convenables. Côté rue, elles peuvent être un rien bruyantes. Préférez donc les autres, d'autant qu'elles donnent sur un petit jardin orné d'une statue de style Liberty.

Tourist House Liberty *(plan couleur I, B1, **60**) : via XXVII Aprile, 9. ☎ 055-47-17-59. • libertyhouse@iol.it • touristhouseliberty.it • Doubles avec sanitaires privés 60-130 € (pour les plus grandes). En hte saison, séjour de 2 nuits min exigé.* Cet endroit confortable propose des chambres très agréables, lumineuses, bien arrangées (mobilier de style, tons chauds et harmonieux, jolies tentures, parquet...). Propreté irréprochable. Une bonne adresse.

Hotel Europa *(plan couleur I, C1, **61**) : via Cavour, 14. ☎ 055-239-67-15. • firenze@webhoteleuropa.com • webhoteleuropa.com • En face de l'office de tourisme. Doubles 80-160 € selon confort et saison, petit déj inclus. Parking payant (cher). Internet.* L'*Hotel Europa* cumule le deux en un ! Au 2e étage, des chambres récentes joliment décorées et donnant, pour la plupart, sur de charmants petits jardins verdoyants à l'arrière. Certaines sont pourvues de terrasse privative avec vue sur le *Duomo.* Au 1er étage, les suites *(100-150 € selon période, petit déj inclus également)* dans la grande tradition florentine : hauts plafonds, tentures, portes épaisses, meubles peints, peintures à fresque du XVIIIe s... le tout donnant sur un jardin intérieur et le *Duomo.* Jolie salle de lecture. Une bien belle adresse, calme et centrale. Elle a été aussi, il y a bien longtemps, la demeure du compositeur Franz Liszt...

Hotel Dali *(zoom couleur, C2, **63**) : via dell'Oriuolo, 17. ☎ 055-234-07-06. • hoteldali@tin.it • hoteldali.com • Fermé 2 sem en janv. Doubles 65-80 € sans ou avec salle d'eau privée. CB refusées.* Petite pension sans histoires tenue par un charmant couple de Florentins. Une dizaine de chambres agréables, bien tenues dans l'ensemble. Ce qui la rend attirante avant tout, c'est le parking privé gratuit dans la cour de l'immeuble *(attention, fermé entre 13h et 15h (!), le soir à partir de 19h, sam ap-m et dim).* Une aubaine à Florence ! Accueil souriant.

Albergo Firenze *(zoom couleur, C2, **64**) : piazza Donati, 4 (via del Corso). ☎ 055-21-33-11. • info@albergofirenze.net • albergofirenze.org • ♿ Très bien situé, à deux pas du Duomo. Selon période 83-114 € pour 2, avec sdb, petit déj inclus. Parking payant. Internet, wifi.* Il a l'originalité d'être situé dans une tour médiévale de 5 étages où habitait autrefois la riche famille florentine Donati. Une cinquantaine de chambres fonctionnelles, globalement confortables (TV, téléphone) et très propres. Double vitrage côté rue. Rien de transcendant concernant la déco... qui mériterait un brin de fantaisie !

Hotel Maxim *(zoom couleur, B2, **66**) : via dei Calzaiuoli, 11. ☎ 055-21-74-74. • reservation@hotelmaximfirenze.it • hotelmaximfirenze.it • Double avec sanitaires privés env 100 €, petit déj inclus. Possibilité de parking payant. Internet, wifi. Réduc de 10 % sur la chambre en réservant par mail.* Hyper central, dans une artère piétonne à quelques pas de la place du *Duomo.* Hôtel coquet aux poutres apparentes, à l'accueil personnalisé et chaleureux. Petit patio fleuri. Les chambres se répartissent sur 2 étages : toutes sont propres, bien finies et confortables (AC, TV), et disposent à chaque étage d'une salle de petit déjeuner et d'un veilleur de nuit. Avis aux amateurs...

Hotel Axial *(zoom couleur, B2, **66**) : même adresse et mêmes proprios que le précédent. ☎ 055-267-81-48. • info@hotelaxial.it • hotelaxial.it • Doubles 86-139 €. Possibilité de parking payant. Réduc de 10 % sur la chambre en réservant par mail.* Situé à l'étage juste en dessous, il est un poil plus cher mais l'accueil y est toujours chaleureux et le lieu très propre.

Albergo Chiazza *(plan couleur I, D2, **67**) : borgo Pinti, 5. ☎ 055-248-03-63. • hotel.chiazza@tin.it • chiazzahotel.com • Au 2e étage sans ascenseur. Doubles sans ou avec sdb 70-95 €, petit déj inclus. Parking payant au fond de la cour (15-20 €/j.).* Accueil en français. Cet établissement, sans grand charme mais bien tenu, propose des chambres fonctionnelles et confortables (TV, téléphone et AC), celles avec salle de bains (un peu petites) donnant sur une cour intérieure tranquille.

Hotel Bavaria *(zoom couleur, C2, **68**) : borgo degli Albizi, 26. ☎ 055-234-03-13. • info@hotelbavariafirenze.it • ho*

FLORENCE ET SES ENVIRONS

telbavariafirenze.it • Doubles sans ou avec salle d'eau privée 72-95 €, petit déj compris. Les impressionnantes hauteurs sous plafond, les traces de fresques émergeant ici ou là du crépi et la taille atypique des chambres entretiennent l'atmosphère Renaissance du palazzo Ramirez datant du XVIe s. Beaucoup de caractère, mais si l'établissement est dans l'ensemble bien tenu, les équipements vieillots auraient besoin d'être remis à niveau (pas d'AC et tuyauteries vétustes).

Chic

Residenza d'Epoca Verdi *(plan couleur I, C-D2,* ***69****) : via Giuseppe Verdi, 5. ☎ 055-23-47-962. • info@residenzaepocaverdi.it • residenzaepocaverdi.it • Interphone sur rue, escalier en pierre puis, au 1er étage, ascenseur jusqu'au 3e. Résa indispensable en hte saison. Doubles 100-120 € avec douche et w-c ou bains, petit déj inclus. Internet.* 8 chambres seulement, à la déco chaleureuse (mobilier peint, épais rideaux, sols en terre cuite, tissus de choix sur les lits) et jolies salles de bains modernes. Préférez celles donnant sur l'arrière du théâtre, plus calmes et à la déco plus typique. L'accueil, s'il est discret, est éminemment gentil. On s'y sent bien, comme dans une maison d'hôtes. Une adresse vraiment charmante.

Hotel Casci *(plan couleur I, C1,* ***70****) : via Cavour, 13. ☎ 055-21-16-86. • info@hotelcasci.com • hotelcasci.com • ♿ Au 2e étage (ascenseur). Chambres doubles 80-150 € selon saison, petit déj-buffet compris. Parking payant. Internet, wifi.* Hôtel familial situé dans un palais du XVe s où vécut le compositeur Rossini. Accueil courtois (et en français) et chambres tout confort. 2 d'entre elles donnent sur un jardin et sont destinées en priorité aux jeunes couples en voyage de noces !

Très chic

Hotel Arti & Hotel *(plan couleur I, C1,* ***71****) : via dei Servi, 38A. ☎ 055-29-01-40. • info@artiehotel.it • artiehotel.it • Doubles à partir de 190 €. Wifi. Apéritif maison offert au bar sur présentation de ce guide.* Idéalement situé, à deux pas de l'*Accademia,* cet hôtel cosy en diable affiche un charme résolument... britannique ! Chambres parquetées, dotées de mobilier en bois blond ou peint, toutes élégamment et différemment meublées, aux teintes douces et coordonnées. Certaines ont même un lit à baldaquin. Salles de bains impeccables et modernes. Jolie salle de petit déjeuner à l'atmosphère feutrée. Accueil en français, tout aussi élégant et cordial. Bref, une très belle adresse en centre-ville.

Palazzo Galletti *(plan couleur I, C2,* ***73****) : via Sant'Egidio, 12. ☎ 055-39-05-750. • info@palazzogalletti.it • palazzogalletti.it • Doubles 110-165 €, petit déj inclus ; suites 180-230 €. Une bouteille de chianti de leur production offerte lors du départ sur présentation de ce guide.* Hôtel cosy au 1er étage d'un ancien palais restauré portant le label *Residenza d'Epoca,* avec 11 chambres dont 4 suites (ne vous trompez pas avec la structure pour étudiants au 3e étage qui n'a strictement rien à voir). Magnifiquement aménagées, elles mêlent judicieusement le moderne et l'ancien, avec des fresques d'origine (surtout celles des suites *Cerere* et *Giove...*), des peintures contemporaines et des sols en *terra cotta.* Toutes bénéficient de la clim' et d'un petit balcon donnant sur une cour intérieure paisible. Petit déj servi dans une jolie salle voûtée du XVIe s ! Le petit plus : le délicieux spa au sous-sol du palais (indépendant de l'hôtel mais accessible aux clients) : idéal après avoir arpenté le pavé florentin toute une journée. Accueil délicat et aux petits oignons de la pétillante Francesca. Difficile de trouver mieux, à ce prix ! Et si près du *Duomo...*

Hotel California *(plan couleur I, C1-2,* ***72****) : via Ricasoli, 28-30. ☎ 055-28-27-53 ou 055-28-34-99. • hotelcalifornia@inwind.it • californiaflorence.it • ♿ Compter 60-200 € selon confort et* *saison, petit déj-buffet inclus. Parking tt proche. Internet, wifi. Sur présentation de ce guide, 10 % de réduc sur le prix de la chambre (non cumulable avec d'autres promos).* Un hôtel avenant pourvu de chambres coquettes (une dizaine d'entre elles disposent même d'un Jacuzzi !). Certaines sont ornées d'une fresque au plafond ou d'un bas-relief, d'autres possèdent un balcon avec vue sur le dôme du *Duomo* (les nos 122 et 123). La cerise sur le gâteau, c'est sans conteste sa terrasse très calme dissimulée parmi les toits, idéale pour le petit déj.

Hotel Il Guelfo Bianco *(plan couleur I, C1, **74**) : via Cavour, 29. ☎ 055-28-83-30. • info@ilguelfobianco.it • ilguelfobianco.it • ♿ Doubles 90-275 € selon taille et saison,* prima colazione *comprise. Apparts pour 4 pers à partir de 150 €. Offres parfois plus intéressantes en réservant par Internet. Internet, wifi. Sur présentation de ce guide, 10 % de réduc à partir de 3 nuits.* Un lieu de bon goût, qui restitue l'atmosphère médicéenne. Essai réussi pour les chambres supérieures, coiffées de plafonds à caissons ou voûtes rustiques et pourvues de beaux tapis et de mobilier de style. Évidemment équipées comme il se doit (coffre, minibar, salles de bains irréprochables...). En revanche, les chambres premiers prix, bien que cossues et joliment décorées, ne se démarquent pas du classicisme bon teint des hôtels de standing. Pour les insomniaques, les chambres situées à l'arrière profitent d'une jolie vue sur les toits et échappent à toute nuisance sonore. Un mariage réussi de luxe et de charme...

Dans le quartier du ponte Vecchio *(zoom couleur, B-C3)*

Prix moyens

Hotel Cestelli *(zoom couleur, B3, **56**) : via Borgo S.S. Apostoli, 25. ☎ 055-21-42-13. • info@cestelli • hotelcestelli.com • Doubles 70-100 € selon saison (à partir de 50 € avec douche sur le palier). Pas de petit déj.* Au 1er étage d'un vieux palais, l'hôtel est idéalement situé, à deux pas de la piazza Santa Trinita. Il propose une petite dizaine de chambres hyper propres et bien aménagées. Certaines sont plus spacieuses que d'autres, n'hésitez pas à demander lors de votre réservation. L'accueil d'Alessio, qui n'est pas avare de conseils sur sa ville, rendra votre séjour d'autant plus agréable. Un bon rapport qualité-prix si près du centre.

De chic à plus chic

Hotel Balestri *(zoom couleur, C3, **35**) : piazza Mentana, 7. ☎ 055-21-47-43. • info@hotel-balestri.it • hotel-balestri.com • Doubles à partir de 110 €, petit déj inclus. Parking. Internet, wifi.* Bel et imposant édifice du XIXe s, bénéficiant d'une situation privilégiée sur les berges de l'Arno. Les chambres (une cinquantaine), dont la moitié vient d'être rénovée dans un style contemporain, sont confortables et lumineuses. Celles avec balcon donnant sur le fleuve sont évidemment un poil plus chères. Accueil professionnel.

Hotel Hermitage *(zoom couleur, B3, **80**) : piazza del Pesce, vicolo Marzio, 1. ☎ 055-28-72-16. • florence@hermitagehotel.com • hermitagehotel.com • Chambres 120-200 € selon saison (plus cher pour celles avec Jacuzzi). Parking payant. Wifi. Réduc de 10 % sur le prix de la chambre sur présentation de ce guide.* À deux pas du ponte Vecchio, hôtel de charme à la déco patinée. On se retrouve subitement à l'époque des Médicis. Ambiance chaleureuse et cosy. Les quelques chambres ayant une petite vue sur l'Arno nous ont particulièrement plu. Et le petit déj sur la terrasse donnant sur le fleuve est un moment tout simplement... délicieux.

Dans le quartier de Sant'Ambrogio
(plan couleur I, D2)

Très chic

The J and J Historic House Hotel *(plan couleur I, D2, **82**) : via di Mezzo, 20. ☎ 055-26-312. • info@jandjhotel.net • jandjhotel.net • Doubles 210-280 €, voire plus pour les suites (à partir de 160 € en basse saison), petit déj inclus, bien sûr. Possibilité de parking sur demande.* Historique, cet hôtel l'est bien, puisqu'il est installé dans un couvent construit au XVIe s. Mais si l'architecture d'ensemble, les quelques fresques d'origine et le cloître intérieur laissent clairement entrevoir ce riche passé, les chambres, elles, n'ont rien de monacal. Plus ou moins vastes (tout est question de prix !) et richement et subtilement meublées, dans des teintes de rouge et de jaune chaleureux, aux éclairages savamment étudiés, elles sont dotées de tout le confort moderne. Certaines bénéficient même d'une terrasse privative et d'un mobilier en fer forgé. Salle du petit déjeuner très jolie avec son plafond en ogive. Ici règne un calme parfait. Accueil en français digne des grandes maisons. Une adresse idéale pour convoler...

Dans le quartier de l'Oltrarno
(plan couleur II, E-F4)

Prix moyens

Residenza Il Carmine *(plan couleur II, E4, **76**) : via d'Ardiglione, 28. ☎ 055-238-20-60. • info@residenzail carmine.com • residenzailcarmine.com • Résa conseillée, très longtemps à l'avance. Compter 79-99 €/j. pour 2 et 490-580 €/sem. Plus cher pour les appartements* Domus, F. Lippi *et* Masaccio *qui sont plus grands. Réduc de 10 % sur présentation de ce guide (sf à Pâques et en fin d'année). Petit panier de bienvenue offert à l'arrivée.* Avec 6 appartements entièrement équipés (un petit béguin pour *Masaccio*), la *Residenza Il Carmine,* nichée dans une ruelle exceptionnellement calme, constitue une alternative originale aux hôtels. Meublés à l'ancienne et décorés avec goût, 3 appartements donnent sur un jardin intérieur privatif génial à l'heure de l'apéro. Les 3 autres occupent la partie principale du palais, où les plafonds voûtés ou à caissons ajoutent au charme et à l'intimité du lieu. Pour un peu, on se sentirait plus florentin qu'un Florentin ! Accueil chaleureux d'Emilio et de Myriam. On ADORE !

Florence Old Bridge *(plan couleur II, F4, **77**) : via Guicciardini, 22 n. ☎ 055-265-42-62. • info@florenceoldbridge.com • florenceoldbridge.com • Doubles 65-95 €. Petit déj 6 €, à prendre à la pâtisserie* Maioli, *en face.* Même propriétaire que *La Scaletta,* situé de l'autre côté de la rue (voir plus loin). C'est d'ailleurs lui qui vous accueillera, cet hôtel n'ayant pas sa propre réception. Un coup de sonnette et le voilà ! Les chambres, réparties aux 2e et 3e étages, sont sobres et classiques, meublées d'armoires anciennes, mini TV et AC. Un très bon rapport qualité-prix à mi-chemin entre le ponte Vecchio et le palazzo Pitti.

Casa Pucci *(plan couleur II, E4, **75**) : via Santa Monica, 8. ☎ 055-21-65-60. • info@casapucci.it • casapucci.it • Doubles 80-110 € avec petit déj. Parking payant. Internet. B & B* situé dans un ancien couvent entièrement réhabilité. Le temps semble s'être arrêté dans ce petit coin de l'Oltrarno. Un jardin où il est agréable de paresser à l'abri des regards. Les chambres ne sont pas en reste, toutes délicieusement décorées, avec des meubles chinés chez les antiquaires (celle avec le lit à baldaquin et la cheminée est notre préférée). Accueil discret mais charmant.

Chic

⌂ ***Residenza S. Spirito*** *(plan couleur II, F4,* ***79****) : piazza di Santo Spirito, 9. ☎ 055-265-83-76. • info@residenzasspirito.com • residenzasspirito.com • À partir de 120 € selon saison, chambres familiales (4 pers) 190-220 €.* Un B & B (seulement 4 chambres) comme on les aime ! Situées au 1er étage de l'antique et somptueux palais Guadagni (début XVIe s), les chambres sont très spacieuses, confortables, joliment meublées à l'ancienne et d'une propreté irréprochable. Les 2 plus belles sont ornées de plafonds peints (d'époque) : l'une à dominante or et l'autre argent. Et toutes 2 disposent d'un petit balcon donnant sur la place animée. La chambre familiale au rez-de-chaussée est un poil moins chic, mais dispose d'un coin cuisine.

⌂ ***Hotel La Scaletta*** *(plan couleur II, F4,* ***78****) : via Guicciardini, 13 n. ☎ 055-28-30-28. • info@hotellascaletta.it • hotellascaletta.it • Doubles 130-200 €, petit déj inclus. Parking payant. Internet, wifi. Apéritif maison ou café offert sur la terrasse de l'hôtel sur présentation de ce guide.* Hôtel convivial situé dans une vénérable demeure du XVe s, garantissant une petite touche d'authenticité des plus agréable. Une vingtaine de chambres, de style toscan et très propres, toutes équipées de double vitrage. 3 d'entre elles offrent même une jolie vue sur les jardins de Boboli (les nos 20 à 22). Mais le must, ce sont ses 3 extraordinaires terrasses fleuries sur les toits, avec une vue formidable sur la ville et les contreforts de la campagne toscane.

Dans le quartier de San Niccolò *(plan couleur III)*

De prix moyens à chic

⌂ ***Silla Hotel*** *(plan couleur III, G6,* ***81****) : via dei Renai, 5. ☎ 055-234-28-88. • hotelsilla@hotelsilla.it • hotelsilla.it • Doubles à partir de 95 €. Internet, wifi.* Un des rares hôtels dans ce quartier. Chambres au papier peint fleuri équipées de tout le confort. Certaines ont vue sur l'Arno, mais il faut s'y prendre tôt. Aux beaux jours, profitez de l'immense terrasse arborée donnant sur le fleuve pour prendre le petit déj. Pour ne rien gâter, accueil adorable et personnel très prévenant.

Où manger ?

Florence regorge de bonnes petites adresses. Certaines sont des valeurs sûres, d'autres disparaissent d'une année sur l'autre... L'*aperitivo* a le vent en poupe et chaque bar qui se respecte ne déroge pas à la règle ! Les bonnes adresses ne manquent pas dans les quartiers de San Niccolò, San Frediano, Santo Spirito dans l'Oltrarno et Santa Croce. Et les terrasses qui fleurissent un peu partout dans la ville sont aussi bien appréciées par les touristes que par les Florentins.
À part ça, sachez que certains restaurants n'acceptent toujours pas les cartes de paiement (les *osterie* notamment) mais c'est de moins en moins fréquent. En haute saison, pensez également à réserver le soir (si vous ne voulez pas faire le pied de grue sur le trottoir...).

MARCHÉS

Pour les routards fauchés, l'idéal est de faire le plein de cochonnailles, de fromages et de légumes. Les produits sont de très bonne qualité (tomates, parmesan, jambon fumé) et à des prix très raisonnables, comparés à ceux pratiqués en France par exemple, profitez-en ! Allez ensuite pique-niquer dans les jardins de Florence ou sur les marches d'une église. Et si les disciples de Bacchus souhaitent y ajouter une bonne bouteille, grand bien leur fasse !

– ***Mercato centrale di San Lorenzo*** *(plan couleur I, B1)* ***:*** *via dell'Ariento. Lun-sam 7h-14h.* Halles du XIXe s abritées par une charpente métallique. Un marché idéal comme introduction à la gastronomie locale. Au rez-de-chaussée, charcuteries, boucheries, triperies, crémeries et épiceries à profusion ; à l'étage, beaux étals de fruits et légumes. Chaque stand est numéroté (on en dénombre pas moins de 1 000). C'est devenu très touristique (l'avantage c'est que de nombreux stands vous permettent de goûter) et assez cher, mais la qualité des produits n'a pas baissé et le choix est immense.
– ***Mercato Sant'Ambrogio*** *(plan couleur I, D2-3)* ***:*** *piazza Sant'Ambrogio. Lun-sam 7h-14h.* Au nord-est de Santa Croce, un quartier animé et plein de charme. Marché populaire très complet, dont les étals débordent largement la petite halle du XIXe s. *Alimentari, frutta, verdura, fiori...* et *tutti quanti* ! Plus intime et nettement plus florentin que son grand rival de San Lorenzo. À la sortie, pause *espresso* recommandée à la terrasse du *Cibreo Caffè*.
– ***Mercato Santo Spirito*** *(plan couleur II, F4)* ***:*** marché bio le 3e dim du mois. Quelques producteurs : Gabrielle pour son pain, Marco pour son fromage, Pierre (qui se dit *Poeta d'aromi*) pour ses herbes et Gino qui propose ses légumes de saison à un seul prix ! Autrement, tous les jours se tient un petit marché sur la place.
– ***Mercato delle Cascine*** *(hors plan d'ensemble)* ***:*** *viale Lincoln. Accès : bus n° 17 c. Mar 8h-14h.* Le long de l'Arno, une profusion de stands proposant, entre autres, de l'alimentation.
– En quête d'une ***bouteille*** à la sortie du marché ? Laissez le *Guide du routard* guider vos pas (attention, toutes sont fermées le dimanche) : ***Casa del Vino*** *(plan couleur I, B1,* ***143****), via dell'Ariento, 16 r ; ☎ 055-21-56-09.* ***Le Volpi e l'Uva*** *(plan couleur II, F4,* ***146****), piazza dei Rossi, 1 r ; ☎ 055-239-81-32.* ***Enoteca-bar Fuori Porta*** *(plan couleur III, G-H6,* ***147****), via del Monte alle Croci, 10 r ; ☎ 055-234-24-83.* ***Fratelli Zanobini*** *(plan couleur I, B1,* ***141****), via Sant'Antonino, 47 r ; ☎ 055-239-68-50.* Pour toutes ces adresses, voir plus bas la rubrique « Bars à vins *(vinai, enoteche)* ».
– Pour les amateurs, ***les tripiers ambulants*** *(trippai ambulanti)* : autrefois, ils étaient légion. Désormais, ils ne courent plus les rues, pas même dans le quartier de San Frediano pourtant réputé pour les abats. En dehors de la ***Trattoria da Nerbone*** (voir ci-dessous dans « Restaurants. Dans les quartiers de Santa Maria Novella... ») installée dans le marché central depuis 1872, vous en trouverez piazza dei Cimatori *(zoom couleur, C2)*, piazza di Porta Romana *(plan couleur II, E5)*, ainsi que dans d'autres endroits mais beaucoup plus éloignés du centre. Il s'agit le plus souvent de petits stands proposant de bons sandwichs garnis de tripes cuites à la commande.

SUPERMARCHÉS

Supermercato Billa *(plan couleur I, D2)* ***:*** *via Pietrapiana. En face de la poste principale (angle avec la via dei Martiri del Popolo). Lun-sam 8h-21h ; dim 9h-21h.* L'un des plus grands supermarchés du centre de Florence. Pour ne pas trop se ruiner, le rayon traiteur propose un large éventail de charcuteries toscanes, de fromages et d'*antipasti*. Bien pratique pour préparer un pique-nique improvisé. Vous pouvez leur demander de vous les emballer sous-vide, ce qui les rend plus facilement transportables.

Il existe d'autres supermarchés, plus petits que le précédent au niveau de la surface, mais tout aussi bien fournis. Ils ont éclos un peu partout dans les quartiers de Florence, notamment les magasins ***Il Centro*** ou les ***Billa*** qui sont ouverts tous les jours, dimanche compris.

SUR LE POUCE

Dans le centre

INO *(zoom couleur, B3, **184**) : via dei Georgofili, 3 r-7 r. ☎ 055-21-92-08. • alessandro.frassica@ino-firenze.it • Mar-dim 12h-19h (17h dim).* Panini *à partir de 4 € ; assiette toscane 12 €.* On aime beaucoup ce *deli* à deux pas des Offices. Pause déjeuner agréable, accoudé à une longue table commune en bois. La 2de salle avec ses fûts géants en guise de tables est plus intime. On déguste entre 2 visites une assiette toscane accompagnée d'un verre de vin local ou un *panini* réalisé dans les règles de l'art. Bel alignement de sauces et divers condiments qu'on peut acheter à des prix raisonnables. Fraîcheur garantie des produits et accueil sympathique d'Alessandro.

Leopoldo Procacci *(zoom couleur, B2, **85**) : via dei Tornabuoni, 64 r. ☎ 055-21-16-56. Lun-sam 10h30-20h. Fermé en août.* Très vieille boutique créée en 1885, un bail... Mais rien ne semble avoir changé, les étagères cirées alignent toujours la meilleure sélection de produits fins de la ville (dont le fameux thé londonien *Fortnum and Mason*). Adresse idéale pour caler un p'tit creux entre 2 courses (attention au porte-monnaie !). On y consomme des *mini-panini (tartufati, salmone con salsa di rucola...)* avec un verre de vin. Résolument chic, comme les boutiques du quartier.

Il Cernacchino *(zoom couleur, B3, **102**) : via della Condotta, 38 r. ☎ 055-29-41-19. • lecernacchie@tin.it •* Panini *à partir de 3 €.* Petite sandwicherie qui propose un large choix de *panini*. Pratique pour les petits budgets et les grosses faims. Et surtout, elle est bien placée. Possibilité de s'asseoir (attention, les places sont chères car peu nombreuses !). Pause idéale pour reposer les gambettes.

Dans l'Oltrarno

Il Forno Galli *(plan couleur II, F4, **84**) : via Sant'Agostino.* Une petite boulangerie qu'on repère à la bonne odeur de pain chaud. Les pizzas vendues *al taglio* sont légères, bien fournies et vraiment très bonnes. On peut même aller les déguster sur la piazza di Santo Spirito toute proche. Idéal pour un p'tit creux ou une pause rapide.

ZEB – Zuppa e Bollito *(plan couleur III, G6, **139**) : via S. Miniato, 2. Tlj sf dim et mer ap-m 8h-20h. Compter 10-15 € pour un repas. Également des plats à emporter.* On aime cet endroit pour sa vitrine discrète comme sa déco résolument tendance. Mais c'est dans l'assiette que tout se passe : *sformato di melanzane, lampredetto, torta al limone...* On peut aussi choisir ses ingrédients pour une salade (préparée sous vos yeux) en toute simplicité et la savourer assis sur des tabourets accoudés au bar en bois clair qui entoure l'officine. Une halte reposante pour ceux qui affrontent la montée pour San Miniato. Accueil timide.

Caffè degli Artigiani *(plan couleur II, F4, **87**) : via dello Sprone, 16 r (angle piazza della Passera). ☎ 055-29-18-82. Fermé dim et lun soir. Congés en août. En-cas, pâtes et salades env 5-8 €.* Endroit charmant situé dans un coin calme à deux pas du palazzo Pitti. Agréable petite salle aux murs tapissés de grimaces, où l'on grignote un sandwich frais ou une *piadina calda,* sorte de crêpe salée fort nourrissante. Quelques tables dans la ruelle ou un comptoir pour avaler d'un trait son *espresso*. Également une bonne petite sélection de vins. Voir rubrique « Où boire un verre ? ».

Gustapanino *(plan couleur II, F4, **88**) : via Michelozzi, 13 r. Ouv 11h-23h. Fermé en août. Sandwich 3 € env.* À l'angle du borgo Tegolaio et face à l'église Santo Spirito, un petit comptoir où l'on s'accoude le temps d'une *piadina* ou d'une *focaccia* composées à la commande. Produits frais, pain chaud et moelleux...

Gustapizza *(plan couleur II, F4-5,*

FLORENCE ET SES ENVIRONS

134) : *via Maggio, 46. ☎ 055-28-50-68. Tlj 11h30-15h, 19h-23h. Pizzas 4,50-8 €.* Après le succès familial de *Gustapanino,* situé à deux pas (voir ci-dessus), l'un des frères a eu la bonne idée de s'installer dans cet endroit grand comme un mouchoir de poche. Les pizzas sont savoureuses, légères et croustillantes. Idéal pour une pause salée le midi. Attention le week-end, la file d'attente déborde sur le trottoir, succès oblige... Préférez alors la vente à emporter.

RESTAURANTS (OSTERIE, TRATTORIE, PIZZERIE, RISTORANTI)

Dans les quartiers de Santa Maria Novella et de San Lorenzo *(plan couleur I, A-B1-2 et zoom couleur, A-B2-3)*

Bon marché

|●| ***Trattoria da Nerbone*** *(plan couleur I, B1,* ***90****)* **:** *à l'intérieur du mercato centrale di San Lorenzo. ☎ 055-21-99-49. Lun-sam 7h-14h slt. Fermé dim. Congés : 2 sem en août et 1 sem à Noël. Compter 10-15 € pour un repas complet. CB refusées.* En activité depuis 1872, et ça semble bien parti pour quelques siècles encore. Très populaire dans le coin, on s'y presse devant les quelques mètres carrés du comptoir. À côté, quelques tables en marbre accueillent les vieux habitués et les nombreux touristes. Côté plats, la maison propose de savoureuses spécialités (également à emporter). On vous conseille notamment le *passato di ceci* (purée de pois chiches), le *lampredo* (intestin de veau bouilli dans son jus et saupoudré de poivre), un chianti au verre, *il conto e basta !*

|●| ***Il Vegetariano*** *(plan d'ensemble,* ***92****)* **:** *via delle Ruote, 30 r. ☎ 055-57-60-47. ♿ À 2 mn de la piazza dell'Indipendenza, en remontant la via San Zanobi. Ouv mar-ven midi et soir, w-e le soir slt. Congés : 3 sem en août et fêtes de fin d'année. Carte env 15-20 €. CB refusées.* Une fois passé les vitraux, on découvre une petite salle façon bistrot, qui donne dans une salle conviviale avec tables en bois, vitrines chargées de bocaux remplis d'épices, grosses poutres en bois et fresque sur l'un des murs, le tout débouchant dans une petite cour ombragée, charmante dès le printemps venu. Sur le tableau noir, les plats du jour : tartes aux légumes, couscous végétariens, pâtes, aubergines farcies, soufflés, quiches, soupes traditionnelles... Très bon pain et savoureuses pâtisseries.

|●| ***I Due G.*** *(plan couleur I, A1,* ***93****)* **:** *via B. Cennini, 6 r. ☎ 055-21-86-23. • abuba@libero.it • Tlj sf dim et j. fériés. Compter 20 € max pour un repas complet.* Cantine de quartier qui se distingue par ses belles spécialités florentines (signalées clairement sur le menu) à prix doux et par ses desserts maison. L'accueil, quant à lui, pourrait être plus chaleureux.

|●| ***Trattoria Guelfa*** *(plan couleur I, B1,* ***94****)* **:** *via Guelfa, 103 r. ☎ 055-21-33-06. Ouv midi et soir. Fermé 10 j. en août. Menus 15 € (midi) et 20 €. Un verre de vin santo avec des cantuccini vous sera offert sur présentation de ce guide.* Cadre plutôt hétéroclite : murs agrémentés de croquis humoristiques, bouteilles, vieilles marmites et calebasses. En travers de la pièce, une barre de bois où se cramponne un nounours sur une balançoire. Laissez-vous donc tenter par les *penne* aux cèpes, à la crème de truffe et au jambon toscan. Sinon, les sympathiques patrons prendront le temps de commenter (en français) la carte et de vous guider dans le choix des vins. Que du bon ! on vous le dit !

|●| ***Trattoria Mario*** *(plan couleur I, B1,* ***96****)* **:** *via Rosina, 2 r, à l'angle de la piazza del Mercato centrale. ☎ 055-21-85-50. • trattoriamario@libero.it • Tlj le midi sf dim et j. fériés. Fermé en août. Compter env 15-18 € pour un repas complet (sans la boisson).* Une petite *trattoria* de quartier comme on les aime. Quelques tables dans une petite salle agréablement fraîche, où l'on s'attable sans façon pour profiter d'une atmosphère

conviviale. Bonnes spécialités florentines (*braciola fritta, zuppa de fagioli,* excellente *bistecca*...) à des prix plus que raisonnables. Accueil simple et sympathique. Victime de son succès et de son rapport qualité-prix, il faudra vous armer de patience... ou revenir !

Trattoria Il Contadino *(plan couleur I, A2,* ***95****) : via Palazzuolo, 69-71 r. ☎ 055-238-26-73. Tlj sf sam et dim. Formule le midi 10,50 €.* Petite cantine familiale sans prétention, mais toujours pleine à craquer. Et pour cause ! 2 petites salles carrelées pas désagréables. Côté cuisine, pas de quoi crier au génie culinaire, mais pour le prix, c'est copieux et on a bien aimé que les produits surgelés soient mentionnés (c'est plus honnête !). Et pour 0,50 € de plus, vous aurez droit au quart de rouge... mais mieux vaut avoir l'estomac bien accroché !

Prix moyens

Osteria Pepò *(plan couleur I, B1,* ***122****) : via Rosina, 6 r. Juste à côté du mercato centrale. ☎ 055-28-32-59. • info@pepo.it • Tlj. Env 20 € le repas.* Rustique et dépouillée à la fois, cette adresse nous a plu pour le service discret mais disponible, pour son choix de pâtes et ses délicieux desserts faits maison *(panna cotta, crème caramel, torta al cioccolato).*

Ristorante La Spada *(plan couleur I, A2,* ***97****) : via della Spada, 62 r. ☎ 055-21-88-46. • laspadaitalia@gmail.com • Tlj sf lun et mer midi. Menus 11 € le midi (couvert et service compris !) et 25-32 € le soir. Repas 30 € env. Digestif offert sur présentation de ce guide.* Rôtisserie repérée par son odeur alléchante détectable depuis la rue avec ses poulets embrochés, ses légumes rissolés et ses plats de traiteur qui laissent présager de la qualité de la cuisine. Du coup, on s'attable avec plaisir dans l'une des 2 arrière-salles (la plus petite pour les amoureux ?), avant de se régaler de plats toscans sans surprise mais bien ficelés. Accueil souriant.

Trattoria Sergio Gozzi *(plan couleur I, B1,* ***98****) : piazza San Lorenzo, 8 r. ☎ 055-28-19-41. • trattoriasergiogozzi@tiscali.it • ♿ Ouv le midi slt. Congés en août. Compter 20 € pour un repas.* Pas facile de dénicher cette *trattoria* familiale, dont la façade est dissimulée par les stands de cuir du marché San Lorenzo. Joyeuse assemblée d'habitués et de touristes en goguette qui se mélangent dans un brouhaha bon enfant. Côté cuisine, c'est de la bonne tambouille toscane... à commencer par la copieuse *ribollita* (soupe de légumes et de pain). Rien à redire non plus concernant les classiques plats toscans que sont la *pappa al pomodoro,* la *trippa alla fiorentina* ou la fameuse *bistecca.* Et pour finir, quelques *biscottini di Prato* à manger après les avoir trempés dans un verre de *vino santo* suffira amplement. Accueil bousculé mais absolument charmant.

Trattoria Le Antiche Carrozze *(zoom couleur, B3,* ***100****) : piazza Santa Trinità (à l'angle du borgo San Apostoli). ♿ ☎ 055-265-81-56. • info@leantichecarrozze.it • Tlj midi et soir. Env 20-25 € pour un repas.* Cette *trattoria,* à l'atmosphère faussement rustique avec ses tables et chaises en bois, propose de belles salades et de grosses *pizze* au feu de bois. Le soir, ambiance plus romantique, genre lumières tamisées et bougies sur les tables. Un bon rapport qualité-prix dans ce quartier. Service bousculé aux heures de pointe (20h-21h).

Trattoria al Trebbio *(zoom couleur, A-B2,* ***101****) : via delle Belle Donne, 47/49. ☎ 055-28-70-89. Tlj sf mar. Antipasti et primi 6-8 €. Secondi 8-12 €.* Jolie salle à l'italienne avec grappes d'ail et déco florale. Cuisine de bonne femme bien ficelée et une excellente *bistecca alla fiorentina* (moins chère qu'ailleurs mais tout aussi bonne). Beaucoup d'employés du quartier en ont fait leur cantine le midi. Accueil variable.

De prix moyens à plus chic

Cipolla Rossa *(zoom couleur, B2,* ***99****) : via dei Conti, 53 r. ☎ 055-21-42-10. Fermé mar. Compter 25-30 €.* Un établissement tout en longueur avec son mobilier en bois. Pour un peu, on se croirait à la campagne ! Cette adresse reprise par un jeune chef propose une cuisine de qualité et des produits d'une grande fraîcheur. Il faut le voir s'activer avec sa brigade dans la cuisine ouverte aux murs rouge pétard ! Et dans l'assiette, hmm ! Pâtes cuites al dente, viande hyper tendre, nos papilles en redemandent. Et le service ? Adorable et discret. Belle surprise culinaire à deux pas du *Duomo*.

Dans les quartiers du Duomo, de la piazza della Signoria et de la piazza della Repubblica

(plan couleur I, C1 et zoom couleur)

De très bon marché à bon marché

IOI ***Osteria I Buongustai*** *(zoom couleur, B2,* ***103****) : via de'Cerchi, 15 r. ☎ 055-29-13-04. • ibuongustai@libero.it • Lun-jeu 12h-15h30, ven et sam 12h-22h. Résa conseillée. Repas env 10 €.* Un petit bout de vitrine et un étroit couloir en guise de devanture. Pour un peu, on la louperait, cette *osteria* ! LA cantine des gens du quartier qui s'y pressent chaque midi, attendant souvent dehors pour trouver une place à l'une des 5 tables avec bancs de la salle du fond. Service enlevé. On s'installe là quelques instants pour de fameux *antipasti*, une généreuse plâtrée de pâtes ou une salade composée, accompagnés d'un verre de vin maison. Et *basta* !

IOI ***La Mescita*** *(plan couleur I, C1,* ***104****) : via degli Alfani, 70 r. Lun-sam 10h-16h. Fermé en août. Plat 12 €. CB refusées.* Minuscule débit de boissons à l'ancienne (depuis 1927 !) avec du carrelage aux murs et 2 ou 3 petites tables. Très sympa pour s'y sustenter d'une petite restauration ou du plat du jour (tripes le lundi, *lampredotto* le mardi, *porchetta* le mercredi, etc.)... et surtout, boire un petit coup ! L'endroit est vite envahi par les nombreux étudiants des facs voisines, il faut savoir jouer des coudes !

IOI ***Il Ristoro dei Perditempo*** *(zoom couleur, B3,* ***156****) : borgo San Jacopo, 48 r. ☎ 055-264-55-69. • ilristorofirenze@yahoo.it • Fermé lun soir. Compter 10-15 € pour un repas complet.* Aperitivo 6 €. Cette adresse, à deux pas du ponte Vecchio, est une véritable aubaine pour ceux qui veulent profiter de la vue sur l'Arno en déjeunant à peu de frais. On se régale de généreuses salades ou de délicieux *panini* faits sur demande, gage de fraîcheur. Le soir, il est très agréable de prendre l'apéritif face au fleuve. Service jeune et efficace. Que demander de plus ?

IOI ***Caffè Latteria-Caffelatte*** *(plan couleur I, D2,* ***86****) : via degli Alfani, 39 r. ☎ 055-247-88-78. Tlj 8h-minuit (21h lun). Petit déj 8,50 €. Repas 15-20 €.* Petit salon de thé reposant avec un vieux carrelage, un comptoir en marbre, et quelques tables en bois pour papoter entre amis ou en famille. À l'origine (au XIXe s) une boucherie, elle se transforma en *latteria* (crémerie) en 1920, qui par la suite devint une *mescita di latte e caffè*, c'est-à-dire un débit de lait et de café. Aujourd'hui, on peut y venir à tout moment pour y consommer une cuisine légère et végétarienne élaborée à base de produits bio. À l'heure du goûter, biscuits et gâteaux faits maison ainsi que des cafés et des thés « sur mesure ». Accueil changeant selon les jours et les humeurs !

Prix moyens

IOI ***Coquinarius*** *(zoom couleur, C2,* ***105****) : via dell'Oche, 15 r. ☎ 055-230-21-53. • coquinarius@gmail.com • Tlj. Fermé dim en juin, juil et août. Compter 25 € pour un repas. Apéritif maison ou digestif offert sur présentation de ce guide.* Petite adresse idéalement située derrière le *Duomo* qui attire de nombreux locaux et touristes. Un seul impératif : arriver tôt ou réserver. Belle salle haute de plafond, avec une déco chaleureuse : bois foncé et pierre apparente. Côté cuisine, spécialités toscanes revisitées et *pasta* sont à l'honneur. Spécialités de pâtes fraîches comme les raviolis fourrés aux légumes (différents selon les saisons). Courte mais très bonne sélection de desserts également. Quant au vin, belle carte et bonne sélection au verre. Accueil convivial. L'une de nos adresses préférées à Florence.

|●| ***La Canova di Gustavino*** *(zoom couleur, C3,* ***113****)* ***:*** *via della Condotta, 29 r.* ☎ *055-239-98-06. Tlj sf dim 12h-minuit.* L'annexe du *Gustavino,* tout à côté. Des rayons de bouteilles en guise de déco et quelques grosses tables en bois invitent à la convivialité. Dans les assiettes : bel assortiment de charcuterie, de fromages, pratique pour une pause déjeuner rapide, accompagnée bien sûr d'un bon chianti, servi au verre.

|●| ***Obikà Mozzarella Bar*** *(zoom couleur, B2,* ***91****)* ***:*** *dans le palazzo Strozzi, via dei Tornabuoni, 16.* ☎ *055-277-35-26.* • *firenze@obika.it* • *Tlj 10h-23h. Compter 20-22 € pour un repas complet. Mozzarella brunch le dim.* Littéralement « on est là » en napolitain ! En effet, cette adresse est bien là, nichée dans un magnifique palais florentin, dans la rue la plus chic de Florence. La déco résolument design, très épurée (acier trempé, verre poli), tranche avec les moelleuses et rondes mozzarellas, accommodées de mille manières. Évidemment, la *Campana DOP* est fameuse, mais celle qu'on a préférée, c'est la *stracciatella di Burrata*, maxi calories mais extra ! Il y a aussi la *Pontina*, la *rotolo di mozzarella di Bufala*. Les produits du terroir en accompagnement sont de très bonne qualité *(Bresaola Valtellina, lardo di Colonnata, prosciutto San Daniele).* Belle carte de vins.

|●| ***Rose's*** *(zoom couleur, B3,* ***107****)* ***:*** *via del Parione, 26 r.* ☎ *055-28-70-90.* • *info@roses.it* • *Tlj sf dim 12h-1h30. Pâtes, salades 8-12 €.* Le lieu se veut résolument design et les Florentines viennent le midi papoter entre copines et se régaler d'un plat de pâtes. Le soir, ambiance branchée avec des plats aux envolées méditerranéennes.

De prix moyens à plus chic

|●| ***La Bussola*** *(zoom couleur, B3,* ***118****)* ***:*** *via Porta Rossa, 58 r.* ☎ *055-29-33-76.* • *info@labussolafirenze.it* • *Compter 20-25 € pour un repas.* Idéalement située, cette adresse a pignon sur rue depuis les années 1960. Ce n'est pas un hasard si les Florentins viennent pour déguster ses pizzas, parmi les meilleures de la ville paraît-il. Au moment du coup de feu, le *pizzaiolo* s'active devant vous pour des pizzas généreuses et fondantes. Également, de bons *piatti* joliment présentés. Aux beaux jours, terrasse agréable avec vue sur le palazzo Davanzati.

|●| ***Ristorante Paoli*** *(zoom couleur, B2,* ***106****)* ***:*** *via dei Tavolini, 12 r.* ☎ *055-21-62-15.* • *ristorantepaoli@casatrattoria.com* • *Compter 25-30 € pour un repas.* L'une des plus anciennes adresses florentines (1824 !), à deux pas du *Duomo.* Un cadre original avec des voûtes d'époque. Préférez la salle du fond (qui est en réalité une ancienne chapelle) avec ses jolies fresques. Dans cette institution, on savoure sans chichis de solides plats traditionnels toscans (un peu lourds) au coude-à-coude. Accueil plein d'égards.

Plus chic

|●| ***Trattoria Garga*** *(plan couleur I, A2,* ***89****)* ***:*** *via del Moro, 48 r.* ☎ *055-239-88-98. Ouv ts les soirs sf lun. Compter 35 € pour un repas complet.* Derrière cette façade quelconque, caché sous des rideaux volants, se trouve l'un des meilleurs restos de viande de la ville. Les habitués viennent pour la *bistecca,* tendre et savoureuse. La déco est surprenante. Le patron, artiste à ses heures, a peint selon ses humeurs (et ses délires) tous les pans de mur de ses trois salles. Un résultat à la hauteur du service : survolté et haut en couleur !

|●| ***Il Latini*** *(plan couleur I, A2,* ***155****) : via Palchetti, 6 r. ☎ 055-21-09-16. • info@illatini.com • Fermé lun.* Antipasti *6-10 €,* secondi *15-25 €.* Des petits plats bien ficelés, typiquement toscans : *ribollita, trippa alla fiorentina, agnello arrosto.* Encore un restaurant qui a pignon sur rue depuis... des lustres. C'est surtout sa cave (superbement restaurée) qui a fait sa renommée : des grands crus classés, d'excellents vins régionaux (et même un Château Yquem !). Le gentil brouhaha et la clientèle d'habitués font de cet endroit un lieu convivial et sympathique.

Dans les quartiers de Santa Croce et de Sant'Ambrogio (plan couleur I, C-D2-3 et zoom couleur, C3)

Bon marché

|●| ***Da Rocco*** *(plan couleur I, D3,* ***108****) : sous la halle du Mercato Sant'Ambrogio. Ouv jusqu'à 14h30 sf dim. Plats env 4 €. Compter 15 € pour un repas complet.* Une tranche de vie pour le prix d'un plat de pâtes ! Les habitués viennent autant pour le spectacle du marché que pour les assiettes bien pleines. Cuisine toute simple de bistrot (lasagne, *pana cotta*), sans tambour ni trompette, mais qui nourrit son homme et dont le menu change tous les jours. Et puis c'est communautaire... Il manque un ingrédient ? On interpelle l'étalage voisin. Et pour le café, le bistrot d'en face fera bien l'affaire ! Parfait pour tâter l'atmosphère florentine à moindres frais.

|●| ***Café Medoro*** *(plan couleur I, C-D2,* ***154****) : piazza San Pier Maggiore, 4/5 r. Compter 7-8 € pour un plat de pâtes, 4 € pour un* panino. Une adresse qui ne paie pas de mine mais qu'on apprécie pour sa bonne petite tambouille sans chichis le midi. On se régale d'un plat de pâtes, d'un *panino* copieux ou d'*antispasti* faits maison. Petite terrasse très agréable aux beaux jours. On aime !

|●| ***Enoteca-Salumeria Verdi*** *(plan couleur I, D2,* ***109****) : via Giuseppe Verdi, 34-36 r. ☎ 055-24-45-17. • info@pozzodivino.com • Tlj sf dim 8h-20h. Congés en août. 10 % de réduc sur l'achat de bouteilles de vin de grappa ou d'huile d'olive.* Idéale pour les petits budgets, cette charcuterie-fromagerie-traiteur propose *primi, secondi* avec *contorni* à des prix défiant toute concurrence, servis dans des barquettes en alu. Il suffit de s'asseoir parmi les employés du quartier dans la salle du fond qui fait aussi office d'*enoteca.* C'est donc au milieu de bonnes bouteilles sur des comptoirs en bois, juchés sur un tabouret que l'on se nourrit de pâtes du jour, poulet, rôti, *antipasti,* etc. Bons produits frais. Parfait pour la pause du midi.

|●| ***Il Pizzaiuolo*** *(plan couleur I, D2,* ***111****) : via dei Macci, 113 r. ☎ 055-24-11-71. Tlj sf dim et 1 sem en août. Pizzas 6-8 €.* Le royaume de la pizza ! Le ton est donné : dialecte local et carte des vins n'alignant que des flacons du Sud de la Botte, et on se régale de pizzas à pâte épaisse, façon napolitaine. Le service est un peu bourru, mais à voir les files d'attente, ce n'est pas vraiment un obstacle à sa popularité.

|●| ***Ristorante-pizzeria I Ghibellini*** *(plan couleur I, C2,* ***112****) : piazza San Pier Maggiore, 8-10 r (angle borgo degli Albizi et via Palmieri). ☎ 055-21-44-24. Tlj sf mer. Plats 6-10 €.* Grosse pizzeria de quartier bien établie, très appréciée pour sa terrasse déployée sur une jolie placette. Également un grand espace au sous-sol et au fond pour les joyeux drilles ; plus bruyant, donc. Énorme sélection (une cinquantaine) de pizzas croustillantes à pâte fine, ou quelques plats classiques de bonne tenue comme l'*antipasto* de la *veterina* ou les tripes *alla fiorentina.* Beaucoup de monde au déjeuner.

|●| ***Il Gatto e la Volpe*** *(zoom couleur, C3,* ***110****) : via Ghibellina, 151 r. ☎ 055-28-92-64. Tlj 11h30-2h. Compter 25 € pour un repas. Réduc de 10 % sur présentation de ce guide.* Dans une *trattoria* de quartier animée par les nombreux

étudiants qui s'y pressent, copieux plats de pâtes pour caler les gros appétits. Idéal pour faire des rencontres, pour dîner entre amis, dans un niveau sonore généralement élevé. Ce n'est pas de la grande cuisine, mais le service est jeune et souriant.

Prix moyens

|●| ***Ristorante Le Carceri*** *(hors plan couleur I par D3, **125**) : piazza Madonna della Neve, 3. ☎ 055-247-93-27. • info@ristorantelecarceri.it • Pizzas à partir de 7 €.* Dans les anciennes prisons de Florence entièrement réhabilitées se cache une adresse insoupçonnable, celle d'un *ristorante* aux pizzas généreuses et aux pâtes savoureuses, accommodées de mille manières. Service rapide et charmant. Idéal avec des enfants qui peuvent galoper sans danger dans la cour.

|●| ***Semolina*** *(plan couleur I, D3, **136**) : piazza Ghiberti, 87 r. ☎ 055-234-75-84. Fermé mar. Compter 30 € pour un repas.* Voilà une adresse bien dans son jus, un peu à l'écart de la place. On s'attable sans façon dans une salle plutôt quelconque pour goûter les spécialités de la mer ! Les Italiens viennent aussi pour les pizzas, croustillantes et généreuses. Rien à redire, si ce n'est que le service peut dépendre du match de foot qui passe à la télé. Accueil à l'italienne. *Semolina ; pesce, ammore e... fantasia !*

|●| ***Teatro del Sale*** *(plan couleur I, D2, **114**) : via dei Macci, 111 r. ☎ 055-200-14-92. • info@teatrodelsale.com • Fermé dim-lun. Congés : août et 31 déc-6 janv. Résa conseillée le soir. Après s'être acquitté de la carte de membre valable 1 an (5 €), le petit déj (5,50 €), le déj (20 €) et le dîner (30 €) sont déclinés sous forme de buffet (boissons comprises).* Le dernier-né de *Cibreo* (le 4e du nom) fait dans le conceptuel. Un ancien garage à motos transformé en une épicerie fine, un resto et une salle de spectacle. Buffet excellent et copieux. L'épicerie aligne une sélection des meilleurs anchois, huiles d'olive ou miels du marché. Tous les soirs, un spectacle (une pièce de théâtre, un concert, des lectures). Attention, il faut impérativement arriver tôt le soir (avant 19h30 pour dîner), car le spectacle commence à 21h30. À partir de cette heure, le buffet n'est plus servi.

|●| ***Enoteca Boccanegra*** *(plan couleur I, C3, **159**) : via Giuseppe Verdi, 27 r (ne pas confondre avec le* ristorante *du même nom, tt à côté, plus cher et plus chic). ☎ 055-200-10-98. Compter 20-25 €.* Ambiance chaleureuse avec ses imposants murs de pierre, sa lumière tamisée et ses tables en bois foncé. Cuisine toscane copieuse et bien présentée. Le tout arrosé d'un verre de vin proposé par un des jeunes sommeliers (qui ne vous conseille pas le plus cher en plus !). Appétits d'oiseaux, s'abstenir. Préférez la mezzanine pour un dîner plus tranquille, la salle est plutôt bruyante.

|●| ***Baldovino*** *(plan couleur I, D3, **115**) : via San Giuseppe, 22 r. ☎ 055-24-17-73. • info@baldovino.com • Fermé lun hors saison. Plats 6-12 € ; carte un peu moins de 30 €.* Au premier coup d'œil, le « bal des vins » fait plus dans la valse triste ! Mais si le menu n'annonce qu'un banal vin de table, les amateurs peuvent exiger la carte prestige en provenance directe de l'*enoteca* voisine (c'est la même maison !). Choix étendu pour accompagner sans jurer un bon plat de pâtes, des charcuteries bien choisies ou même une honorable pizza. Terrasse agréable sur le flanc de Santa Croce, ou trio de petites salles accueillantes. D'ailleurs, il y a toujours beaucoup de monde.

Un peu plus chic

|●| ***Trattoria Acqua al 2*** *(zoom couleur, C3, **116**) : via della Vigna Vecchia, 40 r (à l'angle de la via dell'Acqua). ♿ ☎ 055-28-41-70. • stefanoin@inwind.it • Ouv le soir slt jusqu'à 1h. Compter 30 € pour un repas complet. Digestif offert sur présentation de ce guide.* Connu pour ses *assaggi* (assortiments) de pâtes, de viandes, de fromages et même de *dolci*. En revanche, on ne choisit pas : c'est

selon l'humeur du chef. Du coup, il n'est pas toujours facile pour les petits touristes que nous sommes de se glisser dans l'atmosphère des 2 petites salles conviviales, repaire de nombreux habitués !

|●| **Trattoria Il Cibreo** *(plan couleur I, D2, **111**) : via dei Macci, 122 r. ☎ 055-234-11-00. • cibreo.fi@tin.it • Fermé dim-lun. Congés : en août et la 1re sem de janv. Pas de résa : venir tôt ou tard. Compter env 35 € pour un repas.* À ne pas confondre avec le resto du même nom (voir plus bas), beaucoup plus cher. Toutefois, ce bistrot classique estampillé *slow food* bénéficie des mêmes cuisines que son illustre voisin ! Qualité et fraîcheur des produits garanties, pour une cuisine de terroir de bon ton privilégiant les spécialités toscanes. Très bons desserts. Assez cher et service peu aimable qui n'aide malheureusement pas à faire passer la douloureuse.

|●| **Boccadama** *(plan couleur I, C3, **117**) : piazza di Santa Croce, 25-26 r. ☎ 055-24-36-40. Tlj. Résa souhaitée le soir. Compter 30 € sans le vin.* Idéalement située, cette *enoteca* se distingue par sa très grande sélection de vins (plus de 400 étiquettes répertoriées). La carte affichée sur le grand tableau noir change selon le marché. À l'affiche, risotto, pâtes (spécialité de lasagnes), légumes de saison, le tout simple et très correct. Les tables en bois et les chaises peintes donnent un avant-goût de la campagne toscane. Terrasse face à Santa Croce, prise d'assaut aux beaux jours. Fort de son succès, ce restaurant ne désemplit pas, mais le rapport qualité-prix n'est pas toujours au rendez-vous.

Chic

|●| **La Pentola dell'Oro** *(plan couleur I, D2, **119**) : via di Mezzo, 24-26 r. ☎ 055-24-18-21. • info@lapentoladelloro.it • Tlj sf dim. Compter env 15 € au bistrot et 40-45 € au resto gastronomique. Menu dégustation 45 € (8 plats et vins compris !).* En fonction des envies et de l'embonpoint du portefeuille. Cette *trattoria* familiale s'adresse à 2 types de convives : au rez-de-chaussée, le petit bistrot aux tables à plateaux de marbre avec la télé en fond sonore rassemble les habitués venus en voisins goûter une bonne cuisine de ménage toscane, tandis que la cave voûtée propose aux gourmets une cuisine plus élaborée, n'hésitant pas à remettre au goût du jour quelques vieilles recettes oubliées et à renouveler les plus classiques. Une occasion unique de goûter de délicieuses spécialités maison, pour ceux qui le peuvent...

Très chic

|●| **Ristorante Il Cibreo** *(plan couleur I, D2, **111**) : via A. del Verrocchio, 8 r. ☎ 055-234-11-00. • cibreo.fi@tin.it • Fermé dim-lun. Congés : en août et la 1re sem de janv. Compter env 75 € pour un repas complet (sans le vin).* L'un des grands classiques du circuit gastronomique florentin. Tables espacées et meubles anciens en bois vernis confèrent à la salle une atmosphère intime, idéale pour apprécier les spécialités du pays transcendées par le talent du chef. Belle carte des vins, avec quelques incursions parmi les domaines français et même du Nouveau Monde.

Dans l'Oltrarno *(San Niccolò, Pitti, ponte Vecchio, Santo Spirito, San Frediano ; plans couleur II, E-F4 et III, G6)*

Bon marché

|●| **Trattoria Sabatino** *(plan couleur II, E4, **151**) : via Pisana, 2 r. ☎ 055-22-59-55. Un peu excentré, tt à côté de la porta San Stefano. Fermé sam, dim et j. fériés.*

FLORENCE ET SES ENVIRONS

Congés en août. Compter 15 € pour un repas. Petite *trattoria* populaire, sans prétention aucune, mais qui offre un bon petit choix de plats typiques toscans. Il n'y a qu'à voir les habitués défiler pour s'en rendre compte. Ici pas de chichis, ni dans le service, ni dans la déco, ni dans l'assiette ! On s'attable (où il y a de la place) pour un plat de pâtes du jour ou un *tiramisù* maison. Et *basta* !

|●| ***Trattoria La Casalinga*** *(plan couleur II, F4,* ***120****) : via dei Michelozzi, 9 r. ☎ 055-21-86-24. ● lacasalinga@freeinternet.it ● Fermé dim. Congés : à Noël et 3 sem en août. Compter 18-20 € pour un repas.* Cantine bien typique des petits budgets de l'Oltrarno. N'hésitez donc pas à entrer dans cette première salle sans charme, ou celle du fond aux allures de réfectoire, et prenez place dans ce brouhaha incessant (ça crie en salle comme en cuisine). Ici, on mise sur l'assiette et son contenu. Les classiques italiens (y compris les fameuses *trippe alla fiorentina*) figurent sur la carte, plats copieux, service rapide.

|●| ***Il Magazzino*** *(plan couleur II, F4,* ***121****) : via dei Sapiti, 20 r. ☎ 055-21-59-69. Tlj midi et soir.* En vraie *tripperia*, la maison cuisine dans les règles d'excellentes tripes à la florentine et des *lampredotti*. Les récalcitrants se rattraperont sur les bonnes *pasta* ou les délicieux plats de lapin. Dans tous les cas, les savoureux desserts maison mettront tout le monde d'accord ! Petite salle guillerette, envahie le midi par les employés et les artisans du quartier.

|●| ***Vico del Carmine*** *(plan couleur II, E4,* ***138****) : via Pisana, 40 r. ☎ 055-228-10-06. ● vicodelcarmine@fol.it ● À 30 m de la porta San Stefano. Ts les soirs sf lun. Résa vivement conseillée. Pizzas à partir de 7 €. CB refusées.* Endroit bien caché mais connu des Florentins pour ses célèbres pizzas. Salle reconstituée d'un décor de quartier napolitain. Tout est *made in campania*, du *pizzaiolo* aux produits : mozzarella, tomates, pâtes fraîches et même le poisson qu'ils font venir exprès ! Quant aux pizzas, légères et savoureuses, c'est un régal ! Les Florentins s'y pressent en famille, entre amis, rejoints par les touristes de plus en plus nombreux. C'est plein comme un œuf à partir de 20h30. Service enlevé et souriant. Hop, hop, hop ! Faut que ça tourne !

|●| ***I Tarocchi*** *(plan couleur III, G6,* ***123****) : via dei Renai, 14 r. ☎ 055-234-39-12. Ouv mar-ven 12h-15h, 19h-1h. Compter 20 € ; et moins de 8 € pour une pizza. Café offert sur présentation de ce guide.* Dans le quartier le plus florentin de *Firenze*, un établissement convivial propice aux retrouvailles entre copains. Cuisine sans chichis, généreuse et de bonne tenue, à l'image des belles (et bonnes) pizzas propres à satisfaire les plus gros appétits ! Aux beaux jours, terrasse agréable sur une rue tranquille. Ambiance conviviale assurée par un contingent d'habitués.

|●| 👪 ***Cuculia*** *(plan couleur II, E-F4,* ***157****) : via dei Serragli, 1 r-3 r. ☎ 055-277-62-05. ● info@cuculia.it ● Mar-jeu 8h30-minuit, jeu-ven 8h30-minuit, sam 10h-1h et dim 10h-23h. Wifi. Plat unique le midi 8 €. Brunch sam et dim.* Un concept original qui concentre resto, espace librairie et lecture, et activités pour enfants. Dans cet espace immaculé aux lignes résolument design, on peut à toute heure prendre un verre tout en piochant un des nombreux livres sur les étagères. Belle sélection de livres de voyages, de cuisine, d'art et d'architecture dans la langue de Dante et de Shakespeare. Une ambiance légère et aérienne... on s'y sent bien tout simplement. « Ô temps, suspends ton vol ».

Prix moyens

|●| ***Trattoria da Ruggero*** *(plan d'ensemble,* ***126****) : via Senese, 89 r. ☎ 055-22-05-42. Bus n° 33, arrêt Piazzale di Porta Romana. Fermé mar-mer. Congés : de mi-juil à mi-août. Résa conseillée. Compter env 20 €.* Certes, il faut être courageux pour venir jusqu'ici, mais cette adresse *slow food* vaut le détour. Les plats faits maison sont mitonnés à base de produits frais. On retrouve, entre autres, *arista de maiole, braciola della casa, tartuffo al ciocco-*

lato... Un air de campagne qui se ressent aussi dans le décor. On oublierait presque le temps qui passe. Après le déjeuner, vous serez requinqué pour une longue promenade dans le jardin de Boboli, tout à côté. Accueil sympathique.

|●| ***Antica Mescita San Niccolò*** *(plan couleur III, G6,* ***127****)* ***:*** *via di San Niccolò, 60 r.* ☎ *055-234-28-36. Tlj sf dim et 1re quinzaine d'août. Au déj, formule buffet 10 € ou plats 9-14 €.* Établissement chaleureux, qui s'est installé dans les murs de l'ancien *alimentari* hérité des années 1920. Les tables en bois et les carreaux de faïence tapissant les murs conviendront parfaitement aux habitués des *osterie* traditionnelles florentines. Sinon, la salle voûtée du sous-sol n'est autre que la crypte de l'église attenante ! La carte renferme le meilleur de la cuisine du terroir. Assortiments de *crostini* en guise d'entrées. Incontournables – et tellement bonnes – *zuppe* et *minestre* (*pappa al pomodoro, ribollita,* etc.). Bonnes viandes, à commencer par le *coniglio briaco* (cuit dans du vin), et excellents *contorni*.

|●| ***Trattoria Il Guscio*** *(plan couleur II, E4,* ***152****)* ***:*** *via dell'Orto, 49.* ☎ *055-22-44-21. • info@ilguscio.it • Tlj sf sam midi et dim tte la journée. Congés en août. Petit menu le midi 10 €. Menu dégustation 30 € ; carte 25 € sans la boisson. Apéritif maison, café ou digestif offert sur présentation de ce guide. Trattoria* familiale dirigée par Francesco, sommelier de métier, et sa femme Elena. La *mamma* du fiston, Sandra, officie en cuisine. Ici, les plats font honneur aux produits de saison et le poisson n'est pas en reste. Tout est fait maison, des *antipasti* aux desserts en passant par les pâtes fraîches. Évidemment, une belle sélection de vins. Accueil prévenant et service charmant.

|●| ***Osteria Santo Spirito*** *(plan couleur II, F4,* ***128****)* ***:*** *piazza di Santo Spirito, 16 r.* ☎ *055-238-23-83. Tlj 18h30-23h30. Résa conseillée. Compter 25-30 €.* Idéalement située sur un coin de la place, cette *osteria* attire sa clientèle avec une cuisine toscane de qualité, bien servie et joliment présentée. Excellent risotto et vins en carafe. Une terrasse agréable, d'où on profite de l'animation du quartier. Et pour les frileux, une jolie salle intérieure, un tantinet théâtrale avec sa vieille porte de guingois, ses murs colorés et son mobilier éclectique. Petit bémol : le service un peu longuet par moment.

|●| ***Trattoria del Carmine*** *(plan couleur II, E4,* ***129****)* ***:*** *piazza del Carmine, 18 r.* ☎ *055-21-86-01. Fermé dim et 20 j. en août. Compter 20-30 € à la carte.* Située dans un discret recoin de la place, cette *trattoria* d'habitués est réputée pour sa cuisine simple et goûteuse (mention spéciale pour le *cremino al cioccolato* et pour sa *bistecca*). Aux beaux jours, préférer la petite terrasse ombragée plus agréable que l'intérieur. Prix honnêtes et service efficace.

|●| 🍷 ***Il Santo Bevitore*** *(plan couleur II, F4,* ***130****)* ***:*** *via di Santo Spirito, 66 r.* ☎ *055-21-12-64. • info@ilsantobevitore.com • Fermé dim midi et 10 j. en août. Compter env 25 €, sans le vin. Menu 12 € servi le midi en sem.* Une cuisine toscane de bonne qualité, avec toujours une pointe d'originalité (comme le *soufflé di caprino e porri su coulis di pere speziate*) et des détours dans différentes régions italiennes, comme l'assiette de fromages sardes. Le cadre n'est pas en reste : une jolie salle mi-lambrissée partagée en son milieu par un pilier imposant. Accueil bien souriant et service impeccable, dans cette œnothèque gastronomique, où des conseils avisés sont prodigués quant au choix du vin. Toujours plein, pensez à réserver.

|●| ***Al Tranvai*** *(plan couleur II, E4,* ***124****)* ***:*** *piazza T. Tasso, 14 r.* ☎ *055-22-51-97. • info@altranvai.it • Fermé dim et 1 sem en août. Résa conseillée. Compter 25 € pour un repas. Trattoria* minuscule nichée au cœur du quartier populaire de San Frediano. La déco évoque l'intérieur d'un tram (d'où son nom), celui-là même qui parcourait autrefois les rues de Florence. La carte change tous les jours pour satisfaire les nombreux habitués, mais on retrouve les spécialités toscanes comme la *pappa al pomodoro*, la *ribollita* (en hiver) et la *panzanella* (en été). Le tout se déguste au coude-à-coude dans une atmosphère conviviale, très agitée selon le moment.

Chic

|●| ***Alla Vecchia Bettola*** *(plan couleur II, E4,* ***132****) : viale Vasco Pratolini, 3/5/7. ☎ 055-22-41-58. • maremma max@hotmail.com • ♿ Fermé dim-lun. Congés : 1 sem à Noël et 10 j. en août. Compter 35 € pour un repas complet sans la boisson. CB refusées. Café offert sur présentation de ce guide.* Décor d'*osteria* d'antan (carreaux de faïence aux murs, vieux zinc en marbre, présentoir chargé de charcuteries alléchantes...), ambiance conviviale caractéristique de ce quartier populaire (favorisée par les tablées communes) et nourriture florentine traditionnelle de qualité constante. On vous recommande, entre autres, les *penne alla bettola* (sauce tomate, crème de lait, poivre et vodka). Sinon, les amateurs d'abats ne seront pas déçus. Une valeur sûre, avec un joli petit coin de terrasse aux beaux jours.

|●| ***Olio & Convivium*** *(plan couleur II, F4,* ***133****) : via di Santo Spirito, 4 r. ☎ 055-265-81-98. • olio.convivium@ conviviumfirenze.it • Fermé dim et lun soir. Assiettes variées de charcuteries et fromages 14-22 € et plat du jour 15 € ; compter 35 € le soir.* Les espérances sont grandes lorsqu'un traiteur de renom se lance dans la restauration. *Olio* ne les déçoit pas ! Sélection sans faille des meilleurs produits toscans, tous au service d'une cuisine élaborée riche en saveurs. D'ailleurs, la maison n'a pas rompu avec la tradition : dans la partie épicerie fine, 25 huiles d'olive sont proposées en dégustation et les rayonnages chargés de fromages, *prosciutto* ou pâtes incitent à faire ses emplettes en sortant de table. À condition toutefois d'avoir trouvé une place dans la jolie salle, accaparée par les habitués.

|●| ***Lung Arno 23*** *(plan couleur III, G6,* ***158****) : lungarno Torrigiani, 23. ☎ 055-234-59-57. • info@lungarno23.it • Tlj sf parfois le dim (mais exceptionnel). Compter 30-35 €.* Amateur de bonne viande, voilà l'adresse qu'il vous faut ! La spécialité de la maison : des burgers avec la fameuse viande bovine de race Chianina, spécialité toscane. Pour les végétariens, salades, soupes et fromages. Carte des vins longue comme le bras. Belle terrasse avec vue sur l'Arno, agréable aux beaux jours (l'été, il y fait même un poil trop chaud). Pour info, les amateurs de viande s'y bousculent, la résa est quasiment obligatoire !

Plus chic

|●| ***Napo Leone*** *(plan couleur II, E4,* ***131****) : piazza del Carmine, 24 r. ☎ 055-28-10-15. • info@trattorianapoleone.it • Ts les soirs 19h-1h. Fermé j. fériés. Menu 30 € ; compter 35 € le repas.* Cette adresse a rapidement conquis le cœur et l'estomac des Florentins gourmands. Il faut reconnaître que la maison a de sérieux atouts en main : une déco branchée misant sur l'éclectisme sans rien de m'as-tu-vu (patchwork réussi de meubles vieillis et de bibelots amusants), des spécialités variées (pâtes, pizzas, viandes...), cuisinées avec de bons produits, joliment présentées et secondées par une carte des vins alléchante. Pour servir le tout, l'équipe arbore un sourire des plus chaleureux. Belle terrasse aux beaux jours.

|●| 🍷 ***Enoteca Le Barrique*** *(plan couleur II, E4,* ***135****) : via del Leone, 40 r. ☎ 055-22-41-92. Tlj sf lun, le soir slt. Congés : 2 sem en août. Compter 15 € pour une assiette de charcuterie ou de fromage et 35-40 € pour un repas complet.* Beau choix de vins italiens et étrangers (français, chiliens, sud-africains...) conseillés par le patron qui ne pousse pas à la consommation (ça mérite d'être souligné). À déguster : les suggestions du jour et d'appétissantes spécialités de la cuisine florentine (tagliatelles aux courgettes, raviolis au vin, poulpe, filet de mérou...). Et, dès les premiers rayons de soleil, on répartit les tables entre la jolie salle chic et un jardin tranquille à l'ombre d'une treille. Accueil absolument charmant.

|●| ***Ristorante Pane e Vino*** *(plan couleur II, E4,* ***150****) : piazza di Cestello, 3 r. ☎ 055-247-69-56. • paneevino@yahoo.it • Ouv 19h30-1h sf dim. Congés :*

1 sem en hiver et aux env du 15 août. Menus 35 et 45 €. Compter 45-50 € pour un repas complet. Ne vous fiez pas à l'entrée peu avenante, avec ses néons verts et rouges. À l'intérieur, c'est beaucoup plus cosy avec ses poutres et sa grande verrière. Pour plus d'intimité, les amoureux choisiront la mezzanine. Bonne cuisine toscane revue avec quelques envolées originales comme la crème brûlée au parmesan ou la *baccalà in brandade all'antica*. On apprécie les conseils œnologiques du maître des lieux, qui ne force pas le porte-monnaie... Accueil prévenant.

Trattoria Cammillo *(plan couleur II, F4, **137**) : borgo San Jacopo, 57 r. ☎ 055-21-24-27. Fermé mar-mer. Congés : août et de mi-déc à mi-janv. Compter 50 €. Digestif offert sur présentation de ce guide.* Un restaurant florentin de renom au cadre classique bon teint et sans extravagance avec ses 3 salles voûtées en enfilade, ornées de tableaux et de luminaires discrets. Pour l'ambiance, nappes blanches et serveurs en nœud pap' sont de rigueur. Bref, une cuisine toscane de bon goût travaillée dans le respect de la tradition. Pour les portefeuilles bien garnis.

Bars à vins *(vinai, enoteche)*

Chaque année, de nouvelles adresses apparaissent, témoignant du succès de cette formule, idéale selon nous, pour un déjeuner rapide et relativement économique... La nourriture, qui s'articule principalement autour de la charcuterie et du fromage, est certes un peu répétitive mais toujours de qualité. De plus, c'est vraiment le meilleur moyen de découvrir les vins de la région.

Dans le centre (autour du Duomo)

Bon marché

I Fratellini *(zoom couleur, B2-3, **140**) : via dei Cimatori, 38 r. ☎ 055-239-60-96. • ifratellini@gmail.com • Tlj sf dim 8h-20h30. Congés en fév et nov.* Petite échoppe qui propose (depuis 1875 !) un verre de vin et un *panino* à consommer debout dans la rue (il y a tout de même des râteliers pour poser son verre entre 2 gorgées). Le comptoir est souvent bondé, mais c'est tout bonnement divin ! Une vraie relique tenue avec amour par 2 frères, l'un préparant les sandwichs à la commande (à partir de 2,50 €), l'autre s'occupant de remplir les ballons de *chianti* ou même de *brunello*. Typique et démocratique !

Fratelli Zanobini *(plan couleur I, B1, **141**) : via Sant'Antonino, 47 r. ☎ 055-239-68-50. Tlj sf dim 8h-14h, 15h30-20h.* Caviste réputé, avec un petit comptoir pour les dégustations, usé par des générations de connaisseurs. C'est d'ailleurs un des plus anciens magasins de la ville, avec 3 000 étiquettes (en comptant les mousseux, les spiritueux et les vins français !). Vous y trouverez à coup sûr les crus que vous avez goûtés au restaurant et que vous souhaitez rapporter chez vous. Bons conseils. On s'y désaltère, mais pour caler une petite faim, il faudra repasser !

All'Antico Vinaio *(zoom couleur, C3, **142**) : via dei Neri, 65 r. Tlj 8h-21h. Compter 5 € pour un* panino. Ici, tout est dans l'atmosphère : à la bonne franquette, comme en témoignent ces bouteilles disposées autour de rangs serrés de verres que les amateurs remplissent eux-mêmes (le patron vous a tout de même à l'œil !). Et à ras bord, s'il vous plaît ! Pour accompagner le *chianti*, des *panini* et *crostini* garnis de bonnes petites choses, fraîches et variées puisqu'elles proviennent du petit traiteur en face. Également des plats de pâtes et des *focacce*. Le tout se livre pour une poignée d'euros, et se déguste au comptoir perché sur un tabouret haut.

Casa del Vino *(plan couleur I, B1, **143**) : via dell'Ariento, 16 r. ☎ 055-21-56-09. Lun-ven 9h30-19h ; sam 10h-15h (fermé sam mai-juil).* Minuscule bar à vins où l'on déguste debout (2 chaises et une table pour ceux qui auront de la chance !) un choix de charcuteries, *crostini* et *panini* du jour.

De prix moyens à chic

Cantinetta da Verrazzano *(zoom couleur, B2, **144**) : via dei Tavolini, 18-20 r.* ☎ *055-26-85-90. Lun-sam 8h-21h.* Voici le « temple » de Verrazzano, un fameux producteur de vins du Chianti dont on parlait déjà au XIIe s ! On y vient bien sûr pour les vins du domaine, au verre ou à la bouteille, mais aussi pour ses délicieuses *focacce* cuites au four à bois et ses charcuteries artisanales. Les pressés s'accouderont au comptoir le temps d'une dégustation sauvage, les autres s'attarderont dans l'une des 2 salles cossues, tapissées de belles boiseries sombres ou s'attableront en terrasse prise d'assaut à l'heure de l'*aperitivo.* L'un des incontournables de la tournée des bars à vins.

Cantinetta Antinori *(zoom couleur, B2, **145**) : palazzo Antinori, piazza Antinori, 3.* ☎ *055-29-22-34. • cantinetta@antinori.it • Tlj sf sam et dim midi. Congés : août et Noël.* Antipasti *et* primi *9-16 €,* secondi *21-25 €.* Pour les amateurs de crus italiens, la maison Antinori se démarque par la qualité et la grande régularité de ses vins. Son savoir-faire est immense, héritage de générations d'œnologues en poste depuis 1385. Son gigantesque domaine produit aujourd'hui pas moins de dix rouges : du Tignanello ou du Solaia – vins phares du producteur – au Santa Cristina (entrée de gamme), en passant par le Tenute del Marchese, le Badia a Passignano ou le villa Antinori (trois bons *chianti classici*). Sans parler des excellents blancs provenant des propriétés d'Ombrie... Du coup, une dégustation à la *Cantinetta* fait partie des grands classiques florentins. Le cadre est soigné (une salle cossue nichée dans le palais du comte), la clientèle résolument chic et le service impeccable. Cuisine à l'avenant, à la fois traditionnelle et élégante, un peu chère tout de même.

Dans l'Oltrarno

Bon marché

Le Volpi e l'Uva *(plan couleur II, F4, **146**) : piazza dei Rossi, 1 r.* ☎ *055-239-81-32. • info@levolpieluva.com • Sur une petite place à deux pas du ponte Vecchio. Tlj sf dim 11h-21h.* Un endroit très chaleureux, avec un grand bar fait de barriques aux lignes rebondies prometteuses... et son mur garni de bouteilles. Œnophiles avertis, les patrons sauront guider votre choix. Belle sélection de vins rouges et de blancs (secs ou liquoreux) privilégiant les petits producteurs (Pian Cornello, notamment, pour les vins de Montalcino, ou bien encore le producteur du Terra di Ripanera). Côté cuisine : délicieuse charcuterie que l'on déguste en terrasse avec le fameux pain sans sel *(filone)* ou – mieux encore – avec un pain salé, la *schiacciata* (compter environ 5 € pour une assiette). On peut faire également bombance pour une quinzaine d'euros. Un bon plan si près du centre. Patron jovial et accueil aux petits oignons. Que demander de plus ?

Prix moyens

Il Santino *(plan couleur II, F4, **149**) : via di Santo Spirito, 60 r.* ☎ *055-230-28-20.* Petite annexe du *Santo Bevitore,* tout à côté. Minuscule salle où charcutailles toscanes et fromages italiens font bon ménage avec un bon verre de chianti à l'heure de l'*aperitivo.* Bien sûr, plus on avance dans la nuit, plus le trottoir déborde de monde...

Enoteca-bar Fuori Porta *(plan couleur III, G-H6, **147**) : via del Monte alle Croci, 10 r.* ☎ *055-234-24-*

83. ● *info@fuoriporta.it* ● *À côté de la porte San Miniato et des remparts de la ville. Tlj sf dim. Env 15-20 € pour une petite faim.* Autrefois bar-tabac-épicerie, c'est aujourd'hui le rendez-vous des œnophiles : pas loin de 600 étiquettes d'Italie ou d'ailleurs, négociées à un tarif raisonnable. Un vrai délice que de s'installer sur la terrasse, pour boire un *nobile* ou un *brunello* accompagné de *crostini* ou de *bruschette.* On peut étoffer le menu avec un bon plat de pâtes ou une salade. Les 2 salles ne sont pas moins agréables, mais le soir, venir tôt pour prendre de vitesse les nombreux habitués !

Bevo Vino *(plan couleur III, G-H6,* ***148****) : via di San Niccolò, 59 r.* ☎ *055-200-17-09.* ● *bevovino.enoteca@gmail.com* ● *Tlj 12h-1h. Compter 20-25 € pour un repas complet, vin compris.* À deux pas de la porta San Miniato, petit bar à vins au mobilier de bois clair, très agréable pour grignoter en dégustant de nombreux crus toscans, choisis avec soin par le patron. Une adresse de connaisseurs. Accueil charmant et conseils avisés. Plus animé en soirée.

Et l'*aperitivo* ?

Une formule magique pour marier tous les plaisirs à moindres frais ! À l'heure fatidique de l'*aperitivo* (on ne vous fera pas l'injure d'une traduction littérale), certains établissements ont eu l'idée géniale de proposer un buffet de petits plats typiques accessibles dès le premier verre de vin payé. C'est la région Piémont qui, il y a quelques années, avait lancé cette mode et elle a fait son bout de chemin depuis. Actuellement, le succès est tel que tout le monde s'y met, du restaurant classique au bar branché, en passant par les salons de thé ! Très convivial, nourrissant et nettement meilleur qu'un bol de cacahuètes ! Voici une petite sélection éclectique :

Rifrullo *(plan couleur III, H6,* ***198****) : via di San Niccolò, 55 r.* ☎ *055-234-26-21.* Voir « Où sortir ? Où écouter de la musique ? » à San Niccolò.

Negroni *(plan couleur III, G6,* ***200****) : via dei Renai, 17 r.* ☎ *055-24-36-47.* L'un des meilleurs. Voir « Où sortir ? Où écouter de la musique ? » à San Niccolò.

Zoe *(plan couleur III, G6,* ***199****) : via dei Renai, 13 r.* ☎ *055-24-31-11. Petite rue parallèle au lungarno Serristori (qui longe l'Arno).* Voir « Où sortir ? Où écouter de la musique ? » à San Niccolò.

Caffè Sant'Ambrogio *(plan couleur I, D2,* ***194****) : piazza sant'Ambrogio, 7 r.* ☎ *055-247-72-77.* Voir « Où boire un verre ? » dans le centre historique.

Il Santino *(plan couleur II, F4,* ***149****) : via di Santo Spirito, 60 r.* ☎ *055-230-28-20.* Voir « Bars à vins » dans l'Oltrarno.

Chiaroscuro *(zoom couleur, C2,* ***182****) : via del Corso, 36 r.* ☎ *055-21-42-47.* Voir « Où prendre un café ? » dans le centre historique.

Dolce Vita *(plan couleur II, E4,* ***153****) : piazza del Carmine, 6 r.* ☎ *055-28-45-95.* Voir « Où sortir ? Où écouter de la musique ? » à San Frediano et alentours.

Dublin Pub *(plan couleur I, B1,* ***191****) : via Faenza, 27 r.* ☎ *055-29-30-49.* Voir « Où sortir ? Où écouter de la musique ? » dans le centre historique.

Rex *(plan couleur I, D2,* ***197****) : via Fiesolana, 25 r.* ☎ *055-248-03-31.* Voir « Où sortir ? Où écouter de la musique ? » dans le centre historique.

Où savourer de bonnes glaces ?

Grom *(zoom couleur, B2,* ***160****) : via del Campanile, 2 (à l'angle de la via dell'Oche).* ☎ *055-21-61-58. Tlj 10h30-minuit (23 h en hiver).* À deux pas du *Duomo,* mais rien à voir avec la folie touristique des glaciers aux alentours. Ici, on fabrique de délicieuses glaces bio avec les meilleurs produits. Elles sont préparées uniquement avec des fruits de saison. Et la carte des parfums change tous les mois (fraîcheur oblige !). Armez-vous de patience, il y a souvent la queue à la belle saison.

Gelateria Vivoli *(zoom couleur, C3,*

161) : via Isola delle Stinche, 7. ☎ 055-29-23-34. Tlj sf lun 7h30-21h (minuit avr-fin oct). Congés : 3 sem en août. Très bonnes glaces *(amaretto, millefoglie, zabaione...)* que des générations d'amateurs se disputent depuis les années 1930 ! À emporter bien sûr, sinon quelques comptoirs de marbre précèdent un petit salon de dégustation confortable, étoffé d'un plafond à caissons et d'une petite fresque. Cossu ! Et toujours beaucoup de monde... La *Latteria* (fermé 13h-17h) appartenant à la maison, juste à côté, vend de beaux fromages.

Carapina *(zoom couleur, B3,* ***168****) : via Lambertesca, 18 r. ☎ 055 29-11-28.* À deux pas du ponte Vecchio, une nouvelle adresse aux glaces 100 % naturelles. Sélection rigoureuse de fruits de saison. La glace à la fraise est fameuse, crémeuse à souhait. Celle au chocolat nous a fait succomber ! Difficile de ne pas craquer ! *Autre adresse : piazza Oberdan, 2 r.*

Gelateria Carabe *(plan couleur I, C1,* ***162****) : via Ricasoli, 60 r. ☎ 055-28-94-76. Tlj sf lun 10h-1h.* Réputée pour ses *granite* délicieuses, vous n'aurez que l'embarras du choix des parfums : kiwi, figue, melon, pêche... (ce sont des fruits frais, bien sûr). Tout est fait maison, sans oublier les glaces tout aussi excellentes et la spécialité de la maison : le *cannolo siciliano.* Petite adresse très prisée des autochtones. Une valeur sûre.

Vestri *(plan couleur I, D2,* ***163****) : borgo degli Albizi, 11 r. ☎ 055-234-03-74. Lun-sam 10h30-20h.* Petite maison du chocolat qui a eu la bonne idée d'adapter ses recettes aux glaces artisanales : peu de parfums, mais souvent originaux (celui au piment est divin) et toujours délicieux. Celle au chocolat à l'orange est succulente, mais les habitués viennent aussi faire la queue pour y « siroter » le chocolat chaud maison. Proposée en 2 tailles de gobelet (le petit suffit), cette boisson est un vrai nectar concentré.

Perchè No !... *(zoom couleur, B2,* ***164****) : via dei Tavolini, 19 r. ☎ 055-239-89-69. Tlj jusque... tard.* Cette *gelateria* existe depuis 1939 ! Nous y voilà, face à un vaste choix de sorbets, glaces traditionnelles et glaces sans crème (un peu plus *light*), à se bousculer en faisant la queue avant de choisir cornet ou pot entre 2 et 10 € suivant le nombre de boules. Notre must : la chocolat (pas le sorbet, plus fade), la café aux pépites de chocolat ou encore la caramel. Mais il y en a tant d'autres, comme celles aux amandes et au thé vert, que chacun y trouvera forcément son compte.

Gelateria dei Neri *(zoom couleur, C3,* ***165****) : via dei Neri, 20-22 r. ☎ 055-210-034. Tlj 11h-minuit.* Pas moins de 40 parfums différents (du sorbet fruits des bois à la crème de profiteroles !) sont proposés par des serveurs en blouse blanche. Des parfums classiques comme le délicieux *cioccolato fondente* (extra noir) ou plus osés comme le choco-pistache-piment, ricotta-figue, pignon... Miam ! Et pour se rappeler que le *Nutella* est né en Italie, crêpes à la fameuse crème de noisettes à 2,50 € (en hiver seulement).

Gelateria La Carraia *(plan couleur II, E-F4,* ***166****) : piazza N. Sauro, 25 r. ☎ 055-28-06-95. Juste en face du ponte alla Carraia. Tlj 11h-22h30.* Vaste choix de parfums maison pour ce glacier très apprécié des Florentins, donc plutôt bon signe ! À savourer sur les berges de l'Arno. *Autre adresse : via dei Benci, 24.*

Gelateria Il Gallo Ghiottone *(plan couleur I, D3* ***167****) : via dei Macci, 75 r.* Minuscule boutique mais excellentes glaces aux parfums classiques. Réputé dans le quartier.

Où déguster une bonne pâtisserie ou de bons chocolats ?

Ce ne sont pas les adresses qui manquent, mais les plus exigeants feront bien de pousser jusqu'aux :

Arte del Cioccolato *(zoom couleur, B3,* ***173****) : chiasso de' Soldanieri, via Porta Rossa, angolo via dei Tornabuoni. Tlj sf lun mat 10h-20h (23h sam).*

Poussez la porte de la grille et laissez-vous guider par l'odeur alléchante de chocolat. Petite boutique, grande comme un mouchoir de poche avec de belles voûtes en pierres séculaires, Roberto Catinari a sélectionné avec soin ses fèves de cacao récoltées aux 4 coins du monde. Sûr que ces sublimes chocolats aux saveurs inattendues ne vous laisseront pas de marbre. Difficile de repartir les mains vides...

Dolci e Dolcezze *(plan d'ensemble,* ***170****) : piazza Cesare Beccaria, 8 r. ☎ 055-234-54-58. À l'est du quartier de Sant'Ambrogio. Mar-sam 8h30-19h30 ; dim 9h-13h. Congés en août. Café offert sur présentation de ce guide.* Cette coquette boutique vaut le déplacement à elle seule. Guère plus grande qu'un timbre-poste, avec son mobilier patiné à l'ancienne, décorée dans des tons vert amande, elle figure en bonne place sur le carnet d'adresses de tout bec sucré qui se respecte. Pour nous (et pour les Florentins), c'est l'une des meilleures pâtisseries de la ville. On peut regretter sa situation excentrée. Mais une fois arrivés, les plus gourmands pourront déguster quelques douceurs au comptoir. D'excellentes tartes au chocolat (dont la réputation n'est plus à faire), *crostate* ou *budini* à emporter.

Robiglio *(plan couleur I, C1,* ***171****) : via dei Servi, 112 r. ☎ 055-21-27-84. Lun-sam 7h30-19h30. Congés : 3 sem en août.* Une institution à Florence dont les gourmands chantent les louanges depuis 1926. Testez la spécialité du coin, la *torta campagnola,* faite de marmelade de fruits, d'amandes et de noisettes. À déguster dans une jolie salle à l'ancienne ou sur la petite terrasse, avec un bon café. Également différents petits plats salés servis à l'heure du déjeuner. Plusieurs adresses dont celle (également avec terrasse) à l'angle de la via dei Medici et de la via de Tosinghi, à côté du *Duomo.*

Caffè Pasticiera Donnini *(zoom couleur, B2,* ***172****) : piazza della Repubblica, 15 r. Tlj 7h-minuit.* Pâtisseries et petits gâteaux à emporter ou à déguster sur place avec un *espresso* (nettement plus cher). Une bonne adresse recommandée par des Florentins pur jus.

Où prendre un café ?

Dans le centre historique

Giubbe Rosse *(zoom couleur, B2,* ***187****) : piazza della Repubblica, 13-14 r. ☎ 055-21-22-80. • info@giubberosse.it • ♿ Tlj 8h-2h. Café offert sur présentation de ce guide (si repas pris).* Brasserie littéraire historique idéalement située. Au début du XXe s, c'était le lieu de rencontre des poètes, artistes et écrivains. André Gide et même Lénine y seraient venus. Les plafonds voûtés en brique, les grosses poutres en bois, les ventilos et les vieux lustres contribuent au charme nostalgique de l'endroit. Parfait pour un *espresso* (pas donné) sur la terrasse en suivant des yeux l'animation de la piazza.

Rivoire *(zoom couleur, B3,* ***188****) : piazza della Signoria. ☎ 055-21-44-12. • rivoire.firenze@rivoire.it • Tlj sf lun 8h-0h30 (21h l'hiver).* On indique par principe cette institution florentine, stratégiquement située en face du palazzo Vecchio, mais sachez simplement que son fameux chocolat se négocie au prix du champagne (ou presque) !

Chiaroscuro *(zoom couleur, C2,* ***182****) : via del Corso, 36 r. ☎ 055-21-42-47. • info@chiaroscuro.it • Tlj 8h (9h sam, 15h dim)-21h30. Fermé 3e sem d'août.* Cette maison du café, connue pour la pertinence de sa sélection internationale de cafés, de thés et de chocolats, a tout doucement glissé dans la petite restauration. Les gourmands ne rateront pas le rituel du café agrémenté de cannelle, du thé millésimé, ou du chocolat enrichi de piment mexicain pour en exhaler les arômes ; mais les petits plats frais du midi n'ont rien de déshonorant ! Et le soir, l'*aperitivo* (pas franchement branché) attire les Florentins avec l'un des très bons buffets de la ville. Au fond, petite salle coquette et lumineuse.

🍷 ***Caffè Giacosa*** *(zoom couleur, B2,* ***207****) : via della Spada, 10 r. ☎ 055-277-63-28. • info@caffegiacosa.it • Tlj sf dim 7h30-20h30. Env 10-12 €.* Café historique repris par le créateur florentin Roberto Cavalli. Celui-ci a gardé l'esprit du café en y ajoutant sa touche personnelle avec ses célèbres imprimés animaliers. Petite restauration que l'on savoure le plus souvent debout (assis si on a de la chance !) ou à emporter. Quelques tables en terrasse avec chaises façon peau de bête (léopard, guépard, zèbre : au choix !) pour goûter également au chocolat chaud (fameux) en grignotant une pâtisserie. Quant aux chocolats, ils sont toujours aussi délicieux et emballés dans de jolies boîtes façon Cavalli. Les habitués (et les touristes de plus en plus nombreux) aiment la petite terrasse très prisée aux beaux jours. Chic et pas si cher finalement.

🍷 ***Caffetteria Le terrazze della Rinascente*** *(zoom couleur, B2,* ***189****) : piazza della Repubblica, 1. Lun-sam 9h-21h, dim 10h30-20h.* Au dernier étage de ce grand magasin. On y vient surtout pour la vue sublime sur Florence et les collines toscanes, et non pour le cappuccino à 6 € ! Mais la vue à elle seule vaut le déplacement !

Où boire un verre ?

Dans le centre historique

🍷 ***Caffetteria dell' Oblate*** *(zoom couleur, C2,* ***185****) : via dell'Oriuolo. Horaires calés sur ceux de la bibliothèque. Ouv tard, jusqu'à 22h, parfois minuit (variable en fonction des vac également).* Au dernier étage du bâtiment. Un bon plan qui consiste à siroter un verre tranquillou face à la coupole du *Duomo*. Ambiance jeune, ça va de soi, mais studieuse... un peu quand même.

🍷 ***Oibó Café*** *(zoom couleur, C3,* ***208****) : borgo de Greci, 1. ☎ 055-263-86-11.* Idéal dans la journée pour boire un verre au calme et pour profiter de la minuscule terrasse avec vue sur Santa Croce. L'endroit s'anime furieusement le soir autour d'un plantureux *aperitivo* sur l'immense comptoir. Sur fond musical, une ambiance éclectique qui donne envie de s'éterniser jusque très tard dans la nuit...

🍷 ***Caffè Sant'Ambrogio*** *(plan couleur I, D2,* ***194****) : piazza Sant'Ambrogio, 7 r. ☎ 055-247-72-77. • caffesantambro gio@libero.it •* Tranquille dans la journée, on peut se sustenter d'une salade ou d'un plat de pâtes en terrasse. Le soir, chaude ambiance sur fond de musique trendy. Le flot d'oiseaux de nuit déborde alors sur la mignonne petite place de Sant'Ambrogio jusque très tard dans la nuit.

🍷 ***Cibreo Caffè*** *(plan couleur I, D2,* ***181****) : via Andrea del Verrocchio, 5 r. ☎ 055-234-58-53. Mar-sam 8h-1h. Fermé en août et 31 déc-9 janv.* Autrefois, c'était une pharmacie, d'où le magnifique comptoir en bois. Le reste des boiseries et le plafond à caissons proviennent d'églises. Une réussite esthétique qui confère à ce tout petit café beaucoup de chaleur, d'autant que l'endroit est généralement bondé... mais la terrasse en saison permet de doubler sa superficie ! Pour boire un verre ou picorer parmi les mets délicats des cuisines du *Cibreo* (attention, presque aussi cher que le *Ristorante*).

🍷 ***Fratelli Zanobini*** *(plan couleur I, B1,* ***141****) : voir la rubrique « Bars à vins (vinai, enoteche) ».*

Du côté de l'Oltrarno

🍷 ***Golden View*** *(plan couleur I, B3,* ***193****) : via dei Bardi, 58 r. ☎ 055-21-45-02. Tlj 11h30-2h.* Un concept qui fait à la fois resto, *winebar,* lieu de concert jazz (vendredi soir), *aperitivo,* cave à vin, pizzeria, sushi bar... bref, il y en a pour tout le monde et pour tous les goûts ! Idéal le soir pour prendre un verre car on profite du plantureux *aperitivo* et de surcroît face à l'Arno. Pour y déjeuner ou dîner, mieux vaut réserver afin de profiter des meilleures tables avec vue sur le fleuve et le ponte Vecchio. Le soir, ambiance de sortie de bureau de jeunes cadres dynamiques florentins sur fond de musique branchée.

Bar Hemingway *(plan couleur II, E4, **183**) : piazza Piattellina, 9 r. ☎ 055-28-47-81. Tlj 16h-1h (2h ven).* Une poignée de fauteuils en osier, un divan et quelques photos évoquant la vie aventureuse du célèbre écrivain américain composent un décor des plus cosy dans ce charmant petit café. Atmosphère relax, idéale pour savourer l'une des spécialités de café ou de chocolat de la maison. Bel éventail de cocktails, comme il se doit.

Caffè degli Artigiani *(plan couleur II, F4, **87**) : via dello Sprone, 16 r (angle piazza della Passera). ☎ 055-29-18-82. Fermé dim et lun soir. Congés en août.* Un petit bar idéal qui a gardé toute son authenticité. Ici, pas de chichis, et à l'heure de l'*aperitivo*, les esprits s'échauffent, les jeunes et moins jeunes affluent... et refont le monde dans une ambiance bon enfant.

Caffè Pitti *(plan couleur II, F4-5, **186**) : piazza Pitti, 9. ☎ 055-239-98-63. • info@caffepitti.it • Ouv jusqu'à 2h.* En face de l'imposant palais Pitti. En fait, cet endroit est autant un resto qu'un bar, mais on le mentionne pour sa terrasse idéalement située et son cadre chic agréable. Découvrez les petits recoins où l'on s'installe pour trinquer à l'écart des dîneurs. Atmosphère intime assurée, alors pour les confidences, n'allez pas plus loin, c'est ici que ça se passe !

Où sortir ? Où écouter de la musique ?

Un conseil : pour connaître la toute dernière programmation, consulter les magazines mensuels *Firenze Spettacolo* ou *Florence concierge Information.* Se reporter à la rubrique « Adresses et infos utiles ».

BARS DE NUIT, BARS MUSICAUX

Dans le centre historique (Santa Maria Novella, Duomo et Sant'Ambrogio)

Moyo *(zoom couleur, C3, **190**) : via dei Benci, 23 r. ☎ 055-247-97-38. • info@moyo.it • Tlj 8h30-3h.* Aperitivo *10 €.* Ce vaste bar néorétro ne désemplit pas. Du coup, la belle salle épurée, ornée de sièges à hauts dossiers formant un « M » (eh oui, pour « Moyo » !), de chandeliers et d'un lustre de style, déborde largement sur la placette, où l'ambiance bat son plein jusqu'à une heure avancée de la nuit. Les DJs aux platines y sont probablement pour quelque chose ! Accueil moyen.

Dublin Pub *(plan couleur I, B1, **191**) : via Faenza, 27 r. ☎ 055-29-30-49. • info@dublinpub.it • Ouv 17h-2h.* Aperitivo *18h-22h. Fermé 10 j. en août.* Un pub irlandais classique compartimenté et tapissé de boiseries. Le pays de Joyce et ses délicieuses bières à la pression (Kilkenny, Guinness...) s'exportent bien dans la Botte. Conséquence plutôt agréable, on y est souvent au coude-à-coude, dans une chaleureuse ambiance latino-celtique.

The Fiddler's Elbow Irish Pub *(plan couleur I, A2, **192**) : piazza di Santa Maria Novella, 7 r. ☎ 055-21-50-56. • fiddlersflorence@fastwebnet.it • Tlj 12h-1h (2h w-e). Happy hours 17h-21h.* Pub irlandais bien caractéristique, à la déco plutôt mieux réussie que dans certains rades peu authentiques. Plusieurs salles en enfilade où, là encore, se pressent expatriés et amoureux de l'Irlande (et surtout de la bière). Joyeuse animation et vaste terrasse face à Santa Maria Novella aux beaux jours.

Jazz Club *(plan couleur I, D2, **196**) : via Nuova de' Caccini, 3 r (à l'angle du borgo Pinti). ☎ 055-247-97-00. • casinomarchese@hotmail.com • Tlj sf dim 21h30-1h30, concerts vers 22h30. Entrée : 8 € (prix de la carte de* *membre, valable 1 an).* Bien caché en sous-sol, ce classique réunit dans sa petite salle conviviale tous les amateurs de jazz du canton depuis une vingtaine d'années. Concerts de bonne tenue tous les soirs, *jam-session* le mardi.

Rex *(plan couleur I, D2,* ***197****) : via Fiesolana, 25 r. ☎ 055-248-03-31. • info@rexcafe.it • Tlj 17h-3h.* Aperitivo mediterraneo *à partir de 18h.* Un feu d'artifice de couleurs vives, reflétées par des mosaïques de verre ou de céramique, le tout rythmé de luminaires design. Très baroque tout ça ! Bons cocktails qui délient les langues d'une clientèle jeune, bruyante et cosmopolite. Concerts certains soirs.

DANS L'OLTRARNO

Installé au-delà de l'Arno, ce quartier de Florence a lui aussi son lot d'endroits sympas, voire carrément farfelus. On adore !

À San Niccolò (plan couleur III)

Un de nos quartiers préférés, délimité par les remparts et ses trois portes (San Niccolò, San Miniato et San Giorgio), le fort du belvédère, la piazzale Michelangelo et l'Arno. Ici, à 10 mn à peine du ponte Vecchio et du centre monumental, on respire déjà une atmosphère tranquille. Le soir venu cependant, le quartier s'anime, notamment autour des endroits suivants :

Rifrullo *(plan couleur III, H6,* ***198****) : via di San Niccolò, 55 r. ☎ 055-234-26-21. Tlj 7h (15h30 lun)-1h.* Aperitivo *19h-22h (7 €). Internet.* Un des *aperitivi* les plus courus de la ville grâce à son ambiance, son buffet alléchant et ses trentenaires qui se déhanchent gentiment au son d'une musique lounge. Un des meilleurs *cocktail-lounges* au dire des autochtones (près de 80 breuvages au choix !). Fait également resto, sauf le dimanche soir où l'*aperitivo* est encore plus pantagruélique. Terrasse ombragée géniale à l'arrière sous une toile de bateau.

Zoe *(plan couleur III, G6,* ***199****) : via dei Renai, 13 r. ☎ 055-24-31-11. Petite rue parallèle au lungarno Serristori (qui longe l'Arno). Tlj 8h30-3h. Le midi, compter 15-20 €.* Aperitivo *18h-22h.* L'un des endroits branchés du quartier qui, le soir, regorge de monde jusque sur le trottoir. Petite terrasse attenante débordante de jeunes et de (un peu) moins jeunes. À l'intérieur, un joli couloir tout rouge avec quelques tables noires où se retrouvent de belles créatures florentines. Petites expos temporaires de jeunes artistes italiens accrochées aux murs.

Negroni *(plan couleur III, G6,* ***200****) : via dei Renai, 17 r. ☎ 055-24-36-47. À côté de la précédente adresse. Tlj jusqu'à 2h.* Aperitivo *8 € avec un monde fou, 19h-22h.* DJs aux platines en fin de semaine et musique lounge le reste du temps. L'une des bonnes étapes du *Florence by night* ! La salle cosy aux lignes modernes accueille quelques petites expos temporaires, mais c'est en terrasse que les jeunes s'éparpillent volontiers dès le printemps. La journée, il est aussi sympa d'y boire son café en terrasse.

Enoteca-bar Fuori Porta *(plan couleur III, G-H6,* ***147****) : voir la rubrique « Bars à vins (vinai, enoteche) ».*

À San Frediano et alentour (plan couleur II)

Suivant le cours de l'Arno, vous échouerez peut-être sur les rivages du borgo San Frediano, coincé entre la via dei Serragli à l'est, le giardino Torrigiani au sud, les murailles à l'ouest et le fleuve au nord. Ici, c'est la piazza del Carmine et la piazza Santo Spirito qui font battre le cœur du quartier.

Libreria Café La Cité *(plan couleur II, E4, **210**) : borgo San Frediano, 20 r. ☎ 055-21-03-87. • info@lacitelibreria.info • Tlj 10h30-1h. Brunch le dim.* Un concept original avec une librairie le jour qui s'anime gentiment en salle de concert (de jazz bien souvent) une fois le soir venu. Fort de son succès, l'endroit ne désemplit pas.

Pop café *(plan couleur II, F4, **201**) : piazza Santo Spirito, 18 r.* Aperitivo *à partir de 19h. 4 € le verre. Le dim, brunch végétarien.* Minuscule bar tout en longueur où la terrasse est prise d'assaut dès les premiers rayons de soleil. L'ambiance monte doucement (mais sûrement) à l'*aperitivo.* L'un des moins chers de Florence. Jeunes et moins jeunes se côtoient dans une ambiance bon enfant. Tard dans la nuit, animation assurée sur la place !

Dolce Vita *(plan couleur II, E4, **153**) : piazza del Carmine, 6 r. ☎ 055-28-45-95. Ouv 17h-2h (3h ven-sam). Fermé lun.* Le *Dolce Vita* doit son succès à une bonne alchimie : une déco néorétro mêlant avec aplomb un bar translucide, un mobilier design et une antique mob, une terrasse irrésistible et une bonne dose de musique électronique servie par un DJ derrière ses platines. Chaude ambiance à 50 m des fresques pieuses de Masolino et Masaccio !

DISCOTHÈQUES

YAB *(zoom couleur, B2, **205**) : via dei Sassetti, 5 r. ☎ 055-21-51-60. • yab@yab.it • Fermé mar et dim. Compter 25 €, dîner compris, sinon entrée 20 € avec une boisson (ce qui n'est pas du tt valable, autant casser la graine !).* Boîte de nuit sympathique, car on vient d'abord y dîner avant de danser jusqu'à l'aube. Lundi soirée hip-hop, mercredi universitaire, jeudi et vendredi disco, et le samedi, c'est plutôt destiné aux moins de 20 ans. Une boîte commerciale pour jeunes de style smart avec un décor sobre aux lumières bleutées. Un des endroits branchés du moment.

Tenax *(hors plan d'ensemble, au nord) : via Pratese, 46. ☎ 055-30-81-60 (infoline) ou 055-63-29-58. • tenax.org • Dans le secteur de l'aéroport. Lun-ven et lors de concerts à partir de 22h30. Prix de l'entrée variable en fonction de la notoriété des artistes, mais assez élevé dans l'ensemble.* Une des boîtes les plus chic (il faut passer l'épreuve de la porte d'entrée !). Sa réputation a largement dépassé les frontières toscanes et draine une faune étudiante et post-étudiante qui vibre à l'unisson au rythme de la house et de la techno. Les DJs les plus célèbres s'y produisent régulièrement.

Space Electronic *(plan couleur I, A2, **206**) : via Palazzuolo, 37. ☎ 055-29-30-82. À deux pas de la piazza della Stazione. Ouv 22h-3h (4h sam).* Grosse boîte (la plus grande de Florence pouvant accueillir jusqu'à 800 personnes) sur 2 niveaux, où afflue une clientèle très jeune, principalement anglo-saxonne, qui ingurgite avidement la musique commerciale, house et hip-hop assénée sans modération par les DJs. Karaoké au 1er niveau et *dance-floor* avec laser et écran vidéo à l'étage.

Central *(hors plan d'ensemble) : via del Fosso Macinante, 2 (parco delle Cascine). ☎ 055-29-30-06. Tlj sf dim 23h-4h. Entrée payante.* 5 pistes de danse avec des musiques différentes et des espaces à ciel ouvert, piétinées au rythme de la musique commerciale, du rock ou des tubes *eighties,* par une masse de fêtards endiablés. Conservez bien votre carte dans laquelle le barman fait des p'tits trous à chaque fois que vous prenez un verre (sinon, c'est 60 € !). On paie ses consommations à la sortie.

Shopping

N'oubliez pas que les magasins sont souvent fermés entre 13h et 15h30 (voire 16h), et les jours fériés. L'usage veut que la fermeture hebdomadaire soit le lundi pour les boutiques de luxe et le mercredi pour les boutiques d'alimentation.

Plaisirs de bouche

À Florence, œnologie et gastronomie ne sont pas une mince affaire ! Une multitude de boutiques vendent huiles d'olive, pâtes aux formes originales, sauces... Nous en avons retenu quelques-unes.

Botteghina *(plan couleur II, F5,* ***300****) : piazza Pitti, 9 (juste en face du palazzo Pitti). ☎ 055-21-43-23. Tlj 11h-18h.* Petite épicerie fine spécialisée dans la truffe. Elle est vendue nature en bocaux, ou incorporée à toutes sortes de préparations : terrines, crèmes, pâtes, huile... La maison propose également une belle sélection d'huiles d'olive. La célèbre marque *Mussini* a d'ailleurs sa place dans les étals. Pas donné.

La Bottega dell'Olio *(zoom couleur, B3,* ***301****) : piazza del Limbo, 2 r (à côté de l'église S.S. Apostoli). ☎ 055-267-04-68. Ouv 10h-19h, sf lun mat et dim.* L'huile d'olive dans tous ses états ! La maison la décline de toutes les manières possibles : sous forme d'huiles extra-vierges provenant des meilleurs producteurs (possibilité de déguster), d'huiles aromatiques supposées exalter les saveurs d'une sauce, de pâtes, de crèmes et même de savons à la douceur inégalable. Gourmands, élégants et bons vivants y trouveront leur compte.

Pegna *(zoom couleur, C2,* ***302****) : via dello Studio, 26 r. ☎ 055-28-27-01. Ouv 9h-13h, 15h30-19h30, sf mer ap-m et dim (en été ouv dim aussi).* À deux pas du *Duomo*. Petit supermarché de luxe qui a le mérite d'offrir un large éventail de bons produits toscans à ceux qui n'ont plus le temps de galoper d'adresse en adresse. Les vins de la région ne manquent pas, et le choix de pâtes aux multiples formes ne vous laissera pas insensible... Une adresse bien connue des Florentins gourmets.

Bacco Nudo *(plan couleur I, D3,* ***303****) : via dei Macci, 59/61. ☎ 055-24-32-98. Tlj sf dim 9h-13h, 16h-20h.* 2 boutiques côte à côte, l'une avec des produits italiens pur jus qui font saliver, l'autre spécialisée dans le vin avec de grandes bouteilles, mais aussi un beau choix à moins de 3 €, au tonneau (mais non moins recommandables dans l'ensemble). Une super adresse pour rapporter des délices toscans. Et un accueil charmant.

Olio & Convivium *(plan couleur II, F4,* ***133****) : via di Santo Spirito, 4 r. ☎ 055-265-81-98. Tlj sf dim et lun soir.* Voir « Où manger ? Restaurants. Dans l'Oltrarno. Chic ».

Obsequium *(zoom couleur, B3,* ***313****) : borgo San Jacopo, 17/39 r. ☎ 055-21-68-49. • info@obsequium.it •* Belle boutique aux bons produits régionaux. Grande sélection de vins. Moult bocaux remplis de délicieuses préparations dont la cuisine toscane a le secret. Beaux rayonnages de pâtes joliment présentés. Dans la salle du fond, quelques tables où l'on peut même déguster quelques charcutailles du coin accompagnées d'un bon verre de vin.

Amarù *(plan couleur II, E-F4,* ***330****) : piazza N. Sauro, 14 r (à côté du ponte alla Carraia). ☎ 055-28-81-97. • amarufirenze.it • Ouv 10h30-13h30, 15h30-20h30.* Un bel endroit pour rapporter quelques bons souvenirs gourmands. Produits typiques de la région mais aussi de toute l'Italie (excellent *limoncello* et belle sélection de vins). Sur 2 étages, joliment mis en valeur, vous trouverez une sélection de fromages, de pâtes, d'*antipasti*... Assez cher toutefois, mais ce sont des produits d'excellente qualité. Service tout en gentillesse.

Capitale du Chianti, Florence regorge de caves où l'amateur trouvera une sélection de rêve de flacons précieux ! Parmi les plus sympas et les plus sérieuses *(ttes fermées dim)* : **Casa del Vino** *(plan couleur I, B1,* ***143****), via dell'Ariento, 16 r ; ☎ 055-21-56-09.* **Le Volpi e l'Uva** *(plan couleur II, F4,* ***146****), piazza dei Rossi, 1 r ; ☎ 055-239-81-32.* **Enoteca-bar Fuori Porta** *(plan couleur III, G-H6,* ***147****), via del Monte alle Croci, 10 r ; ☎ 055-234-24-83.* **Fratelli Zanobini** *(plan couleur I, B1,* ***141****), via Sant'Antonino, 47 r ; ☎ 055-239-68-50.*

FLORENCE ET SES ENVIRONS

La mode italienne

Les classiques, qu'on ne présente plus

Les plus grandes marques sont évidemment représentées à Florence, notamment via dei Tornabuoni, le faubourg Saint-Honoré florentin.

Ermenegildo Zegna *(zoom couleur, B2)* **:** *via dei Tornabuoni, 3 r.* ☎ *055-26-42-54. Lun-sam 10h-19h30 ; dim 12h-19h.* L'un des chantres de la mode homme italienne compte parmi ses clients fidèles Bruce Willis et John Travolta. À la fois chic et décontracté.

Gucci *(zoom couleur, B2)* **:** *via dei Tornabuoni, 73 r (angle via della Vigna Nuova).* ☎ *055-75-92-21. Lun-sam 10h-19h.* La marque la plus emblématique de Florence et l'une des plus célèbres d'Italie. Pour ses fameux sacs à main que les divines du monde entier s'arrachent.

Pucci *(zoom couleur, B2)* **:** *via dei Tornabuoni, 20.* On ne présente plus cette grande marque florentine, très à la mode dans les années 1950-60. Encore de nombreux clients adeptes de ses coupes résolument italiennes.

Prada *(zoom couleur, B2-3)* **:** *via dei Tornabuoni, 67 r.* ☎ *055-28-30-11. Lun-sam 10h-19h30 et le dernier dim du mois.* Style *seventies* revu et corrigé avec comme matières nobles... le plastique et le Nylon ! Très chic et absolument pas démocratique.

Ferragamo *(zoom couleur, B2-3)* **:** *via dei Tornabuoni, 14 r.* ☎ *055-29-21-23. Lun-sam 10h-19h30.* Tout le monde n'a pas les moyens de s'offrir les services du bottier des stars de Hollywood, mais le très beau palais Ferroni mérite une halte, ainsi que le musée de la Chaussure situé au sous-sol du magasin.

Elio Ferraro *(couleur I, A3,* ***311****)* **:** *via del Parione, 47 r.* ☎ *055-29-04-25. Lun-sam 9h30-19h30.* Ni chiffonnier ni collectionneur, le styliste florentin Elio Ferraro a bouleversé le monde de la mode en ouvrant une boutique dédiée aux tenues *vintage.* Il a rassemblé essentiellement des créations originales des années 1960 et 1970, toutes signées par de grands couturiers italiens comme Gucci ou Ferragamo. L'engouement est tel qu'il n'est pas rare d'y croiser un couturier à la recherche d'une de ses anciennes créations. Évidemment, même *vintage,* une robe du soir ne se négocie pas au prix d'un T-shirt.

Old England Store *(zoom couleur, B2,* ***329****)* **:** *via de Vecchietti, 28.* ☎ *055-21-19-83. Fermé lun.* Le seul magasin de la fin du XIXe s qui résiste encore aujourd'hui face aux nouvelles enseignes branchées. Il appartient désormais à la mémoire de la ville. À l'intérieur, un vrai monument avec ses présentoirs à l'ancienne, ses étagères alignées et bien cirées, ses vendeuses à la tenue impeccable...

Sacs en cuir, vêtements et bijoux de jeunes créateurs florentins

Angela Caputi *(plan couleur I, A3,* ***312****)* **:** *via di Santo Spirito, 58 r.* ☎ *055-21-29-72. • angelacaputi.com • Mar-sam 10h-13h, 15h30-19h30.* Si les parures des grands joailliers du ponte Vecchio vous paraissent inabordables, suivez donc les Florentines chez leur nouvelle coqueluche. Angela Caputi dessine de beaux colliers, broches et boucles d'oreilles en perles de résine colorée du plus bel effet. Une fantaisie qui fait des émules puisque la maison possède déjà 2 boutiques à Florence *(l'autre se trouve borgo S. Apostoli, 44/46,* ☎ *055-29-29-93).*

Le Zebre *(plan couleur II, E5,* ***317****)* **:** *via Romana, 88 r.* 📱 *338-266-69-66. • nuvolarapida30@yahoo.it •* Francesca crée tous ses vêtements sur de beaux imprimés qu'elle va chercher aux 4 coins du monde. Également des bijoux de tendance ethnique. À vocation écolo, cette petite boutique, connue des Florentines branchées, mérite une halte. Accueil dynamique.

Il Parione *(plan couleur I, A2,* ***318****)* **:** *via del Parione, 35 r.* ☎ *055-23-99-770.* Dans cette boutique chic, on vend la marque florentine *Gabs* qui propose des sacs aux couleurs flashy et des formes en veux-tu en voilà... Un petit plaisir à se ramener de Florence.

Tuorlo *(plan couleur I, C2,* ***325****) : via Sant'Egidio, 9 r.* ☎ *055-200-10-13* • *tuorlo-kimi.com* • Un minuscule magasin qui représente 2 marques : *Tuorlo,* une marque japonaise, par Kimi qui crée elle-même ses propres accessoires en cuir coloré et aux formes originales et *Gabs* (cité ci-dessus), la petite marque florentine qui monte qui monte. Prix accessibles.

Quelle Tre *(plan couleur II, F4,* ***319****) : via di Santo Spirito, 42 r.* ☎ *055-21-93-74. Mar-sam 10h30-14h, 15h-19h30.* Nées dans une famille de couturiers, 3 sœurs ont eu la bonne idée de s'associer pour créer des accessoires (sacs, chapeaux, colliers) et des robes trapèzes à la fois sobres et très tendance. La plupart des pièces sont uniques et réalisées avec de la laine bouillie ou du velours. Quant aux robes pour les petites filles : elles sont tout simplement craquantes.

Aprosio & Co *(plan couleur II, F4,* ***320****) : via di Santo Spirito, 11. Lun-sam 9h30-13h, 15h30-19h30 (horaires restreints en août).* ☎ *055-29-05-34.* Jolie boutique toute blanche avec à sa tête une dynamique créatrice qui a su mettre en valeur perles et cristaux de tous horizons. Comme modèles, beaucoup de petites bébêtes (coccinelles, abeilles, insectes divers) et de fleurs. Le tout sur des colliers, bracelets ou boucles d'oreilles. C'est beau, ça brille et c'est de très bon goût.

Falsi Gioielli *(zoom couleur, B2,* ***333****) : via dei Tavolini, 5 r.* ☎ *055-29-32-96.* Signifie littéralement « faux joyaux ». Jolie boutique claire où Silvia, l'heureuse créatrice, imagine depuis plus de 20 ans ces bijoux en plexi aux couleurs toniques et aux formes géométriques originales. Un concentré de fantaisie et de gaité à des prix très abordables. Autre boutique *via de Ginori, 34 r (plan couleur I, B1).*

Mywalit *(zoom couleur, B3,* ***332****) : via della Condotta, 30 r.* ☎ *055-21-16-68.* Marque typiquement toscane créée à Lucques en 2005. L'enseigne au petit éléphant multicolore a désormais sa propre boutique dans une des rues les plus touristiques de Florence. On craque pour cette maroquinerie déclinée dans des couleurs gaies et colorées. Accueil très gentil.

Achats dégriffés

Peu de gens savent que certaines marques célèbres ont leurs magasins d'usine au sud-est de Florence. Pour ceux qui ont un peu de temps ou une furieuse envie de shopping, ces magasins démarquent leurs stocks et collections des années précédentes à 50 %. Évidemment ces marques prestigieuses sont très chères à l'origine, mais en fouillant bien, on peut vraiment faire de bonnes affaires, surtout en période de soldes.
Pour plus de renseignements, on peut aussi consulter le site (très bien fait) : • *outlet-firenze.com* •

The Mall : *via Europa, 8, Leccio Regello, 50060.* ☎ *055-865-77-75 (info lun-sam 9h-18h). Pour s'y rendre, prendre l'autoroute A 1 sortie Incisa Val d'Arno, puis la SS 69 en direction de Pontassieve. Traverser le village ainsi que celui de Leccio ; à la sortie de celui-ci, tourner à gauche. Vous pouvez aussi prendre le train à la gare Santa Maria Novella à Florence jusqu'à Incisa Val d'Arno. Il existe également un service de navette qui relie Florence au Mall (compter 25 €/pers ; tlj 10h-19h). Solution encore plus économique : prendre un bus (à partir de 8h30) de la compagnie Sita, direction « Firenze-Leccio ». Env 50 mn pour 3,50 €.* Grandes marques prestigieuses à des prix vraiment intéressants : Emanuel Ungaro, Fendi, Ermenegildo Zegna, Giorgio Armani, Gucci, Valentino, Salvatore Ferragamo, Yves Saint Laurent, Yohji Yamamoto. Chaussures Tod's et Hogan.

Dolce & Gabbana Outlet : *località S. Maria Maddalena, 49.* ☎ *055-833-13-00. À 2 pas du Mall, à Rignano Sull'Arno. Lun-sam 9h-19h ; dim 10h-19h.* La collection de la saison précédente à des prix pouvant atteindre 50 % de réduction.

Space Prada : *località Levanella, 52025 Montevarchi.* ☎ *055-91-901. Tlj 10h-19h. Au sud des 2 adresses précédentes. Prendre l'autoroute A 1 ; sortir à*

Montevarchi. Assez mal indiqué. Le stock de la célèbre marque italienne à des prix défiant toute concurrence.

Roberto Cavalli : *via Volturno, 3, Sesto Fiorentino, 50019. ☎ 055-31-77-54. • robertocavallioutlet.it • Lun-sam 10h-19h.* Toute la collection de l'année précédente du créateur à prix sacrifiés ! On peut vraiment y faire de bonnes affaires.

Enfants

Bartolucci *(zoom couleur, C3,* ***307****) :* *via della Condotta, 12 r. ☎ 055-21-17-73. Tlj 9h30-19h30.* Petits et grands n'en croiront pas leurs yeux en découvrant cette boutique magique, ressuscitant le monde merveilleux des jouets en bois. On y trouve de tout, à tous les prix, du cheval à bascule aux petites horloges en passant par les boîtes à musique... à l'effigie de Pinocchio évidemment !

Letizia Fiorini *(zoom couleur, B2-3,* ***314****) :* *via del Parione, 60 r. ☎ 055-21-65-04.* Minuscule boutique (à peu de chose près, on la raterait !) où la créatrice propose de jolies marionnettes faites à la main (ça va de soi !). Farfadets en feutrine ou encore d'adorables pantins peints en bois qui amuseront les plus petits.

La Tartaruga *(zoom couleur, C2,* ***315****) :* *borgo degli Albizi, 60 r. Tlj sf lun mat 9h30-19h30.* Boutique d'enfants qui, outre les traditionnels jouets en bois, propose un large éventail de carnets, de feuilles de papier recyclé, de crayons. Idéal pour les petits voyageurs qui veulent coucher leurs souvenirs toscans sur du papier florentin traditionnel.

Le 18 Lune *(plan couleur II, E5,* ***316****) :* *via Romana, 18 r. ☎ 055-51-20-306.* Petite boutique où les mômes vous réclameront crayons, papier, blocs-notes et divers petits objets de déco, idéal pour une chambre d'enfant. Également de jolies aquarelles exposées (et à vendre !) : l'atelier de l'artiste est juste à côté.

La Bottega de Gepetto *(plan couleur II, F4,* ***328****) :* *via di Santo Spirito, 16 r.* La vitrine attire inévitablement petits et grands. À l'intérieur, un vrai bric-à-brac dédié entièrement au fils de Gepetto. Nul doute que cette boutique minuscule fera des heureux.

Divers

Libreria del Cinema *(plan couleur I, C1,* ***323****) :* *via Guelfa, 14 r. ☎ 055-21-64-16. • cinemalibri@tiscali.it • Tlj sf dim et lun 10h-19h.* Librairie entièrement dédiée au septième art avec des affiches, des cartes postales, de beaux livres mais aussi quelques DVD et CD.

Bialetti *(zoom couleur, B2,* ***324****) :* *piazza della Repubblica, 25 r.* La célèbre marque italienne a désormais sa boutique sur la très chic place florentine. Les cafetières italiennes sont en bonne place, mais on peut aussi se laisser tenter par de la vaisselle estampillée Bialetti.

Olfattorio *(zoom couleur, B2,* ***321****) :* *via dei Tornabuoni, 6.* Un bar à parfums ! Voilà une idée originale qui plaira aux coquettes de passage dans la capitale toscane. Une minuscule exposition au fond du magasin : poudriers de toutes sortes et de toutes marques (il faut demander à la vendeuse d'ouvrir la salle). Autrement, on retrouve des marques françaises tendances (Dyptique, l'Artisan Parfumeur).

La Florence des artisans

Ville touristique, certes, Florence n'a pas pour autant oublié le savoir-faire hérité de générations d'artisans talentueux.

Le travail du cuir

Les tanneries d'antan ont disparu depuis longtemps avec leur cortège d'exhalaisons nauséabondes, mais la ville a conservé vivace la tradition du travail du cuir. Le centre regorge d'ateliers de maroquinerie de qualité et accueille chaque jour le grand marché au cuir de San Lorenzo devenu très touristique.

Scuola del Cuoio *(plan couleur I, D3,* ***304****) : via San Giuseppe, 5 r. ☎ 055-24-45-33. Lun-sam 9h-18h ; dim à partir de 10h (sf de mi-nov à mi-mars).* Fondée il y a des siècles par les moines franciscains, l'école du Cuir confectionne de beaux objets de qualité en suivant les exigences de la mode. Les artisans y travaillent sous les yeux des visiteurs, ce qui leur permet d'effectuer quelques retouches à la volée si telle ceinture n'est pas tout à fait à la taille, ou d'apposer des initiales sur un produit. Prix presque raisonnables. On y accède par l'église de Santa Croce (mais il faut s'acquitter du droit d'entrée), ou en passant par une cour longeant le chevet de l'édifice.

Bojola *(zoom couleur, B2,* ***305****) : via dei Rondinelli, 25 r. ☎ 055-21-11-55. Lun-sam 9h30-19h30 (lun coupure déj 13h-15h30).* Difficile de ne pas trouver son bonheur dans cette immense boutique connue et reconnue : sur 2 niveaux, large palette de sacs, sacoches, valises et autres accessoires en cuir élaborés avec des peaux rigoureusement sélectionnées et fignolées dans le moindre détail. De la belle ouvrage, mais tout travail mérite salaire...

La mosaïque florentine

Spécialité florentine développée par les Médicis pour leur usage personnel, la technique délicate de la pierre dure subjugue l'amateur d'art par la beauté des couleurs et la précision du détail. Mais les œuvres d'art raffinées admirées à la *Galeria Palatina* ou au *Museo dell'Opificio delle Pietre dure* ne sont pas tout. Même si leur nombre décroît dangereusement, il reste des artisans habiles encore au travail, répétant des gestes appris au XVIe s.

I Mosaici di Lastrucci *(plan couleur I, D3,* ***306****) : via dei Macci, 9. ☎ 055-24-16-53. Tlj 9h-13h, 15h-19h, sf dim en hiver.* Lorsque Bruno Lastrucci et son fils esquissent une nouvelle œuvre, ils ne savent jamais à quel moment ils en viendront à bout. Qu'importe. La technique de la pierre dure est un art exigeant, qui requiert autant d'habileté que de patience dans la découpe des pierres naturelles, comme le porphyre, le marbre ou l'agate, soigneusement taillées en biseau avant d'être assemblées avec de la cire d'abeille. En poussant les portes de cet ancien couvent on découvrira d'abord l'atelier, où l'on vous expliquera en détail ces techniques, avant d'admirer les « peintures éternelles » exposées dans la galerie.

Ébénisterie et sculptures sur bois

Une idée cadeau originale... à condition d'avoir gardé un peu de place au fond du coffre !

Le marché de la Piazza dei Ciompi *(plan couleur I, D2,* ***308****) : à l'angle de la via Pietrapiana et du borgo Allegri. Lun-sam 9h-13h, 15h-19h (et le dernier dim du mois, sf en juil).* Plus qu'un passe-temps, le plaisir de chiner est pour certains un art à la rigueur quasi scientifique ! Petite brocante un peu fourre-tout, entre vieux meubles et bouquins d'occasion. La petite halle voisine, dessinée d'après un ancien projet de Vasari, abritait un marché aux poissons, comme en témoignent les médaillons visibles au-dessus de la colonnade.

Antiquaires *(plan couleur I, A3) : via Maggio.* C'est dans cette partie de l'Oltrarno que se concentrent la plupart des antiquaires de prestige. Meubles anciens, marqueteries, ou même de vraies pièces de collections des XVIIe et XVIIIe s encombrent des arrière-boutiques dignes d'un musée. Certains parmi ces antiquaires sont même des restaurateurs hors pair, voire des créateurs de génie.

Terre cuite et céramique

Réputées à juste titre, les céramiques toscanes sont du meilleur effet pour décorer la maison ou le jardin. Mais pour s'y retrouver dans la jungle des boutiques qui n'hésitent pas à proposer des contrefaçons asiatiques bon marché aux touristes crédules, mieux vaut s'adresser aux gens de métier.

Sbigoli Terrecotte *(plan couleur I, C-D2,* ***309****)* **:** *via Sant' Egidio, 4 r, face à la piazza G. Salvemini. ☎ 055-247-97-13. Lun-sam 9h-13h, 15h-19h.* 35 ans de métier et toujours autant de passion. Voilà qui résume l'histoire de cette petite affaire familiale, où le père tourne lui-même ses collections de pots, de vases ou de vaisselle classique, avant de les décorer à la main aidé de sa femme et de sa fille. Et si quelques pièces ne sortent pas de ses propres fours, il s'agit toujours d'une sélection du meilleur de la production florentine, notamment de la célèbre fabrique d'Impruneta à 10 km au sud de Florence.

Papiers marbrés, papiers princiers et aquarelles

Originaire d'Orient, la technique du papier marbré a rapidement fait des émules pour la grande liberté qu'elle offrait aux artisans. Lorsqu'ils disposent les gouttelettes d'encre sur un bain gélatineux, puis les mêlent à l'aide de peignes et de stylets spéciaux, ils peuvent laisser courir leur imagination pour donner aux motifs toutes les formes possibles. Mais on n'a pas le droit à l'erreur : une seule feuille de papier absorbera le dessin définitif. Il n'est donc pas étonnant que la plupart des maisons commandent désormais leur papier aux imprimeries ! Pas toutes.

Enrico Giannini *(plan couleur I, A3,* ***310****)* **:** *via dei Velluti, 10 r. ☎ 055-239-96-57. Lun-sam (parfois fermé sam) 9h30-12h30, 15h-18h.* Une dynastie dont le savoir-faire est reconnu depuis 1856 ! En réalisant des paysages et même des scènes animalières grâce à une technique d'aquarelle difficile, Enrico Giannini fut distingué en tant qu'artiste, et une exposition au palais Strozzi lui fut même consacrée il y a quelques années. Des grands couturiers viennent même s'inspirer de ses motifs pour leurs futures collections ! Il continue toutefois à confectionner de beaux carnets, des albums photos, ou de jolies boîtes, à des prix encore raisonnables (20-35 € en moyenne). Surtout pour des objets uniques ! Sa fille a ouvert une boutique en face du palazzo Pitti, *Giulio Giannini e Figlio (piazza Pitti, 37 r).*

Il Torchio *(plan couleur III, G6,* ***326****)* **:** *via dei Bardi, 17. ☎ 055-234-28-62. • info@legatoriailtorchio.com • Lun-ven 9h30-13h30, 14h30-19h ; sam 9h-13h.* Beaux albums photos et papiers traditionnels fabriqués selon un procédé du XVIIe s. On se fera une joie de vous expliquer ce savoir-faire. Possibilité de commander.

Il Ippogrifo *(plan couleur II, F4,* ***327****)* **:** *via di Santo Spirito, 5 r. ☎ 055-21-32-55. • stampeippogrifo.com •* Gianni Raffaelli est un véritable artiste qui manie la technique de l'aquarelle comme il y a 500 ans. Il a installé son atelier dans le magasin. On admire ses natures mortes, ses portraits, mais aussi de délicieuses aquarelles de personnages et objets typiquement italiens comme Pinocchio ou encore la Fiat 500. Vous pouvez aussi lui passer commande à condition de vous y prendre quelques jours avant.

Cartoleria Vannuchi *(zoom couleur, B-C3,* ***331****)* **:** *via della Condotta, 28 r. ☎ 055-21-67-52. Tlj sf dim 10h-19h.* L'une des plus anciennes boutiques de la ville où le papier florentin a encore toute sa place. Des beaux albums photos reliés, des carnets, du papier marbré ou fleuri. Un beau concentré de tradition et d'élégance. Accueil dans le même style.

Abacus *(plan couleur I, B1,* ***334****)* **:** *via de Ginori, 28 r. ☎ 055-21-67-21. Tlj sf dim.* Une adresse spécialisée dans la restauration de vieux livres et le travail de reliures à l'ancienne. Pour le plaisir des yeux, on peut visiter l'atelier et admirer la réalisation d'un album photo ou d'un cahier. On peut également acheter dans la petite boutique tout à côté des cahiers reliés, papiers marbrés... Que du beau, mais il faut savoir y mettre le prix.

À voir

Informations utiles

Les entrées

– En réaction à la déferlante touristique qui submerge Florence chaque année, les différents organismes culturels ne font plus de cadeaux. Les musées sont chers et les réductions rares. On regrette (au passage) ***l'inexistence de pass*** dans l'une des villes au patrimoine culturel le plus riche au monde ! Un comble ! Et donc un sacré budget à prévoir ! Par ailleurs, l'entrée de certains musées est majorée lorsqu'ils accueillent une exposition temporaire... que vous ayez ou non l'intention de la voir. La dictature de la culture est en marche !
– Seuls les ***musées d'État*** accordent la gratuité aux citoyens de l'UE de moins de 18 ans et de plus de 65 ans, ainsi qu'un rabais de 50 % aux 18-25 ans. À souligner : les enseignants qui présentent leur carte professionnelle d'éducation nationale bénéficient du demi-tarif (attention cependant, certains guichetiers ne sont pas toujours au courant). Les musées concernés sont : les *cappelle Medicee,* le *cenacolo di Sant'Apollonia,* le *cenacolo di San Salvi,* la *crocifissione del Perugino,* la *Galleria degli Uffizi,* le *palazzo Pitti (Galleria del Costume, Galleria Palatina, Museo della Porcellana, Museo degli Argenti, Galleria d'Arte moderna),* la *Galleria dell'Accademia,* le *Museo archeologico,* le *palazzo Davanzati,* le *Museo del Bargello,* le *Museo dell'Opificio delle Pietre dure* et le *Museo di San Marco.*
– ***Le 8 septembre, tous les bâtiments de la piazza del Duomo sont gratuits*** pour célébrer la naissance de la Vierge Marie. À cette occasion également, certains lieux d'habitude fermés sont ouverts comme les terrasses de la cathédrale. Sachez simplement que vous pouvez commencer à faire la queue dès 6h du matin.
– Enfin, ***de nombreux musées ferment*** le *1er janvier,* le *25 avril,* le *2 juin,* le *15 août* ainsi que les *25 et 26 décembre.* Cela évitera à nos lecteurs de se retrouver nez à nez devant des portes closes.

Résa et préachat sacrément conseillés

– **Elle s'impose pour certains musées,** *comme la* ***Galleria degli Uffizi*** *(galerie des Offices) et la* ***Galleria dell'Accademia*** *(galerie de l'Académie). ☎ 055-29-48-83 (lun-ven 8h-30-18h30, sam jusqu'à 12h30, répondeur vocal en anglais ou en italien qui vous dirige vers une personne parlant ttes les langues ou presque, en tt cas, le français). Supplément de 4 € pour les Offices (3 € pour les autres musées) ; ce n'est pas donné, mais ça permet d'échapper aux queues délirantes en haute saison (3h d'attente).*

– Pour retirer ses billets, il faut se rendre sur place dans le bâtiment *au bureau des musées de Florence (lun-ven 8h30-18h30, sam 8h30-12h30),* en face des Offices, à la porte n° 3 sous les arcades (attention, levez bien la tête car ce n'est pas évident à trouver), muni du numéro de réservation. *Pour plus de rens :* • *firenzemusei.it* •

– Pour ceux que la résa par Internet rebute, on peut tout simplement réserver ses billets dès l'arrivée à Florence aux guichets des Offices. Il existe une petite billetterie très pratique *via dei Calzaiuoli (zoom couleur B2).* Elle se trouve accolée à la chiesa di Orsanmichele. *Ouv lun-sam 10h-17h30.* On peut directement faire ses réservations (majoration de 4 € sur le prix d'entrée).

– **Avertissement :** méfiez-vous des sites internet fantaisistes proposant des réservations à prix exorbitants avec des marges énormes.

Les horaires

Ils changent fréquemment, selon la saison et l'année. De plus, il y a parfois des travaux de rénovation dans l'un ou l'autre musée, qui ferme alors temporairement. Ne boudez donc pas votre guide préféré si vous trouvez porte close : c'est indépendant de notre volonté (la volonté de qui d'ailleurs ?). Heureusement, **l'office de tourisme distribue une liste mensuelle de mises à jour** qu'il faut absolument vous procurer dès votre arrivée à Florence.
Sachez également que les billetteries ferment généralement 30-40 mn avant le musée lui-même.

La tenue

Attention à votre ***tenue vestimentaire*** pour la visite des églises. En effet, la nécessité d'une tenue correcte et d'un minimum de discrétion semble parfois échapper à certains visiteurs. Comment peut-on avoir si peu de respect de soi (ne parlons même pas des autres) pour s'affubler en short et marcel, par exemple, parce qu'on est en vacances ? Le mieux est de glisser dans votre sac un foulard ou un paréo qui vous sera utile pour vous couvrir les épaules au moment opportun. Certaines églises mettent néanmoins à disposition des visiteurs aux épaules nues une sorte de cape bleue en papier qu'on rend quand la visite est terminée. Pas franchement seyant, mais c'est tout de même mieux que de rester dehors !

DANS LE CENTRE HISTORIQUE (zoom couleur)

*** ***Piazza del Duomo** (zoom couleur, B2) :* elle comprend en fait trois œuvres architecturales : la cattedrale Santa Maria del Fiore ou Duomo, le campanile di Giotto et le battistero (baptistère).

** ***Campanile di Giotto** (zoom couleur, B2) : accès tlj 8h30-19h30. Entrée : 6 €.*
Haut de 84 m, commencé par Giotto, c'est sûrement l'un des plus beaux d'Italie. L'alternance des marbres polychromes dans le style florentin et les ouvertures de fenêtres qui assouplissent l'ensemble en font un chef-d'œuvre. Observez également l'intérieur du campanile, parfaitement gothique. Le contraste architectural entre l'intérieur et l'extérieur est étonnant.
Si vous avez le courage de gravir les quelque 400 marches qui conduisent au dernier étage, vous ne le regretterez pas : panorama superbe. Claustrophobes, s'abstenir.

*** ***Cattedrale Santa Maria del Fiore ou Duomo** (zoom couleur, B-C2) : ☎ 055-230-28-85. Lun-sam 10h-17h (15h30 jeu, 16h45 sam, 15h30 le 1er sam du mois) ; dim et j. fériés 13h30-16h45. Entrée libre. Visites guidées gratuites en français, italien et anglais. Attention, shorts interdits.*
La façade originelle était l'œuvre du grand sculpteur florentin Arnolfo di Cambio. Jusqu'au XVe s, de grands artistes se succédèrent pour compléter cette façade en conservant l'esprit d'origine. Malheureusement, elle fut détruite au XVIe s et resta en brique jusqu'au XIXe s. On retrouve, aujourd'hui, au *museo dell'Opera di Santa Maria del Fiore* les originaux du XIVe et ceux du XVe s. Sa façade actuelle, du XIXe s, construite « à l'ancienne », témoigne de la richesse de l'époque : rosaces, nombreuses sculptures, niches, marbres polychromes, etc. La construction du dôme fut un véritable problème. Plusieurs tentatives furent effectuées (y compris par Botticelli) et tout manqua plusieurs fois de s'écrouler. Vint Brunelleschi, un sculpteur qui s'intéressait à l'architecture. Il proposa aux autorités de réaliser un dôme de forme ovoïde à double paroi. L'ensemble devait s'appuyer sur des chaînages intérieurs. On le crut fou mais, pour lui, la résistance des matériaux et les poussées qui entraient en jeu pouvaient être calculées. Il éleva ce dôme en se passant d'écha-

faudages, ce qui força l'admiration générale. Michel-Ange lui-même, un siècle plus tard, ira travailler au Vatican en emportant le souvenir du dôme de Florence.

L'intérieur de la cathédrale est d'une grande simplicité. En entrant à gauche, magnifique tombeau sculpté par Tino di Camaino, grand sculpteur siennnois du *Trecento*. En se retournant, belle fresque d'anges musiciens. Remarquez les deux fresques, à gauche de la nef, représentant chacune un cavalier. D'un côté (vert), une œuvre de Paolo Uccello, traitée en fresque monochrome et figurant l'aventurier anglais Sir John Hawkwood et de l'autre, réalisé 20 ans plus tard (1456), le *Cavalier blanc* (Niccolò da Tolentino) d'Andrea del Castagno. Ces portraits commémoratifs sont à rapprocher des statues équestres qui se développèrent à la même époque (notamment à Venise et à Padoue). La *Pietà* réalisée par Michel-Ange se trouve au *Museo dell'Opera di Santa Maria del Fiore*.

L'AURÉOLE DES SAINTS

Partout dans la chrétienté, l'auréole est le symbole des saints. Au départ, on apposait un disque métallique juste pour protéger la tête des statues de la chute des pierres ou de la tombée des eaux qui suintaient des plafonds. Peu à peu, les fidèles ont cru que cette protection était l'attribut de la sainteté...

Terrazze del Duomo e cupola : *visites lun-sam à 10h30 et 12h30 (visite supplémentaire l'ap-m en hte saison). Entrée : 15 €/pers incluant la visite guidée de la cathédrale et des terrasses ainsi que l'entrée à la coupole (min 10 pers, max 25). Durée : 1h-1h30. Billet à acheter au* museo dell'Opera *ou à l'entrée de la crypte à l'intérieur du* Duomo. *En anglais et italien. D'autres visites également sont possibles.* Le *museo e Opa Centro Arte e Cultura* a eu la bonne idée d'ouvrir les terrasses à ses visiteurs ! Le tour commence par la visite guidée de la cathédrale, mettant l'accent sur l'histoire et l'architecture des œuvres les plus intéressantes. Puis on continue avec les terrasses extérieures, accessibles seulement avec ce type de visite. Vue imprenable à 360° sur Florence. Impressionnant et vertigineux à la fois. Attention, ça grimpe sec ! Toujours accompagnée du guide, la visite se poursuit avec celle du dôme. De sa propre initiative, le visiteur peut à la fin du tour grimper tout en haut de la coupole. Si vous avez encore le courage d'affronter les dernières marches... qui ne sont pas les plus faciles.

Battistero *(baptistère ; zoom couleur, B2)* **:** ☎ *055-230-28-85. Lun-sam 12h-19h (1er sam du mois et j. fériés 8h30-14h). Fermé Noël, 1er janv et dim de Pâques. Entrée : 4 €.*

Au XVe s, les non-baptisés n'avaient pas le droit de pénétrer dans les églises. Voilà pourquoi les baptistères étaient souvent construits à l'extérieur (on voit la même chose à Pise).

Ghiberti, avant d'être sculpteur, était orfèvre, ce qui explique les véritables chefs-d'œuvre qu'il réalisa. Le travail est d'une précision et d'un réalisme extraordinaires. La fameuse porte principale est décorée de scènes de la Bible. Observez, notamment, ces foules reproduites sur des espaces réduits, un peu à la façon des peintures du Moyen Âge. L'art de la perspective et du trompe-l'œil acquiert ici ses premières lettres de noblesse. Pas étonnant que Ghiberti ait mis 27 ans pour réaliser cette œuvre ! À noter que les originaux de la porte du Paradis sont actuellement visibles au *Museo dell'Opera di Santa Maria del Fiore*. Tandis qu'au musée du Bargello, on peut voir, au 1er étage, les deux médaillons originaux de Brunelleschi et Ghiberti réalisés pour le concours de 1401.

À l'intérieur du baptistère, on trouve une admirable mosaïque du XIIIe s. Noter, en bas, à droite du Christ, la scène classique du *Jugement dernier*, avec les monstres et autres diables dégustant les méchants.

Museo dell'Opera di Santa Maria del Fiore *(zoom couleur, C2)* **:** *piazza del Duomo, 9.* ☎ *055-230-28-85. Lun-sam 9h-19h30 ; dim et j. fériés 9h-13h40. Fermé à Pâques et à Noël. Entrée : 6 € ; réduc. Audioguide en français 4 €.*

Cet ancien « dépôt » modernisé rassemble les œuvres qui ornaient jadis le *Duomo*, le baptistère et le campanile, remisées ici suite aux différents projets de réaménagement ou pour raison de conservation. Un musée à ne surtout pas manquer, en particulier si vous êtes amateur de sculpture. Une rénovation récente permet d'admirer de véritables chefs-d'œuvre dans le calme, car il y a souvent peu de monde. La visite commence par quelques fragments en marbre de l'époque étrusque, puis romaine. Avant d'aborder la *salle de l'ancienne façade de la cathédrale* (celle qui fut détruite en 1587), avec de nombreuses sculptures d'Arnolfo di Cambio et de Donatello, ne ratez pas la petite salle dédiée à Tino di Camaino, grand sculpteur siennois dont on peut admirer le talent à travers le magnifique *Christ bénissant*. On pénètre alors dans une grande salle où irradie le talent d'Arnolfo di Cambio (XIVe s). De ce dernier, architecte de talent, mais également élève du fameux Nicola Pisano, on remarquera, entre autres, la *Madonna della Natività*, dans une pose bien lascive et la statue du pape Boniface VIII, pape détesté par Dante qui lui fit visiter l'Enfer dans sa *Divine Comédie* (cette statue fut restituée à la cathédrale par l'un de ses descendants après que celui-ci l'eut rachetée à un antiquaire), ainsi que la troublante Madone aux yeux de verre. Intéressante série des *Évangélistes*, mais ce sont évidemment le *Saint Jean* de Donatello et le *Saint Luc* de Nanni di Banco qui retiennent l'attention.

À côté, dans la *salle des peintures*, l'étonnant et célèbre *Martyre de saint Sébastien* (il aura eu son compte !) attribué à Giovanni del Biondo, et magnifiques bas-reliefs en marbre issus de l'enceinte du chœur de la cathédrale. Dans la chapelle octogonale voisine, collection de reliquaires (dont le doigt de saint Jean), quelques pièces d'orfèvrerie religieuse du XVe s et une belle Vierge de Bernardo Daddi. Avant d'accéder par l'escalier à la *Pietà* inachevée de Michel-Ange, traverser le lapidarium contenant des pièces d'architecture et de sculpture de la cathédrale, du baptistère et du campanile. À noter quelques belles terres cuites des Della Robia. Enfin, on accède à la *Pietà*, magnifiquement présentée. Son isolement la rend encore plus pathétique.

Réalisée sur le tard, la *Pietà* était destinée par l'artiste à son propre tombeau ; il s'y est d'ailleurs probablement représenté sous les traits de Nicodème, le vieillard soutenant le corps du Christ. Elle n'y parviendra jamais, car Michel-Ange, excédé par la longueur du travail et la mauvaise qualité du marbre, prit un beau jour son marteau pour l'achever... à sa manière (en la faisant voler en éclats). Francesco Bandini la racheta et la fit rapiécer par un disciple du maître. D'ailleurs, le personnage de Marie-Madeleine est un ajout tardif qui jure quelque peu avec le génie du reste de la composition. Alors qu'il suffirait d'un coup de marteau...

À l'étage, toujours, admirer les deux *cantorie* (ces tribunes d'église où se produisent les chantres), chefs-d'œuvre absolus de la Renaissance florentine. L'une est signée Luca della Robbia, l'autre Donatello. L'occasion de comparer deux styles contemporains (plusieurs panneaux de composition plus riche, plus classique pour le premier, une grande fresque plus dynamique pour le second, lequel des deux est le plus beau ? À vous de voir). Ne ratez pas dans cette salle, les statues du campanile et en particulier l'*Habacuc* et le *Jérémie* de Donatello. Dans une salle au fond, remarquables panneaux du campanile (attribués en partie à Andrea Pisano et Luca della Robbia), figurant l'évolution de l'homme depuis la création jusqu'aux voies spirituelles. Ils racontent la Genèse et illustrent les planètes, les vertus, les arts, les sciences, etc. Les panneaux représentant les métiers sont absolument extraordinaires de détails et de fraîcheur. Dans une salle voisine, la célèbre *Madeleine* en bois, vieillissante et pathétique, de Donatello (conçue pour le baptistère) vole la vedette au somptueux autel de saint Jean en argent (pour lequel plus de 400 kilos du précieux métal furent nécessaires !). C'est un des chefs-d'œuvre de l'orfèvrerie du XVe s. Prenez le temps d'admirer le *Saint Jean-Baptiste* de Michelozzo au centre et les panneaux latéraux du bas (à gauche, la *Naissance de saint Jean* par Antonio del Pollaiolo et à droite la *Décollation de saint Jean* par Verrochio). Restent de beaux manuscrits enluminés et des broderies sur la vie de saint Jean. Mais gardons un brin d'énergie pour la fin : à partir de la salle des panneaux, en redescendant vers les niveaux inférieurs, les visiteurs découvrent les outils utilisés par les ouvriers de Brunelleschi et une collection de maquettes en bois représentant en particulier les différents projets pour la façade de la cathédrale. On débouche enfin dans un patio renfermant plusieurs panneaux en bronze d'origine de la porte du Paradis du baptistère par Ghiberti, un véritable trésor. Chaque panneau évoque plusieurs épisodes bibliques, le sculpteur ayant estimé qu'il n'était pas forcément nécessaire de séparer les différentes histoires. Voir aussi le *Baptême du Christ* par Sansovino.

Galleria degli Uffizi (Galerie des Offices ; zoom couleur, B-C3) : piazzale degli Uffizi, 6. ☎ 055-238-86-51. • uffizi.firenze.it • Tlj sf lun 8h15-18h50. Fermé à Noël, 1er janv, 1er mai. Entrée : 6,50 € + 4 € avec la résa (vivement conseillée). Audioguide en français 5,50 € (8 € pour 2). Demander le plan gratuit du musée à l'entrée.
C'est bien évidemment le fleuron des musées florentins, mais surtout l'un des plus anciens et des plus beaux musées du monde. Incontournable est un faible mot...
– ***Attention :*** la direction du musée mène depuis plusieurs années une vaste campagne de travaux d'agrandissement (passant de 6 000 à 13 000 m²), pour présenter enfin au public les richesses inestimables qui sommeillent encore dans les dépôts. De quoi faire des envieux ! Tout devrait rentrer dans l'ordre en 2011, mais certaines œuvres décrites ci-dessous n'auront peut-être pas encore trouvé leur place définitive lors de la parution du guide. Sachez toutefois que toutes les peintures majeures, même déplacées, restent visibles, pour ne pas décevoir les visiteurs.
– En haute saison, attendez-vous à des queues de 2h à 4h ! ***Réservez*** pour y échapper (voir introduction à ce chapitre), même si le délai d'attente peut être de plusieurs jours, voire de plusieurs semaines. Sinon, n'hésitez pas à vous présenter 15 à 20 mn avant l'ouverture des portes. Rares sont les touristes aussi matinaux.

Pour la petite histoire

L'histoire de cet incroyable musée est indissociable de celle des Médicis. Dès le XVe s, Cosme l'Ancien, sous des dehors sévères et avares, se montra généreux envers les arts et encouragea des talents comme Donatello ou Filippo Lippi. C'était le début d'une longue tradition de mécénat, qui connut son apogée avec le fin politique Cosme Ier, puis l'esthète François Ier. Le premier confia à Vasari la création de l'académie de dessin et la construction du palais des Offices, le second transforma en musée (1581) les galeries de cet immense bâtiment administratif. Réservée au départ à une élite, la galerie des Offices ne fut ouverte officiellement qu'en 1765.
Les tableaux sont classés par ordre chronologique au fil des différentes salles. Sans être exhaustif, voici les plus belles œuvres des Offices.

LA VOIE ROYALE

Le plus original fut sans doute l'aménagement progressif du corridor de Vasari... Les Médicis habitaient au palazzo Pitti, de l'autre côté de l'Arno, mais se rendaient chaque jour au palazzo Vecchio et au palais des Offices où ils avaient concentré leurs administrations. Cosme Ier fit construire par Vasari un long couloir suspendu entre les deux sites. Pour égayer la promenade, les Médicis eurent bientôt l'idée d'y accrocher des peintures. Endommagé par les ravages de la Seconde Guerre mondiale et par un attentat terroriste en 1993, cet ensemble remarquable a désormais recouvré l'essentiel de son faste, mais est malheureusement fermé au public...

Second étage (début de la visite)

Galerie Est

En arrivant au second étage, avant d'entamer la visite à proprement parler, admirez les deux magnifiques chiens, puis, à droite, les quelques belles pièces archéologi-

ques (en particulier une frise romaine en provenance du forum d'Auguste et une tête de César). Portraits des Médicis au mur. Remarquez aussi le couple funéraire inséré sous une statue d'Hercule combattant un centaure. Fresques décoratives d'origine datant de 1560-1580. Vasari a dirigé le chantier et fut aidé par des Flamands dont on reconnaît la main dans les panneaux de paysages.
Au mur, dans le long couloir qui dessert les salles, des portraits des célébrités de l'époque (les rois, bien sûr) et sur les côtés encore de belles pièces archéologiques en restauration (salle 1).
Passons maintenant à la visite des salles de la galerie Est ; une visite qui nous a semblé très didactique, car à la fois chronologique et par école.
Salle 2 : le Duecento et Giotto
Les primitifs toscans, avec notamment les peintures des trois monstres sacrés du *Duecento* et du début du *Trecento* : la *Madone* de Cimabue, puis celle de Duccio (un Siennois) et enfin la *Madone d'Ognissanti* de Giotto qui s'affranchit là du style byzantin ; toujours le fond or, mais les traits prennent vie (noter les touches de rouge sur les joues de Marie et la poitrine qui affleure sous le fin tissu). Ces trois tableaux restaurés forment un ensemble unique de cette période de l'art italien. Les voir ensemble permet d'appréhender l'émancipation progressive des peintres de cette époque vis-à-vis des codes picturaux immémoriaux de la manière byzantine. C'est un des fleurons des Offices. Noter également les deux Christ en croix. Le premier, à droite du Cimabue, date d'avant la mort de saint François en 1221 et le second, d'après cette date. Remarquez le changement complet de l'iconographie : le Christ devient un être de chair, souffrant sur la croix.
Salle 3 : le Trecento siennois
XIVe s siennois. Superbe *Annonciation* de Simone Martini (remarquer le salut de l'Ange, traité à la manière d'une bande dessinée) et œuvres des frères Lorenzetti, Ambrogio et Pietro. En particulier, un des chefs-d'œuvre d'Ambrogio, la *Présentation au Temple,* les panneaux du retable de la bienheureuse humilité et ceux sur la vie de Nicolas de Pietro.
Salle 4 : le Trecento florentin
Le XIVe s toujours, mais à Florence avec les suiveurs de Giotto, parfois répétitifs (ce n'est toutefois pas vraiment le cas des œuvres présentées ici), à savoir Bernardo Daddi, Andrea Orcagna et Taddeo Gaddi. Observez le grand retable d'Andrea Orcagna sur la vie de saint Matthieu, arrondi pour épouser la forme d'un pilier, et la fantastique *Pietà* de Giottino (il s'appelait en fait Giotto di Maestro Stefano, mais on l'a surnommé ainsi pour le distinguer de Giotto), un chef-d'œuvre de sensibilité et de mise en scène.
Salles 5 et 6 : le gothique international
Retable monumental magnifique de Lorenzo Monaco, *Le Couronnement de la Vierge.*
Une mode de l'époque consistait pour les peintres à se représenter dans leurs œuvres. Pour les repérer, c'est assez simple : c'est toujours le personnage qui vous regarde droit dans les yeux ! C'est le cas de Gentile da Fabriano qui, dans son *Adoration des Mages,* se fit représenter sous les traits d'un Roi Mage. Cette commande réalisée pour les Strozzi, une famille de banquiers très influente à Florence, est traitée comme une miniature, avec une remarquable utilisation des ors : certains détails apparaissent même en relief pour souligner l'aisance et la générosité du mécène. Autre *Adoration des Mages,* autre autoportrait avec Lorenzo Monaco. Cherchez bien.
Salle 7 : la première moitié du Quattrocento
Salle du début de la Renaissance. Progressivement, on abandonne le fond doré. On introduit derrière les personnages des paysages minutieusement peints, avec souvent plein de détails intéressants, en particulier les scènes retraçant la vie dans les villes au Moyen Âge. Ça vaut souvent le coup de regarder de près. Une œuvre capitale : *La Bataille de San Romano* de Paolo Uccello, décrivant la victoire de Florence sur Sienne en 1432. Triptyque dont les autres parties sont au Louvre et à la National Gallery de Londres (ça revient cher d'admirer une œuvre complète !).

Observer le fantastique jeu de lignes et de perspective. Voir aussi *Sainte Anne et la Vierge à l'Enfant*, exécuté à deux mains par Masolino et Masaccio. Superbes *Federico da Montefeltro* et *Battista Sforza* de Piero della Francesca (on dit que les cheveux blonds étaient très prisés à la Renaissance et que pour la teinture rien ne valait... l'urine). Ces portraits figurent, sans doute, parmi les dix chefs-d'œuvre des Offices. Également un *Couronnement de la Vierge,* œuvre véritablement « rayonnante » de Fra Angelico (dit *il Beato*), qui reste fidèle aux fonds d'or tout en s'adaptant au nouveau style de l'époque. Également, le retable de Sainte-Lucie de Domenico Veneziano. Admirez les couleurs, le cadre architectural et la précision du dessin.

Salle 8 : Filippo et son fils Filippino Lippi

Principalement des œuvres de Filippo Lippi, le maître de Botticelli, dont on peut admirer *Madone, Enfant et deux anges* et le *Couronnement de la Vierge,* où les essais de perspective ont fini par aplatir un peu la tête des anges ! À noter également l'*Annonciation* délicate de Baldovinetti. Les peintures de Filippino sont, quant à elles, plus tardives et soumises à l'influence de Botticelli.

Salle 9 : les frères Pollaiolo

On y trouve *La Force,* la plus ancienne toile de Botticelli. Les autres vertus présentées sont l'œuvre de Pollaiolo. Les frères Pollaiolo, artistes polyvalents, étaient aussi des sculpteurs, ce qui se ressent.

Salles 10 à 14 : Botticelli

Consacrées principalement à ***Botticelli*** avec les célèbres *Naissance de Vénus* et *Le Printemps.* Dans *La Naissance de Vénus,* thème de la naissance d'une nouvelle humanité, Zéphyr souffle sur la coquille portant une Vénus frêle et diaphane. À droite, *Le Printemps* lui tend un manteau. Ici, quasiment pas de profondeur. On est fasciné par les lignes voluptueuses des drapés, des courbes du manteau, la finesse ondoyante des cheveux. Composition dépourvue de perspective pour mieux mettre en valeur le rythme quasi musical des lignes et des couleurs. On n'avait jusqu'à présent jamais poussé aussi loin le raffinement pictural. Botticelli utilisa à fond la technique de son maître, Filippo Lippi, dans la recherche de la beauté idéale. En particulier dans le personnage de Flore distribuant ses fleurs et dans l'éblouissante technique du drapé des trois Grâces. Seule l'ondulation du tissu léger suggère le mouvement. *La Calomnie* est une œuvre tardive de Botticelli, qui va, à cette époque, vers des proportions plus réduites et peint des sujets dramatiques sous l'influence de Savonarole, qui prônait un retour à une religion pure et dure (il a fini sur le bûcher !). D'autres chefs-d'œuvre de Botticelli : *La Madone des roses, L'Annonciation* (grâce exquise du mouvement de la Vierge), *La Melagrana.* De Ghirlandaio, belle *Vierge en majesté* et *Adoration des Mages*. Triptyque *Portinari* de Hugo Van der Goes, dont l'arrivée en Italie fut un choc pour les peintres du XVe s, qui découvrirent grâce à lui la peinture flamande et l'observation des détails réalistes (paysages, enfants, paysans) qui n'étaient pas, jusqu'alors, de tradition florentine.

Salle 15 : Léonard de Vinci et son entourage

Œuvres de ***Léonard de Vinci*** dont on découvre *L'Adoration des Mages.* Cette toile est très intéressante : comme elle est inachevée, on saisit la façon de travailler de l'artiste et on apprend comment les volumes s'intègrent les uns aux autres. Également de Léonard de Vinci, la très célèbre *Annonciation.* Pensez qu'il n'avait que 17 ans quand il exécuta ce chef-d'œuvre ! Notez l'utilisation géniale de la lumière sur les visages et les chevelures. On dit que son maître Andrea del Verrochio aurait renoncé à la peinture après avoir constaté son talent. Le *Baptême du Christ,* œuvre de Verrocchio et Léonard de Vinci, permet d'apprécier la main de Léonard dans les deux anges et le paysage du fond où l'on commence à voir ce que sera le célèbre *sfumato* de Vinci. Admirables *Pietà* et *Crucifixion* du Pérugin, le maître de Raphaël. De Luca Signorelli, *Crucifixion* et une *Trinité.*

Salle 16 : salle des cartes géographiques

Contient de magnifiques mappemondes provenant de la collection de Ferdinand de Médicis.

Salle 17 : salle de l'Hermaphrodite
Initialement installée dans cette pièce, l'*Hermaphrodite* a été transférée momentanément dans une petite salle au niveau du palier du 1er étage.
Le Vase Médicis a été déplacé au 1er étage dans le couloir avant d'accéder aux salles du XVIIe s. Il s'agit d'un vase venant de la propriété des Médicis à Rome. Plusieurs fois abîmé et recollé, la dernière restauration remonte à 1993 lors de l'attentat à la bombe des Offices.
Salle 18 : la tribune, les maniéristes
Tribune de forme octogonale qui ne peut contenir que 30 personnes à la fois. Cette salle, conçue par Buontalenti en 1584 pour le duc François Ier, est magnifique et a, d'ailleurs, toujours été considérée comme la plus belle salle du palais. Les quatre éléments y sont représentés : le sol symbolise donc la terre ; les murs rouges, le feu ; les décorations nacrées et bleues, l'eau ; et les sortes de bulles sous la coupole (magnifique), l'air. C'est pourquoi, traditionnellement, ont toujours été exposées ici, depuis les Médicis, les plus belles œuvres. Cette salle est actuellement présentée au public comme elle devait être à l'origine. On y trouve les maniéristes Alessandro Allori, Vasari, Salviati, Bronzino (un des plus grands portraitistes de l'histoire de la peinture), Pontormo, Rosso Fiorentino, Andrea del Sarto. De Raphaël : *Saint Jean dans le désert.* Au centre, somptueuse table en marqueterie de marbre du XVIIe s.
Voir, également, *Les Lutteurs,* remarquables dans leur représentation anatomique et leur mouvement, et le petit *Apollon*.

UNE BEAUTÉ... IRRÉSISTIBLE

Les statues antiques de la salle 18 sont d'une qualité remarquable, en particulier la fameuse Vénus Médicis, la pièce la plus importante de la collection des Médicis, original grec du IIe s av. J.-C. Elle symbolisait tellement la beauté parfaite que Napoléon la fit enlever pour l'exposer dans son projet de musée Napoléon à Paris. Pourquoi se gêner ? L'Histoire cependant en décida autrement, puisque à la suite de sa défaite à Waterloo, ce dernier s'engagea dans le traité de paix à la remettre à sa place.

Salle 19 : fin Quattrocento, début Cinquecento
De Signorelli, *Madone et Enfant* ; du Pérugin, le fameux *Francesco delle Opere,* de facture très moderne ; de Piero di Cosimo, *Andromède délivrée par Persée,* typique de ce peintre un peu hors norme et excentrique. Et puis, aussi, Lorenzo di Credi, Lorenzo Costa, Francesco Francia...
Salle 20 : les peintres allemands
Les peintres allemands nous rappellent que les Médicis commerçaient beaucoup avec la Hollande et la Germanie. Et, bien sûr, ils en rapportaient des œuvres. De Dürer, *Portrait du père, Adoration des Mages.* Belle bande dessinée, *L'Histoire de saint Pierre et saint Paul* de Hans von Kulmbach. De Lucas Cranach, *Adam et Ève,* œuvre clairement influencée par l'*Adam et Ève* de Dürer, mais aussi *Autoportrait, Saint Georges, Luther...*
Salle 21 : Venise
Un curieux *Compianto di Cristo* de Giovanni Bellini (en noir et blanc) et une *Allégorie* sacrée dont le sujet énigmatique n'est pas encore élucidé à ce jour. Splendide *Vierge à l'Enfant* de Cima da Conegliano. Cette pièce est l'occasion d'apprécier toute la singularité de l'école vénitienne (lumière chaude et dorée, paysages doux, beauté des femmes...).
Salle 22 : Allemagne et Flandres
Intéressante salle des ***maîtres flamands.*** *Mater Dolorosa* de Joos Van Cleve et autres superbes autoportraits. *Sir Richard Southwell* de Hans Holbein, mais surtout *La Madone sur le trône* de Hans Memling. Belles couleurs du *Martyre de saint Florian* par Altdorfer.
Salle 23 : Mantegna et Corrège
De Mantegna, un triptyque sur *L'Adoration des Mages* avec un extraordinaire panneau central. Ceux qui connaissent ce tableau d'après des reproductions seront

étonnés de sa petite taille (ce qui témoigne de la qualité de l'œuvre). Le côté minéral de l'œuvre de Mantegna est toujours étonnant ! À voir également, la douceur et la grâce du Corrège, notamment avec la petite *Vierge adorant Jésus*.

Salle 24

Dite des miniatures. Abrite des œuvres de petite dimension qu'on aperçoit au loin car on ne peut pas accéder à la salle barrée par un gros cordon à l'entrée, ce qui en limite l'intérêt.

Le corridor

Ici s'achève la visite de la galerie Est. Avant de poursuivre votre chemin, prenez le temps d'admirer la vue sur l'Arno, le ponte Vecchio et observez le fameux corridor qui traverse l'Arno et permettait aux Médicis de rejoindre tranquillement leur demeure privée du palazzo Pitti (il contient une célèbre collection d'autoportraits qui ne se visite qu'exceptionnellement, et sur réservation). Belle vue également sur les collines environnantes avec au loin l'église de San Miniato. Un tel panorama nous rappelle que le bâtiment des Offices a été conçu, notamment, pour contrôler la vue sur le fleuve.

Galerie Ouest

Salles 25 et 26 : Michel-Ange et le Cinquecento florentin

Les peintures de ***Michel-Ange*** et de ***Raphaël*** nous plongent en pleine ***Renaissance italienne.*** Les visages sont moins figés, les femmes arborent quelques timides sourires. De Michel-Ange, *La Sainte Famille (Tondo Doni)* : là aussi, le sommet dans la perfection. Attardons-nous quelques instants sur cette œuvre magistrale, la seule à avoir été peinte sur bois. Ce sont déjà les couleurs de la chapelle Sixtine. On y décèle la rigueur de Michel-Ange et son sens de la composition. Elle est organisée en plusieurs plans, allant vers la profondeur (au fond, les corps nus, presque flous, des hommes du temps du péché originel), tout en s'articulant autour d'un mouvement en spirale. À noter enfin qu'il s'agit de l'unique tableau de Michel-Ange exposé en dehors du Vatican. Offert aux Doni en cadeau de mariage, il fut racheté par les Médicis et exposé aux Offices dès 1580 ! De Raphaël : *Autoportrait, Francesco Maria della Rovere, La Madonna del Cardellino* (au chardonneret), *Léon X, Jules II...* Intéressant de noter, dans le portrait de Léon X, cette diagonale figurée par le bord de la table, puis le bras du pape, relayé par la main du cardinal de droite. Cela donne au tableau une dynamique très moderne.

Belle *Madone aux harpies* d'Andrea del Sarto, qui doit son nom aux sculptures visibles sur le piédestal de la Vierge. Au sujet de ce peintre, on disait qu'il ne connaissait pas l'erreur. Entre maniérisme et académisme (il fut le maître des grands maniéristes florentins, Pontormo et Rosso) : perfection de la composition et, outre le jeu complexe des courbes, on notera aussi celui des couleurs. Tranchant avec la sobriété générale, éclatent le rouge et le jaune de la robe de la Vierge et le rouge du manteau de saint Jean.

Salle 27 : le maniérisme florentin

Portraits de Pontormo qui fut, donc, l'élève d'Andrea del Sarto. Admirez également le talent de son compère Rosso Fiorentino dans la *Vierge à l'Enfant entourée de saints.* Admirable Beccafumi *(Sainte Famille),* le troisième grand maniériste, moins connu car siennois et non florentin...

Salle 28 : le XVIe s vénitien

Orgie d'œuvres de ***Titien,*** dont la *Vénus d'Urbino* d'un érotisme troublant. La femme est belle et ce n'est plus un péché de la peindre nue. L'étau de la religion commence à se relâcher. Remarquez l'opulence et les couleurs chaudes des fleurs. À comparer avec la froideur de la *Judith* de Palma Vecchio. *L'Uomo malato,* en revanche, est une œuvre très sombre.

Salles 29 et 30 : l'Italie du Nord et le Cinquecento

On y trouve la célèbre *Vierge au long cou* du ***Parmesan.*** Il y travailla 6 ans. Chef-d'œuvre du maniérisme italien : trait précieux, teint de peau artificiel, coiffures recherchées, composition et poses élégantes, silhouettes étirées... Mais l'œuvre est restée inachevée ! À droite du tableau, à côté de saint Jérôme tenant un rouleau, on aperçoit le pied isolé d'un saint qui n'a jamais été peint.

Salles 31 et 32 : le maniérisme vénitien, Tintoret et Véronèse

Œuvres vénitiennes du XVIe s. *L'Annonciation, Sainte Famille avec sainte Barbe et Martyre de sainte Justine* de Véronèse. Portraits de Jacopo Tintoretto (dit le Tintoret) et *Le Concert* de Bassano.

Salle 33

Dans cette salle sont exposées des œuvres qui montrent l'éclatement du maniérisme italien et sa diffusion en Europe, vers la France et l'Espagne notamment. *François Ier* par Clouet, *Les Deux Dames au bain* de l'école de Fontainebleau, quelques tableaux de l'école espagnole (le très reconnaissable Greco : *Saint Jean l'Évangéliste et saint François*. Mais aussi des peintres comme Moralès, Coello...), *Vénus et Cupidon* d'Alessandro Allori, Niccolò dell'Abate et quelques tableaux de Vasari, connu surtout pour avoir construit ce palais et écrit les vies des artistes, de Giotto à Michel-Ange, dans le premier livre d'histoire de l'art moderne.

Salle 34

Transfiguration, Suzanne et les Vieux de Lorenzo Lotto, un peintre de l'école vénitienne au caractère original. À mentionner aussi : Giovanni Battista Moroni.

Salles 35 à 45 : XVIIe et XVIIIe s

Ces salles contiennent quelques morceaux de bravoure à ne pas rater pour les courageux...

Salle 35

Madonna del popolo du Baroche, œuvre très appréciée par ses contemporains pour les détails donnant vie à la composition.

Salle 41

Pour le moment, cette salle de Rubens et ses suiveurs est fermée pour restauration jusqu'à... Si elle rouvre, vous pourrez admirer, de Rubens, *L'Entrée d'Henri IV à Paris, Bacchus sur son tonneau.* Magnifiques portraits de Van Dyck et Jordaens. Remarquez aussi, de Sustermans, le *Portrait de Galilée regardant vers le ciel*.

Salle 42

Sculptures antiques avec de beaux effets de drapé.

Salle 44

De merveilleux Rembrandt, notamment ses autoportraits (où on le voit jeune, moins jeune et puis carrément vieux). Très belle *Adoration des bergers* de Van der Werf.

Salle 45

Peintures du XVIIIe s. Deux portraits par Goya. De Chardin, *Jeune fille tenant un volant et une raquette.* Deux *Vue de Venise* par Canaletto et intime *Femme qui se lève du lit* de Crespi.

Ici s'achève la visite du second étage. Au fond du corridor, l'imposant *Porcellino* (porcelet) de Tacca, dont il existe une copie à la *Loggia del Mercato.*

Cafétéria : décor et mobilier contemporains pour un service rapide de boissons et *panini*. Une halte qui vaut surtout pour la superbe terrasse en surplomb avec vue sur le campanile, le *Duomo,* le palazzo Vecchio et, au loin, la colline de Fiesole.

Premier étage

La dernière tranche de travaux touche principalement le premier étage, nouvel espace dévolu aux peintures des XVIIe et XVIIIe s autrefois exposées au second niveau. Elles seront à terme réunies avec la sélection d'œuvres provenant du fonds du musée. On peut déjà découvrir les salles accueillant les chefs-d'œuvre du Caravage, comme la célèbre *Tête de Méduse,* peinte sur un bouclier et représentée le regard baissé puisqu'elle a le pouvoir de pétrifier qui la fixe dans les yeux, ou le fameux *Bacchus* à la sensualité à fleur de peau. L'artiste, à peine âgé de 20 ans, n'avait pas craint de scandaliser ses pairs avec l'attitude équivoque du jeune dieu. Moins ambiguë mais éprouvante, la scène du *Sacrifice d'Isaac* bouleverse par le réalisme des visages d'Isaac et de son fils, fidèles reflets de l'angoisse et de l'horreur. Admirez le travail des ombres dans *Le Concert,* où le Caravage emploie sa fameuse technique du clair-obscur. Superbe utilisation de la lumière artificielle (souvent une bougie) également chez Gherardo delle Notti.

La collection Contini Bonacossi

Cette collection, censée être fameuse, devrait bientôt faire partie du parcours. Elle est malheureusement encore fermée au public.

Piazza della Signoria *(zoom couleur, B-C3)* **:** c'était le cœur palpitant de la cité. Toute l'histoire de Florence se résume en cette place. Elle fut le lieu des rassemblements populaires, des révolutions, le cadre des supplices, le décor de fêtes somptueuses. D'un côté, elle est dominée par le majestueux palazzo Vecchio, et de l'autre, par la *loggia dei Lanzi*.

– ***La loggia dei Lanzi :*** plusieurs statues d'un intérêt majeur en font un véritable musée en plein air. On y découvre, entre autres, le fantastique *Persée,* en bronze, de Benvenuto Cellini, et l'*Enlèvement d'une Sabine* de Giambologna (Jean de Bologne, grand sculpteur du XVIIe s), œuvre maniériste qui préfigure déjà le baroque. Admirez la délicate représentation des mains sur les fesses de la Sabine. Remarquez aussi les deux lions, de part et d'autre de l'entrée de la loggia : celui de droite, quand vous faites face à la loggia, est un original antique, celui de gauche est une copie de la Renaissance.

SOUS ÉTROITE SURVEILLANCE

Lanzi vient de lanzichenecchi. *Les lansquenets étaient des soldats allemands employés par les Médicis pour surveiller le palazzo Vecchio, l'équivalent en quelque sorte des gardes suisses du Vatican à Rome. Quand les grands-ducs se sentirent en sécurité, ils renvoyèrent les soldats et remplirent la loggia de statues.*

De gauche à droite en faisant face au palazzo Vecchio :

– ***La statue équestre de Cosme Ier de Médicis*** (réalisée entre 1587 et 1594). Encore une œuvre de Giambologna. Impressionnante par ses mesures parfaites.

– ***Judith et Holopherne*** de Donatello : l'original est à l'intérieur du palazzo Vecchio. Ce fut la seconde statue mise en place devant le *palazzo* par Savonarole qui l'emprunta à la collection privée des Médicis. Il considéra à l'époque que Judith libérant le peuple juif du tyran Holopherne symbolisait le peuple florentin se libérant du joug des Médicis.

– ***La fontaine de Neptune :*** on doit le *Neptune* à Ammannati et la fontaine, avec ses nymphes, à Giambologna (encore lui !). L'ensemble fut réalisé dans les années 1560. Déjà les peintres n'hésitaient pas à chanter les louanges du corps humain, mais leurs œuvres étaient réservées à quelques privilégiés. Là, pour la première fois, la nudité descend dans la rue. C'est aussi le cas, avec la fontaine de Jacopo della Quercia sur la place de Sienne, un ensemble sculptural novateur qui sera en partie à l'origine de la représentation classique des fontaines italiennes (Trevi à Rome, par exemple). En revanche, si l'ensemble est harmonieux, la représentation de *Neptune* fut, à l'époque, considérée comme très médiocre. Ammannati essuya les sarcasmes de Michel-Ange qui, chaque fois qu'il passait devant, soupirait : « Quel gâchis de beau marbre ! ».

– ***Le Marzocco*** de Donatello : l'original est au musée du Bargello. Ce lion symbolise le courage des Florentins face à l'ennemi. Remarquez sous sa patte droite le blason de Florence avec sa fleur de lys rouge.

– ***David*** de Michel-Ange : ce marbre est encore une copie (décidément !). Ses dimensions sont d'ailleurs réduites. Les plus curieux ne manqueront pas d'aller admirer l'original à la *Galleria dell'Accademia.*

– ***Hercule et Cacus*** de Bandinelli (XVIe s) : devant l'entrée du Palazzo Vecchio. Représente avec une certaine brutalité Hercule tuant Cacus.

Le soir, la *piazza* est particulièrement agréable avec son animation et les lumières jouant sur la pierre jaune.

LE PREMIER TAG ?

Cherchez sur le mur du palazzo, juste derrière Hercule et Cacus, un graffiti représentant une tête de profil. Il s'agirait d'un graffiti original du XVe ou XVIe s qui, selon la petite histoire, serait de la main de Michel-Ange, mais réalisé de dos... Quel talent !

*** **Palazzo Vecchio et son musée** *(zoom couleur, B-C3) : piazza della Signoria. ☎ 055-276-82-24. Tlj 9h-19h sf jeu et j. fériés en sem (jusqu'à 14h). Entrée : 6 €. Audioguide : env 4 €. 2 accès : l'entrée principale sur la piazza della Signoria et l'autre, beaucoup moins fréquentée, via dei Gondi (à gauche quand on fait face au palais). Si vous en avez la possibilité, prenez le temps de faire la visite des « Parcours secrets ». Pour 6 €, des guides francophones vous ouvriront les portes de salles fermées au public en raison de leur fragilité, comme le fameux cabinet de travail de François Ier tapissé de tableaux figurant les arts et les sciences, ou les combles renfermant l'incroyable charpente de la* sala dei Cinquecento. *En plus, vous aurez droit à l'entrée gratuite à la* cappella Brancacci *(voir plus loin « Dans le quartier de l'Oltrarno, au sud de l'Arno »). Également des activités ludiques proposées aux enfants à partir de 3 ans (ateliers, visites-spectacles et contes). Résa obligatoire pour les activités proposées aux enfants au secrétariat (à côté de la billetterie). Pour ces activités, l'entrée se fait par la via dei Gondi.*

Ce palais-forteresse sévère, édifié à la fin du XIIIe s sur les ruines des demeures gibelines rasées par les guelfes, servit dans un premier temps de siège au gouvernement des prieurs, avant que les Médicis n'y emménagent. Ils en furent toutefois dépossédés un temps par Savonarole, qui s'en empara pour y installer le siège de son éphémère république florentine. Au XVIe s, lorsque les Médicis s'installèrent au « nouveau » palazzo Pitti, l'édifice prit le surnom de *palazzo Vecchio* (vieux). Bien plus tard, au moment de l'unification italienne (1865-1871), le palais servit un court moment de siège à la Chambre des députés. À l'intérieur, très belle cour à arcades ornées de stucs, avec la fontaine décorée du petit génie ailé de Verrocchio.

– La visite débute par la ***sala dei Cinquecento,*** salle immense avec un extraordinaire plafond à caissons peints. Créée à l'origine par Savonarole pour accueillir le Conseil de la république, elle fut utilisée par la suite comme salle d'audience par les Médicis. C'est pourquoi tous les thèmes choisis pour la décoration glorifient les Médicis (sur le médaillon du plafond, Cosme s'est même fait représenter en empereur romain !). Aux murs, fresques de Vasari racontant l'histoire de la ville et très belles statues du XVIe s représentant les travaux d'Hercule. Seule celle de la *Victoire sur Sienne* (en face de l'entrée) est de Michel-Ange (admirable mouvement du personnage principal, le « Génie » dominant la force brutale). À droite, en entrant dans la salle, jetez un coup d'œil au *studiolo* de François Ier de Médicis : superbes fresques de Vasari et de ses collaborateurs, mais surtout magnifiques petits bronzes dans les niches (malheureusement difficiles à voir) par Jean de Bologne et Ammannati, notamment.

Avant de monter à l'étage, observez les très beaux plafonds des appartements de Léon X et les fresques.

– Ensuite, succession de salles et appartements aux plafonds et parois richement ornés de peintures maniéristes, et présentant de nombreuses œuvres (on ne sait plus quoi regarder, des salles ou des couloirs !) : sculptures sur bois polychromes, primitifs religieux dont la *Madonna dell'Umiltà* de Rossello di Jacopo Franchi. Petites sculptures d'Andrea della Robbia, adorable *Madonna e Bambino* de Masaccio et magnifique *Nativité* d'Antoniazzo Romano (XVe s).

Une fois à l'étage, vers la gauche, les salles ont moins d'intérêt (on passe toutefois devant un adorable *Chérubin au dauphin* de Verrochio) ; néanmoins, depuis la terrasse dite de Saturne, belle vue sur l'église de San Miniato et les collines environnantes.

On repasse alors au-dessus de la *sala dei Cinquecento* qu'on peut admirer à loisir pour visiter l'autre partie des appartements beaucoup plus intéressante (sur la droite).
Parmi les salles les plus marquantes :
– ***Chapelle d'Éléonore,*** ornée de fresques de Bronzino. Magnifique *Déposition* de belle facture maniériste ! Orgie de plafonds peints et dorés, notamment dans la salle qui porte l'inscription « Florentia ».
– Les trois salles suivantes (Sabines, Esther et Pénélope) valent surtout pour leurs plafonds.
– ***Chapelle des Prieurs,*** décorée de peintures en fausse mosaïque. C'est là que Savonarole passa sa dernière nuit avant d'être supplicié.
– ***Sala dell'Udienza*** *(salle d'audience)* **:** les prieurs y recevaient les citoyens de la ville. Plafond assez outrageusement chargé. Fresques admirables d'une fraîcheur éclatante par Francesco Salviati, à notre avis un maniériste de plus grand talent que Vasari (notamment celle de la *Pesée des trésors de guerre*).
– ***Salle du Lys :*** juste en entrant, remarquable porte de marbre sculptée par Benedetto da Maiano (notamment le délicat *Saint Jean-Baptiste*) ; la salle abrite aussi l'une des plus grandes œuvres de Florence, le groupe *Judith et Holopherne,* sculpture en bronze de Donatello. Celle-ci trôna de 1494 à 1980 devant le palazzo Vecchio, avant de partir en restauration, sérieusement victime des ravages du temps. Aux murs, à l'opposé de la porte de marbre, magnifiques fresques de Ghirlandaio. De cette salle également, belle vue sur le campanile, le *Duomo* et l'église de la Badia.
– On termine par plusieurs salles abritant la collection Loeser. Vaut surtout pour la seconde pièce avec un bel ange de Tino di Camaino, une superbe *Vierge à l'Enfant* de Pietro Lorenzetti et une *Madone à l'Enfant* d'Alonso Berruguete. Dans la dernière salle également, belle série de panneaux du Pontormo.

♆♆ ***Orsanmichele*** *(zoom couleur, B2-3)* **:** *via Arte della Lana, entre la piazza della Repubblica et la piazza della Signoria. Tlj sf lun 10h-17h. Entrée gratuite. 1er étage ouv lun ap-m, on peut y voir les sculptures originales exposées (celles qui ornent actuellement l'église à l'extérieur sont des copies).*
Orsanmichele est une abréviation d'*Orto di San Michele,* signifiant le « potager de saint Michel ». À l'origine, c'était la halle au blé, ce qui explique que le pavement n'est ni en marbre ni en matière précieuse. Les arcades étaient à l'époque ouvertes... l'architecte Arnolfo di Cambio avait construit une couverture en bois et en brique pour abriter les étals du marché des céréales. Un incendie brûla partiellement le bâtiment et la légende raconte qu'il ne resta qu'un pilier sur lequel figurait une peinture de la Vierge. Les Florentins crurent à un miracle et s'arrêtèrent dans ce bâtiment pour prier. Le lieu connut un tel succès qu'il fallut consacrer le bâtiment au XIVe s... Ce qui explique la forme peu habituelle de cette église (à deux nefs !). En revanche, une fois l'église consacrée au rez-de-chaussée, l'étage supérieur resta dédié au stockage du grain !
À l'extérieur, on perça des niches tout autour, ornées de statues réalisées par les plus grands artistes de l'époque et commandées par les grandes corporations. Chaque guilde de la ville avait été chargée de la réalisation d'une statue de son saint patron, si bien que ce bâtiment présente l'un des ensembles sculpturaux les plus importants et surtout les plus

LA HALLE AUX MIRACLES

Lors de la peste de 1348, les Florentins se réunirent au marché et implorèrent la Vierge de faire cesser l'épidémie... ce qui arriva ! Pour la remercier, ils commandèrent à Bernardo Daddi, élève de Giotto, un magnifique retable représentant la Vierge à l'Enfant en majesté. Les fidèles furent de plus en plus nombreux à remplir l'église d'ex-voto, rendant inaccessible l'accès à l'étage. On construisit alors un passage surélevé entre l'ancien grenier à blé et le palazzo dell'Arte di Lana, toujours visible aujourd'hui.

représentatifs de l'évolution stylistique. Via dei Calzaiuoli, on peut voir *Saint Jean-Baptiste* de Ghiberti (celui du baptistère), *Saint Thomas* (patron du tribunal des marchands) de Verrocchio, *Saint Luc* (patron des juges) de Jean de Bologne. Via Orsanmichele, on trouve *Saint Pierre* (protecteur des bouchers) et *Saint Marc* (patron des drapiers) de Donatello. Via Arte della Lana, superbe représentation dans le marbre du labeur des maréchaux-ferrants par Nanni di Banco.
À l'intérieur, les peintures du plafond ont conservé leurs couleurs éclatantes. Admirable *ciborium-retable* d'Andrea Orcagna, du XIVe s. Les vitraux, représentant les miracles de la Vierge, sont intacts et comptent parmi les plus anciens de la ville. Un détail intéressant, les trous situés dans les colonnes de gauche permettaient la livraison du blé directement du 1er étage au consommateur. Il est probable que le fait d'avoir consacré le rez-de-chaussée permettait de limiter les convoitises et la fraude...

Museo di palazzo Davanzati – Museo dell'antica casa *(zoom couleur, B3) : via Porta Rossa, 13. ☎ 055-238-86-10. Tlj sf lun 8h15-13h50, fermé les 2e et 4e dim du mois. Possibilité de visiter certaines pièces du 2e et 3e étage entre 10h et 13h accompagné d'un guide (sur résa). Entrée gratuite.* Rouvert après des années de rénovation, voici l'exemple même d'une demeure de grand bourgeois du XIVe s, à l'aspect sévère avec ses trois étages et sa loggia. Superbe *salla dei Pappagalli* avec ses rideaux en trompe l'œil. La *camera dei Pavoni* n'est pas en reste avec son magnifique plafond peint et sa fresque d'écussons représentant les familles Davizzi et Strozzi. Une petite salle est également consacrée à la dentelle (les propriétaires possédaient une manufacture). Mobilier, tapisserie, peinture : tout est d'époque. Un seul mot : superbe.

Ponte Vecchio *(zoom couleur, B3) :* il porte bien son nom, c'est le plus ancien de la ville (il existait déjà avant le Xe s). Pas difficile, cela dit, puisque l'armée allemande a fait sauter tous les autres le 4 août 1944 pour de nébuleuses questions stratégiques. Il est resté, à peu de chose près, tel qu'il était en 1345, date à laquelle il fut reconstruit et enrichi de boutiques et de maisons qui lui donnent son caractère bien particulier. À cette époque, des bouchers et poissonniers occupaient les lieux, mais la famille Médicis ne supportant plus l'odeur insoutenable de ces commerces les fit partir pour laisser place aux bijoutiers qui sont encore là aujourd'hui. Les maisonnettes étaient louées par l'État qui en récoltait une coquette somme. Le couloir au-dessus des maisons, qui relie les Offices au palais Pitti, date en revanche du XVIe s. Si vous voulez bien le voir, passez-y le matin tôt (vers 7h-8h) ou le soir pour éviter la foule. Dans la journée, on le voit beaucoup mieux des autres ponts !

Museo del Bargello *(zoom couleur, C3) : via del Proconsolo, 4. ☎ 055-238-86-06. Ouv 8h15-13h50. Fermé les 2e et 4e lun du mois. Salle des petits bronzes et salle d'armes fermées l'ap-m. Entrée : 4 € (7 € avec expos temporaires) ; réduc.*
C'est le Musée national de sculpture, installé depuis 1865 dans un très beau palais (appelé aussi *palazzo del Podestà*). Édifice à l'aspect sévère du début du XIIIe s, dominé par une tour crénelée de près de 60 m de haut. D'abord palais du Podestat (qui garantissait la liberté du peuple), il devint tribunal, prison et lieu de tortures au crépuscule de la démocratie florentine (fin XVIe s). C'est une des visites les plus agréables de Florence car il y a souvent peu de monde et les chefs-d'œuvre y sont nombreux. C'est l'occasion de parcourir et de comprendre l'évolution de la sculpture florentine.

Rez-de-chaussée

– Dans la cour, à l'élégante architecture (difficile d'imaginer qu'elle servait jadis aux exécutions), œuvres de Bartolomeo Ammannati et adorable *Petit Pêcheur* en bronze (1877) de Vincenzo Gemito. *Canon de San Paolo* (1638) très ouvragé et orné de la tête de saint Paul, presque une œuvre d'art.
– Les salles de sculpture médiévale contiennent théoriquement de magnifiques œuvres de Tino di Camaino, Arnolfo di Cambio... Elles sont toutefois le plus souvent dédiées aux expositions temporaires et les œuvres sont alors transférées au 1er étage (salle du *Trecento*).

– ***Salle du Cinquecento*** (absolument magnifique mais à découvrir en dernier après la visite de l'étage pour des raisons chronologiques) : on y découvre des œuvres de jeunesse de Michel-Ange, dont *Bacchus* (la première sculpture importante de l'artiste) et *Madone avec Jésus et saint Jean,* mais également des compositions plus tardives comme *David,* ou le buste de *Brutus.* Également un buste de *Cosme Ier* de Benvenuto Cellini (œuvre extrêmement maîtrisée), *Mercure* de Giambologna (Jean de Bologne) et des sculptures de Bandinelli, Ammannati, Vincenzo Danti, Tribolo, Jacopo Sansovino (le *Bacchus,* en particulier), Francavilla, Rustici.

1er étage

– La visite débute, en principe, par la ***salle des Ivoires*** : remarquable collection de petits ivoires ciselés (superbes diptyques), reliquaires, crosses d'évêque, coffrets sculptés. Prenez le temps de découvrir la qualité extrême de ces pièces pour la plupart d'origine française. Également, statuaire de bois polychrome : *Madone de la Miséricorde* (XIVe s), art de l'Ombrie.

– ***Salle Carrand :*** elle rassemble la collection éclectique d'un riche donateur. Petites peintures flamandes du XVe s dont de remarquables miniatures de Koffermans rappelant un peu les créatures fantastiques de Jérôme Bosch. Sinon, bel éventail de bijoux, émaux, merveilles de l'art limousin, serrures et marteaux de porte ouvragés, ou encore cette *Annonciation* et *Présentation au Temple* du Maître de la légende de sainte Catherine, les *Grotesques* d'Alessandro Allori, et des objets religieux. Avant de quitter la salle, profitez-en pour jeter un coup d'œil aux fresques admirables de l'ancienne chapelle.

– ***Salle de la céramique polychrome et des beaux objets,*** dite aussi *salle islamique* : olifant en ivoire sicilien du XIe s, tapis et tissus anciens, casques turcs du XVe s. Levez la tête pour découvrir le plafond à caissons.

– ***Salle des Sculptures :*** c'est, avec la salle dédiée à Michel-Ange, le must du Bargello : superbe volume pour des œuvres majeures de Donatello en particulier, dont le célèbre *David,* en bronze, le *David* en marbre (une œuvre de jeunesse) et l'original du *saint Georges* d'Orsanmichele avec son fameux bas-relief où saint Georges délivre la princesse et terrasse le dragon. Les panneaux de bronze qui servirent au concours pour les portes du baptistère, par Ghiberti et Brunelleschi : la vivacité et la qualité de la mise en scène de Ghiberti sautent aux yeux, le *Sacrifice d'Isaac* de Brunelleschi est moins vivant, plus rigide... Nous sommes d'accord avec le choix des Florentins de l'époque ! Magnifiques coffres peints. Dans cette salle également, les sculptures des Florentins de la première moitié du *Quattrocento* valent le détour (Michelozzo, della Robbia, Agostino di Duccio...). Et de belles sculptures siennoises, par Vecchietta notamment.

– ***Loggia :*** nombre d'œuvres du bestiaire à plumes de Giambologna et le *Jason* de Pietro Francavilla, d'une grand finesse. Dans les salles de la verrerie et de la céramique : *Madone à l'Enfant* de Sansovino. Intéressante série de faïences de Castelli du XVIe s, avec des bleus remarquables.

– ***Salle du Trecento :*** art florentin des XIIIe et XIVe s. Surtout Tino di Camaino, dont on remarquera *La Vierge et l'Enfant* (au torticolis). Également des œuvres de Simone di Francesco Talenti.

2e étage

– ***Ateliers*** de Luca et Andrea della Robbia, ainsi que de Buglioni, qui furent les grands représentants de la terre cuite émaillée. Explosion de couleurs et de charme !

– Splendide ***salle d'Armes*** *(fermée l'ap-m)* **:** selles en os et ivoire ciselés, mousquets et arbalètes incrustés de nacre, or et ivoire. Armures, armes perses et turques du XVe au XVIIe s.

– ***Salle Verrocchio :*** on y admire le superbe *David* de Verrocchio, dont la moue amusée due à la jeunesse le différencie du *David* de Donatello (au 1er étage), plus pensif, accomplissant sa tâche sans gloriole. À voir aussi de Verrocchio, la magnifique et sobre *Dame au bouquet.* Également des œuvres charmantes de Mino de Fiesole, Agostino di Duccio, Benedetto da Maiano...

– ***Salle des petits bronzes*** *(fermée l'ap-m)* **:** la présentation est un peu surchargée. On y trouve pourtant de magnifiques bronzes d'artistes célèbres (Jean de Bologne, Pollaiolo...) qui méritent le détour, mais dont on ne profite malheureusement pas, car ils sont noyés dans la masse.
– ***Salle baroque :*** en restauration pour le moment.

Chiesa Badia Fiorentina *(église de la Badia Fiorentina ; zoom couleur, C2-3)* **:** *près du Bargello. L'entrée se fait sur le côté, via Dante Alighieri. Horaires très restreints : lun 15h-18h slt.* À gauche en entrant, un sublime chef-d'œuvre de Filippino Lippi, *L'Apparition de la Vierge à saint Bernard.* La scène est proche d'un tableau de Botticelli avec l'élégance de l'enfant (regardez ses mains...). Sculptures du plafond splendides. Il a fallu 27 ans pour les réaliser. Œuvres sculptées de Mino da Fiesole (réalisées entre 1464 et 1470). Les fresques du chœur (1733-1734), en trompe l'œil, sont de G. D. Ferretti. Demandez gentiment à la personne de l'entrée si vous pouvez pousser la porte de droite à côté de l'autel. Vous découvrirez le charmant petit *cloître des oranges.* Récemment rouvert au public, il faisait partie autrefois d'un couvent bénédictin. Vous pouvez admirer (mais la majeure partie est abîmée) les fresques de la vie de saint Benoît.

Chiesa Santa Maria dei Ricci *(zoom couleur, C2)* **:** *via del Corso. Ts les sam, concert d'orgue à 18h. Concerts classiques presque tlj à 21h15. ☎ 055-28-93-67. La vente des billets commence 1h avt le début du concert.* Voici un excellent moyen de profiter de la beauté de l'église ! Voilà un amour de petite église qui cultive une mise en lumière géniale. Ce qui marque d'abord, c'est l'absence de retable. À la place, un délire baroque où des angelots plus dorés les uns que les autres nagent dans une mer de nuages argentés. On sent vraiment que quelqu'un s'est ingénié à mettre en valeur la décoration. Ici, un rai de lumière fend la pénombre pour atterrir sur une petite statuette timide, là, dans son alcôve damassée de velours bordeaux, un christ fait de l'œil à un gisant d'une blancheur luisante. Remarquer d'ailleurs les proportions étranges de ce dernier : ses membres inférieurs et sa tête sont manifestement disproportionnés par rapport au thorax.

À voir encore dans le centre historique (zoom couleur)

Autour de la piazza della Signoria, sans être aussi spectaculaires que les précédents, voici quelques sites ou monuments dignes d'intérêt :

Loggia del Mercato Nuovo *(zoom couleur, B3)* **:** *via Porta Rossa.* Édifiée au XVIe s, avec hautes arcades et pilastres d'angle. Célèbre pour sa *fontaine du Porcelet (del Porcellino)* de Pietro Tacca, un artiste du XVIIe s, sanglier de bronze très expressif. Lui caresser le groin porte bonheur, paraît-il ! Une reproduction en bronze est également conservée aux Offices.

Palazzo Strozzi *(zoom couleur, B2)* **:** *entre la piazza Strozzi et la via dei Tornabuoni. Tlj 9h-20h. Abrite des expos temporaires, prix d'entrée selon l'expo.* Exemple typique de la puissance montante de certains Florentins qui voulaient, au XVe s, rivaliser avec les Médicis. Façade à bossages massifs. Très belle corniche.

Museo Mario Marini *(plan couleur I, A2)* **:** *piazza San Pancrazio. ☎ 055-21-94-32. ♿ Tlj sf mar et dim 10h-17h. Fermé en août. Entrée : 4 €.* Situé dans l'ancienne église de San Pancrazio, ce musée, éloigné des circuits touristiques, étonne par sa muséographie, à l'opposé des musées traditionnels florentins. Réalisé par les architectes Bruno Sacchi et Lorenzo Papi. Sans véritablement de parcours ordonné, on prend un vrai plaisir à admirer ces œuvres agréablement mises en valeur dans un espace clair et aéré. À la mort de Mario Marini, en 1980, sa femme, Marina, a légué à la ville de Florence la majorité de ses créations (dont la collection représente plus de 180 œuvres). Elles sont regroupées par thème et non par ordre chronologique selon le souhait de l'artiste. Les architectes ont privilégié la lumière naturelle et l'espace. Belle mise en valeur des statues, qui devaient à l'origine être exposées en plein air. Au centre du musée (dans l'ancienne abside), on peut admirer sa création la plus célèbre : *Il Cavaliere,* sculpté en 1957-1958. Certaines de ses sculptures se rapprochent de l'art étrusque. Il suffit de regarder les cavaliers et les statues réalisés dans les années 1950 pour s'en rendre compte. Les jongleurs font partie aussi de l'univers de Marini (admirer celui de l'escalier permettant d'accéder au 3e étage). Quelques beaux portraits jalonnent également la visite. Un musée qui gagnerait à être connu.

Piazza Santa Trinità *(zoom couleur, B3)* **:** vous y trouverez un ensemble architectural assez rare comprenant une colonne provenant des thermes de Caracalla (au centre de la place), puis l'église baroque *Santa Trinità,* le *palazzo Bartolini-Salimbeni* du XVIe s (y pointent déjà des éléments de l'époque baroque), le *palazzo Ferroni* (du XIIIe s, à l'allure de forteresse), le *palazzo Gianfigliazzi* (à côté de l'église).

Chiesa Santa Trinità *(zoom couleur, B3)* **:** *☎ 055-21-69-12. Ouv 8h-12h, 16h-18h.* Très agréable, reposante, l'éclairage des œuvres est gratuit (à l'exception des fresques de Ghirlandaio). On entre dans l'église par le transept droit. À droite en entrant, les magnifiques fresques de Ghirlandaio. À gauche en entrant, magnifiques fresques de Lorenzo Monaco. Traversez l'église vers le transept gauche. Dans la chapelle de droite, le tombeau de Federighi (lui-même sculpteur) par Luca della Robbia et à gauche une belle *Marie-Madeleine* par Desiderio da Settignano. Les chapelles gauches de la nef (quand on fait face au chœur) contiennent de très belles fresques et peintures.

Museo Salvatore Ferragamo *(zoom couleur, B3)* **:** *piazza Santa Trinità, 5. ☎ 055-336-04-56. Lun-ven 9h-13h, 14h-18h. Entrée : 5 € (audioguide fourni gratuitement, et en français).* Pour les aficionados de chaussures made in Italy, voici un musée pour vous ! Ici on retrace la vie et le travail du célèbre chausseur avec l'exposition de ses modèles phares portés par les vedettes d'Hollywood. L'invention de la célèbre chaussure compensée, en liège, c'est lui ! Brevetée en 1936 et copiée depuis dans le monde entier, sa fabrication n'aura plus de secret pour vous. Les chaussures, exposées par roulement, sont choisies parmi les 10 000 paires que conserve jalousement la famille Ferragamo (et on la comprend !).

Museo Galileo *(musée Galilée ; zoom couleur, B3)* **:** *piazza dei Giudici, 1. ☎ 055-26-53-11. • museogalileo.it • En été, ouv 9h30-18h (13h mar et sam) ; en hiver, 9h30-17h (13h mar). Fermé dim (sf le 2e du mois, oct-mai) et j. fériés. Entrée : 8 €.*

Installé depuis 1930 dans l'un des plus vieux édifices de Florence (le *palazzo Castellani*), ce musée (anciennement *Museo di Storia della Scienza*) a fait peau neuve après de nombreux mois de fermeture. Inauguré en juin 2010, il abrite l'une des plus riches collections d'instruments scientifiques du monde. La qualité des pièces témoigne de la passion des grands de Florence pour le monde des sciences, en particulier sous le règne du grand-duc Ferdinand au XVIIe s. Protecteur de Galilée, cet érudit atypique en était même arrivé à négliger les affaires courantes de l'État ! Pas moins de 16 thématiques et plus de 2 000 pièces datées du XVe au XIXe s exposées ici dans un parcours entièrement revisité et agréablement bien présentées. Entre autres : astronomie avec la lentille du télescope avec lequel Galilée découvrit les satellites de Jupiter, ainsi qu'un globe de verre contenant... un doigt de l'illustre savant. Également, la riche collection scientifique des Médicis. Un peu plus loin, amusez-vous avec ce portrait d'homme qui, réfléchi dans un miroir, vous montre une femme ! Et toutes sortes d'instruments savants délicatement ciselés jalonnent le parcours, sérieux comme (dans la section « mesures du temps ») ces beaux compas et ces cadrans solaires, surprenants comme cette lunette en ivoire pour dame... assortie d'un poudrier ! Pour finir, la section « géographie et cartes », avec de remarquables globes terrestres et de subtils mécanismes à mesurer le temps, précède quelques salles plus éprouvantes, consacrées à la chirurgie et à l'obstétrique.

– *Meridiana Monumentale :* située sur la piazza dei Giudici et visible de tous, elle a été conçue en 2007 par les designers Luise Schnabel et Filippo Camerota. L'ombre projetée par la boule en verre indique à la fois l'heure réelle de la journée et la période de l'année, et la ligne transversale définit la course du soleil dans l'année. Belle réussite associant verre et alliage et se mariant très bien avec le palazzo Castellani.

Pour les insatiables

Oratorio dei Buonomini di San Martino : *en face de la Casa di Dante. Tlj 10h-12h, 15h-17h (fermé ven ap-m).* Fondé en 1441 par la confrérie des *Buonomini* (les « hommes bons »), dirigée par San Martino, qui venait en aide aux « démunis mais dignes ». Lorsque l'ordre manquait cruellement d'argent, une bougie était allumée devant la porte, signifiant « nous en sommes réduits à cette petite lueur ». La charité du voisinage jouait alors son rôle. On les aidait en leur donnant de l'argent, à manger, en leur prodiguant les soins dont ils avaient besoin. Fresques d'origine du XVe s, remarquablement conservées représentant la vie de san Martino (dont on voit le portrait au-dessus de la porte extérieure).

Museo Firenze com'era *(zoom couleur, C2)* **:** *via dell'Oriuolo, 24. ☎ 055-261-65-45. Lun-mer 9h-14h ; sam 9h-19h. Fermé jeu, ven, dim et j. fériés. Entrée : 2,70 €.* Montre le développement urbain de Florence, du XVe au XXe s. Ce musée mériterait d'être plus connu.

Casa di Dante *(zoom couleur, C2)* **:** *via Santa Margherita, 1. ☎ 055-21-94-16. Tlj 10h-18h. Entrée : 4 €.*
Dans la partie la plus ancienne de Florence, une maison-musée qui intéressera essentiellement ceux qui marchent sur les traces du célèbre auteur de *La Divine Comédie.*

DANTE À TERRE
Détail amusant : lors de la restauration qui eut lieu au XIXe s, on plaça au sol, environ 6 mètres devant le mur de la maison et le buste incrusté, un pavé, plus ou moins rectangulaire, à l'effigie de Dante. Plongez le nez vers le sol et regardez bien.

DANS LE QUARTIER DE SANTA CROCE
(plan couleur I, C-D2-3 et zoom couleur, C2-3)

Basilica di Santa Croce e museo dell'Opera *(plan couleur I, D3)* **:** *piazza di Santa Croce, 16. ☎ 055-246-61-05. Ouv 9h30 (13h dim et j. fériés)-17h30. Ticket combiné : 5 €. Audioguide en français : 4 €. Plan en français disponible à l'accueil. Tenue décente obligatoire. Également la* Scuola del Cuoio *(l'école du Cuir), fondée par les moines franciscains (voir plus haut « La Florence des artisans » dans la rubrique « Shopping »).*
Peut-être le plus intéressant des édifices religieux de Florence. Il s'élève au fond d'une vaste place très caractéristique de la ville, bordée de palais aux élégants encorbellements. L'un des palais de cet ensemble remarquable, le *palazzo dell'Antella,* présente des traces de jolies fresques. À l'époque médiévale, c'est dans cet espace, alors hors les murs, que les Florentins se rassemblaient pour écouter les prédicateurs franciscains, participer aux fêtes populaires et assister aux différentes joutes princières. On y jouait notamment au fameux *calcio,* jeu de ballon local des plus viril, qui oppose les quatre quartiers d'origine de la cité depuis le XVIe s. Et, comme les Transalpins avaient déjà la passion du ballon rond, le siège de Charles Quint en 1530 n'empêcha pas les équipes de s'affronter sous la mitraille ! On conseille de venir de bonne heure, si vous voulez rêver un peu... avant l'arrivée massive des touristes en visite organisée.

Santa Croce fut construite pour l'ordre des Franciscains à la fin du XIIIe s, mais la façade en marbre blanc de style néogothique (totalement rajeunie pour le jubilé) date du XIXe s. Santa Croce doit également son immense célébrité aux nombreux personnages illustres qui y sont enterrés et en font un véritable panthéon toscan, voire italien. L'église profite actuellement d'un ambitieux programme de restauration, effectué par roulement pour ne pas pénaliser les visiteurs. Par conséquent, certaines œuvres décrites ci-dessous peuvent être momentanément inaccessibles.
À l'intérieur, commencer la visite par le portail principal pour mieux apprécier les volumes. L'église est très large, de style simple et rigoureux, et coiffée d'une charpente de bois pour se conformer à la tradition des ordres mendiants. Dès l'entrée, l'une des deux statues qui, dit-on, inspirèrent à Bartholdi sa statue de la Liberté de New York. Belle chaire sculptée du XVe s par Benedetto da Maiano. Au sol, nombreuses belles dalles funéraires en marbre parfois masquées pour les protéger du piétinement des visiteurs. Dans le bas-côté droit (face au chœur), on rencontre d'abord le tombeau de Michel-Ange (par Vasari, qui a sculpté le buste de l'artiste à partir de son masque mortuaire), puis le cénotaphe de Dante (il est enterré à Ravenne). On trouve ensuite le tombeau du poète Alfieri (par Canova), celui de Machiavel et celui de Rossini. Le bas-côté gauche abrite pour sa part celui de Galilée (belles fresques du XIVe s autour), la pierre funéraire de Lorenzo Ghiberti (auteur des portes du baptistère) et les plaques commémoratives de Raphaël (enterré à Rome) et de Léonard de Vinci (enterré à Amboise). Toujours dans ce bas-côté gauche, un beau monument funéraire de Carlo Marsuppini par Desiderio da Settignano.
– ***Le transept gauche*** est malheureusement réservé à la prière. Au fond du transept, un beau crucifix de Donatello et, dans la chapelle du fond, superbes fresques de Maso di Banco, un élève de Giotto. Également, belles fresques du « giottesque » Bernardo Daddi dans la chapelle juste avant. Enfin, remarquez l'*Assomption* de Giotto et l'intéressant retable en terre cuite émaillée de Giovanni della Robbia (quelle famille !).
Sur l'autel du ***chœur principal*** : grand polyptyque du XIVe s représentant la Vierge, les Saints et les Pères de l'Église, immense crucifix peint par le maître de Figline (élève de Giotto, encore un !). Les superbes fresques du chœur, illustrant le cycle de la croix d'après la *Légende dorée* de Jacques de Voragine, par Agnolo Gaddi (fils de Taddeo), sont malheureusement en restauration. *On peut les voir sur résa ven-dim par petit groupe (10 €/pers).*
– ***Le transept droit :*** tout de suite à droite du chœur, les célèbres chapelles Bardi et Perruzi, couvertes de fresques de Giotto. Dans la première chapelle à droite du chœur, *Scènes de la vie de saint François.* Noter comme les personnages prennent du relief. Sur la voûte, on reconnaît la Pauvreté, la Chasteté et l'Obéissance, vertus qui caractérisent l'ordre franciscain. Dans la chapelle voisine, *Scènes de la vie de saint Jean-Baptiste* (toujours par Giotto).
Au fond, à droite du transept droit, *chapelle Castellani* (scènes de la vie de plusieurs saints par Agnolo Gaddi) *et Baroncelli-Giugni* (fresques superbes de la *Vie de la Vierge* par Taddeo Gaddi en 1332, un des élèves les plus doués de Giotto ; en restauration). Au fond du transept droit, un couloir mène à la sacristie. Avant d'y entrer, magnifique déposition d'Alessandro Allori. Dans la sacristie, murs décorés de fresques, dont une superbe *Crucifixion* par Taddeo Gaddi et les *Scènes de la vie de la Vierge* par Giovanni da Milano dans la petite chapelle Rinuccini. À côté, l'*école du Cuir* où l'on voit les artisans travailler. À noter, au fond du couloir de l'école, une délicieuse annonciation à fresque.
Depuis la nef, un autre passage débouche sur un *cloître* du XIVe s flanqué de la fameuse et somptueuse *chapelle des Pazzi,* de style Renaissance, construite par Brunelleschi (l'auteur du dôme de la cathédrale). Intérieur d'une très grande austérité, décoré de médaillons en terre cuite de Luca della Robbia figurant les apôtres et les évangélistes. Élégance, sobriété, force et équilibre, cette chapelle incarne parfaitement le miracle du *Quattrocento* florentin.
À gauche, en sortant de la chapelle, un autre *cloître,* dessiné également par Brunelleschi. Enfin, l'ancien réfectoire abrite le ***museo dell'Opera.*** On y trouve nombre

d'œuvres qui décorèrent autrefois l'église. Les salles de gauche n'ont pas un grand intérêt, si ce n'est pour les passionnés : quelques sculptures d'un des plus grands sculpteurs du XIVe s, le Siennois Tino di Camaino. On entre ensuite dans la ***salle des Vitraux.*** Juste à gauche en entrant, une superbe *Vierge allaitante* anonyme (mais quel talent !) et, au fond de la salle, le célèbre triptyque *Baroncelli* de Giotto. Enfin, une grande salle contenant le fameux *Christ en croix* de Cimabue qui, bien que restauré, porte encore les traces de la terrible inondation de 1966. À gauche en entrant, belle fresque de Domenico Veneziano représentant saint François et saint Jean-Baptiste. Magnifique *Saint Louis de Toulouse* par Donatello. Enfin, au fond, vestiges d'une fresque d'Orcagna évoquant *L'Enfer et le Triomphe de la mort,* et immense *Arbre de vie* et la *Cène* de Taddeo Gaddi.

Museo della Fondazione Horne *(zoom couleur, C3) : via dei Benci, 6. ☎ 055-24-46-61. Ouv 9h-13h (vente des billets jusqu'à 12h). Fermé dim et j. fériés. Entrée : 5 €. Se munir à l'entrée d'un guide (prêté) détaillant les différents objets exposés, en anglais et en italien slt. Les œuvres sont décrites de haut en bas et de gauche à droite en entrant dans les pièces. Pour vous faciliter la visite, nous vous indiquons les numéros des œuvres que nous avons particulièrement remarquées.*
Occupe le petit *palazzo degli Alberti,* une belle demeure patricienne caractéristique de la première Renaissance florentine, construite au XVe s pour des riches marchands d'étoffes. Ce musée méconnu présente la belle collection d'un esthète londonien installé à Florence, Herbert Percy Horne. L'homme, historien de l'art, eut le bon goût de disposer ses œuvres dans un environnement approprié, en garnissant les appartements de meubles d'époque pour restituer l'atmosphère de la Renaissance. Une reconstitution fidèle qui justifie déjà une visite ! Quant à la collection, elle regroupe de magnifiques peintures, œuvres des meilleurs maîtres italiens.
– ***Au 1er étage,*** dans la grande salle, remarquez, parmi les œuvres exposées, la petite *Sainte Catherine d'Alexandrie* (n° 51) de Luca Signorelli, une sainte famille siennoise, *La Femme de Loth* (n° 7) de Francesco Furini, de belles petites crucifixions dans l'armoire en verre, le *Saint Jérôme* (n° 31) par Piero di Cosimo et trois saints par Lorenzetti. Dans la petite salle à droite en entrant, magnifique *tondo* (sorte de tableau de forme circulaire généralement placé au plafond) de Beccafumi. À droite dans cette même salle, un magnifique coffre de mariage peint. Dans la petite salle du fond, le superbe *Saint Stéphane* (n° 52) de Giotto, tableau devenu l'emblème du musée (c'est surtout pour lui que la majorité des visiteurs se déplace). On y trouve aussi, entre autres œuvres remarquables, une *Sainte Famille* de Lorenzo di Credi, un buste de Giambologna, un superbe Beccafumi (n° 79) entouré de deux très beaux christs anonymes. Enfin, un beau buste en terre cuite du XVe s.
– ***Au 2nd étage,*** dans la petite salle, juste à droite en entrant, des instruments de calcul et des couverts d'époque. Dans la salle de gauche, sur le mur de droite en entrant, *Tobias, Raphaël et Saint Jérôme* de Neri di Bicci et une copie du portrait du duc Federico da Montefeltre (n° 87) par Piero della Francesca (l'original est aux Offices). Dans la salle principale, ne pas rater le petit christ de Filippo Lippi (caché dans une vitrine d'angle au fond à gauche, avec juste en dessous un petit coffre pour collectionneur de pièces) et l'admirable diptyque de Simone Martini (très belle *Vierge à l'Enfant* sous verre). Toujours de Lippi, *La Reine Vasti quittant le Palais* (n° 41), tout à fait admirable. Avant de quitter la maison, tentez de regarder les élégants chapiteaux sculptés de la cour intérieure, en restauration lors de notre dernier passage. Une visite reposante, loin des foules...

Casa Buonarroti *(plan couleur I, D3) : via Ghibellina, 70. ☎ 055-24-17-52. Tlj sf mar 9h30-14h. Fermé dim de Pâques, à Noël et 1er janv. Entrée : 6,50 €.* Il s'agit de la maison de Michel-Ange, ou plutôt de celle qu'il avait achetée, car il n'y résida guère. Au XVIIe s, son petit-neveu, Michel-Ange le Jeune, décida de la dédier au génie de son grand-oncle. On y trouve des œuvres de jeunesse de l'artiste, dont la célèbre *Vierge à l'escalier* et la *Bataille des centaures.* La maison expose aussi, par roulement, quelques-uns de ses croquis. À ce propos, Vasari raconte que Michel-

Ange, peu avant sa mort, détruisit bon nombre de ses ébauches et brouillons de peur que la postérité ne découvrît que son geste n'était pas toujours... parfait.

Sinagoga e Museo di Storia e Arte Ebraici *(synagogue et musée d'Histoire et d'Art hébraïques ; plan couleur I, D2)* **:** *via Luigi-Carlo Farini, 4. ☎ 055-234-66-54. Dim-jeu 10h-17h (18h juin-août, 15h nov-mars) ; ven 10h-14h. Entrée : 5 €.* C'est la plus grande synagogue d'Italie, et l'une des plus belles, construite à la fin du XIXe s dans une sorte de style mozarabe, avec des lignes élégantes. Belle façade où alternent marbres blanc, rose et rouge (que l'on retrouve au sol à l'intérieur), surmontée d'un dôme de couleur verte, le cuivre d'origine ayant viré de couleur, qui tranche bien sur l'ensemble. L'intérieur entièrement peint, avec une coupole superbe, rappelle les formes et les volumes byzantins. Un guide pourra vous expliquer (gratuitement) les traditions hébraïques, avec pièces à l'appui, dans le petit musée à l'étage.

DANS LE QUARTIER DE LA GARE CENTRALE, DE SANTA MARIA NOVELLA ET DE SAN LORENZO
(plan couleur I)

Chiesa Santa Maria Novella *(plan couleur, A1-2)* **:** *piazza Santa Maria Novella. ☎ 055-264-51-84. Ouv 9h (13h ven, dim et j. fériés)-17h. Entrée : 3,50 €.*
Église édifiée par les dominicains à partir du XIIIe s. Remarquable façade en marbre polychrome. Sur la droite, l'ancien cimetière de la noblesse florentine. À l'intérieur, nombreuses fresques inspirées de *La Divine Comédie* de Dante. Dans la nef centrale, au-dessus de l'entrée, une *Nativité* à fresque de Botticelli (en rénovation lors de notre passage). Au milieu, un crucifix suspendu, peint par Giotto. Dans la nef à gauche (juste après la chaire magnifiquement sculptée), la *Sainte-Trinité* de Masaccio (1424-1425), où l'artiste introduit un effet de trompe-l'œil (plafond à caissons, cadre en arc de triomphe) qui rappelle la structure intérieure de l'église elle-même. Les deux personnages agenouillés et priant, au premier plan, sont le commanditaire de l'œuvre et sa femme. Derrière le maître-autel, extraordinaires fresques de Domenico Ghirlandaio sur la vie de la Vierge. Scènes d'extérieur et d'intérieur d'une fraîcheur réaliste, plongée unique dans le quotidien du XVe s florentin. À droite, chapelle de Filippo Strozzi et fresques de Filippino Lippi (finies en 1502), qui comptent parmi les plus étonnantes de l'artiste (*Vie de saint Philippe* à droite et *Vie de saint Jean l'Évangéliste* à gauche). À gauche du chœur, la chapelle Gondi avec un magnifique *Christ en croix* par Brunelleschi.
Dans la sacristie (vers le fond, à droite) : un lavabo tout en couleurs de Giovanni della Robbia.

Museo di Santa Maria Novella *(plan couleur I, A2)* **:** *à gauche de l'église. ☎ 055-28-21-87. Ouv 9h-17h (14h j. fériés). Fermé ven et dim. Entrée : 2,70 €.* On pénètre d'abord dans le *cloître vert* (ainsi nommé à cause des nuances vertes des terres de Sienne utilisées), dont les fresques sur le Déluge sur le côté droit en entrant sont attribuées à Paolo Uccello. Quelle modernité malgré le mauvais état de conservation ! Découvrir, au fond, la remarquable ***chapelle des Espagnols,*** recouverte de fresques datant de 1365 par le Florentin Andrea Buonaiuto. La *Crucifixion* est à voir. Petit musée avec bustes-reliquaires (du XIVe s), tapisserie florentine très ancienne, fragments de fresques d'Andrea Orcagna, belle orfèvrerie religieuse, *Cène* d'Alessandro Allori, etc.

Museo Nazionale Alinari della Fotografia – MNAF *(plan couleur I, A2)* **:** *piazza Santa Maria Novella, 14 a. ☎ 055-21-63-10. • alinarifondazione.it • Tlj sf mer 9h30-19h30 (sam 23h30). Entrée : 9 €.* Ce musée accueille plus de 4 millions d'archives photographiques faisant le bonheur des Florentins et des touristes. Une partie du rez-de-chaussée est réservée aux expositions temporaires. L'autre partie du musée retrace, en sept sections, les débuts de la photo italienne en 1839 jusqu'à nos jours. Nombreux témoignages de ce riche passé photographique, dont la très belle collection de vieilles caméras et d'appareils photo. De nombreux clichés en noir et blanc, de personnes célèbres, de manifestations importantes qui ont marqué l'histoire, sont superbement exposés. Attention : certaines photos peuvent choquer. On apprécie ici le parcours aéré et les explications claires, mais on regrette le prix exorbitant de l'entrée...

Officina Profumo Farmaceutica di Santa Maria Novella *(plan couleur I, A2)* **:** *via della Scala, 16 n. ☎ 055-21-62-76. Tlj 9h-20h. Fermé en août.*

Il faut pousser la porte de cette superbe maison pour découvrir l'une des plus anciennes pharmacies du monde, fondée par les pères dominicains. Dès 1221, année de leur arrivée à Florence, ils cultivaient dans leur potager des herbes médicinales pour la pharmacie du couvent. En 1612, on décida de l'ouvrir au grand public. Très vite, on reconnaît les bienfaits des formules des frères pharmaciens jusqu'en Russie et aux Indes. En 1866, le gouvernement italien confisqua les biens de l'Église mais autorisa toutefois le neveu du dernier frère directeur à lui rétrocéder la pharmacie. Aujourd'hui encore, on y élabore les fabrications artisanales des frères dominicains : essences, pommades, savons, shampoings... Tout est à base de plantes. Les fleurs sauvages viennent des collines de Florence et sont mises à sécher des mois entiers dans des jarres en terre cuite d'Impruneta. C'est maintenant dans une usine au nord de Florence, à Reginaldo Giuliani, que sont réalisées toutes les préparations présentées à *l'Officina Profumo.* Attention : les savons sont encore fabriqués avec les machines du XIXe s et emballés à la main ! Cette officine est unique au monde et son catalogue fait rêver. Élisabeth II, la reine d'Angleterre, y commanderait tous ses produits. On peut rester néanmoins sceptique sur l'efficacité réelle de certains, comme *l'aceto dei sette Ladri,* une potion contre l'évanouissement, ou encore l'eau anti-hystérique, appelée plus communément *Acqua di Santa Maria Novella...* La tentation est grande, mais les prix sont évidemment très élevés. Les vitrines en noyer du XVIe s, les voûtes ornées de fresques et les statues veillant sur les rangées de pots pharmaceutiques hors d'âge ensorcèlent néanmoins les visiteurs qui repartent en grande majorité avec un savon ou un flacon à la senteur délicate...

L'EAU DE FLORENCE... À COLOGNE

Suite à une commande de Catherine de Médicis, Giovanni Paolo Feminis, qui œuvrait à l'Officina di Santa Maria Novella, mit par écrit la formule d'une eau fraîche et citronnée, à la fois parfumée et curative (elle soignait même... les maux d'amour). Lorsque la reine quitta l'Italie pour la France, elle emmena avec elle son parfumeur, et le breuvage (à l'époque, on en mettait jusque dans la soupe) prit le nom d'Eau de la Reine. Ce n'est qu'en 1725 que la mystérieuse formule prit le nom de la ville qui accueillit Feminis lorsqu'il quitta la Cour : l'Eau de Cologne.

À la fin de votre visite, ne ratez pas le petit *musée (jouxtant la 2e salle sur la droite en entrant). Tlj 10h30-17h30.* Exposition de nombreux pots et fioles dans lesquels étaient conservées toutes les essences et herbes pour la fabrication de parfums et lotions, ainsi que quelques jarres en terre cuite où on séchait les mélanges, et un pressoir pour les fleurs. Également dans le musée, une ravissante chapelle avec ses fresques d'origine, un vrai bijou à ne rater en aucun cas !

Chiesa di Ognissanti *(plan couleur I, A2)* **:** *piazza Ognissanti, le long de l'Arno. Tlj 7h-12h30, 16h-20h.*

En entrant, vous pouvez apercevoir la présence des Médicis par leur blason en marbre. Également, belles orgues ainsi qu'une chaire magnifiquement sculptée. Église un peu chargée, au décor plutôt baroque. Beau plafond peint, malheureusement difficile à voir à cause de l'éclairage. Dans la nef, sur la gauche, jolie fresque du XVIe s ; sur la droite une très belle *Pietà* réaliste (d'inspiration flamande) par

Ghirlandaio. Mais surtout, au milieu de la nef, à droite, le célèbre *Saint Augustin* de Botticelli et à droite encore le non moins célèbre *Saint Jérôme* de Ghirlandaio.
La sacristie de l'église est fermée au public. Visite du cloître tlj sf mer ; sam, dim et j. fériés 9h-17h. Entrée indépendante à gauche du portail principal. Vous apercevrez en entrant à droite l'indication du niveau de la crue de novembre 1844, puis celle de novembre 1966. Cela explique en grande partie la disparition presque totale des fresques de la partie inférieure des murs du cloître. Celles-ci racontent la vie de saint François. On peut admirer dans le réfectoire une magnifique *Cène* de Ghirlandaio. Petit détail, la nappe ne couvre pas les pieds des apôtres et le 3e personnage (en partant de la gauche) ne semble pas bien convaincu... Abrite aussi des expos temporaires contemporaines.

Chiesa San Lorenzo *(plan couleur I, B1-2) : piazza San Lorenzo. ☎ 055-21-66-34. Lun-sam 10h-17h ; dim et j. fériés 13h30-17h30 (fermé dim oct-mars). Entrée : 3,50 €.*
L'une des églises les plus importantes de Florence avec un décor intérieur à ne pas manquer. Édifiée en 1425 par Brunelleschi, l'auteur du dôme de la cathédrale (il faut dire que le commanditaire n'était autre que la famille Médicis). À sa mort, on prit d'autres architectes pour achever la façade (dont Michel-Ange), mais les problèmes techniques et les difficultés d'approvisionnement en marbre les arrêtèrent. À l'intérieur, plan de basilique à trois nefs. Décor de marbre froid et élégant tout à la fois, et impression d'équilibre et d'harmonie car toutes les proportions furent calculées mathématiquement.
– Dans la nef en entrant à droite, dans le chœur de la seconde chapelle, un superbe *Mariage de la Vierge* par Rosso Fiorentino. Au centre de la nef, les deux ambons en bronze de Donatello (à gauche l'ambon de la Passion et à droite celui de la Résurrection). Surtout, prenez le temps de regarder les détails, c'est fantastique. Il s'agit d'une œuvre majeure de la sculpture italienne, sorte de testament artistique d'un Donatello âgé et malade. Superbe fresque de Bronzino à gauche, juste avant le transept, figurant le *Martyre de saint Laurent.*
– *L'ancienne sacristie :* au fond du transept gauche. À ne pas rater. Produit des immenses talents de Brunelleschi (architecte) et de Donatello (décorateur-sculpteur), c'est l'un des plus grands chefs-d'œuvre de la Renaissance. Admirables panneaux de bronze des portes de la sacristie. Tout de suite à gauche de l'entrée, sarcophage des fils de Cosme l'Ancien. Joli travail en porphyre et bronze de Verrocchio. Ce sarcophage est peint par Léonard de Vinci sur son *Annonciation* à la Galerie des Offices. Au milieu de la sacristie, sarcophage en marbre blanc des parents de Cosme l'Ancien. Tout le reste est l'œuvre de Donatello : le petit lavabo dans la chapelle de gauche, la frise de chérubins, les médaillons qui cernent la coupole, les évangélistes dans les tympans, les bas-reliefs en terre cuite au-dessus des portes de bronze, le buste sur le meuble à droite de l'entrée. Entre les portes de bronze, constellations qui représenteraient le ciel de Florence lors de l'arrivée de Robert d'Anjou dans la ville en 1306.
Dans le transept, la première chapelle à gauche (dos au chœur) contient un autre chef-d'œuvre, l'*Annonciation* par Filippo Lippi, tandis que la première chapelle de droite (toujours dos au chœur) abrite une *Annonciation* sculptée en perspective avec un superbe *Christ mort* en dessous par Desiderio da Settignano (1461).
– *Le cloître :* accès par la chapelle Martelli (où est enterré Donatello) ou directement de l'extérieur, sur le côté de l'église. Même entrée que la bibliothèque Laurentienne.

Biblioteca medicae Laurenziana *(bibliothèque Laurentienne ; plan couleur I, B2) : piazza San Lorenzo, 9. Tlj sf sam 9h30-13h30. Accueille désormais des expos temporaires.* Créée par Cosme l'Ancien et enrichie par Laurent le Magnifique. Hors expos, on peut admirer le vestibule dessiné par Michel-Ange et achevé par Ammannati. À l'intérieur, des manuscrits de Virgile, des écrits de Pétrarque, des autographes de Léonard de Vinci qui malheureusement ne se consultent pas.

Cappelle Medicee *(chapelles des Médicis ; plan couleur I, B1-2) : piazza Madonna degli Aldobrandini (derrière l'église San Lorenzo). ☎ 055-238-86-02. Lun-*

FLORENCE ET SES ENVIRONS

ven 8h15-13h50. Fermé les 1er, 3e et 5e lun du mois, ainsi que les 2e et 4e dim. Entrée : 6 € (franchement cher, vu les travaux à l'intérieur). Audioguide : env 4 €.
Cette vaste chapelle abrite de nombreux tombeaux de la famille des Médicis. Sous une coupole, les sarcophages des grands-ducs (Ferdinand II et III, Cosme III et IV) en granit égyptien constituent un décor vraiment grandiose, d'un aspect funèbre impressionnant. Somptueux autel en marbre avec un travail minutieux de marqueterie. Quelques reliques dans la petite salle à gauche de l'autel.
Près de la sortie, un couloir mène à la chapelle funéraire qui abrite les tombeaux de Laurent et Julien de Médicis. Ils sont chacun représentés dans une niche au-dessus de leurs tombeaux. Ceux-ci sont ornés de statues couchées, personnifiant les différents moments du jour : l'Aurore et le Crépuscule pour Laurent et le Jour et la Nuit pour Julien. Réalisées à partir de 1525, ces œuvres font partie des plus beaux chefs-d'œuvre de Michel-Ange.

– Au no 21 de la via Taddea, la maison de Carlo Lorenzini detto Il Collodi... le papa de Pinocchio ! Ne se visite pas.

DANS LE QUARTIER DE SANTISSIMA ANNUNZIATA ET DE SAN MARCO *(plan couleur I, B-C-D1)*

🚶🚶🚶 ***Palazzo Medici Riccardi*** *(plan couleur I, B1-2)* **:** *via Cavour, 3. ☎ 055-276-03-40. Ouv 9h-19h sf mer. Entrée : 7 € ; réduc. Attention, visite de la chapelle par groupe de 7 pers max, pour une durée de 10 mn.*
Aujourd'hui, palais provincial, voué à un rôle administratif, ce palais construit pour les Médicis au XVe s (puis vendu aux Riccardi) abrite une splendeur méconnue, la fresque de ***La Procession des Rois mages*** par Benozzo Gozzoli, cachée à l'étage dans la chapelle comme pour se protéger des regards extérieurs. Joyau de la peinture italienne réalisé à partir de 1459, cette composition éclatante de couleurs illustre le cheminement des Rois mages vers la grotte de Bethléem ; elle subit dès la fin du XVIIe s une première altération : vous remarquerez le décrochement du mur ouest, qui coupe les fresques de Balthazar et Melchior.
Cosme l'Ancien a choisi ce thème parce qu'il parrainait la confrérie des Mages, lesquels symbolisaient à l'époque « les parfaits vassaux du Grand Roi », c'est-à-dire de Dieu. Ils étaient également vénérés comme saints patrons des rois et des chevaliers : se placer sous leur protection n'était donc pas un acte anodin... D'autant moins que l'une des curiosités de la fresque, outre sa beauté, est de reprendre la symbolique des trois âges des rois, qui se lit le dos tourné à l'autel : sur votre gauche, Gaspar, le mage enfant ; face à l'autel, Balthazar, le mage adulte, et sur votre droite, Melchior, le vieux mage. Ces âges rappellent aussi l'histoire de la famille de Médicis : on reconnaît dans la suite de Gaspar les portraits de Piero et Carlo, fils de Cosme, mais aussi Cosme lui-même âgé, ainsi que le très jeune Lorenzo (futur Laurent le Magnifique)... L'artiste s'est également plu à faire figurer des Florentins contemporains du commanditaire dans la procession : noter la finesse et la précision de ces visages, comparés au modelé beaucoup plus classique (mais tout aussi délicat) des visages des anges en adoration, représentés sur les murs de l'abside. Les détails fourmillent, mais pour en savoir plus, un ingénieux système vidéo (le système *Point At)* installé au rez-de-chaussée livre tous les secrets de cette œuvre remarquable. Il s'agit pour le visiteur de choisir la langue désirée et ensuite de pointer le doigt sur la représentation des fresques de la chapelle des Mages. On choisit le personnage désiré et on écoute le commentaire (clair et explicatif) sur l'interprétation dudit personnage.
À voir également, au 2e étage du palais, la très délicate ***Vierge à l'Enfant*** de Filippo Lippi. Passez derrière le tableau, la tête d'homme dessinée à l'arrière est également attribuée à Lippi. Mais aussi : la *salle des Quatre Saisons* tendue de tapisseries, où se réunit le Conseil provincial. Ensuite, la galerie baroque décorée avec l'***Apothéose des Médicis*** par Luca Giordano, un chef-d'œuvre qui fourmille de

détails et de scènes mythologiques. Admirez également les glaces peintes ornées de *Putti* (angelots) et la bibliothèque *Riccardiana* (qui abrite de belles boiseries et qui est toujours en activité).

ጙጙጙ ***Galleria dell'Accademia*** *(galerie de l'Académie ; plan couleur I, C1) : via Ricasoli, 60. ☎ 055-29-48-83. Au nord du Duomo. Tlj sf lun 8h15-18h50. Fermé 1er janv, 1er mai et 25 déc. Résa conseillée (+ 4 €). Entrée : 6,50 € ; réduc. Loc d'audioguides en français : 5,50 € (8 € les 2).*

L'un des incontournables du circuit artistique florentin. Dans la première salle, qui présente au centre une copie en plâtre de *L'Enlèvement de la Sabine* de Jean Bologne (visible dans la loggia de la piazza della Signoria), l'éclairage est franchement décevant, mais on y découvre de superbes peintures.

À gauche en entrant, deux grands tableaux du Pérugin, une *Assomption* et une *Descente de la Croix,* un touchant diptyque de Lippi représentant Marie-Madeleine et saint Jean Baptiste vieillissants, deux beaux prophètes de Fra Bartolomeo. Sur le mur du fond, un grand tableau de Giovanni Antonio Sogliani avec des *Dottore* de l'Église discutant pour savoir si la Vierge est exempte du péché originel. Également un magnifique *tondo* représentant une *Vierge à l'Enfant* par Francabiagio. Sur le mur de droite, des toiles florentines du XVe s. Sur le mur d'entrée (il faut se retourner donc), deux tableaux attribués à Botticelli tout à fait charmants (*Madone de la mer* et *Vierge à l'Enfant et saints*) et deux *Annonciations* intéressantes par le Pérugien et Bicci.

Vous entrez alors dans la salle abritant des œuvres majeures de Michel-Ange, comme les statues inachevées des *Captifs* ou *Esclaves,* où l'on décèle déjà, dans ces visages à peine dégrossis, l'angoisse et la rage, et une belle *Pietà* où le Christ est très touchant dans la mort. Juste avant le *David,* à gauche, se trouve la *Vénus et l'Amour* de Pontormo (vers 1532), peint sur un dessin préparatoire de Michel-Ange. Mais, bien sûr, le célèbre ***David*** reste l'œuvre phare qui justifie les longues heures d'attente.

Ce formidable athlète de 5,5 t et de 5,17 m de haut subjugue le visiteur par l'intensité de son regard et ses proportions apparemment parfaites. En réalité Michel-Ange s'est permis des libertés avec l'anatomie réelle afin, et c'est là tout le paradoxe, de mieux rendre compte de la réalité : regardez les mains, énormes mais pourtant parfaites... C'est d'ailleurs en partie l'essence même du mouvement maniériste qui reproduisit sans fin les postures en partie inventées par Michel-Ange (notamment à la chapelle Sixtine du Vatican).

Regardez le réalisme des dessins de la peau : on distingue même les veines sur ses pieds. On ne peut résister à vous encourager à tourner autour de ce David pour voir ses fesses ! Il ornait autrefois la piazza della Signoria jusqu'en 1873, où il est aujourd'hui remplacé par une copie. Avec *Judith et Holopherne* de Donatello, le *David* symbolisait le combat perpétuel contre la tyrannie et pour la liberté, combat que la petite cité-État de Florence mena à de nombreuses reprises. Mais ce *David*-là, avec son air calme et détendu (il n'a pas, comme souvent, le pied posé, triomphant, sur la tête coupée de Goliath), montre plus encore la victoire de l'intelligence sur la brutalité.

À droite du David, des tableaux maniéristes avec une belle allégorie de la *Fortitude* de Maso da San Friano. À gauche du David, on a surtout aimé la *Déposition* du Bronzino et celle de Pieri.

Au fond, la salle des statues de plâtre du XIXe s, destinées à l'étude (d'où les nombreux trous pour le calcul des lignes et perspectives).

On passe alors dans trois salles dédiées aux primitifs (fin XIIe-début XIVe s) : dans la salle du *Duecento,* un *Arbre de Vie* de Buonaguida, dont il faut s'approcher pour admirer tous les détails ainsi qu'une *Crucifixion* d'un peintre florentin où la position du Christ est inhabituelle ; dans la salle des disciples de Giotto, quelques belles pièces de Bernardo Daddi (*Crucifixion* remarquable) et Taddeo Gaddi (notamment le *Couronnement de la Vierge*). Enfin, dans la salle Orcagna, admirez la *Trinité* de Nardo di Cione, la *Crucifixion* et le *Couronnement de la Vierge* de Jacopo di Cione ; un triptyque montre la *Vision de saint Bernard* par le maître de la chapelle Rinucini.

FLORENCE ET SES ENVIRONS

À l'étage, quatre salles. Dans la première, un fabuleux *Christ en pitié* de Giovanni da Milano. Dans la deuxième, un ensemble exceptionnel de tableaux florentins des XIVe et XVe s avec un polyptyque de Giovanni del Biondo *(Annonciation),* tandis qu'un groupe d'œuvres de Lorenzo Monaco, dont un *Crucifix,* un *Christ avec les instruments de la Passion* et une *Annonciation,* peuvent être vues dans la troisième salle. La dernière abrite, entre autres, des peintures en provenance du tabernacle du couvent de Santa Lucia.

Le Macchine di Leonardo da Vinci *(plan couleur I, C1)* **:** *via Cavour, 21. ☎ 055-29-52-64. • macchinedileonardo.com • Tlj 9h30-19h30. Entrée : 6 €. Situé dans la galerie Michelangelo. Autre adresse : via de Servi, 66/68 r.* Exposition dédiée au génial inventeur qui ne rassemble qu'une infime partie de son immense créativité. Ici plus de 40 modèles exposés intéresseront petits et grands. Ceux-ci ont tous été réalisés par des artisans florentins sur les dessins originaux de l'inventeur. On a particulièrement aimé la bicyclette, la foreuse verticale ou encore le fameux parachute, idée géniale et futuriste, qui devait être construit avec une toile de lin de forme pyramidale, de 7 m de côté. La plupart des inventions sont fabriquées en bois, et pour une dizaine d'entre elles, il est possible de les actionner. Dommage toutefois que les modèles ne soient pas mieux mis en valeur.

Museo dell'Opificio delle Pietre dure *(musée de la Manufacture des pierres dures ; plan couleur I, C1)* **:** *via degli Alfani, 78. ☎ 055-26-51-11. Lun-sam 8h15-14h (19h jeu). En raison de l'absence de financement, horaires restreints. Se renseigner. Entrée : 2 €.* Le travail des pierres dures *(pietre dure)* est un art d'une grande finesse qui rappelle la marqueterie sur bois. On l'appelle aussi la « mosaïque florentine ». Des pierres semi-précieuses comme l'onyx, l'obsidienne, la cornaline, l'agate ou le porphyre sont découpées, taillées puis incrustées dans des compositions aussi colorées que variées (bouquet de fleurs, nature morte, etc.). Pendant trois siècles, les artisans de l'*Opificio delle Pietre dure* eurent comme objectif de décorer les palais et les églises de Florence, en particulier le caveau des Médicis et la chapelle des Princes de l'église San Lorenzo. À présent, l'atelier est voué à la restauration, ainsi qu'au travail de la marqueterie de bois et de la majolique. Ce petit musée permet d'admirer quelques magnifiques exemples de composition de pierres dures, d'un étonnant réalisme et d'une remarquable finesse. Sur la mezzanine, présentation des outils et des sortes de pierres (ou d'essences pétrifiées) utilisés pour réaliser ces chefs-d'œuvre.

Museo di San Marco *(plan couleur I, C1)* **:** *piazza San Marco, 1. ☎ 055-238-86-08. Tlj 8h15-13h50 (19h w-e et j. fériés). Fermé les 1er, 3e et 5e dim et les 2e et 4e lun de chaque mois. Entrée : 4 €.*

Fra Angelico, de son vrai nom Guidolino di Pietro, commença à peindre au couvent de San Marco vers 1440, sur la demande de Cosme de Médicis. Ce moine utilisa son art pour traduire sa foi, à l'abri du monde extérieur. Il en résulte une œuvre plutôt sobre mais pleine de lumière et de béatitude, dont il retirera d'ailleurs le surnom de « Beato Angelico ». Ses anges en particulier sont remarquables par leur légèreté. Le pape Jean-Paul II l'a canonisé en 1984 : il est ainsi devenu le saint patron des artistes.

On trouve ici la majeure partie des œuvres de Fra Angelico, qui exécuta des fresques dans tout le monastère pour exprimer son amour de Dieu. Il s'agit en fait d'un ancien couvent dominicain du XIIIe s, reconstruit en 1438 sur décision de Cosme l'Ancien. Celui-ci en confia l'architecture à Michelozzo (voir notamment la bibliothèque au premier étage), qui travailla en si étroite collaboration avec Fra Angelico qu'à peine les murs construits le peintre commença les fresques. On en compte à peu près une centaine. Outre Fra Angelico, Savonarole, saint Antonin et Fra Bartolomeo y résidèrent.

Une de nos visites préférées à Florence car assez peu de touristes par rapport au centre-ville tout proche.

On accède d'abord au cloître du couvent, décoré de fresques des XVIe et XVIIe s. De là, on visite les différentes salles.

– On commence à droite par *L'Hospice des pèlerins* : que des chefs-d'œuvre de Fra Angelico, un régal pour les yeux ! Très belle *Déposition,* dégageant une grande sérénité (en contraste d'ailleurs avec l'événement). Équilibre de la composition, douceur des tons, extrême finesse de la chevelure de Marie-Madeleine. L'homme au bonnet bleu, à gauche de Jésus, n'est autre que Michelozzo, l'architecte du couvent. Dans *Le Jugement dernier,* on découvre plutôt un manichéisme sublime : à gauche, les anges font la ronde dans un délicieux jardin nimbé de lumière, où les bons se congratulent, tandis qu'à droite les méchants mijotent dans des chaudrons (certains en sont même réduits à avaler des crapauds et des scorpions). Nombreux et somptueux retables. Un remarquable cycle sur le thème de la vie du Christ. Ravissant petit *Couronnement de la Vierge* pour le tabernacle de Santa Maria Novella. Sur celui de Linaioli (1433), *Adoration des Mages* et *Martyre de saint Marc.*
– *Le Grand Réfectoire* (à droite) et *la salle de Fra Bartolomeo* (à gauche).
– Dans le grand réfectoire, au fond, *Cène miraculeuse de saint Dominique* par Sogliani (XVIe s) et, sur les murs, des peintures inégales. Noter la *Déposition* de Suor Plautilla Nelli (noter également le réalisme des yeux rougis !) et *Vierge trônant et saints* et *Vierge à l'Enfant* par Fra Paolino.
– Dans la salle de gauche, uniquement des œuvres de Fra Bartolomeo, disciple de Savonarole, d'un classicisme qui influencera Raphaël, *Visages* et *Madone et Enfant avec sainte Anne* (œuvre inachevée).
– *La salle du Chapitre :* superbe *Crucifixion,* où Fra Angelico a réussi à exprimer l'idée d'expiation et de rédemption.
– En allant vers le petit réfectoire et l'escalier qui monte au 1er étage, quelques belles toiles caravagesques.
– *Le Petit Réfectoire (Cenacolo) : Cène* exécutée par Ghirlandaio (en face de la petite librairie). *Pietà* de Luca della Robbia. Dans le corridor des cellules, petite expo lapidaire et plusieurs consoles en bois.

1er étage

Toutes les cellules ont été décorées de scènes de l'Évangile par Fra Angelico (ou par ses élèves sur un dessin du maître). Peintes de 1437 à 1445, comme s'il y avait représenté aussi son âme. En haut de l'escalier, le premier choc, une très belle *Annonciation* (attention au syndrome de Stendhal !). Commencer par la gauche. Vous entrez dans le premier couloir. Sur la gauche, le must, les cellules peintes de la main du maître (on aime surtout les cellules n°s 1, 3, 5, 7, 9 et 10) ; sur la droite, les cellules peintes par ses disciples. Dans quelques cellules, vous pouvez apercevoir, sous le niveau du sol, par des jeux de miroir, des fresques du XIVe s du couvent précédent recouvertes par la construction actuelle de Michelozzo.
Au fond à droite, le couloir des novices, des cellules de moindre intérêt.
En continuant, on trouve les trois pièces utilisées par Savonarole (oratoire, cabinet de travail et cellule). Ce moine, dénonçant les mœurs dissolues des Médicis, réussit à les chasser de la ville. Il instaura un régime tellement dur que le peuple s'insurgea, le pendit, puis le brûla sur la piazza della Signoria. On y trouve de belles petites fresques du XVIe s et, surtout, un tableau illustrant le supplice de Savonarole où l'on peut voir que les seules statues présentes à l'époque devant le Palazzo Vecchio étaient le *Marzocco* (lion assis) et *Judith et Holopherne* de Donatello.
On retourne sur nos pas jusqu'à l'escalier pour voir les cellules de droite dites du 3e couloir. Elles sont plus tardives, plus narratives. En particulier, au fond à droite, remarquable *Adoration des Mages* par Benozzo Gozzoli, le plus talentueux des disciples de Fra Angelico, dans la cellule qu'occupa Cosme de Médicis (noter qu'il bénéficiait d'un duplex...).
Dans la bibliothèque réalisée par Michelozzo, sur la droite, double rangée de colonnes et arcades. Grands psautiers enluminés.

Chiesa San Marco *(plan couleur I, C1) : à côté du couvent.* Date du XIIIe s, mais fut souvent remaniée. Façade du XVIIIe s. Chœur abondamment couvert de fresques. Jolie mosaïque. Momie de San Antonino Pierozzi, fondateur du couvent (1389-1459), réformateur de l'ordre des Dominicains et archevêque de Florence.

⚲ ***Piazza della Santissima Annunziata*** *(plan couleur I, C1) : à deux pas de San Marco.* Très jolie place dessinée par Brunelleschi. Bordée par le *spedale degli Innocenti* (hôpital des Innocents) de Brunelleschi avec son élégant portique et les médaillons d'Andrea della Robbia, l'église Santissima Annunziata et la loge des Servites, de l'autre côté de la place par rapport à l'hôpital, réalisées par Antonio da Sangallo et Baccio d'Agnolo. Au centre, la statue de Ferdinand Ier de Médicis, œuvre tardive de Jean Bologne (1608), aidé par Tacca qui réalisa également les fontaines baroques.

⚲ ***Galleria dello Spedale degli Innocenti*** *(plan couleur I, C-D1) : piazza della Santissima Annunziata, 12.* ☎ *055-203-73-08. Ouv 8h30-19h (14h j. fériés). Entrée : 4 €.*
L'hôpital des Innocents est à proprement parler le premier édifice Renaissance de Florence. Construit à partir de 1419 par Brunelleschi, il était destiné à recueillir les enfants trouvés. L'architecte y a emprunté à la fois des éléments romans et des éléments antiques. À noter, sur la façade, les médaillons d'Andrea della Robbia (1463) avec leur fameux fond bleu en terre cuite émaillée. Ils représentent de jeunes enfants, pour la plupart. Très belle cour intérieure avec, comme symbole répétitif, une échelle représentant l'hôpital (on retrouve ce signe pour l'hôpital Santa Maria della Scala à Sienne).
Aujourd'hui, cet ancien hôpital abrite encore de nombreux services sociaux et une petite pinacothèque (une seule grande salle). À visiter, ne serait-ce que pour l'extraordinaire *Adoration des Mages* de Ghirlandaio, qui mit 4 ans à la réaliser (1480-1484). Les rouges y sont sublimes. En arrière-plan, *Le Massacre des innocents* et de ravissants paysages. D'autres œuvres intéressantes. À gauche, en entrant, une *Vierge de la miséricorde* du Pontormo et une *Crucifixion* maniériste de Poppi dans un magnifique cadre. À droite, un *Couronnement de la Vierge* de Lorenzo Monaco, un autre de Neri di Bicci qui réalisa également *L'Annonciation.* Superbe *Vierge à l'Enfant* de Filippo Lippi et Botticelli. Enfin, et surtout, *L'Adoration des Mages,* citée plus haut.

⚲⚲ ***Chiesa Santissima Annunziata*** *(plan couleur I, C1) : piazza della Santissima Annunziata.* ☎ *055-26-61-81. Ouv 7h30-12h30, 16h-18h30. Entrée gratuite.*
L'une des plus chères au cœur des Florentins. Œuvre de Michelozzo (qui reconstruisit également le couvent San Marco) en 1441. Ne pas manquer le cloître des vœux qui précède l'entrée dans l'église. Il contient des fresques importantes, certaines en mauvais état, d'un groupe de peintres florentins de la fin du XVe au début du XVIe s ; elles illustrent le travail et le cheminement de l'art pictural entre le sommet du trio Vinci, Michel-Ange, Raphaël et le maniérisme. À gauche de l'entrée se trouvent les fresques de la première époque ; en face, une nativité fin XVe s d'Alesso Baldovinetti, puis une fresque de Cosme Rosselli (également fin XVe s, les autres sont d'Andrea del Sarto, 24 ans à l'époque !).
À gauche également, sous les centaines d'ex-voto, on distingue une *Annonciation* (du XIVe s), dont la légende dit que le visage de la Vierge fut terminé par des anges en 1252. Les fidèles lui vouent encore un culte, tant et si bien que les offices se déroulent souvent en direction de cette dernière et non vers le chœur. À droite, des fresques plus tardives : *Assomption* du Rosso, *Visitation* de Pontormo, *Mariage* de Franciabiagio, le reste par Andrea del Sarto. C'est à partir du cloître des vœux qu'on accède au cloître des morts (le plus souvent fermé au public) où se trouvent d'autres fresques qui racontent l'histoire de l'église. Mais une seule est vraiment digne d'intérêt : *La Vierge au sac* d'Andrea del Sarto (qui est d'ailleurs enterré dans cette église comme Jean de Bologne ou Benvenuto Cellini). À l'intérieur, l'un des décors baroques les plus fous qu'on connaisse. Plafond or et argent outrageusement chargé, décor grandiloquent, fresques.
Au fond de cette chapelle, à droite, un beau christ d'Andrea del Sarto. Les chapelles de la nef et du transept sont inégales. Quelques beaux tableaux et fresques. À noter, un beau christ de Sangallo dans la seconde nef de droite et, dans le transept droit, une puissante *Pietà* de Bandinelli qui s'est représenté dans les traits du

FLORENCE ET SES ENVIRONS

vieillard soutenant le Christ. La sacristie et les absides derrière le chœur (qui contiennent quelques belles peintures) sont en général fermées au public.
Le réfectoire de Santa Apollonia peut également se visiter (horaires d'ouverture aléatoires). On peut y admirer de magnifiques fresques et, en particulier, une *Cène* et une *Crucifixion* par Andrea del Castagno, peintre typique du *Quattrocento* florentin (dessin précis, personnages sculpturaux, couleurs acidulées).

Museo archeologico *(plan couleur I, C-D1) : piazza della Santissima Annunziata, 9. ☎ 055-235-75. Lun 14h-19h ; mar et jeu 8h30-19h ; mer et ven-dim 8h30-14h. Jardin abritant des tombes étrusques ouv sam slt. Entrée : 4 €.* À l'entrée de la plupart des pièces, feuilles explicatives en français, indispensables pour éclairer votre lanterne. Un grand musée à la disposition aérée qui présente de belles pièces, notamment étrusques (dont la célèbre *Chimère* du IVe s av. J.-C.), de l'âge du bronze à la période hellèniste. Collection de petites statuettes en bronze, sarcophages égyptiens, poteries, pierres sculptées, hiéroglyphes très bien conservés, vases grecs, statues romaines, etc. Parcours pas toujours très clair.

Giardino dei Semplici *(plan couleur I, C1) : via Micheli, 3.* Un jardin botanique créé en 1545 par Cosme Ier de Médicis.

DANS LE QUARTIER DE L'OLTRARNO, AU SUD DE L'ARNO *(plan couleur II)*

Situé de l'autre côté de l'Arno, l'Oltrarno est le quartier où bat le véritable cœur de la ville, un quartier plus populaire, un peu à l'écart des circuits touristiques. C'est là que le passé reste vivant. Il faut parcourir ce réseau sombre de rues étroites qui débouchent sur des places et des églises pittoresques. Prenez votre temps pour flâner à l'affût des échoppes d'artisans et des nobles portails blasonnés des palais. Un quartier que nous affectionnons tout particulièrement.

Piazza Santo Spirito *(plan couleur II, F4) :* à découvrir à la tombée de la nuit, elle s'anime lorsque les jeunes se retrouvent sur les marches de l'église. Le jour, c'est un endroit frais et reposant.

Chiesa Santo Spirito *(plan couleur II, F4) : piazza Santo Spirito. Tlj sf mer ap-m et sam mat 10h-12h, 16h-17h30 (mais horaires peu fiables !). Entrée gratuite.* Là encore, un projet de Brunelleschi (1440), mais celui-ci est resté en partie inachevé, l'architecte étant mort avant la fin des travaux. Ses successeurs n'osèrent pas terminer la façade et la laissèrent à nu. À l'intérieur, on retrouve toutefois les harmonieuses proportions chères à Brunelleschi. Quant aux œuvres exposées, elles sont d'une telle richesse qu'elles mériteraient de figurer en bonne place dans les galeries des meilleurs musées florentins ! Superbes retables des autels latéraux, œuvres de Lorenzo di Credi (dont *Vierge et saints*), Filippino Lippi (très belle *Vierge à l'Enfant* encadrée de saint Martin et sainte Catherine, avec en toile de fond une reproduction très précise du quartier de San Frediano), Andrea Sansovino, Alessandro Allori et de bien d'autres artistes florentins. Mais la vraie perle de Santo Spirito, est sans conteste cet émouvant christ sculpté par Michel-Ange. L'artiste n'avait que 18 ans lorsqu'il a modelé le visage si délicat du Christ, lui donnant un corps d'adolescent aux proportions parfaites.

DIS, DESSINE-MOI UNE ÉGLISE...

Le patron de la gelateria Ricchi, *située sur la piazza Santo Spirito, eut une idée géniale. Il demanda à tous les artistes qu'il connaissait de dessiner un projet de décoration pour la façade de l'église. Tous les dessins et peintures qui en résultèrent sont exposés dans une petite salle de la* gelateria. *N'hésitez pas à allumer la lumière pour les admirer. Fermé le dimanche.*

À gauche de la façade de l'église se trouve le petit ***musée San Spirito*** *(ouv sam 9h-16h30 slt)*. Pour les passionnés seulement. Quelques sculptures d'époques romaine et lombarde. Sculptures siennoises par Tino di Camaino et Jacopo della Quercia. Surtout, à droite en entrant, une *Crucifixion* du *Trecento* par Orcagna et Nardo di Cione.

Palazzo Pitti *(plan couleur II, F5)* ***:*** *piazza Pitti. ☎ 055-238-87-60. Tlj sf lun 8h15-18h50. Plusieurs tarifs selon les visites choisies. Pas évident de s'y retrouver. En clair : 12 € pour la galerie Palatine, les appartements royaux et la galerie d'Art moderne ; 10 € pour le jardin de Boboli, le jardin Bardini, la galerie du Costume et les musées de l'Argenterie et de la Porcelaine ; 22 € pour la totale. Audioguide : 5,50 € (8 € les 2).* Avec une façade de plus de 200 m dominant une vaste place surélevée, le palais Pitti est l'un des monuments les plus impressionnants de Florence. Sa construction a débuté en 1458, sur des plans de Brunelleschi, pour le compte du banquier Pitti. Mêlés à la conspiration des Pazzi, les Pitti furent décimés et le chantier abandonné. Ce qui n'empêcha pas Cosme Ier de s'installer en 1560 chez l'ancien rival de sa famille... après avoir tout de même agrandi le palais et fait réaliser le passage le reliant au *palazzo Vecchio* ! En revanche, c'est à son épouse Éléonore de Tolède que l'on doit l'aménagement des beaux jardins de Boboli. Installé sur la pente d'une colline, le palais servit dès lors de résidence aux Médicis, puis aux Habsbourg-Lorraine qui leur avaient succédé en 1736. Marie de Médicis, qui y passa sa jeunesse, s'inspira de cette noble demeure lorsqu'elle fit construire le palais du Luxembourg à Paris (aujourd'hui le Sénat). Le palais abrite plusieurs galeries, dont la célèbre galerie Palatine qui rassemble toutes les œuvres acquises par les Médicis. Les collections comprennent principalement des peintures des XVIe, XVIIe et XVIIIe s, ce qui fait de la galerie un complément idéal des Offices.

Galleria Palatina *(dans le palazzo Pitti)* ***:*** *☎ 055-238-86-11. Tlj sf lun 8h15-18h50.*
Impossible bien sûr de tout détailler. Voici donc, dans le désordre, les principales œuvres. Et n'oubliez pas de lever la tête pour admirer les fresques, moulures et autres décorations flamboyantes qui ornent ces anciens appartements princiers. Présentation des tableaux à l'ancienne, la lumière laisse parfois à désirer mais quelle richesse ! Finalement, la meilleure façon d'en profiter est de se laisser guider par ses yeux, sans vouloir systématiquement identifier l'auteur...
– ***Salle Castagnoli :*** noter la superbe *table des Muses* marquetée de pierre polychrome (technique de la pierre dure développée par les Médicis).
– ***Salle de Vénus :*** magnifique *Concert* nimbé de lumière où éclate la complicité des musiciens, et *La Bella,* par Titien ; rare paysage de Rubens *(Paysans rentrant des champs).* Noter le délirant décor du plafond.
– ***Salle d'Apollon :*** *Sainte Famille* et *Déposition* d'Andrea del Sarto ; *Vincenzo Zeno* du Tintoret ; *Marie-Madeleine* où Titien effectua un admirable travail sur la chevelure, renforçant la sensualité du personnage ; *Charles Ier d'Angleterre* et *Henriette de France* par Van Dyck.
– ***Salle de Mars :*** *Luigi Cornaro* du Tintoret ; Murillo, Luca Giordano ; *Andrea Vesalio* de Titien ; *Le Conseguenze della Guerra,* fantastique parabole contre la guerre, de Rubens. La vie s'y exprime par la lumière, la sensualité, la couleur, et la guerre par le chaos des corps et des ténèbres. De Rubens encore, *Les Quatre Philosophes* (le personnage de gauche n'est autre que l'artiste lui-même). Belle et douce *Madone* de Murillo.
– ***Salle de Jupiter :*** ancienne salle des audiences. Au plafond, *Le Couronnement de Cosimo III* (placé entre Jupiter et Hercule) réalisé par Pierre de Cortone. *Les Trois Âges de l'homme,* chef-d'œuvre de Giorgione ou la maîtrise totale du fondu de couleurs ; la célèbre *Femme au voile (La Velata)* de Raphaël ; *Sainte Famille* de Rubens ; *Madone et Quatre Saints* d'Andrea del Sarto ; *Christ mort* de Fra Bartolomeo (sa dernière œuvre) ; *La Vierge au sac* du Pérugin. Noter le raffinement extrême des visages de la Vierge et de l'ange.

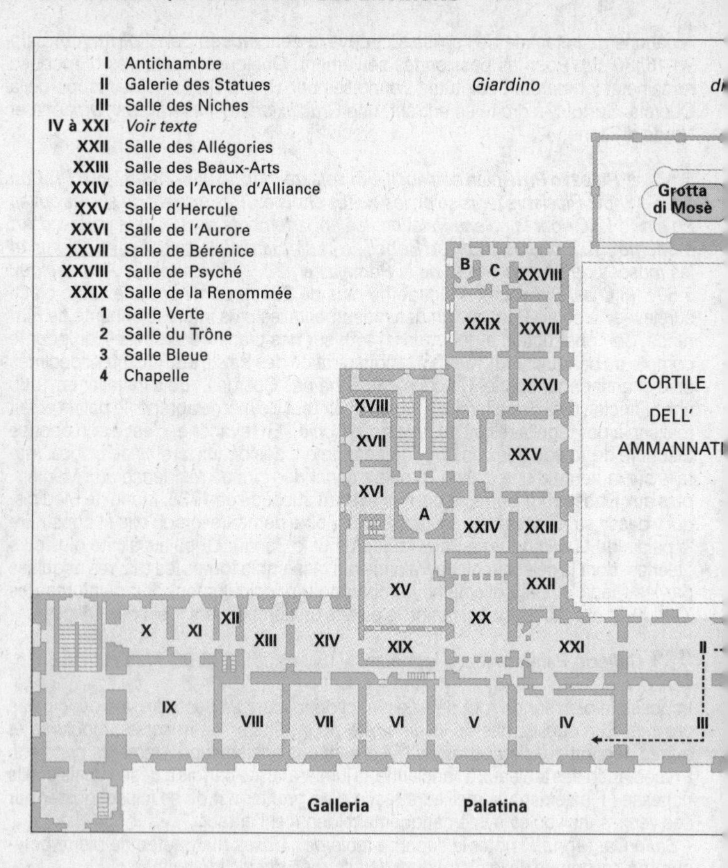

– ***Salle de Saturne :*** une orgie sublime de Raphaël avec la célèbre *Madonna della Seggiola (La Vierge à la chaise).* Tout s'y inscrit en rond, renforçant la tendresse et l'intimité de la scène. Également, *Madeleine Doni* (où Raphaël plagie carrément la pose de la Joconde) et *Angelo Doni* ; autres célèbres portraits, la *Madone du grand-duc* (car c'était l'œuvre préférée de Ferdinand III de Médicis) et la *Madone du baldaquin*. *Déposition* du Pérugin, *San Sebastiano* d'Il Guercino.
– ***Salle de l'Iliade :*** Vélasquez, Andrea del Sarto, Titien, Van Dyck, Sustermans et Artemisia Gentileschi (une des rares femmes peintres de l'époque) ; *La Gravida* de Raphaël ; *Portrait de Catherine de Médicis par l'École française du XVIe s.*
– ***Salon d'Ulysse :*** *Vierge de l'Impannata* de Raphaël ; Alessandro Allori, Andrea del Sarto ; *Ecce Homo* de Cigoli (son œuvre maîtresse) ; le Tintoret... Suivi de la salle de bains aménagée pour Napoléon Ier, de style Empire évidemment.
– ***Salle de l'éducation de Jupiter :*** Van Dyck, Véronèse ; *Le Duc de Guise* par Clouet ; *L'Amour endormi* du Caravage.
– ***Salle du Poêle :*** splendide carrelage et fresques figurant *Les Quatre Âges du monde* par Pierre de Cortone.
– ***Salle de Prométhée :*** *Madone à l'Enfant (La Vierge à la grenade)* de Filippo Lippi. Noter le remarquable équilibre dans la composition des personnages situés au premier plan (mais aussi des scènes se déroulant derrière, à différents niveaux

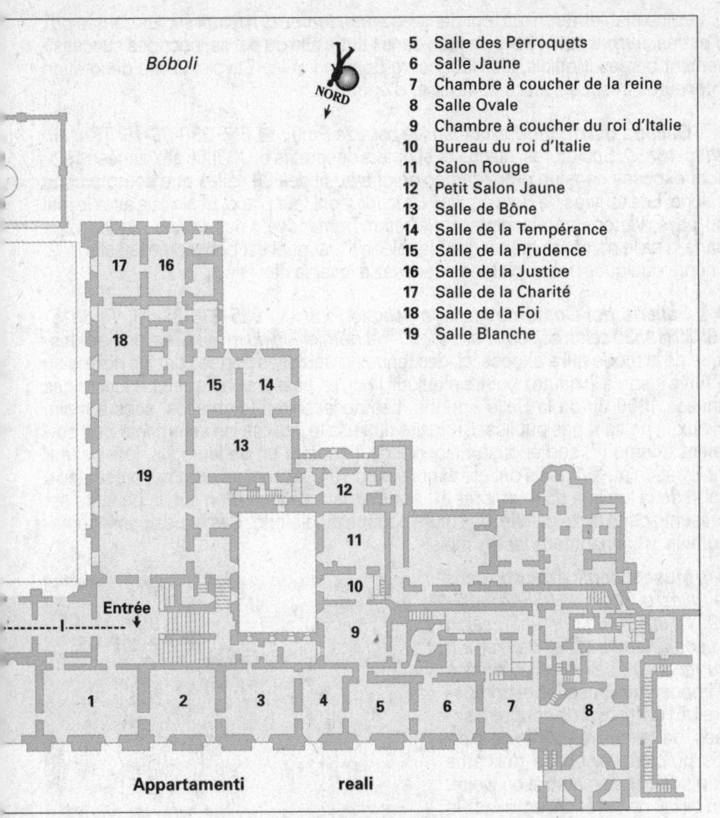

PALAZZO PITTI

de profondeur). La délicatesse du visage annonce Botticelli, dont il fut le maître. On peut d'ailleurs s'en convaincre en détaillant le *Portait d'un jeune homme,* œuvre méconnue de Botticelli exposée dans la même salle. Autres œuvres notables : *Sainte Famille* de Luca Signorelli ; *Martyre des onze mille martyrs* de Pontormo.

– ***Corridor :*** petite galerie renfermant une collection d'œuvres mineures d'artistes hollandais et flamands.

– ***Salle de la Justice :*** le Tintoret, nombreux Titien dont le *Portrait de Tommaso Mosti,* remarquable pour la finesse des traits du personnage.

– ***Salle de Flora :*** Cigoli, Véronèse et une *Vierge à l'Enfant* d'Alessandro Allori, composition caractéristique des œuvres peintes à l'époque de la Contre-Réforme.

– ***Salle des Putti :*** peintres flamands, comme Jacob Jordaens, ou *Les Trois Grâces* de Rubens.

– ***Galerie Poccetti :*** *Martyre de saint Barthélemy* de Ribera ; *Le Duc de Buckingham* de Rubens.

Les pièces du fond en enfilade (salles des *Allégories,* des *Beaux-Arts,* de *l'Arche,* d'*Hercule,* de *l'Aurore,* de *Bérénice,* de *la Renommée*) ne révèlent finalement que des œuvres mineures, à part *Bataille* de Salvatore Rosa, quelques Cigoli, Giovanni San Giovanni, Lorenzo Lippi et l'Empoli.

Les insatiables feront un tour dans les ***appartements royaux*** *(inclus dans le prix d'entrée, fermés janv)*, juste en face dans l'autre aile du palais, occupés successivement par les Médicis, les Habsbourg-Lorraine et les Savoie. Riche décoration intérieure : fresques, stucs et mobilier d'époque...

Galleria d'Arte moderna *(dans le palazzo Pitti)* **:** *☎ 055-238-86-16. Tlj sf lun 8h15-18h50.* Sculptures, peintures et objets décoratifs du XVIIIe s aux années 1920 sont exposés dans un ordre chronologique au fil des 30 salles que compte cette galerie. Les œuvres de *Benvenuti* et *Bezzuoli* y ont leur place. Et si vous avez le mal du pays, *Victor Hugo* (sculpté par *Gaetan Trentanove*) vous donne rendez-vous dans la salle n° 17, de même que Napoléon Ier, auquel est consacrée la salle n° 2. Encore quelques beaux plafonds : pensez à lever le nez !

Galleria del Costume *(dans le palazzo Pitti)* **:** *☎ 055-238-87-13. Tlj 8h15-16h30 (19h30 selon saison). Fermé les 1er et dernier lun du mois.* C'est un peu l'histoire de la mode qui s'expose ici, des tenues grandioses portées par les nobles au XVIIIe s jusqu'à la haute couture d'aujourd'hui, en passant par les styles légers des années 1960 ou de la Belle Époque. Les accessoires (ombrelles, sacs à main, bijoux...) ne sont pas oubliés. Curiosité : une salle expose les vêtements que portaient Cosme Ier, son épouse Éléonore de Tolède et un de leurs fils, lors de leur inhumation au XVIe s. Ils ont été exhumés en 1947 et sont aujourd'hui présentés à l'abri de la lumière du jour après 10 ans de restauration ! Bien sûr, la peinture est présente dans cette galerie, aux murs comme au plafond. Des expositions thématiques s'y tiennent tous les six mois.

Museo degli Argenti *(dans le palazzo Pitti)* **:** *☎ 055-238-87-09. Tlj 8h15-16h30 (19h30 selon saison). Fermé 1er et dernier lun du mois.* De belles salles ornées d'imposantes fresques et trompe-l'œil. Et un festival de coupes ciselées, de reliquaires sertis de pierres précieuses, ou de délicates compositions en ambre ou ivoire. Au milieu de cet écrin, un joyau : le portrait de profil de Simonetta Vespucci peint par Botticelli. Elle fut son modèle pour la *Naissance de Vénus*, *Le Printemps* et plusieurs de ses toiles. Ne manquez pas le Trésor, au 1er étage : collection de joyaux ayant appartenu aux grands noms de l'histoire florentine.

LA « SANS PAREILLE »

Une des plus belles femmes de la Renaissance, Simonetta Vespucci, cousine du navigateur Amerigo Vespucci, était génoise de naissance et florentine d'adoption. Sa grâce, son sourire triste, l'or de sa chevelure, inspirèrent les maîtres du Quattrocento, surtout Botticelli, qui en fit son modèle d'élection. On dit d'elle qu'elle galvanisa les timides, intimida les audacieux (les Médicis) et fut aimée par l'un d'entre eux, Julien, frère de Laurent le Magnifique. Elle mourut en 1476 à l'âge de 23 ans, emportée par la tuberculose. Sa lumineuse beauté symbolise à jamais la jeunesse éternelle.

Giardino di Boboli *(plan couleur II, E-F5)* **:** *☎ 055-238-87-60. Ouv nov-fév 8h15-16h30 (17h30 mars et oct, 18h30 avr, mai et sept, 19h juin-août). Fermé 1er et dernier lun du mois.* Autour du palais Pitti, une merveilleuse promenade du dimanche, que ne ratent jamais familles et amoureux. Voir la *grotte artificielle* de Buontalenti, réalisée en 1583 (à droite quand on fait face au palais depuis les jardins). Ce genre de décor était très à la mode au XVIe s. Le gouffre est orné de fresques et de statues, parmi lesquelles moutons et bergers semblent se fondre littéralement dans l'environnement. En revenant vers le palais, la grotesque *fontaine de Bacchus* représente en réalité l'un des nains favoris de Cosme, à cheval sur une tortue. Faire aussi un saut au *piazzale dell'Isolotto*, un jardin aquatique avec, au centre, un îlot sur lequel s'élève la *fontaine de l'Océan* de Giambologna : monstre marin, rochers et eaux donnent à cet ensemble inspiré du théâtre maritime d'Hadrien, à Tivoli, toute sa poésie. À deux pas du bassin, la *porta Romana*, ex-porte de la ville fortifiée.

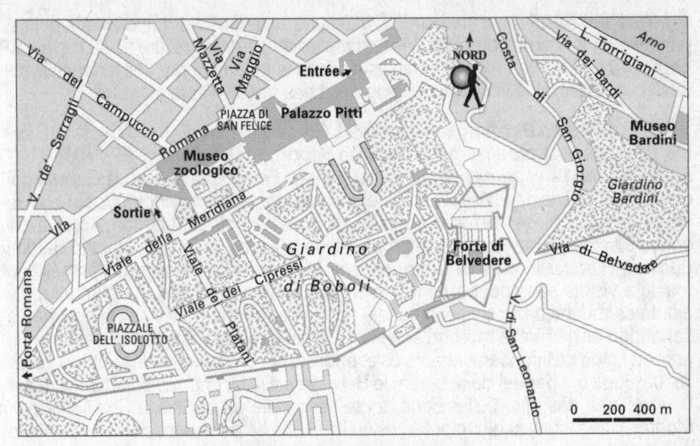

GIARDINO DI BOBOLI

Museo della Porcellana *(dans le jardin de Boboli)* **:** *☎ 055-238-86-05. Tlj 8h15-16h30 (19h selon saison). Fermé 1er et dernier lun du mois.* Dans ce pavillon qui domine le jardin sont rassemblés de beaux services provenant des plus grandes manufactures d'Europe (Sèvres, Vienne, Berlin...). De l'extérieur, belle vue sur le paysage florentin.

Chiesa Santa Felicità *(plan couleur II, F4)* **:** *piazza dei Rossi, sur la via Guicciardini. Tlj 9h-12h30, 15h-18h sf dim ap-m.* Œuvres les plus célèbres de Pontormo, peintes entre 1525 et 1528 pour Ludovico Capponi : la *Déposition,* dont les couleurs acides et la déstructuration de l'espace en font un chef-d'œuvre du maniérisme, et *L'Annonciation,* influencée par Michel-Ange ; ici, l'artiste a tenu compte de l'éclairage naturel de l'église.

Chiesa San Felice in Piazza *(plan couleur II, F5)* **:** *piazza di San Felice.* Au 6e autel, *Vierge en trône* de Ridolfo Ghirlandaio. La chapelle principale (le chœur) est de Michelozzo, avec, au centre, un grand *Crucifix* de Giotto, récemment restauré et très peu connu.

Chiesa Santa Maria del Carmine et la cappella Brancacci *(plan couleur II, E4)* **:** *piazza del Carmine. Église ouv 7h30-12h, 17h-18h30. Chapelle ouv 10h (13h dim et j. fériés)-17h. Fermé mar ainsi que les 1er, 3e et 5e lun du mois. Résa conseillée (gratuite) au ☎ 055-276-82-24. Accès limité à 30 pers max pour un délai de 15 mn. Entrée : 4 € (avec un film de 40 mn sur l'œuvre de Masaccio compris dans le prix).* À droite du transept, la fabuleuse *chapelle Brancacci,* demeurée miraculeusement intacte après l'incendie de 1771, est entièrement décorée de fresques de Masolino, Masaccio et Filippino Lippi (XVe s). Thèmes du Péché originel et de la vie de saint Pierre. Depuis leur restauration, la nudité d'Adam et Ève est à nouveau dévoilée, débarrassée du feuillage ajouté pudiquement par Cosme III au XVIIe s. Masolino, à qui l'on avait commandé l'ensemble des fresques en 1424, s'était probablement fait seconder dès le début du chantier par son jeune élève Masaccio. On mesure d'ailleurs toute la modernité de la peinture de Masaccio, aux visages expressifs débordant de vie, comparée au style plus sage et élégant de Masolino. Chez Masaccio, les corps sont tout en volume, fruit d'une étude poussée de l'anatomie et de l'application des règles de la perspective. L'homme devient ici le sujet central des compositions. Le chantier sera abandonné suite à la mort (l'assassinat selon certains) de Masaccio, jusqu'à ce que Lippi termine à sa manière ce cycle de fresques 50 ans plus tard. Sous la voûte, trompe-l'œil impressionnant.

La via dei Bardi *(plan couleur II, F4)* est une petite rue bordée de vieux palais, parallèle au lungarno Torrigiani. Visiter l'atelier artisanal de reliure et du travail du papier, au n° 17, *Il Torchio (fermé en août)*. Tenu uniquement par des femmes sympas et volubiles. Une vitrine expose un très beau travail. Vente au détail.

Giardino Bardini *(plan couleur III, G6) : via dei Bardi, 1 r ou Costa S. Giorgio, 2 (entrée possible aussi par le jardin de Boboli).* ☎ *055-263-85-99 ou 055-234-69-88. Fermé 1er et dernier lun de chaque mois. Prix combiné avec la Galleria del Costume, Galleria degli Argentieri e delle Porcellane et le giardino di Boboli : 10 €.* Ce jardin renaît de ses cendres après de longues années à l'abandon. Après avoir connu successivement plusieurs propriétaires, c'est à l'antiquaire Stefano Bardini que revint l'acquisition de ce jardin idéalement situé. Il le transforma et l'embellit de manière visible sans pour autant altérer sa structure originelle. Au contraire, il y ajouta sa touche personnelle, originale pour son époque (fin XIXe). De nouveau à l'abandon en 1965 à la mort de son fils, le jardin a rouvert ses portes depuis peu, grâce à l'aide de financements privés et publics. On peut admirer le superbe escalier baroque qui permet de rejoindre le Belvédère. De là, une vue spectaculaire sur la ville (l'une des plus belles sans doute avec celle de la *Chiesa San Miniato al Monte*). Des fontaines glougloutantes où il fait bon se poser, des variétés de fleurs par centaines (roses, iris, hortensias) et de plantes font de ce jardin un des plus beaux de Florence, sans compter la magnifique pergola de glycines, les bosquets à l'anglaise, l'allée d'hortensias, les plantations de menthe, de lavande, de romarin... Bref, une explosion d'odeurs et de couleurs à découvrir absolument. À l'intérieur du jardin, la villa Bardini datant de 1641 a été également entièrement rénovée. Elle abrite, entre autres, une salle de conférences, des expos temporaires et le ***museo Pietro Annigoni*** *(mer-dim 10h-16h, 18h en été).*

DANS L'OLTRARNO, AUTOUR DE SAN NICCOLÒ ET DE SAN MINIATO AL MONTE (plan couleur III)

Chiesa San Miniato al Monte *(plan couleur III, H7) : via del Monte alle Croci.* ☎ *055-234-27-31. On y accède facilement à pied des ponts San Niccolò et alle Grazie (mais ça grimpe !) ou en bus (n° 13). Tlj 8h-19h mai-oct ; 8h-12h, 15h-18h le reste de l'année (15h-18h slt j. fériés en hiver). Entrée gratuite.*
Une des plus belles réussites du roman florentin : façade incrustée de marbre de Carrare et de marbre vert de Prato, décorée d'une mosaïque. À l'intérieur, décoration à base de marbres polychromes et parement du XIIIe s, une partie de celui-ci représentant les signes du zodiaque. Le plafond est de toute beauté, tout en étant sobre. Pavement du XIIIe s. Devant le chœur, *chapelle du Crucifix* (1448), œuvre de Michelozzo. Bas-côté gauche, chapelle du cardinal du Portugal, au riche décor Renaissance. Admirer le travail de marqueterie en marbre sur la clôture du chœur. Dans l'abside, belle mosaïque du XIIIe s. Enfin, jeter un œil aux fresques de la sacristie. Une de nos églises préférées.

> **COUP DE PUB**
>
> *L'aigle représenté au sommet de l'église est l'emblème des marchands florentins. Celui-ci tient dans ses serres un torsello, petit sac qu'on utilisait au Moyen Âge pour transporter des échantillons d'étoffes. On y cousait le logo de la corporation. À l'époque, les riches marchands finançaient en grande partie la construction des églises. Un bon coup de pub pour les corporations citées.*

Jouxtant l'église, le ***cimetière de San Miniato.*** Immense et magnifique, ce cimetière, propriété communale depuis 1911, offre plusieurs styles, du néoclassique en passant par une inspiration russe ou encore Art déco. Plusieurs chapelles et sépultures méritent le détour. À noter que l'auteur de Pinocchio, Carlo Lorenzini

(« Collodi »), Libero Andreotti, Frédérick Stibbert ou encore Vasco Pratolini, pour ne citer qu'eux, y sont enterrés. Profitez-en, les touristes ont tendance à oublier cet endroit (à tort).

San Salvatore al Monte : *juste en dessous de San Miniato. Ouv 6h30-12h30, 15h-19h.* À pied, ça grimpe dur pour atteindre cette petite église qui domine Florence. On vous conseille de monter par le jardin des roses qui longe la via del Monte alle Croci. L'église en elle-même, d'une grande sobriété, avec de solides murs et une charpente en bois, ne présente guère d'intérêt.

En revanche, ne manquez pas le ***coucher de soleil*** sur tout Florence à partir du belvédère sous l'église *San Salvatore al Monte.* Très touristique, certes, mais les reflets sur l'Arno et les couleurs du ponte Vecchio valent d'affronter le monde. Inoubliable !

Museo Bardini *(plan couleur III, G6) : via dei Renai, 37. ☎ 055-226-40-42. Ouv sam, dim, lun (slt) 11h-17h. Entrée : 5 €.*
Stefano Bardini (1836-1922) est l'un des plus grands collectionneurs et riches antiquaires italiens. On l'appelait « le prince des antiquaires ». À l'origine, peintre, il est devenu au fil des ans un grand collectionneur. Il achète tout, il s'intéresse à tout : papier mâché, cadres, armes, dessins, tapis, coffres de mariage... Il récupère et détache tout ce qui reste des palais de Florence. En effet, au XIXe s, le centre-ville est détruit pour faire de grandes percées (à la manière d'Haussmann à Paris). Il a une clientèle russe, américaine et même française comme les Jacquemart-André (leur nom vous dit quelque chose, non ?). Il utilise son palais (qu'il a racheté aux Mozzi, une riche famille florentine) comme un show-room. Il regroupe les objets par thème. D'ailleurs, à sa mort, quand il lègue son palais à la ville, on ne comprend pas le mélange des genres, les copies et les originaux. Après un testament et un héritage bien complexes, c'est à l'État italien que revient la totalité des œuvres du collectionneur. Le vœu de ce dernier a été respecté : conserver la teinte bleue à la manière russe sur les murs du palais (alors qu'au départ la municipalité de Florence avait tout repeint en blanc), ainsi que l'agencement de ses œuvres. On peut être surpris en effet par le musée en lui-même. Il faut le regarder dans son ensemble et non comme une somme d'œuvres individuelles. De ses nombreux voyages en Europe et en Amérique, Stefano Bardini a réuni une riche collection éclectique.
- ***Au rez-de-chaussée,*** la première salle à gauche est dédiée aux statues antiques, mais l'œuvre majeure est le tableau de Tino di Camaino, *La Carità,* montrant une femme allaitant ses deux enfants. On y admire aussi des chapiteaux corinthiens, des portails, une tombe en marbre d'Arnolfo di Cambio. Toujours au rez-de-chaussée, le célèbre *Porcellino* de Pietro Tacca, offert par le pape Pio IV à Cosimo Ier en visite à Rome en 1560. Cosimo II en a commandé une copie en bronze pour le palazzo Pitti, transférée aux Offices après avoir été transformée en fontaine et actuellement à la Loggia del Mercato Nuovo (vous suivez ?).
- ***À l'étage,*** après avoir monté le majestueux escalier en marbre (jetez un œil au Poséidon), belle collection de tapis perses du XVIIe s aux murs. Également une collection unique de dessins au crayon de Tiepolo. Quelques œuvres d'art comme la *Madonna dei Cordai* de Donatello ou encore le *San Michele Archangelo* de Pollaiolo. Une salle d'armurerie également. Admirez au passage les magnifiques plafonds à caissons du palais. Une belle visite.

LES ENVIRONS DE FLORENCE

La campagne florentine est l'une des plus belles régions d'Italie. Les collines qui encadrent la ville offrent des points de vue de toute beauté dans un calme magique. Les cyprès accentuent cette atmosphère exceptionnelle, à l'écart du tumulte touristique. Un bon réseau d'autobus permet de la découvrir facilement.

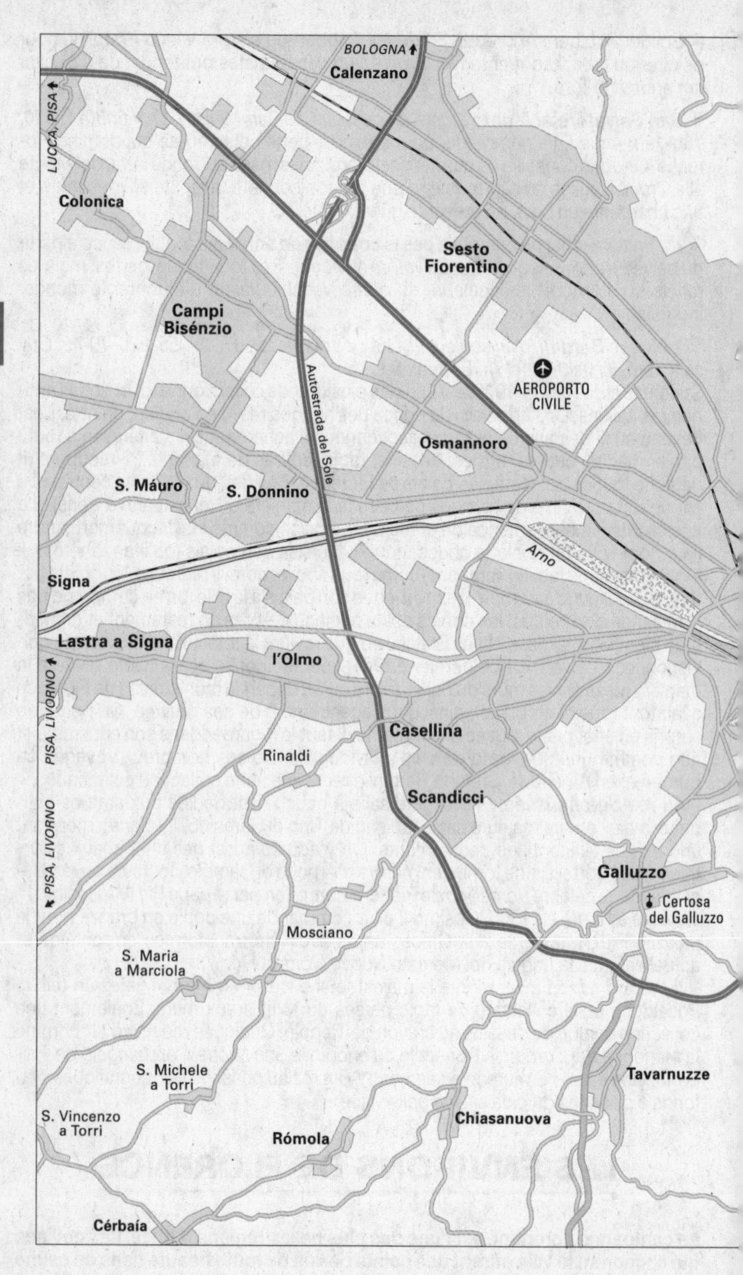

BOLOGNA
Calenzano
LUCCA, PISA
Colonica
Sesto
Fiorentino
Campi
Bisénzio
AEROPORTO
CIVILE
Autostrada del Sole
Osmannoro
S. Máuro
S. Donnino
Arno
Signa
Lastra a Signa
l'Olmo
PISA, LIVORNO
Casellina
Rinaldi
Scandicci
PISA, LIVORNO
Galluzzo
Certosa
del Galluzzo
Mosciano
S. Maria
a Marciola
S. Michele
a Torri
Tavarnuzze
S. Vincenzo
a Torri
Chiasanuova
Rómola
Cérbaía

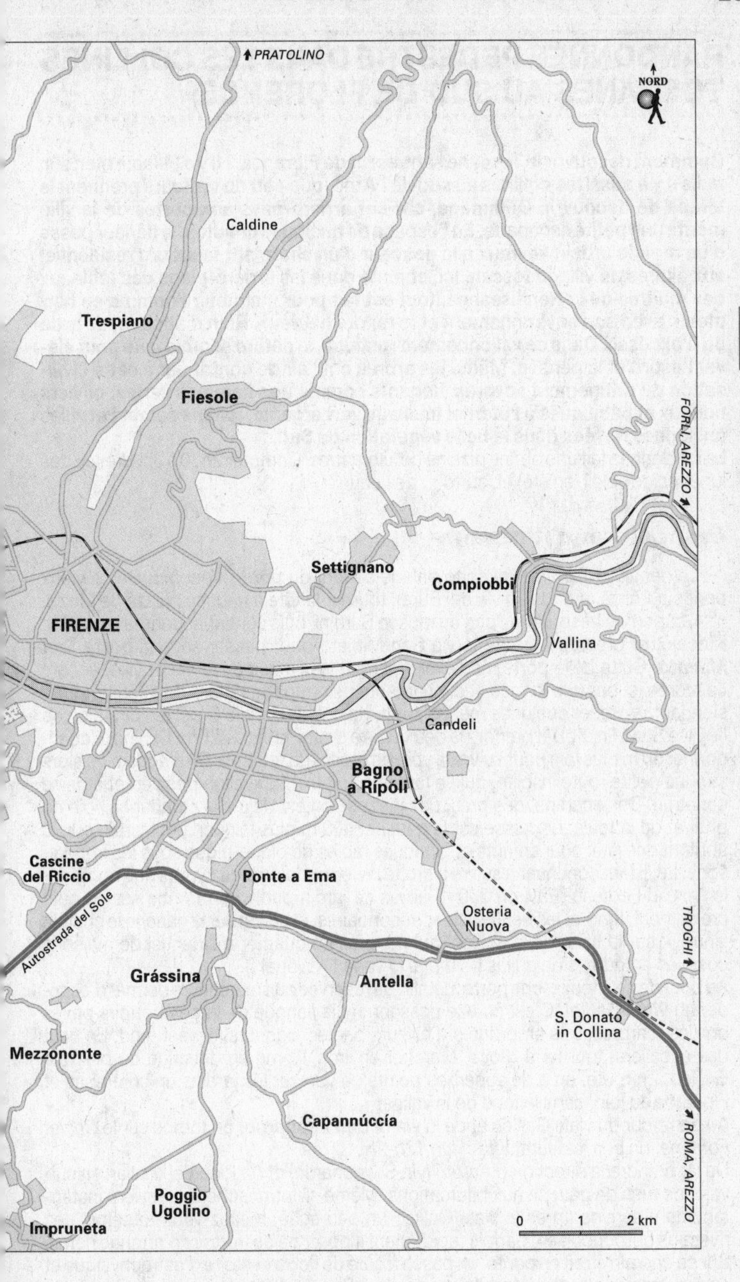

LES ENVIRONS DE FLORENCE

RANDONNÉE PÉDESTRE DANS LES COLLINES TOSCANES AU SUD DE FLORENCE

Comment découvrir la Toscane sans sortir de Florence ? Il y a Fiesole bien sûr, mais il y a aussi les collines au sud de l'Arno, que peu de visiteurs prennent le temps de découvrir. Dommage, car cet arrière-pays aux portes de la ville mérite une petite escapade. En l'espace de quelques minutes, le flâneur passe d'un monde urbain fiévreux à la douceur d'un charmant faubourg résidentiel aux allures de village toscan. Ici, comme dans les arrière-plans des tableaux des maîtres de la Renaissance, tout est fait pour maintenir l'homme en harmonie avec son environnement et le rendre heureux. Rien d'austère, de rude ou d'excessif. Dans ce vallonnement rustique, la nature semble faite pour élever l'esprit et la pensée. Même les arbres ont l'air de contribuer à cette civilisation du raffinement : cyprès élégants comme des flammes vertes, oliviers noueux et pacifiques à l'éternel feuillage vert argenté, jardins secrets et villas anciennes noyées dans la belle végétation du Sud.
La randonnée fait une bonne dizaine de kilomètres. Compter 2h30 à 3h. Prévoir des lunettes de soleil (en été) et, surtout, de l'eau.

Proposition d'itinéraire

➢ Le départ et l'arrivée de cette balade se font du ***ponte Vecchio.*** De ce vieux pont sur l'Arno, prendre la via dei Bardi, tourner la tête à gauche piazza de Mozzi, n° 4, superbes fresques en face du musée Bardini, puis continuer dans la via di San Niccolò, et prendre à droite la via San Miniato pour passer sous la ***porta San Miniato.*** Cette belle porte médiévale marque les limites de la vieille ville, encore ceinturée ici par une longue section intacte de remparts datant de 1258. Impressionnant. Marcher quelques mètres sur la via del Monte alle Croci (en direction de l'église San Miniato), et prendre la deuxième à droite, la via dell'Erta Canina. L'abandonner 50 m plus loin pour suivre la voie de droite à la fourche. On s'achemine alors sur une petite route insolite, qui se faufile au creux d'un vallon très vert et à peine construit. Des champs, des prés, des jardins : on est déjà à la campagne, loin du bruit et de la foule. On laisse sur la gauche, 400 m plus loin, un petit jardin public abritant des jeux pour enfants et quelques tables de pique-nique sous les frondaisons. Là, il faut continuer à suivre à droite l'allée principale de cyprès qui monte sur le flanc du coteau. Environ 300 m après ce jardin public, on tombe sur un petit croisement. Ignorer les petites allées secondaires, et suivre sur la gauche le chemin sinueux sur le flanc de la colline, qui traverse un quartier résidentiel de maisons cossues entourées de grilles (« *Attenti al cane* ! » Wouaf !).
Au bout de ce chemin, une porte métallique réservée aux marcheurs permet d'accéder au ***viale Galilei.*** C'est un axe passant, mais flanqué de larges trottoirs pavés bordés d'arbres, très empruntés d'ailleurs par les joggeurs le week-end. En haut des escaliers, tourner à droite. Marcher environ 10 mn en direction du piazzale Galileo. En route, on a de superbes points de vue sur les jardins en contrebas et Florence au loin, dans le fond de la vallée.
Au carrefour du viale Galileo et de la ***via di San Leonardo,*** on tombe sur le *Chalet Fontana,* un bar-restaurant *(tlj sf lun 17h-2h).*
De là, prendre la direction d'Arcetri (via S. Leonardo) et de Pian dei Giullari en suivant les rues de gauche aux bifurcations. Même si l'atmosphère redevient instantanément sereine après le viale Galileo un peu agité, méfiez-vous toutefois des riverains qui conduisent parfois rapidement (l'absence de trottoirs n'arrange rien !). Sur ce chemin étroit en pente, on passe à côté de l'observatoire d'astrophysique et on traverse le village d'***Arcetri,*** sorte de « Beverly Hills de la Renaissance italienne », cœur vert de la banlieue sud de Florence. Avec un peu de chance, vous apercevrez peut-être les belles maisons cachées derrière des hauts murs débor-

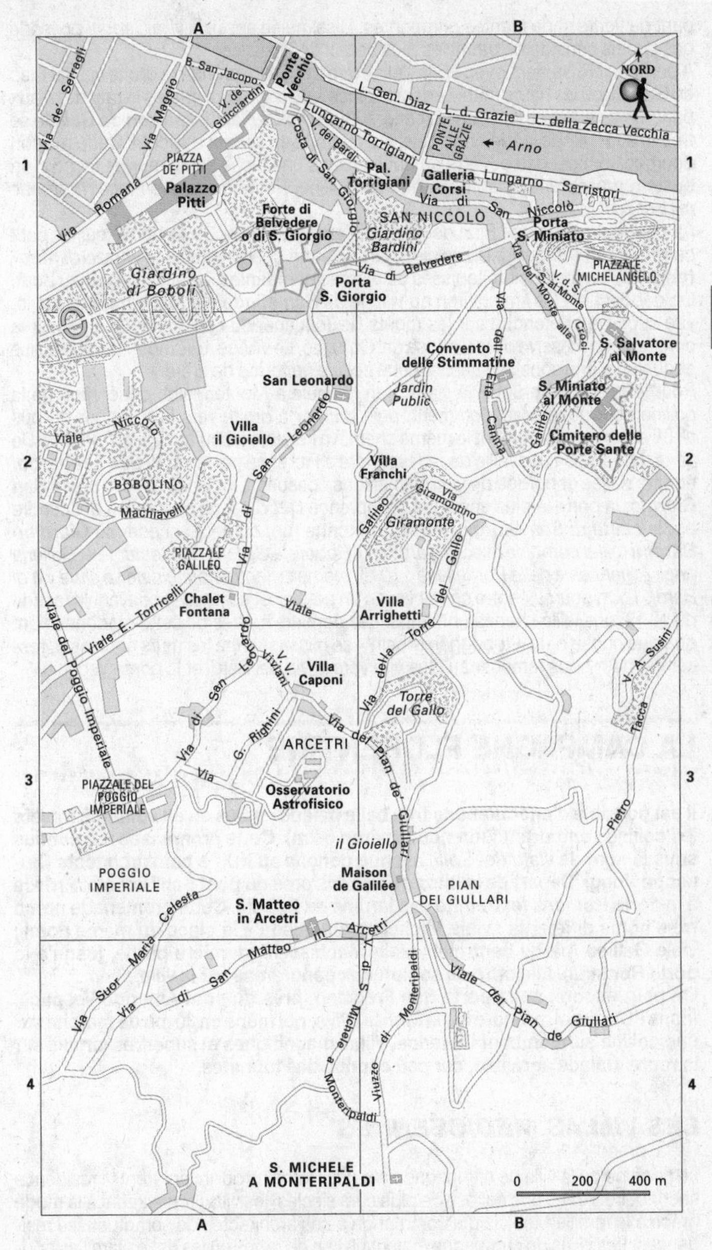

LES COLLINES FLORENTINES DU SUD

FLORENCE ET SES ENVIRONS

dant de fleurs et de plantes grimpantes. Dissimulée aussi, la *villa Caponi* possède des jardins considérés parmi les plus beaux de Florence.
À partir du croisement avec la via della Torre del Gallo, prendre à droite via del Pian de Guiliari, où les hauts murs cèdent la place à de larges ouvertures livrant de beaux panoramas sur la campagne toscane. À ***Pian dei Giullari,*** la ***maison de Galilée*** se trouve au n° 42 de la rue principale, sur la droite en venant d'Arcetri. Cette maison bourgeoise n'est pas ouverte au public. Dans une niche sur le mur de façade, un buste représente le célèbre astronome Galilée. Petite *trattoria* en face *(tlj sf mar, midi et soir).*
Au centre du village de Pian dei Giullari, l'arrêt du bus n° 38 se trouve sur un petit carrefour fort tranquille. De celui-ci part un étroit chemin creux, le ***viuzzo di Monteripaldi,*** bordé de murs tapissés de plantes grimpantes. Le suivre jusqu'au bout. On débouche à 200 m environ au village de ***San Michele a Monteripaldi.*** De là, vue superbe et étendue sur les monts de Toscane, où l'on distingue à l'ouest la construction massive de la Certosa del Galluzzo. Le village, très modeste (une église et quelques maisons), se tient sur une colline en forme de crête.
Pour le retour, emprunter la via di San Michele a Monteripaldi, qui contourne la colline escaladée précédemment, puis tourner à droite vers le carrefour du bus n° 38 et suivre exactement le même chemin à l'envers jusqu'au *Chalet Fontana.* De ce restaurant, on conseille de redescendre à Florence par la ***via di San Leonardo,*** étroite, dallée et bordée de vieilles maisons cossues. On passe sous la ***porta San Giorgio,*** la porte la plus ancienne de Florence (1260), et on continue à descendre par la ***costa di San Giorgio.*** Au n° 2 de cette rue, on peut accéder au ***Giardino Bardini*** *(billet combiné avec le giardino di Boboli, la Galleria del Costume et Galleria degli Argentieri e delle Porcellane : 10 €), même si l'entrée principale se situe via di Bardi, 1.* On poursuit notre chemin avec un petit arrêt au passage devant la façade du n° 19, où Galilée habita un temps. Les derniers mètres de cette randonnée ont quelque chose d'un « toboggan urbain » se glissant entre les murs anciens et resserrés, pour nous ramener au plus vite vers la via dei Bardi et le ponte Vecchio.

LA CAMPAGNE FLORENTINE

Il est possible d'effectuer une très belle balade en bus ou en voiture à travers les collines entourant Florence (environ 6 km). Cette promenade est connue sous le nom de *viale dei Colli,* avenue conçue au XIXe s par l'architecte Giuseppe Poggi. Départ de la piazza Ferrucci, près du pont San Niccolò. Arrivée à la porta Romana (extrémité des jardins de Boboli). Cette promenade prend trois noms différents : viale Michelangelo (jusqu'à la place du même nom) ; viale Galileo (partie centrale) ; viale Machiavelli (dernière partie, jusqu'à la porta Romana). Elle offre de somptueux panoramas sur la ville.
On peut encore, de la porta San Frediano, près du pont Amerigo Vespucci (dans l'Oltrarno), prendre la *via Monte Olive,* qui mène en 30 mn de marche sur une colline surplombant Florence. Villas magnifiques et superbes jardins sur la route. Balade agréable, car peu connue des touristes.

LES VILLAS MÉDICÉENNES

Le principe de la villa de campagne date des Romains qui inventèrent la résidence secondaire. Après une éclipse de plusieurs siècles, les villas redevinrent à la mode grâce à la famille Médicis qui commanda à ses architectes de somptueuses résidences. Les villas de campagne étaient un lieu de repos où les riches familles pouvaient échapper aux tumultes de la ville, mais elles étaient surtout un lieu de délectation artistique et intellectuelle tel que la pensée humaniste pouvait le concevoir. Ces villas pourvues de beaux jardins (fort nombreuses dans les environs proches de Florence) n'ont pas toujours très bien traversé les siècles ; certaines d'entre elles n'en méritent pas moins le déplacement.

Villa La Petraia : *via della Petraia, 40. ☎ 055-45-26-91. Située à Castello, à 7 km à l'ouest du centre de Florence. Prendre le bus n° 28 (direction Sesto Fiorentino). Mars-oct, jardins ouv 8h15-18h30 (19h30 juin-août). Fermé 2e et 3e lun du mois. Visites guidées de la villa ttes les 45 mn env.* Il s'agissait ni plus ni moins du château des Brunelleschi, famille du grand architecte de Florence, passé aux mains des Médicis en 1575. Buontalenti fut chargé de rénover la villa au goût du jour, tandis que Tribolo, l'architecte paysagiste des jardins de Boboli, dessinait un parc à l'italienne aux parterres géométriques. Un grand chassant l'autre, ce fut le tour de la maison de Savoie de prendre possession de cette demeure historique... en y apposant sa marque. Victor-Emmanuel II en fit sa résidence d'été et s'empressa de faire couvrir la cour intérieure pour la transformer en une vaste salle de bal. Même si la nouvelle décoration n'a pas laissé grand-chose du temps des Médicis, la petite chapelle et les appartements richement décorés donnent une idée du faste de ces villas.

Villa de Castello : *via di Castello, 47. ☎ 055-45-47-91. Mêmes horaires que sa voisine la villa La Petraia (10 mn à pied).* Également dessiné par Tribolo, ce vaste jardin Renaissance, rythmé de parterres bien ordonnés et de nombreuses statues, s'étage sur le flanc d'une colline. Les allées conduisent vers un grand bassin, où patiente un monstre de bronze, et une grotte ornée de fausses roches parmi lesquelles s'affaire un peuple d'animaux. Saviez-vous que c'est le premier musée de nature morte en Italie ? Les appartements en revanche ne se visitent pas.

Villa de Poggio a Caiano : *bourg situé à 18 km, sur la route de Pistoia par la N 66. ☎ 055-87-70-12. Prendre un autobus CAP ou COPIT, départ piazza S. M. Novella ttes les 30 mn. La villa se situe au centre du village, en haut de la colline. Ouv 8h15-19h30 juin-août ; jusqu'à 18h30 en avr-mai et sept-oct ; 17h30 en mars ; 16h30 l'hiver. Fermé 2e et 3e lun du mois.*

Ce fut Laurent le Magnifique qui chargea l'architecte Giuliano da Sangallo des travaux de reconstruction. Posée sur un embasement à arcades, elle se démarque de ses consœurs par son péristyle surmonté d'une frise d'Andrea Sansovino et d'un fronton de temple grec. Cette référence inédite à l'Antiquité est une commande du pape de la famille, Léon X. Malheureusement, les occupants successifs de la villa ont sérieusement mis à mal les décorations héritées des Médicis. Les Bonaparte ouvrent le bal sous la houlette d'Élisa, alors grande-duchesse de Toscane. Les fresques qui n'étaient pas à son goût furent revues et corrigées sans pitié. Puis ce fut le tour de Victor-Emmanuel II de participer à ce grand nettoyage de printemps ! À l'arrivée, les 60 pièces de la demeure sont l'occasion d'une promenade instructive, mais seul le superbe salon mérite qu'on s'y attarde. On y admire des fresques d'Andrea del Sarto, de Pontormo et d'Alessandro Allori. Une palette de choix !

Cette villa fut la plus célèbre des villas médicéennes, notamment pour ses réceptions auxquelles participaient de nombreux humanistes (dont Montaigne). C'est ici d'ailleurs qu'en 1587, François Ier de Médicis et son épouse Bianca Capello moururent dans des conditions demeurées mystérieuses.

Villa Médicis de Fiesole : *via Beato Angelico, 2 (Fra Giovanni Da Fiesole detto l'Angelico). ☎ 055-594-17. Accès par le bus n° 7 (voir plus loin la rubrique « Arriver – Quitter » à Fiesole). Visite en sem 8h-13h. Entrée : 6 €.* C'est la première véritable villa Renaissance, construite entre 1458 et 1461 pour Cosme l'Ancien. Il s'agit malheureusement d'une propriété privée, et seuls les jardins, suspendus comme ceux de Babylone, sont ouverts au public (magnifique panorama).

Les Médicis étaient très riches, et le nombre de leurs villas ne s'arrête pas à ces quelques exemples. Pour visiter les autres, renseignez-vous à la Direction des monuments, au palazzo Pitti de Florence.

LA CERTOSA DEL GALLUZZO
(chartreuse de Galluzzo)

À 6 km de Florence. Bus n°s 36 et 37 de la piazza Santa Maria Novella. En voiture, suivre la via Senese depuis la porta Romana (panneaux). Tlj sf lun 9h-11h30, 15h-17h30 (16h30 l'hiver). Visite guidée ttes les 30 mn. Entrée gratuite. Dressée puissamment sur une éminence à la sortie du bourg, cette vaste chartreuse fondée au XIVe s abrite aujourd'hui des cisterciens... qui vous proposeront tout de même de délicieuses liqueurs. On ne perd pas les bonnes habitudes ! À voir : la pinacothèque (fresques de la Passion, de Pontormo), l'église gothique (stalles délicatement ciselées du XVIe s) et les bâtiments conventuels. Dans la salle capitulaire, s'attarder sur la belle *Crucifixion* d'Albertinelli. Le grand cloître, décoré de médaillons des della Robbia, renferme un cimetière dont les tombes ne portent ni nom ni date, par souci d'humilité. Il est d'ailleurs bordé par les cellules individuelles des moines. Leur extrême simplicité et leurs jardinets privés rappellent que les chartreux vivaient en reclus, ne partageant que les principaux offices et les repas de fêtes.

SETTIGNANO

À 8 km à l'est de Florence. Prendre le bus n° 10 de la piazza San Marco. Charmant village assis sur une colline, célèbre pour avoir accueilli plus d'un illustre résident : Michel-Ange, D'Annunzio et Berenson. Beaucoup de villas magnifiques dans ce coin qui inspira de nombreux sculpteurs. Michel-Ange y passa d'ailleurs une partie de sa jeunesse, dans la villa Buonarroti. C'est quand même une référence...

***La villa Gamberaia :** à Settignano. ☎ 055-69-72-05. Seul le jardin se visite. Tlj 9h-18h. Entrée : 10 €.* Principalement dessiné au XVIIIe s, ce somptueux jardin s'est vu attribuer quatre bassins formant un beau parterre d'eau à la fin du XIXe s. Ils donnent sur un mur de cyprès percé d'arcades, fenêtres ouvertes sur un magnifique panorama. Une autre partie abrite des grottes renfermant quelques statues.

FIESOLE

(50014) 15 000 hab.

Cette petite cité autrefois très puissante est perchée au sommet d'une haute colline (à 300 m au-dessus du niveau de la mer), à 7 km au nord-est de Florence. La vue est extraordinaire. Au loin, après les oliviers et les vignes, on aperçoit quelques-uns des monuments les plus remarquables de Florence, étagés sur l'horizon. À l'opposé, sur le versant nord de la ville, de belles échappées sur les douces collines de Toscane marquent le début de l'arrière-pays. Ce paysage magnifique inspira de nombreux écrivains. C'est là que Boccace (XIVe s) situa le refuge des héros du *Décaméron.* Plus tard, Marcel Proust y rêva du printemps « qui couvrait déjà de lis et d'anémones les champs de Fiesole et éblouissait Florence de fonds d'or pareils à ceux de L'Angelico... ». André Gide, dans les années 1930, contempla aussi la « Belle Florence » et écrivit à Fiesole une partie des *Nourritures terrestres.*
Ce gros bourg jalonné de belles villas cossues a préservé sa taille humaine. Cependant, vous devrez partager le charme de ses jolies ruelles avec les touristes, fort nombreux pendant l'été. Mais on peut profiter de cette belle balade pour pique-niquer. Apportez vos provisions et faites attention aux restos touristiques, où les portions, minables, sont à la limite de l'arnaque.

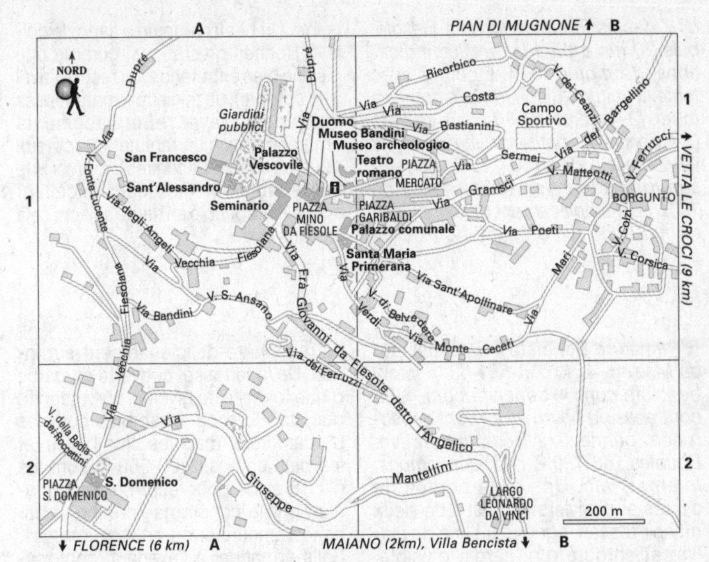

FIESOLE

Arriver – Quitter

En bus

De Florence, prendre le bus nº 7 à l'arrêt situé sur le côté nord de la gare ferroviaire, ou de la piazza del Duomo, ou encore de la piazza San Marco.

Horaires du bus nº 7

➢ ***De Florence à Fiesole :*** ttes les 15 mn 7h-9h et ttes les 20 mn 9h-21h. Premier départ à 6h, dernier bus à 0h30. Le dim, ttes les 20 mn à partir de 6h30.

➢ ***De Fiesole à Florence :*** ttes les 10 mn 7h-9h et ttes les 20 mn 9h-21h. Premier bus à 5h30 et dernier bus à 1h. Le dim, ttes les 20 mn à partir de 6h.

Adresse utile

Office d'information touristique *(plan A1) : via Portigiani, 3-5.* ☎ *055-596-13-23.* • *comune.fiesole.fi.it* • *Ouv 28 mars-30 oct lun-ven 9h30-18h30, sam 10h-18h ; dim et j. fériés 10h-13h, 14h-18h.* Compétent et bien documenté. Plan du centre historique de Fiesole avec le commentaire en français.

Où dormir ?

Presque pas de pensions bon marché à Fiesole. Mieux vaut dormir à Florence et venir en bus pour une demi-journée.

Camping

Camping panoramico Fiesole : *via Peramonda, 1.* ☎ *055-59-90-69.* • *panoramico@florencecamping.com* • *À 7 km du centre de Florence. Bus* *n° 7 depuis Florence jusqu'à Fiesole, puis 20 mn à pied (suivre les indications). Compter 35-38 € pour 2 avec tente et voiture. Sinon, mobile homes à louer (2-4 pers) 40-80 € ou chalets (2-4 pers) avec petite cuisine (apporter sa vaisselle !) et sdb 50-115 € selon saison (draps fournis). Wifi. Remise de 10 % sur l'emplacement du camping sf en juil-août sur présentation de ce guide.* Un beau camping à flanc de colline. Bonnes prestations, comme une piscine bien entretenue, un resto (d'avril à fin octobre), un minisupermarché, des machines à laver... Emplacements ombragés mais un tantinet caillouteux pour les tentes. Sanitaires propres. Vue imprenable sur Florence. Excellent accueil. Surpeuplé en haute saison, cela va sans dire !

Chic

Pensione Bencistà : *via Benedetto da Maiano, 4. ☎ 055-591-63. • info@bencista.com • bencista.com • En contrebas du bourg en arrivant de Florence (panneaux). Résa impérative. Doubles 158-180 €, petit déj compris. Internet, wifi.* Une allée bordée de cyprès et d'oliviers conduit à ce vieux manoir toscan, agrippé à flanc de colline et entouré d'un jardin paisible. C'est aujourd'hui un hôtel de charme à l'atmosphère délicieusement surannée. De la terrasse, couverte en partie d'une tonnelle de glycine, vue magnifique sur Florence. Chambres cossues de caractère, mais les plus belles (et les plus chères : 200-250 €) sont les nos 18 et 21 pour leurs balcons donnant sur le panorama florentin : pour riches amoureux ou artistes fortunés. Salle à manger à l'avenant, confortable et décorée de meubles de style.

Où dormir dans les environs ?

Prix moyens

Casa Palmira : *via Faentina, loc. Feriolo, 50030 Polcanto (Firenze). ☎ 055-840-97-49. • info@casapalmira.it • casapalmira.it • À 9 km de Fiesole, en direction de Borgo San Lorenzo. La maison se situe à Feriolo, à droite dans une descente quelques km après le croisement de la route d'Olmo. Congés : de mi-janv à début mars. Doubles 85-115 € avec sdb, petit déj compris. CB refusées. Internet, wifi. Réduc de 10 % sur la chambre sur présentation de ce guide 15 nov-24 déc, 1er janv-15 janv et 10 mars-20 avr.* Une belle demeure traditionnelle toscane, isolée dans un environnement superbe. Beaucoup de goût dans la déco lumineuse et printanière, depuis les chambres cossues jusqu'aux confortables salons agrémentés de meubles anciens chinés chez les antiquaires. Accueil très attentionné et en français des charmants proprios – tendance écolo-chic –, qui assurent un copieux petit déj et proposent toutes sortes d'activités : cours de cuisine, balades à cheval... Intime et reposant. Cerise sur le gâteau : Jacuzzi et piscine. Comme des coqs en pâte !

Agriturismo Poggio al Sole : *via Torre di Buiano, 4. ☎ 055-54-88-39. • poggioalsole@poggioalsole.net • poggioalsole.net • À 7 km de Fiesole, direction Olmo et Borgo San Lorenzo. Au lieu-dit Torre di Buiano, un petit panneau indique un étroit chemin sur la gauche. Congés : janv-fév. Double 80 €.* Une agréable chambre d'hôtes dans une ancienne ferme installée à flanc de colline parmi des bouquets d'oliviers. Chambres joliment aménagées par la propriétaire et confortables (bonne literie), réparties entre la maison principale et une étable soigneusement rénovée. Depuis le jardin, très jolie vue sur la vallée. Petit déj convivial qui se prend à une table commune. Très bonnes confitures maison. Production d'huile d'olive et de safran.

À voir

Duomo di San Remolo *(plan A1)* **:** *piazza della Cattedrale. Tlj 7h30-12h, 15h-18h (14h-17h l'hiver).* Construit au XIe s sur l'emplacement du forum antique, il fut modifié dans un premier temps au XIVe s et très restauré depuis. À l'intérieur, architecture très austère de plan basilical, interrompue par un inhabituel chœur surélevé. Magnifique polyptyque de Bicci di Lorenzo (1450) sur l'autel. Fresque sur la voûte. À droite, en montant l'escalier : petite chapelle avec des fresques de Cosimo Rosselli et des sculptures de Mino da Fiesole.

Chiesa San Francesco *(plan A1)* **:** *via San Francesco, 13. En haut de la colline. Lun-sam 9h-12h, 15h-19h ; dim 9h-11h, 15h-19h (18h l'hiver).*
C'est en montant vers San Francesco que vous aurez la plus belle vue sur la plaine florentine. Édifiée au XIVe s, cette église très simple est tout à fait adorable. Sous le porche d'entrée, petite fresque du XVe représentant saint François, un peu dégradée, mais on devine sur l'ange la délicatesse du drapé. À l'intérieur, quelques primitifs religieux : *Immaculée Conception* de Piero di Cosimo (1510), gracieuse *Annonciation* de Raffaellino del Garbo, *Adoration des Mages* du XVe s. Dans la chapelle, *Nativité* de Luca della Robbia.
Au sous-sol, un intéressant petit ***musée des Missions.*** *Mar-ven 10h-12h, 15h-17h (slt l'ap-m les w-e et j. fériés). Entrée libre.* Un peu fourre-tout : porcelaine de Chine, estampes, gravures, artisanat, instruments de musique, petite section archéologique. Avant de quitter le site, jetez un coup d'œil au charmant cloître en retrait sur la droite de l'église. Rassérénant !

Teatro romano e Museo civico *(plan B1)* **:** *via Portigiani, 1. ☎ 055-594-77. Avr-fin sept, tlj 9h30-19h ; 18h mars et oct et 17h le reste de l'année. Fermé mar nov-mars. Ticket combiné avec le musée Bandini : 10 € (2 € supplémentaires si exposition temporaire).*
Bénéficiant d'une situation des plus stratégique, le site de Fiesole fut occupé dès le VIe ou le Ve s avant notre ère par les Étrusques. À leur tour, les Romains s'y trouvèrent mieux qu'en plaine, jugeant l'air nettement plus salubre, et recouvrirent la colline de bâtiments civils importants. Les vestiges de la zone archéologique témoignent de ce glorieux passé. Emblème du site, le beau théâtre romain du Ier s av. J.-C. donne une petite idée de la taille de la cité, avec une capacité de plus de 3 000 spectateurs. Bien restauré, il accueille différentes manifestations pendant l'été (concert de musique classique, ballets...). Moins bien conservés, les thermes datent de l'époque impériale et furent agrandis sous Hadrien, tandis que le soubassement d'un temple et un tronçon d'un puissant mur de fortification rappellent l'implantation étrusque. Le musée attenant rassemble des statues votives, stèles et autres urnes funéraires étrusques et romaines découvertes sur le site, ainsi qu'une très intéressante collection de céramiques attiques à figures rouges.
Le samedi, le même billet permet également d'aller découvrir les collections d'orfèvrerie liturgique de la petite chapelle *San Iacopo,* située via S. Francesco.

Museo Bandini *(plan A1)* **:** *via Dupré, 1. Mêmes horaires et tarifs (ticket combiné) que le théâtre romain.* Ce petit musée fraîchement réaménagé présente une intéressante collection d'œuvres du Moyen Âge et de la première Renaissance italienne, ainsi qu'une sélection notable d'œuvres de la famille della Robbia. Belles compositions de Bernardo Daddi, Taddeo Gaddi ou encore Lorenzo Monaco.

➤ DANS LES ENVIRONS DE FIESOLE

Si vous passez dans les environs, n'hésitez pas à faire un crochet par le ***convento del Monte Senario,*** sur la route de Bivigliano (au nord de Fiesole en direction de borgo San Lorenzo, puis Pratolino). Petit monastère occupant une position digne d'un nid d'aigle, sur un espace dégagé au sommet d'une colline ceinte d'une épaisse forêt... comme la tonsure d'un moine ! La visite vaut surtout pour la balade, empruntant de jolies routes étroites et sinueuses à flanc de colline, et pour la vue panoramique somptueuse sur la campagne florentine. Petite chapelle croulant sous les moulures dorées.

LA RÉGION DU CHIANTI

« Je crois que les hommes qui naissent là où se trouvent les bons vins ont un grand bonheur... »

Léonard de Vinci.

La région du Chianti s'étend de Florence à Sienne, sur les collines du centre de la Toscane, limitées du côté est par les monts du Chianti et du côté ouest par la vallée du fleuve Elsa. Le Chianti fut le théâtre de conflits violents, en raison de la rivalité entre Florence et Sienne, qui débutèrent au Moyen Âge pour s'achever au XVIIe s. Il reste encore aujourd'hui des traces de ces guerres territoriales : on parle du Chianti florentin (San Casciano in Val di Pesa, Tavarnelle Val di Pesa, Barberino in Val d'Elsa, Greve in Chianti) et du Chianti siennois (Castellina in Chianti, Radda in Chianti, Gaiole in Chianti et Castelnuovo Berardenga).
Cette coulée verte entre les deux villes était déjà occupée au temps des Étrusques. Il semblerait même que cette civilisation préromaine ait, grâce à ses nombreux échanges, introduit la vigne en France. Pour les motorisés, on conseille vivement la balade sur la « Chiantigiana », la S 222 qui serpente parmi les villes des grands crus : Greve, Castellina, Radda et Gaiole.
À coup sûr, un peu de chianti vous aidera à accréditer les dires de Léonard de Vinci sur la région, car vous traverserez de douces collines couvertes de vignes s'enchevêtrant avec des bouts de forêts. À l'aube et au crépuscule, luminosité et paysages aux couleurs exceptionnelles garantis. Bref, une région qui réunit beaucoup d'atouts, de privilèges et de talents.
Comment s'étonner donc que la Renaissance soit née dans un paysage si harmonieux ? Le Chianti est la terre d'élection d'un tourisme « élitiste » de connaisseurs, de jouisseurs, d'amateurs de bonne gastronomie. Mais les Italiens ne sont pas en reste. Ils succèdent donc aux poètes, artistes et réfugiés politiques du XIXe s, qui en appréciaient déjà les irrésistibles qualités.

Hébergement dans le Chianti

Attention, la région est chère. Beaucoup d'hôtels et de chambres situées dans des agritourismes sont réservés très tôt dans l'année par des agences étrangères. En été, il est même parfois difficile de trouver un logement entre Florence et Sienne. Pensez à réserver le plus tôt possible en appelant les offices de tourisme ou les propriétaires des agritourismes.

À voir dans le Chianti

De nombreux petits musées locaux ont vu le jour grâce à la volonté de certains de mettre en valeur leur région (vestiges étrusques témoins de son riche passé historique). Il existe un site très bien fait ● *chiantimusei.it* ● avec une description pour chaque musée et site.

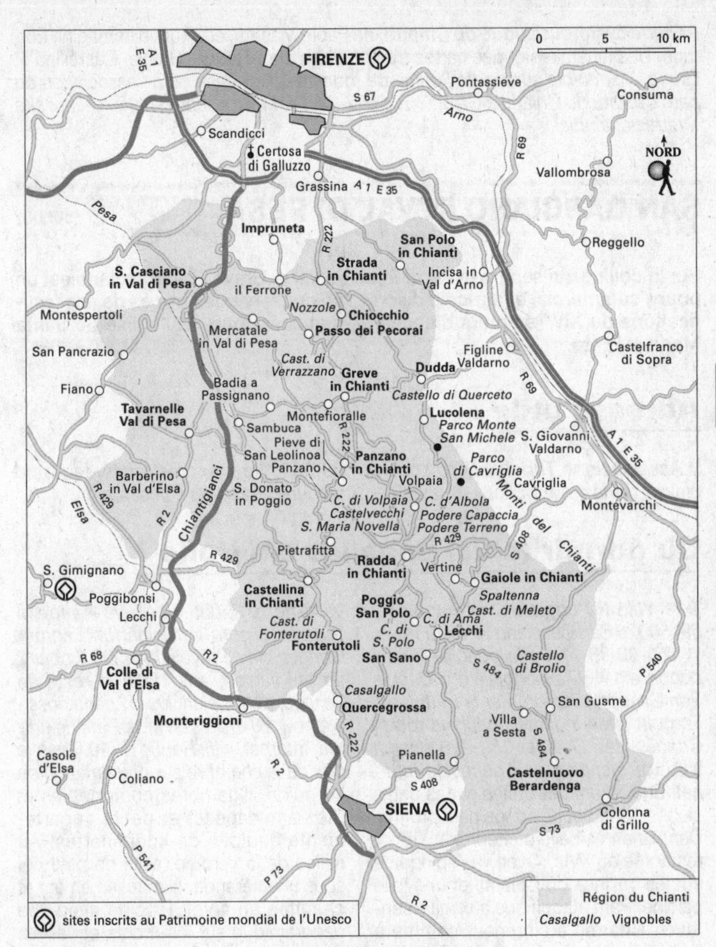

LA RÉGION DU CHIANTI

À vélo dans le Chianti

Plusieurs livres proposent des balades à vélo à travers le Chianti, une superbe façon de découvrir la région. Pour les férus de la petite reine (amateurs s'abstenir : ça grimpe, ça grimpe !), une excellente brochure en français est disponible dans les offices de tourisme de la province de Sienne (et donc du Chianti). Il s'agit de *Terre-disiena in bici,* qui décrit une dizaine d'itinéraires à travers la région, avec le degré de difficulté, le nombre de kilomètres, le type de route, et un bref commentaire sur les villages, *castelli* et églises rencontrés en cours de route.
Voici quelques références pour les aficionados de la petite reine :
– ***Toscana in Mountain Bike*** (vol. I et II), de S. Grillo et C. Pezzani, éd. Ediciclo. Une trentaine d'itinéraires à travers les merveilleux paysages du Chianti et des collines métallifères. *Disponible en librairie ou directement chez l'éditeur (☎ 042-17-44-75 ou ● ediciclo.it ●).*

– ***Guide cyclotouristique du Chianti,*** de Fabio Masotti, éd. Nuova Immagine Editrice. Des itinéraires et des cartes très précises pour Radda, Gaiole, Castellina et Greve. *Disponible auprès de l'office de tourisme de Sienne ou à l'association du parc cycliste du Chianti à Gaiole : ☎ 0577-74-94-11 ou encore sur l'excellent site • terresienainbici.it •*

SAN CASCIANO IN VAL DI PESA (50068)

Sur la colline qui sépare le Val di Pesa du Val di Greve, San Casciano est un bourg commercial et agricole discret, qui conserve des traces de ses fortifications du XIVe s : murs d'enceinte, quelques tours et l'église de Santa Maria al Prato.

Adresse utile

ℹ ***Associazione Turistica*** *(Pro Loco) : piazza de la Repubblica. ☎ 055-82-29-558. Horaires restreints,* faute de moyens financiers suffisants.

Où dormir (chic) dans les environs ?

🏠 🍽 ***Villa Il Poggiale :*** *via Empolese, 69, 50026 San Casciano in Val di Pesa. ☎ 055-82-83-11. • villailpoggiale@villailpoggiale.it • villailpoggiale.it • Depuis San Casciano, emprunter la route vers Empoli ; bien indiqué depuis la route. Congés : fév. Doubles 150-250 € selon saison et standing, petit déj inclus. Internet.* Également des suites et des petits salons dont tout le monde peut profiter. Dans une très belle demeure du XIVe s, restaurée au XVIIIe, avec vue splendide sur les collines du Chianti, et une jolie piscine. Parc magnifique aux mille senteurs. Charme à l'intérieur comme à l'extérieur. Très bonne table, ce qui ne gâche rien ! Une résidence d'une élégance exceptionnelle.

🏠 ***Agriturismo Villa I Barronci :*** *via Sorripa, 10, à 2 km de San Casciano in Val di Pesa. ☎ 055-82-05-98. • info@villaibarronci.com • villaibarronci.com • Congés : fév. Prévoir 150-200 € pour 2 en hte saison, env 100 € le reste de l'année, petit déj inclus. ½ pens possible pour 28 €/pers en plus. Parking gratuit. Internet, wifi. Réduc de 10 % sur le prix de la chambre sur présentation de ce guide.* Chambres confortables et bien aménagées, et petits appartements équipés de kitchenettes. Au milieu de la verdure, salle de petit déj sous une véranda, climatisée en été et chauffée en hiver. Piscine avec vue panoramique sur les monts et vallées des environs. Dîner possible sur demande ; sinon, on vous indiquera les bonnes tables de la région. Un endroit bien agréable, parfait pour des vacances reposantes.

Où manger ?

🍽 ***Cantinetta del Nonno :*** *via IV Novembre, 18. ☎ 055-82-05-70. • info@cantinettadelnonno.it • Tlj sf mer 12h15-14h30, 19h30-21h45. Congés : 2 sem fin janv. Pâtes env 7 € ; compter 25 € pour un repas complet. Digestif offert sur présentation de ce guide.* Petite *trattoria* sans prétention comme on les aime. Belle petite terrasse ombragée à l'arrière, idéale par grosse chaleur. La cuisine (typiquement toscane) est franchement bonne. Accueil sans chichis.

🍽 ***Forno Macuci :*** *via IV Novembre, 87. Tlj sf dim et mer ap-m 7h-13h, 17h-19h30.* Une boulangerie qui a pignon sur rue depuis 1926. Spécialités : *pan de Pescatore, crostate, torte di frutta.* Également *panini* et belles parts de pizza à emporter.

TAVARNELLE VAL DI PESA (50028)

Ville située entre les rivières Pesa et Elsa, le long de la via Cassia. D'ailleurs, son nom, du latin *taberna,* indique qu'elle fut un lieu d'étape. La partie médiévale du bourg est assez bien préservée, et on s'y promène avec plaisir. L'église de Santa Lucia, dans le centre, est l'un des rares exemples d'architecture gothique de la région.

➢ Depuis Greve in Chianti, plusieurs itinéraires intéressants pour rejoindre Tavarnelle : par Montefioralle et l'abbaye de Passignano (route en partie non bitumée) ou par la splendide route panoramique de San Donato.

Adresse utile

Informations touristiques *(Pro Loco) : piazza Matteotti.* ☎ *055-80-77-832.* ● *info@prolocotavarnelle* ● *proloco tavarnelle.it* ● *Lun-sam 9h-12h30, 16h-19h ; dim et j. fériés 9h30-12h30. En hiver, ouv mar ap-m et jeu mat.*

Où dormir dans les environs ?

Camping

Panorama del Chianti : *via Marcialla, 349, 50020 Certaldo.* ☎ *0571-66-93-34.* ● *info@campingchianti.it* ● *campingchianti.it* ● *À l'est par la SP 79, et vous voilà en terre de Chianti. Compter 23-31 € pour 2 avec tente et voiture.* Un chouette site à taille humaine et très bien entretenu, installé en terrasses étagées sur les flancs d'une colline. Piscine avec son solarium. Accueil sympa.

Auberge de jeunesse

Ostello del Chianti : *via Roma, 137, 50028 Tavarnelle Val di Pesa.* ☎ *055-805-02-65* ● *ostellodelchianti.it* ● *ostello@ostellodelchianti.it* ● *Arrêts d'autobus à 200 m pour Florence et Sienne. Carte d'adhérent obligatoire (on peut l'acheter sur place). Doubles 35-45 € sans ou avec sdb. Chambres de 3 à 6 lits 15-19 €/pers. Petit déj 1,90 €. Possibilité de dîner 10 €/pers. Internet.* Voici l'une des rares auberges de jeunesse de la région nichée dans un joli coin de verdure. Certes, le lieu n'a pas la prestance d'un de ces nombreux agritourismes voisins mais on s'y sent tout de suite bien. C'est propre et fonctionnel. Tout est mis à disposition pour rendre le séjour le plus agréable possible et c'est réussi (balade à cheval, location de vélos...) ! Familles bienvenues. Que demander de plus ?

Agriturismi

Chambre d'hôtes Callaiola : *chez Jocelyne Muchenbach, strada di Magliano, 3, 50021 Barberino in Val d'Elsa.* ☎ *055-807-65-98. Depuis Tavarnelle, prendre la route de Magliano, puis suivre les indications. Compter 82 € pour 2, petit déj inclus ; un peu moins cher si l'on y reste min 1 sem.* Au milieu des collines et des oliviers, dans une belle ferme du XVIIIe s, aux murs couverts de plantes et de fleurs. Accueil chaleureux (et trilingue)

LA RÉGION DU CHIANTI

de la maîtresse des lieux, qui a élu domicile ici depuis 20 ans pour profiter pleinement de la sérénité de la campagne italienne, après avoir sillonné les routes de la planète. Ici, c'est une vraie chambre d'hôtes, rien à voir avec l'hôtellerie traditionnelle. Jocelyne cultive elle-même son potager à base de produits biologiques. On partage la maison avec son occupante. On a beaucoup aimé l'ambiance des lieux et la compagnie de Jocelyne.

Azienda agricola La Colombaia : *loc. San Martino ai Colli, via Cassia, 16, 50021 Barberino in Val d'Elsa. 33-85-98-97-18 ou 33-85-23-83-77. • lacolombaia@tin.it • lacolombaiagriturismo.it • À 2 km de Barberino, sur la via Cassia SS 2, en direction de Poggibonsi, sur la droite dans le bourg de San Martino ; attention, la pancarte n'est pas bien visible. Congés : 1er nov-31 mars. Prix à la sem pour 2-4 pers : 270-450 € (réduc sept-oct). CB refusées. Produits de la maison offerts sur présentation de ce guide.* Différents appartements répartis dans une ancienne ferme indépendante. Meubles rustiques (poêles différents dans chaque chambre), charpentes et murs blancs. Essayez d'avoir le pigeonnier (en haut d'un escalier pentu), bien aéré et tout mignon, avec ses fenêtres en arcades donnant sur la campagne et ses poutres au plafond. Bon accueil.

Où manger dans les environs ?

Osteria La Gramola : *via delle Fonti, 1. ☎ 055-805-03-21. • osteria@gramola.it • Tlj. Services à partir de 12h et de 19h. Menus 18-50 € ; compter 25-30 € à la carte. Café offert sur présentation de ce guide.* 2 gros tonneaux en guise d'accueil pour planter le décor. Ici, on fait la part belle aux légumes de saison. Grand choix de vins. Accueil discret mais efficace.

Osteria di Passignano : *loc. Badia a Passignano, via Passignano, 33, 50028 Tavarnelle Val di Pesa. ☎ 055-807-12-78. • info@osteriadipassignano.com • Entre Greve et Tavarnelle. En venant de Greve, passer par Montefioralle, puis suivre « Badia a Passignano ». Fermé dim. Congés : 10 janv-10 fév. Pour les routards aux poches pleines, compter au moins 65 € pour un repas complet.* L'*osteria* est réputée dans la région pour sa cuisine de terroir, inventive et fameuse. On retiendra notamment le millefeuille de lapin au basilic et romarin, le risotto aux tomates piquantes et les pâtes fraîches farcies au *pecorino* de Corzano. À côté du resto, *La Bottega (tlj sf dim 10h-19h30)*, une salle d'exposition et de dégustation de très bons vins de la famille Antinori. Visite (payante) des caves et dégustation sur demande. Également des cours de cuisine (120 €, repas du soir compris). Si vous êtes dans le coin, ne manquez pas de jeter un œil à l'abbaye, aussi impressionnante de près que de loin. Fondée au tout début du XIe s par une communauté de bénédictins. On ne peut malheureusement pas la visiter, mais il est possible d'admirer l'entrée et la façade de l'église.

➤ DANS LES ENVIRONS DE TAVARNELLE

BARBERINO IN VAL D'ELSA

On entre dans le bourg fortifié par l'une ou l'autre de ses deux superbes portes. À l'intérieur, plusieurs palais à admirer, notamment le palais prétorien, au no 40 de la via Francesco di Barberino, dont la façade est ornée de nombreuses armoiries (comme au palais de Radda). Au centre du bourg, l'*église San Bartolomeo*, de style néoromantique du début du XXe s, s'intègre plutôt bien à l'architecture du village. Depuis l'esplanade, devant l'église, vue plongeante sur la campagne environnante. Voir aussi, à quelques kilomètres du village, la *pieve di Sant'Appiano*, une église romane du XIIe s. À l'intérieur, belles fresques datant des XVe et XVIe s, de l'école florentine.

SAN DONATO IN POGGIO

À l'est de Tavarnelle. La route SP 76, qui va de Tavarnelle à Castellina en passant par San Donato, est l'une des plus jolies du coin. Juste après avoir traversé le village San Donato (lorsque l'on va vers Castellina), voir, sur la gauche, le *santuario di Santa Maria delle grazie di pietra cupa*. Le village, fortifié, est vraiment charmant. On entre dans le *castrum* en passant sous l'une des deux portes le délimitant. Agréable balade dans les quelques petites rues du bourg. En contrebas, impressionnante église romane avec tour crénelée.

Adresse et info utiles

i @ *Informations touristiques* *(Pro Loco)* ***:*** *via del Giglio, 47. ☎ 055-807-23-38. • sandonatoinpoggio.it • Avr-oct, lun-sam 9h-12h30, 16h-19h ; dim et j. fériés 9h30-12h30. Le reste de l'année, ouv slt mar mat et jeu ap-m.* Infos sur la région, point Internet et petit musée (entrée gratuite) sur la vie quotidienne et champêtre dans la région.
– ***Marché :*** *ven mat.*

Où dormir ?

Agriturismo Campolungo : *strada Cerbaia, 2, 50020 San Donato in Poggio. ☎ 057-774-03-18. 338-303-93-52. • info@sandonatino.com • sandonatino.com • À 1 km du village. Bien indiqué, suivre le panneau « Campolungo ». Fermé début nov-début avr. Doubles 45-60 € selon saison. Apparts pour 4-6 pers 500-1 400 €. Min 3 nuits. Apéro offert sur présentation de ce guide.* Magnifique *agriturismo* idéalement situé, niché au milieu des vignes et des oliviers entre Florence et Sienne. 4 chambres doubles et 6 appartements aux noms d'artistes toscans : Galileo, Giotto, Cimabue Petrarca, Boccacio ou encore Leonardo. Nos préférés : Michel Angelo, très original avec sa mangeoire d'époque, ou encore Dante avec sa vue sur la piscine et sa belle terrasse ouverte. Rénovés avec des matériaux nobles et du mobilier toscan, comme les poutres centenaires, les sols en terre cuite, ou encore les armoires chinées chez les antiquaires... On ne peut que saluer cette belle initiative. Accueil dans une jolie salle voûtée avec un imposant pressoir à huile et vente des produits maison (voir plus loin « Où acheter du bon vin et de l'huile d'olive ? » à Castellina). Belle et grande piscine au pied des vignes, ainsi qu'une grande terrasse où l'on peut rêvasser en admirant le panorama époustouflant. L'accueil chaleureux et attentionné du couple franco-italien, Manola et Mathieu Ferré, nous a conquis. Ils ne ménagent pas leur énergie pour vous faire passer un séjour inoubliable. Tout est fait pour qu'on s'y sente bien : pari réussi ! Notre coup de cœur dans le coin. Depuis peu, cette famille dynamique a rénové une magnifique maison *San Donatino di Sotto* de 6 chambres. Située à 1 km du centre de Castellina, cette villa est idéale pour plusieurs familles. La vue est magnifique et on bénéficie d'un calme absolu. Très bien équipée. Jolie Piscine. Location à la semaine.

Où manger ?

Locanda di Pietracupa : *via Madonna di Pietracupa, 31. ☎ 055-807-24-00. • info@locandapietracupa.com • Fermé mar. Compter 40 € pour un repas. 60 € la double.* Une des tables les plus agréables de la région. Une jolie grille en fer forgé en guise de bienvenue, une vue magnifique sur les collines du Chianti classico, un accueil adorable... Et la cuisine dans tout ça ? Simple et savoureuse, on retrouve ici tous les classiques qui fleurent bon la Toscane : *cinghiale, bistecca, lardo di Colonnata, fegatino* (foie de volaille), *fagioli*... Carte des vins longue comme le bras. Terrasse avec vue sur la campagne environnante. Également une poignée de chambres accueillantes et colorées. Une charmante adresse qui mérite une halte, voire un détour !

IMPRUNETA (50023) 15 230 hab.

À 13 km au sud de Florence, Impruneta, la « ville entourée de pinèdes », faisait partie, au Moyen Âge, des territoires de la riche famille Buondelmonti. Aujourd'hui, elle est surtout connue comme la capitale européenne de la terre cuite *(cotto)*. À côté de l'importante production industrielle (tuiles et briques), des artisans travaillent encore selon les procédés traditionnels. À l'intérieur de la basilique Santa Maria dell'Impruneta, des œuvres de Luca della Robbia et de Jean Bologne. Noter le clocher raffiné du XVIIIe s, côtoyant un campanile roman massif. Le célèbre graveur Jacques Callot vint ici chercher des sujets pour ses estampes.

Arriver – Quitter

➢ ***Depuis Florence :*** nombreux bus, lun-sam 6h30-20h30 (départ ttes les 30 mn). Dim, 8 bus, 7h20-20h30. L'arrêt se trouve près de la gare, largo Alinari.

Adresse et info utiles

ℹ ***Associazone turistica Pro Impruneta :*** *piazza Garibaldi.* ☎ *055-23-13-729.* ● *proimpruneta@rtd.it* ● *soggiornareaimpruneta.com* ● *Tlj sf lun 10h-13h et aussi mar-sam 15h-18h.* Propose des excursions à Florence, dans le Chianti, des cours de cuisine et dégustations de vin. Listes des adresses d'*agriturismi* du coin, des *aziende* productrices de vin et d'huile d'olive, et des ateliers de *cotto* (terre cuite).

– ***Marché :*** *sam mat.* Très coloré.

Où dormir ? Où manger ?

🏠 |●| ***Albergo-ristorante Bellavista :*** *via della Croce, 2.* ☎ *055-201-10-83.* ● *info@bellavistaimpruneta.it* ● *bellavistaimpruneta.it* ● *Doubles 75-95 € ; apparts 90-150 € ; petit déj-buffet 10 €. Au resto, repas complet env 30 €. Parking gratuit. Wifi. Petit déj (à l'hôtel) offert sur présentation de ce guide. Ne pas le confondre avec le resto du rdc qui se fait aussi appeler* « Bellavista ». Auberge sympathique, avec un petit côté rustique et propret bien agréable. Chambres tranquilles, entièrement refaites à neuf et toutes avec salle d'eau. Confort impeccable et déco réussie. Murs ocre, jolies faïences dans les salles de bains et meubles patinés. Petit déj servi dans la grande salle aux baies vitrées avec vue panoramique sur la vallée, ou encore sur la terrasse qui surplombe la place d'Impruneta. La même famille assure un accueil chaleureux (mais une cuisine régionale pas inoubliable) depuis 1905. Le patron et son fils parlent le français.

Où dormir dans les environs ?

Camping

⛺ |●| ***Camping Internazionale Firenze :*** *via San Cristofano, 2, 50029 Bottai-Impruneta.* ☎ *055-237-47-04.* ● *internazionale@florencecamping.com*

● florencecamping.com ● ♿ Seul camping proche d'Impruneta (env 7 km). À mi-chemin entre Florence et Impruneta, sur la route qui va à San Casciano, tt près de Certosa. Depuis Florence, route SS 2 vers Sienne, sortie après Certosa, puis tourner à gauche après la localité de Bottai ; ou bus n° 37 ou 68 jusqu'au terminus. Fermé 3 nov-15 mars. Compter env 33 € l'emplacement pour 2 avec tente, 65 € en bungalow ; tarifs variables selon saison. Loc de caravane 55 €. Chèques de voyage acceptés. Internet, wifi. Douches chaudes gratuites. Piscine (à partir du 1er juin), épicerie, bar, pizzeria.

Bon marché

Azienda agricola L'Erta di Quintole : *via di Quintole, 43. ☎ 055-20-11-191 ou 055-20-11-423. ● info@ertadiquintole.it ● ertadiquintole.it ● À 5 mn en voiture d'Impruneta. De la place, prendre la via Leopoldo Vanni, puis suivre la direction Pozzolatico et ensuite Quintole ; tourner à gauche après 800 m. Env 65 € pour 2. Également 5 très beaux apparts tt confort tt équipés 90 €. Sur présentation de ce guide, dégustation gratuite de l'huile et du vin de la maison.* Le jeu de piste pour la dénicher en vaut la peine : on se retrouve vraiment en pleine nature, dans une belle *azienda* souvent primée pour la qualité de son huile d'olive (voir le pressoir de 1835). Superbe piscine avec panorama sur les vignes et les champs d'oliviers. Accueil très cordial.

Prix moyens

Agriturismo Olmi Grossi : *via Imprunetana per Tavarnuzze, 49. ☎ 055-23-13-883. ● info@agriturismo-olmigrossi.com ● agriturismo-olmigrossi.com ● ♿ À 1 km d'Impruneta et 12 km du centre de Florence. Compter env 70-120 € l'appart pour 2-4 pers, petit déj inclus ; prix dégressif selon durée. Wifi.* Grande ferme récemment rénovée. Calme, en retrait de la route. Dans l'une des chambres, un grand lit sous la lucarne d'un toit mansardé, parfait pour roucouler sous les étoiles du ciel toscan. Jardin fleuri et jolie terrasse. Piscine. Plaira particulièrement aux amateurs d'équitation : manège en face de la maison et balades à cheval organisées dans les environs. Vente d'huile d'olive, de miel et de vin à prix compétitifs. Dommage que le service et l'accueil ne soient pas à la hauteur.

Baruffi : *via di Quintole Le Rose, 87/93. À 5 km au nord d'Impruneta. Représenté par* Loc'Appart. *☎ 01-45-27-56-41. ● locappart.com ● Compter 105 € la nuit pour 2 (frais de gestion en sus).* 2 appartements sobres et décorés avec goût situés dans les dépendances d'un vieux moulin. Depuis la terrasse de la maison, vue panoramique sur la région du Chianti. Belles balades à faire dans l'oliveraie.

Plus chic

La Casa Gialla : *via Impruneta per Pozzolatico, 25. ☎ 055-20-11-994. 📱 33-98-85-98-87. ● paolascapicchi@interfree.it ● bb-apt.it ● À 5 km du centre-ville, en direction de Pozzolatico. Petit chemin d'accès sur la gauche, mais pas d'indications... mieux vaut passer à l'office de tourisme pour visualiser l'itinéraire (voir plus haut). Doubles 90-135 € ; apparts pour 2-4 pers 840-980 €/sem. Internet. Apéritif maison offert sur présentation de ce guide.* Un bien bel endroit. La maison est entourée d'oliviers, dont la famille tire une petite production d'huile. Belle terrasse fleurie et jolie piscine. Les chambres, toutes différentes, sont meublées avec beaucoup de goût. Mme Marchetti, passionnée de brocante, a disposé dans toute la maison de très beaux meubles et objets anciens. Toutes les pièces sont spacieuses. Appartements très bien équipés et fort agréables.

Où manger une glace ?

Gelatilandia : *piazza Accurso da Bagnolo, 31. ☎ 055-231-35-24. Tlj sf mer 16h-minuit. Congés : déc-janv. Réduc de 10 % sur présentation de ce guide.* Excellentes glaces bien crémeuses et *granite*. Les locaux s'y précipitent... et nous aussi ! Minuscule terrasse.

Où déguster (et acheter) du chianti et de l'huile d'olive dans les environs ?

Fattoria di Bagnolo : *via Impruneta per Tavarnuzze, 48. ☎ 055-23-13-403. • marco@bartolinibaldelli.it • bartolinibaldelli.it • Sam 8h30-12h30, 14h30-18h30 ; le reste de la sem, mieux vaut téléphoner ; sinon, tenter de sonner au n° 32.* Dégustation et vente d'une très bonne huile d'olive, de vins, de *grappa* et de *vino santo*. Également pâte d'olives noires ou vertes et confiture de mûres.

À voir

Basilica di Santa Maria : *piazza Buondelmonti.* L'église date du XIe s (tour du XIIIe s) mais a subi de nombreuses modifications au fil des siècles. Les colonnes et les arcs de la façade sont l'œuvre de G. Silvani (1634). À l'intérieur, voir les œuvres de Luca della Robbia (dont le tabernacle en terre cuite), artiste du XVe s, et le *museo del Tesoro di Santa Maria* qui renferme un patrimoine constitué par des siècles de dévotion et d'offrandes (argenterie) à la Sainte Vierge de l'Impruneta.

Il cotto : dès le Moyen Âge, les artisans de la région surent tirer parti de la qualité de la terre des collines avoisinantes et devinrent de véritables experts dans les procédés de cuisson et de travail de la terre cuite. Les architectes et les artistes de Florence s'en souviendront lors de la construction et de la décoration des édifices de la ville. Brunelleschi, par exemple, fera appel aux artisans d'Impruneta pour construire le toit de Santa Maria del Fiore. Aujourd'hui, le développement technologique a transformé cet art en production industrielle et massive (tuiles, briques, sols). Il reste cependant des potiers qui poursuivent leur œuvre selon des méthodes traditionnelles.
– *Visites :* plusieurs ateliers sont proches de la place d'Impruneta. Descendez par la via della Fonte et vous arrivez dans la zone industrielle où sont concentrées la plupart des fabriques de terre cuite, généralement ouvertes de 8h à 12h30 et de 15h à 18h. Liste des manufactures disponible à l'office de tourisme. La diversité et la quantité d'objets présentés sont impressionnantes : superbes jarres, cruches, bustes, têtes de lions, anges, etc.

Achats

Manifattura Imprunetana Terrecotte Artistiche e Laterizi : *via di Cappello, 31 ; dans la zone artisanale d'Impruneta. Sur la piazza Buondelmonti en venant de Florence, prendre à droite. ☎ 055-201-14-14. • info@terrecottemital.it • terrecottemital.it • Lun-ven 8h-13h, 14h30-19h ; sam 8h30-13h, 14h30-17h30. Fermé dim, et sam en août.* La famille Mariani (fournisseur officiel du Vatican) a probablement le choix le plus large parmi les artisans de *terrecotte* d'Impruneta. Les pots et jarres de toutes sortes et de toutes formes vieillissent tranquillement sous les cyprès. Possibilité de livraison à l'étranger. Accueil pro.

Manifestations

– ***Salon d'antiquaires :*** *dernière sem d'avr.* Depuis une bonne quinzaine d'années a lieu, dans le cloître de la basilique Santa Maria, une grande expo-vente d'objets et de meubles anciens.
– ***Fête du raisin :*** *dernier dim de sept.* Défilé de chars, danses et dégustations de vins (pour changer !).
– ***Foire de San Luca :*** *3e sem d'oct.* Initialement foire au bétail, à l'époque des transhumances, c'est aujourd'hui l'occasion de courses de chevaux et repas de fête.

GREVE IN CHIANTI

(50022) 12 700 hab.

À 31 km au sud de Florence, sur la route du Chianti, la N 222, Greve in Chianti est situé sur un axe routier ancien et constitue depuis longtemps un lieu d'échanges important. La bourgade est d'ailleurs souvent considérée comme la capitale du *chianti classico.* Au cœur de Greve, la superbe place du Mercatale, de forme triangulaire et bordée de coquettes maisons à arcades, avec la statue du célèbre Giovanni Verrazzano.

Adresse et info utiles

ℹ ***Office de tourisme :*** *piazza Matteotti, 11.* ☎ *055-85-46- 299. Tlj 10h-13h, 14h-18h. Dans le même local, une agence de voyages,* Chianti Slow Travel *(• chiantislowtravel.it •), propose des prestations intéressantes pour des visites dans le coin (découverte de villages, routes des vins, cours de cuisine, etc.). Annexe viale G. da Verrazzano : mar-ven 10h-13h, 14h-19h ; sam 9h-13h (en été slt).*
@ ***Internet :*** quelques ordis au café *Lepanto,* sur la place Matteotti.

Où dormir ?

Prix moyens

🏠 🍽 ***Pian del Gallo :*** *via Uzzano, 31.* ☎ *055-85-33-65. • piangal@tin.it • piandelgallo.it • À 1 km du centre par une minuscule route de campagne. Suivre les indications vers « Casa Nova » et « Pian del Gallo ». Double 65 € ; petit déj 5 €. Apparts 2-6 pers 65-80-130 €, avec cuisine équipée et TV. On peut aussi y dîner pour env 30 €. Internet. Réduc de 10 % nov-mars sur présentation de ce guide.* Jolie maison de campagne vraiment pleine de charme, dans laquelle les bergers faisaient halte autrefois. Belles chambres, confortables et paisibles. Accueil jovial du maître des lieux, Ettore Ambrosini, qui vous chouchoute et s'empresse de vous faire goûter son vin. Demander une chambre donnant sur le jardin, à l'arrière, entre les 2 ailes de la propriété. Un petit jardin de rêve avec quelques grosses jarres, des plantes à profusion, des chaises en fer forgé, une piscine. Au resto, bonne cuisine de terroir mijotée comme il faut.
🏠 🍽 ***Albergo Casprini da Omero :*** *via Falcone, 68, loc. Passo dei Pecorai.* ☎ *055-85-07-16. • casprini@cdaomero.com • cdaomero.com • ♿ (resto). À 7 km au sud d'Impruneta et à 5 km au nord de Greve, près de Ferrone. On trouve facilement cette adresse, car elle est en bord de route. Resto fermé mer. Doubles env 55 € sans douche, 75 € avec ; apparts avec kitchenette 70-*

130 € ; petit déj 7 €. Au resto, compter env 25 € pour un repas complet ; menus 15-45 €. Parking gratuit. Réduc de 10 % sur le prix de la chambre sur présentation de ce guide. Demander une chambre donnant sur le jardin, à l'arrière. Bonne cuisine de terroir mijotée comme il faut. Une honnête auberge, tenue avec soin par une famille installée ici depuis longtemps. Elle servit autrefois de refuge aux bergers à l'époque de la transhumance.

Plus chic

■ ***Agriturismo Casa Nova La Ripintura** : via di Uzzano, 29-30. ☎ 055-85-34-59. ● info@casanova-laripintura.it ● casanova-laripintura.it ● ♿ Adresse voisine de la précédente. Prendre la rue A. Gramsci, perpendiculaire à la route principale, et la suivre jusqu'au bout. Congés : nov-fév. Résa conseillée. Double 80 €, apparts 85-115 € pour 2-4 pers, petit déj compris. Réduc de 10 % sur le prix de la chambre sur présentation de ce guide.* Superbe maison toscane. Les 2 plus belles chambres sont à l'étage et s'ouvrent sur une grande terrasse en pierre d'où l'on aperçoit les collines du Chianti. Mais aussi quelques belles chambres récemment aménagées dans une annexe, bien meublées et décorées avec soin. Pour les amoureux des paysages toscans. Animaux bienvenus.

■ ***Albergo Giovanni da Verrazzano** : piazza Matteotti, 28. ☎ 055-85-31-89. ● info@albergoverrazzano.it ● albergo verrazzano.it ● Double 120 €, petit déj inclus. Wifi. Remise de 5 % sur le prix de la chambre sur présentation de ce guide.* Chambres rustiques de belle taille, tranquilles, propres et confortables. Accueil cordial. Fait également resto (voir « Où manger ? »).

■ |●| ***Albergo del Chianti** : piazza Matteotti, 86. ☎ 055-85-37-63. ● info@alber godelchianti.it ● albergodelchianti.it ● Fermé lun. Congés : janv. Double 85 €, petit déj-buffet compris.* Chambres avec bains, minibar, TV et AC. Essayer de loger dans une de celles ayant vue sur la place ; les autres donnent sur le jardin. Pour les allergiques aux bestioles, moustiquaires dans certaines chambres (demandez-les lors de votre résa). Belle piscine et grande terrasse. Resto au rez-de-chaussée. Idéalement situé.

Où dormir dans les environs ?

Prix moyens

■ ***Agriturismo Poggio all'Olmo** : via Petriolo, 30. ☎ 055-854-90-56. ● olmo@ greve-in-chianti.com ● greve-in-chianti. com/olmo ● À 6 km de Greve, en allant vers Lamole. Fermé de fin oct à mi-mars. Double 75 € ; mini-apparts 90-130 € pour 2-4 pers ; petit déj 10 €.* Ancienne ferme retapée, au milieu des vignes, avec vue splendide sur la campagne environnante. Calme royal et accueil franchement sympathique. Belle piscine. Plein de petits détails rendent le lieu encore plus joli, comme les fleurs plantées sur les ceps de vigne. Une belle découverte.

■ |●| ***La Camporena Giorgi Giorgio** : via Convertoie, 27. ☎ 055-85-31-84. ● info@lacamporena.com ● lacamporena. com ● ♿ À 2,8 km de Greve (direction Figline). Compter 73 € pour 2 ; petit déj 5 €. Possibilité de dîner, sf dim et j. fériés (réservé aux clients de l'hôtel) : 18-30 € le repas. Parking gratuit. Petit déj offert sur présentation de ce guide.* Chambres de différentes tailles, toutes avec douche mais sans charme particulier. Le côté vieillot des lieux est compensé par une propreté irréprochable. Et puis l'endroit est plutôt agréable, isolé au beau milieu des collines, avec une large terrasse offrant une vue panoramique sur la vallée, une jolie piscine (pour le prix, c'est pas mal !) et des transats où fainéanter.

Où manger ?

Bon marché

|●| ***Ristorante Il Portico :*** *piazza Matteotti, 83. ☎ 055-854-74-26. Tlj sf mer, midi et dim soir en hte saison ; fermé dim soir en basse saison. Compter 15-20 €.* Déco dépouillée avec tables et chaises en bois, et cuivres aux murs. Une *trattoria* comme on les aime, avec sa petite terrasse ombragée. Un choix limité, mais l'essentiel est là : la fraîcheur ! Les raviolis aux aubergines ou encore les *penette* aux champignons ou aux truffes sont fameux. Accueil souriant.

|●| ***Il Nerbone :*** *piazza Matteotti, 22. ☎ 055-85-33-08. • info@nerbonedigreve.com • Tlj sf mar 12h-15h, 19h-22h. Congés : janv. Plats env 9 € ; repas complet 25-30 €.* Aménagé dans une bâtisse datant de 1872, ce resto a pignon sur rue avec ses voûtes de pierre et ses longues tables en bois sous les arcades de la place. Adresse recommandée surtout pour ses *bolliti e lampredotto* à arroser des vins des *castelli* du coin. Service bousculé à l'heure du déjeuner.

Prix moyens

|●| ***Pizzeria La Cantina :*** *piazza Trento, 3. ☎ 055-85-40-97. • info@pizzerialacantina.it • ♿ Tlj sf ven 10h-minuit. Congés : 10 janv-5 mars.* Pizze à partir de 4,50 € ; pâtes env 7 €. *Apéritif maison offert sur présentation de ce guide.* Une bonne petite adresse à l'écart de la célèbre place triangulaire. 2 belles salles rafraîchissantes aux murs de pierre, très agréables quand on a arpenté depuis l'aube les petits villages de la région. Les pâtes sont excellentes, et le four à pain s'active pour de belles pizzas légères mais bien garnies. Accueil souriant. Que demander de plus ?

|●| ***Mangiando Mangiando :*** *piazza Matteotti, 80. ☎ 055-854-63-72. • info@mangiandomangiando.it • Tlj sf jeu 12h-15h, 19h-22h30. Congés : 8 janv-8 fév. Compter 25-30 € pour un repas. Café offert sur présentation de ce guide.* Un petit resto frais et accueillant, niché dans une des vieilles demeures de la place. Vieilles tables en bois, murs blancs et tonneaux suspendus. La cuisine se trouve dans un coin ouvert de la pièce où les cuisiniers s'affairent. Des petits plats savoureux : salades généreuses, délicieux *crostini*, pâtes aux herbes fraîches, légumes grillés gratinés de fromage fondu. Le tout à des prix démocratiques.

|●| ***Enoteca Fuoripiazza :*** *via I° Maggio, 2, à l'angle de la piazza Trento. ☎ 055-854-63-13. • enotecafuoripiazza@inwind.it • Un peu à l'écart du centre-ville. Tlj sf lun 11h-22h. Compter 25 € le repas.* Belle salle avec poutres, étiquettes de vins en guise de déco murale, bar majestueux en demi-cercle. Quelques tables façon bistrot où l'on déguste sans chichis des plats typiques toscans ou un bon plat de pâtes. Ambiance authentique mais accueil pas toujours à la hauteur.

|●| ***Ristorante-albergo Giovanni da Verrazzano :*** *piazza Matteotti, 28. ☎ 055-85-31-89. • info@albergoverrazzano.it • Voir « Où dormir ? ». Resto au 1er étage, avec vue sur la place. Tlj mai-oct ; fermé dim soir et lun en hiver. Congés : janv. Compter tt de même 40 € pour un repas complet sans la boisson.* Cuisine traditionnelle toscane : beaux plats de pâtes en entrée, notamment les *pappardelle al cinghiale* (env 8 €). Lapin, agneau, osso buco.

Chic

|●| ***Bottega del Moro :*** *piazza Trieste, 14 r. ☎ 055-85-37-53. • info@labottegadelmoro.it • Fermé lun. Compter 35 € pour un repas sans le vin.* Charmante *bottega* en plein cœur de Greve. Le talent du jeune chef Andrea Parronchi,

LA RÉGION DU CHIANTI

connu dans toute la région, n'est plus à prouver. Sa cuisine toscane, portée vers la mer, est légère et revisitée tel le *millefoglie di bacalà* ou *tagliata di tonno roso al sesamo.* On peut aussi se contenter d'un savoureux plat de pâtes. Produits hyperfrais, selon l'arrivage du bateau ou le marché du jour. Belle carte de vins adaptée selon les budgets. Accueil aux petits soins et belle terrasse aux beaux jours (attention, il peut y faire très chaud !). À l'intérieur (lors de soirées plus fraîches), romantisme assuré avec atmosphère feutrée et bougies sur les tables. Un bel endroit pour passer un agréable moment.

Où déguster du chianti ?

Le Cantine di Greve in Chianti : *piazzetta delle Cantine, 2. ☎ 055-85-46-404. • info@lecantine.it • lecantine.it • ♿ Tlj 10h-19h. Réduc de 10 % sur la* wine card *sur présentation de ce guide.* Dans la fraîcheur de cette *enoteca* (la plus grande du Chianti) joliment rénovée, vous pourrez déguster les dizaines de vins du Chianti ou d'autres appellations italiennes (plus de 140), ainsi que de l'huile d'olive des grandes *fattorie* environnantes. Le système de la *wine card* (de 10 à 25 €) permet aux néophytes de se sensibiliser et de goûter avant d'acheter (attention, les prix ne sont pas les mêmes selon le millésime). Bon point : vous n'êtes pas obligé de consommer tout votre crédit sur la carte (la maison rembourse ce que vous n'avez pas bu). La modération s'impose ! Vente d'assiettes de charcuteries et de fromages (qui viennent directement de l'*Antica Macelleria Falorni* : c'est la même maison) pour accompagner le vin (ou pour rester sobre). Même système pour l'huile d'olive qu'on déguste sur du pain. Accueil efficace et pro.

Où déguster du chianti (et dormir) dans les environs ?

Castello di Verrazzano : *☎ 055-85-42-43. • info@verrazzano.com • verrazzano.com • À env 4 km au nord de Greve ; petit chemin sur la gauche en venant d'Impruneta à partir de la* chiantigiana. *Propose différentes formules de visites guidées. À partir de 14 € pour la visite des caves et des jardins, suivie d'une dégustation, lun-ven à 10h et 15h. Sinon, vente directe dans un local au bord du chemin qui mène au château, près de la route : ☎ 055-85-32-11. Tlj 10h-13h, 14h (15h dim)-19h. Propose également 7 chambres (compter 90 €, petit déj inclus) et 2 apparts de 2 à 4 pers (100-140 €). Résa en bas de la route menant au château, dans le chalet en bois.* Domaine viticole vieux de 900 ans.

Castello di Querceto : *via A. François, 2, à Dudda. ☎ 055-85-921. • querceto@castellodiquerceto.it • castellodiquerceto.it • À 8 km à l'est de Greve, en direction de Figline, avt d'arriver à Dudda. Congés : de mi-janv à mi-mars. Dégustation lun-ven 10h-18h (et sam ap-m en été). Résa longtemps à l'avance conseillée. Apparts 450-550 €/sem selon saison et taille ; petit déj 8 €. Internet. Réduc de 10 % sur présentation de ce guide.* Un château avec une vraie belle tour crénelée et de magnifiques jardins. Le domaine appartient à la famille François, d'origine française, qui s'est installée en Toscane durant le XVIIIe s. Sur 190 ha, répartis en vignobles, châtaigneraies et oliveraies, la propriété possède plusieurs crus de *chianti classico* : le Capanne, le Castello di Querceto riserva ; des vins rouges : le Corte, le Picchio, le Querciolaia, le Cignale ; quelques blancs. Sans oublier le *vino santo,* les eaux-de-vie et les *querciocchi,* des petits chocolats fourrés à l'eau-de-vie. On a beaucoup aimé les apparts de l'annexe, à quelques enjambées seulement de la piscine.

Villa Vignamaggio : *via Petriolo, 5. À quelques km de Greve, sur la route de Lamole. ☎ 0558-54-66-53. • agrituris* *mo@vignamaggio.com • vignamaggio.com • ♿ Congés : 15 déc-15 mars. Visites guidées sur rdv (sf ven et dim). Compter env 15 € pour la visite des jardins à l'italienne et des caves, suivie d'une dégustation de vin et de fromages. On peut loger à la villa moyennant 150-200 € pour 2 ; petit déj 12 €. Apparts à partir de 200-220 €. Internet, wifi.* Les vignes de Vignamaggio sont parmi les plus anciennes de la région. La bâtisse date du XIVe s mais fut restaurée au XVIe. Derrière sa façade rose framboise délavée, elle abrite des chambres, suites et appartements très confortables, avec meubles anciens et déco sobre et de bon goût. On appréciera les petits plus, tels que la bouilloire, le thé et le café à volonté et, dans la salle de bains, les produits de marque. Piscine, terrain de tennis, ping-pong, billard, VTT. On dit que Mona Lisa serait née ici. Ce qui est sûr, c'est que Kenneth Branagh y tourna *Beaucoup de bruit pour rien* en 1993.

***Tenuta La Novella :** via Musignana, 11, San Polo in Chianti. ☎ 055-833-77-49. • tenutalanovella.com • À 5 km à gauche en venant de San Polo (bien indiqué).* Majestueuse bâtisse perdue au milieu des collines du *chianti classico.* On accède à la propriété par une imposante allée de cyprès. Abandonné pendant de (trop) nombreuses années, ce magnifique domaine renaît de ses cendres grâce à la volonté de la famille Schneider dans les années 1990. Et c'est une réussite ! Aujourd'hui, une solide équipe franco-italienne est à la tête du domaine. Une production et un savoir-faire que l'on doit à 2 viticulteurs français qui se partagent entre leur domaine bordelais et les collines toscanes. Résultat : un excellent vin, bio de surcroît ! Une bonne étape dans la région.

Où faire ses courses alimentaires ?

***Antica Macelleria Falorni :** piazza Matteotti, 71. ☎ 055-85-30-29. • info@falorni.it • Lun-sam 8h-13h, 15h30-19h30 ; dim et j. fériés 10h-13h, 15h30-19h.* Des salaisons en veux-tu en voilà ! Et de toutes sortes. Le sanglier est à l'honneur, décliné en pâté, en conserve et en saucisson. Spécialités de la maison : *capocollo* (tête et museaux roulés), *salame di cinghiale, salame mantanaro...* Belle cave à fromages (principalement du *pecorino*). Qualité au rendez-vous et emballage sous vide : pratique pour les pique-niques ou pour rapporter, si vous êtes en fin de séjour. Possibilité également de déguster un bon chianti. Adresse incontournable dans la région.

***Pandemonio :** via Garibaldi, 12. ☎ 055-85-35-30. Tlj 8h-19h30.* Excellente *sfoglia* (sorte de pâte à pizza pliée en 2 et fourrée), plein de sortes de pains (pour composer un sandwich avec les salaisons achetées chez *Falorni*), et des gâteaux et pâtisseries très réussis.

***Il Forno :** piazza Matteotti, 89. Hiver, tlj 7h-13h, 16h30-19h30 ; été, 7h-13h, 17h-20h. Congés : 15 j. en août.* LA boulangerie de Greve : locaux et touristes font la queue devant cette minuscule échoppe (n'oubliez pas de prendre un ticket). Gage de sérieux et de fraîcheur, tous les restaurateurs du coin viennent s'y ravitailler, c'est dire ! Idéal aussi pour le pique-nique du jour.

Achats

***Galleria Materiacrea-Geometrie di Antonella Ciapetti :** piazza Matteotti, 51. ☎ 055-85-31-72. • info@materiacrea.com • Ouv 15 mars-15 nov 10h-19h.* Outre la grande place donnée aux céramiques traditionnelles toscanes, la galerie expose des céramiques plus contemporaines. Celles d'Antonella Ciapetti nous ont particulièrement plu, remarquables par leurs formes et leurs couleurs rouge et turquoise. Pour rapporter dans votre valise un joli souvenir toscan.

À voir

Museo del Vino : *piazza N. Tirinnanzi, 10. ☎ 055-854-62-75. Lun-sam 11h-13h30, 14h-18h. • museovino.it • Entrée : 5 € (avec l'audioguide).* Voilà un petit musée qui retrace l'histoire du vin ainsi que le travail des viticulteurs de la région. Au rez-de-chaussée, deux petites salles qui exposent maquettes de bateaux (commerce maritime entre la Botte et ses colonies au XIXe s), vieilles étiquettes de vins et tonneaux. C'est au sous-sol que la visite est la plus intéressante. En témoignent de nombreux outils viticoles, le cellier qui regorge de vieilles bouteilles millésimées, ainsi que les différentes étapes de la transformation du raisin... en vin ! Également une vidéo (en anglais ou italien) de 30 mn. Intéressant.

Museo di San Francesco : *via di San Francesco, 14. Installé dans l'ancien hospice de San Francesco, en allant vers Montefioralle. ☎ 055-85-46-299 (office de tourisme) ou 055-85-44-685. • museosanfrancesco@alice.it • Jeu et ven 10h-13h ; sam et dim 16h-20h. Horaires restreints en hiver. Entrée : 4 €.* Nombreuses œuvres d'art (peintures, sculptures, objets...) appartenant au patrimoine religieux du Chianti, exposées dans quatre pièces différentes. Petite terrasse pour prendre un verre après la visite. Très jolie vue sur Greve et les environs.

Chiesa Santa Croce : belle petite église dominant la célèbre place triangulaire. Elle fut construite dans les années 1830, sur les ruines d'un ancien oratoire. À l'extérieur, vous pouvez admirer la belle façade à trois arcs. Dans les niches, on aperçoit les statues de saint Jean-Baptiste et saint François. À l'intérieur, plafond à caissons et beau tabernacle du XIVe s. À droite de l'entrée, panneau avec les horaires des messes des églises des hameaux voisins (Montefioralle, Chiocchio, San Polo, Lamole, Lucolena, Dudda, Poggio alla Croce). Bien pratique pour ceux qui désirent les visiter, car beaucoup d'églises n'ouvrent leurs portes qu'à ce moment-là.

Marchés et manifestations

– **Grand marché :** *sam mat (jusqu'à 13h), piazza Matteotti.* Étals de charcuteries toscanes, gibier, *porchetta* préparée et vendue au poids ou en sandwichs, pâtes fraîches... qui côtoient vêtements et ustensiles de cuisine.
– **Foire des antiquaires :** *lun de Pâques et 2e dim d'oct.* Meubles authentiques ou très belles copies qui font la joie des chineurs. Réputée dans la région.
– **Fête des Genêts :** *en juin.*
– **Foire aux vins :** *2e w-e de sept.* Très populaire.

➤ DANS LES ENVIRONS DE GREVE IN CHIANTI

LE PARC NATIONAL MONTE SAN MICHELE

➢ *À 8 km au sud-est de Greve. Bus tlj de Radda in Chianti et de Florence. Descendre à l'entrée du parc, en bas (près de Lucolena). En voiture : 8 km par la route directe de Greve ; en venant de Lucolena, tourner à droite au niveau du panneau « Greve ». Pour ceux qui y vont à pied ou à vélo, n'oubliez pas que le parc est en altitude !*

Magnifique parc national situé sur une colline couverte de forêts, grimpant jusqu'à 890 m d'altitude. Prés, arbustes, étangs et sources naturelles. Splendide panorama sur les environs. Plusieurs sentiers parcourent les 165 ha du parc. Vous aurez peut-être la chance d'apercevoir des lièvres, des écureuils et des chevreuils. Cartes détaillées en vente à Greve ou à l'entrée de l'auberge *Villa San Michele* (voir ci-dessous) : *Carta dei Sentieri e Rifugi – Monti del Chianti.* Au sommet, une mignonne église du XIIe s.

LA RÉGION DU CHIANTI

Où dormir ? Où manger dans le parc ?

Villa San Michele : *via Casole, 42, loc. Lucolena.* ☎ *055-85-10-34.* • *info@villasanmichele.it* • *villasanmichele.it* • ♿ *Dans le parc national Monte San Michele, à 8 km au sud-est de Greve (accès difficile en venant de Greve, passez plutôt par Lucolena). Resto ouv avr-oct (menus à partir de 15 €). Double 80 € avec petit déj. Également des apparts et des dortoirs à des prix intéressants.* Chambres plutôt confortables (une préférence pour la n° 3 avec sa terrasse privée). Déco intérieure agréable avec ses murs pastel. Également dans l'enceinte de la villa, un beau bâtiment de pierre qui fait office d'AJ avec des dortoirs agréables, hyperpropres et lumineux. Intéressant pour ceux qui voyagent en groupe ou en famille nombreuse. Endroit idéal pour communier avec la nature !

Où dormir ? Où manger dans les environs ?

Il Caminetto del Chianti : *via della Montagnola, 52, loc. Strada in Chianti.* ☎ *055-858-89-09.* • *susanna.zucchi@chiantipop.net* • ♿ *En venant d'Impruneta direction Greve, tourner à droite, sur la SS 222. Fermé mar et mer midi. Compter 30 € pour un repas. Parking gratuit. Digestif ou café offert et réduc de 10 % sur le prix du dîner sur présentation de ce guide.* À l'intérieur, déco chic avec nappes blanches, jolis tableaux de scènes locales aux murs et serveurs aux petits soins. Préférez la terrasse, plus décontractée, au panorama magnifique sur les collines du Chianti. Dans les assiettes, de savoureuses spécialités toscanes comme les fameux *crostini* aux pâtés de foie ou encore les spaghettis *al ragù*. Une belle carte de vins également.

Ristorante-locanda Borgo Antico : *via Case Sparse, 115, 50020 Dimezzano di Lucolena.* ☎ *055-85-10-24.* • *info@ilborgoantico.it* • *ilborgoantico.it* • ♿ *(slt resto). Juste après le village de Lucolena et le hameau de Dimezzano, à env 9 km de Greve en direction de Figline. Nov-mars, ouv ven soir, sam et dim midi ; avr-oct, tlj sf mar. Congés : 7 janv-13 fév. Animaux refusés dans les chambres et au resto. Double 60 €. Repas complet 30-45 €. Parking gratuit. Apéro offert sur présentation de ce guide.* Une auberge familiale située en pleine campagne. 3 chambres doubles dans une maison derrière le resto. La grande tonnelle en terrasse dispose d'une vue imprenable sur les coteaux du Chianti. La salle à l'intérieur est aussi agréable, avec une déco rustico-moderne réussie et une belle collection de bouteilles. Savoureuses spécialités du Chianti et bonnes viandes rôties. Surtout, les produits sont frais, goûteux et *fatti in casa*. Goûtez notamment aux pâtes fraîches maison. Prestigieuse carte des vins (*chianti classico* et *brunello di Montalcino*) que Stefano, le patron, vous recommandera avec un palais avisé. Accueil très serviable et efficace.

PANZANO IN CHIANTI

(50020)

Traversé par la route du Chianti, Panzano se trouve exactement à mi-chemin entre Florence et Sienne. On distingue de loin le *castello,* perché au sommet d'une colline haute de 500 m. À côté, l'imposante *chiesa Santa Maria Assunta* dont l'intérieur, de style néoclassique, avec des peintures attribuées à l'école florentine, contraste avec la lourde façade et sa porte de bronze.

Adresse et info utiles

Office de tourisme : *via Chiantigiana, 6. Mar-sam 10h-12h30, 15h-18h30 ; dim mat.* Liste des *agriturismi* et des producteurs vinicoles de la région. Possibilité de visites et dégustations sur réservation.

– **Marché :** *dim mat.* Animé.

Où dormir ?

Prix moyens

Casa Da Mario : *chez Mario Sieni, via XX Luglio, 18. ☎ 055-85-21-14. 33-82-33-34-80. • mario.sieni@virgilio.it • damario.eu • À quelques pas de la pl. Bucciarelli, dans une maison précédée par des jardins (panneau à l'extérieur). Double avec bains 60 € ; petit déj 6 €. Repas avec vin maison env 20 €.* Mario vous accueille en bas de l'escalier. Vue époustouflante sur la vallée. Si le courant passe, vous allez y vivre un séjour coloré et inoubliable.

Affittacamere Marco Vigni : *via G. da Verrazzano, 5-7. ☎ 055-85-20-45. • info@vignituscanyrooms.it • vignituscanyrooms.it • Près de la place. Doubles 65 € avec bains, 60 € sans ; petit déj 5 €. CB refusées.* Magnifique demeure de 1780, joliment restaurée. Chambres claires et lumineuses. Atmosphère chaleureuse et paisible. Une chambre mansardée adorable, avec salle de bains. La n° 4 est aussi agréable, avec vue sur le village de Panzano. Cuisine à partager à disposition des hôtes. Excellent accueil.

Où manger ? Où déguster chianti et charcuteries ?

Bon marché

Enoteca-pub Il Vinaio : *via S. Maria, 22. ☎ 055-85-26-03. • ilvinaiodipaologaeta@panzanoinchianti.net • Juste au coin de l'église. Tlj sf jeu soir. Congés : Noël-20 janv. Plats env 7 € ; repas complet env 20 €. Wifi.* Le genre d'endroit animé et sympa où l'on peut venir à toute heure grignoter un morceau ou regarder les courses automobiles à la télé. Spécialités du coin (vins, charcuteries, fromages, soupes, *ribollita* et *panini caldi*). Ambiance familiale et excellent accueil. À l'arrière, une terrasse doucement ombragée d'où l'on a une vue splendide sur la vallée. Expos temporaires de jeunes artistes. De temps en temps, des musiciens se produisent en soirée.

Mac Dario : *via XX Luglio, 5. ☎ 055-85-20-20. • macelleriacecchini@tin.it • Tlj à midi sf dim. Menus 10-20 €.* Le célèbre boucher de Panzano a ouvert un fast-food toscan qui fait étrangement penser à une grand enseigne américaine (vous suivez ?). 2 grandes tablées (les premiers arrivés sont les premiers servis) et hop, on y sert un *burger* digne de ce nom avec de la bonne viande d'ici et d'excellentes petites pommes de terre rôties à la sauge et à l'ail. Hmm ! Un régal. Un seul bémol : l'accueil pas toujours agréable.

Solociccia : *via Chiantigiana, 5. • solociccia@alice.it • Ouv jeu-sam (le soir slt avec 2 services, l'un à 19h et l'autre à 21h) et dim midi. Menu fixe 30 €.* Un restaurant entièrement dédié à la viande. On peut, si on le souhaite, apporter son propre vin (sans droit de bouchon). Accueil décontracté et ambiance assurée.

L'officina della Bistecca : *tt à côté de l'établissement précédent (c'est le même proprio). Ouv le soir mar, ven, sam et le dim à partir de 13h. Résa plus que conseillée. Compter 50 € le repas, boisson comprise.* Nettement plus cher que le *Solociccia* mais le menu est digne d'un repas rabelaisien. Si vous voulez savourez une *bistecca* dans les règles de l'art, c'est ici ! Déco travaillée et service pro.

🍴 🍷 ***Enoteca Baldi :*** *piazza Bucciarelli, 25. ☎ 055-85-28-43. • enotecabaldi@panzanoinchianti.net • ♿ Tlj 10h-22h30. Congés : 10 j. en fév. Repas 10-15 €. Café offert sur présentation de ce guide.* Dégustation de vins, *antipasti,* copieuses *foccace* et quelques plats typiques. L'endroit est joli et déborde de bouteilles de vin. Quelques petites tables en bois pour y goûter à l'aise. Le service pourrait être un peu plus souriant.

🍷 *Dans les environs, la* **Fattoria Casaloste,** *via Montagliari, 32. ☎ 055-85-27-25. • casaloste@casaloste.com • casaloste.com • Indiqué le long de la Chiantigiana, en allant vers Greve. Propriété ouv mai-oct, 11h-13h, 14h30-18h30 ; le reste de l'année, il est conseillé de passer un coup de fil pour prévenir de sa visite. Également des apparts pour 2 à 130 €/nuit, 800 €/sem.* Petite production (seulement 14 000 bouteilles) et 3 vins différents proposés à la dégustation et à la vente. Les proprios misent sur la qualité et non sur la quantité. Un choix que l'on ne peut qu'encourager.

🍴 🍷 ***Antica Macelleria Cecchini :*** *via XX Luglio, 11. ☎ 055-85-20-20. • macelleriacecchini@tin.it • Tlj 9h-14h, jusqu'à 18h ven-sam.* Descendant d'une longue génération de bouchers, Dario Cecchini (connu comme le loup blanc dans la région) a fait de sa boucherie-charcuterie une véritable vitrine de promotion pour la petite ville de Panzano. Porte-frigo en verre derrière laquelle se balancent de grands quartiers de viande, ribambelle de saucissons au-dessus du comptoir, bouchers souriants sanglés d'impeccables tabliers blanc et rouge. Le dimanche matin, c'est dégustation de charcuteries accompagnées de pain et, bien sûr, de chianti.

➤ *DANS LES ENVIRONS DE PANZANO IN CHIANTI*

👁👁 ***Pieve di San Leolino a Panzano :*** *à 3 km au sud de Panzano. Tlj 10h-13h, 16h-19h.* L'une des plus anciennes églises romanes de la région et aussi l'une des plus belles. Sa construction remonterait au VIIIe s (rebâtie et agrandie par la suite). Joli cloître du XIVe s, dont la galerie repose sur des piliers en brique. Tabernacles en terre cuite de Giovanni della Robbia (1515), triptyque du XIVe s, *Madonna con Bambino,* et peinture de Meliore di Jacopo (XIIIe s).

CASTELLINA IN CHIANTI (53011) 2 800 hab.

Sur la strada del Vino, à 50 km au sud de Florence et à 21 km au nord de Sienne, au sommet d'une colline, Castellina peut être considérée comme le cœur du vignoble de *chianti classico.* Admirablement située, la ville a toujours été convoitée au fil de son histoire par les deux maîtresses de la Toscane, Florence et Sienne. De cette époque glorieuse, elle porte encore la marque prestigieuse : une forteresse du XVe s avec une tour carrée crénelée, la via delle Volte, passage moyenâgeux et voûté en pierre longeant le côté est du mur d'enceinte (à faire absolument), et l'église San Salvatore.

Du bourg de Castellina, que l'on découvre à pied, de belles échappées permettent d'admirer les paysages de la campagne toscane. La ville domine en effet les vallées de l'Abria, de l'Elsa et de la Pesa. Des champs de vignes aux rangées harmonieuses, des oliveraies au feuillage vert argenté, des bosquets de cyprès sur les pentes des collines, des prés et des champs d'une grande douceur, des petites routes qui semblent sans cesse virevolter dans le bleu limpide du ciel. Tout ici, comme l'affirmait Léonard de Vinci, porte à la douceur

de vivre, au bien-être du corps et de l'esprit, une nature heureuse faite pour donner du bonheur. Le chanteur Léo Ferré vécut de nombreuses années dans une maison proche du village, face à ce paysage inspiré. Et on comprend pourquoi il avait eu le coup de foudre pour cette région.

Adresse utile

@ *Terre di Siena – Informations touristiques :* *via Ferruccio, 40. ☎ 0577-74-13-92. • essenceoftuscany.it • Tlj 9h-13h, 14h30-18h30 (horaires restreints hors saison). Fermé déc-fév.* Location de vélos (15 € par jour), organisation de visites et dégustations dans la région, ainsi que réservation d'hôtels pour Sienne et sa région. 4 ordinateurs également pour surfer sur le Net. Au fond du local, une librairie bien fournie, avec notamment des cartes de la région. Beaucoup de documentation gratuite en français, à demander aux charmantes hôtesses.

Où dormir à Castellina et dans les environs ?

Vu l'affluence touristique à Castellina, les logements sont chers. Mieux vaut s'éloigner de quelques kilomètres et loger dans la campagne verdoyante.

Prix moyens

Casa Landi : *loc. San Martino, 25. ☎ 0577-74-09-02. • info@casalandi.com • casalandi.com • À 1 km au nord de Castellina, sur la petite route de San Donato. Tourner à droite 50 m après l'hôtel* Colle Etrusco di Salvipoli *et suivre le petit chemin de terre cabossé. Congés : nov-mars. Doubles avec bains à partir de 79 €, cuisine à disposition ; petits apparts pour 2 avec cuisine 95-110 € ; prix négociables hors saison. Internet, wifi. Vin offert sur présentation de ce guide.* Maison ancienne rénovée, située sur une colline face à la tombe étrusque de Montecalvario. Accueil très sympa et chouette piscine dans le jardin. Ambiance champêtre et décontractée, et très belle vue sur la campagne.

Chic

Hotel Colle Etrusco Salivolpi : *via Fiorentina, 89. ☎ 0577-74-04-84. • info@hotelsalivolpi.com • hotelsalivolpi.com • À 1 km de Castellina, sur la route de San Donato. Fermé de janv à mi-mars. Résa obligatoire en tte saison. Doubles 90-108 € selon saison ; petit déj 5 €. Petit parking gratuit juste devant l'hôtel. Internet, wifi.* Sur une petite colline, une très vieille maison paysanne transformée avec beaucoup de goût en auberge. Une vingtaine de chambres de style rustique plutôt réussi, avec poutres au plafond, murs blancs, beaux meubles patinés et lits en fer forgé. Également une annexe plus moderne. Piscine. Bon rapport qualité-prix.

Albergo Il Colombaio : *via Chiantigiana, 29. ☎ 0577-74-04-44. • info@albergoilcolombaio.it • albergoilcolombaio.it • À 100 m du carrefour (avec stations-service), en bord de route, en direction de Radda. Compter 100 € pour 2, petit déj compris. Café offert sur présentation de ce guide.* Maison dans le style du pays, dominant le village. Belles chambres rustiques, confortables et tranquilles, avec une salle de bains rutilante. Les nos 20 à 23 sont particulièrement agréables, spacieuses et avec vue sur la campagne. Accueil très sympathique. Piscine et grand jardin avec vue panoramique.

Plus chic

Palazzo Squarcialupi : *via Ferruccio, 26. ☎ 0577-74-11-86. • info@palazzosquarcialupi.com • palazzosquarcialupi.com • ♿ Congés : nov-mars. Doubles 110-160 € selon saison, petit déj-buffet compris. Parking gratuit derrière l'hôtel. Wifi. Vin offert sur présentation de ce guide.* En plein centre, dans un beau palais toscan. Façade en ville et arrière de la demeure donnant sur la campagne, avec une belle terrasse et un jardin. Chambres des plus agréables, spacieuses et avec des détails simples et luxueux à la fois : tomettes, beaux meubles anciens. Accueil très souriant. Spa donnant sous la *solte* di Volte. Les clients de l'hôtel peuvent profiter de la piscine d'un *agriturismo* situé à environ 1 km.

Entre Castellina et Sienne

Prix moyens

Azienda Casalgallo : *via del Chianti Classico, 5, Quercegrossa. ☎ 0577-32-80-08. • casalgallo@libero.it • casalgallo.it • ♿ À la sortie du village en allant vers Castellina. 6 doubles avec bains à partir de 49 € ; quelques apparts avec coin cuisine 60-68 €. Apéro offert sur présentation de ce guide.* Espaces bien agencés, ambiance paisible et accueil cordial. Dans la cour, chaises et tables où se poser tranquillement. VTT à disposition des hôtes. Production d'huile d'olive, de miel et de vin. Possibilité de visiter les caves.

Mulino di Quercegrossa : *via Chiantigiana. ☎ 0577-32-81-29. • mulinoquercegrossa@libero.it • mulinodiquercegrossa.it • Sur la S 222, à 8 km au nord de Sienne. Congés : 7 janv-30 mars. Compter 85 € pour 2, petit déj inclus. Possibilité pour les hôtes de s'y restaurer : repas 20 €. Wifi.* En retrait de la route, une bonne adresse pour loger à la campagne non loin de la ville. Petit complexe touristique dans le style du pays (anciennes maisons toscanes fort bien restaurées), aménagé et décoré avec goût. Une douzaine de chambres confortables avec bains et quelques mini-appartements. Bon accueil.

Où manger à Castellina et dans les environs ?

De bon marché à prix moyens

Macelleria Stiaccini : *via Ferruccio, 33. ☎ 0577-74-05-58. Tlj sf mer ap-m et dim, 8h-13h, 16h30-19h30.* Belle boucherie qui propose aux plus pressés une multitude de *panini* à des prix plus que raisonnables (4 €), confectionnés bien évidemment avec les cochonnailles maison. Également 4-5 tables pour ripailler.

Rosticceria Il Re Gallo : *via Toscana, 1, jouxtant la piazza del Comune. ☎ 0577-74-20-00. • ilregallo@alice.it • En été, mar-dim. Congés : janv. Repas complet 15-25 €. Café offert sur présentation de ce guide.* Petite épicerie à l'origine, qui est devenue au fil du temps une sympathique adresse proposant des pâtes fraîches et des petits plats typiquement du coin. Tout est fait maison. Accueil adorable.

Pizzeria Il Fondaccio : *via Ferruccio, 27. ☎ 0577-74-10-84. • info@ilfondaccio.com • Face au palazzo Squarcialupi. Ouv le soir slt, sf mer. Congés : janv. Buffet d'antipasti 6,50 € et pizzas env 5 €. Antipasti* bien frais et variés, pizzas copieuses et très réussies, à déguster dans une grande salle voûtée à la déco hétéroclite (collection de fourchettes et cuillères, chapeaux et guitares suspendus aux murs). Quelques tables en terrasse, souvent prises d'assaut. Pensez à réserver ou à venir tôt.

Prix moyens

|●| ***Antica Trattoria La Torre :*** *piazza del Comune, 15.* ☎ *0577-74-02-36.* ● *info@anticatrattorialatorre.com* ● ♿ *Au centre de ce pittoresque petit village fortifié, derrière l'église. Fermé ven. Congés : 19 fév-18 mars. Résa quasi obligatoire le soir. Compter 25 € sans la boisson ; autres menus 18-40 €. Digestif offert sur présentation de ce guide.* Tenu par la même famille depuis un siècle. Décor rustique et soigné. Bonne cuisine paysanne élaborée à partir des produits de la région (notamment le fameux veau de Valdichiana). À la carte également, *cannelloni al forno, arrosto misto, piccione al chianti, agnello, osso buco,* etc. Le patron connaît les meilleurs vignerons du coin, ça aide à établir une superbe carte (aux prix cependant élevés). Grande terrasse donnant sur la jolie place.

|●| ***Ristorante Tre Porte :*** *via Trento e Trieste, 4.* ☎ *0577-74-11-63.* ● *info@albergoilcolombaio.it* ● *Fermé mar. Congés : 7 janv-10 fév. Compter env 30 €/pers pour un repas complet.* Pratiquement en face de l'église San Salvatore. On peut se demander en voyant les nappes blanches et l'air stylé des serveurs si on ne s'est pas trompé d'adresse. Que nenni ! On est vite rassuré par l'accueil adorable et le contenu des assiettes : une bonne cuisine traditionnelle toscane comme on aime ! Le plafond voûté et les murs en pierre rafraîchissent agréablement le touriste en goguette. Bonnes *pizze* (le soir seulement). On peut cependant regretter, pour certains plats, les portions un peu chiches.

Chic

|●| ***Osteria alla Piazza :*** *loc. La Piazza, 7, entre Castellina et Panzano.* ☎ *0577-73-35-80.* ● *info@osteriaallapiazza.com* ● *Tlj sf lun. Congés : janv-fév. Repas env 30-35 €.* Au milieu des vignes et des oliviers, on se régale, dans cette *osteria* de campagne, de délicieux *garganelli con zucchine e speck* ou encore de *papardelle al sugo di cinghiale.* Préférer par grosse chaleur la quiétude intérieure des salles un brin chic, avec leurs murs en pierre apparente et leurs lustres accrochés aux poutres centenaires. Accueil inégal... et c'est bien dommage !

|●| 🍷 ***Sotto le Volte :*** *via delle Volte, 14/16.* ☎ *0577-05-85-30.* ● *gbaldini@hotmail.it* ● *Tlj sf mer. Congés : 15 nov-10 déc. Compter 25-30 € pour un repas complet.* Quoi de plus rafraîchissant que de s'attabler sous des voûtes médiévales ! Ici on déguste une cuisine honnête et sans chichis. Quelques plats du terroir au menu, mais ce sont les pâtes qui ont remporté notre suffrage. On vient avant tout pour sa cave et ses bons vins, proposés au verre, qu'on peut accompagner de fromages et de charcutailles. À l'intérieur, belles salles voûtées aux beaux murs de pierre, le tout rehaussé par un mobilier gai et coloré. Équipe jeune et dynamique. Service un peu débordé par moment.

Où déguster une bonne glace ?

🍦 ***L'Antica Delizia :*** *via Fiorentina, 4.* ☎ *0577-74-13-37.* ● *anticadelizia@alice.it* ● *Tt près du rond-point, au tt début de la route qui mène à Florence et San Donato. Fermé mar. Congés : dernière sem de déc et janv-fév.* Célèbre dans la région pour son grand choix de parfums, tous plus savoureux les uns que les autres. La spécialité de la maison, l'*antica delizia,* mêle croquants et pointes de café à une glace vanille. Également, une annexe à l'*Enoteca Le Volte* en plein centre-ville (voir dans « Où acheter du bon vin [...] ? »).

LA RÉGION DU CHIANTI

À voir

Ipogeo etrusco di Monte Calvario : à quelques minutes du village. Prendre le chemin qui monte au niveau de l'hôtel *Il Colombaio*. Tombe étrusque datant du VIe s av. J.-C. Structure étonnante avec quatre entrées souterraines orientées vers les points cardinaux.

Museo archeologico del Chianti Senese : *piazza del Comune, 17-18. ☎ 0577-74-20-90. • info@museoarcheologicochianti.it • Avr-oct, tlj sf mer 10h-18h30 ; le reste de l'année, slt dim 11h-18h. Entrée : 5 € ; réduc.* Musée retraçant l'histoire des Étrusques dans la région. Sur deux niveaux. Pour ceux qui ont le temps, des ateliers pour s'initier à l'archéologie.

Chiesa di San Salvatore : charmante église sur la place, datant du Moyen Âge mais plusieurs fois reconstruite à cause de nombreux pillages et des guerres (la dernière en date remonte à la Seconde Guerre mondiale). Elle a été reconstruite dans un style néoromantique.

Où acheter du bon vin et de l'huile d'olive ?

Azienda agricola San Donatino – chez Maria Cristina Diaz : *à Castellina in Chianti. ☎ 0577-74-03-18. • info@sandonatino.com • De Castellina, prendre la route de Poggibonsi ; à un peu plus de 1 km, sur la gauche, un petit panneau indique un chemin qui descend à flanc de colline jusqu'au hameau de San Donato (cul-de-sac).* C'est ici que Léo Ferré a vécu de 1971 à 1993, en compagnie de son épouse Maria Cristina et de leurs trois enfants. Dans sa demeure surplombant des champs de vignes et d'oliviers, le grand « poète » de la chanson française continua son inlassable activité d'artiste. Léo allait souvent se promener jusqu'à la colline isolée de Poggio ai Mori (la « colline aux Mûriers »), où la terre offre le meilleur d'elle-même. De là vient le nom du cru familial « chianti classico Poggio ai Mori », un vin ensoleillé et gouleyant (l'un des meilleurs de la région) que l'on peut déguster à la cave et acheter. Les bouteilles sont reconnaissables au hibou peint par Picasso. Quant à l'huile d'olive extra-vierge, son arôme est d'une grande finesse ! À rapporter absolument dans vos valises ! Accueil adorable de Maria Cristina et sa famille. On a beaucoup aimé cet endroit. Voir aussi plus haut « Dans les environs de Tavarnelle. San Donato in Poggio. Où dormir ? » : on peut en effet loger dans l'authentique et très bel *agriturismo Campolungo* de Manola et Mathieu Ferré.

Enoteca Le Volte : *via Ferruccio, 12. ☎ 0577-74-03-08. Congés : nov et janv-fév.* En plein quartier historique. Une petite boutique qui vend essentiellement des crus de chianti et quelques cépages français. Petite sélection d'huiles d'olive de la région et délicieux biscuits secs. Fait aussi bar à vins et resto au n° 25 de la même rue. Également, annexe de *L'Antica Delizia* (glacier cité plus haut) avec ses délicieux parfums.

Castello di Fonterutoli : *via Rossini, 5, loc. Fonterutoli. ☎ 0577-74-05-22. • fonterutoli.it • Au sud de Castellina, sur la route N 222. Tlj 9h-13h, 14h-18h.* Dégustation et vente de vins (*Badiola, Siepi* et 2 différents *chianti classico*). Si la boutique est fermée, renseignez-vous à l'*osteria*, juste en face. Excellente huile d'olive.

Casina di Cornia : *loc. Casina di Cornia, 113. ☎ 0577-74-30-52. • casinadicornia.com • En pleine campagne ; observez bien la carte routière avt de vous y rendre ! De Castellina, prendre la route pour Castellina Scalo (la SP 51, à env 5 km) et, après Rocca delle Macie, prendre à gauche et suivre les indications pour* Casina di Cornia. *Chez Antoine Luginbühl, qui parle le français.* Production de vins bio (*amaranto, chianti classico* et *chianti classico riserva*) et d'huile d'olive extra-vierge pressée à froid. Également 2 appartements à louer totalement indépendants, pour 2 à 4 personnes. *Compter*

75-100 €/nuit (résa min 2 nuits) et à partir de 350 €/sem. Aux alentours, une très belle campagne et un calme parfait.

Fattoria La Castellina : *via Ferruccio, 26, loc. Ferrozzola. ☎ 0577-74-04-54. Lun-sam 9h-19h30 ; dim 10h-13h30, 14h30-19h. Congés : début fév.* Belle boutique installée dans une ancienne ferme du XIVe s. Jolie collection de millésimes très précieux (1924, 1960...) exposés en vitrine. Possibilité de dégustation et vente de chianti de toutes qualités, *vino santo, grappa,* huiles d'olive et produits régionaux. Les caves abritent toujours d'immenses barriques de *reale* et *chianti classico.* Également huile d'olive, vinaigre balsamique, bocaux de pâtes d'olives ou de truffes, ainsi que du miel. On regrette l'accueil trop commercial.

Manifestation

– ***Pentecoste a Castellina in Chianti :*** *en mai, 3 j. autour de la Pentecôte.* Le village s'anime et la via delle Volte revêt ses plus beaux atours pour célébrer les premières vendanges de la région. Les diverses *aziende* vinicoles offrent à tour de rôle la dégustation du cru de l'année, et les journées s'achèvent gaiement par des concerts de musique locale. Tout au long des festivités, présentation des outils et savoir-faire traditionnels, dégustation d'huile d'olive, de salami et de fromage... Le dimanche, messe solennelle et bénédiction des vignobles à l'église S. S. Salvatore *(rens : ☎ 327-38-37-072).*

RADDA IN CHIANTI

(53017) 1 600 hab.

Au sommet de la colline de Poggio alla Croce (à 530 m), ce gros bourg médiéval (plus intime que Castellina) a gardé tout son caractère et son charme latin, ce qui explique certains jours l'affluence de visiteurs dans les ruelles piétonnes. Mais c'est aussi un village qui reste populaire, avec des tarifs d'hébergement moins élevés qu'à Greve ou Castellina in Chianti. On peut en faire le tour à pied en quelques minutes et admirer de belles bâtisses comme le palazzo del Podestà (aujourd'hui la mairie), construit au XVe s. De la promenade sur les murs d'enceinte, belles échappées sur les collines toscanes couvertes d'oliviers, de vignes et de cyprès.

UN PEU D'HISTOIRE

Ancienne possession des comtes Guidi, Radda passa à la commune de Florence en 1203. Fortifié en 1400, le village devint le chef-lieu de la Ligue du Chianti en 1415. Le XVIIe s fut l'âge d'or de Radda et du chianti. Le vin de la région s'exportait déjà en Angleterre. Les propriétés viticoles se développèrent. De grandes et somptueuses villas servaient de « maisons des champs » aux puissantes familles de Florence, comme les Strozzi et les Pazzi qui venaient y passer l'été.

Adresse utile

Informations touristiques *(Pro Loco) :* *piazza Castello. ☎ 0577-73-84-94. • proradda@chiantinet.it • chiantistorico.com • Avr-oct, tlj 10h15-13h, 15h15-19h ; nov-mars, 10h30-12h30, 15h15-18h.* Consultation d'un classeur dans lequel sont répertoriées toutes les adresses d'*agriturismi* de la région. Sur demande, on vous donnera 3 itinéraires de randonnées à faire dans la région. Vente de cartes également.

Où dormir ?

Bon marché

🏠 ***La Bottega di Giovannino – Camere e Appartamenti :*** *via Roma, 6-8. ☎ 0577-73-56-01. • giochianti@katamail.com • labottegadigiovannino.it • Monica Bernardoni et son frère David proposent 5 chambres doubles avec salle d'eau à 65 € ; appart 2 pers 70 € ; petit déj 7,50 €. Réduc de 10 % si résa de 6 nuits et de 5 % si résa de 3 nuits.* Chambres pas grandes mais très mignonnes et propres, en bois naturel, certaines avec une très jolie vue sur la campagne toscane. Monica, très chaleureuse, parle le français et vous aide pour vos excursions dans la région. Un très bon plan.

Prix moyens

🏠 ***Camere Romanita Baldini :*** *via La Fonte, 3 a. ☎ 0577-73-81-76, 📱 348-326-83-08. • info@apartmentinchianti.it • madreterra22@alice.it • apartmentinchianti.it • À l'entrée de la ville en venant de Castellina ; un panneau signale la maison ; c'est la 1re dans la descente. Doubles à partir de 80 €. 2 apparts avec jardin, piscine et vue imprenable 90-110 € selon nombre de pers et saison. Possibilité de petit déj (copieux, mais prix exorbitant : 15 €) sur demande. CB refusées. Une bouteille de vin offerte sur présentation de ce guide.* Si vous en êtes encore aux balbutiements en italien, sachez qu'avec la bavarde Mme Baldini, vous recevrez soudain un cours intensif ! À moins de vous réfugier dans l'un des appartements voisins. Proprets, fonctionnels, et surtout, un panorama époustouflant. On comprend pourquoi les hôtes de la maison prolongent souvent leur séjour...

🏠 ***Podere Campo Agli Olivi :*** *via del Convento. ☎ 0577-73-80-74. • campo_agli_olivi@hotmail.it • campoagliolivi.it • À 200 m du centre de Radda (sortie direction Florence), après les carabinieri, prendre le sentier à droite qui descend dans les vignes. Résa conseillée. Pour 2, env 80-90 € selon saison. Internet, wifi. Réduc de 10 % sur présentation de ce guide.* Petite ferme nichée au beau milieu des vignes. Chambres confortables et bien tenues. 2 appartements agréables et paisibles, avec cuisine. À noter, animaux bienvenus. Jardin avec piscine et terrasse à disposition pour le farniente.

Où manger ?

De bon marché à prix moyens

🍽 🍷 ***La Bottega di Giovannino :*** *via Roma, 6. ☎ 0577-73-56-01. • giochianti@katamail.com • Fermé mar. Bar-tabac-enoteca-resto, tout-en-un pour 10-20 € !* Parfait pour boire un verre comme pour manger sur le pouce. Derrière le bar, petite salle aux murs rose orangé. Assiettes de fromage, de charcuterie (ou les 2 !), *panini* et *crostini* de toutes sortes à déguster sur des tonneaux. Dans le bar comme dans la salle, ambiance sympa, sans oublier la musique.

Plus chic

🍽 ***Al Chiasso dei Portici :*** *chiasso dei Portici, 10. ☎ 0577-73-87-74. • alchiassodeiportici@libero.it • ♿ Au cœur de Radda. Tj sf mar 13h-14h30, 19h30-21h30. Congés : nov-mars. Compter min 40 € pour un repas complet. Café offert sur présentation de ce guide.* Terrasse spacieuse, ombragée en journée et très agréable le soir avec ses tables en fer et marbre, éclairées aux bougies.

Service efficace et attentif. Cuisine extrêmement raffinée, alliant avec bonheur le sucré-salé. Carte des vins somptueuse.

Où dormir ? Où manger dans les environs ?

Prix moyens

Hôtel Podere Le Vigne : *loc. podere Le Vigne. ☎ 0577-73-81-24. • info@lodgingchianti.it • lodgingchianti.it • ♿ À 1 km de Radda. Congés : 7 janv-28 fév. Double 95 €, petit déj inclus ; prix dégressif selon durée. ½ pens 65 €/pers. Repas env 25 €. Réduc de 10 % sur la chambre sur présentation de ce guide. Internet, wifi.* Perdu au milieu des vignobles, avec une vue exceptionnelle, on déjeune (ou dîne) des spécialités du coin à des prix raisonnables. Grande carte de vins locaux (le *vino della casa* est tout à fait honorable), qu'on peut également déguster au verre. Côté hébergement, des chambres vraiment agréables, avec vue sur les vignes et la piscine. Si c'est complet, l'annexe *(Podere Le Fontanelle),* non loin de là, vous accueille au tout début de la route vers Lucolena. Mêmes prestations et mêmes prix pour les chambres doubles, mais également des appartements, loués à la semaine de préférence *(env 500 € pour 2).* Sur demande, visite et dégustation gratuite chez un producteur de vin du coin.

Azienda Agricola Le Bonatte : *à 2 km slt de Radda. ☎ 0577-73-87-83. • bonatte@chiantinet.it • lebonatte.it • Double 50 € ; apparts 70-100 € pour 2-4 pers. CB refusées. Vin offert sur présentation de ce guide.* Belle demeure toscane recouverte de glycine, aux chambres plutôt agréables et agrémentées de meubles anciens. Une autre maison, derrière la première, qui peut être louée entièrement (10 couchages). Petite piscine à disposition des hôtes.

Podere di Canvalle : *loc. La Villa. ☎ 0577-73-83-21. • canvalle.chiantionline.com • canvalle@chiantinet.it • À 1,5 km de Radda. Loc slt à la sem : env 800 €/sem pour 4 pers. Chambre d'hôtes (2 nuits min) 80 € pour 2, petit déj compris.* Une adresse des plus insolite : au beau milieu d'une prairie, *La Torre,* une haute tour carrée datant du XIXᵉ s, aménagée en appartement (prévu pour 4 personnes) ! Salle de séjour et coin cuisine en bas, une chambre double avec salle de bains au 1ᵉʳ et, tout en haut, un beau grand lit. À savoir : il n'y a pas de réelle séparation entre les étages. Également une chambre double avec accès indépendant dans la maison des proprios, juste à côté. Bien aménagée et décorée avec goût. Piscine et grand jardin.

Où faire ses courses ?

Casa Porciatti : *piazza IV Novembre, 1-3. ☎ 0577-73-80-55. • info@casaporciatti.it • casaporciatti.it • Ouv 8h-13h, 16h-20h. Fermé dim ap-m et mer ap-m en hiver. Dégustation de vin et de charcuterie sur présentation de ce guide.* Famille de bouchers de père en fils depuis 1965. Spécialités de *tonno di Radda,* filet de porc vieilli (recette familiale tenue secrète), et de *lardo di Radda,* idéal pour les *bruschette.* La famille Porciatti possède également l'*enoteca* située dans le *caminamento medievale* qui regorge de victuailles en tout genre, de bons vins *(brunello de Montepulciano),* une sélection d'huiles d'olive des *aziende* voisines ou encore moult confitures diverses et variées.

À voir. À faire

Palazzo del Podestà : *sur la piazza Ferrucci, face à l'église.* En plein centre, là où se trouve actuellement la mairie. Ancien palais construit en 1400. Voir les armoiries sur la façade (quelques-unes du XVe s). Au 1er étage, fresque de l'école florentine du XVIe s. *Visites des prisons antiques sur résa au ☎ 0577-73-87-91.*

Ghiacciaia del Granduca : *viale Matteotti, 10.* Plutôt joli pour un réfrigérateur ! Ancienne *ghiacciaia* (dépôt de glace). La neige entrait par le toit, et on la pressait en blocs pour la transformer en glace. L'endroit est devenu un magasin où l'on vend artisanat et produits régionaux. *Actuellement fermé pour rénovation, vous ne pourrez l'admirer que de l'extérieur et le magasin (rebaptisé* **L'Angolo del palazzo***) a été transféré à 500 m de là, via Roma, 12.*

➢ **Balades autour de Radda :** se renseigner à l'office de tourisme. Petit livret où sont détaillées trois belles promenades à réaliser au départ du bourg.

Manifestation

– **Prendi un bicchiere :** *le 1er w-e de juin.* Quelques producteurs du coin installent des stands, des carnets d'évaluation sont distribués, et on va de stand en stand pour déguster les différents vins. Hips ! Marché des artistes et de l'artisanat le dimanche de ce même week-end.

➤ DANS LES ENVIRONS DE RADDA IN CHIANTI

Pieve di Santa Maria Novella : *au nord de Radda, sur la route qui va à Castelvecchi.* Très ancienne église qui remonterait à l'an 1010. Entièrement reconstruite au début du XIXe s.

VOLPAIA (53017)

À 7 km au nord de Radda. Occupé en grande partie par le *castillo,* un superbe petit hameau fortifié où il fait bon flâner. Les premières fortifications du village datent du XIIe s. Le village est resté authentique et l'atmosphère populaire. C'est aussi un lieu de halte pour les randonneurs qui sillonnent le parc de Cavriglia. On se retrouve sur la petite place centrale où se concentre l'activité, avec les deux terrasses de *La Bottega di Volpaia* ou près de la *comenda di Sant'Eufrosimo* (ancien asile pour les pèlerins et les voyageurs, datant de 1443).

Où dormir ?

Casa Selvolini : *en plein cœur du village, dans la ruelle face à l'église. ☎ 0577-73-83-29 ou 0577-73-86-26. Selon saison, 62-98 € pour 2. Pas de petit déj. CB refusées.* Vous repérerez tout de suite la maison, celle où il y a plein de plantes à l'entrée ! Accueil adorable de Mme Selvolini, dynamique mamie à l'accent local, qui propose la location de 2 appartements pour 2 à 4 personnes dans une superbe maison voisine, bien rénovée. Chambres confortables, salles de bains impeccables et grande cuisine. Tout est propre et soigné. Évidemment, vu le nombre de places, il faut s'y prendre à l'avance en haute saison.

Où manger ? Où boire un verre ?

La Bottega di Volpaia : *piazza della Torre, 1. ☎ 0577-73-80-01. • la bottega@chiantinet.it • Fermé mar. Congés : fév-mars. Menus tradition-*

nels 15-30 €. CB refusées. Apéro maison offert sur présentation de ce guide. Une excellente petite adresse pour les gourmands, tenue par Carla. Réputé pour la production de ses saucissons, le resto propose une savoureuse cuisine régionale. La *ribollita* et les pâtes fraîches sont particulièrement renommées. Un coin bar fonctionne à midi pour rassasier les touristes et les randonneurs avec de copieuses assiettes de charcuterie et de fromage à déguster à l'intérieur, ou sur la terrasse au soleil. Juste en face, Paola, sa sœur, a aussi ouvert un petit café, le *Bar Ucci (fermé lun),* qui propose de belles assiettes de *prosciutto, salami* et *formaggio.* Sandwichs et *panini* à la demande. Le tout préparé avec des produits maison et servi avec le sourire. Prix très honnêtes pour la région.

Où dormir ? Où manger dans les environs ?

Podere Terreno : *via Volpaia ☎ 0577-73-83-12. • podereterreno@chiantinet.it • podereterreno.it • En pleine campagne, par la route qui mène à Radda, à env 5 km de Volpaia. Congés : 20-27 déc. ½ pens (obligatoire ; vin compris au dîner) 90 €/j. par pers. Séjour 2 nuits min et réduc au-delà de 3 j. Vin offert sur présentation de ce guide.* Chambres d'hôtes situées dans un cadre superbe. Magnifique ferme restaurée avec beaucoup de soin. Chaleureux décor intérieur avec tomettes, fleurs séchées accrochées aux poutres, collection de figurines représentant le soleil... Pas de piscine, mais les lacs des environs, bien indiqués par les propriétaires, vous permettront d'aller piquer une tête. Dîner dans l'ancienne cuisine avec cheminée, devenue aujourd'hui séjour-salle à manger, ou, en été, sous la tonnelle. On y parle le français.

Où déguster du chianti ?

Castello di Volpaia : *juste à l'entrée de Volpaia, sur la place principale. ☎ 0577-73-80-66. • info@volpaia.com • volpaia.com • Congés : 10 janv-28 fév. On peut également y séjourner à partir de 95 € la nuit. Possibilité d'y manger en bénéficiant d'un très beau panorama.* Point de vente dans la tour du château.

LE PARC NATUREL DE CAVRIGLIA

Le parc naturel de Cavriglia est situé dans la localité de **Cafaggiolo** *(Castelnuovo dei Sabbioni),* à 12 km au nord de Radda in Chianti et au centre du triangle Florence-Sienne-Arezzo. Magnifique parc de 600 ha, traversé par plusieurs sentiers de trekking. Balades à cheval et cours d'équitation, grande piscine (dans le camping, environ 5 € pour les visiteurs). Lamas et paons en liberté, ainsi que des autruches, mouflons, singes japonais et bisons. Possibilité d'organiser des minitreks avec ânes, accessibles aux enfants. Évidemment, en été, l'endroit est populaire et il y a du monde. L'idéal serait bien sûr de venir hors saison.

– Pour tt rens : ☎ 055-96-75-44. • parcocavriglia.com • L'accès au parc est gratuit, sf le dim au printemps et en été (3 €/voiture).

LECCHI

Au sud de Radda, un adorable petit village tout calme, entouré d'autres jolis villages où l'on peut se promener tranquillement ou faire une pause gastronomique.

Où dormir ?

🏠 ***B & B Borgolecchi :*** *via S. Martino, 50. ☎ 0577-74-60-41, 📱 33-43-01-09-58. • info@borgolecchi.it • borgolecchi.it • ♿ (1 chambre). Congés : nov-mars. Doubles 90-120 €, petit déj inclus ; apparts 90-150 € pour 2. Parking gratuit. Wifi.* Dans le superbe petit village de Lecchi, Annalena, charmante, vous accueille à bras ouverts dans sa maison. Plusieurs chambres pour 2 personnes, séduisantes, décorées avec goût et simplicité. Certaines (des mini-appartements) bénéficient d'une terrasse. Une adresse mémorable dans un hameau de rêve.

Où dormir ? Où manger dans les environs ?

🏠 ***B & B Borgo Argenina :*** *loc. Argenina, San Marcelino Monti, 53013 Gaiole in Chianti. ☎ 0577-74-71-17. • info@borgoargenina.it • borgoargenina.it • À 15 km au nord de Sienne sur la SS 408. Ne pas rater la petite route qui monte, à droite, vers San Marcelino Monti. Congés : 10 nov-10 mars. Compter 170 € pour 2, petit déj inclus. Apéritif offert sur présentation de ce guide.* Un mas en vieille pierre, superbement restauré par Elena Nappa, la chaleureuse propriétaire. Argenina n'était qu'un hameau en ruine avant qu'elle ne redonne vie au lieu. Aujourd'hui, on peut loger dans une magnifique maison traditionnelle, qui surplombe les collines recouvertes de vignes, ou dans une petite maison annexe, idéale pour les lunes de miel. La décoration intérieure est particulièrement soignée, avec tomettes, fleurs séchées et beaux tissus. Chambres douillettes, toutes agréables, avec de vieux meubles patinés et des tissus choisis avec soin. Quelques appartements avec cuisine séparée. Les prix sont élevés, mais le cadre est époustouflant et l'accueil charmant.

🍴 ***La Grotta della Rana :*** *à San Sano, Gaiole in Chianti. ☎ 0577-74-60-20. Fermé mer. Repas complet env 25 €, sans le vin.* En plein centre du très joli village de San Sano et à deux pas d'une fontaine surmontée d'une grenouille, d'où le nom du resto. 2 salles superposées et une belle terrasse. Dans l'assiette, une bonne cuisine du terroir. Essayez donc l'original *risotto d'altri tempi* cuit dans le vin rouge, un régal. Ambiance familiale et service souriant.

À voir dans les environs

👁👁 ***Chiesa San Gusto in Salaio :*** depuis Radda, se diriger vers ***Lecchi*** ; juste après être entré sur la commune de Gaiole, petite route sur la droite. Église romane du XIe s avec trois nefs (la nef centrale est surélevée) et trois absides. Le campanile, derrière l'église, a été entièrement rénové. Beau presbytère à côté.

GAIOLE IN CHIANTI

(53013)

À 10 km de Radda, le long de la vallée du torrente Massellone, Gaiole est depuis longtemps un lieu de marché. Les habitants des villages des collines alentour s'y rencontrent pour commercer depuis le XIIIe s. Elle fut, avec Radda et Castellina, l'un des chefs-lieux de la Ligue du Chianti. Sur le territoire de Gaiole, les collines sont plus abondamment qu'ailleurs couvertes de bois, même si les vignes et les oliviers sont également présents. Les possibilités de randonnées sont nombreuses.

Adresses et info utiles

Informations touristiques (*Pro Loco*) *: via Galileo Galilei, 1. ☎ 0577-74-94-11. Lun-sam 9h-13h, 15h-18h30.* Nombreuses informations. À disposition, des cartes et miniguides très bien faits pour randonner dans la région. Demander la *Carta Turistica e dei Sentieri Chianti Classico.* Environ 5 circuits différents au départ de Gaiole. Sinon, nous vous proposons une idée de balade dans la rubrique « Randonnée ».

■ **Pharmacie :** *via Ricasoli, 13. ☎ 0577-74-94-03.*

■ **Médecin de garde :** *☎ 0577-73-83-39.*

Où dormir ? Où manger dans les environs ?

Il Rifugio : *loc Vertine, 9. Dans le village médiéval de Vertine (voir un peu plus loin « Dans les environs de Gaiole in Chianti »). ☎ 0577-74-93-10. • info@ilrifugioinchianti.it • ilrifugioinchianti.it • Doubles avec sdb 65-95 € ; petit appart pour 2-4 pers 95-125 € (tarifs dégressifs à partir de 1 sem) ; petit déj copieux 8 €. CB refusées. Internet. Café offert sur présentation de ce guide.* Le seul logement dans le superbe hameau de Vertine. L'endroit est adorable : murs épais de pierre et plafonds voûtés. Question déco, on aime ou pas : puzzles encadrés accrochés aux murs et napperons sur les meubles... Jardin et piscine. Accueil familial.

Il Carlino d'Oro : *loc. San Regolo, à env 10 km au sud de Gaiole. ☎ 0577-74-71-36. • info1@carlinovacanze.com • Ouv mai-oct tlj sf lun, slt le midi. Repas complet env 25 €.* 2 salles de poche mais souvent pleines ! Cuisine typiquement toscane, très bien préparée : tagliatelles aux cèpes, raviolis à la ricotta, au beurre et à la sauge, etc. Ce petit resto, c'est une affaire de famille, avec Carlino et son fils en salle.

Ristorante Badia a Coltibuono : *juste à côté de l'abbaye de Coltibuono (voir un peu plus loin « Dans les environs de Gaiole in Chianti »). ☎ 0577-74-90-31. • ristbadia@coltibuono.com • Congés : 15 nov-15 mars. Menu dégustation 49 € avec* antipasto, primo, secondo, *dessert et 4 vins différents ; à la carte, min 40 €. CB refusées. Café offert sur présentation de ce guide.* Cuisine inspirée des traditions mais flirtant avec la cuisine nouvelle (également au niveau des portions...) : foie de veau aux châtaignes, risotto aux artichauts et lapin, filet de porc à la sauge et au thym. On regrette que le prix du couvert soit aussi élevé. Que les fauchés se rassurent, on peut grignoter de très bons sandwichs à 4 € dans le bistrot adjacent. La salle n'est pas particulièrement chaleureuse ; en revanche, grande terrasse avec vue plongeante sur la vallée.

Randonnée

Voici un itinéraire qui peut se faire aussi bien à pied qu'à VTT au départ de Gaiole.

➢ Dans le village, prendre la route sur le côté de l'église, en direction de la pieve di Spaltenna. Ne pas aller jusqu'à l'église. Prendre la route qui file sur la droite vers Vertine (150 m de dénivelée). Puis continuer la route vers C. Erbolo. Arrivé à une fourche, prendre sur la gauche vers San Donato in Perano. Dans le centre de San Donato, prendre un petit chemin sur la gauche qui se faufile à côté d'une rangée de cyprès. Arrivé à une fourche, deux solutions : soit à gauche par un petit chemin qui continue toujours de monter vers la villa Vistarenni, soit prendre sur la droite le chemin qui passe le ruisseau de Fontercolli. Quelle que soit l'option choisie, le chemin débouche sur la SS 408. Aller vers le sud sur quelques mètres et s'engager dans un petit chemin vers la droite qui descend vers Colle Bereto. Passer le hameau avec une maison et une piscine. Radda est alors visible. Cette route mène au cou-

vent Santa Maria, qui n'est plus très loin de la ville. La carte *Dei Sentieri e Rifugi* au 1/25 000, « Siena e Dintorni », edizioni Multigraphic, vous sera utile.
Un autre itinéraire, plus long celui-ci, peut joindre en boucle Radda (par la Croce di Sopra), le val delle Corti, la très belle chapelle de San Giusto, puis Galenda, Camporenni, Poggio San Polo, puis retour par la route bitumée sur la gauche.

➤ DANS LES ENVIRONS DE GAIOLE IN CHIANTI

À l'ouest

Chiesa di Spaltenna : à environ 1 km à l'ouest de Gaiole, emprunter la route sur le côté de l'église de Gaiole, qui conduit à cette jolie église fortifiée, l'une des plus belles du Chianti. L'édifice est construit en pierre blanche locale, qui prend des tons rosés au coucher du soleil. Jetez aussi un coup d'œil à l'ancien presbytère, juste à côté, très bien réhabilité.

Vertine : *à 3 km à l'ouest de Gaiole.* Magnifique village médiéval fortifié. Ses origines précèdent l'an 1000. Il devint propriété des Ricasoli à la fin du XIIe s, et au milieu du XIVe, le village servit de base à la famille pour toutes ses incursions dans le Chianti. Plus tard, il fut assiégé par Florence, le château fort détruit et les Ricasoli exilés. Aujourd'hui, le village ne compte plus qu'une trentaine d'habitants. En été, les maisons sont louées par des retraités britanniques, des avocats hollandais, des journalistes américains et des architectes florentins. Au centre du village, voir la *pieve di San Bartolomeo* qui abrite des œuvres de Niccolò di Segna et de Neri di Bicci.

Au nord-est

Orme della torre di Montegrossi *(vestiges de la tour) : à quelques km au nord-est de Gaiole, par la route départementale 408 qui se dirige vers le val d'Arno et Montevarchi.* La tour eut jusqu'au XVIe s un rôle stratégique de première importance. Située sur l'une des plus hautes collines du Chianti, elle livre l'un des plus beaux panoramas qu'on puisse imaginer, dans un environnement de rêve. Le hameau (car de la tour il ne reste qu'un vestige) domine les territoires de l'ancienne Ligue (Gaiole, Radda et Castellina) et est mentionné dès l'an 1007 comme « Poggio Rodolfo », propriété des fils de Ridolfo dont descendent les Firidolfi et les Ricasoli. Par beau temps, on aperçoit nettement les tours de Sienne. Le lever du soleil est un grand moment.

Abbazia di Coltibuono : *à 5 km au nord-est de Gaiole, dans les monts du Chianti. ☎ 0577-74-48-39. • coltibuono.com • Visites guidées (5 €) lun-ven 14h-17h, ttes les heures (slt mai-oct, mais fermé 1re et dernière sem d'août).* Beau complexe monastique avec église fortifiée du XIIe s, au cœur d'une forêt de pins blancs. Grimper sur la colline pour la chouette vue d'ensemble. L'abbaye joua un rôle important dans l'histoire de la région. Elle fut en effet habitée par les moines de Vallombrosa, ordre religieux luttant contre la corruption, de 1115 à 1810 ! Aujourd'hui, l'abbaye abrite une prestigieuse exploitation vinicole. On y dispense aussi des cours de cuisine. Dégustation de vins et visite de caves possibles.

Visites et dégustations

Castello di Meleto : *à 3 km au sud de Gaiole. ☎ 0577-74-92-17. • castellomeleto.it • Visites guidées en hte saison à 11h30 (sf lun), 15h et 16h30 ; dim à 11h30, 16h et 17h. Résa conseillée le reste de l'année. Entrée : 10 €, une bouteille de vin incluse.* Édifié par une branche de la famille Ricasoli, à laquelle il appartient encore

aujourd'hui (Ricasoli-Firidolfi) ! Bel exemple de ferme médiévale fortifiée, dont les origines remontent au XIIe s. Un corps de bâtiment carré encercle une tour et, aux angles sud et est, deux donjons cylindriques datent du XVe s. Une aile fut transformée en villa au XVIIIe s (cour Renaissance et plafonds en trompe l'œil). Allez voir ses jardins et sa chapelle.
– À l'entrée, *enoteca* avec quelques tables. Accueil commercial au possible, qui ne nous a pas franchement donné l'envie d'y revenir. À bon entendeur...

Castello di Brolio : *à Brolio. ☎ 0577-73-19-19. • ricasoli.it • Entre Gaiole et Castelnuovo Beradenga ; à 10 km au sud de Gaiole, quitter la N 408 (c'est signalé). Ouv mars-nov tlj 10h-17h30 (sur résa le reste de l'année). Entrée : 3 visites différentes sont proposées à partir de 8 €. Dégustation de vins sur rdv.* Belle montée à travers une forêt de cyprès et de conifères, et entrée bien gardée... Accueil pas vraiment aimable, avec l'impression de se trouver dans un pénitencier.
Le château de Brolio appartient à la famille Ricasoli-Firidolfi depuis le XIe s. Étant donné sa position, aux confins des territoires siennois et florentins, son importance fut capitale dans diverses batailles. Pris d'assaut par les Aragonais en 1452, il fut partiellement détruit en 1478 et fortifié de nouveau par Giulinao de Sangallo en 1484. C'est une grosse forteresse construite suivant un plan pentagonal. Au XIXe s, le baron Ricasoli ajouta, à l'intérieur de l'enceinte, une élégante demeure dont la brique rouge contraste vivement avec la pierre grise des remparts. Du chemin de ronde, belle vue sur la région. Mignonne petite chapelle, la *cappella di San Jacob,* avec un autel en marbre et deux polyptyques du XIVe s, des écoles florentine et siennoise. Au sous-sol, la chambre funéraire de la famille Ricasoli. Voir les jardins.

CASTELNUOVO BERARDENGA (53019)

À la limite sud-orientale du Chianti, sur une colline qui domine les vallées de l'Ombrone et du Malena, Castelnuovo Berardenga doit son nom à l'ancien château, construit au XIVe s par les Siennois et dont il ne reste plus que la tour de l'horloge, dans la partie haute du village, et des fragments de l'enceinte.

Adresse utile

Office de tourisme : *piazza Matteotti, 11. ☎ 0577-35-55-00. • turismo castelnuovo@libero.it • Nov-mars, ouv ven-sam 10h-13h. Avr-oct, mer-sam 10h-13h, 15h-18h ; dim 10h-13h.*

Où dormir ?

Il Pozzo della Citerna : *via E. Mazzei, 19. ☎ 0577-35-53-37. 34-70-95-12-98. • info@ilpozzodellaciterna.it • il pozzodellaciterna.it • La via E. Mazzei part de la place principale (piazza Marconi). Doubles avec sdb 40-45 € ; petit déj toscan 3 € (en saison slt). CB refusées.* Une belle maison traditionnelle, entièrement restaurée. À l'entrée, amusant bric-à-brac d'objets anciens. La jeune propriétaire parle couramment le français et propose 3 chambres confortables, décorées avec goût. Une grande cuisine est aussi à disposition des hôtes au rez-de-chaussée. L'ensemble a beaucoup de charme, l'accueil est chaleureux et dynamique. Un des meilleurs rapports qualité-prix de la région.

La Foresteria dell'Aia : *via dell'Aia, 9. ☎ 0577-35-55-65. • foresteriadellaia@yahoo.it • laforesteriadellaia.it • En plein quartier historique. Double avec sdb 54 €, petit déj inclus. Parking gratuit.* 4 chambres doubles, chacune meublée et décorée dans une couleur différente. Les amateurs de kitsch apprécieront !

Également un mini-appartement pour 5 personnes. Toute la maisonnée est claire et propre. Jolie petite terrasse à l'extérieur et accueil gentil.

Où dormir dans les environs ?

Fattoria di Corsignano : *via Tognana, 4, loc. Corsignano, à Castelnuovo Berardenga. ☎ 0577-32-25-45. • info@tenutacorsignano.it • fattoriadicorsignano.it • Apparts pour 2, 4 ou 6 pers 85-240 € selon saison. Résa à la sem souhaitée mai-sept. Internet, wifi.* Vignes et oliviers à perte de vue. Une dizaine d'appartements rénovés avec goût, ayant tous un nom faisant honneur aux saveurs italiennes : *bottega del pane, delle fragole, del caffè, del miele,* ou encore *del cioccolato* (notre préféré). Activités diverses et variées : cours de cuisine, visite des caves, spa, vendanges... Elena et Mario, les heureux propriétaires, sont aux petits soins. Belle piscine. Vente de vin et d'huile d'olive de la propriété.

Borgo Casato : *le long de la route SS 484 sud, au n° 12, à 2,5 km au sud de Castelnuovo. ☎ 0577-35-20-02. • info@borgocasato.it • borgocasato.it • Tlj sf dim soir-mar en avr, nov, déc. Congés : 7 janv-8 mars. Doubles 90-120 € selon saison, petit déj compris ; apparts pour 4 pers 160-180 €. Fait aussi resto (20-25 € le repas). Internet. Réduc de 10 % sur le prix de la chambre sur présentation de ce guide.* Dans une belle maison ancienne, des chambres tout confort, très bien arrangées. Au milieu de la campagne, on dort du sommeil du juste. Salle agréable et terrasse avec vue panoramique sur la verdure et la piscine.

Où manger ?

La Taverna della Berardenga : *via del Chianti, 70-74 (presque en face du musée). ☎ 0577-35-55-47. • latavernadellaberardenga@virgilio.it • Fermé lun. Congés : 15 derniers j. de juil. Repas complet, avec vino della casa, env 25 €. Parking gratuit. Un petit digestif offert sur présentation de ce guide.* Un bar-*trattoria* populaire, à l'atmosphère conviviale, très fréquenté pour sa bonne cuisine locale et les quelques tables en terrasse. À l'entrée, snacks, *panini* et cafés sont servis au comptoir pour les pauses-déjeuner ou l'apéro. Au resto, spécialités de viandes grillées (bœuf et veau à la toscane), mais aussi d'excellents *taglioni al tartufo* (truffes) et *tagliatelle ai funghi porcini* (cèpes). Quelques desserts maison, un verre de *grappa* ou de *vino santo* pour conclure le repas, et le tour est joué ! Une cuisine authentique à prix très honnêtes.

À voir

Museo del Paesaggio : *via Chianti, 61. ☎ 0577-35-55-00. Mêmes horaires que l'office de tourisme. Entrée : env 3 €.* Musée axé sur la région de Sienne. Historique des interventions de l'homme sur le paysage toscan, agriculture et architecture. Pas mal pour reconnaître les différents types de demeures toscanes et découvrir ainsi l'origine sociale de leurs premiers occupants.

➤ DANS LES ENVIRONS DE CASTELNUOVO BERARDENGA

VILLA A SESTA

Un bourg tout tranquille et bien mignon, à quelques kilomètres au nord de Castelnuovo, en direction du château de Brolio.

Où dormir ?

B & B Villa di Sotto : *via S. Caterina, 30. 34-79-32-70-90. • info@villadisotto.it • villadisotto.it • Doubles avec sdb privée 65-90 €, petit déj compris ; apparts 83-150 € pour 2-4 pers. Parking gratuit. Apéro maison offert sur présentation de ce guide.* Chambres simples et un peu sombres mais confortables, dans une belle demeure entourée de vignes et d'oliviers (d'ailleurs, ils vendent leur production). Au rez-de-chaussée, appartement avec entrée indépendante et 2 chambres, que l'on peut louer séparément. Elles sont d'ailleurs plus agréables que celles du 1er étage. Tranquillité assurée dans cette auberge familiale.

Où manger ?

Prix modérés

Caffè Camelia : *piazza del Popolo, 5. ☎ 0577-35-90-46. Fermé lun. Congés : janv.* Dans ce joli village de Villa a Sesta, difficile de résister à l'adorable petite terrasse du *Caffè Camelia.* Nappes à carreaux bleus et blancs, chaises ondulantes, lierre et petites roses. La salle à l'intérieur est bien agréable aussi. Assiettes-dégustation avec *crostini* et charcuteries du coin, salades, plats simples et savoureux. Bons gâteaux. Le fondant au chocolat est particulièrement succulent. Accueil sympa.

Chic

La Bottega del Trenta : *via S. Caterina, 2. ☎ 0577-35-92-26. • labottega30@novamedia.it • Ouv slt le soir jeu-lun (dim et j. fériés ouv midi et soir). Fermé mar-mer. Congés : janv. Résa obligatoire. Env 75 € le repas complet.* Au cœur du village, l'une des meilleures tables de la région. Encore une adresse où l'on prend le temps de bien vivre. Plats à cheval sur les Alpes, entre l'Italie et la France, juste ce qu'il faut pour que les saveurs se marient à la perfection. Ils parlent d'eux-mêmes, sans tralala ni emphase : raviolis à l'estragon, canard farci aux pignons de pin et romarin... Bonne cave. Assez cher mais pas exagéré, vu la qualité offerte. On peut aussi y prendre des cours de cuisine.

SIENNE ET LES CRETE SENESI

SIENNE (SIENA)

(53100) 55 000 hab.

Pour le plan centre de Sienne, se reporter au cahier couleur.

Ville médiévale préservée, aux ruelles sinueuses et pentues, entourée de hauts murs, elle réserve quantité de surprises pour qui prend la peine de s'écarter du centre historique afin de découvrir les jardins, les fontaines, bref, la douce et bucolique campagne siennoise à l'intérieur même de l'enceinte moyenâgeuse. Tout s'ordonne à partir de la piazza del Campo, cette fameuse place

inclinée, en forme de coquille Saint-Jacques, et l'imposante torre del Mangia, sémaphore éternel perdu au beau milieu d'une marée de tuiles latines.
Connue depuis l'époque étrusque, Sienne a joué un rôle majeur dans l'histoire de l'art et de la peinture en particulier. Elle n'est pas pour autant une ville-musée. Au contraire, elle paraît bien vivante (la 3e ville universitaire de Toscane après Florence et Pise). Cette vie sociale particulièrement riche et originale est en partie incarnée par le Palio. Laissez-vous imprégner de cet amour qu'ont les Siennois pour leur ville, amour qu'ils nomment eux-mêmes la *senesita*.
Bref, vous l'aurez compris, Sienne est une étape indispensable en Italie et mérite bien plus qu'une simple visite. Ce n'est pas de la production du chianti, des champignons et du *panforte nero* que Sienne tire sa richesse, mais du tourisme. Et on le comprend ! Sienne est une très, très belle ville.

UN PEU D'HISTOIRE

Sienne, aux époques étrusque, puis romaine, n'est encore qu'une ville secondaire. Son emplacement sur la *via Francia,* route de commerce principale entre la France et Rome, lui permet de prendre son essor au Moyen Âge. L'apogée économique de Sienne se situe aux XIIe, XIIIe et XIVe s. La cité est alors autorisée à battre monnaie, et utilise l'argent extrait des mines environnantes. Elle devient une ville de commerces et de banques. Ses financiers sont d'ailleurs célèbres pour être les bailleurs de fonds du pape. Cette prospérité leur permet de couvrir leur ville de palais et d'églises, tandis que les peintres les plus connus les décorent.
L'expansion régionale de Sienne est évidemment mal perçue par sa rivale, Florence. La guerre fait rage au XIIIe s entre ces deux cités. L'extraordinaire victoire des Siennois en 1260 contre les Florentins à la bataille de Montaperti (victoire inattendue, compte tenu du déséquilibre des forces en présence) marque l'apogée de la puissance siennoise.
La République, dirigée par les grandes familles du gouvernement des *nuove* (neuf familles bourgeoises riches et puissantes), façonne la ville que nous connaissons aujourd'hui en construisant le palazzo Pubblico et la piazza del Campo, au cours de la première moitié du XIVe s. La ville s'adapte harmonieusement aux courbes et pentes de ses collines. Des règlements d'urbanisme très stricts sont très tôt édictés (forme des fenêtres, par exemple), visant à préserver l'unité de cet ensemble. Il reste aujourd'hui de multiples traces de cette richesse passée, dans la beauté des bâtiments à la brique rouge-rose. Malheureusement, le pouvoir de ces grandes familles, miné par les conflits d'intérêts et la terrible peste de 1348, met un terme à cet âge d'or siennois.
La seconde moitié du XIVe s et le XVe s voient petit à petit décliner la suprématie siennoise au profit de Florence et de sa puissante monnaie d'or : le florin ! D'autant plus que Sienne a un handicap insurmontable par rapport à Florence : elle n'est traversée par aucun cours d'eau, alors indispensable au développement industriel (bien que les Siennois réussirent à approvisionner la ville en récupérant les eaux de ruissellement par d'ingénieux systèmes encore fonctionnels à ce jour).
Ainsi, la fragilité économique structurelle de Sienne et l'habileté politique des Médicis finissent peu à peu par avoir raison des espérances siennoises. Sienne sera même occupée par les Espagnols au XVIe s et capitulera en 1555. La fière sortie des vaincus par la porta Camollia est devenue un épisode romantique cher au cœur des Siennois. La République siennoise se reconstitue temporairement à Montalcino, jusqu'au traité du Cateau-Cambrésis de 1559, entre François Ier et Charles Quint, qui consacre la fin de la République siennoise, devenue alors partie intégrante du grand-duché de Toscane des Médicis. Ce sont les Florentins qui ont gagné ! Sienne passe alors à l'écart des grands mouvements politico-historiques jusqu'à nos jours.

UNE GRANDE FÊTE : LE PALIO

Le *Palio* de Sienne est la course de chevaux la plus célèbre, la plus courte, la plus ritualisée au monde et la seule à se dérouler en plein cœur d'une ville. Le *palio*, tel qu'il se pratique aujourd'hui, correspond à des règles édictées en 1721. La religion et la tradition y jouent un grand rôle.

On s'y retrouve dans une ferveur tout italienne. L'organisation de la fête repose en effet sur celle de la ville, où les trois *terzi* déterminés par les axes urbains (terzo di Città, di Kamollia et di San Martino) sont divisés en 17 *contrade*.

Les sommes engagées sont très importantes et la banque *Monte dei Paschi* sponsorise largement cet événement ! Sur les 17 *contrade*, 10 d'entre elles sont tirées au sort chaque année pour chacun des deux *Palios* (2 juillet et 16 août). Les chevaux, patiemment élevés et sélectionnés (il existe dans les environs de Sienne un champ de courses, reproduction exacte de la piste de la piazza del Campo), sont choisis par les capitaines des *contrade* participantes, puis attribués par tirage au sort. Une semaine avant le *Palio*, la piazza del Campo se transforme en vrai champ de course. Des gradins adossés aux façades, 400 m de terre viennent constituer l'anneau de la piste damée avec une application d'orfèvre, et une fois le champ de courses bâti, on enrubanne tous les saillants des édifices publics. Côté *fantini* (les jockeys), rien n'est laissé au hasard. Pour éviter toute tricherie, ils sont originaires du haut Latium. Cela dit, ce sont de véritables mercenaires, peu fiables car âpres au gain et payés à prix d'or (plusieurs dizaines de milliers d'euros). Il faut dire que cette montée à cru et ces trois tours de pistes en dévers sont particulièrement dangereux.

PETITS MEURTRES ENTRE AMIS

Chacun des quartiers de la ville (délimités par des plaques sur les immeubles) possède son église, son saint protecteur et son curé, son foyer, son bar, ses couleurs et sa fontaine (où l'on baptise les nouveau-nés), ses costumes et son animal-emblème. Mais attention ! On cultive les alliances, mais aussi les inimitiés. Si l'Aigle est l'ennemi de la Panthère, en revanche, la Chenille s'entend avec tout le monde, ce qui n'est pas le cas de l'Escargot qui évite de croiser le chemin de la Tortue. Il faut savoir qu'au moment des préparatifs, il se trame des manigances et des alliances entre contrade, *qui ne sont pas toujours très catholiques...*

La *tratta* (distribution) effectuée par monsieur le maire et les juges de la course, les 29 juin et 13 août vers midi, est un moment de grande tension pour les *contradaioli*. On assiste a des scènes d'hystérie ou, au contraire, à des silences qui veulent en dire long, selon la monture qu'il reçoivent. Chaque cheval est alors pris en charge par sa *contrada* qui lui a préparé un box 3 étoiles et qui assure son entretien et sa garde pendant les trois jours qui précèdent la course. Deux fois par jour, vers 9h le matin et vers 19h30 le soir, on peut assister aux *prove* (simulations de *palio*), piazza del campo. Le jour J, après un passage devant monsieur le curé pour recevoir un peu d'eau bénite sur les crins, les chevaux sont fin prêts. La gendarmerie, quant à elle, s'affaire pour assurer la sécurité et garantir l'impartialité de l'équipement des cavaliers, qui se résume en tout et pour tout à une cravache en nerf de bœuf... Car, dans cette course d'à peine 2 minutes d'extase, tous les coups sont permis. Il n'est pas interdit, par exemple, de tirer par la casaque son adversaire pour lui faire mordre la poussière... Faut dire que la tâche s'avère plutôt facile puisque tous montent « à cru », mais les mauvais coups doivent être distribués dans les toutes premières secondes qui suivent le départ. Pas le temps de finasser ou de regarder dans les yeux le *mossiere* (le « starter »), car le premier cheval arrivé – peu importe qu'il soit accompagné ou non de son « driver » – remporte le *palio*, l'étendard de soie peint à la main (celui-ci est depuis toujours réalisé par des artistes de renom). Une cacophonie gigantesque s'empare alors de la place, avec moult tours d'honneur. Le gain ou la perte du *palio* donne lieu à de véritables scènes d'hystérie collective, et le banquet organisé par la *contrada* du vainqueur peut réunir plusieurs milliers de personnes ! Les jeunes défilent dans la rue avec une tétine dans la bouche, symbole d'une véritable renaissance. Une fois la tension retombée, les discussions reprennent, parfois surréalistes pour des non-Siennois, où sont évoquées les différentes tractations, les injustices, les vengeances à mettre en place...

Si la course en elle-même dure très peu de temps, tous les défilés qui précèdent et suivent l'instant fatidique ancrent l'événement dans une tradition ancestrale qui n'a rien à voir avec une manifestation folklorique ou touristique. Le cortège qui précède la course voit chaque *contrada* défiler en ordre dans de somptueux costumes régulièrement refaits, de la selle du cheval au moindre étendard. Un simple costume peut coûter facilement jusqu'à 30 000 €. Le *Palio* est inscrit depuis des lustres dans la plupart des chartes confirmant les droits de la ville. Ainsi, la course du 2 juillet fut instituée pour commémorer un crime de lèse-majesté, celui causé par un soldat des Médicis qui, d'un tir d'arbalète, toucha une peinture sacrée de la Vierge de la basilique de Provenzano. L'événement n'est pas anodin, car on ne badine pas avec la foi. Celle du 16 août tombe sous le sens et s'impose d'elle-même : un jour après l'Assomption de la Vierge Marie. Le premier *Palio alla tonda* autour de la place daterait de 1633. Le second *Palio,* dédié à la Vierge de Provenzano le 4 juillet, date à priori de 1656.

Les quartiers rappellent aussi la grandeur passée de la rivale de Florence, qui comptait au Moyen Âge 80 *contrade.* Décimées par la peste noire de 1348, 42 survécurent bon an mal an, pour se réduire à 17 à partir de 1729. Au XVIIe s, les *contrade* interviennent dans la vie de la cité. Malgré la domination des Médicis, des Habsbourg-Lorraine ou de Napoléon, elles n'ont jamais été mises au pas. Tout le passé de la ville peut ainsi se lire dans le défilé d'ouverture où les porte-étendards rivalisent de grâce et d'habileté, dans une débauche de couleurs. Les cités alliées de Sienne (Montalcino, Massa Marittima) y envoient une délégation, tandis que les instances commerciales et académiques sont également d'astreinte. Si jadis les *contrade* réglaient les problèmes de l'approvisionnement en eau via les sources, s'occupaient de la voirie, des pauvres ou des malades, elles sont aujourd'hui une sorte de laboratoire social. Elles limitent l'isolement, dynamisent le tissu associatif et, d'une certaine manière, réintègrent l'individu dans la famille de son quartier. La délinquance est quasiment absente de Sienne, qui est la seule ville au monde où l'on peut être baptisé à deux reprises, une fois à l'église et une fois à la fontaine de la *contrada* par le responsable élu de cette dernière. Cette osmose entre les membres de la *contrada,* où se mêle une ferveur religieuse, païenne, affective, civique, s'exprime aussi bien dans le *Te Deum* chanté à l'issue de la course que dans le banquet improvisé dans les rues.

Tous les grands de ce monde y accourent pour jouir de la course depuis les balcons. C'est en effet la meilleure place possible. Mais ne vous faites pas trop d'illusions : les gradins qui entourent le *Campo* où se déroule la course sont loués au minimum 6 mois avant ladite course. De plus, les places sont rarement abordables pour le budget d'un routard. Le centre de la place est accessible gratuitement à tous et les plus motivés vont se poster le plus tôt possible près des barrières. Vers 17h on ferme les portes, le seul accès possible jusqu'à 19h reste par la via Duprè. Mais ce serait dommage de manquer le magnifique défilé qui dure près de 2h. Lorsque le soleil commence à décliner, lorsque le *palio,* présenté sur un grand char tiré par quatre bœufs blancs a fini son tour de piste (les *contradaioli* lui agitent tous leur foulard en guise de bonne chance), la tension monte, la foule s'agglutine, les chevaux entrent en piste, et on se laisse prendre par l'euphorie ambiante. Les chevaux, selon un ordre tiré au sort, sont alors appelés un par un à se positionner devant la corde de départ. Celui qui reste en retrait décide quand donner le départ. Ce moment délicat dure souvent d'interminables minutes. Une fois partis, grosse chaleur en perspective et visibilité réduite, mais un souvenir intense !

Arriver – Quitter

Liaisons avec Florence

En bus

🚌 *Nombreux bus au départ de* ***piazza Gramsci.*** *Billets en ventes à la billetterie souterraine, ou chez le marchand de tabac (env 6 € l'aller). Arrivée à Florence à côté de la gare Santa Maria Novella, via Santa Caterina da Siena, 17.*

La gare étant excentrée, c'est le moyen le plus simple pour rejoindre Florence. Deux types de bus :
➢ Les *corse dirette* mettent 1h35 et passent par Colle Val d'Elsa et Poggibonsi. Départs de Sienne 6h20-20h30. 16 bus/j. en sem, 9 le w-e.
➢ Les *corse rapide* mettent 1h15 et vont directement à Florence.

En train

🚂 ***Gare ferroviaire*** *(plan d'ensemble) : piazza Carlo Rosselli.* ☎ *89-20-21.* Au nord de la ville.

➢ ***Pour Florence :*** une dizaine de trains dans la journée vers et depuis la gare de Santa Maria Novella. Compter 1h30 de trajet. Attention, Sienne ne se trouve pas sur une grande ligne, il faut parfois changer de train à Empoli.
➢ ***Pour aller au centre,*** il faut 20 bonnes minutes à pied (et ça grimpe !). Sinon, traverser la rue en face de la gare et prendre les bus qui s'arrêtent là. La plupart (dont les nos 3, 9 et 10) se dirigent vers le centre. Tickets à la gare (au guichet), à la *biglietteria* (place Gramsci) ou encore dans les bureaux de tabac et chez les marchands de journaux affichant le logo « train tickets ».

En voiture

Impossible de pénétrer dans la vieille ville en voiture, à moins de présenter une confirmation de réservation dans un hôtel. Plusieurs parkings, gratuits (près de la fortezza Medicea notamment) et payants, en dehors des murs, près des portes. Demandez toujours à l'hôtel où vous vous rendez quelle est la porte d'accès à emprunter, ainsi que le parking le plus proche. Attention, n'utilisez pas le parking de la *Lizza* le mardi soir, car un marché se tient à cet endroit le mercredi matin (les voitures « oubliées » sont enlevées et envoyées à la fourrière). Enfin, le parking du stade communal est pratique, car proche du centre, mais cher.

Liaisons avec l'aéroport de Pise

➢ Une navette relie 2 fois/j. Sienne (piazza Gramsci) à l'aéroport de Pise. Départs de Sienne à 7h10 et 17h. Durée : 1h50. Compter 14 €. *Infos :* ☎ *0577-20-42-46 et sur • trainspa.it •*

Liaisons avec Milan, Rome

➢ Avec la **Compagnie Sena** : *billetterie au sous-sol, piazza Gramsci.* ☎ *0577-20-82-82. • sena.it •* Une dizaine de cars/j., confortables et climatisés, assurent des liaisons vers Rome et Milan. Tarifs très avantageux (à partir de 5 €) sur Internet (à condition de s'y prendre à l'avance).

Adresses et infos utiles

Informations touristiques

APT *(plan couleur centre, C2) : piazza del Campo, 56. ☎ 0577-28-05-51. • infoaptsiena@terresiena.it • terresiena.it • Tlj 9h-19h. Propose, sur résa, des visites guidées (en italien ou en anglais) de la ville, tlj sf dim 15h-17h. Tarif : 20 €/pers.* Accueil polyglotte. Excellentes et belles brochures thématiques, bon plan de la ville, réservation pour toutes sortes de services touristiques et listes des hôtels et chambres chez l'habitant à Sienne mais aussi dans les environs.

Association des guides de Sienne : *via Banchi di Sopra, 31, galleria Odeon. ☎ 0577-43-273. • info@guidesiena.it • guidesiena.it • Lun-ven 10h-13h, 15h-17h. Compter 155 € pour 3h et 290 € pour la journée. Résa 2 ou 3 j. à l'avance en saison.* Cette association regroupe plus de 80 guides, dont près de la moitié parle parfaitement le français. Propose des visites guidées de la ville, pour individuels et petits groupes, à la carte. L'occasion, pour ceux qui en ont les moyens et le temps, de flâner dans les quartiers pittoresques et bucoliques, de découvrir des ruelles insolites, de visiter des musées de *contrade* (dans lesquels il faut généralement montrer patte blanche), bref, de sortir des sentiers battus, le tout ponctué d'anecdotes. Personnel extrêmement compétent et sérieux.

Poste, téléphone et Internet

✉ **Poste** *(plan couleur centre, B1) : piazza Matteotti, 37. Lun-sam 8h15-19h.* Pour l'achat des timbres, seulement les guichets *prodotti postali*, 1 à 3.

■ ***Téléphone :*** *via Pantaneto, 44 (plan couleur centre, D3) ; via di Città, 113 et piazza Matteotti (plan couleur centre, B1).*

@ ***Internet Train 1*** *(plan couleur centre, D3,* ***6****)* ***:*** *via Pantaneto, 54. Lun-ven 10h-22h, sam 12h-20h, dim 17h-20h.*

@ ***Internet Train 2*** *(plan couleur centre, B4,* ***5****)* ***:*** *via di Città, 121. Lun-sam 10h-22h, dim 12h-19h.* Vente d'une carte d'abonnement valable dans tous les *Internet Train* d'Italie : 1,50 €. Env 4 € pour 1h.

@ ***Internet Point Refe Nero*** *(plan couleur centre, C1,* ***4****)* ***:*** *via del Refe Nero, 18. Lun-ven 10h30-19h30, sam 10h30-17h.* Une quinzaine de postes dans une salle claire, avec distributeur de café. Possibilité d'imprimer.

@ ***Point soluzioni grafiche*** *(plan couleur centre, B1,* ***7****)* ***:*** *via del Paradiso, 10. ☎ 0577-23-61-54. Lun-ven 9h-13, 15h-20h ; sam 9h-13h.* Env 5 € pour 1h.

Urgences

■ ***SOS médecins :*** *hôpital, viale Bracci. ☎ 0577-29-08-07 ou 09.*

■ ***Farmacia Quattro Cantoni*** *(plan couleur centre, B4,* ***10****)* ***:*** *via San*

Où dormir ?

- **16** Ostello Guidoriccio
- **20** Pensione Palazzo Ravizza
- **21** Casa Laura
- **24** Residenza d'epoca Il Casato
- **33** Hotel Villa Elda

Où manger ?

- **42** Osteria Titti
- **44** Cane e Gatto
- **45** Osteria Nonna Gina
- **59** Cooperativa La Proposta

Bar à vins *(vinai, enoteche)*

- **70** Enoteca Italiana

Où savourer de bonnes pâtisseries ?

- **87** Pasticceria Bini

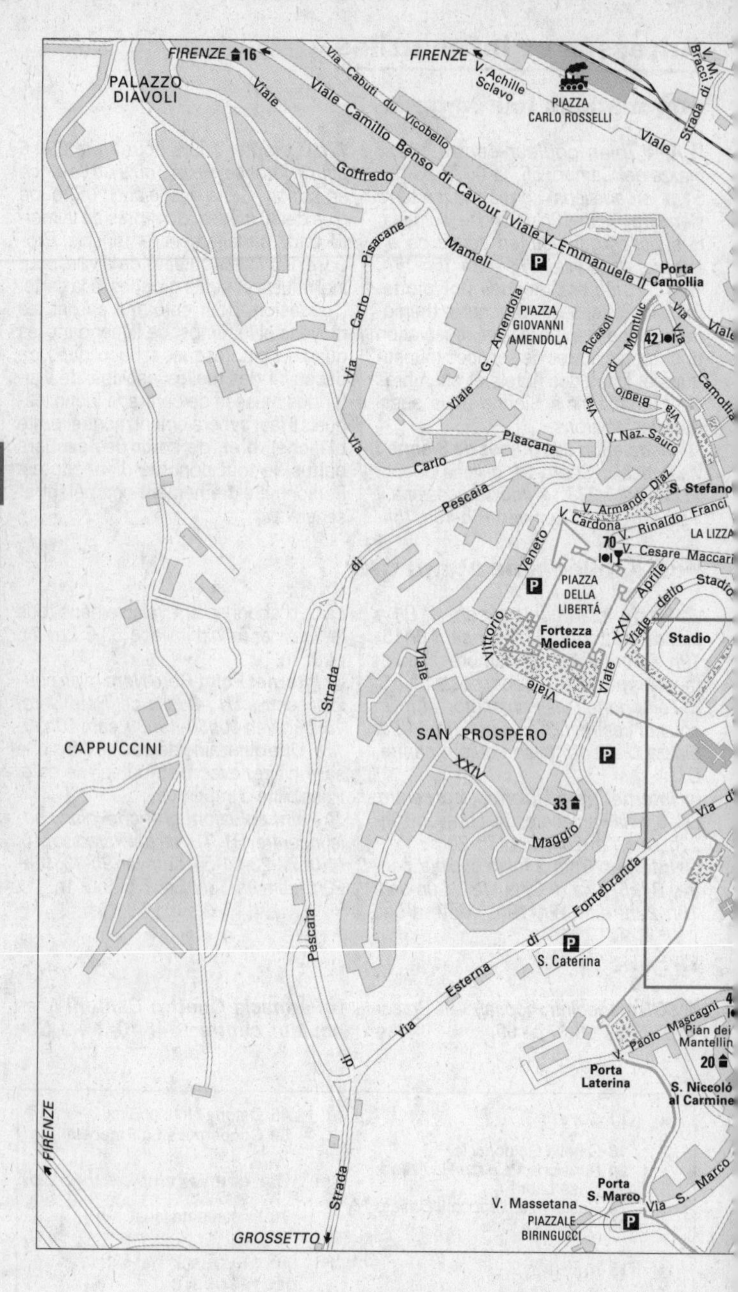
FIRENZE 16
FIRENZE
PALAZZO DIAVOLI
Via Cabuti du Vicobello
V. Achille Sclavo
PIAZZA CARLO ROSSELLI
Viale Camillo Benso di Cavour
Viale Goffredo Mameli
Viale V. Emmanuele II
Porta Camollia
Via Carlo Pisacane
PIAZZA GIOVANNI AMENDOLA
Viale G. Amendola
Via Ricasoli
Via di Montluc
42
Via Camollia
Via Biagio
V. Naz. Sauro
V. Armando Diaz
S. Stefano
V. Cardona
V. Rinaldo Franci
LA LIZZA
70
V. Cesare Maccari
Strada di Pescaia
Viale Vittorio Veneto
PIAZZA DELLA LIBERTÁ
Fortezza Medicea
Viale XXV Aprile
Viale dello Stadio
Stadio
SAN PROSPERO
Viale XXIV Maggio
33
CAPPUCCINI
Via Esterna di Fontebranda
S. Caterina
V. Paolo Mascagni
Pian dei Mantellin
20
Porta Laterina
S. Niccoló al Carmine
FIRENZE
Porta S. Marco
V. Massetana
PIAZZALE BIRINGUCCI
Via S. Marco
GROSSETTO

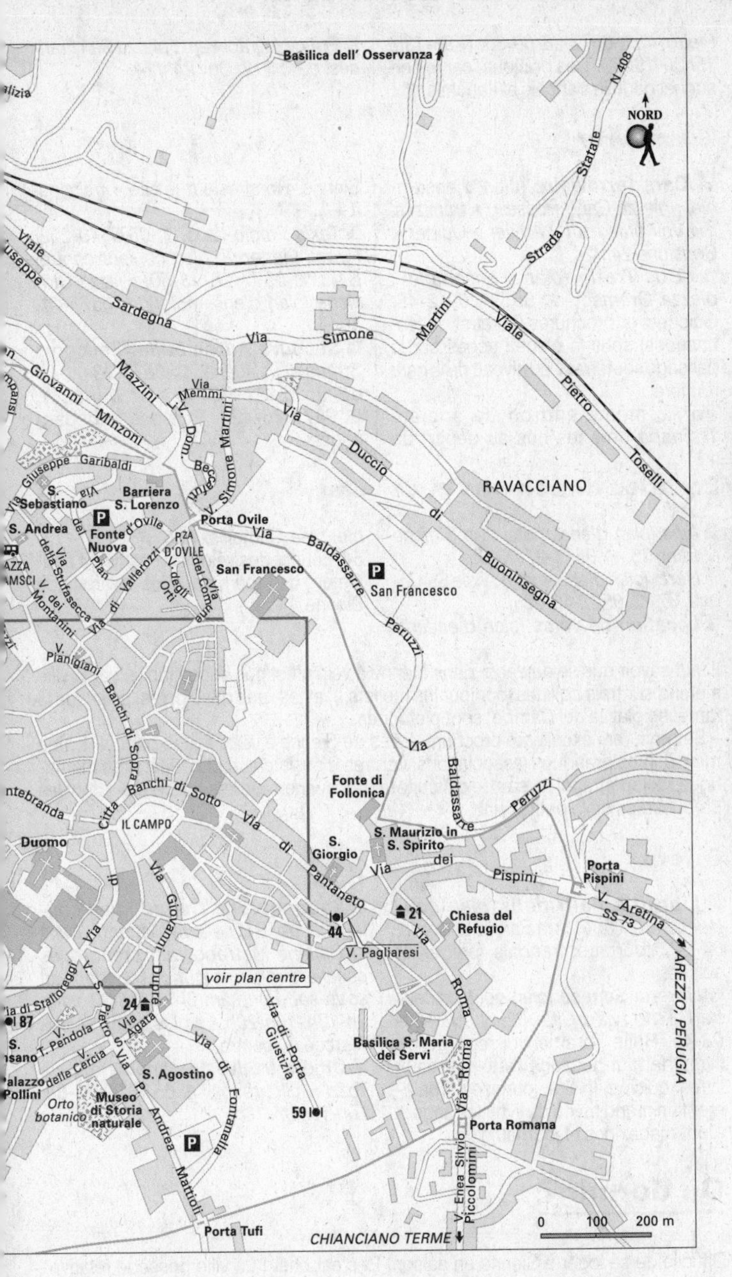

SIENNE (SIENA) – PLAN D'ENSEMBLE

Pietro, 4. ☎ 0577-28-00-36. Tlj 9h-13h, 15h30-19h30. Très pratique, car le personnel parle le français et l'anglais.

■ **Police** (carabinieri) **:** *piazza San Francesco. ☎ 112. Ouv 24h/24.*

Transports

Gare ferroviaire *(plan d'ensemble)* **:** *piazza Carlo Rosselli.* • *trenitalia.it* • *Voir plus haut « Arriver – Quitter ». Consigne 24h/24.*

Bus Tra-In *(plan d'ensemble)* **:** *piazza Gramsci. ☎ 0577-20-42-46.* Guichets et brochures (horaires + destinations) sous la place ; accès par le passage souterrain, au niveau de la gare routière.

Au même endroit, la société **Trainspa** gère les bus au départ de Sienne. Horaires sur le site • *trainspa.it* •

■ **Taxis :** *radio-taxis, ☎ 0577-49-222. Piazza Matteotti (plan couleur centre, B1) : ☎ 0577-28-93-50. Piazza Stazione (plan d'ensemble) : ☎ 0577-44-504.*

■ **Secours Automobile** *(Soccorso Stradale)* **:** *Laganà, ☎ 0577-22-11-00 ou 0577-21-96-40 ; et Minucci, ☎ 0577-46-422.* Propose le dépannage.

Location de voitures et de vélos

■ **Avis** *(plan d'ensemble)* **:** *via Simone Martini, 36. ☎ 0577-27-03-05.*

■ **Hertz** *(plan d'ensemble)* **:** *viale Sardegna, 37. ☎ 0577-45-085.*

■ **Location de vélos** *(plan d'ensemble)* **:** *via Camollia, 206. ☎ 0577-412-54.* Louent des vélos et organisent également des tours dans les environs de Sienne.

Il faut savoir que se déplacer dans Sienne à vélo n'est pas chose facile, car la ville s'étend sur trois collines (bonjour les mollets !), et les rues principales, ainsi que la fameuse piazza del Campo, sont piétonnes.

– Se procurer l'excellente brochure *Terres de Sienne à vélo,* éditée par l'APT. Une mine d'infos pratiques (associations, centres d'assistance) et d'itinéraires thématiques (kilométrage, niveau de difficulté) à parcourir en « terres de Sienne » pour les irréductibles de la petite reine.

Divers

■ **Librairie Feltrinelli** *(plan couleur centre, C2,* **2***)* **:** *via Banchi di Sopra, 64-66.* Journaux français, belges et suisses.

■ **Libreria Senese** *(plan couleur centre, C3,* **12***)* **:** *via di Città, 62. ☎ 0577-28-08-45.* Belle librairie qui regorge de livres de tout horizon : histoire, beaux livres, cuisine, loisirs, jeunesse. Également un grand rayon de livres étrangers (dont magazines et journaux).

■ **Supermarché Conad** *(plan couleur centre, B1)* **:** *piazza Matteotti. Dans la Galleria Metropolitan, prendre les escaliers roulants qui descendent au sous-sol. Lun-sam 8h30-20h30 ; dim 9h-13h, 16h-20h.* Le plus grand supermarché du centre.

■ **Objets trouvés** *(economato)* **:** *via Tozzi (vigili urbani). ☎ 0577-29-25-88. Lun-ven 9h-18h.*

Où dormir ?

Difficile de se loger à Sienne en saison. Et c'est cher ! La ville possède relativement peu d'hôtels et de pensions par rapport au nombre de touristes. Cela dit, la région a développé un concept intéressant d'hébergement en résidences d'époque. Ces *Residenze d'epoca* sont généralement d'anciens palais moye-

nâgeux (ou plus récents), pas forcément aussi bien équipés que les hôtels (pas de TV), donc moins chers et indéniablement bourrés de charme. Nous en avons sélectionné quelques-uns dans cette rubrique. Enfin, procurez-vous également, auprès de l'office de tourisme, la liste des chambres chez l'habitant *(affittacamere)*.
Dans tous les cas, nous vous recommandons vivement de réserver longtemps à l'avance et, de toute façon, de ne jamais débarquer à l'improviste le soir. Si ça vous arrive ou si tout est complet, téléphonez au central de réservations *Siena Hotel Promotion (☎ 0577-28-80-84)*. Les prix mentionnés ci-dessous sont ceux pratiqués durant la haute saison ; importantes réductions d'octobre à mars.

Campings

⛺ ***Camping La Montagnola :*** *strada della Montagnola, 139, sur la commune de Sovicille (53018). ☎ 0577-31-44-73 • montagnolacamping@libero.it • campingtoscana.it/montagnola • À 10 km à l'ouest de Sienne. Bus n° 33. Ouv Pâques-fin sept. Compter 24 € pour 2 avec emplacement. Loc de caravanes également (à partir de 40 € pour 2). CB acceptées au-dessus de 50 €. Douches gratuites.* L'endroit est bien ombragé et très calme. En pleine nature, la plupart des places sont délimitées par des haies ; le reste des emplacements se situe dans une grande clairière arborée. Idéal pour les VTTistes. Sanitaires propres.
⛺ ***Camping Luxor :*** *à 12 km au nord, sur la SS 2. Voir le chapitre « Monteriggioni ».*

Auberge de jeunesse

🏠 ***Ostello Guidoriccio*** *(hors plan d'ensemble,* ***16****) : via Fiorentina, 89. ☎ 0577-52-212. • info@ostellosiena.it • ostellosiena.it • Ouv tte l'année. 20 €/pers, petit déj inclus. Internet.* Situées dans un édifice moderne en périphérie de Sienne (à environ 3 km du centre), des chambres propres de 2, 4 ou 8 lits. Accueil très sympathique. Les bus n° 10 ou 15 vont au centre.

Bon marché

🏠 ***Albergo Tre Donzelle*** *(plan couleur centre, C2,* ***19****) : via delle Donzelle, 5. ☎ 0577-28-03-58. ☎ et fax : 0577-22-39-33. Fermeture des portes à minuit et demi ; au-delà de cette heure, il faut déranger le* portiere. *Doubles à partir de 49 € avec lavabo (douche sur le palier) et 60 € avec sdb ; pas de petit déj. Paiement cash slt.* Des chambres réparties sur 3 étages, avec ou sans salle de bains, simples, doubles ou triples, correctes et spacieuses, mais qui ne présentent aucun charme particulier. Sanitaires impeccables. À chaque étage, espaces communs appréciables pour lire ou se reposer.
🏠 ***Hotel Alma Domus, Santuario S. Caterina*** *(plan couleur centre, A2,* ***25****) : via Camporegio, 37. ☎ 0577-44-177. • info@almadomus.it • hotelalmadomus.it • ♿ À deux pas de l'église San Domenico. Entrée dans la rue en escalier (fléchage). Réception 9h-11h, 15h-17h. Pour 2, env 65 € la chambre avec douche (60 € nov-mars) ; petit déj 10 €. Internet. CB refusées.* Quartier agréable et calme. Cet endroit, comme son nom l'indique, accueille des pèlerins depuis des siècles. Évitez les périodes de fêtes religieuses (Ascension, Pentecôte...). Demandez les chambres offrant un superbe panorama sur la vieille ville et le *Duomo*. Bon confort général. Belle salle commune équipée d'un piano. À l'avant, petit jardin de curé avec tables et chaises. Inconvénients : réveil matinal par les cloches de l'église voisine et pour les fêtards, couvre-feu à 1h. Demandez bien que votre réservation soit confirmée par fax ou par courrier ; cela vous mettra à l'abri d'éventuelles mauvaises surprises.

Prix moyens

■ ***Piccolo Hotel Etruria*** *(plan couleur centre, C2,* ***28****) : via delle Donzelle, 3.* ☎ *0577-28-80-88.* • *info@hoteletruria.com* • *hoteletruria.com* • ♿ *Congés : à Noël. Fermeture des portes à 1h du mat. Double avec douche 100 € ; petit déj 6 €.* Une de nos meilleures adresses, tant pour son bon rapport qualité-prix que pour sa situation ultracentrale et la sympathie des hôtes. Une vingtaine de chambres avec TV et AC, récemment rénovées. La maison redouble d'efforts pour contenter sa clientèle. Le patron, fort gentil, parle le français. Et si tout est complet, il vous aide à trouver une chambre chez l'habitant ou une solution de dépannage.

■ ***Casa Laura*** *(plan d'ensemble,* ***21****) : via Roma, 3.* ☎ *0577-22-60-61.* 📱 *39-28-11-03-64* • *casalaurasiena@libero.it* • *Double env 70 € ; petit déj offert dans le bar d'en face. Réduc de 10 % 7 janv-31 mars et 3 nov-23 déc sur présentation de ce guide.* Dans une bâtisse du XVe s, à l'étage. Le hall d'entrée et la cage d'escalier sont assez austères, mais tout change une fois la porte franchie. Mignonnes petites chambres décorées avec soin, confortables et toutes avec douche. Accueil dynamique et chaleureux de Laura. En dessous, Laura loue aussi un petit appartement. Un très bon rapport qualité-prix. Enfin, un bon plan, si vous êtes véhiculé : Laura a aussi un *B & B,* ***Il Canto del Sole*** *(• ilcantodelsole.com •),* à Monteroni d'Arbia (à 9 km de Sienne), dans les Crete, une bien jolie villa toscane, avec piscine mise à disposition gratuitement pour les résidents de la *Casa Laura.* Idéal pour prendre un bon bol d'air et profiter de la très belle campagne siennoise !

■ ***Albergo Bernini*** *(plan couleur centre, B1-2,* ***27****) : via della Sapienza, 15.* ☎ *0577-28-90-47.* • *hbernin@tin.it* • *albergobernini.com* • *Fermeture des portes à minuit mais possibilité d'avoir les clés. Résa indispensable. Doubles 65-85 € sans ou avec bains ; 100 € l'appart ; petit déj 7,50 €.* Encore une de nos adresses préférées ! Dans une bâtisse du XIIe s, 9 chambres (seulement) d'un confort simple, mais propres et agréables. Les nos 10 et 11 offrent une vue imprenable sur le *Duomo.* La vue depuis la no 8 sur San Domenico n'est pas vilaine non plus. De la terrasse, très calme, équipée de tables et parasols et ouverte à tous pour le pique-nique (solution économique), magnifique panorama sur la ville et ses monuments. Accueil éminemment sympathique et chaleureux, qui contribue à la bonne ambiance générale. Il n'est d'ailleurs pas rare de voir le patron sortir son accordéon pour divertir ses hôtes ! Ah ! si on avait pu y rester quelques jours de plus...

■ ***Albergo Centrale*** *(plan couleur centre, C2,* ***29****) : via Cecco Angiolieri, 26.* ☎ *0577-28-03-79. Fax : 0577-42-152.* • *hotelcentrale.siena@libero.it* • *hotelcentralesiena.com* • *Attention : difficile d'accès en voiture. Résa obligatoire par fax. Doubles avec bains à partir de 80 € ; petit déj 5 € (servi en chambre).* Au 3e étage (ça monte dur), petite pension familiale proposant 7 chambres doubles, dont certaines aménageables en triple ou quadruple ; idéal, donc, pour les familles. Malgré une déco parfois un peu ringarde, toutes ont le mérite d'être personnalisées et dotées d'un magnifique carrelage. Belle vue sur la torre del Mangia depuis l'une d'entre elles. Mais les nos 41 et 42, pourvues d'une petite terrasse, ont notre faveur. Maison fort bien tenue et accueil on ne peut plus aimable.

■ ***Locanda Garibaldi*** *(plan couleur centre, C3,* ***18****) : via Giovanni Duprè, 18.* ☎ *0577-28-42-04. Juste au-dessus de la* trattoria *du même nom. Double 75 € sans petit déj (20 €/lit supplémentaire).* Chambres spacieuses, claires, toutes avec bains et donnant sur la rue piétonne (un peu bruyante le week-end). Atmosphère décontractée et petit resto traditionnel au rez-de-chaussée. Seul regret : ne sert plus les petits déj ; mais la piazza del Campo, avec ses nombreux cafés, est à deux pas.

■ ***Albergo Cannon d'Oro*** *(plan couleur centre, B1,* ***26****) : via Montanini, 28.* ☎ *0577-44-321.* • *info@cannondoro.com* • *cannondoro.com* • *Pour y accéder en voiture, il est plus judicieux d'arriver par le nord de Sienne en suivant les indications du stade* (calcio), *continuer* *par la piazza Matteotti et c'est juste à côté ; facilement repérable à son enseigne lumineuse verte, l'entrée de l'hôtel est sous le porche, à gauche. Résa conseillée. Double avec douche et w-c env 95 € (105 € lors du* Palio*), petit déj inclus. Wifi. Réduc de 10 % sur le prix de la chambre sur présentation de ce guide.* Un bon 2-étoiles de 30 chambres (avec TV et ventilateurs), depuis la simple jusqu'à la triple (avec possibilité d'aménager ces dernières en quadruples). Idéal pour les familles. Chambres et sanitaires impeccables. Toutefois, malgré les murs blancs et la sobriété qui caractérisent la plupart d'entre elles, les chambres restent un peu sombres. Petit déj servi dans une superbe salle voûtée. Côté accueil, rien à redire : professionnel en tout point. Une valeur sûre.

Albergo La Toscana *(plan couleur centre, C2,* ***31****) : via Cecco Angiolieri, 12. ☎ 0577-46-097 ou 044. Fax : 0577-27-06-34. À deux pas de la piazza del Campo. Très central et sans couvre-feu. Double avec bains env 83 € ; petit déj 5 €.* Un hôtel rétro à souhait, avec authentique groom et ascenseur grinçant, dans un vieux palais du XIVe s. 5 étages, donc beaucoup de chambres, certaines avec vue sur la torre del Mangia. Confort et déco simples. Un certain charme désuet. Un peu cher cependant pour un établissement vieillissant.

Plus chic

Residenza d'epoca Il Casato *(plan d'ensemble,* ***24****) : via Giovanni Duprè, 126 et via Casato di Sopra, 33. ☎ 0577-23-60-01. • info@hotelrooms.it • relaisilcasato.it • Réception 9h-13h, 15h30-19h30. Résa indispensable. Doubles 85-150 € selon saison, petit déj inclus. Réduc de 10 % sur présentation de ce guide.* Si vous êtes du genre à préparer votre voyage 6 mois à l'avance, ami lecteur, cette adresse est pour vous. Sinon, à moins d'être particulièrement chanceux, il vous faudra dormir ailleurs. Car l'adresse est prisée, en haute et moyenne saisons principalement. Et pour cause ! Le palais, fin XIVe s, est classé Monument historique avec ses salles voûtées, ses fresques au plafond, son mobilier d'époque, ses parquets et sa superbe mosaïque au sol à la réception. Les chambres ne déparent pas l'ensemble avec leur équipement d'un bon niveau. Petit jardin et, surtout, notre coup de cœur, 2 chambres (une double et une triple) avec terrasse privative donnant sur le joli jardin. Accueil très aimable. Une bien belle adresse déjà plus tout à fait confidentielle...

Palazzo Bruchi *(plan couleur centre, D3,* ***17****) : via Pantaneto, 105. ☎ 0577-28-73-42. • masignani@hotmail.com • palazzobruchi.it • Compter 90 € la double donnant sur la rue, 150 € pour celles donnant sur le jardin, petit déj compris (servi dans la chambre). Réduc de 4 % si paiement cash. Internet, wifi.* Retranchée au 2e étage d'un vénérable palais du XVIIIe s, Mme Masignani préserve soigneusement l'atmosphère révolue de la vieille bourgeoisie siennoise. Les chambres spacieuses et confortables n'ont guère changé depuis des lustres, dévoilant pudiquement quelques fresques d'un autre temps ou des meubles chargés d'histoire. Certaines d'entre elles bénéficient d'une vue théâtrale sur les remparts et la lisière verdoyante de la campagne toscane. Excessivement calme.

Antica Residenza Cicogna *(plan couleur centre, B1,* ***23****) : via dei Termini, 67. ☎ 0577-28-56-13. 📱 34-70-07-28-88. • info@anticaresidenzacicogna.it • anticaresidenzacicogna.it • Doubles 85-100 €, petit déj inclus. Parking payant. Wifi.* Un B & B de charme situé au 1er étage d'un palais médiéval entièrement rénové, dans une rue très centrale, qui propose 5 chambres avec bains, à la déco soignée, dont certaines avec lit à baldaquin. Accueil vraiment charmant. Préférez les chambres donnant sur l'arrière, plus tranquilles (les machines qui nettoient la rue commencent leur travail de bonne heure le matin !).

Palazzo Fani Mignanelli, Residenza d'epoca *(plan couleur centre, C2,* ***32****) : via Banchi di Sopra, 15. ☎ 0577-28-35-66. • info@residenzadepoca.it • residenzadepoca.it • Entrée au fond du porche (sonnerie) et réception* *au 3e étage (ascenseur à l'extérieur). Doubles 85-145 € selon saison, petit déj inclus. Wifi. Réduc de 10 % sur présentation de ce guide.* Dans un ancien palais entièrement rénové, une petite dizaine de chambres réparties sur 2 étages. Une belle bâtisse ancienne, au cœur de la ville, de grands volumes tant dans les parties communes que dans les jolies chambres meublées à l'ancienne. Bref, tous les ingrédients du concept *Residenza d'epoca* sont ici parfaitement réunis. Un excellent rapport qualité-prix donc, mais attention, les chambres sur la rue peuvent se révéler bruyantes en saison.

Hotel Villa Elda *(plan d'ensemble,* ***33****) : viale XXIV Maggio, 10. ☎ 0577-24-79-27. • info@villaeldasiena.com • villaeldasiena.it • Selon la taille, doubles 100-180 €. Wifi.* Un peu à l'écart, au calme, dans le quartier résidentiel de San Prospero, à 15 mn de marche du centre. Mignon petit hôtel de style *Liberty* au milieu d'un jardin avec des chambres lumineuses à la déco sobre, dont certaines privilégiées bénéficient d'un panorama magnifique sur la ville. Petit déj moyen. Accueil charmant en français. Facilités de parking dans la rue.

Albergo Chiusarelli *(plan couleur centre, A1,* ***30****) : viale Curtatone, 15. ☎ 0577-28-05-62. • info@chiusarelli.com • chiusarelli.com • Tt à côté de la basilique San Domenico. Doubles avec bains et AC 140-160 €, petit déj-buffet compris. Possibilité de ½ pens. Internet, wifi. Réduc de 8 % sur le prix de la chambre sur présentation de ce guide.* Imaginez une énorme villa italienne du XIXe s, de style néoclassique, avec entrée à colonnes et cariatides, carrelages luxueux, dorures, lustres et fresques au plafond. Du rétro comme on aime ! Belles chambres, claires et spacieuses pour certaines, un peu plus exiguës pour les autres. Salles de bains neuves impeccables. Jardin sur l'arrière. Bien situé, au calme. Atmosphère feutrée. Accueil très professionnel. Dernier détail pour les routards footeux : le stade est juste derrière !

Très chic

Pensione Palazzo Ravizza *(plan d'ensemble,* ***20****) : pian dei Mantellini, 34. ☎ 0577-28-04-62. • bureau@palazzoravizza.it • palazzoravizza.it • Doubles 150-320 € selon confort, vue et saison, petit déj compris. Parking privé gratuit. Internet. Remise de 10 % sur le prix de la chambre en fév, mars, oct, nov et déc (sf le 31) sur présentation de ce guide.* Un somptueux palais Renaissance à la sobre façade, appartenant à la même famille depuis 200 ans et transformé en hôtel dans les années 1920 ! Depuis, 36 chambres, dont 4 suites (avec Jacuzzi), ont été rénovées avec goût. Certaines sont noblement décorées, avec meubles anciens et parquet lustré. Toutes se caractérisent par de beaux volumes. Merveilleux jardin privé donnant sur la campagne et les collines toscanes. L'entrée, avec ses boiseries sombres, dégage une atmosphère particulière. On s'attendrait à un petit déj de meilleure qualité, vu le prix.

Où manger ?

– Dans les *osterie* ou *trattorie* traditionnelles. Autre solution pour ceux qui ne veulent pas grever leur budget : croquer un morceau sur le pouce. Ne pas négliger, donc, les nombreuses *pizzerie* où se pressent touristes, étudiants et travailleurs locaux, à toute heure de la journée, pour avaler, vite fait, bien fait, de gigantesques parts de pizzas. Toutes pratiquent les mêmes tarifs et se valent, à peu de chose près. Cela dit, si vous passez par là, arrêtez-vous chez ***Pizza n°1*** *(via delle Terme, 18)* ou ***Al Corso*** *(Banchi di Sopra, juste en face de la pâtisserie* Nannini*)* pour le très beau choix de *pizze* cuites au feu de bois, chez ***Popi Ivano*** *(via Banchi di Sotto, 25)* qui propose d'excellents *ciaccini ripieni* (sorte de *focaccia* garnie) à moins de 2 € (distributeur d'eau fraîche à disposition des clients), ou encore chez ***Pizzaland*** *(via Camollia, 41).*

Bon marché

Spécial petits budgets et pique-niques : voir, plus bas, la rubrique « Où acheter de bons produits ? ».

Osteria Il Grattacielo *(plan couleur centre, C2,* **49***) : via dei Pontani, 6. 33-46-31-14-58. • lucamancianti@alice.it • Situé à l'angle de la via dei Termini, non loin de la piazza Salimbeni. Tlj sf dim et lun soir. Repas 8-10 €. Sandwich 3 €. Menu 20 €. CB refusées.* Cette *osteria* est, en fait, un bistrot-épicerie étonnamment bien conservé. 3 petites tables en tout et pour tout, pas une de plus ! Mais aussi une grande tablée à l'extérieur, sous le passage voûté. Plats froids uniquement : charcuterie *(salume, finocchiona, capocollo, mortadella...)*, haricots ou pommes de terre en salade, ainsi que de la salade verte. *Mozzarella* ou *pecorino* pour les fromages. On peut même composer soi-même ses sandwichs (très copieux) avec les ingrédients de son choix. Et pour finir sur une note sucrée, des fruits de saison ou les incontournables desserts de Sienne (*ricciarelli, cantucci* et autres *cavallucci*).

Cooperativa La Proposta – Ristorante Orto de' Pecci *(plan d'ensemble,* **59***) : via di Porta Giustizia, 39. 0577-22-22-01. • info@laproposta.it • Tlj sf lun. Résa impérative le soir. Menu 13 € avec* primo, secondo, *fruit et verre de vin ; pâtes 5-6 €.* Au bout du bucolique chemin de l'Orto de Pecci, bordé de cultures, voilà une table champêtre avec vaste jardin et tables en bois sous des tonnelles. Cadre idéal pour boire un verre ou se restaurer d'une cuisine très simple et bon marché : pâtes, plats de viande et de charcuteries. De là, vue somptueuse sur la loge arrière du palazzo Pubblico et la torre del Mangia. Possibilité de pique-niquer dans le parc (2 €).

Osteria Titti *(plan d'ensemble,* **42***) : via Camollia, 193. 0577-48-087. Fermé dim soir. Repas complet 20-25 €. Digestif offert sur présentation de ce guide.* Petite *osteria* pas chère où l'on déguste des pâtes fraîches et des *secondi* typiques de la région. Le samedi soir, on est accompagné par un violon ou une guitare. Ça fait plaisir, et pour une fois, on se sent loin du centre.

Prix moyens

Pizzeria di Nonno Mede *(plan couleur centre, B2,* **57***) : Camporegio, 21. 0577-24-79-66. En contrebas de l'église San Domenico. Tlj 12h30-15h, 19h30-minuit. Résa conseillée (surtout pour le w-e). Plats 6-13 € ; salades 6 € ; pizzas 5-9 €.* Carte très fournie en salades, plats traditionnels, pâtes (très bons *pici*) et pizzas. Les *pizze* sont croustillantes et se déclinent en classiques (40 sortes), « blanches » (les fameuses *ciaccini*) ou sucrées (originale, la Nutella-mascarpone !). Mais surtout, on profite d'une vue exceptionnelle sur les douces et harmonieuses maisons de Sienne et le *Duomo* depuis la terrasse ombragée très calme (voie sans issue). Salle intérieure avec tables en bois, et joliment décorée. Pas mal de monde le week-end (venir tôt ou réserver). Dommage que l'accueil soit si inégal, limite désagréable.

Trattoria da Gano *(plan couleur centre, D3,* **62***) : via Pantaneto, 146. 0577-22-12-94. • trattoriadagano@msn.com • À l'angle de la via Pagliaresi. Tlj sf mar, service 12h-14h30, 19h30-22h30. Repas 20-25 €.* Dans le quartier étudiant, à l'écart du flux touristique. Une douzaine de tables dans une belle salle voûtée. De jolies gravures de *contrade* accrochées aux murs crépis ainsi qu'un bel échantillon de vins de la région en présentation sur le comptoir. On commence par des *crostini misti*, on déguste les fameux siennois *pici*, et on ne rate surtout pas les desserts maison comme le tiramisù. Le tout avec le sourire. Les autochtones en font leur cantine le midi.

Antica Trattoria Papei *(plan couleur centre, C3,* **50***) : piazza del Mercato, 6. 0577-28-08-94. Juste derrière la piazza del Campo. Tlj sf lun* *jusqu'à 22h30. Repas complet à partir de 20 €.* On aime bien cette *trattoria* devenue l'une des institutions de la cité siennoise. À l'intérieur, 2 salles ; à l'extérieur, dès les premiers rayons de soleil, une grande terrasse sous l'arrière de l'imposant palazzo Pubblico et sur la place du marché. Ici, vu le nombre de couverts et la localisation, on pourrait craindre le pire. Pourtant, l'accueil est chaleureux, le service rondement mené et la nourriture savoureuse, copieuse et à prix très raisonnables. Quelques spécialités : *trippa alla senese, coniglio all'arrabbiata, osso buco in umido.* Bon rapport qualité-prix.

|●| ***Osteria Nonna Gina*** *(plan d'ensemble,* ***45****)* **:** *pian dei Mantellini, 2.* ☎ *0577-28-72-47. Service 12h30-14h30, 19h30-22h30. Congés : janv et 10-31 juil. Résa conseillée en saison et pour le dîner. Repas complet à partir de 25 €. Digestif offert sur présentation de ce guide.* À la périphérie du centre, une petite *osteria* aux plafonds bas, où les cartes postales s'agrippent aux poutres. Endroit propre et chaleureux. Délicieux *antipasti* de la *nonna* (aubergines, tomates séchées et olives à l'huile) et *rigatoni al sugo di cinta,* salades également. Cuisine familiale typique, goûteuse et variée. Excellent accueil. Rapport qualité-prix plus qu'honnête et petite sélection de vins pas chers, servis en carafe, demi-bouteille ou bouteille.

|●| ***Grotta Santa Caterina*** *(plan couleur centre, B2,* ***55****)* **:** *via della Galluzza, 26.* ☎ *0577-28-22-08.* • *grot01@yahoo.it* • *Non loin du sanctuaire de Santa Caterina. Fermé dim soir et lun. Congés : dernière sem de janv et de juil. Repas complet 25-30 € ; menus* turistico *18 €,* tipico *35 €. Réduc de 10 % sur présentation de ce guide.* Des tables romantiques dans la petite rue tranquille, une belle salle intérieure et une cuisine savoureuse, que demander de plus ? Géré par Bagoga, ex-jockey au *Palio,* ce restaurant propose des plats du terroir et d'originales spécialités comme le *gallo indiano* au vin rouge, tout droit sorti d'une recette du XVIIe s. En dessert, nous n'avons pas résisté à la *panna cotta* aux fruits des bois, accompagnée de *vino dolce*. Service sympathique.

|●| ***Osteria Il Carroccio*** *(plan couleur centre, C3,* ***63****)* **:** *via Casata di Sotto, 32.* ☎ *0577-41-165. Fermé mer. Compter 20-25 €/pers. Menu dégustation (min 2 pers) 30 €/pers. CB refusées.* Petite adresse *slowfood* non loin du Campo, dans une rue délaissée (à tort !) par les touristes. Les traditionnels plats toscans sont copieusement représentés *(bistecca di chianina, insalata di fegatini, picci...)* et les délicieux antipasti ainsi que le bel assortiment de fromages accompagné de miel du pays ont ravi nos papilles ! Aux beaux jours, Renata dresse quelques tables pour profiter des rayons du soleil ! Service souriant mais affairé en haute saison.

|●| ***Osteria Boccon del Prete*** *(plan couleur centre, B4,* ***46****)* **:** *via San Pietro, 17.* ☎ *0577-28-03-88.* • *boccondelprete@alice.it* • *À deux pas du* Duomo. *Fermé dim. Résa conseillée. Plat du jour 8 €. Repas complet 25-30 €. CB refusées. Service gratuit sur présentation de ce guide.* Une carte courte mais variée, qui nous fait redécouvrir avec finesse les saveurs de la cuisine toscane : délicieuse *pappa al pomodoro,* poisson extra-frais, copieux assortiments de *salami.* La cuisson est parfaite, les produits suivent les saisons et les plats sont soignés. Belle sélection de vins toscans qui ne grèvera pas votre porte-monnaie. Le revers de la médaille : un service un peu trop efficace (limite pressé !) et pas souriant. Bon rapport qualité-prix. Les 2 salles (dont une au sous-sol avec pierres apparentes et tableaux modernes) sont souvent pleines...

|●| ***Compagnia dei Vinattieri*** *(plan couleur centre, B2,* ***60****)* **:** *via delle Terme, 79 – via dei Pittori, 1.* ☎ *0577-23-65-68.* • *comvina@tin.it* • *vinattieri.net* • *Compter 35 € le repas complet. Menus 20-45 €, vin compris. Digestif offert sur présentation de ce guide.* Un très joli restaurant qui propose une cuisine de qualité dans un cadre chic et cosy. Copieux *pici* et très bonnes viandes. Sous les poutres apparentes et les voûtes en pierre, un piano, un canapé, des tables espacées et des bouteilles de vin disposées élégamment sur de beaux buffets en bois. La cave est, vous l'aurez compris, bien fournie. N'hésitez pas à demander conseil. Service impeccable.

|●| ***Ristorante La Buca di Porsenna*** *(plan couleur centre, C2,* ***61****)* **:** *via delle Donzelle, 1. ☎ 0577-44-431. • posta@labucadiporsenna.it • Juste à côté du* Piccolo Hotel Etruria. *Fermé mar. Compter 25-30 €.* Belles salles voûtées en sous-sol, avec pierre apparente. C'est l'endroit idéal pour se sustenter par grosse chaleur. On y déguste des *pici* (sortes de gros spaghettis, spécialité siennoise) déclinés à toutes les sauces. Très bonnes *tagliatelle alla porsenna* et côtelettes d'agneau. Desserts typiques toscans *(panforte, ricciarelli)*. Vin à la bouteille ou au verre. Accueil pro.

|●| ***Ristorante da Mugolone*** *(plan couleur centre, B3,* ***51****)* **:** *via dei Pellegrini, 8. ☎ 0577-28-32-35. Fermé jeu, dim soir. Congés : 2e quinzaine de janv. Repas à partir de 30 € (sans la boisson).* Salle plutôt nue, sans charme particulier, mais c'est justement souvent dans ces cas-là que la cuisine est soignée. Service stylé et efficace. Atmosphère pas trop guindée. *Pasta* de qualité (ah, les succulentes lasagnes !), excellentes viandes *(osso buco, costella, vitello alla mugolone, agnello al forno, lepre alla cacciatora)*. Le hic : les petits plus (couvert, service) qui font vite monter l'addition.

Chic

|●| ***Osteria Le Logge*** *(plan couleur centre, D3,* ***54****)* **:** *via del Porrione, 33. ☎ 0577-48-013. • lelogge@osterialelogge.it • Près de la piazza del Campo. Tlj sf dim 12h-14h30, 19h-22h30. Congés : 7-31 janv. Résa indispensable. Moins cher que le décor ne le laisse croire : repas complet, sans la boisson, 40-45 € ; menu 30 €.* Vraiment l'une des plus jolies *osterie* de la ville. Bien entendu, beaucoup, beaucoup de monde. Nécessité absolue de réserver, d'autant plus qu'ils ne mettent personne dehors et que le service est parfois assez lent. Mais on leur pardonne, car ici la cuisine toscane se fait créative, façon « terroir revisité ». Le résultat se révèle raffiné et d'une qualité constante. Quelques spécialités : le *risotto* aux *funghi porcini* et aux myrtilles, la joue de veau accompagnée de purée de fruits et de légumes, l'agneau au four, etc. Excellents petits vins du patron, servis au verre pour certains.

|●| ***Ristorante Gallo Nero*** *(plan couleur centre, D3,* ***56****)* **:** *via del Porrione, 65-67. ☎ 0577-28-43-56. • info@gallonero.it • ♿ Congés : 7-20 janv. Service 12h-15h30, 19h-0h30. Nombreux menus 10-30 €. Le ven soir, banquet médiéval avec musiciens.* Le concept réunit tous les éléments de l'attrape-touristes : musique médiévale, éclairages étudiés, moult serveurs en tenue d'époque, le tout à deux pas du centre touristique. Pourtant, celui-ci repose sur les recherches du patron, passionné d'histoire culinaire, et d'un ami, professeur à l'université de Sienne. Il en résulte une cuisine étonnamment riche et variée. L'ordre des plats, les vins, la couleur des assiettes, les éclairages même répondent aux symboles du XIVe s siennois. Laissez-vous conseiller par le maître des lieux, dégustez, fermez les yeux, vous vivez une autre époque... Juste à côté, l'épicerie, *La Grancia del Gallo Nero*.

|●| ***Ristorante Medio Evo*** *(plan couleur centre, C3,* ***53****)* **:** *piazza del Mercato, 34. ☎ 0577-28-03-15. • info@medioevosiena.it • Tlj sf mer. Repas env 30 €.* Tout récemment installé dans ses nouveaux locaux d'inspiration médiévale, Giancarlo nous offre une cuisine très honnête, avec même quelques plats traditionnels d'une réelle finesse. Quelques spécialités de la maison : *ribollita senese, osso buco alla senese, controfiletto all'aceto balsamico*.

Très chic

|●| ***Cane e Gatto*** *(plan d'ensemble,* ***44****)* **:** *via Pagliaresi, 6. ☎ 0577-28-75-45. 📱 34-73-43-23-15. • caneegatto@hotmail.com • De la piazza del Campo, suivre la via Porrione, puis San Martino. La via Pagliaresi est plus loin sur la gauche. Tlj sf jeu, slt le soir. Résa quasi obligatoire. 1er menu (dit « économique »)*

40 € et menu dégustation 80 € (moitié prix pour les enfants). American Express refusées. Apéro, café ou digestif offert sur présentation de ce guide. Dans une ruelle d'un quartier peu touristique, découvrez plus qu'un resto, une table d'hôtes, considérée comme l'une des meilleures étapes culinaires de la ville. Cadre intime : normal, on est chez les Senni, père, mère et fille. Et cette petite famille saura transformer votre soirée en un moment exceptionnel. La formule originale du patron propose un échantillonnage de hors-d'œuvre, de plats et de desserts suivant le marché et son humeur, mais toujours d'inspiration toscane. Petites recettes vraiment imaginatives (bien que peu renouvelées), accompagnées d'une excellente sélection de vins. Un peu cher, certes, mais pas volé. Attention, le service est long, car tout est concocté à la commande, et il n'y a qu'un seul service. Mais l'accueil plein de gentillesse, ainsi que le service classe et discret à la fois feront oublier cet inconvénient. Idéal pour les dîners en tête à tête.

Où dormir ? Où manger dans les environs ?

À Sovicille

■ |●| ***Soggiorno Taverna :** loc. Celsa, 53018 Sovicille. ☎ 0577-31-70-03. • info@tavernacelsa.it • tavernacelsa.it • ♿ À une dizaine de km de Sienne. Congés : 10-28 janv. Doubles 75-90 €. Apparts 600-1 000 €. Menu soir 25 €. Possibilité de ½ pens et pens complète. Internet. Café offert et réduc de 10 % sur la chambre à partir de la 7e nuit sur présentation de ce guide.* La *Taverna* est une belle demeure entièrement restaurée avec beaucoup de goût par Marco et Manuela, les dynamiques propriétaires. Les 11 chambres sont joliment décorées dans le style traditionnel toscan. Quant aux appartements spacieux et lumineux, ils accueillent les familles et disposent de tout le confort souhaité (TV, clim'...). Jolie piscine et vue magnifique sur la campagne environnante. Manuela, excellente cuisinière, vous concoctera de bons petits plats typiques avec des produits bio du potager familial. La gentillesse de l'accueil et la sérénité de l'endroit nous ont conquis. Idéal pour alterner vacances reposantes et visites culturelles.

À Monterigionni

À 15 km de Sienne, Monterigionni, site lombard, compte l'une des meilleures tables de Toscane (voir à cette ville plus loin).

À San Galgano

San Galgano, à une quarantaine de kilomètres de Sienne, est réputé pour son abbaye (voir plus loin « La campagne siennoise »).

■ |●| ***Cooperativa agricola San Galgano :** loc. Chiusdino. ☎ 0577-75-62-92. Congés : 1er-15 fév. Double env 50 €. Env 17,50 € le repas, à prendre à la cantine du rdc.* Un endroit idéal pour effectuer une retraite, assis en lotus face à l'abbaye. De belles chambres sobres et paisibles, toutes avec salle de bains.

À Belforte

■ |●| ***Agriturismo Blengini :** ☎ 0577-79-30-21. À Belforte, non loin de Radicondoli, 53020. Sienne (au nord-est), Volterra et San Gimignano sont à une* *petite heure de route ; suivre les indications. Double 60 €, sdb et w-c sur le palier. 7 chambres.* Accueil chaleureux de la famille Blengini. Giovanna fait la cuisine, et on ne s'en remet pas ! Tous les produits viennent de la ferme.

Près de Murlo

Camping Le Soline : *via delle Soline, 51, 53010 Casciano di Murlo. ☎ 0577-81-74-10. • camping@lesoline.it • lesoline.it • À 20 km au sud de Sienne. Sur la route de Grosseto, tourner à Fontazzi pour Casciano di Murlo. Bus Sienne-Casciano, puis Casciano-Murlo. Ouv tte l'année. Compter env 22 € pour 2 avec voiture et tente. Chalet pour 2 pers 320-500 €/sem selon saison. Internet, wifi. Réduc de 10 % sur le camping sur présentation de ce guide.* Proche d'un petit village pittoresque avec jolie vue panoramique, ce camping n'intéressera que les motorisés. Emplacements sur le flanc de la colline, entre les oliviers. Sanitaires propres (douches à jetons). Piscine immense (25 m x 14 m) et pataugeoire pour les enfants. Pizzeria avec piano-bar. Discothèque en plein air (le w-e de fin juin à fin août).

Agritourismo Campopalazzi : *à env 22 km au sud de Sienne, à quelques km de Casciano di Murlo ; 53016 Murlo (Sienna). ☎ 0577-81-11-10. • info@campopalazzi.it • www.campopalazzi.it • Congés : 10 janv-10 fév. 6 hébergements, 595-1 260 € en basse saison et 820-1 550 € en hte saison, pour 4-10 pers. Apéritif maison offert sur présentation de ce guide.* Un ensemble de maisons rurales composant une sorte de minivillage, entouré d'un vaste domaine de près de 40 ha. L'accueil d'Anna-Maria met tout de suite dans l'ambiance et l'on se sent bien vite chez soi. Les hébergements sont confortables, vastes et bien équipés. Les appartements *Limonaia* et *Roseto* ont notre préférence pour leur terrasse et la vue fantastique, mais *Frutteto* et *Vigna*, un peu à l'écart, ne sont pas mal non plus. À souligner, le panorama depuis l'immense piscine (20 m x 10 m, presque un bassin municipal !), vraiment extraordinaire, ouvrant sur une vaste oliveraie et la forêt toscane. L'aire de jeux pour enfants, le tennis et les quelques animaux donnent un côté ludique et champêtre à la fois. Si l'on ajoute qu'Anna-Maria organise chaque semaine une dégustation des vins et huile d'olive de la propriété, et des jeux pour enfants, vous comprendrez pourquoi on a aimé.

Locanda Il Palazzotto : *loc. La Befa, à Murlo. ☎ 0577-80-83-10. • info@ilpalazzotto.com • ilpalazzotto.com • Dans le petit hameau de La Befa, à l'ouest de Buonconvento (bien indiqué). Au bout d'un chemin en terre de 3 km. Ouv début avr-fin nov. Compter 95 € pour 2, petit déj compris. Possibilité de dîner pour 25 €. Réduc de 10 % pour ceux qui restent plus de 3 j. sur présentation de ce guide.* Une belle maison traditionnelle, entièrement restaurée dans le style toscan. Déco harmonieuse, vieilles pierres, poutres apparentes et belles frises aux murs. Chambres rustiques mais bien entretenues, certaines indépendantes, situées dans le grand jardin. Superbe terrasse couverte de vignes, piscine avec transats et magnifique panorama sur la vallée. Un authentique havre de verdure et de sérénité. Les quelques perroquets qui peuplent les lieux sont la seule excentricité que Maurizio, le propriétaire, s'est accordée !

Bars à vins *(vinai, enoteche)*

Enoteca I Terzi *(plan couleur centre, C2,* **72***) : via dei Termini, 7. ☎ 0577-44-329. Tlj sf dim. • info@enotecaiterzi.it • Résa impérative. Compter env 15 € pour un plat avec un verre de vin et 35 € pour un repas complet.* Voilà le meilleur bar à vins de la ville (aux dires de Siennois amateurs), qui propose, en terrasse ou dans la salle plutôt chic, plusieurs menus dégustation. À chaque plat son verre de vin. À la carte, des *primi* qui changent tous les jours, de copieux et délicieux *antipasti*, de la charcuterie, du fromage, des desserts... La carte des vins est la plus intéressante de Sienne et le service au verre (à partir de 5 €) n'est jamais ruineux, ce serait dommage de ne pas en profiter !

Enoteca Italiana *(plan d'ensemble, **70**) : piazza della Libertà, 1 ; dans les sous-sols de la fortezza Medicea. ☎ 0577-22-88-34. • info@enoteca-italiana.it • ♿ À 10 mn du centre. Tlj sf dim 12h-1h sans interruption. Vins au verre à partir de 2 €, puis à ts les prix. Réduc de 10 % sur présentation de ce guide, pour tt achat de vin. Quelques plats de charcuterie et fromage 10 €.* En entrant, bar à vins sympa avec une petite sélection de crus variant chaque semaine et jolie terrasse face aux remparts où il fait bon déguster un verre de chianti ou autre... Car ici, ce n'est pas le choix qui manque ! Pour vous le prouver, un superbe escalier en pierre vous mènera à la cave voûtée qui renferme une immense collection de vins italiens (plus de 1 000 crus). Une *enoteca* importante, tant au niveau national qu'international. Ici sont organisées toute l'année des dégustations et manifestations en présence de sommeliers du monde entier, et notamment, en juin, la *settimana dei vini* : nombreuses dégustations, exposition, café-philo et buffet gratuit célébrant le vin toscan. À la vôtre !

Où boire un bon café ? Où boire un verre ?

Fiorella 3 *(plan couleur centre, C2-3, **73**) : via di Città, 13. ☎ 0577-27-12-55. • fiorella3siena@libero.it • Tlj sf dim 7h-19h30.* Minuscule échoppe dans la rue principale, où l'on se presse pour savourer, coude-à-coude au comptoir, un café fraîchement torréfié et moulu. Bon *cappuccino*.

Key Largo bar *(plan couleur centre, C2-3, **71**) : via Rinaldini, 17. ☎ 0577-23-63-39. Dans un coin de la piazza del Campo. Tlj. Verre de chianti ou de prosecco 2-3 €. Accès au balcon jusqu'à 22h.* On aime surtout ce bar pour son balcon à l'étage, d'où l'on a une superbe vue sur la place. Pour en profiter, armez-vous de toute votre agilité (le service se fait au bar), mais une fois installé en haut, on voudrait rester là et contempler la place pendant des heures. Petits prix.

Barché *(plan couleur centre, B1, **74**) : piazza Matteotti, 17. ☎ 0577-23-61-12. Lun-sam 15h-minuit ; dim à partir de 15h. En été,* apericena *ts les mar, 20h-1h. Entrée par la Galleria Metropolitan.* Un joli bar design, avec ses sièges orange et ses petites tables en bois. Terrasse toute l'année (couverte en hiver) qui donne sur les toits. Bons *cappuccini*. Salades et *primi* le midi. Cave à vins bien fournie.

Où sortir le soir ?

Malgré ses nombreux étudiants, Sienne a tendance à s'endormir le soir. Dès les beaux jours, on aime se retrouver piazza del Campo sans forcément aller dans un bar. Le ***Al Cambio,*** *via Pantaneto, 48 (plan couleur centre, D3),* organise souvent des concerts live et le ***bar Porrione,*** *via del Porrione (plan couleur centre, D3),* est le lieu de ralliement de beaucoup d'étudiants. Quant aux discothèques, le ***Gallery,*** *via Pantaneto, 16 (plan couleur centre, D3),* est le seul endroit où l'on peut danser en ville. On vous a quand même déniché deux petites adresses sympas et hors du commun, où l'on peut rester jusque tard le soir.

Tea Room *(plan couleur centre, D3-4, **75**) : Porta Giustizia, 11. ☎ 0577-22-27-53. Mar-ven 19h-23h, à partir de 17h le w-e. Fermé lun. Congés : été.* En contrebas de la piazza del Mercato (prendre les escaliers sur la gauche). Un local atypique où l'on peut boire verres de vin, cocktails, thés ou tisanes et déguster de délicieux gâteaux (préparés avec soin par le patron, Ilario). Une formule étonnante qui rencontre beaucoup de succès auprès des étudiants. Vieux canapés et théières antiques, on se sent comme à la maison. Concerts de jazz de temps en temps. La seule fausse note : la fermeture estivale !

Bella Vista Social Pub *(plan couleur centre, D3, **76**)* **:** *via San Martino, 31.* *34-76-06-11-80. Tlj sf dim, jusqu'à 4h. Env 5 € le cocktail.* Un joli pub cubain tapissé d'affiches en tout genre qui propose des cocktails à base de tequila et de très bon *mojito*. L'été, terrasse juste devant. Musique qui donne envie de se déhancher. Très agréable.

Où déguster une glace ?

Gelateria Kopakabana *(plan couleur centre, C1, **81**)* **:** *via dei Rossi, 52. ☎ 0577-22-37-44. • info@gelateriakopakabana.it • Tlj 10h-minuit. Congés : 15 nov-15 fév.* Un peu à l'écart du centre. Une bonne surprise que ces glaces bien crémeuses aux parfums les plus fous. Une adresse très prisée des Siennois.

Bar-gelateria Il Camerlengo *(plan couleur centre, C3, **82**)* **:** *piazza del Campo, 6. ☎ 0577-28-93-13. Tlj sf dim.* Bonnes glaces classiques ou italiennes, servies en cornet ou en pot, et très abordables. Endroit animé (pas de tables) et puis, surtout, le plaisir de déguster sa glace sur la place ! Distributeur de boissons. Servent également des cafés.

Où savourer de bonnes pâtisseries ?

Pasticceria-bar Nannini *(plan couleur centre, C2, **85**)* **:** *via Banchi di Sopra, 24. ☎ 0577-23-60-09. Tlj 7h30-21h (22h sam).* À Sienne, comme ailleurs, il y a des incontournables. Et la pâtisserie *Nannini* fait partie des institutions de la ville. Voyage dans le temps garanti dès que vous franchissez la porte. La salle est vaste, avec un énorme comptoir et, tout au bout, une dizaine de tables. Les prix sont gonflés, mais les clients toujours aussi nombreux. Normal, les produits de la maison *(panforte, ricciarelli, cavallucci...)* sont excellents.

La Nuova Pasticceria *(plan couleur centre, C4, **83**)* **:** *via Giovanni Duprè, 37. ☎ 0577-41-319. Mar-sam 8h30-12h45, 16h30-19h30 ; dim 9h-12h30.* Toute petite pâtisserie sans prétention, dont les spécialités sont les *ricciarelli*. Moins chargés en amande amère que chez *Nannini*, ils sont moelleux à souhait. Goûter également aux classiques de Sienne, que la maison réussit fort bien *(panforte, cantuccini, cavallucci)*. Du 30 septembre au 5 novembre, la maison fait un *pan dei santi*.

Pasticceria Bini *(plan d'ensemble, **87**)* **:** *via di Stalloreggi, 91-93. ☎ 0577-28-02-07. Mar-sam 7h30-13h30, 16h30-20h ; dim 7h30-13h30.* Très jolie pâtisserie à l'ancienne. Réputée notamment pour ses *ricciarelli* fondants et au goût d'amande bien marqué. Excellentes meringues à l'écorce d'orange ou au chocolat.

Pour trouver du bon pain : ***Forno dei Galli*** *(plan couleur centre, C2, **84**), via dei Termini, 45. ☎ 0577-28-90-73. Fermé dim.*

Où acheter de bons produits ?

Drogheria Manganelli *(plan couleur centre, C3, **90**)* **:** *via di Città, 71-73. ☎ 0577-28-00-02. Tlj 9h-19h45. Congés : janv.* Sans conteste la plus belle et la plus ancienne épicerie de Sienne (datant de 1879). Allez-y rien que pour la beauté des lieux. On fait un véritable saut dans le temps en découvrant les vieilles étagères en bois, remplies de bocaux d'épices pour préparer les spécialités italiennes, et une superbe sélection de pâtes – haut de gamme – de toutes les formes et de toutes les couleurs. On y vend aussi les classiques *cantucci, panforte* et autres douceurs, du vin, du miel, du fromage... à des prix finalement raisonnables.

La Vecchia Dispensa *(plan couleur centre, C2,* ***91****)* **:** *via Cecco Angiolieri, 11. ☎ 0577-28-55-20. Tlj sf dim 8h-13h15, 16h30-20h.* Une jolie épicerie toscane fréquentée par les habitants du quartier, proposant tous les produits de la région à prix « locaux ». Une petite sélection de chianti, *vino rosso* et *grappa,* et un superbe étal de charcuteries et fromages vendus très bon marché. Idéal pour préparer le pique-nique avec de bons produits frais.

Morbidi 1925 *(plan couleur centre, C2,* ***93****)* **:** *via Banchi di Sopra, 73. ☎ 0577-28-02-68. Lun-sam (sf sam ap-m) 9h-20h.* Belle épicerie tout en longueur présentant de larges rayonnages d'huiles d'olive, conserves, pâtes, vins et autres produits toscans. Vend surtout des produits frais (pâtés pour *crostini, mozzarella di bufala*) et plats à emporter cuisinés sur place (lasagnes, viandes, légumes).

Consorzio agrario di Siena *(plan couleur centre, B1,* ***94****)* **:** *via Pianigiani, 5-7. Lun-sam 8h-19h30.* Vaste coopérative où l'on trouve tous les produits du cru *(panforte, vino santo, crostini...)* à des prix plus honnêtes que dans les boutiques privées. Vente de produits frais (beau choix de fromages à la coupe).

Enoteca San Domenico *(plan couleur centre, A1,* ***95****)* **:** *via del Paradiso, 56. ☎ 0577-27-11-81. Tlj 9h30-19h30.* Une petite œnothèque qui vend des vins de qualité à des prix très compétitifs.

Où faire du shopping ?

Les amateurs de **design** pourront flâner *via delle Terme* où se trouvent plusieurs magasins d'ameublement.

Aloe & Wolf *(plan couleur centre, D3)* **:** *via del Porrione, 23. Tlj sf dim 11h-19h30.* LE magasin *vintage* de Sienne qui propose lunettes de soleil, robes, sacs et accessoires pour être LA star de la *dolce vita* des années 1920 à 1980. Assez cher mais on trouve toujours des articles en promotion. Accueil très décontracté et souriant.

À voir

– Possibilité d'acheter un billet cumulatif à un tarif intéressant qui permet de visiter plusieurs sites majeurs à Sienne, notamment le *Duomo,* le *museo dell'Opera,* la *cripta,* l'*oratorio di San Bernardino* et le *museo diocesano d'Arte sacra. Pour plus de rens : • operaduomo.siena.it •* ou *☎ 0577-28-30-48. Prix : 12 € ; valable 2 j.*

Dans le quartier de la piazza del Campo

Piazza del Campo *(plan couleur centre, C2-3)* **:** c'est quand même un choc que de découvrir, dans l'enfilade d'une ruelle, une mince échappée vers cette piazza del Campo qui semble chavirer. En forme de coquille, la seule que l'on connaisse ainsi. Cette place est vraiment le cœur de la cité, centre de son histoire et de sa vie. Lieu des grandes assemblées et des fêtes (c'est là que se déroule le Palio), c'est sans doute l'une des places les plus originales d'Italie, doucement incurvée vers le palazzo Pubblico. Sur son pavement, neuf bandes claires en souvenir des neuf seigneurs qui gouvernèrent la ville aux XIIIe et XIVe s. En haut du Campo, la *fonte Gaia,* sculptée à l'origine par Jacopo della Quercia au XVe s, était le point de confluence des eaux de ruissellement récupérées par les ingénieurs siennois de l'époque. Les sculptures en place sont des copies du XIXe s (les originaux, très abîmés, sont visibles dans les sous-sols de l'hôpital Santa Maria della Scala).

Le soir, à une heure un peu tardive, dès que les touristes sont partis se coucher, promenez-vous au hasard des ruelles. Et puis, prenez un dernier verre sur cette magnifique place. Son charme presque irréel avec, sur fond de ciel étoilé, l'élégante torre del Mangia éclairée, est franchement poignant. Vous êtes en plein XIVe s. Un grand moment !

POURQUOI JETER LES PIÈCES DANS LES FONTAINES ?

Ce rite est très ancien. Avant le christianisme, chaque fontaine était dédiée à une divinité païenne (Jupiter, Mercure...). Ces pièces leur rendaient hommage. Le christianisme, en supprimant ces dieux antiques, a dû trouver une autre explication puisque le rite perdurait. Désormais, jeter une pièce signifie que l'on souhaite revenir dans ces lieux.

***Palazzo Pubblico – Museo civico** (plan couleur centre, C3) : piazza del Campo. ☎ 0577-29-22-23. Tlj 10h-19h (18h de nov à mi-mars). Fermé à Noël. Entrée : 8 € ; réduc.*

Édifié à la fin du XIIIe s en style gothique. On ne peut imaginer élégance, harmonie plus sobres. Devant, loggia Renaissance (élevée en 1352 à la suite d'un vœu contre la peste), surmontée de la célèbre torre del Mangia (qui culmine à un peu plus de 100 m). Siège des gouvernements de Sienne, le palais abrite toujours le pouvoir local et, surtout, une magnifique série de fresques du XIVe au XVIe s. Les messages philosophiques et politiques de la cité médiévale y sont donc directement affichés sur les murs. Une telle richesse préservée au cours des siècles reste unique.

Voici les temps forts du palais :

– ***Les cinq premières salles :*** sur la droite en entrant, deux salles dédiées aux peintures siennoises du XVIe s. Parmi les plus remarquables, une Madone avec Jésus couronnant sainte Catherine d'Alessandro Casolani et quatre petites toiles de Venture Salimbeni. La 3e salle présente des peintures du XVIIe s et, en particulier, sur la gauche, un puissant *Saint Paul* réaliste de Rutilio Manetti, qui a ici assimilé les leçons du Caravage (comparer les toiles de sa première période, beaucoup plus classique, dans cette même salle). La 4e salle, dite ***du Risorgimento*** (XIXe s), présente moins d'intérêt à nos yeux au niveau artistique ; on aime quand même les quelques sculptures néoclassiques (dont une adorable *Petite Fille dormant* de Giovanni Duprè). Au-dessus de votre tête, l'allégorie de l'Italie par Alessandro Franchi et face à l'entrée, celle de la Toscane avec à sa droite deux livres : *La Divine Comédie* et un volume de Machiavel.

– ***La salle de Balia :*** contient de belles fresques du XVe s de Spinello Aretino, un des rares Florentins à avoir été invités à peindre à Sienne. Solide peinture qui décrit la vie du pape, remarquez en particulier la fantastique scène de *Bataille navale entre les impériaux et les Vénitiens.*

– ***L'antichambre du Consistoire :*** ici sont réunis de beaux morceaux de fresques de l'école siennoise du XIVe s. Retournez-vous en entrant et regardez au-dessus de la porte par laquelle vous êtes entré : belle fresque d'Ambrogio Lorenzetti.

– ***La salle du Consistoire*** *(sala del Consistoro)* **:** magnifique plafond à fresques de Domenico Beccafumi (1529-1535). Admirez la puissance et les couleurs du grand maniériste siennois. Au-dessus de la porte d'entrée, beau *Jugement de Salomon* de Luca Giordano. À signaler enfin qu'on célèbre encore des mariages dans cette salle ! *Grandissimo...*

– ***La chapelle seigneuriale :*** juste avant d'accéder à la grande salle du palazzo Pubblico. Elle contient des fresques du XVe s, de Taddeo di Bartolo. Prenez le temps d'entrer dans la chapelle pour admirer les scènes de la vie de la Vierge. Belle marqueterie sur les côtés. Au fond, le chœur : observez l'*Annonciation* en hauteur. Belle toile du Sodoma.

– ***La salle de la Mappemonde :*** c'est ici que se réunissait le Conseil de la République. Elle abrite les fresques les plus anciennes du palais. Extraordinaire *Maestà*

(Vierge entourée de saints), de Simone Martini. Elle a été récemment restaurée et illustre parfaitement la virtuosité de Martini qui se sert de la leçon de Giotto pour magnifier la beauté des personnages, tout en privilégiant un certain hiératisme, une richesse décorative presque irréelle qui ne fait qu'amplifier l'impression de grâce et de sérénité qui se dégage de cette œuvre. Il faut mettre cette *Maestà* en perspective avec celle de Duccio au musée de l'Œuvre de la cathédrale pour mesurer l'évolution picturale accomplie par Simone. Noter l'aspect réaliste des têtes de personnages, qui sont de véritables portraits. L'artiste a peint cette fresque en deux temps, ce qui se voit très bien, les personnages les plus récents apparaissant mieux restaurés, plus éclatants. Les auréoles dorées en relief en stuc peint sont caractéristiques de la persistance du goût gothique à Sienne.
Ne ratez pas les deux scènes de batailles peintes aux XIVe et XVe s sur un fond monochrome ocre. Sur l'un des pilastres, en dessous, appréciez la belle *Sainte Catherine de Sienne* du Sodoma (XVIe s). Sur le mur opposé à la *Maestà*, en hauteur, un magnifique chevalier toujours par Simone Martini. Il s'agit de Guidoriccio da Fogliana, prêt pour l'assaut de Montemassi (il n'a pas vraiment l'air stressé !). Il s'agirait de l'une des plus anciennes représentations réalistes de paysage de l'histoire de l'art. Rien que ça ! Et juste en dessous, une fresque (symbolisant le « passage » d'un château sous le pouvoir siennois), récemment retrouvée, attribuée (avec beaucoup de réserve toutefois) au grand Duccio. Notez enfin, de part et d'autre de cette fresque, les beaux saints *Ansano* et *Victor* du Sodoma.
– ***La salle de la Paix :*** voici un autre chef-d'œuvre de la peinture occidentale. Les fresques d'Ambrogio Lorenzetti, peintes en 1337, constituent une magistrale allégorie sur la bonne et la mauvaise gouvernance. Elles prônent l'importance d'un gouvernement mesuré et d'une justice équitable, et les conséquences directes que cela peut avoir sur toutes les couches sociales. Si la signification est facile à décrypter, l'intérêt historique de ces fresques est exceptionnel, car il s'agit, et on l'oublie souvent, d'un sujet entièrement profane, d'où l'extraordinaire somme de petits détails de la vie quotidienne. Sur la scène représentant le bon gouvernement, admirez, derrière la porte romaine, la campagne siennoise bien cultivée. En face, le mauvais gouvernement (bien abîmé par le temps) laisse entrevoir la silhouette d'un diable.
– ***La salle des Pilastres :*** dernière salle dans le prolongement de celle de la Paix. Elle présente quelques peintures et sculptures allant du XIIIe au XVe s, retables et crucifix.
– ***2e étage :*** prenez encore le temps de grimper dans la loge extérieure, conçue pour permettre aux représentants du gouvernement des *nuove* d'entrer en contact avec l'extérieur pendant leurs longs travaux. Superbe vue sur la campagne siennoise et la place du marché, dont le calme contraste avec le foisonnement permanent de la piazza del Campo. Vous y découvrirez une vallée verdoyante à l'intérieur même de Sienne ! Vous verrez, au fond à gauche, la basilique Santa Maria dei Servi et à droite l'église Sant'Agostino. En contrebas de cette dernière, la charmante petite chapelle Saint-Joseph dont le toit arrondi est typique de l'architecture siennoise du XVe s. Pour info, il s'agit de la chapelle de la *contrada* de *l'Onda* (la vague).

Torre del Mangia *(plan couleur centre, C3) : tlj 10h-19h (16h 15 oct-mars) ; clôture du guichet 45 mn avt. Fermé à Noël. Entrée : 7 €. Visite par petits groupes ttes les 30 mn.* Vertigineuse grimpette, plus de 400 marches (claustrophobes, s'abstenir !), mais vous serez récompensé de vos efforts par le panorama. Entièrement construite en brique. La grande cloche de 6 t fut installée au XVIIe s. Elle porte le nom de son premier sonneur. Gardez cependant du souffle pour la « tour » du musée de l'Œuvre du *Duomo*.

Loggia della Mercanzia *(plan couleur centre, C2) :* point de rencontre des *vie* di Città, Banchi di Sotto et Banchi di Sopra. C'est l'ancien tribunal de commerce. Les trois grandes arcades sont ornées de sculptures exceptionnelles de Federighi et de Vecchietta, véritables chefs-d'œuvre méconnus du XVe s italien.

SIENNE ET LES CRETE SENESI

cité, un chef-d'œuvre de la Renaissance italienne. Derrière, une belle fresque du XVIIIe s représente des infirmes attendant une guérison miraculeuse au bord d'un bassin.

Ospedale Santa Maria della Scala *(plan couleur centre, B4)* **:** *en face de la cathédrale. ☎ 0577-53-45-71. Tlj 10h30-18h30 (dernière entrée à 18h). Entrée : 6 € (8 € lors des expos temporaires) ; réduc.*

Fondé au XIe s, ce fut l'un des premiers hôpitaux européens. La plupart des bâtiments datent du gothique. Au départ, c'était un hospice géré par les responsables religieux du *Duomo* et destiné à accueillir les pauvres, les orphelins et les pèlerins. Sienne se situant sur la via Francigena – l'axe de Rome vers la France –, la Scala recevait les pèlerins en route pour Compostelle (d'où une salle du « Pellegrinaio »). L'hôpital est absolument gigantesque, il a d'ailleurs peu à peu englobé une rue qui passait derrière l'hôpital d'origine. Cette rue existe encore (elle démarre sous une arche en contrebas à droite) et fut utilisée jusqu'aux années 1980 par les ambulances pour acheminer les malades jusque dans l'hôpital. Au XIIIe s, les édiles siennois avaient déjà quelques idées bien inspirées. Les malades étaient reçus dans un service d'urgence, où étaient dispensés les premiers soins à base d'onguents et de saignées. Au XIVe s, il devint donc logiquement un hôpital pilote qui servit de modèle à bien d'autres. C'est le premier qui édicta un règlement sanitaire révolutionnaire pour l'époque : les soignants devaient se laver les mains, obligation d'avoir des lits en fer (pour combattre les punaises), une nourriture adaptée à chaque patient, un surveillant par salle, etc. L'hôpital devint riche également grâce aux legs des bourgeois de la ville (qui les déduisaient de leurs impôts, déjà !) et surtout aux épidémies de peste (des milliers d'héritages après celle de 1348 !).

Au XVIIe s, la salle du Pèlerin, couverte de magnifiques fresques de Domenico di Bartolo, fut transformée en salle de malades, et diverses chapelles en salles de soins. L'art fut laissé de côté au profit de la médecine. Et les dégradations des fresques devinrent, hélas, importantes. À partir de 1985, il n'y eut plus de malades résidents (l'écrivain Italo Calvino fut l'un des derniers à y mourir), mais uniquement des consultations. L'hôpital ferma définitivement ses portes aux malades en 1996. Heureusement, il se visite : allez donc admirer les fresques du Pellegrinaio.

La visite commence justement avec la ***salle dite du Pellegrinaio.*** L'immense salle est ornée de dix magnifiques fresques, réalisées en 1439 par Vecchietta, Domenico di Bartolo et Priamo della Quercia (le frère du grand sculpteur). Scènes de la vie hospitalière d'une qualité documentaire et artistique exceptionnelle, notamment celles de Domenico di Bartolo, pleines de détails sur la vie de l'hôpital au XVe s. De vraies photographies de l'époque, on observe la visite des chirurgiens (notamment la visite des « médecins patrons » interrogeant l'homme à la jambe entaillée et faisant entre eux des commentaires), l'examen d'un flacon d'urine, le lavage d'une plaie, la vie dans l'orphelinat, l'éducation au mariage des jeunes filles... Franchement fascinant, et l'atmosphère grouillante décrite rappellera sûrement certaines visites aux urgences...

Remarquez aussi la voûte peinte par Agostino di Marsiglio.

Plusieurs salles dont une, bien éclairée, dédiée aux statues de marbres de Tito Sarocchi.

La vieille sacristie, destinée à accueillir les reliques acquises par l'hôpital, est complètement recouverte des fresques de Vecchietta (1446-1449). Il y a peu encore, elle accueillait des volumes de chirurgie clinique et une bibliothèque.

– Au sous-sol, le ***Fienile*** où l'on peut suivre le parcours de restauration de la fontaine Gaia (la fontaine qui est au centre de piazza del Campo est une copie de l'originale de Jacopo della Quercia). Pas étonnant que la fontaine ait été aussi abîmée, on s'en servait comme tribune lors des fêtes sur la place ! En 1844, le sculpteur siennois, Tito Sarrochi, en a donc réalisé une copie.

– ***Le Museo archeologico*** enfin, encore un étage au-dessous, vous fera suivre un dédale de couloirs sous les voûtes (attention la tête). Intéressante collection archéologique étrusque qui rappelle que Sienne est, avant tout, une ville étrusque. Quelques belles urnes funéraires et de beaux bas-reliefs plus tardifs (période romaine). Belles pièces à voir !

SMS contemporanea *(plan couleur centre, B4) :* *piazza del Duomo, 2. Dans les locaux de Santa Maria della Scala, mêmes horaires.* Ce centre d'art contemporain propose des expositions temporaires (nouvel accrochage tous les 3 mois).

Contrada della Selva *(plan couleur centre, A3) :* *piazzetta della Selva. En contrebas de la cathédrale, derrière l'hôpital. Parfois ouv le sam ap-m.* Abritée dans la jolie *église Saint-Sébastien* de 1499, en forme de croix grecque. Certaines fresques sont de Giovanni Pisano. *Assomption* de Lorenzo Sabbatini. Autel couvert de reliquaires. Dans la sacristie, crucifix, statues, candélabres, un vrai petit musée. Salle de réunion de la *contrada* avec plafond peint. Dans le hall d'entrée, divers souvenirs et peintures sur le Palio.

Dans le quartier de la pinacothèque

Pinacoteca nazionale *(plan couleur centre, C4) :* *via San Pietro, 29.* ☎ *0577-28-61-43. Lun 9h-13h ; mar-sam 8h15-19h15 ; dim et j. fériés 9h-13h. Fermé le 1er mai, à Noël et le Jour de l'an. Entrée : 4 € ; réduc.*

La Pinacoteca nazionale, bien qu'un peu poussiéreuse et vieillotte dans la muséographie, est d'une richesse extraordinaire en peintures siennoises du XIIIe au XVIIe s, peut-être même trop riche si l'on veut apprécier pleinement chaque œuvre. On la conseille particulièrement à ceux qui aiment les primitifs et la Renaissance italienne. Le musée est installé dans l'un des plus beaux édifices gothiques de la ville (le palazzo Buonsignori). Les branchés en art savent qu'on peut y admirer la *Vierge à l'Enfant,* à demi effacée, de Simone Martini. Musée d'une très grande richesse, plus de 600 primitifs religieux. Le musée se parcourt de haut en bas, du plus ancien au plus récent. Voici une petite sélection de peintures à voir en priorité, choisies pour leur qualité, voire leur intérêt historique.

3e étage

– À voir si vous avez le temps. Il s'agit d'une petite salle contenant la collection Spannocchi : peintures vénitiennes et nord-européennes essentiellement du XVIe s. Admirez le petit *Saint Jérôme* de Dürer et surtout la *Nativité* de Lorenzo Lotto (excentrique artiste vénitien), d'une luminosité fantastique. Avez-vous remarqué, sur cette dernière, un petit détail peu commun et pourtant très réaliste : le petit Jésus a encore son cordon ombilical ! Au fond de la salle, quelques belles toiles vénitiennes.

2e étage

– *Salle 1 :* peintures siennoises du XIIIe s, *Vierge à l'Enfant* de Duccio.
– *Salle 2 :* admirez en particulier la qualité des petites scènes de part et d'autre du fameux *Saint Pierre* de Guido di Graziano.
– *Salle 3 :* que des chefs-d'œuvre de Duccio (fin XIIIe-début XIVe s) et de son école. Grand *Christ en croix* de Niccolò di Segna. Fameuse *Madone* dite de la Miséricorde de Simone Martini.
– *Salle 4 :* magnifique *Christ en croix avec saint François* d'Ugolino di Nerio. À gauche en entrant dans cette salle, ne ratez pas la célèbre petite *Madone des Franciscains* de Duccio, qui symbolise la grande influence de l'art gothique francilien sur ce peintre qui, bien que conscient de l'apport naturaliste de Giotto, semble préférer un certain archaïsme, peut-être plus à même d'exprimer à ses yeux le message divin.
– *Salle 5 :* on entre vraiment dans le XIVe s. Admirez l'extraordinaire douceur de la *Vierge à l'Enfant,* à demi effacée, de Simone Martini à gauche en entrant.
– *Salle 6 :* observez les détails du *Couronnement de la Vierge* de Bartolo di Fredi.
– *Salle 7 :* très riche, trop riche ! Les deux salles sur la droite sont remplies d'œuvres des frères Lorenzetti (Ambrogio et Pietro). Ne ratez pas, dans la salle au fond à

droite, la belle *Annonciation* d'Ambrogio, inspirée de celle de Simone Martini, aujourd'hui à la galerie des Offices à Florence. En face, le retable des *Carmes* est probablement LE chef-d'œuvre de Pietro. Admirez en particulier la prédelle et son rendu des volumes et des paysages.

– *Salle 11 :* salle Taddeo di Bartolo (le peintre de la chapelle du Museo civico du palazzo Pubblico). Ce peintre est intéressant car il permet de voir ce qu'est devenue la leçon des grands Siennois de la première moitié du XIVe s (Duccio, puis Simone Martini et les frères Lorenzetti) après la grande peste de 1348. Taddeo est finalement un peu répétitif, inégal et bien moins puissant que ses prédécesseurs.

– *Salle 12 :* on arrive au XVe s. Salle Giovanni di Paolo. Peintre un peu particulier, certainement excentrique et volontairement archaïsant. Ne pas manquer la petite *Vierge à l'Enfant* dans son jardin fleuri.

– *Salle 13 :* deux présentations au Temple inspirées de l'original de Lorenzetti aux Offices à Florence. Ne ratez surtout pas la superbe *Vierge à l'Enfant* de Domenico di Bartolo, beaucoup plus sensible à la Renaissance florentine (ce dernier a peint une partie des fresques du Pellegrinaio à l'hôpital Santa Maria della Scala) ; voyez sa douceur et ses extraordinaires couleurs.

– *Salle 14 :* tout le XVe s siennois est là, conscient des nouveautés florentines, mais la douceur, la poésie, les fonds d'or nous rappellent que nous sommes à Sienne. Cette salle contient quantité de belles *Vierge à l'Enfant* par Nerrocio di Bartoloméo Landi, Francesco di Giorgio Martini (regardez aussi sa nativité) ou encore Matteo di Giovanni.

– *Salles 16 et 17 :* salle Sano di Pietro. Parfois inégal, il faisait probablement appel à de nombreux collaborateurs plus ou moins bons. On aime surtout la belle *Vierge au ciel* en habit blanc et or, entourée d'anges.

– *Salle 19 :* concentrez-vous sur le magnifique *Couronnement de la Vierge* de Francesco di Giorgio Martini et sur la belle *Vierge à l'Enfant sur le trône* de Vecchietta.

1er étage

– Outre quelques maniéristes de deuxième ordre, on peut surtout y admirer de belles peintures du XVe s *(salle 23),* plutôt inspirées de la Renaissance florentine et ombrienne que siennoise, par Pietro Francesco degli Orioli, Girolamo Genga ou encore le Pinturricchio (ne ratez pas sa belle *Adoration des Mages*). Également deux beaux tableaux de Bernardino Fungai.

– *Salle 26 :* belle salle de sculpture siennoise avec une vue magnifique sur Sienne et sa campagne.

– Extraordinaires Beccafumi : *Trinité* et *Sainte Catherine recevant les stigmates, Nativité* et *Couronnement de la Vierge (salles 27 et 29).* La *salle 30,* exceptionnelle, fait apparaître la puissance de Beccafumi dans ses cartons préparatoires pour le pavement du *Duomo.*

– *Salles 31 et 32 :* valent surtout pour le superbe *Christ à la colonne,* la *Déposition,* deux fresques du Sodoma et deux toiles toujours hors normes de Beccafumi (le *Christ aux limbes* et *Saint Michel chassant les anges rebelles* dont il existe une autre version dans l'église San Niccolò al Carmine, celle-ci ayant été refusée par les carmes, car jugée trop osée).

– *Salle 33 :* XVIIe s siennois, avec en particulier trois superbes portraits de femme à droite par Bernardino Mei.

– *Salle 35 :* surtout des œuvres de Rutilio Manetti, l'autre grand Siennois du XVIIe s (trois toiles de grand format en particulier).

– *Salle 36 :* belles peintures du XVIe s siennois (Francesco Vanni, Alessandro Casolani).

Chiesa San Niccolò al Carmine *(plan d'ensemble)* **:** *pian dei Mantellini.* Église datant du XIVe s (imposante tour en poivrière du XVIIe). Construction massive en brique. À l'intérieur, vestiges d'une *Assomption* du XIVe s. Au deuxième autel, intéressant *Saint Michel chassant les anges rebelles* de Beccafumi, peint sur bois. C'est le siège de la *contrada la Pantera* et la plus grande des églises de *contrade.* Les chevaux sont bénis à l'intérieur avant la course. Grande émotion.

– Sur le même trottoir que San Niccolò al Carmine, le *palazzo Ravizza* (voir « Où dormir ? Très chic »), puis l'arc des deux portes, vestiges de l'enceinte du XIe s (accès à la via Stalloreggi).

Dans le quartier de la basilique San Francesco

Chiesa San Francesco *(plan d'ensemble)* **:** *accès par l'arco di San Francesco. Tlj 7h30-12h, 15h30-19h.* Bâtie au XIIIe s, modifiée aux XIVe et XVe s, et façade reconstruite au XIXe s. De très hautes chapelles encadrent le chœur. L'intérieur, un peu sombre toutefois, vaut la visite pour la qualité de certaines œuvres. En entrant, à gauche derrière vous, des restes de *fresques* de Sasseta et Sano di Pietro, et sur la droite, du Sodoma. Au début de la nef à droite, fresques du XIVe s, de l'école siennoise. Belle présentation dans cette vaste nef, un peu froide, de grandes toiles siennoises du XVIIe s (en particulier, voir celle de Casolani) et d'une magnifique toile de Pietro da Cortona (Rome, XVIIe). Dans la première travée, à gauche du chœur, une magnifique *Crucifixion* de Pietro Lorenzetti et, dans la troisième, deux célèbres morceaux de *fresques* de son frère Ambrogio, appelés « Épisodes de la vie franciscaine ». Ces restes de fresques des frères Lorenzetti, aux couleurs ocre, sont d'une exceptionnelle qualité. Dans la première travée à droite, une belle *Vierge à l'Enfant* du XIVe s. Enfin, notez les beaux vitraux.

Oratorio San Bernardino – Museo diocesano d'Arte sacra *(plan couleur centre, D1)* **:** *piazza San Francesco, 9. ☎ 0577-28-30-48. Mars-oct, tlj 10h30-13h30, 15h-17h30. Sur résa le reste de l'année. Entrée : 3 €.* Mérite le détour pour son 1er étage et son magnifique cycle de fresques sur la vie de la Vierge par les plus grandes peintres siennois du XVIe s, et tout particulièrement Domenico Beccafumi et le Sodoma. Belle unité, atmosphère calme et reposante, car généralement peu de monde. Ne pas rater le bas-relief de Giovanni d'Agostino représentant la *Vierge à l'Enfant et deux anges,* exemple célèbre de la sculpture siennoise du XIVe s. À l'intérieur, nombreuses œuvres, certaines d'une grande qualité (en particulier une belle *Vierge à l'Enfant allaitant* d'Ambrogio Lorenzetti).

Basilica Santa Maria di Provenzano *(plan couleur centre, C1)* **:** la façade blanche et majestueuse, de style baroque romain, fin XVIe-début XVIIe s, tranche avec l'environnement en brique ocre de Sienne. Un certain aspect monumental qui surprend lorsqu'on y accède par l'une des petites rues environnantes. Elle abrite une peinture de la Vierge, touchée par une arbalète, et devenue une relique sacrée. C'est à elle qu'est dédié le Palio du mois de juillet. La *contrada* victorieuse amène le Palio en cortège jusqu'à la Madone.

Piazza dell'Abbadia *(plan couleur centre, C1)* **:** tout à fait charmante, avec la petite *église San Donato.* Elle présente une façade très simple, pierre surmontée de brique avec une délicate rosace. L'occasion d'admirer les ravissantes fenêtres gothiques (sur fines colonnettes et tympans ajourés) du palais Salimbeni (la façade arrière).

À voir encore si on a le temps

Museo di Storia naturale dell'Accademia di Fisiocritici *(plan d'ensemble)* **:** *prato di San Agostino, 5. ☎ 0577-47-002. Ouv 9h-13h, 15h-18h. Fermé jeu ap-m, w-e et j. fériés. Entrée libre (sonnez à l'interphone). Visite guidée sur demande.* Aujourd'hui musée de géologie, de zoologie et d'anatomie, l'académie de Fisiocritici, fondée en 1691, joua un rôle immense dans le Siècle des lumières, pour la propagation des sciences naturelles. Présentation des collections à l'ancienne dans d'étroites salles voûtées. L'ensemble dégage un certain charme scientifique désuet. Superbes minéraux. Débris de météorites tombés en 1794, curieuse collection d'environ

2 000 champignons en terre cuite, impressionnant squelette d'une baleine de 15 m dans la cour, riche collection ornithologique.

L'orto botanico *(plan d'ensemble) : juste à côté du Museo di Storia naturale. Lun-ven 8h-17h30, sam 8h-12h30. Fermé dim et j. fériés. Entrée libre.* Un beau jardin épargné par le flot des touristes, où il fait bon flâner de plante en plante le long des allées qui descendent de la colline. Plusieurs sections : médicale, aquatique, tropicale, carnivore...

L'orto dei Tolomei *(plan d'ensemble) : en haut de via Duprè, entrée à gauche du restaurant universitaire Sant'Agata ou par la via Mattioli (1re à gauche).* Un parc qui offre un superbe point de vue sur la ville et la campagne environnante.

Dans le quartier de San Domenico

Basilica San Domenico *(plan couleur centre, A2) : mars-oct, tlj 7h-18h30 ; nov-fév, 9h-18h.* Grande église gothique qui présente peu d'intérêt sur le plan architectural, mais c'est derrière elle que l'on obtient le point de vue global le plus séduisant sur la ville. À l'intérieur, dans la chapelle Sainte-Catherine, quelques fresques et peintures à ne pas manquer, parmi lesquelles le plus ancien portrait de *Sainte Catherine de Sienne*, fresque relatant la vie de cette dernière, par Andrea Vanni au XIVe s. Le sol en marbre est de Francesco di Giorgio Martini, l'un des plus grands artistes siennois du XVe s (à la fois peintre, sculpteur et architecte). Belle *Adoration des Mages* réalisée en partie par ce dernier. Dans la nef, belles toiles des XVIe et XVIIe s siennois, et tout particulièrement le chef-d'œuvre d'Alessandro Casolani, la *Naissance de la Vierge*. La première travée à gauche du chœur contient une fresque de Pietro Lorenzetti, tandis que la seconde abrite une très ancienne et célèbre *Vierge à l'Enfant* siennoise du XIIe s par Guido da Siena, dont la tête a été repeinte dans un second temps. Dans la chapelle à droite du chœur, belles peintures siennoises caractéristiques du XVe s par Matteo di Giovanni.

Santuario e casa di Santa Caterina *(plan couleur centre, B2) : costa di San Antonio. Accès par les pittoresques* vie *Galuzza ou Santa Caterina. Tlj 7h-18h30.* Maison de la sainte, lieu de pèlerinage très populaire pour les Italiens.
Sainte Catherine naquit en 1347 et fut, durant sa vie de religieuse, une ambassadrice de choc. Elle réussit à convaincre le pape Grégoire XI de quitter Avignon et de revenir à Rome. Ensuite, elle organisa le traité de paix entre le pape Urbain VI et Florence (coupable d'avoir déclaré la guerre à l'État papal). Elle organisa aussi la bataille décisive entre les troupes du pape et celles de l'antipape d'Avignon, Clément VII. Canonisée au XVe s, proclamée patronne de Rome au XIXe s et patronne de l'Italie en 1939 par Pie XII.
Dans la cour, à droite, puits du XVe s.
Accès à l'*église du Crucifix* à droite, devant laquelle la sainte reçut les stigmates en 1375. Décor baroque chargé, fresque au plafond. En face, l'oratoire supérieur (l'ancienne cuisine) contient des fresques siennoises de la fin du maniérisme. Noter le beau pavement de faïence du XVIIe s et le plafond à caissons. À l'étage inférieur, la chambre de la sainte (on peut apercevoir l'endroit où elle reposait la tête, sur un coussin de pierre, aïe !) et un autre oratoire, peint à fresque par le puriste Alessandro Franchi en 1896 et retraçant l'histoire de la sainte. Franchement pas mal. Toujours en contrebas, on accède au siège de la *contrada* de l'Oie ou *Oca* (également accessible par la petite rue descendant vers la fonte Branda), qui contient des œuvres d'art importantes mais la plupart du temps inaccessibles au public : sur l'autel, belle statue de la sainte par Nerrocio di Bartoloméo, fresques du Sodoma, Girolamo del Pacchia, Ventura Salimbeni, Sebastiano Folli et on en oublie.

Fonte Branda *(plan couleur centre, A-B2) : en bas de la rue descendant de la maison de sainte Catherine.* La plus belle et la plus impressionnante des fontaines siennoises, datant de 1246. Gros édifice de brique rouge à arcades gothiques, surmonté de gargouilles en forme de lions. Plusieurs bassins bien distincts, utilisés comme réservoir d'eau potable, lavoir et abreuvoir.

La forteresse médicéenne, la piazza della Libertà et l'enoteca italiana (plan d'ensemble) : elle rappelle douloureusement aux Siennois l'ancienne domination florentine. On peut faire le tour des remparts d'où l'on bénéficie d'une belle vue sur la ville. Bande de pelouse centrale pour faire courir les bambins. En revanche, tout amateur de vin qui se respecte se doit de passer un moment dans les œnothèques : à droite de l'entrée, la *Toscana,* et à gauche, l'*Italiana* voir plus haut la rubrique « Bars à vins *(vinai, enoteche)* ».

Enfin, comme toujours, ne pas hésiter à se perdre dans les escaliers et ruelles de la ville. Par exemple, la ***via dei Fossi di Sant'Ansano*** *(plan couleur centre, C4),* verte et bucolique, ou les *vie* qui musardent vers les portes de ville, la ***porta Camollia*** du XIVe s (la plus au nord de la ville), richement sculptée, ou la ***porta Romana*** (au sud-est), après avoir rendu visite au ***quartier de la basilique Santa Maria dei Servi.*** Nombreux hôtels particuliers cachés dans les ruelles.

Manifestations

– ***Marché local*** *(plan d'ensemble) : mer 8h-13h, à la Lizza.* Ne garez surtout pas votre voiture la veille dans le coin, elle serait impitoyablement enlevée. Énorme (prévoir, donc, la matinée), on y fait entre autres de bonnes affaires vestimentaires : grandes marques internationales bradées ! Quelques fruits et légumes et, au bout de la Lizza, de délicieux panini à la *porchetta* (cochon grillé).
– ***Petit marché du collectionneur*** *(plan couleur centre, C3) : piazza del Mercato. Le 3e dim du mois.* Une honnête petite foire aux antiquités, pour les aficionados de la chine.
– ***Concerts :*** dans la cour du palais Chigi-Saracini (XIIIe s), digne d'un décor de *Roméo et Juliette,* ou dans la salle de spectacles de ce palais. Organisés par des étudiants et des professeurs, dont certains sont des artistes très célèbres de l'académie de musique Chigiana. Gratuit. Dans une ambiance très jeune et décontractée. Se renseigner sur place ou sur le site internet • *chigiana.it* • ou encore à l'office de tourisme. Nombreux concerts de musique classique et lyrique organisés tout l'été dans les églises de la ville (surveiller les affiches dans les rues). Décentralisation musicale : nombreux concerts en plein air dans les villages des environs. Ce qui permet au passage de découvrir la campagne toscane.
– ***Fête de Santa Caterina :*** *plusieurs j. fin avr. Rens auprès de l'APT.* Célébration solennelle dédiée à la sainte patronne. Le dimanche matin, grande procession et défilé des *contrade* dans les rues de la ville, qui se termine par une messe dans la basilique San Domenico avec bénédiction des reliques. Une belle célébration à ne pas manquer.
– ***Fêtes annuelles du saint patron des contrade :*** *fin avr-début sept. Rens à l'APT pour les dates des fêtes et contacts.* Rien qu'en juin, celles du Dragon, de la Girafe, de la Tortue, de la Chouette, de la Vague, de la Licorne et de l'Escargot. En juil-août, celles de la Chenille, de la Tour, de la Coquille, de la Forêt, du Porc-épic, de la Panthère, etc. En outre, chaque *contrada* possède aussi son petit musée. Pour les visiter, il faut prendre rendez-vous avec elles.
– ***Luna Park :*** *fin mai-début juin.* Fête foraine au sein de la forteresse.
– ***Cinema in Fortezza :*** *fin juin-début août. ☎ 0577-43-012.* Cinéma en plein air dans l'amphithéâtre de la Fortezza Medicea, projections à 21h45, entrée 5 €.
– Sans oublier la fameuse ***course de chevaux du Palio*** *(2 fois/an, le 2 juil et le 16 août)* : l'événement se prépare pendant 5 jours, avec cérémonies officielles, tirage au sort, défilés et courses d'essai. Le 29 juin et le 13 août ont lieu l'attribution des 10 chevaux par tirage au sort et la course d'essai sur la piazza del Campo. La veille du jour J, on assiste le matin à la quatrième répétition et à la *prova generale,* qui se court en fin de journée. On trouve un programme détaillé des festivités dans

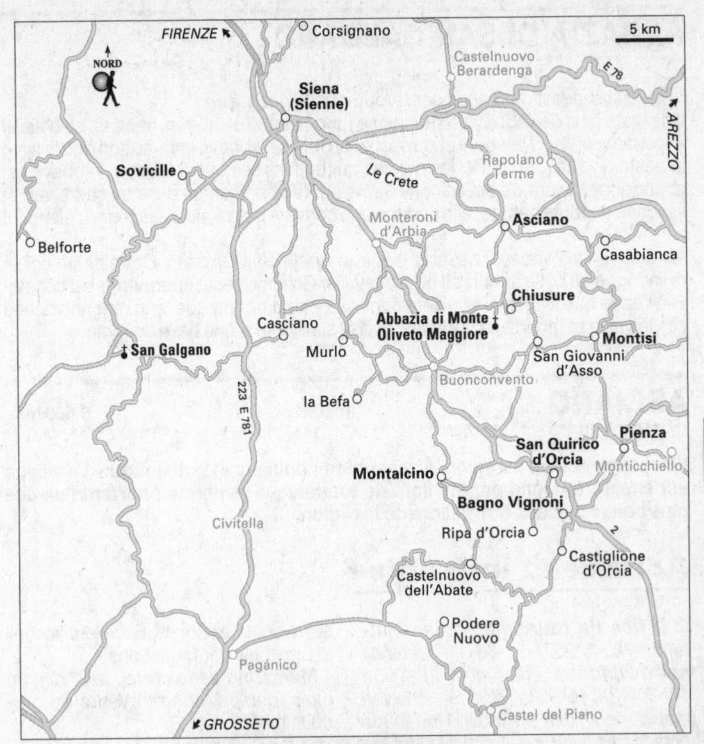

SIENNE ET SES ENVIRONS

tous les bons offices de tourisme de la région (procurez-vous aussi l'excellente brochure *Terra di Siena*). Voir aussi la rubrique spéciale que nous lui consacrons au début de ce chapitre.

LA CAMPAGNE SIENNOISE

Paysages très différents du Chianti ou du val d'Elsa. À leurs collines et plaines grasses et opulentes vont succéder des terres austères, rudes et ravinées, parfois presque lunaires : les *Crete Senesi.* Parfois apparaissent des sortes de cratères. Ce sont les *calanchi,* escarpements et profondes entailles grises dans les collines argileuses (attention aux faux amis, *creta* en italien ne signifie pas « crête » mais « argile » !) dues à l'érosion. La route 438 jusqu'à Asciano, puis la 451 jusqu'à l'abbaye de Monte Oliveto Maggiore livrent de tels paysages. Et pourtant, que la nature semble harmonieuse ! On y retrouve la merveilleuse ordonnance de pins, cyprès et ifs découpant élégamment le paysage. Le tourisme n'ayant pas encore vraiment fait son entrée, un conseil : profitez vite de cette âpre beauté ! Dernière chose, et pas des moindres : tout au long de la période estivale se déroulent de nombreuses fêtes et manifestations dans les villages.

ABBAZIA DI SAN GALGANO

Au sud-ouest de Sienne par la route 223. Entrée libre.
Il ne reste plus de l'abbaye cistercienne fondée en 1201 que les murs de sa belle et imposante église. Prospère et puissante au XIIIe s, l'abbaye entame son déclin avec la peste en 1348. En 1474, les moines quittent les lieux pour Sienne, l'abbaye est abandonnée avant de devenir une ferme au XVIIIe s. Plantée dans un cadre vert et vallonné de toute beauté, elle dégage une certaine magie avec ses murs s'élançant vers le ciel.
Au-dessus de l'abbaye, ne ratez pas la *chapelle San Galgano.* Cette petite église cylindrique fut bâtie à l'endroit où le chevalier Galgano vécut en ermite. Y est conservée l'épée que le chevalier planta dans la roche pour marquer son renoncement à sa vie vaine et mondaine. Intérieur épuré, surmonté d'une belle coupole.

ASCIANO

(53041) 6 500 hab.

Village typique de la région. Atmosphère populaire et authentique. Le village est encore épargné par les flots de touristes. Il renferme pourtant l'un des plus beaux musées d'Art sacré de la région.

Adresse et info utiles

Office de tourisme : *corso Matteotti, 78. ☎ 0577-71-88-11. • biancane@inwind.it • Mars-nov, tlj sf lun 10h30-13h, 15h-18h ; déc-fév, slt le ven mat ou le 2e dim du mois.* Une jeune équipe très sympa qui connaît la région sur le bout des doigts. Excellent accueil et une foule d'informations.
– ***Mercatino delle crete :*** *le 2e dim du mois, corso Matteotti.* Vente de produits bio.

Où manger ?

Ristorante La Mencia : *corso Matteotti, 77-85. ☎ 0577-71-82-27. • info@lamencia.it • Fermé lun. Congés : 15 j. en janv et 15 j. en nov. Menu env 20 € et 30 € à la carte sans la boisson.* Cadre agréable avec jardin. Bonne cuisine. Spécialités de pâtes, dont les très bonnes lasagnes et *ravioli di ricotta e pomodoro fresco.* Pizzas uniquement le soir.

À voir

La basilica Sant'Agata du XIIe s, offrant un pittoresque chevet (élégant dôme à lanternon et haut clocher roman de pierre et de brique). À l'intérieur, jolie coupole rythmée par les petites trompes d'angle superposées. Grand arc en plein cintre à l'entrée du chœur. Vestiges de fresques.

Palazzo Corboli – Museo archeologico e d'Arte sacra : *corso Matteotti, 122, à côté de l'église Sant'Agostino. ☎ 0577-71-95-24 ou 0577-71-88-11. • museocorboli@comune.asciano.si.it • Mars-oct, tlj sf lun 10h30-13h, 15h-18h30 ; nov-fév, ven-dim 10h30-13h, 15h-17h30. Fermé 25 déc et 1er janv. Entrée : 4,50 € ; réduc 3 €.*
Superbe palais antique entièrement restauré. Le musée abrite une belle collection d'œuvres d'artistes siennois des XIVe et XVe s. L'ensemble est superbement

conservé et présenté dans de belles salles lumineuses, certaines ornées de fresques murales ou d'un plafond ouvragé. Scénographie très soignée.
– *Au 3e étage :* quelques éléments du Musée archéologique, fresques, céramiques et objets découverts sur le site d'Asciano.
– *Au 1er étage :* collection d'objets religieux, superbe triptyque peint par Ambrogio Lorenzetti (XIVe s), tabernacle de Raffaele da Brescia (XIVe s) et crucifix en or du Quattrocento. Les chefs-d'œuvre du musée sont présentés dans la salle 8, avec une étonnante représentation de *L'Adoration des bergers* exécutée par Giovanni d'Ambrogio (début XIVe s) et un *Saint Sébastien* de Pietro di Ruffolo.
– D'autres salles renferment une précieuse collection d'objets de culte et de tableaux des XVIe et XVIIe s. Notez l'expression désabusée des évangélistes et les joues fardées du Christ et de la Vierge sur le triptyque de Paolo di Giovanni Fei (XIVe s). Quelques belles sculptures en bois peint rappellent le style baroque portugais.
Un musée d'une étonnante richesse, presque insolite dans ce petit village populaire.

ABBAZIA DI MONTE OLIVETO MAGGIORE

Village de brique rouge resserré sur son éperon, *Chiusure* domine superbement l'abbaye et toute la région.

À voir

*** ***Abbazia di Monte Oliveto Maggiore :** à 2 km de Chiusure et à env 33 km de Sienne (bus de Sienne à Chiusure). ☎ 0577-70-76-11. • monteolivetomaggiore.it • Tlj 9h15-12h, 15h30-18h (17h l'hiver). Possibilité de visite guidée en français sur résa au ☎ 0577-71-85-67 (au moment des repas). Entrée libre. Tenue correcte exigée (pas de short pour les hommes et épaules couvertes pour les femmes). Attention aux messes, pdt lesquelles on peut visiter l'abbaye mais pas son église : sam 17h30 ; dim et j. fériés 8h, 11h et 17h30 ; en sem 7h et 18h15.*
Abbaye bénédictine fondée au début du XIVe s, située sur les flancs d'une colline profondément ravinée au milieu d'un bois de cyprès. Belle vue de la route de Chiusure. Accès par une imposante tour crénelée, ornée de terres cuites d'Andrea della Robbia et qui possède toujours son pont-levis. Passé l'entrée, on pénètre directement dans le grand cloître, réalisé entre 1426 et 1443, avec les fresques de Signorelli et du Sodoma (Antonio Bazzi) retraçant la vie de saint Benoît, à gauche en entrant.
On a particulièrement aimé la fresque *Comment Florent envoie de mauvaises femmes au monastère.* Les deux groupes, d'un côté les moines en blanc, de l'autre les femmes sensuelles, expriment deux ambiances et deux dimensions diamétralement opposées. Saisissant. Noter la stupeur du moine au balcon, l'égarement du jeune moine derrière l'âne, l'indignation de saint Benoît.
En 1495, Signorelli en signa une dizaine, en particulier *Comment Dieu punit Florent.* Remarquer les expressions des moines, terrassés par la nouvelle du messager annonçant la mort de Florent. Dans *Comment Benoît reconnaît et accueille Totila,* observer les visages des soldats, la pugnacité de leurs attitudes, le dos nu de l'un d'entre eux... face à la paix monacale. Les œuvres de Signorelli se trouvent sur un seul mur (on reconnaît bien ses petits démons batifolant rageusement en arrière-plan).
Le reste du cloître est décoré par le Sodoma, dont les fresques, datant de 1505-1508, suivent l'ordre chronologique de la vie de saint Benoît. Elles fourmillent de détails, de personnages aux traits vraiment modernes. Visitez ensuite les pittoresques absides et le campanile de l'église. À l'intérieur, chœur baroque du XVIIIe s avec coupole. Remarquables stalles et lutrin en marqueterie du début

du XVIe s représentant des villes, paysages, animaux et exprimant la cité idéale. Visite également du réfectoire dominé par une *Cène*, de la jolie sacristie avec pères abbés dans des médaillons très décorés, de la bibliothèque et de la pharmacie.

Possibilité de visiter les ***caves*** datant du XIVe s *(tlj en été, le w-e slt en hiver)*. Vente directe de vin, huile et épeautre.

Office de tourisme des Crete Senesi : *bureau à l'entrée du monastère. ☎ 0577-70-72-62. • infocrete.mom@email.it • Avr-sept, tlj 10h30-13h, 14h30-18h (fermé lun et dim ap-m) ; oct-fév, ouv slt mer mat.* Renseignements sur l'abbaye et la région des *Crete Senesi.*

L'abbaye propose 6 ***chambres d'hôtes*** à louer au *Podere « Le Piazze »* à Chiusure, juste avant la *casa di riposo. ☎ 0577-70-72-69. Ouv tte l'année. Compter env 35 €/pers, petit déj compris.* Chambres simples, doubles ou triples, avec ou sans bains. De la grande salle commune, vue panoramique sur les collines.

Boutique : *tlj 9h30-12h30, 15h-17h (18h en été).* On peut y acheter divers ouvrages (certains en français) relatifs à l'abbaye et les produits fabriqués par les moines (dont des cosmétiques anti-cellulite !).

Ristorante La Torre : *☎ 0577-70-70-22. Juste à l'entrée du site. Tlj sf mar jusqu'au coucher du soleil. En hiver, le w-e slt. Compter env 25 € le repas.* Plats typiques toscans. Jolie terrasse ombragée. Propose également des *panini* à emporter (aire de pique-nique plus haut).

Foresteria Monastica : *☎ 0577-70-76-52. • foresteria@monteolivetomaggiore.it • Ouv 9h30-10h, 14h30-15h, 17h30-18h pour les résas (téléphone) et le retrait des clés. Congés : nov. Résa longtemps à l'avance. Compter env 30 €/pers la nuit.* Hébergement théoriquement réservé aux religieux et aux laïcs effectuant une retraite.

➤ DANS LES ENVIRONS DE L'ABBAZIA DI MONTE OLIVETO MAGGIORE

San Giovanni d'Asso : un paisible village sur les hauteurs qui abrite un important château avec de belles fenêtres gothiques géminées. Voir aussi l'église San Pietro, des VIIIe et IXe s. Également un petit musée de la Truffe.

MONTISI

(53020)

De Pienza, prendre la route de Torrenieri et San Giovanni. Adorable village sur une crête. Grimper dans le vieux centre piéton. Belle vue sur les environs. À l'entrée du bourg, vestiges d'un ancien château du XIIIe s devenu grange au XVIIIe s. Éviter le mardi, car pratiquement tout est fermé.

Où dormir ? Où manger ?

La Romita : *via Umberto I, 148. ☎ 0577-84-51-86. • romita@romita.it • laromita.it • Au bout de la rue piétonne principale du village, en face de la place centrale. Congés : 15 oct-1er mars. Résa conseillée. Doubles 90-120 €, petit déj inclus. Repas complet env 40 €. Wifi. Réduc de 10 % sur le prix de la chambre sur présentation de ce guide.* Chambres confortables, décorées à l'ancienne. Piscine. Très bon resto (assez cher tout de même) avec d'authentiques recettes régionales comme la soupe médiévale au faisan, les *maccheroni* à la châtaigne ou le sanglier à l'anis accompagné pourquoi pas de fleurs de saison frites. Pour les pressés et les moins fortunés, le proprio tient aussi la petite *osteria* en face et propose de bonnes assiettes de pâtes à prix modestes.

🍽 ***Ristorante da Roberto :*** *via Umberto I, 3.* ☎ *0577-84-51-59.* • *info@tavernamontisi.com* • *À l'entrée de Montisi en venant de Giovanni d'Asso. Fermé lun. Congés : janv-fév. Résa conseillée. Repas env 25 €. Digestif offert sur présentation de ce guide.* Dans une ancienne grange du XVIIIe s. Grand volume intérieur. Joli décor, murs de pierre et brique mélangées. 2 grandes arches en plein cintre découpent l'espace. Terrasse aux beaux jours. Roberto concocte de bons petits plats parfumés aux herbes aromatiques de son jardin et surtout avec de très bons produits du terroir.

LE VAL D'ORCIA

Inscrites au Patrimoine mondial de l'humanité depuis 2004, célébrées par de nombreux artistes de l'école siennoise, les plaines agricoles du val d'Orcia, au sud-est de Sienne, furent réaménagées au cours des XIVe et XVe s, lors de l'annexion de Sienne au territoire de Florence. Elles reflètent à la perfection l'esthétisme Renaissance. On ne peut que vous recommander un séjour au milieu de cette beauté préservée, où il est interdit de construire. Sillonner les petites routes de campagne, voir surgir des animaux sauvages entre les vignes, se laisser porter par les doux reliefs et plonger son regard dans les gammes de couleurs des champs... Vous l'aurez compris, le val d'Orcia est un vrai coup de cœur !

SAN QUIRICO D'ORCIA (53027) 2 500 hab.

Charmant village dont le centre ancien (bien séparé de la zone urbanisée autour) possède encore des vestiges de remparts et une quinzaine de tours (pour certaines, intégrées dans d'autres constructions). Halte intéressante pour sa très belle collégiale et la balade dans les vieilles ruelles. Rien que le coucher de soleil sur la ville et la campagne toscane aux alentours valent le détour...

Arriver – Quitter

➢ ***En bus :*** avec la compagnie *TRAIN.* ☎ *0577-20-41-11.* • *trainspa.it* • Le bus no 112 parcourt la route de ***Sienne*** (correspondances pour Florence) à ***Montepulciano*** env 4 fois/j., s'arrêtant en route à San Quirico d'Orcia et Pienza.

Adresse et info utiles

ℹ ***Office de tourisme :*** *piazza Chigi, 2.* ☎ *0577-89-72-11.* • *ufficioturistico@comunesanquirico.it* • *parcodellavaldorcia.com* • *comunesanquirico.it* • *Tte l'année, tlj sf mer 10h-13h, 15h-18h. Horaires restreints en sept. Ouv aussi à Noël.* Vente de publications sur la région et de cartes de randos.

– ***Marché :*** *via Dante Alighieri, les 2e et 4e mar du mois, 9h-13h.*

Où dormir à San Quirico et dans les environs ?

De bon marché à prix moyens

■ **Affittacamere L'Orcia :** *via Dante Alighieri, 49. ☎ 0577-89-76-77. En plein cœur du village, à deux pas de la chiesa San Francesco. Double avec bains 50 €.* Un hôtel de campagne au charme rétro. Chambres à la déco un peu vieillotte, mais spacieuses et confortables. Certaines, très agréables, donnent sur la piazza della Libertà. Petite terrasse pour prendre le soleil, et le *Bar Centrale,* juste en bas, pour le petit déj ou l'apéro. Plaisante atmosphère populaire. Accueil simple et chaleureux.

■ |●| **Azienda agrituristica biologica La Moiana :** *via Ripa, 20. ☎ 0577-89-73-95. 📱 34-77-63-59-29. • pivafabio@yahoo.it • agriturismolamoiana.com • À env 7 km du centre. Prendre la via G. Garibaldi en direction de Ripa d'Orcia et poursuivre env 6 km sur un (magnifique !) chemin de terre. Congés : 2de quinzaine de janv. Appart 80 €, chambre double 70 € ; petit déj 5 €. Dîner 20 €. CB refusées. Dégustation des produits de la ferme offerte par les proprios sur présentation de ce guide.* Une exploitation vinicole et agricole bio, au cœur d'une campagne superbe, au milieu des champs d'oliviers. Les appartements sont répartis entre la dépendance de la maison principale (le « Cerretello ») et une ferme indépendante (avec séjour commun pour la convivialité et machine à laver) située 1 km plus haut. Grand confort des chambres, décoration rustique soignée et pleine de cachet. Pour les tourtereaux, un nid douillet très mignon, sans cuisine (certes, vous apprendre qu'il s'agit de l'ancienne porcherie casse un peu le romantisme !). Excellent accueil de Fabio – qui produit son propre vin et fait son huile bio –, de sa femme et de sa belle-mère, Fosca, qui sont absolument charmantes. Vendanges et cueillette d'olives la 3e semaine d'octobre. Une de nos adresses préférées dans la région.

Chic

■ **Agriturismo Il Rigo :** *loc. Casabianca. ☎ 0577-89-82-91. • info@agriturismoilrigo.com • ilrigo.com • Sur la S 2 entre San Quirico d'Orcia et Bagno Vignoni ; à env 4 km de San Quirico, prendre la petite route sur la gauche qui serpente parmi les champs (indiqué). Résa indispensable. Doubles 100-124 €, petit déj copieux compris ; ½ pens souhaitée en hte saison, à Pâques et pour le Jour de l'an, 144-170 €/pers. Apéritif maison et café offerts sur présentation de ce guide.* Vieille ferme isolée sur une colline, dans un environnement superbe couvert de champs. 3 chambres meublées à l'ancienne, possédant un charme fou. Salle de petit déj rustique et plusieurs salons. Le dépaysement est total (et dans les chambres, ne comptez pas sur la TV !). Belle treille sur une tonnelle, avec table pour siroter un verre sous les étoiles.

■ **Relais Palazzo del Capitano :** *via Poliziano, 18. ☎ 0577-89-90-28. • info@palazzodelcapitano.com • palazzodelcapitano.com • Dans le vieux centre de San Quirico, à deux pas de la rue principale, derrière le palazzo Chigi. Doubles 100-170 € ; suites 170-230 €, petit déj compris (heureusement !). Internet, wifi. Parking payant.* Une magnifique demeure du XVe s avec des chambres et suites grandes et superbes, toutes différentes, meublées d'antiquités et même d'un lit à baldaquin pour certaines. Pour ne rien gâcher, un très beau jardin pour le farniente ou le petit déj. Une adresse de charme, vraiment. Bon accueil, en français. Les proprios ont aussi le restaurant *Al Vecchio Forno* (voir « Où manger ? »).

Où manger ?

|●| ***Pizzeria Le Contrade :** via Nuova, 18. ☎ 0577-89-80-98. ● fabiano60@tiscali.it ● En contrebas de l'enceinte médiévale ; sortir par la Porta Nuova. Tlj. Congés : nov. Repas 15-20 €.* La façade et la déco intérieure sont peu avenantes, mais on vient d'abord pour la nourriture. Grandes et belles pizzas adaptées aux goûts toscans *(radicchio e salame piccante...)* et pâtes maison. Également des grillades de viande. Une bonne adresse pour manger simple et vite.

|●| ***Al Vecchio Forno :** via Piazzola, 8. ☎ 0577-89-73-80. ● info@palazzodelcapitano.com ● Petite ruelle montant le long de l'église San Francesco (dans le vieux centre). Congés : 10 janv-10 fév. Repas complet env 30 €.* Derrière un rideau de lierre se cache une magnifique salle en pierre et brique. Au-dessus du comptoir pendent des jambons. Cadre à l'ancienne (brique, vieille pierre et chapelets de condiments). Nourriture goûteuse. Spécialité d'omelettes et de *bistecca alla fiorentina* (au kilo), *pappardelle* au jus de sanglier, lapin au thym. Carte (variée) et menu journalier, selon l'inspiration du chef. En été, *pranzo in giardino,* sous une tonnelle et des parasols en teck. Voir aussi plus haut « Où dormir à San Quirico et dans les environs ? ».

À voir

🚶🚶 ***Collegiata :*** harmonieuse construction du XIIIe s en belle pierre de travertin, prenant le soir des reflets blonds. Clocher en poivrière du XVIIIe s. Trois remarquables portails, dont un de style roman attribué à Giovanni Pisano particulièrement séduisant. Fines colonnes posées sur des lions usés. Sur le linteau, deux crocodiles ont une prise de bec. Sur le côté, un des porches présente un superbe encadrement de statues, s'appuyant là aussi sur des lions. Elles seraient l'œuvre de Giovanni Pisano. Dernier porche plus classique avec chapiteaux en feuilles d'acanthe. À l'intérieur, plafond en chevrons et chœur baroque. Ne pas manquer, dans le transept gauche, le splendide polyptyque de Sano di Pietro du XVe s. Il fut peint pour l'église même. Stalles marquetées.

🚶 ***Palazzo Chigi :*** à côté de la Collegiata, imposant édifice construit pour le cardinal Chigi (quel goût modeste !) au XVIIe s. Malheureusement, fort endommagé lors de la dernière guerre.

🚶 Par la via Poliziano (qui part derrière le palazzo Chigi), accès à la ***porta Cappuccini,*** ancienne porte de ville fortifiée de forme décagonale, datant du XIe s.

🚶 Dans la ***via Dante Alighieri,*** celle qui traverse le centre de part en part, nombreux édifices intéressants. Au n° 29, demeure médiévale avec porte des morts murée. Au n° 33, une autre jolie maison gothique (ornée de divers blasons) abrite l'office de tourisme.

🚶 Piazza della Libertà, autre entrée de la ville avec la ***chiesa San Francesco*** (ravissant clocher, alliance de brique et de travertin) et, surtout, les très beaux ***Horti Leonini*** *(ouv 8h-20h),* jardins à l'italienne datant de 1580. Parterres de buis d'une géométrie parfaite.

🚶 En continuant la rue principale, on parvient à la petite ***église*** romane ***Santa Maria Assunta*** (frise florale et monstre grignotant un humain). En face, entrée de l'ancien hôpital della Scala, dont il subsiste un très vieux puits et une ex-petite loggia à colonnettes.

BAGNO VIGNONI

(53020)

Bourg thermal très ancien, à environ 5 km de San Quirico. Réputé pour ses eaux sulfureuses qu'appréciaient sainte Catherine de Sienne, Pie II ou encore Laurent le Magnifique. Pendant le Moyen Âge, Bagno Vignoni constituait un point de rafraîchissement pour les pèlerins de la Francigena. Dans le centre, voir le grand bassin Renaissance rendu célèbre par le cinéaste Tarkovski dans *Nostalghia,* où l'eau jaillit à 52°. Au soleil couchant (ou levant), la pierre des maisons alentour prend des tons dorés. Évidemment, possibilité de profiter des eaux miraculeuses.

■ ***Les thermes :*** *dans le bourg. ☎ 0577-88-71-12. Tlj sf jeu : avr-sept, 9h30-13h, 14h-18h ; oct-mars, 10h-17h. Entrée : 12 €/pers la journée. Bonnet de bain obligatoire.*

Erboristeria tradizionale « Hortus Mirabilis » : *piazza delle Sorgenti. ☎ 0577-88-89-44. • info@hortusmirabilis.it • Lun-ven 10h30-13h, 15h30-19h30 ; w-e 10h-13h, 15h-19h30. Janv-fév, ouv slt w-e.* Infusions, thés, épices, tisanes, parfums, une délicieuse petite boutique qui vaut le détour pour un bol d'air parfumé.

Où dormir ? Où manger ?

Albergo Le Terme : *piazza delle Sorgenti, 13 ; au centre du village. ☎ 0577-88-71-50. • info@albergoleterme.it • albergoleterme.it • Double 140 €, petit déj compris ; familiale 35 €/pers supplémentaire ; prix dégressifs selon durée du séjour. Possibilité de ½ pens.* Hôtel traditionnel en grosse pierre de taille, dans une bâtisse du XVe s. Juste en face du grand bassin du Terme, belle vue des chambres « supérieures » (qui coûtent 5 € de plus). Confortable et bien tenu. Salle commune cosy, bar avec petite terrasse ensoleillée. Resto et pizzeria (le week-end) à prix raisonnables. Aux beaux jours, quelques tables installées dans un agréable jardin.

B & B Locanda del Loggiato : *piazza del Moretto. ☎ 0577-88-89-25. • sienalocanda@loggiato.it • loggiato.it • Doubles 130-150 €. Wifi.* Au centre du village, une vénérable maisonnette du XIVe s bien retapée mais ayant préservé des élément anciens, comme le pavement en terracotta et les poutres de chêne, pour offrir 6 adorables chambres romantiques dotées de l'équipement moderne indispensable et avec pour chacune une touche particulière. Idéal pour profiter d'une douce sieste aux grandes chaleurs. Salon en commun où trône un imposant piano. Le petit déj se prend dans le petit resto-bar à vins de l'autre côté de la placette. Excellentes salades au déjeuner.

La Bottega di Cacio : *piazza del Moretto, 31. ☎ 0577-88-74-77. • info@labottegadicacio.it • Tlj sf mar 10h-20h (11h-22h en été). Repas 10-15 €.* Petite épicerie et bar à vins à la déco traditionnelle. Une jolie salle avec seulement 3 tables et des dizaines de bouteilles de vin alignées contre le mur. On peut aussi manger dans le jardin extérieur. Dans l'entrée, superbe comptoir et vitrine garnie de fromages, charcuteries *(prosciutto toscano, salame piccante),* de *pecorini* (fromages de brebis) et de légumes marinés, poivrons, tomates, aubergines... 2 options s'offrent à vous : une belle assiette à composer soi-même et payée au poids, ou de savoureux *panini* préparés à la commande, avec tous les produits de la maison. Commande au comptoir. À déguster dans la petite salle conviviale ou sur l'agréable terrasse. Vente de produits à emporter (vin, huile, miel, *pecorino...*).

Osteria del Leone : *via dei Mulini, 3. ☎ 0577-88-73-00. • osteria.delleone@gmail.com • Dans le village ; un peu en retrait du bassin. Congés : 7 janv-6 fév. Repas 30-35 €. Apéro maison offert sur présentation de ce guide.* La cuisine est authentique, avec des spécialités comme la *fiorentina* ou les *gnocchi* au safran et à la ricotta. Salle élégante et romantique, petites bougies sur les tables. Service agréable.

➤ DANS LES ENVIRONS DE BAGNO VIGNONI

Castiglione d'Orcia : vieux bourg construit sur un éperon. Dans l'église paroissiale fortifiée, peintures de Pietro Lorenzetti.

À 4 km de Bagno Vignoni, le ***borgo di Vignoni*** est lui aussi perché sur un éperon rocheux et domine l'ensemble de la vallée. Balade sympa vers l'ancien château et la vieille église romane. On peut y monter en voiture mais attention, la côte est plutôt rude ! Là-haut, la vue sur la vallée d'Orcia est, vous vous en doutez, exceptionnelle.

MONTALCINO

(53024) 5 100 hab.

Bourgade de charme juchée sur une colline et dominée par une imposante forteresse. Elle a conservé quasiment intactes sa ceinture de remparts, six portes de ville et une grande partie de ses tours. En effet, Montalcino fut la principale place forte de la République siennoise et soutint victorieusement de 1526 à 1559 les sièges de l'antipape Clément VII, de Charles Quint et Cosme Ier de Médicis. En 1559, Montalcino perdit définitivement son indépendance par le traité du Cateau-Cambrésis.
La région est réputée pour ses vins, notamment le célèbre *brunello di Montalcino,* considéré comme l'un des meilleurs d'Italie. De fait, l'une des principales raisons de venir à Montalcino : ses *enoteche* !
Sienne : 50 km ; *Florence :* 110 km ; *Pérouse :* 100 km ; *Rome :* 240 km.

Arriver – Quitter

➢ ***En bus :*** départs et arrivées piazza Cavour. Nombreuses liaisons tlj sf dim pour ***Buonconvento*** et ***Sienne.*** À Torrenieri, correspondance pour ***San Quirico*** et ***Montepulciano.***
➢ ***En train :*** se prend à Buonconvento (pour ***Sienne*** et ***Grosseto***).

Adresse et info utiles

Office de tourisme : *costa del Municipio, 1 ; dans le palazzo comunale. ☎ 0577-84-93-31.* • *prolocomontalcino.it* • *Tlj (sf lun nov-mars) 10h-13h, 14h-17h50.*
– ***Marché :*** *ven 7h-13h, sur le viale della Libertà.*

Où dormir ?

Possibilité de dormir chez l'habitant, renseignements à l'office de tourisme et sur son site internet.

De prix moyens à chic

Albergo Giardino : *piazza Cavour, 4. ☎ 0577-84-82-57.* • *albergogiardino@virgilio.it* • *De la forteresse, descendre tte la rue principale. Double avec bains 60 € ; loc à la sem d'un appart 2-3 pers, situé dans une rue adjacente, 65-75 € la* *nuit. CB refusées. Réduc de 10 % (sf en mai, août-sept) sur présentation de ce guide.* Hôtel en retrait du centre historique (enfin, plutôt au bout du centre historique). L'appartement, spacieux, est un bon plan ! Des chambres sans grand charme, mais bien tenues par le sympathique patron. Amateur de vin, il vous accueille chaleureusement et vous conseille sur les crus à déguster. Un excellent rapport qualité-prix.

Palazzina Cesira : *via Soccorso Saloni, 2. ☎ 0577-84-60-55. • p.cesira@tin.it • montalcinoitaly.com • Congés : 10 janv-15 mars. Double 95 € ; suite 115 € ; petit déj inclus. Un peu plus cher si l'on reste une seule nuit. CB refusées.* Une belle façade colorée abrite ce véritable petit palais du XIIIe s superbement décoré par le maître des lieux, qui parle bien le français. Vaste salon élégant et belle salle à manger lumineuse pour prendre le petit déj. Chambres impeccables et douillettes, toutes avec bains. Une suite « princière » avec meubles anciens et superbe plafond ouvragé. L'ensemble possède un certain charme raffiné sans être guindé. Accueil très cordial. Une adresse de charme d'un bon rapport qualité-prix.

Où manger ?

Osteria di Porta Al Cassero : *via Ricasoli, 32, ou viale della Libertà, 9. ☎ 0577-84-71-96. Tlj sf mer. Congés : janv. Résa conseillée. Repas env 25 €.* Une petite adresse comme on les aime : une cuisine locale typique, simple, fraîche et goûteuse, servie avec beaucoup de gentillesse. La carte reste modeste, mais chaque plat est soigneusement préparé. La *pappa al pomodoro* et les *polpette di patatine* sont délicieuses. Bonne carte des vins pour tous les budgets. Les salles sont à l'image de la cuisine : sans chichis, plaisantes et chaleureuses. Terrasse aux beaux jours. Ambiance familiale.

Où dormir ? Où manger dans les environs ?

À Castelnuovo dell'Abate

À 9 km au sud de Montalcino. Au pied de Castelnuovo dell'Abate, ne pas manquer l'abbaye de Sant'Antimo (voir « Dans les environs de Montalcino »).

Podere Montecaprili : *via Vicinale dell'Abate. ☎ 0577-83-55-18. • info@montecaprili.it • montecaprili.it • ♿ (1 appart). Prendre un petit chemin de terre sur la gauche, à 2 km de Castelnuovo dell'Abate, en direction de Montalcino. Montée assez raide (env 1 km) par un chemin de terre. Apparts 4-6 pers 700-1 800 €/sem selon saison ; loc à la sem en saison et min 3 j. hors saison.* Dans une superbe ferme, appartements de 80 et 130 m² dotés de 2 pièces, retapés à neuf et bourrés de charme. Les chambres sont formidables, avec de vieux meubles troqués et leurs lits toscans à armature en fer forgé. Agréable jardin avec des hamacs dispersés un peu partout. Grande piscine ensoleillée.

Osteria Bassomondo : *via Basso Mondo, 7. ☎ 0577-83-56-19. Au pied du village, au croisement des routes pour l'abbaye, Montalcino et le centre de Castelnuovo dell'Abate. Repas env 20 €.* Les fesses bien calées sur les bancs en bois de la terrasse ou dans la grande salle intérieure, une petite adresse toute simple où il fait bon siroter un *nobile* et déguster de bonnes spécialités locales *(pappardelle al cinghiale, carne alla brace...).*

Où boire un verre ?

Fiaschetteria Italiana : *piazza del Popolo, 6. ☎ 0577-84-90-43. • info@fiaschetteriaitaliana.it •* Ouvert depuis 1888. Une adresse incontournable sur

LE VAL D'ORCIA

la place, pour prendre un café dans la salle intérieure, aux grands miroirs fumés, ou sur la terrasse. Au passage, jetez un coup d'œil à la vieille machine à café, une vraie pièce de collection.

Où savourer de bonnes pâtisseries ?

Pasticceria Mariuccia : *piazza del Popolo, 29.* ☎ *0577-84-93-19. Tlj 8h30-21h. Réduc de 10 % sur le prix de vos achats sur présentation de ce guide.* On est d'abord attiré par l'odeur alléchante qui emplit la rue. On découvre ensuite une petite pâtisserie traditionnelle qui propose toute une variété de gâteaux et petits fours italiens. Entre autres délices : *dandi* (au chocolat, à la noisette et à l'écorce d'orange), *brutti ma buoni* (aux noisettes), *pane di Mariuccia* (aux amandes), *osso di moro,* etc. Mais aussi les fameux *cantucci* à tremper dans le *vino santo,* quelques pots de miel artisanal et de bonnes glaces maison. Prix très raisonnables. Une halte gourmande qu'on vous recommande *calorosamente* !

À voir

Fortezza : ☎ *0577-84-92-11.* • *enotecalafortezza.com* • *Pâques-oct, tlj 9h-20h ; nov-Pâques, tlj sf lun 9h-18h. Visite des tours et des remparts : 4 € ; réduc. Billet cumulable avec le Museo di Montalcino : 6 €.* Belle vue sur la ville et la campagne environnante. Possibilité de casser la croûte à l'*enoteca La Fortezza* ou d'y acheter les produits de la région : *grappa, brunello, salami,* fromages, miel, etc.

Chiesa Sant'Agostino : *via Ricasoli. Fermé pour travaux lors de notre passage, sa date de réouverture n'était pas encore connue.* De style romano-gothique. Nombreuses fresques (certes un peu dégradées). *Crucifixion* dans le chœur. Près de l'orgue, *Saint Michel.* Près de la chaire, deux saintes « à la roue ». À l'autel, face à la porte, *Vie d'un saint* et *Déposition du Christ.* À côté du portail d'entrée, *Christ descendu de la croix directement dans le tombeau.*

Palazzo comunale : *piazza del Popolo.* Construit au XIVe s. Haute tour et nombreux blasons. Belles loggias à arcades.

Chiesa San Francesco : *au sud de la ville, près de la porta Castellana. Fermé pour travaux lors de notre passage, sa date de réouverture n'était pas encore connue.* Cloître. Chapelles décorées de fresques.

Museo di Montalcino, raccolta archeologica, medievale, moderna : *via Ricasoli, 31.* ☎ *0577-84-60-14.* ♿ *Tlj sf lun 10h-13h, 14h-17h50. Entrée : 4,50 € ; réduc. Billet cumulable avec la forteresse : 6 €.* Entièrement restauré. Douze salles avec une riche collection d'art religieux, notamment de superbes statues en bois polychrome. Œuvres de l'école de Sienne, terres cuites des Della Robbia, *Déposition* de Bartolo di Fredi, statues en bois polychrome, bible enluminée, etc. Une section du palais est consacrée à un petit Musée archéologique. Collections préhistoriques et étrusques.

À visiter dans les environs

Fattoria dei Barbi : *loc.* **Podernovi.** ☎ *0577-84-11-11.* • *fattoriadeibarbi.it* • *À 4 km env de Montalcino, sur la route vers l'abbazia di Sant'Antimo. Visite des caves lun-ven 11h, 12h, 15h, 16h, 17h. Le w-e, dégustations slt.* On vous explique tout sur la fabrication du brunello : récolte, maturation (5 ans). Et après l'effort, le réconfort, dégustation à l'appui. Vente directe et restaurant (assez chic) sur place. Également le *museo del Brunello* un peu plus haut *(entrée : 4 €).*

Manifestations

– ***Festival Jazz & Wine :*** *env 10 j. entre la 1re et 2e quinzaine de juil.* • *montalcino jazz.com* • Des concerts de jazz disséminés dans les salles des *contrade* de la ville.
– ***Fête de l'Ouverture de la chasse :*** *le 2e dim d'août.* Avec défilé en costumes du XIVe s.
– ***Fête de la Grive (il Tordo) :*** *le dernier dim d'oct.* Un concours de tir à l'arc et, surtout, l'occasion de goûter à la gastronomie locale, notamment les grives rôties au *brunello,* les *pici* (spaghettis XXL), les charcuteries, etc.

➤ DANS LES ENVIRONS DE MONTALCINO

Abbazia di Sant'Antimo : *à 9 km au sud de Montalcino, au pied de* ***Castelnuovo dell'Abate.*** *Pour s'y rendre, 3 ou 4 bus (sf dim) de Montalcino en direction de Monte Amiata. Lun-ven 10h15-12h30, 15h-18h30 ; w-e et j. fériés 9h10-10h45, 15h-18h. Messe avec chants grégoriens à différentes heures de la journée. L'église et ttes les fonctions liturgiques sont ouvertes à ts. Entrée libre.*
Une des plus émouvantes abbayes de Toscane, dans un environnement de rêve. Elle aurait été fondée par Charlemagne en 780. Au XIe s, elle devient un des grands lieux de pèlerinage (la via Francigena est toute proche). Architecture romano-cistercienne (proche de celle de Cluny). Très élégant chevet à absidioles, flanqué d'une tour carrée. Amusez-vous à en faire le tour et à noter les détails insolites : dans l'appareillage de pierre, vous découvrirez de curieuses sculptures. Près du porche d'entrée, un chapiteau avec deux bêtes à tête commune. Ravissante frise de modillons autour de l'abside (têtes humaines ou d'animaux, entrelacs, figures géométriques). Sur le côté, portail du IXe s aux motifs géométriques. Sur le flanc droit, belle porte ornée de motifs floraux, entrelacs, dragons ailés et blason de l'archevêque.
À l'intérieur, grand vaisseau d'une harmonieuse ampleur. Toute la rigoureuse beauté de l'architecture cistercienne. Pierre qui, avec le soleil, prend des tons roses ou dorés suivant l'heure. Remarquable travail des chapiteaux. Remarquez celui de la 2e colonne sur la droite, qui représente Daniel dans la fosse aux lions. À droite, la vierge de Sant'Antimo, en bois, date du XIIIe s. Autour de l'autel, déambulatoire et absidioles décorées de colonnettes d'une belle sobriété et délicats chapiteaux historiés. Quelques vestiges de fresques. Le père supérieur de l'abbaye est français.

PIENZA

(53026) 2 200 hab.

Adorable petite cité, ni tout à fait médiévale ni trop encore Renaissance. Belle parce que pensée, dessinée, et de ce fait... un peu trop parfaite, presque impossible. C'est peut-être pour cela que Franco Zeffirelli y tourna des scènes de son *Roméo et Juliette.* L'odeur du *pecorino,* ce fromage de brebis qui est la spécialité de Pienza, vous accompagnera tout au long de votre visite.
Sienne : 52 km ; *Florence :* 120 km ; *Pérouse :* 86 km. *Montepulciano :* 12 km.

ET PIE VOILÀ...

Au XVe s, Eneas Silvius Piccolomini ne supportait pas d'être originaire d'un village sans renommée alors qu'il venait d'une noble famille siennoise en exil. Une fois devenu pape sous le nom de Pie II, il fit sortir de terre « sa » cité idéale en contraignant les cardinaux, dont il assurait la nomination, à construire à leur charge un palais à Pienza. Les Borgia, Ambrogio, Gonzaga s'exécutèrent et le pape vit son caprice réalisé. Gardez-vous de croire qu'il y passa sa vie, il n'y séjourna que trois fois !

Arriver – Quitter

🚌 ***L'arrêt des bus** se trouve à l'entrée de la ville, juste avt les* Carabinieri *en venant de San Quirico d'Orcia.*

➢ 4 liaisons/j. avec ***Sienne*** (départ de la gare ferroviaire) et 3 bus/j. avec ***Montepulciano.***

Adresses utiles

ℹ ***Ufficio Turistico :** Sistema Museo, dans le palazzo comunale, corso Rossellino, 30.* ☎ *0578-74-99-05.* • *pienza@sistemamuseo.it* • *À côté du* Duomo. *En saison, tlj 10h-13h, 15h-18h ; horaires restreints en hiver.*

■ ***Location de vélos : Ciclopposse,** via I Maggio, 27 ; sur la route de Montepulciano.* ☎ *0578-74-99-83.* ***Valenti,** via della Madonnina.* ☎ *0578-74-84-65.*

Où dormir ?

Agriturismi

Des chambres d'hôtes disséminées dans quelques belles demeures du centre historique. Se renseigner auprès de l'office de tourisme ou parcourir la vieille ville (nombreuses pancartes). Chambres doubles en *B & B* autour de 65 € ; prix négociables selon la période et le nombre de nuitées. Quatre adresses particulièrement agréables :

🏠 ***Oliviera :** via Condotti, 4 b.* ☎ *0578-74-82-05.* 📱 *33-89-52-04-59* • *oliviera@nautilus-mp.com* • *nautilus-mp.com/oliviera* • *Fermé l'ap-m. Double env 50 € ; appart 2 pers 70 €. CB refusées. Internet.* À l'image de ses consœurs, une bien jolie adresse propre et soignée en plein cœur de la ville. Prêt de vélos possible. Accueil charmant de monsieur Ciacci.

🏠 ***Il Giardino Segreto :** via Condotti, 13.* ☎ *0578-74-85-39.* 📱 *33-88-99-58-79.* • *giardino-segreto@libero.it* • *ilgiardinosegretopienza.it* • *Congés : fév. Résa indispensable en saison. Double avec bains ou appart 55-67 €. Internet, wifi. Réduc de 10 % pour un séjour de 3 nuits min sur présentation de ce guide.* Chambres confortables. Beaucoup de charme et décoration soignée. *Il Giardino,* comme son nom l'indique, possède un jardin fleuri.

🏠 ***Camere Andrei :** via Circonvallazione, 7.* ☎ *0578-74-83-77.* • *info@camereandrei.it* • *camereandrei.it* • *Congés : janv. Doubles 70-80 €, petit déj inclus ; AC en supplément. Parking gratuit. Internet, wifi. Café offert sur présentation de ce guide.* Un peu en retrait de la route, extra-muros, une pension logée dans une maison moderne. Il ne s'agit pas d'une demeure de charme, mais l'ensemble est parfaitement propre et confortable. Les chambres sont vastes et agréables. L'une d'elles possède une terrasse. Un seul mot vient à la bouche : qualité ! Accueil sympathique.

🏠 ***Affittacamere del Corso :** corso Rossellino, 99.* ☎ *0578-74-85-50.* • *info@santafrancesca.it* • *santafrancesca.it* • *Doubles 60-95 €, petit déj inclus. CB refusées.* 3 chambres décorées avec goût dans la pure tradition toscane. Accueil aux petits soins.

De chic à très chic

🏠 ***Hotel Corsignano :** via della Madonnina, 11.* ☎ *0578-74-85-01.* • *info@hotelcorsignano.it* • *hotelcorsignano.it* • *À l'entrée de Pienza en venant de Qui-*

rico. Doubles 115-140 € selon saison, petit déj inclus. Réduc de 10 % (sf j. fériés) sur le prix de la chambre sur présentation de ce guide. Hôtel moderne et confortable, entièrement remis à neuf. Accueil vraiment sympathique. Chambres sur l'arrière offrant une belle vue sur la campagne.

Il Chiostro di Pienza : *corso Rossellino, 26. ☎ 0578-74-84-00. • info@relaisilchiostrodipienza.com • relaisilchiostrodipienza.com • ♿ Juste à côté de la chiesa San Francesco. Congés : de début janv à mi-mars. Resto fermé lun. Résa indispensable. Doubles 100-340 € selon confort (les plus chères étant des suites), petit déj compris. Resto 35-45 €. Parking payant. Wifi.* Au cœur de la ville, dans un couvent du XVe s. Du charme et de la classe ! Superbe patio. Terrasse-jardin surplombant le val d'Orcia, tout comme la piscine. On peut venir y prendre un verre. Chambres vastes, décorées avec goût et confortables. Un vrai petit coin de paradis. Prix très élevés, mais c'est sublime et l'accueil est à la hauteur. Idéal pour une escapade amoureuse.

Où manger ?

Osteria Sette di Vino : *piazza di Spagna, 1. ☎ 0578-74-90-92. Sur une petite place du centre de Pienza. Fermé mer. Congés : 1re quinzaine de juil et en nov. Repas 15-20 €. CB refusées. Un verre de* grappa *offert sur présentation de ce guide.* Décor mignon et petite terrasse fleurie sur la placette. Salle à l'étage également. Plats simples et journaliers. Grandes salades, assiettes de charcuterie et fromage, spécialités toscanes *(zuppa di fagioli, pecorino alla griglia con speck, bruschetta ricotta e cipolla)*, le tout arrosé d'un bon vin local (parce que, comme le dit l'histoire de Beppino, sur 10 sous il faut bien en garder 7 pour le vin !). Un patron francophone et un accueil bien sympa.

Latte de Luna : *via San Carlo. ☎ 0578-74-86-06. Tt près d'une des portes de la ville, à l'embranchement du corso Rossellino et de la via S. Carlo. Fermé mar. Repas env 20 €.* Une adresse simple et correcte, à l'agréable terrasse souvent remplie (venir tôt).

Caffè della Volpe : *à l'angle de la via della Volpe et via Case Nuove. ☎ 347-40-43-450. Congés : nov.* Ce petit bar-épicerie-pâtisserie est l'endroit idéal pour commencer la journée avec un bon café accompagné de sa viennoiserie ou encore grignoter un morceau à midi... d'ailleurs, au comptoir, les locaux défilent. Si vous êtes d'humeur « lézard du matin », attablez-vous plutôt aux petites tables à l'extérieur, notamment celles sur le côté, autour du puits fleuri.

Où dormir ? Où manger dans les environs ?

Agriturismi

Agriturismo Sant'Anna in Camprena : *à 6 km au nord de Pienza, direction Castelmuzio. ☎ 0578-74-80-37. • info@camprena.it • camprena.it • Double 80 €, petit déj inclus. Également triples et quadruples et 3 apparts à la sem. Repas du soir sur résa 20 €.* Imaginez une abbaye bénédictine du XVe s isolée sur une colline dominant la campagne, sublime au couchant. Les bâtiments conventuels ont été bien réaménagés pour offrir une structure d'hébergement de 35 chambres (dont 8 avec salle bains), dans les anciennes cellules de moines, certes un peu austères. Sérénité assurée. Les repas de la table d'hôtes proposent des recettes campagnardes à base de produits bio et sont servis dans une salle sous l'arbre généalogique de la famille Piccolomini. Le réfectoire est décoré d'un cycle de fresques du Sodoma (accès libre 10h-12h et 15h-18h). Les lieux ont servi de décor à une partie du film *Le Patient anglais* d'Anthony Minghella, avec la divine Juliette Binoche. Accueil plein de gentillesse.

Agriturismo Terrapille : *podere*

LE VAL D'ORCIA

Terrapille, 80. ☎ 0578-74-91-46. 📱 33-89-20-44-70. • terrapille@bccmp.com • terrapille.it • ♿ Au pied de Pienza. Prendre la route provinciale SP 18 vers Amiata ; après 1 km, tourner à droite vers Pieve di Corsignano ; une fois arrivé à l'église, tourner à gauche dans un petit chemin de terre. Congés : janv et nov. Env 130 € pour 2 avec petit déj, 75 €/sem en plus pour les apparts. ½ pens possible. Internet. Apéritif maison ou café offert et réduc de 10 % (sf période de fêtes) sur la chambre pour un séjour de 1 sem min sur présentation de ce guide. 3 chambres et 3 appartements pour cette adresse superbement située. Poutres apparentes et les lits, pour une fois, ne sont pas à la mode toscane. Le plus de ce refuge : la magnifique piscine extérieure en été et la grande salle avec cheminée et vue imprenable sur Pienza en hiver. Et encore plus, l'accueil de Lucia et les bonnes odeurs qui s'échappent de la cuisine. Jardin soigné et fleuri. Nombreuses balades champêtres à faire aux alentours. Un coup de cœur qui mérite le détour.

🏠 |●| ***Azienda agricola Casalpiano :*** *via Casalpiano, 28, 53026 Monticchiello. ☎ 0578-75-50-60. 📱 33-37-11-08-29. • agrcasalpiano@libero.it • agriturismocasalpiano.it • Sur la route en direction de Monticchiello. À 6 km de Pienza, prendre un chemin de terre sur la gauche (indiqué) et le suivre sur env 5 km. Doubles 80-90 € ; apparts 2-4 pers 100-160 €. Séjour min 1 sem en août et 4 j. en sept. Petit déj offert et réduc de 10 % sur le prix de la chambre de nov à mars sf 21 déc-6 janv sur présentation de ce guide.* 2 chambres et 2 appartements joliment arrangés dans un style rustique et situés au rez-de-chaussée (dommage, pas de vue). Demandez à avoir l'accès direct au jardin. Au sein d'une exploitation agricole de 44 ha (production d'huile d'olive), une vieille et belle ferme isolée dans la campagne. Les routards logés ici pourront également y dîner (sur demande) et savourer une cuisine à base des bons produits de la ferme et du savoir-faire tout toscan de la maîtresse de maison. Un cadre charmant, surtout quand les champs alentour se remplissent de coquelicots. Bon accueil, excellent petit déj et piscine appréciable aux beaux jours.

Bed & Breakfast

🏠 **La Casa di Adelina :** *piazza San Martino, 3, à Monticchiello. ☎ 0578-75-51-67. • info@lacasadiadelina.it • lacasadiadelina.com • Doubles 76-86 € selon saison, petit déj inclus ; 135-150 € l'appart pour 2 pers. CB refusées. Internet, wifi. Café offert sur présentation de ce guide.* Au cœur du charmant petit village de Monticchiello, une excellente adresse pour une halte avant de sillonner la région. 2 chambres doubles et un appartement refait à neuf, disposant d'une magnifique vue sur les collines. Tout est soigné, le mobilier d'époque, le panier serviette qui attend sagement sur le lit et bien sûr l'accueil, charmant, de Francesco. Vous le trouverez dans la boutique d'aquarelle à côté, si personne ne vous répond.

Prix moyens

|●| ***La Porta :*** *via del Piano, 3, à Monticchiello. ☎ 0578-75-51-63. • rist.laporta@libero.it • Juste à côté de la porte de la ville. Tlj sf jeu. Congés : janv. Résa impérative. Repas 25-30 €. Apéritif ou café offert sur présentation de ce guide.* Des prix un poil plus élevés que la moyenne, mais goûtez ces *bruschette*, ces pâtes, ces viandes et là... non, rien de rien, vous ne regretterez rien ! Les portions restent sages, mais les saveurs savent prendre votre palais, et l'entreprise de séduction se poursuit jusqu'au café, servi avec ses « mignardises », comme on dirait chez nous. Très bons vins, y compris celui de la maison. La jolie petite salle rustique en mezzanine et la terrasse avec vue (pour ceux qui auront la chance d'être assis près de la rambarde) sont vite prises d'assaut par les touristes gourmets qui ont eu vent de cette

bonne table. Musique classique. Pour la promenade digestive, partez donc à la découverte du charmant village de Monticchiello.

À voir. À faire

Possibilité de louer un audioguide (anglais, allemand, italien ; 5 €) pour visiter la vieille ville au bureau d'information privé situé au début du corso Rossellino (juste avant la porte sur la droite).

*** **_Duomo :_** *tlj 7h30-13h, 14h30-20h.* La cathédrale présente une façade Renaissance, projetée par Bernardo Rossellino, d'une grande sobriété. L'édifice a été réalisé entre 1459 et 1462 par volonté de Pie II, dont on retrouve, au fronton, les armes. À l'intérieur, trois nefs de même hauteur, chose assez rare en Italie. Belle luminosité. Le seul décor, à la demande du pape, consistait en quelques peintures religieuses. Et c'est vrai que l'œil n'étant pas diverti par l'habituel amoncellement saint-sulpicien, on peut leur consacrer toute l'admiration qu'elles méritent. Dans le bas-côté droit, superbe retable de Giovanni di Paolo, représentant la *Vierge et l'Enfant avec saint Antoine et saint Bernard.* Juste au-dessus, une pathétique petite *Pietà.* Dans le transept droit, *Vierge à l'Enfant en majesté* de Matteo di Giovanni. Au-dessus, *La Flagellation du Christ.* À côté des stalles, belle *Assomption* de Lorenzo di Pietro, dit « il Vecchietta ». Dans le transept gauche, *Vierge à l'Enfant avec Marie-Madeleine, sainte Anne, saint Philippe et saint Jacques* de Sano di Pietro. Dans le bas côté gauche, une *Vierge à l'Enfant* colorée de Matteo di Giovanni. Très beau lutrin et stalles marquetées. À vouloir construire trop vite et trop bien, on a négligé un peu les fondations. Heureusement, l'Unesco a inscrit la ville sur la liste de son Patrimoine mondial et va tenter d'éviter que le sol de la cathédrale ne s'affaisse.

** **_Palazzo Piccolomini :_** *à droite du Duomo. ☎ 0577-28-63-00. • palazzopiccolominipienza.it • Visite guidée slt (apparts, jardin suspendu et sa belle loggia) : tlj sf lun 10h-18h30 (16h30 de mi-oct à mi-mars) ; fermé de début janv à mi-fév et 15 j. en nov. Visite ttes les 30 mn (en anglais et en italien). Entrée : 7 € ; réduc.*
Élégante résidence d'été du pape, construite entre 1459 et 1462. Diplomate, cartographe, poète, Pie II n'était pas vraiment un saint... Plutôt traîne-jupon, puisqu'il s'était pris d'amour pour la chanteuse Vittoria Tesi. Néanmoins, il dut se faire la dent (ah, ah !) sur le comte Dracula qui était déjà en lice. Non content de ces amours proscrites, il publie un roman-journal, *Histoire des deux amants,* qui cherche son style : littérature érotique ou prose galante ? Bref, le bonhomme révèle ses contradictions et son narcissisme. Quand d'autres se font installer des miroirs, lui créait un plafond dont la position des poutres rappelait ses initiales. Pas très branché mystique, il accomplit toutefois de nombreux voyages diplomatiques en Écosse pour tenter de convaincre Jacques Ier de s'allier aux Français contre la perfide Albion. En 1461, il canonise sainte Catherine et parvient tant bien que mal à lever une croisade contre les Turcs, au cours de laquelle il meurt. La croisade, du coup, retourne illico presto à la case départ...
Son palais est, comme la cathédrale, une œuvre de Bernardo Rossellino, un élève de Leon Battista Alberti. À l'intérieur (habité jusqu'en 1962 par les héritiers de Pie II), objets d'art et armes, salle à manger, boudoirs. Magnifique jardin qui surplombe le val d'Orcia.

* Sur le corso Rossellino, de l'autre côté du palazzo Piccolomini, la ***chiesa San Francesco,*** qui fut celle de Cortignano, l'ancien village. Quelques fresques du XIVe s et, juste à côté, le cloître du très bel hôtel *Il Chiostro di Pienza.*

* **_Palazzo episcopale :_** *à gauche du* Duomo. Édifié par Rodrigo Borgia, futur pape Alexandre VI. Sur l'arête du mur, les armes des Borgia.

** **_Museo diocesano :_** *dans le palazzo Borgia, corso Rossellino, 30. ☎ 0578-74-99-05. ♿ De mi-mars à nov, tlj sf mar 10h-13h, 15h-18h ; hors saison, w-e slt.*

Entrée : 4 € ; réduc. Dans le bel édifice de l'office de tourisme. Belle collection agréablement présentée. Entre autres : une *Vierge à l'Enfant* de Pietro Lorenzetti (XIVe s), un magnifique triptyque de Vecchietta présentant la *Vierge à l'Enfant entourée des saints,* une *Vierge de la Miséricorde* de Signorelli et la Piviale (chasuble) de Pie II.

Palazzo comunale *(l'hôtel de ville) :* en dessous, jolie loggia sur colonnes de travertin. Tour de brique avec carillon du début du XVIIe s.

➢ Ne pas manquer la ***balade le long du rempart*** *(passeggiata)* pour la vue magnifique sur la campagne environnante et les ruelles aux noms qui font rêver (« du Baiser », « de l'Amour » ou « de la Fortune »), ainsi que la petite ***église romane de Saint-Vitus*** *(Pieve di Corsignano)* à l'extérieur du village. C'est là que fut baptisé Pie II.

LE VAL DI CHIANA

Voie de communication naturelle entre Sienne et Arezzo, le val di Chiana a changé plusieurs fois de morphologie au cours des siècles. Il fut d'abord une terre fertile, citée par de nombreuses sources antiques en tant que « grenier d'abondance ». Mais l'inversion du cours de la rivière Chiana le transforma en marais. Divers experts se penchèrent sur le problème, ils allèrent jusqu'à consulter... Leonardo ! Si grand génie et précurseur qu'il fût, il fallut attendre la seconde moitié du XIXe s pour achever l'assèchement des marais et restituer au val di Chiana sa splendeur passée. De fait, la vallée est découpée comme un jeu d'échecs par la succession de champs de tabac, de blé, de maïs ; par les oliveraies et les vignobles, les pâturages de bovins, de moutons et de chèvres. Une telle région agricole et viticole attire les gourmets nomades : les amateurs de vin en pèlerinage sur les chemins de sa sainteté le *nobile di Montepulciano* (DOCG depuis 1980), tandis que les carnivores accourent ventre à terre pour dévorer la grande spécialité locale : de gigantesques T-Bones cuits au gril.

MONTEPULCIANO (53045) 13 900 hab.

Une des villes de Toscane les plus hautes (605 m). Riche en édifices Renaissance, c'est aussi l'une des plus séduisantes. Un peu moins visitée que les autres, profitez-en ! Son centre vinicole offre un excellent vin (très cher), le *vino nobile.* La piazza Centrale présente un ensemble de monuments en vieille pierre d'une belle homogénéité. Beaucoup de charme, mais préparez-vous, ça grimpe dur !

Arriver – Quitter

➢ ***En bus :*** plusieurs bus depuis la porta delle Farine pour la gare de Montepulciano (à 8 km du centre). Également des bus pour Chiusi et, vers l'ouest, pour Pienza, San Quirico, Torrenieri (correspondance pour Montalcino) et Sienne.
➢ ***En train :*** *la gare est à 8 km du centre ; prendre le bus pour y aller (voir ci-dessus).* Une demi-douzaine de trains pour Rome, une quinzaine pour Florence, moins de 10 pour Sienne.

Adresses et info utiles

Office de tourisme : *piazza Dominzoni, 1. ☎ 0578-75-73-41. Tlj 9h30-12h30, 15h-19h (18h en hiver) et dim slt le mat.* Pas d'une grande efficacité, mais quelques brochures et plan de la ville. Possibilité de réservations dans les *agriturismi* de la région.

Une autre adresse : *strada del Vino Nobile, piazza Grande, 7. ☎ 0578-71-74-84. Lun-ven 10h-13h, 15h-18h ; le sam aussi en été.*

– **Bravio delle Botti :** *le dernier dim d'août.* Les 8 quartiers de la ville s'affrontent en faisant rouler de lourds tonneaux dans les rues en pente de la ville.

Où dormir ?

Camere Bellavista : *via Ricci, 25. 34-78-23-23-14. • bellavista@bccmp.com • À côté de la cathédrale. Doubles 75-85 €. Parking gratuit.* Confort très simple, mais vaste panorama sur la campagne.

Meublè Il Riccio : *via Talosa, 21. ☎ 0578-75-77-13. • info@ilriccio.net • ilriccio.net • À deux pas de la piazza Grande et du Duomo. Double env 100 € ; petit déj 8 €. Parking gratuit. Internet. Café offert sur présentation de ce guide.* Dans un ancien petit palais médiéval, pension charmante offrant de très agréables chambres avec bains. Certaines avec panorama sur le val di Chiana. Tons frais, bel ameublement, accueil très sympa (en français). En entrant, superbe salle avec piano. Terrasse fleurie. Une belle adresse de charme.

Albergo La Terrazza : *via Pie al Sasso, 16. ☎ 0578-75-74-40. • albergoterrazza@libero.it • laterrazzadimontepulciano.com • En contrebas de la cathédrale ; face au Duomo, descendre la via del Teatro à gauche, puis à gauche tte dans la via di Cagnano, prolongée par la via Pie al Sasso. Double avec bains 90 €, petit déj compris. Parking gratuit.* Dans une maison particulière meublée à l'ancienne, des chambres plaisantes et quelques suites (même prix). Confortable et bien tenu. Belle terrasse sur les toits.

Hotel Granducato : *via delle Lettere, 62. ☎ 0578-75-86-10. • granducato@lenni.it • hotelgranducato.it • À l'entrée de la ville en venant de Pienza. Double 78 €, petit déj-buffet inclus. Internet, wifi.* À quelques minutes du centre, cet établissement a l'avantage d'être au calme et proche de la gare routière. Certaines chambres disposent d'une belle vue sur la vallée.

Où manger ? Où boire un verre ?

Osteria dell'Acquacheta : *via del Teatro, 22. ☎ 0578-71-70-86. • info@acquacheta.eu • Fermé mar. Congés : de mi-déc à mi-mars. Résa conseillée le w-e. Repas 20-25 € sans la boisson.* Vieilles tables en bois et pierre apparente. La cuisine est au fond, ouverte au regard de tous, et l'on peut voir tout ce qui s'y trame. Cuisine *casalinga* (de la maison), bon petit vin du patron, toutes les pâtes que vous souhaitez, à la sauce que vous désirez, et viande au poids.

Trattoria Diva e Maceo : *via di Graciano nel Corso, 92. ☎ 0578-71-69-51. • divaemaceo@libero.it • Tlj sf mar. Repas complet 25 €. Digestif offert sur présentation de ce guide.* La salle n'a rien de spectaculaire. On a l'impression de se trouver dans une bonne petite institution familiale comme il y en a tant, mais, à l'examen, la cuisine est vraiment de bonne facture et le service efficace même si un peu bourru. Excellent risotto servi dans une feuille de salade et belles pièces de viande. Un avantageux rapport qualité-prix.

Trattoria di Cagnano : *via dell'Opio nel Corso, 30. ☎ 0578-75-87-57. Dans l'une des rues qui descendent et longent les remparts à droite de la* *piazza Grande. Fermé lun. Congés : 15-30 nov. Pizza env 6 €. Repas complet 20 €. Parking gratuit. Café offert sur présentation de ce guide.* Sur la terrasse (vite remplie) ou sous les voûtes en brique de la salle intérieure, de bonnes pizzas qui font chaud au cœur et au ventre. Vaste choix de *primi* – délicieux *maremmani al radicchio rosso e pecorino* – et *secondi* également. Service attentionné, malgré la foule. Une des *trattorie* fermant le plus tard à Montepulciano.

Osteria Porta di Bacco : *via di Graciano nel Corso, 102-108. ☎ 0578-75-79-48. Juste à l'entrée de la vieille ville. Tlj 12h-22h en saison, ouv slt sam-dim en hiver. Repas complet 10-20 € ; menu 16 €, mais les portions sont un peu chiches.* Petites salles aux murs blancs, poutres au plafond et peintures colorées sur les dossiers des bancs. Un lieu agréable pour déguster de savoureux *bruschette* et *crostini misti*, et une variété d'assiettes de charcuterie *(salame, coppa, prosciutto).* Quelques tables et bancs en bois dehors. Une sélection de vins au verre pour goûter aux fameux crus locaux avant de faire ses achats à l'*enoteca* voisine. Accueil sympa et prix honnêtes.

Caffè Poliziano : *via di Voltaia nel Corso, 27. ☎ 0578-75-86-15. • caffepoliziano@libero.it • Tlj 7h-minuit. Compter 25 € le déj complet sans boisson et 40 € pour le dîner. Café offert sur présentation de ce guide.* Fondé en 1868, c'est l'un des plus anciens cafés de Montepulciano ; en tout cas, avec ses vieux airs de brasserie ou de café viennois, il détonne. Atmosphère chic et rétro, avec une belle déco Art nouveau. Fréquenté en son temps par Pirandello, Giulietta Masina et Fellini. Superbe vue sur le val di Chiana depuis le balcon. Pâtisseries, en-cas et vins au verre. Très bonnes assiettes de charcuterie. Service de restauration permanent (pas donné tout de même) avec une carte plus élaborée le soir *(sf dim et j. fériés).* Quelques tables sur une terrasse-balcon panoramique. Piano-bar le samedi soir. Dommage que le service ne soit pas toujours souriant.

À voir

Si vous arrivez de Pienza, vous parviendrez par le sud directement à la piazza Grande, par la porta delle Farine (arrêt du bus) ou celle de la via San Donato. Venant de Cortone, vous y accéderez par la porta al Prato (arrêt du bus également). Il est interdit de se garer dans la ville, mieux vaut laisser sa voiture dans l'un des parkings aux portes de la ville (ils sont bien indiqués mais souvent complets en saison) et partir pour une découverte à pied !

Piazza Grande : belle homogénéité architecturale. Elle a conservé intact tout son charme médiéval et fait beaucoup penser à un décor de théâtre. On y trouve le *Duomo*, le *palazzo comunale*, deux palais dont le massif *Tarugi* de 1510, à côté d'un élégant puits Renaissance.

Duomo : cathédrale construite au début du XVIIe s, de style Renaissance tardive, mais jamais achevée. Il manque toujours le revêtement de marbre de la façade. À l'intérieur, grande sobriété des lignes. Au maître-autel, *Assomption* de Taddeo di Bartoldi (1400).

Palazzo comunale : *tlj 10h-18h. Tour accessible avr-nov tlj 10h-18h. Fermé en hiver.* Palais gothique du XIVe s, qui fait penser, par sa tour et son architecture, au palazzo Vecchio de Florence. Possibilité de grimper au sommet de la tour pour 1,60 € (superbe panorama, portant très loin par beau temps). Prendre l'escalier à gauche jusqu'à la billetterie, située au 2e étage.

Museo civico e pinacoteca Crociani : *via Ricci, 10. ☎ 0578-71-73-00. En hiver, mar-dim 10h-13h, 15h-18h ; en été et j. fériés, mar-dim 10h-19h. Entrée : 4,20 €.* Nombreuses peintures du XIIIe au XVIIe s, notamment Jacopo di Mino del Pellicciaio, le Sodoma et Andrea della Robbia.

Les ***vie Ricci*** et ***di Poggiolo,*** descendant devant le palazzo comunale, alignent de nombreuses et très belles demeures, églises, palais (pierre et brique mélangées, portes sculptées). Au n° 1 ***piazza San Francesco,*** superbe portail avec statue dans une niche surmontée d'une couronne. ***Piazza Santa Lucia,*** jolie église avec façade de style baroque (1653). Piazza Michelozzo (avant la via Gracciano), la ***chiesa Sant'Agostino,*** avec pilastres et tympan orné d'une *Vierge à l'Enfant et saint Jean-Baptiste.* Délicates sculptures Renaissance. De l'autre côté de la rue, tour médiévale avec carillon. Plus loin, via Gracciano, les ***logge del Mercato*** du XVIe s avec arcades. Au n° 91, le ***palazzo degli Avignonesi*** de style Renaissance tardive. Tout en bas, la ***porta al Prato*** (entrée nord de la ville).

En remontant, la ***via Voltaia nel Corso*** propose aussi son lot de beaux palais. Notamment, au n° 21, le ***palazzo Cervini,*** puis le ***palazzo Gagnoni-Grugni.*** Plus loin, la ***chiesa del Gesù,*** de style baroque.

Enfin, retour vers la piazza Grande. Ne pas manquer la visite au ***palazzo Contucci*** du XVIe s, réalisé par Antonio da Sangallo il Vecchio. Sobre et à l'élégante façade. Sur le côté, accès à la ***cave*** de vente des vins de Montepulciano, dont le fameux *vino nobile.* Les caves, datant du XIIIe s, sont sous le palais même. *Rens : ☎ 0578-75-70-06.*

Chiesa San Biaggio : *à l'extérieur de la ville, en pleine campagne. À 1,5 km. Sortir par la porta dei Grassi. On y accède par une belle allée de cyprès.* L'un des sommets de l'art Renaissance, construite à partir de 1518. Il devait y avoir deux tours, mais l'architecte Antonio da Sangallo il Vecchio mourut avant la fin de l'édification. Les trois ordres grecs se superposent. Belle pierre de travertin poreuse qui prend une couleur miel au soleil. Volume d'une très grande ampleur. Seule Saint-Pierre de Rome était à l'époque plus spacieuse. Remarquable acoustique. Beau maître-autel et buffet d'orgue en marbre marqueté. Au passage, ne manquez pas de saluer la *Madonna del buon viaggio,* située derrière l'autel.

CHIUSI

(53043) 8 600 hab.

Agrippé à un éperon rocheux, Chiusi n'a pas en lui-même énormément de charme. Ce petit bourg, qui serait l'un des plus anciens villages étrusques, a cependant très bien mis en valeur la richesse de son patrimoine. On vous recommande la découverte de ses musées qui vous dévoileront tout sur la civilisation étrusque. Fascinant.

Adresse utile

Office de tourisme : *piazza Duomo, 1. ☎ et fax : 0578-22-76-67. • comune.chiusi.siena.it • Mai-sept, tlj 10h-13h, 15h-18h (17h en mai) ; le reste de l'année, tlj sf lun, le mat slt.* Accueil très sympathique. Vente de billets combinés pour la visite des musées.

Où dormir ?

Casa Toscana : *via Baldetti, 37. ☎ 0578-22-22-27. • casatoscana@libero.it • En face de la chiesa San Francesco. Double 75 €, petit déj inclus.* Des chambres propres et soignées, en plein centre, dont certaines avec lit à baldaquin. Bon accueil de Franco.

Où manger ?

La Solita Zuppa : *via Porsenna, 21. ☎ 0578-21-006. • rl@lasolitazuppa.it • Fermé mar. Congés : 7 janv-1er mars. Repas env 30 €.* Dans la belle salle chaleureuse, tout en bois, on commence par la spécialité du lieu : de délicieuses soupes parfumées. On attaque ensuite un *secondo* savoureux, comme le canard aux prunes, le porc au romarin ou encore le lapin au gingembre et citron, le tout accompagné de légumes de saison. Enfin, pour terminer en beauté, on combine son dessert avec un bon *vino dolce*. Seul bémol : on nous pousse à la consommation à force de sourires, et ça peut finir par agacer. Cependant, les bourses qui peuvent se le permettre auraient tort de s'en priver, la cuisine est vraiment dé-li-cieu-se.

À voir

Cattedrale di San Secondiano : construite au VIe s, c'est une des plus antiques de Toscane. Les colonnes de marbre, les mosaïques du presbytère et les fonts baptismaux datent de l'époque romaine.

Museo della cattedrale e labirinto di Porsenna : *piazza Duomo. ☎ 0578-22-64-90. Juin-sept, tlj ; oct-mai, ouv les mar, jeu et sam mat et dim tte la journée. Visites guidées à 10h10, 10h50, 11h30, 12h10, 16h10, 16h50, 17h30 et 18h10. Entrée : 4 € ; réduc.* La légende dit que Porsenna, grand roi étrusque, aurait été enterré sous Chiusi, dans un tombeau gigantesque orné de cinq pyramides. Si de nombreuses galeries souterraines creusées sous la ville témoignent d'une active présence étrusque, le fastueux tombeau de Porsenna est, quant à lui, introuvable ! Quoi qu'il en soit, partir à la découverte du labyrinthe de Porsenna est un bon prétexte pour déambuler dans ces étranges galeries creusées par les « ingénieurs étrusques » pour s'approvisionner en eau, puis utilisées comme décharges par les romains ! À la fin de la visite, on peut monter en haut de la tour de la cathédrale, d'où l'on a une vue plongeante sur les environs. Dans le musée de la cathédrale, quelques pièces d'orfèvrerie et des parchemins enluminés...

Museo civico : *via Il Ciminia, 2. 📱 34-95-54-47-29. Fermé lun et 1er mai. Visites guidées slt : mai-oct, à 10h15, 11h30, 12h45, 15h15, 16h30, 17h45 ; nov-avr, les jeu et ven à 10h10, 11h10, 12h10, les sam et dim à 10h10, 11h10, 12h10, 15h10, 16h10 et 17h10. Entrée : 3 € ; réduc.* Trois sections : le labyrinthe, les activités et enfin la section épigraphique qui regroupe près de 300 urnes funéraires étrusques et 3 000 inscriptions. Cette collection présente un intérêt immense : les écritures gravées sur la pierre ou le marbre ont permis de retracer l'histoire sociale de la ville entre le IVe et le Ier s av. J.-C. Pour vous donner un ordre de grandeur, Rome et la Grèce n'ont que 1 000 inscriptions remontant à cette période ! La visite, très intéressante, nous apprend que les Étrusques écrivaient de gauche à droite... puis de droite à gauche. Les Romains, superstitieux n'ont heureusement pas touché à ces éléments funéraires, dont on peut, aujourd'hui encore, apprécier la grande valeur.

Museo archeologico nazionale e Tombe etrusche : *via Porsenna. ☎ 0578-20-177. Tlj 9h-20h. Fermé 1er janv, 1er mai et 25 déc. Entrée : 4 € (visite des tombes étrusques Leone et Pellegrina, à 3 km du centre, incluse) ; réduc ; 2 € en plus pour visiter la tombe de la Scimmia (visite sur résa).* Un musée qui retrace l'histoire des recherches archéologiques à Chiusi et le développement de l'artisanat local, des Étrusques aux Romains. Nombreuses sculptures, céramiques, vases, urnes en marbre et en terre cuite. Possibilité de visiter la tombe de la *Scimmia* (du singe), en dehors du centre, qui présente de belles fresques du Ve s av. J.-C.

➤ DANS LES ENVIRONS DE CHIUSI

***Città della Pieve :** à 11 km de Chiusi.* Petite incursion ombrienne dans un village médiéval très agréable. Voir plus loin « Lago Trasimeno (le lac Trasimène) » dans la partie Ombrie.

CORTONA (CORTONE)

(52044)

Petite ville tout à fait charmante entre Arezzo et Pérouse, patrie du peintre Signorelli. Ancienne cité étrusque qui a gardé tout son aspect médiéval et Renaissance. Les paysages tout autour sont merveilleux, et on y trouve calme et repos (excepté en juillet et août). Si vous êtes en voiture, laissez-la donc dans l'un des parkings à l'entrée de la ville ; la circulation est interdite dans le centre. Évitez de visiter Cortone le lundi, jour de fermeture des musées. C'est dans les environs de Cortone que Frances Mayes (professeur de littérature à l'université de San Francisco) a élaboré son récit *Sous le soleil de Toscane* (éd. Gallimard, coll. Folio).

Arezzo : 30 km ; *Sienne :* 80 km ; *Montepulciano :* 35 km ; *Pérouse :* 53 km ; *Assise :* 75 km.

Arriver – Quitter

➢ Cortone est facilement accessible d'***Arezzo*** par un service régulier de ***bus*** qui arrivent à la *piazza Garibaldi*, à la porte de la ville. On peut aussi y accéder en ***train*** d'***Arezzo, Rome*** ou ***Florence.***

Adresses utiles

***Office de tourisme :** via Benedetti, 2. ☎ 0575-63-03-52. • infocortona@apt.arezzo.it • Tlj en saison 9h-13h, 15h-19h.* Vous pouvez y obtenir une documentation bien faite.

✉ ***Poste :** piazza della Repubblica.*

Où dormir ?

Bon marché

***Ostello della gioventù San Marco :** via Maffei, 57. ☎ 0575-60-13-92. • ostellocortona@libero.it • cortonahostel.com • Au nord de la ville, près du centre et à 3 km de la stazione. Bien indiqué. Congés :12 déc-6 janv. Compter 16 €/pers en dortoir ou 20 €/pers en chambre familiale, petit déj inclus. Repas 11 €. CB refusées. Internet. Café offert sur présentation de ce guide.* Auberge très rustique et très propre, disposant de 40 places pour les filles, idem pour les garçons. Lits gigognes, draps fournis. Superbe salle à manger voûtée. Excellent accueil. Laverie (lessive fournie). Magnifique vue sur la campagne et le lac Trasimène.

Chic

***Hotel Italia :** via Ghibellina, 5. ☎ 0575-63-02-54. • hotelitalia@planhotel.com • À quelques mètres de la piazza Comunale. Doubles 110-137 €, petit déj inclus.* Belles chambres claires et nettes. Bien calme et accueil enthousiaste. Fait aussi resto.

Plus chic

Hotel San Michele : *via Guelfa, 15. ☎ 0575-60-43-48. • info@hotelsanmichele.net • hotelsanmichele.net • Congés : 7 janv-15 mars. Doubles 110-300 €, petit déj compris.* Les chambres sont toutes avec balcon offrant une vue imprenable sur la vallée, poutres apparentes, mobilier ancien, TV, bains avec robinetterie élégante... Le tout dans un palais Renaissance. Un endroit de rêve.

Où manger ? Où boire un verre ?

Trattoria La Grotta : *piazza Baldelli, 3. ☎ 0575-63-02-71. Fermé mar. Congés : 6 janv-13 fév et 1re sem de juil. Repas complet 20-25 € sans la boisson. Un p'tit café offert sur présentation de ce guide !* Très bon accueil, bonne chère et excellent rapport qualité-prix. Que demander de plus ?

Caffè Tuscher : *via Nazionale, 43. ☎ 0575-62-053. • info@caffetuschercortona.com • En face de l'office de tourisme. Tlj sf lun. Congés : fév-mars.* Un des bars branchés de la ville, agréable lors de la *passeggiata.* On s'attable dehors en savourant une bière bien fraîche ou, pour les plus aventureux, un *cappuccino* glacé (la spécialité maison). Jeunes et touristes se côtoient dans une atmosphère bon enfant. Le soir, ambiance plus cosy.

À voir

Piazza della Repubblica : centre de la cité médiévale avec le *palazzo Pretorio (museo dell'Accademia etrusca, ☎ 0575-63-72-35)* et le *palazzo comunale* surmonté d'une tour crénelée.

Museo diocesano : *dans l'ancienne chiesa del Gesù, face au Duomo. ☎ 0575-62-830. Tlj (sf lun en hiver) 10h-19h (17h nov-mars). Entrée : 5 €.* Riche collection de peintures, dont plusieurs œuvres de Luca Signorelli, né à Cortone, et une *Annonciation* de Fra Angelico qui, à elle seule, vaut le déplacement.

Chiesa Santa Maria Nuova : *à l'extérieur des remparts, en contrebas de la vieille ville.* Magnifique église imposante faisant face à la campagne verdoyante de Pienza. Construite au milieu du XVIe s à la manière des églises orthodoxes (plan en forme de croix grecque, coupole soutenue par quatre imposants piliers). Quelques œuvres qui ne laissent pas de marbre, comme la *Nativité* d'Alessando Allori ou Baccio Carpi.

Pour admirer le magnifique panorama sur toute la région, il vous faudra emprunter la via Santa Margherita et avoir beaucoup de courage : c'est raide. Faites-le de préférence le matin, à la fraîche. Un calvaire avec ses 14 stations, chacune étant ornée de mosaïques de Serini, superbe mais un véritable chemin de croix (au sens propre du terme !). Arrivé en haut sur la ***piazzale del Santuario,*** la vue est en effet grandiose et on donne sur la très belle ***chiesa Santa Margherita.*** Pour la descente (beaucoup plus facile), prenez l'autre chemin à travers les oliviers qui débouche sur la ***chiesa San Niccolo,*** pas très loin de l'auberge de jeunesse. Les paresseux peuvent rejoindre la *chiesa Santa Margherita* en voiture : il suffit de suivre les panneaux indiqués en dehors des remparts.

Chiesa Santa Maria del Cacinaio : *sur la route du lac Trasimène, à 4 km du centre.* Construite à la fin du XVe s dans le style de Brunelleschi, cette église est malheureusement laissée à l'abandon. Elle intéressera surtout les amateurs d'architecture. Le beau vitrail de la Madone de la Miséricorde est dû à un artisan berrichon qui travailla avec Michel-Ange et Raphaël.

Manifestations

– ***Sagra della Bistecca*** *(fête du Bifteck)* ***:*** *les 14 et 15 août.* Le *giardino delle Partere* se transforme en barbecue géant.
– ***Foire des antiquaires :*** *fin août.* Ne pensez pas trouver un hébergement au dernier moment. Tout est réservé à l'avance.

AREZZO

(52100) 95 000 hab.

La ville est idéalement située sur la colline qui domine les haute et moyenne vallées de l'Arno et contrôle le passage vers l'Apennin. Elle a été une des principales *lucumonies* de l'Étrurie. En 194 av. J.-C., elle passe sous domination romaine, puis se révolte contre son tuteur, qui n'hésite pas à la raser en 88 av. J.-C. Elle est reconstruite et devient colonie. Plus tard gouvernée par des ecclésiastiques puis par des podestats, elle aura le tort, ou la malchance, de choisir le clan des gibelins, alors que sa puissante voisine, Florence, choisira celui des guelfes. Conséquence, les Florentins s'empareront de la ville des Arétins quelques années après la bataille de Campaldino en 1289. La ville ne restera qu'une bourgade sans rôle politique important. Il faudra attendre le XIXe s et le chemin de fer pour la sortir de sa léthargie.
Cette ancienne cité étrusque vit notamment naître Mécène, ce favori d'Auguste qui encouragea les arts et les lettres. Ici aussi naquirent le poète Pétrarque, célèbre pour ses sonnets ; l'écrivain Pietro Bacci dit Aretino (l'Arétin en français) à la vie scandaleuse, qui relata ses aventures coquines dans ses écrits (comédies licencieuses et poésies érotiques), pour la plus grande joie de ses contemporains.
De sa splendeur passée, la ville conserve des témoignages intéressants, de quoi occuper une bonne demi-journée, sinon plus. La *Giostra del Saracino* (voir rubrique « Fêtes et manifestations ») fait partie de cet héritage du passé et ravit touristes et Arétins. Prétexte idéal à la ripaille, aux roulements de tambours et aux déguisements moyenâgeux, la Joute se déroule chaque année sur la *piazza Grande,* l'avant-dernier samedi de juin et le premier dimanche de septembre. Le *Palio* de Sienne n'a qu'à bien se tenir ! Arezzo a aussi la chance de se trouver un peu à l'écart des circuits classiques et d'échapper ainsi à la foule.

Arriver – Quitter

En bus

🚌 ***Gare routière LAZZI*** *(plan A2)* ***:*** *viale Piero della Francesca.* ☎ *0575-38-26-57.* À gauche de la *stazione*.
➢ Bus vers le ***val d'Arno*** et ***Florence.***

En train

🚂 ***Gare ferroviaire*** *(plan A2)* ***:*** *piazza della Repubblica.* ☎ *0575-20-553.*
➢ ***Pour Florence :*** 1 départ/h 6h-22h. Compter 45 mn de trajet.
➢ ***Pour Rome :*** nombreux trains 6h-22h. Env 1h30 de trajet.

Circulation et stationnement

Malgré ses grandes artères, il est pratiquement interdit aux voitures de tourisme de circuler dans certains quartiers de la ville, vers la piazza Grande, ainsi que sur le

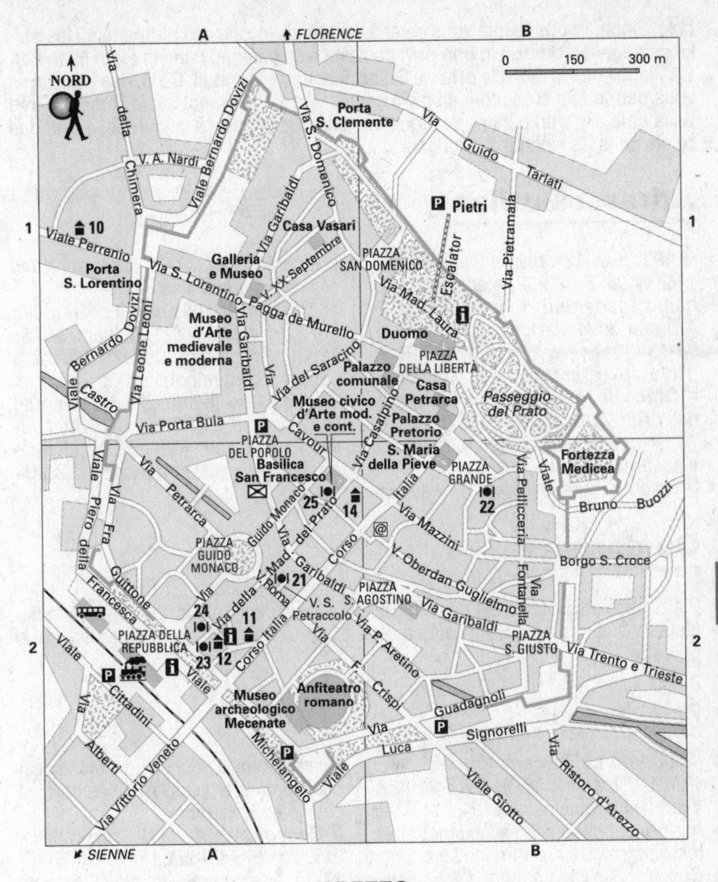

AREZZO

■ **Adresses utiles**

- APT et offices de tourisme
- Parkings
- @ Il Barrino

Où dormir ?

10 Albergo La Toscana
11 Cecco
12 Cavaliere Palace Hotel
14 Graziella Patio Hotel

Où manger ?

21 Osteria dei Mercanti
22 La Torre di Gnicche
23 Antica Trattoria da Guido
24 Trattoria Il Cantuccio
25 La Buca di San Francesco

corso Italia. Ces quartiers sont signalés par des panneaux circulaires blancs cerclés de rouge, et ne pas respecter l'interdiction peut vous coûter cher... gare aux amendes ! Certaines places et artères sont alors curieusement vides, un vrai bonheur pour les piétons. De plus, presque tous les parkings du centre-ville sont limités à 40 mn : 1,30 €. On a cependant l'autorisation de stationner devant son hôtel (pour quelques minutes seulement... le temps de décharger les bagages). Trouvez donc un établissement qui travaille avec un garage et qui s'occupera de votre véhicule. Sinon, il vous faudra vous garer à l'extérieur, le long des remparts où les parkings sont nombreux. Un bon plan consiste à se garer au *parking Pietri (plan B1)*, via Pietri, entre la muraille et la via Guido Tarlati : il est gratuit. De là, des escalators vous permettent d'accéder en plein centre-ville (directement sur le *Duomo*). Près de la gare, il y a un parking pratique où l'on peut se garer à la journée. Achat des billets dans les kiosques de la gare.

Adresses utiles

ℹ **APT** *(plan A2)* **:** *piazza Risorgimento, 116.* ☎ *0575-23-952.* • *apt@arezzo.turismo.toscana.it* • *apt.arezzo.it* • *À droite de la* stazione. *Lun, mer, ven 9h-13h ; mar, jeu 15h30-17h30.* Plein d'infos, excellent accueil en français.

ℹ **Office de tourisme** *(plan A2)* **:** *piazza della Repubblica, 28.* ☎ *0575-37-76-78.* • *info@arezzo.turismo.toscana.it* • *apt.arezzo.it* •

ℹ Un autre bureau *(plan B1)* : *via Ricasoli.* ☎ *0575-37-78-29. Juste après les escalators du parking Pietri.*

✉ **Poste** *(plan A2)* **:** *piazza del Popolo, 36. Lun-ven 8h15-19h, sam 8h15-12h30. Fermé dim.* Beaux plafonds à caissons contemporains.

@ **Il Barrino** *(plan B2)* **:** *via Oberdan Guglielmo, 9.* ☎ *0575-25-07-30. Lun-ven 7h-20h, sam 13h-16h.* Au fond de ce café bien central se cachent... 2 ordinateurs !

Où dormir ?

Petite mise en garde : il est très difficile de se loger pendant les nombreuses manifestations et lors de la *Feria antiquaria* (le 1er dimanche du mois et le samedi qui le précède).

Prix moyens

Albergo La Toscana *(plan A1,* ***10****)* **:** *viale M. Perennio, 56.* ☎ *0575-21-692.* • *info@albergolatoscana191.it* • ♿ *Au nord-ouest de la ville, à l'extérieur des remparts, face à la porte San Lorentino. Congés : 3 premières sem d'août. Double env 50 € ; pas de petit déj. Parking limité à quelques places slt.* Mobilier genre préfabriqué, douche, TV. Strict minimum, mais pour ce prix, on ne peut pas demander plus. Annexe dans la cour avec 5 chambres.

Cecco *(plan A2,* ***11****)* **:** *corso Italia, 215.* ☎ *0575-20-986. Fax : 0575-35-67-30. Très central. Double 66 € ; petit déj 5 €.* Un hôtel simplissime, voire basique. Pas de déco et des meubles en formica. En dépannage.

Chic

Cavaliere Palace Hotel *(plan A2,* ***12****)* **:** *via della Madonna del Prato, 83.* ☎ *0575-26-836.* • *info@cavalierehotels.com* • *cavalierehotels.com* • ♿ *En plein centre-ville, à 100 m de la gare. Double 150 €, petit déj inclus ; les prix se négocient en basse saison. Parking : 13 €/nuit. Wifi.* Les chambres sont petites mais possèdent tout le confort souhaité. Un peu bruyant. Excellent accueil en français. Petite *trattoria* familiale au pied de l'hôtel, la *Trattoria Il Cantuccio* (voir « Où manger ? »). Malgré tout, les prix nous semblent un peu surévalués.

Très chic

Graziella Patio Hotel *(plan A2,* ***14****)* **:** *via Cavour, 23.* ☎ *0575-40-19-62.* • *info@hotelpatio.it* • *hotelpatio.it* • *À deux pas de la basilique San Francesco.*

Congés : janv. Doubles 155-175 €. Parking. Internet, wifi. Réduc de 10 % pour 3 nuits min sur présentation de ce guide. Dans un superbe palais du XVIIIe s, anciennement propriété de la famille Bacci (voir les écussons), quelques chambres et suites, toutes personnalisées et décorées de façon plutôt originale : à chaque pièce son pays. On voyage donc dans cet ancien palais entre la Chine et l'Inde, en faisant un détour par le Maroc et la Californie. Les routards aux poches bien pleines devraient apprécier cette étape, voyage dans le voyage. La suite chinoise est tout simplement superbe, mais aussi bien plus coûteuse que les autres (300 €). Accueil pro.

Où manger ?

Prix moyens

|●| ***Osteria dei Mercanti*** *(plan A2,* ***21****) : via Ser Petraccolo, 9. ☎ 0575-24-330. • info@osteriadeimercanti.com • ♿ Fermé sam midi et dim (sf 1er w-e du mois). Repas complet env 25 €. Café offert sur présentation de ce guide.* Belles assiettes de fromages et salaisons, pâtes fraîches (on a aimé les *topini* au gorgonzola et à la poire), fromage fumé passé au four *(scamorza al forno)*, etc. Salle assez banale, pas désagréable pour autant, et petite terrasse aux beaux jours.

|●| ***Antica Trattoria da Guido*** *(plan A2,* ***23****) : via della Madonna del Prato, 85. ☎ 0575-23-760. • info@anticatrattoria daguido.it • À droite du* Cavaliere Palace Hotel. *Fermé dim (sf 1er dim du mois). Congés : 1 sem en janv et 1 sem en août. Résa plus que conseillée. Repas env 25 €.* Dans une salle de poche, on sert une bonne cuisine familiale, inspirée à la fois des traditions culinaires de la région et de celles de Calabre, dont est originaire la famille Stilo.

|●| ***La Torre di Gnicche*** *(plan B2,* ***22****) : piaggia San Martino, 8. ☎ 0575-35-20-35. • lucia@latorredignicche.it • À droite de la piazza Grande. Fermé mer. Repas complet env 25 € ; menus à partir de 12 €.* Rien de tel qu'un *misto di affettati* ou une assiette de *gorgonzola di grotta* accompagnée d'un verre de vin pour se sentir heureux. Pour se sentir repu, on optera pour une *ribolitta* ou une *pappa al pomodoro*, ou on goûtera aux tripes. L'ensemble de cette *enoteca* se résume à quelques tables dans un décor très simple, et, en face, une petite terrasse accrochée à la pente de la ruelle.

|●| ***Trattoria Il Cantuccio*** *(plan A2,* ***24****) : via della Madonna del Prato, 76. ☎ 0575-26-830. • info@il-cantuccio.it • Congés : 2de quinzaine de juil. Repas env 30 € ; plat unique env 8 €. Café offert sur présentation de ce guide.* Même genre que sa voisine. Agréable salle voûtée. Carte restreinte mais de qualité : pâtes maison, carpaccio, *zuppa di farro, trippa in umido...* Service familial efficace.

Chic

|●| ***La Buca di San Francesco*** *(plan A2,* ***25****) : via San Francesco, 1. ☎ 0575-23-271. • imbuca@alice.it • ♿ Sur le côté de l'église du même nom. Fermé lun soir, mar. Congés : 2 sem en juil. Menus à partir de 13 € ; repas complet 30 €.* Touristique, mais bonne cuisine typique dans un cadre agréable (salle voûtée fraîche et reposante). Bonnes pâtisseries et rapport qualité-prix honorable.

Où dormir ? Où manger dans les environs ?

⛺ |●| ***Camping Le Ginestre :*** *loc. Ruscello, 100. ☎ 0575-36-35-66. • info@campingleginestre.it • campinglegines tre.it • ♿ À 8 km d'Arezzo, en direction de Battiffole. Bus de la gare d'Arezzo, destination Ruscello, arrêt Pulma. Congés : 7 janv-9 fév. Compter 33 € pour 2 avec tente et voiture ; moins cher* *hors saison ; bungalows 4-5 pers 320-500 € selon saison. Internet. Réduc de 10 % sur présentation de ce guide.* Camping avec piscine et terrain de tennis (accessibles aux non-résidents). Sanitaires impeccables et bien équipés. La partie haute du terrain est la plus ombragée. Bar et resto-pizzeria à l'entrée *(fermé lun).*

B & B Le Bilodole : *loc. Cincelli, 11.* ☎ *0575-36-46-55.* • *info@bilodole.it* • *bilodole.it* • *En voiture, suivre la direction Castiglion Fibocchi, au nord-ouest d'Arezzo ; passer Ponte Buriano ; ensuite, c'est indiqué. Pour les non-motorisés, bus n° 21 depuis la gare d'Arezzo.* Le Bilodole *se trouve à la sortie de la localité de Cincelli. Congés : nov-mars. Compter 75-90 € pour 2 selon chambre et saison. ½ pens possible. Café offert sur présentation de ce guide.* Dans une grande maison toscane, de belles et grandes chambres très douillettes. Dans le jardin, piscine et Jacuzzi. Nos amis les chiens sont les bienvenus. Accueil gentil et discret. La dame parle le français.

Osteria La Capannaccia : *loc. Campriano.* ☎ *0575-36-17-59.* • *lacapannaccia@cittadiarezzo.com* • *À 6 km au nord d'Arezzo. Pour s'y rendre, prendre direction Bibbiena, puis Puglia et Tregozzano ; une fois passé ce hameau, emprunter un petit chemin sur la droite. Fermé lun. Congés : 15 j. en juil. Repas env 25-30 €.* Grande *trattoria* sur les hauteurs du hameau, perdue parmi les cyprès et les oliviers. Peu de choix, mais la carte est tout de même alléchante. *Antipasto misto toscano*, excellentes *pappardelle all'anatra* et *risotto ai funghi,* à déguster dans une grande salle à la déco champêtre. Bon accueil.

À voir

Attention, la plupart des églises sont fermées entre 12h et 15h. Pour tous les musées, se faire préciser ou confirmer les horaires à l'office de tourisme est une sage précaution. On peut aussi s'y procurer un billet groupé, à 12 €, pour visiter le musée d'Art médiéval et moderne, le Musée archéologique, la maison de Giorgio Vasari et les fresques de la basilique San Francesco.

Basilica San Francesco *(plan A2) : via Cavour.* ☎ *0575-35-27-27 ou 29-90-71. Lun-ven 9h-17h30 (18h30 en été) ; dim 13h-17h. Fermé 1er janv, 13 juin, 4 oct et 25 déc. En hte saison, résa nécessaire (ajouter alors 2 €). Entrée : 6 € ; réduc. Vente des billets dans l'enceinte du musée d'Art moderne et contemporain, à droite de l'église.*

Les fresques *(affreschi)* de Piero della Francesca : voir le site • *pierodellafrancesca.it* • D'origine paysanne et né à quelques kilomètres d'Arezzo (à Borgo San Sepolcro), Piero della Francesca, en véritable visionnaire, réalise des tableaux d'une modernité surprenante. Le regard de ses personnages semble perdu dans le vide, la lumière est pâle, les perspectives rigides... Le chœur de la basilique est décoré de ses fresques (1452-1459). Elles racontent l'histoire de la *Découverte de la Croix,* inspirée de la *Légende dorée* de l'évêque Jacques de Varagine. Elles ont fait récemment l'objet d'une restauration. Ne cherchez pas... l'ordre chronologique des scènes n'est pas respecté ; l'Ancien et le Nouveau Testament se suivent dans un ordre dispersé. Admirer les chevaux des scènes de bataille, *L'Adoration de la Croix* ou *La Rencontre de Salomon avec la reine de Saba*. Ne pas oublier de voir aussi, sur la droite, une *Annonciation* de Spinello Aretino (1400). Enfin, les Berrichons ne manqueront pas d'admirer la rosace exécutée par un moine français, Guillaume de Marcillat, né à La Châtre et mort à Arezzo en 1529.

Museo civico d'Arte moderna e contemporanea *(plan A2) : piazza San Francesco, 4.* ☎ *0575-29-92-55. Tlj sf lun 10h-13h, 16h30-19h ; w-e 10h-20h. Entrée : 7 € ; réduc.* Dans un palais voisin de la basilique. Accueille des expositions temporaires.

Chiesa Santa Maria della Pieve *(plan B2) : suivre le corso Italia, la principale artère de la ville, qui présente depuis le XIIe s un décor inchangé. Tlj 8h-12h (13h en* *été), 15h-18h (19h en été). Accès libre. La Pieve,* comme on la nomme familièrement, est l'un des plus surprenants édifices romans de Toscane. La façade est une interprétation très libre du style de Pise avec ses séries de colonnes superposées. Quant au campanile dit « aux cent trous » (il n'y en a que 40), il est devenu le symbole de la ville. L'intérieur de cette église, la plus grande et la plus ancienne d'Arezzo, est d'une pureté et d'un dépouillement rares en Italie. Sur le chœur, surélevé, un remarquable polyptyque de Pietro Lorenzetti peint en 1320.

Piazza Grande *(plan B2)* **:** longer l'église sur la droite pour atteindre cette grande place pour le moins curieuse, tout en pente et bordée d'édifices très divers : l'abside romane de *Santa Maria della Pieve,* la façade Renaissance du *palazzo del Tribunale,* celle du *palazzo della Fraternità dei Laici* commencée dans le style gothique et achevée selon le goût Renaissance en 1433, le *palazzo delle Logge,* construit par Vasari en 1573, pour clore l'ensemble.
C'est sur cette place que les antiquaires italiens viennent, le 1er dimanche de chaque mois, tenir brocante. C'est là aussi qu'a lieu, l'avant-dernier samedi de juin et le 1er dimanche de septembre, la *giostra del Saracino.* Devant le *palazzo delle Logge,* notez le pilori qui servait à exposer les condamnés. Nous rassurons les âmes sensibles : il s'agit d'une copie.

Via dei Pileati *(plan B1)* **:** *longer les loges de Vasari pour se diriger vers le Duomo.* Dans le quartier : le *palazzo comunale,* la *maison de Pétrarque* et le *palazzo Pretorio.*

Duomo *(plan B1)* **:** *tlj 7h-12h30, 15h-18h30.* Perchée sur une colline, impressionnante par ses dimensions, la cathédrale fut construite au XIIIe s selon les traditions de l'art gothique. Là aussi, les vitraux du moine berrichon Guillaume de Marcillat ont conservé depuis cinq siècles leurs éclatantes couleurs. Vasari les considérait comme une « des merveilles tombées du ciel pour la consolation des hommes ». Piero della Francesca réalisa aussi une *Sainte Marie-Madeleine,* visible dans le bas-côté gauche, à côté du grand monument funéraire de l'évêque Tarlati (1330 ; ouvert jusqu'à 12h45). Au fond, tombeau du patron de la ville, saint Donat, martyrisé en 304.

Ceux qui disposeraient encore d'un peu de temps peuvent visiter la **_chiesa Santa Maria delle Grazie,_** celle de **San Domenico** pour son *Crucifix* de Cimabue et les deux musées de la ville.

Museo statale d'Arte medievale e moderna *(plan A1)* **:** *via San Lorentino, 8. Tlj sf lun et j. fériés 8h30-19h. Entrée : 4 € ; réduc. Billet cumulatif : 12 €, incluant la visite des fresques de Piero della Francesca dans la chapelle Bacci, le musée archéologique Mecenate, le musée national d'Art médiéval et moderne, la maison de Vasari.* Installé dans le palais du XVe s, Bruni Ciocchi, il abrite une pinacothèque et une superbe collection de céramiques du XIIIe au XVIIIe s.

Museo archeologico Mecenate *(plan A2)* **:** *via Margaritone, 10. ☎ et fax : 0575-20-882. Tlj 8h30-19h30. Entrée : 4 € ; réduc.* Installé dans un ancien monastère, au pied d'un amphithéâtre romain, il conserve des objets étrusques et romains trouvés dans la région. Voir l'ensemble de vases coralliens qui firent la richesse de la ville dès le Ier s av. J.-C. Mais la pièce la plus remarquable que le musée réclame, en vain, à la ville de Florence depuis des siècles est la fameuse *Chimère* mise au jour, en 1553, lors de la construction de nouvelles fortifications. Cette œuvre en bronze, du IVe s av. J.-C., fut restaurée par Benvenuto Cellini qui la considérait comme la merveille du monde étrusque. Mais il se trompa au moment de la réfection. Le serpent ne devait pas mordre la corne de la chèvre mais simplement menacer son adversaire. Elle constitue aujourd'hui l'une des principales curiosités du Musée archéologique de Florence.

Casa Giorgio Vasari *(plan A1)* **:** *via XX Settembre, 55. Tlj sf mar 8h30-19h30 (13h j. fériés). Entrée : 2 € ; réduc. Il faut sonner pour entrer.* On découvre une riche demeure d'artiste toscan du XVIe s. Les fresques sont du proprio *himself.* Il s'est même représenté dans la salle en train de regarder par la fenêtre. Quelques toiles Renaissance. Belle salle avec grande cheminée. Agréable jardin à la française.

Casa Petrarca *(plan B1)* **:** *via dell'Orto, 28.* ☎ *0575-24-700.* • *accademiapetrarca.it* • *Tlj sf sam ap-m et j. fériés 10h-12h, 15h-17h.* Belle bâtisse avec sa tour. Abrite une bibliothèque.

Passeggio del Prato *(plan B1)* **:** belvédère au pied de la citadelle. Statue de Pétrarque.

Itinéraire Benigni : *un plan, disponible à l'office de tourisme, vous indique les différents lieux concernés : piazza della Libertà, piazza Grande, piaggia San Martino, piazza San Francesco, teatro Petrarca, piazza della Badia, via Porta Buia et via Garibaldi.* L'enfant terrible d'Arezzo, Roberto Benigni, a tourné de nombreuses scènes de son film *La vie est belle,* grand prix du Jury au festival de Cannes en 1997 et 3 oscars en 1998. Une consécration, donc, pour ce comédien-réalisateur, avec une histoire tragique, celle d'un petit garçon juif dans les camps de concentration. Vous pourrez découvrir huit lieux où ont été tournées des scènes du film. À chaque station vous trouverez des panneaux explicatifs en anglais et en italien, avec plans du film et transcription des dialogues qui y sont associés.

Où acheter du cuir artisanal ?

La Bottega del Cuoio : *via della Fioraia, 2 (à l'angle de la via Cesalpino, plan B1).* ☎ *0575-23-944.* • *info@labottegadelcuoio.com* • *labottegadelcuoio.com* • Une boutique à l'ancienne où le mot artisanat a encore toute sa signification. On peut y acheter ou se faire confectionner sur mesure (ou trouver sa pointure) de merveilleuses chaussures, bottines et bottes cousues main, avec savoir-faire et amour, du genre de celles qui vous font 20 ans d'usage et qui vous font regretter la généralisation de la production industrielle asiatique. Pas donné, bien sûr, mais pas si cher que cela, au vu de la qualité. Également des ceintures, porte-documents, sacs et portefeuilles.

Fêtes et manifestations

– **Foire des antiquaires :** *le 1er dim de chaque mois et le sam qui le précède.* Les exposants investissent toutes les rues de la ville (le corso Italia, la piazza Grande, la piazza del Commissario San Francesco). Réunion de plus d'une centaine d'antiquaires, artisans et joailliers.
– **Concours polyphonique Guido d'Arezzo :** *fin août.* Rassemblement de nombreuses chorales du monde entier.
– **Giostra del Saracino** *(la Joute du Sarrasin)* **:** *l'avant-dernier sam de juin et le 1er dim de sept.* Tournoi médiéval qui oppose quatre quartiers *(contrade)* de la ville, dont les équipes rivalisent pour avoir le privilège de gagner la Lance d'or récompensant le vainqueur. La cérémonie de l'offrande des cierges marque le début des hostilités dès le mois de janvier. Deux cavaliers sont sélectionnés dans chaque quartier : Porta Crucifera, Porta del Foro, Porta Sant'Andrea et Porta San Spirito. Le duo gagnant est celui qui marque le plus de points. Pour cela, il faut au moins rester en selle, ne pas perdre sa lance en route et galoper assez rapidement sous peine de pénalités. Au mieux, il faut tenter de fracasser sa lance (points doublés), arracher quelques billes de plomb et de cuir (points supplémentaires) et viser le centre de l'écu du Sarrasin (oui, oui... comme aux fléchettes !). À l'issue du tournoi, un *Te Deum* de remerciements est chanté à la cathédrale. Juste pour remercier Dieu d'être encore vivant ! Ce spectacle a été remis au goût du jour en 1931 et s'inspire des invasions sarrasines du temps des Croisades. Des documents du XIIIe s prouvent que les Arétins étaient déjà, à l'époque, des passionnés de joutes.

Ces festivités donnent lieu à des reconstitutions historiques. Les habitants des quatre quartiers vivent pendant quelques jours comme leurs ancêtres et adoptent leur mode de vie : habits, nourriture, métiers. Tout est reconstitué dans les moindres détails : absolument incroyable !

➤ DANS LES ENVIRONS D'AREZZO

San Sepolcro : *à 40 km, en direction d'Urbino. Compter 1h en bus.* C'est la ville natale de Piero della Francesca (1416-1492). Sa maison, une élégante demeure Renaissance, est aujourd'hui le siège de la fondation dédiée à l'artiste. Vieille ville intéressante avec son *Duomo* et surtout son *Museo civico* qui contient deux œuvres de Piero della Francesca : une *Madonna della Misericordia* et *La Résurrection* qu'Aldous Huxley considérait comme le « plus grand chef-d'œuvre du monde ». San Sepolcro pourrait aussi s'appeler la « ville des campaniles » : ils se détachent, fort nombreux, au-dessus des remparts de la cité. Le 2e dimanche de septembre se déroule le *Palio della Balestra* opposant les archers de Gubbio à ceux de San Sepolcro. À ne pas manquer, car ces festivités se déroulent toujours en costumes d'époque. Pour l'anecdote, sachez que la ville est aussi la capitale de la *pasta* avec les usines *Buitoni.*

*Rens à l'***office de tourisme** *: via Matteotti, 8. ☎ 0575-74-05-36. Ouv 9h-13h, 15h30-19h en hte saison.*

Monterchi : *à 27 km en suivant la route de San Sepolcro et en tournant à droite sur la S 221.* On vient surtout pour le musée qui abrite une œuvre majeure de Piero della Francesca ; celle de la célèbre Madone enceinte, ainsi que des documents sur la vie et les œuvres du peintre.

Museo Madonna del Parto : *via delle Reglia, 1. Avr-août, tlj 9h-13h, 14h-19h. Horaires restreints le reste de l'année. Entrée : 3,50 € ; gratuit pour les femmes enceintes...* La fresque (*La Madonna del Parto)* de Piero della Francesca est la parfaite illustration de son style. Elle est actuellement exposée dans l'ancienne école communale du village. Elle fut exécutée en 7 jours en 1460, et son originalité vient notamment du thème traité : à l'époque, la grossesse était plutôt un sujet tabou en Italie. Le réalisme de la scène est frappant : son regard est impassible et, comme une femme ordinaire, Marie adopte une posture de femme enceinte. Deux anges l'encadrent afin d'attirer notre attention. Ces regards sont d'autant plus mystérieux que Piero della Francesca est devenu aveugle à la fin de sa vie. Cette œuvre exceptionnelle a fait l'objet d'une minutieuse restauration dans les années 1990. À l'origine cette fresque était destinée à l'église Santa Chiara à Momentana (près de Rome). Elle fut ensuite déplacée dans le cimetière de Monterchi dans une chapelle privée.

Un peu au nord de Monterchi, dans le village de **Caprese,** on peut voir la *casa del Podestà* où Michel-Ange vit le jour, le 6 mars 1475. Toute cette région, peu fréquentée, est intéressante pour nos lecteurs motorisés.

LE VAL D'ELSA

Il s'agit bien sûr de la vallée du fleuve Elsa, située à l'ouest de Sienne. Elle fut toujours un carrefour d'importance du fait de sa position stratégique sur la route Francigena, arrière-garde de Volterra, ultime bastion entre Florence, Sienne et la mer. Pas étonnant donc que les bourgs se dressent ici en nid d'aigle, piqués de hautes tours guettant l'horizon, éternelles sentinelles surplombant les landes ordonnées.

MONTERIGGIONI

(53035) 800 hab.

Édifié le long de la voie Francigena, qui reliait Rome à l'Europe du Nord. Les fortifications lombardes de Monteriggioni remontent au XIIIe s. Aussi grand qu'un mouchoir de poche, ce bourg bardé de remparts fut construit en six ans autour d'une ferme. D'où la place principale sur laquelle ne manque plus qu'une basse-cour pour faire « vrai » ! 14 tours reliées par des murailles forment le système de défense, qui offrit refuge à de nombreux Siennois au moment de leur face-à-face avec les Florentins. L'entrée du bourg est interdite aux véhicules, comme presque partout en Italie !

Sur la SS 552. *Sienne* : 15 km ; *Florence* : 55 km ; *San Gimignano* : 15 km.

Arriver – Quitter

En bus

***Sena Autolinee* : ☎ 800-930-960 (n° Vert).**

➢ Sur la ligne ***Rome-Poggibonsi,*** les bus *Sena* marquent l'arrêt à Sienne, Colle di Val d'Elsa et Monteriggioni (au bureau de poste). De Rome à Poggibonsi, 8 bus/j. 8h30-20h. Dans l'autre sens, moitié moins de bus 5h20-15h20.

En train

***Stazione FS* :** *à Castellina in Chianti-Monteriggioni, à 3 km au nord de Monterrigioni.*

➢ ***Florence* :** 1 train presque ttes les heures, passant par Empoli, Certaldo, Sienne et Poggibonsi.

Adresse et info utiles

***Office de tourisme* :** *petit bureau dans l'enceinte, sur la place, à gauche de l'église. • info@monteriggioniturismo.it • monteriggioniturismo.it • De mi-mars à mi-nov, tlj 9h30-19h30 ; de mi-nov à mi-mars, 11h-17h, fermé lun. Congés : 15 janv-15 fév.* Dans le même local, un minimusée (entrée : 2 €) avec quelques vitrines exposant des morceaux de vases étrusques.

***Parkings* :** *gratuit au pied de la colline, payant au pied des remparts (min 1,50 €, 9h30-19h).*

Où dormir ? Où manger ?

Prix moyens

***Bar Il Feudo et chambres In Piazza* :** *piazza Roma, 16. 📱 34-74-92-43-57. • info@inpiazzamonteriggioni.it • inpiazzamonteriggioni.it • Sur l'unique place du bourg. Tlj. Doubles 70-90 €, petit déj inclus. Apéritif maison offert sur présentation de ce guide.* Belle terrasse et 2 grandes salles modernes qui détonnent un peu avec la façade. Sandwichs, pizzas et gâteaux. Loue aussi 2 belles chambres sur la place. Une des chambres donne sur la piazza et l'autre sur une cour. On peut regretter le service lent.

***Ristorante Il Pozzo* :** *piazza Roma, 20. ☎ 0577-30-41-27. Fermé dim soir, lun. Congés : en janv. Repas env 30 €. Apéritif et café offerts sur présentation de ce guide.* Ça a beau être l'usine, la cuisine reste honorable et *casalinga*

LE VAL D'ELSA

(« comme à la maison »). Essayer les *crostini toscani* (des tartines de pain aromatisées à différentes sauces), le *prosciutto toscano* ou encore les *ravioli di ricotta e spinaci.*

Où dormir dans les environs ?

Camping Luxor : *loc. Trasqua, Monteriggioni, 53011 Castellina in Chianti. ☎ 0577-74-30-47. • info@luxorcamping.com • luxorcamping.com • À quelques km du bourg en direction de Sienne. Compter env 28 € pour 2 avec voiture et tente. Remise de 10 % sur le camping en mai, juin et sept sur présentation de ce guide.* Après quelques kilomètres sur une route étroite et caillouteuse à travers vignes et champs, on trouve le camping dans la forêt. Très tranquille donc, ombragé, propre. Snack et piscine. Douche chaude payante. Ne convient, bien sûr, qu'aux motorisés.

Albergo Casalta : *à Strove, via Matteotti, 220. ☎ 0577-30-11-71 ou 0577-30-10-02. • casalta@chiantiturismo.it • chiantiturismo.it • Congés : 10 janv-15 mars. Doubles avec bains 75-100 €.* Petit hôtel de famille dans une maison de pierre datant du XIVe s, perdue parmi les tuiles romanes du hameau. Belles chambres rustiques, agrémentées de tout le confort (TV, minibar, téléphone...). La n° 5, avec sa mezzanine, ne manque pas de cachet. Un îlot de silence. Accueil courtois.

Où manger dans les environs ?

Bon marché

Bar dell'Orso : *loc. La Colonna, via Cassia Nord, 23. ☎ 0577-30-50-74. • orsobar@libero.it • À 1 km de Monteriggioni. Ouv jusqu'à 23h30. Repas complet env 18 € sans la boisson. Café offert sur présentation de ce guide.* Voilà le genre de bar-épicerie-snack que l'on aimerait trouver plus souvent sur notre route ! L'établissement est situé le long de la nationale, mais, une fois à l'intérieur, on découvre un grand comptoir où se retrouvent les habitués et une salle conviviale avec grandes tablées et tabourets en bois. On peut déguster sur place les savoureuses spécialités italiennes exposées derrière le comptoir. Large choix de charcuterie fine *(prosciutto, salame piccante, coppa...)*, mozzarella et *pecorino*, melon, tomates, servis sur un plateau en bois. On paie au poids et l'on se régale de bons produits frais pour un prix modique. Pour les plus pressés, copieux sandwichs préparés à la demande. Le tout mené d'une main de maître(sse) par 3 générations de femmes, qui animent le lieu avec gaieté et efficacité.

Chic

Ristorante Casalta : *via Matteotti, 220, Strove, 53035 Monteriggioni. ☎ 0577-30-12-38. • info@ristorantecasalte.it • Fermé mer. Congés : 10 janv-12 fév. Résa conseillée. Menus dégustation 50 et 55 €.* Primi piatti *env 14 €*, secondi *env 22 €.* À la tête de cette maison, Lazzaro Cimadoro, jeune chef de son état, formé par Gaetano Trovato, chef étoilé. En salle, Barbara, son épouse, dont le geste, la voix et l'accueil mettent à l'aise et en appétit. Et tant mieux car, si la carte est courte, tout fait envie : *pici con sugo di cinghiale, tagliolini con coda di rospo e crema di broccoli, petto di piccione con le palle rosse di Tropea,* et tant d'autres délices. Des sonorités qui évoquent la Toscane ; autrement dit, une cuisine harmonieuse qui puise son inspiration dans le terroir et la tradition. Cave exceptionnelle qui ne plombera pas l'addition puisque certains vins peuvent être servis au verre (à partir de 3 €). L'une des meilleures tables de la région.

➤ DANS LES ENVIRONS DE MONTERIGGIONI

Abadia a Isola : petit village médiéval groupé autour de l'ancienne abbaye cistercienne de San Salvatore, dominant légèrement la plaine alentour.

COLLE DI VAL D'ELSA

20 000 hab.

À environ 10 km au sud-est de San Gimignano, Colle di Val d'Elsa se divise en deux parties : *Colle Alta,* édifiée sur le lieu de l'ancien château de Piticciano, et *Colle Bassa* (Il Piano). Très tôt, les usines à papier et moulins à foulon installés sur les biefs aménagés au fil de l'Elsa affirment sa vocation industrielle. Mais la production du verre prendra le dessus, à tel point qu'au XIXe s la ville était appelée « la Bohême italienne ». Aujourd'hui, Colle s'enorgueillit de détenir 15 % de la production mondiale de cristal. Un musée retrace cette histoire. La ville se visite à pied, en se perdant dans les ruelles bordées de palais et maisons seigneuriales des XIIIe et XVe s. Admirez les différentes restaurations effectuées au cours des siècles, avec les matériaux de l'époque !

Arriver – Quitter

En bus

■ ***Sena Autolinee :*** *☎ 800-930-960 (n° Vert). • sena.it • Plusieurs points de vente :* CTS, *via Garibaldi, 25. ☎ 0577-92-26-26 ;* TRAIN, *piazza Arnolfo. ☎ 0577-92-13-34.*

➢ Sur la ligne **Rome-Poggibonsi,** le bus *Sena Autolinee* marque l'arrêt à Sienne, Monteriggioni et Colle di Val d'Elsa. Env 4 bus/j. en direction de Rome, plus nombreux dans l'autre sens.

■ ***CPT*** *(Compagnia Pisana Transporti) : ☎ 800-01-27-73 (n° Vert). • cpt.pisa.it •*

➢ De Colle di Val d'Elsa, on peut rejoindre ***Volterra*** par la ligne 770 *CPT* qui circule 4 fois/j. entre les 2 villes.

En train

Stazione FS : *à Poggibonsi, à 10 km au nord de Colle di Val d'Elsa. Ensuite, prendre le bus.*

➢ ***Florence et Sienne :*** 1 train presque ttes les heures, passant par Empoli et Certaldo.

Adresses utiles

Informations touristiques *(Pro Loco) : via Campana, 43. ☎ 0577-92-27-91. • turisticocolle@tiscali.it • terrediarnolfo.it • 1er juin-31 oct : tlj 10h-12h, 15h-18h (17h dim). Plan de la ville disponible sur demande. Également des visites guidées des cristalleries.*

Point info : *piazza Arnolfo di Cambio, 9. ☎ 0577-92-13-34. Tlj 6h40 (8h*

j. fériés)-20h10.
✉ **Poste :** *via Don Minzoni, 33.*

@ ***Internet Caffè :*** *via dei Fossi, 59.* ☎ *0577-92-69-70.*

Stationnement

🅿 Le *borgo* et le *castello* (la vieille ville) ne sont pas accessibles aux voitures, mais plusieurs parkings sont indiqués le long de la SS 68. On en trouve près de la via di Porta Vecchia, de la Porta Nuova, de la piazza Arnolfo di Cambio, de la via Fontibuona.

Où manger ? Où boire un verre ?

Winebar L'Angolo di Sapia : *via del Castello, 14 b.* ☎ *0577-92-14-53. • bastionesapia@libero.it • Avr-oct, tlj sf dim soir et lun, 12h30-15h ; le soir slt en hiver. Congés : 2 sem en nov et 3 sem en janv-fév. Repas 25 €. Sur présentation de ce guide, apéritif, café ou digestif offert.* On vient surtout pour sa petite terrasse qui surplombe le val d'Elsa. Béatrice, la maîtresse des lieux, vous accueille avec le sourire... et en français s'il vous plaît !

Il Frantoio : *via del Castello, 40.* ☎ *0577-92-36-52. • ristoranteilfrantoio@libero.it • Slt le soir mar-dim. Congés : de mi-janv à mi-fév. Repas complet 35 €. Apéro offert sur présentation de ce guide.* Ne ratez pas l'entrée, juste avant le musée archéologique, piazza del Duomo. 4 belles salles voûtées où l'on déguste de bonnes spécialités autour du sanglier, de la truffe et de la *bistecca fiorentina.* Préférez la salle *Corridoio,* une ambiance particulièrement romantique pour un dîner aux chandelles...

Ristorante Antica Trattoria : *piazza Arnolfo di Cambio, 23.* ☎ *0577-92-37-47. Fermé mar. Congés : 2e sem de janv et 1 sem en juin. Repas complet env 45 €. Digestif offert sur présentation de ce guide.* Une adresse bien connue des locaux, menée rondement par la famille Paradisi. On y vient pour déguster une pintade au *vino santo*, des calamars farcis aux tomates vertes, ou les sempiternelles tripes. Bref, une cuisine toscane raffinée, mais certainement pas pour ceux qui possèdent un porte-monnaie en peau de hérisson.

À voir

– Il existe un billet unique pour les trois musées de la ville à 6 €.

Museo civico et ***museo d'Arte sacra*** *(dans le palazzo dei Priori) :* ☎ *0577-92-38-88. • museo.civico@comune.collevaldelsa.it • 1er nov-30 avr, mar-ven 15h30-17h30 ; 1er mai-31 oct, mar-dim 10h30-12h30, 16h30-19h30. Entrée : 3 €.* Un bon aperçu de la création artistique dans le val d'Elsa du VIe au XXe s. Le musée possède une belle collection de tableaux du XVIIe au XIXe s, mais l'une des œuvres majeures est le célèbre *Maestro di Badio a Isola,* œuvre d'un Siennois inconnu. On raconte qu'il a travaillé avec Duccio di Buoninsegna à la fin du XIIIe s. Également un très beau crucifix en bois polychrome de Marco Romano, datant du début XIVe s.

Museo archeologico : *piazza del Duomo, 42 (dans le palazzo Pretorio).* ☎ *0577-92-04-90. • museo.archeologico@comune.collevaldelsa.it • Mêmes horaires que le museo d'Arte sacra. Entrée : 3 €.* Plusieurs œuvres majeures de l'époque étrusque, dont deux nécropoles, *Ville* et *Domatia,* retrouvées dans les environs de Colle. Également de belles pièces (dont de magnifiques vases noirs) datant du VIIe s av. J.-C., provenant de la tombe de la famille noble Pierini ; la plus riche découverte faite en Étrurie du Nord. Pour les inconditionnels de la période étrusque.

Museo del Cristallo : *via dei Fossi. ☎ 0577-92-41-35. • info@cristallo.org • Tlj sf lun : Pâques-31 oct, 10h-12h, 16h-19h30 ; 1er nov-Pâques, 15h-19h.* L'industrie du verre à Colle débuta en 1820 avec un Français, François Mathis. À sa mort, en 1832, c'est le Bavarois Giovan Schmid qui reprit les rênes, à la tête de l'entreprise. Grâce à lui, l'usine obtint même la médaille d'or à l'exposition universelle de Paris en 1855. Les héritiers de ce dernier étant en désaccord, c'est finalement Alfonso Nardi, un vitrier d'Empoli, qui reprit l'affaire en 1889. Le musée, situé sur l'ancienne usine de verre Boschi (du nom de son dernier directeur), retrace, sur deux niveaux, l'histoire du cristal à travers de nombreuses pièces provenant de collections publiques et privées. Pour info, sachez qu'on produit à Colle 15 % du cristal mondial et 95 % du cristal italien.

Duomo : *piazza del Duomo (ben tiens !).* S'il vous reste un peu de temps, terminez votre glace et allez jeter un œil à l'intérieur de la *concattedrale dei Santi Alberto et Marziale*, on y admire quelques belles œuvres de la fin du XVIe – début du XVIIe s. En ressortant, ne manquez pas de descendre dans la crypte.

La rue la plus intéressante est la ***via del Castello,*** on y accède par un passage voûté sous le palais Campana. Très impressionnant et surtout très agréable quand il fait une chaleur caniculaire !

➤ DANS LES ENVIRONS DE COLLE DI VAL D'ELSA

CASOLE DI VAL D'ELSA

Très beau village perché de 3 000 habitants, où le temps semble s'être arrêté. Au Moyen Âge, il a défendu Sienne avec ardeur face à ses ennemies de toujours, Florence et San Gimignano. Aujourd'hui, même s'il ne reste de ce bastion siennois que les tours rondes des anciens remparts, on n'en est pas moins tombé sous le charme. Cette petite bourgade rurale a su préserver jalousement ses ruelles entrelacées, son architecture, ses magnifiques bâtiments médiévaux quasi intacts ainsi que la fête séculaire du *Palio.* On accède au cœur de la ville par un ascenseur qui mène directement à la piazza della Libertà, non loin du Musée archéologique et du petit office de tourisme ! Ici, pas de voiture, pas de stress, pas (trop) de touristes... Tout n'est qu'ordre, calme, et volupté. On a aimé ce village aux airs (faussement) tranquilles.

VOLTERRA (56048) 13 000 hab.

Perchée sur sa falaise d'argile, Volterra, porte les stigmates des civilisations qui s'y établirent successivement. À coup sûr l'une des plus mélancoliques cités de la grande fédération étrusque, la belle gouverne la Toscane jusqu'à l'arrivée de Scipion en 298 av. J.-C. Puis, après de longues luttes et une indépendance précaire, elle tombe sous la tutelle de Florence vers 1360. Le charme un peu sévère de Volterra, appelée aussi « la cité du Vent », ravira nos lecteurs romantiques. D'ailleurs, avant eux, Stendhal vint y poursuivre une histoire d'amour malheureuse. D. H. Lawrence trouva sur ses remparts une riche inspiration, et le ténébreux Visconti y tourna *Sandra.* La balade de bonne heure le matin sur la piazza dei Priori, l'une des plus belles places médiévales d'Italie, sera l'un de vos temps forts toscans.

Sienne : 55 km ; *Florence :* 84 km ; *San Gimignano :* 30 km ; *Colle di Val d'Elsa :* 28 km.

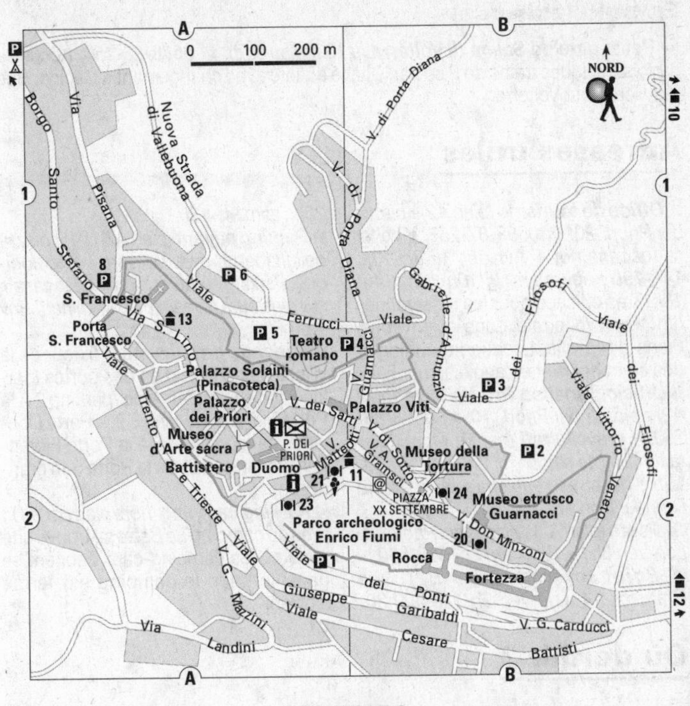

VOLTERRA

■ Adresses utiles

- Offices de tourisme
- @ Point Internet
- Parkings

Où dormir ?

10 Villa Giardino
11 Albergo Etruria
12 Ostello della Gioventù
13 Hotel San Lino

Où manger ?

20 La Vena di Vino
21 L'Incontro
23 Enoteca Del Duca
24 Trattoria Il Sacco Fiorentino

Arriver – Quitter

Attention, transports quasiment inexistants au mois d'août...

En bus

Bus CPT : ☎ *800-01-27-73 (nº Vert).* • *cpt.pisa.it* •

➢ ***Pise :*** bus peu nombreux et tous avec correspondance ; inexistants dim et j. fériés.

➢ ***Florence, Sienne et San Gimignano :*** 4 ou 5 bus/j. Le moyen de transport en commun le plus commode. Très belle route en zigzag de San Gimignano à Volterra.

➢ ***Colle di Val d'Elsa :*** env 3 bus (aller-retour).

En train (puis bus)

Petite ***gare de Saline di Volterra*** *(à 10 km au sud).* ☎ *0588-86-150.* Accueille parfois quelques trains de Pise par la ligne côtière avec changement à Cecina. Bus réguliers pour Volterra.

Adresses utiles

Office de tourisme *(plan A2)* **:** *piazza dei Priori, 20.* ☎ *0588-87-257.* • *volterra-toscana.net* • *Avr-oct, tlj 9h-13h, 14h-19h ; nov-mars, tlj 10h-13h, 14h-18h.* Très efficace pour les réservations d'hôtels à Volterra et dans les environs. Plans de la ville. Location d'audioguides en français et en anglais pour 5 €.

Ufficio Turistico Pro Volterra *(plan A2)* **:** *piazza dei Priori, 10.* ☎ *0588-86-150.* • *provolterra@libero.it* • *provolterra.it* • *En hte saison, tlj 9h-13h, 14h30-19h ; horaires restreints le reste de l'année.* Bon accueil.

✉ ***Poste*** *(plan A2)* **:** *piazza dei Priori, 14. Lun-ven 8h15-19h, sam 8h15-12h30.*

@ ***Point Internet*** *(plan B2)* **:** *via Gramsci, 14. Lun-ven 9h-13h, 15h30-20h ; sam 9h-13h.*

Parking payant *(plan A2,* **1)** **:** *piazza della Libertà, près du parc archéologique. Parking souterrain dit « la Dogana » sur plusieurs niveaux. Tlj 6h-minuit. Env 1,50 €/h.*

Parkings gratuits **:** tout autour de la ville, à l'extérieur, près des portes (parking 1 à la Porta All'Arco, parking 2 à la Porta Marcoli, parking 3 à la Porta Docciola, parkings 4 et 5 à la Porta Fiorentina, parkings 6 et 8 à la Porta San Francesco).

Parking camping *(hors plan par A1)* **:** près du camping *Le Balze* se trouve une zone où les camping-cars viennent se garer lorsque le camping est fermé (l'hiver).

Où dormir ?

Exception faite d'une auberge de jeunesse un peu excentrée et pas très rock and roll, les hôtels sont chers et peu nombreux. Si on en a les moyens, mieux vaut loger dans un *B & B*.

Camping

Camping Le Balze *(hors plan par A1)* **:** *via di Mandringa, 15.* ☎ *0588-87-880.* 📱 *34-90-53-65-53.* • *campinglebalze@hotmail.com* • *campinglebalze.com* • *En contrebas du bourg, en direction de Pontedera. Ouv de mi-mars à mi-oct. Réception 8h-11h, 17h-21h. Compter env 20-25 € pour 2 avec tente et voiture.* Un camping de taille moyenne super bien situé, dont les emplacements, corrects, se répartissent en tête de la falaise. Équipements et sanitaires entièrement rénovés. Belle vue sur la plaine et accueil sympa. Piscine. Bus fréquents pour le centre, pour ceux qui ont mal aux pieds !

Bon marché

Villa Giardino *(hors plan par B1,* **10)** **:** *loc. Girolamo.* ☎ *0588-80-537.* 📱 *34-80-14-37-73.* • *villagiardino@tiscali.it* • *villa.giardino.it* • ♿ *À la sortie de Volterra en direction de Florence, tourner à gauche vers San Girolamo (c'est indiqué), puis faire 2 km. En hiver, slt pour les groupes. Résa indispensable. Compter 16 €/pers en dortoir, doubles 32-44 €. Téléphoner avt d'arriver. Réduc de 5 % sur présentation de ce guide.* Pas un hôtel mais une maison de vacances *(casa per ferie)* avec adhésion obligatoire à l'association *Mondo Nuovo* qui gère l'établissement. Elle occupe une ancienne villa du XVIIe s, isolée en pleine nature et flanquée d'un agréable jardin. Une dizaine de chambres doubles ou quadruples propres et calmes ; douches et w-c en commun. Pas de petit déj mais cuisine équipée et salle à manger à dispo. Excellent accueil.

Ostello della Gioventù *(hors plan par B2, **12**) : via del Teatro, 4, loc. Girolamo. ☎ 0588-86-613. • info@ostellovolterra.it • ostellovolterra.it • À la sortie de Volterra en direction de Firenze, dans l'enceinte de l'hôpital. Ouv avr-oct. Compter 18 €/pers en dortoir (petit déj en sus : 5 €) et 69 € la chambre double avec sdb (petit déj inclus).* Auberge flambant neuve et totalement dépourvue d'âme, aménagée dans un couvent franciscain du XVe s. Une vingtaine de chambres et petits dortoirs avec salle de bains. Cafét', salle de TV. Les adeptes du carrelage bien frais seront ravis.

De prix moyens à chic

Albergo Etruria *(plan A-B2, **11**) : via Matteotti, 32. ☎ 0588-87-377. • info@albergoetruria.it • albergoetruria.it • Doubles 90-100 €, petit déj-buffet compris. Réduc de 10 % avr-oct sur présentation de ce guide.* Idéalement situé au cœur du centre historique, ce petit hôtel dispose d'une vingtaine de chambres sobres et claires, tout à fait charmantes. Agréables petits salons pour bouquiner et jardin-terrasse sur les toits, avec une pelouse pour la bronzette ! Attention à l'accès difficile en voiture.

Hotel San Lino *(plan A1, **13**) : via San Lino, 26. ☎ 0588-85-250. • info@hotelsanlino.com • hotelsanlino.com • ♿ À deux pas de la porte San Francesco. Congés : nov-fév. Résa conseillée. Doubles tt confort 90-120 €, petit déj inclus. Parking 11 €. Solarium.* Un hôtel très confortable, installé dans un ancien couvent. Belles arcades et beaux volumes. Agréable petite piscine entre 2 étages.

Où manger ?

Difficile de trouver une table non touristique à Volterra. On y mange toutefois fort bien : spécialités de charcuterie artisanale, de lapin *(coniglio)* et surtout de lièvre *(lepre)*. La campagne alentour réserve quant à elle de bonnes surprises.

Bon marché

La Vena di Vino *(plan B2, **20**) : via Don Minzoni, 30. ☎ 0588-81-491. • info@lavenadivino.com • En face du Musée étrusque. Tlj sf mar 11h-1h. Congés : 15 j. en hiver. Menus 11 et 15-17 € (avec un verre de vin inclus).* Cette petite *enoteca* couve 2 caves à la fraîcheur salutaire (l'été), tapissées, comme il se doit, de bouteilles provenant de tous les vignobles italiens. 2 grandes tables communes supportent de joyeuses agapes, où l'on saucissonne entre copains... à grand renfort de fromages et de cochonnailles aux parfums enivrants !

Prix moyens

L'Incontro *(plan A2, **21**) : via Matteotti, 18. ☎ 0588-80-500. Tlj 7h-minuit.* Un bar à vins, fin glacier et qui propose des chocolats et des pâtisseries à faire saliver un mort ! Bric-à-brac audessus du *desk*, gentille musique de fond et clientèle éclectique qui vient ici se décaper la glotte à l'*espresso* après s'être attablée pour des *crostini* ou une *bruschetta*. Bref, une adresse qui pourrait avoir pour devise : y'a pas d'heure pour les braves !

Chic

|●| ***Enoteca Del Duca** (plan A2, **23**) : via di Castello, 2. ☎ 0588-81-510. • delduca@sirt.pisa/it • ♿ Tlj sf mar (tlj en été) 12h30-15h, 19h30-22h. Repas complet 35-45 €. Apéro maison offert sur présentation de ce guide.* Menus changeant avec les saisons, mais produits frais et pâtes maison tout simplement excellentes. Il faut dire que le chef enrichit ses petits plats typiques et gastronomiques d'un soupçon de créativité. Propose aussi des plats végétariens. Installé au pied du parc E. Fiumi, le resto dispose d'une grande terrasse sur l'arrière, entourée de verdure. Sinon, on dîne dans la salle voûtée, entourée de rayonnages de vins. Assez chic.

|●| ***Trattoria Il Sacco Fiorentino** (plan B2, **24**) : piazza XX Settembre, 18. ☎ 0588-88-537. Tlj sf mer midi et soir. Congés : du 1er janv à mi-fév. Menu dégustation à partir de 24 €, vin compris ; sinon, env 30 €.* Cuisine servie dans un cadre agréable (salle voûtée). Spécialités de truffes toute l'année et plats assez sophistiqués. Une bonne adresse. Belle carte des vins.

Où manger dans les environs ?

|●| ***Trattoria Albana** : via Comunale, 7, loc. Mazzolla, 71. Sur la route de Colle di Val d'Elsa, à env 6 km, bien indiqué. ☎ 0588-39-001. Tlj midi et soir, fermé mar sf en août. Compter 15 € pour une « pâte » et un verre de rosso. Autrement, on s'en tire pour 25 €. Café offert sur présentation de ce guide.* Un des restos du bout du monde comme on les aime. Ici, pas de lézard, on vient pour se payer une bonne tranche de vie. À tel point que, quand ça cogne un peu, les dimanches aux beaux jours, la clientèle en terrasse se noue le mouchoir sur la tête. Dans l'assiette, rien que du local et toutes sortes de *ragù*. En hiver, une cuisine qui réchauffe, et une atmosphère qui vous pousse vers l'ivoire du piano...

À voir

Attention, Volterra impose *le biglietto 3 musei* à 8 € (18 € pour une famille de 4 personnes ; réduc), comprenant les visites du *museo etrusco Guarnacci,* la *Pinacoteca* et le *museo d'Arte sacra.* Attention, les horaires des musées changent souvent. Passer à l'office de tourisme avant d'entamer la visite, surtout en été, pour en avoir confirmation.

🙶🙶 ***Piazza dei Priori** (plan A2) :* l'un des ensembles médiévaux les plus caractéristiques d'Italie. On y trouve le *palazzo dei Priori,* datant du XIIIe s (le plus ancien de Toscane !). Façade couverte des blasons et écussons des gouverneurs florentins. Possibilité de visiter la salle du conseil et l'antichambre (belles fresques) de 10h à 13h et de 14h à 17h30 (seulement le week-end en hiver) ; prévoir 3 €. *Tour du Podestat* terminée par une figure animale appelée familièrement *porcellino* (le sanglier). En face, le *palazzo Pretorio,* ancienne résidence du *capitano del Popolo.*

🙶🙶 ***Duomo** (plan A2) : tlj 8h-12h30, 15h-18h (ven 16h-18h30).* Construit en 1120 dans le style roman pisan et agrandi au milieu du XIIIe s. Jolie façade en marqueterie de marbre polychrome attribuée à Nicola Pisano. Belle Vierge en bois du XIVe s, la *Madonna dei Chierici* (la Vierge des Clercs) de Francesco del Valdambrino. Magnifique *Déposition de Croix* en bois polychrome du XIIIe s. Très riche plafond à caissons. Chaire en marbre assise sur des piliers « lions » très expressifs. En face du Duomo, le baptistère, de forme octogonale et dont la belle façade de mosaïque de marbre a été réalisée dans la seconde moitié du XIIIe s. L'intérieur, quant à lui, est entièrement en marbre.

– ***Museo d'Arte sacra*** *(plan A2)* **:** *via Roma, 13, à côté du campanile. 16 mars-1er nov : 9h-13h, 15h-18h ; 2 nov-15 mars : 9h-13h.* Quelques belles statues et des fragments de fresques.

¶¶¶ ***Pinacoteca*** *(plan A2)* **:** *via dei Sarti, 1. Dans le palais Minucci Solaini. De mi-mars au 1er nov, 9h-19h ; du 2 nov à mi-mars, 9h-13h.* Tous les grands de la peinture médiévale : Signorelli, Rosso Fiorentino (notamment sa superbe *Déposition,* pièce maîtresse du musée isolée dans une salle), Ghirlandaio, Daniele da Volterra... Sublime !

¶ ***Palazzo Viti*** *(plan A-B2)* **:** *via dei Sarti, 41. ☎ 0588-84-047. De mi-mars à fin sept, tlj (mar, slt le mat) 10h-13h, 14h30-18h ; le reste de l'année, sur résa slt. Entrée : 4 €.* Palais privé du XVIe s, acquis par les Viti (fabricants d'albâtre) au XIXe s. Douze salles ouvertes au public. Visconti tourna ici en 1964 quelques scènes de *Sandra.* Décoration XIXe s et exotique. Les descendants de la famille Viti habitent une partie du palais.

¶¶ ***Museo etrusco Guarnacci*** *(plan B2)* **:** *via Don Minzoni, 15. ☎ 0588-86-347. Tlj : de mi-mars au 1er nov, 9h-19h ; du 2 nov à mi-mars, 9h-13h30. Entrée : 8 € ; réduc. Loc d'audioguides en français : 4,50 €/pers ou 6 € pour 2.* Ce riche musée présente la collection de Guarnacci, érudit du XVIIIe s, qui regroupe principalement plusieurs centaines d'urnes funéraires sculptées. Elles sont classées par époques et par thèmes : quadriges, charrettes de marchands, cavaliers, magistrats, allégories, dauphins, sirènes, etc. L'une des plus belles se trouve salle 19 : *Les Vieux Époux (urna Degli Sposi).* Noter leur extraordinaire expression (ils semblent se haïr !). Étonnez-vous, après ça, que dans les pâtisseries de la ville, la spécialité soit les *ossi di morti,* meringues en forme d'os ! Belles collections de petits bronzes (bijoux, anses de vases, statuettes, objets domestiques, etc.). Un petit chef-d'œuvre, *L'Ombra della Sera* (nom donné par le poète d'Annunzio), réalisé par un Giacometti de l'époque (salle 15). Le paysan qui l'avait découvert en 1879 s'en servait comme tisonnier !

¶¶ ***Fortezza*** *(plan B2)* **:** l'un des ouvrages fortifiés les plus puissants et les plus spectaculaires de la Renaissance, construit à la demande des Médicis, sur le point le plus élevé de la ville, entre 1472 et 1475. Le pénitencier qui s'y trouve est toujours en activité.

¶ ***Parco archeologico Enrico Fiumi*** *(plan A-B2)* **:** *l'entrée se trouve via Castello. Tlj 8h30-17h (20h en été).* Impressionnant par son immensité. Agréable pour s'oxygéner ou se reposer après avoir arpenté la ville ; si vous avez des enfants, ils se dégourdiront les gambettes dans l'aire de jeux prévue pour eux. On peut visiter la zone de fouilles appelée pompeusement l'*Acropoli etrusca* située à l'intérieur du parc (2 €, ticket combiné avec le *teatro romano*), qui a en réalité très peu d'intérêt hormis la vue panoramique sur les collines de Volterra.

¶¶ ***Teatro Romano*** *(plan A1-2)* **:** *entrée par la viale Francesco Ferrucci (Porta Fiorentina). 16 mars-1er nov, tlj 10h30-17h30 ; 2 nov-15 mars, slt les sam, dim et j. fériés. Entrée : 2 € (combiné avec l'Acropoli etrusca).* Construit à l'époque d'Auguste, le théâtre est mis au jour dans les années 1950. Il pouvait contenir avec ses 19 rangées de gradins plus de 2 000 personnes. Derrière le théâtre, on a découvert également les restes des thermes construits au IIe, voire IIIe s apr. J.-C. Petite documentation explicative en français (à rendre à la fin de la visite).

¶¶ ***Le Balze*** *(hors plan par A1)* **:** *par la porte San Francesco, à 1 km en direction de Pontedera.* Ce sont d'impressionnantes mais fragiles falaises sablonneuses, qui s'effondrent parfois, entraînant nécropoles étrusques, églises et monastères. Le dernier monastère, la Badia, fut abandonné en 1861 devant le vide qui avançait. Peut-être les moines paniquèrent-ils un peu vite, car l'édifice est toujours là, mangé par la végétation, certes, mais toujours fier et hautain.

Museo della Tortura *(plan B2) : piazza XX Settembre, 3-5. ☎ 0588-80-501. • museodellatortura.com • Tlj 10h-20h. Entrée : 8 €.* Un temple du morbide et du mauvais goût (une sorte de Renaissance à l'envers en somme...). Tous les instruments de torture qui ont parcouru l'histoire moyenâgeuse (plus d'une centaine). Pour tous ceux animés par une pulsion de mort. Épicuriens, s'abstenir...

Enfin, ceux qui disposent d'un peu plus de temps rendront visite à la ***chiesa San Girolamo*** *(hors plan par B2),* à l'est de la ville, pour admirer deux bas-reliefs superbes en terre cuite émaillée de Giovanni della Robbia : *Le Jugement dernier* et *Saint François.*

Achats

Cantina di Beppe *: via Guarnacci, 3. ☎ 0588-81-170. • info@enotecascali.com • Tlj 10h-19h (23h mai-sept). Congés : janv-fév. Compter 10 € pour une assiette de charcuteries et de fromages.* Sous ce nom curieux se cache une *enoteca,* avec une vraie salle de dégustation mais aussi une véritable caverne d'Ali Baba de produits locaux et artisanaux : vins *(of course !),* fruits confits, pâtes fraîches, charcuteries, tomates, champignons séchés, etc.

SAN GIMIGNANO

(53037) 7 500 hab.

Sans conteste, l'un des plus beaux villages de Toscane, inscrit au Patrimoine mondial de l'Unesco ; encore plus séduisant en automne, lorsque la couleur de ses palais passe du brun au doré et que la déferlante touristique s'émousse un peu. La visite de San Gimignano viendra compléter la découverte de Florence dans votre périple toscan. Pour apprécier pleinement le site, préférez les matins clairs ou les débuts de soirée. Une petite dégustation œnologique s'impose ici : le *vernaccia,* un vieux, vieux blanc (XIIIe s !) qui faisait déjà des ravages à la Renaissance, DOC depuis 1966.

Florence : 57 km ; *Sienne :* 42 km ; *Livourne :* 89 km ; *Rome :* 268 km.

La ville était déjà habitée à la fin de la période étrusque, comme l'attestent plusieurs tombes mises au jour dans le voisinage. Au XIIe s, elle devient une commune libre (avec un podestat) et prospère, avant d'entrer en conflit avec

■ Adresses utiles

- Office de tourisme *(A-B2)*
- Informations hôtels et restaurants *(A3)*
- **1, 2, 3** Parkings
- **@** La Tuscia
- **@ 5** Libreria La Francigena

Où dormir ?

- **10** Foresteria del Monastero di San Girolamo
- **11** Hotel Antico Pozzo
- **12** Busini Rossi Carla
- **13** B & B Locanda Il Pino
- **14** Hotel Leon Bianco
- **15** Albergo La Cisterna
- **16** Camping Il Boschetto di Piemma
- **17** Hotel-ristorante da Graziano
- **18** Hotel Le Renaie
- **19** Podere Villuzza

Où manger ?

- **13** Ristorante Il Pino
- **22** Osteria delle Catene
- **24** La Perucà
- **25** Cum Quibus
- **30** Locanda di Sant'Agostino

Où déguster une glace ? Où boire un verre ?

- **31** Gelateria dell'Olmo
- **32** Divinorum Wine Bar
- **33** Caffè delle Erbe

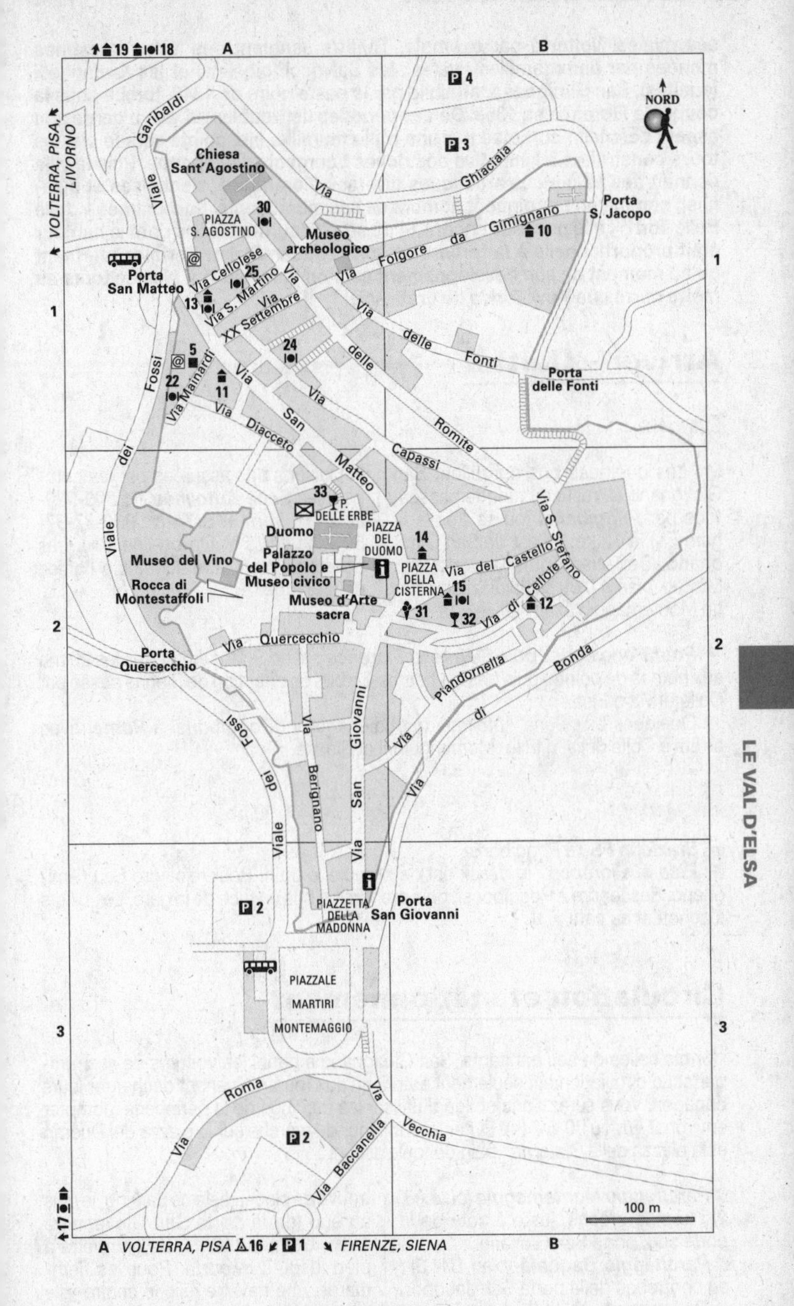

19
18
A
B
4
NORD
3
VOLTERRA, PISA, LIVORNO
Garibaldi
Viale
Chiesa
Sant'Agostino
Via
Ghiacciaia
Porta
S. Jacopo
PIAZZA
S. AGOSTINO
30
Museo
archeologico
Gimignano
da
Folgore
Via
10
1
Porta
San Matteo
Via Cellolese
25
Via S. Martino
Via
XX Settembre
13
Via
delle
delle
Fonti
24
5
22
11
Via Mainardi
Fossi
Via
Diacceto
San
Via
Romite
Porta
delle Fonti
Capassi
Matteo
dei
Viale
33
P.
DELLE ERBE
Duomo
PIAZZA
DEL
DUOMO
14
Palazzo
del Popolo e
Museo civico
Museo del Vino
Rocca di
Montestaffoli
PIAZZA
DELLA
CISTERNA
Via del Castello
Via S. Stefano
15
Via di Cellole
12
Museo d'Arte
sacra
31
32
2
Via Quercecchio
Porta
Quercecchio
Piandornella
Bonda
di
Via
Fossi
dei
Viale
Berignano
Via
Giovanni
San
Via
PIAZZETTA
DELLA
MADONNA
Porta
San Giovanni
2
PIAZZALE
MARTIRI
MONTEMAGGIO
3
Roma
Via
Vecchia
Via
Baccanella
Via
2
17
100 m
A
VOLTERRA, PISA
16
1
FIRENZE, SIENA
B
SAN GIMIGNANO
LE VAL D'ELSA

ses rivales, Volterra par exemple. Théâtre sanglant des luttes intestines menées par deux familles rivales : les Salvucci (gibelins) et les Ardinghelli (guelfes), San Gimignano, affaiblie par la peste noire de 1348, tombe sous la coupe de Florence en 1353. De ces périodes de troubles, la ville a gardé son aspect défensif ; corsetée par une triple muraille, elle pointe vers le ciel les tours construites à l'initiative des riches bourgeois de l'époque. Puis la ville connaît des influences artistiques diverses (florentines, siennoises et pisanes), comme en témoignent nombre de ses monuments. Surnommée « delle Belle Torri », elle possède encore 14 de ses 72 tours-maisons dont la hauteur était proportionnelle à la fortune de son commanditaire. Certains affirment qu'au moment de son développement économique, elle eut plus de tours au mètre carré que New York a de gratte-ciel !

Arriver – Quitter

En bus

Les quelques bus qui relient San Gimignano au reste du monde passent tous par **Poggibonsi** (où se trouve la gare *FS*), à 12 km à l'est de San Gimignano. Départs depuis la porta San Matteo *(plan A1)* ou sur la piazzale Martiri Montemaggio *(plan A3)*, le w-e.

■ Liaisons bus assurées par les compagnies ***Sena Autolinee*** *(☎ 800-930-960 – n° Vert)* et **SITA** *(☎ 800-37-37-60 – n° Vert ; ● sita-on-line.it ●)*. Les tickets peuvent être achetés à l'office de tourisme.

➢ ***Pour Poggibonsi, puis Sienne et Florence :*** avec *SITA*. Départ ttes les 20 mn aux heures de pointe, puis ttes les heures. Le bus en direction de Sienne passe par Colle di Val d'Elsa.

➢ Quelques bus *Sena Autolinee* quotidiens relient ***Poggibonsi*** à ***Rome,*** avec arrêts à Colle di Val d'Elsa, Monteriggioni et Sienne.

En train

Stazione FS : *à Poggibonsi.*

➢ ***Pise et Florence :*** le mieux est de prendre le train. Pour rejoindre San Gimignano, descendre à Poggibonsi, puis prendre un bus en face de la gare. Les billets s'achètent au café.

Circulation et stationnement

Hormis celles de ses habitants, San Gimignano a banni les voitures de ses remparts. La circulation est seulement autorisée aux routards venant décharger leurs bagages. Vous serez donc obligé d'utiliser les parkings de la périphérie (compter environ 2 €/h ou 20 €/24h). Éviter le jeudi, jour du marché sur la piazza del Duomo et la piazza della Cisterna : bain de foule assuré !

P ***Parcheggio Montemaggio*** *(plan A3,* ***2****)* ***:*** le plus proche, juste à côté de la porte sud, porta San Giovanni.

P ***Parcheggio Bagnaia*** *(plan B1,* ***3****)* ***:*** en contrebas de la porta San Jacopo.

P ***Parcheggio Giubileo*** *(hors plan par A3,* ***1****)* ***:*** si vous n'avez toujours pas trouvé de place, reste ce parking, le plus au sud (de la porta San Giovanni) à 1 €/h. Compter 10 mn de grimpette à pied jusqu'à la *porta*. Pour les flemmards, une navette relie le centre-ville toutes les 15 mn.

Adresses utiles

🅸 ***Office de tourisme*** *(Pro Loco ; plan A-B2) : piazza del Duomo, 1. ☎ 0577-94-00-08. • info@sangimignano.com • comune.sangimignano.si.it • Mars-oct, 9h-13h, 15h-19h ; nov-fév, 9h-13h, 14h-18h.* Très pro.

🅸 ***Informations hôtels et restaurants*** *(plan A3) : via San Giovanni, 125. ☎ 0577-94-08-09. Fax : 0577-94-01-13. Après la porte San Giovanni, un tt petit guichet. Tlj sf dim (horaires variables) : lun, mer tte la journée ; mar, sam l'ap-m ; jeu, ven le mat slt.* Réservation de chambres et infos sur les hôtels et les restaurants. Donne la liste des chambres à louer chez l'habitant *(alloggio in casa privata).* Plans de la région et du village. Hôtesse francophone, efficace et sympathique.

✉ ***Poste*** *(plan A2) : via della Rocca. Lun-ven 8h15-16h, sam 8h15-12h30.*

■ @ ***Libreria La Francigena*** *(plan A1,* ***5****) : via Mainardi, 10. ☎ 0577-94-01-44. Tlj sf dim.* Une belle librairie à l'ancienne, comme on aime. Beaux livres (en anglais) sur l'histoire et l'architecture toscane ou la cuisine italienne. Une sélection de livres consacrés à la ville. Également un point Internet.

@ ***La Tuscia*** *(plan A1) : viale Garibaldi, 2 (à la sortie de la porte San Matteo). ☎ 0577-94-20-87. Tlj sf dim ap-m 7h-13h, 14h30-19h30. Loue aussi des chambres en ville.*

Où dormir ?

Pas facile de loger à San Gimignano, surtout en haute saison, les hôtels sont soit complets, soit inabordables. Par ailleurs, il semblerait que certains hôteliers ne tiennent pas compte de votre réservation et préfèrent accorder une nuit supplémentaire aux clients déjà en place. En revanche, un certain nombre de chambres sont à louer chez l'habitant. Demander l'*alloggio in casa privata* (voir « Adresses utiles »).

Bon marché

🏠 ***Foresteria del Monastero di San Girolamo*** *(plan B1,* ***10****) : via Folgore, 30. ☎ 0577-94-05-73. • monasterosangimignano@gmail.com • monasterosangirolamo.it • ♿ À env 10 mn à pied du centre. Compter 54 € la chambre double avec bains ; petit déj 3 € ; petite réduc pour les familles accompagnées de leurs* bambini. *Parking payant en face du bâtiment.* Sœur Maddalena vit cloîtrée depuis 35 ans, alors chaque visite est pour elle comme un rayon de soleil. Tenu par des sœurs adorables, ce couvent occupe une situation stratégique dans un secteur tranquille de la vieille ville. Derrière les lourdes portes, on découvre des installations modernes, ainsi qu'une dizaine de chambres austères (les sœurs ont fait vœux de simplicité) mais confortables. Pas de couvre-feu.

Prix moyens

🏠 ***B & B Locanda Il Pino*** *(plan A1,* ***13****) : via Cellolese, 4. ☎ 0577-94-04-15. • locanda@ristoranteilpino.it • Au nord de la ville, près de la porte San Matteo, dans un coin tranquille. Env 55 € la double avec sdb, sans le petit déj (5 €).* Une demi-douzaine de chambres tout confort, toujours prises d'assaut car idéalement situées. Accueil charmant. Fait aussi resto (voir plus loin « Où manger ? »).

🏠 ***Busini Rossi Carla*** *(plan B2,* ***12****) : via di Cellole, 81. ☎ 0557-90-72-82. 📱 34-98-82-15-65 (Francesco, le mari de Carla, parle l'anglais). • info@rossicarla.it • accommodation-sangimignano.com • Doubles avec bains 65-120 € ; apparts 2-6 pers 85-260 € ; petit déj 6 €. Réduc de 10 % si résa 2 nuits min sur présentation de ce guide.* Depuis 30 ans, Carla a acquis maisons et appartements un peu partout en ville et dans la campagne environnante et en a fait une véritable industrie. Tous différents et agréablement décorés, certains bénéficient de terrasses géniales pour le petit déj. Également, à 15 mn à pied du centre-ville, les Rossi proposent le *B & B Ponte a Nappo,* avec piscine et salle de fitness. Bref, une affaire qui tourne, très prisée par les Allemands.

Chic

Hotel Leon Bianco *(plan B2,* ***14****) : piazza della Cisterna, 13. ☎ 0577-94-12-94. • info@leonbianco.com • leonbianco.com • Chambres 85-138 € selon saison, petit déj inclus. Internet, wifi. Une bouteille de vin offerte sur présentation de ce guide.* Une vingtaine de belles chambres toutes différentes, tout confort, avec AC, TV satellite, point Internet, téléphone et beau mobilier... Accueil francophone très souriant.

Albergo La Cisterna *(plan B2,* ***15****) : piazza della Cisterna, 23. ☎ 0577-94-03-28. • info@hotelcisterna.it • hotelcisterna.it • Congés : 9 janv-25 mars. Doubles tt confort 80-150 € avec petit déj-buffet.* Cet ancien palais du XIVe s recèle une cinquantaine de chambres très agréables, avec ou sans balcon, donnant sur la campagne ou la place... aux tarifs en conséquence ! Un poil trop moderne, mais le très beau salon a conservé ses ogives d'époque. Fait aussi resto.

Hotel Antico Pozzo *(plan A1,* ***11****) : via San Matteo, 87. ☎ 0577-94-20-14. • info@anticopozzo.com • anticopozzo.com • Doubles 110-180 €, petit déj inclus. Internet.* Dans un magnifique palais du XVe s entièrement restauré, alliant charme et modernité. Le nom de l'hôtel vient du très beau puits restauré à l'entrée. La légende raconte qu'on y jetait les vierges qui refusaient les avances du seigneur local (le fameux droit de cuissage). Une petite vingtaine de belles chambres avec lits à baldaquin (certaines avec des fresques au plafond), poutres apparentes, tomettes toscanes. Adorable terrasse à l'abri des regards pour le petit déj. Un personnel aux petits soins. Bref, tous les ingrédients pour une escapade romantique.

Où dormir dans les environs ?

Camping

Camping Il Boschetto di Piemma *(hors plan par A3,* ***16****) : loc. Santa Lucia, 38c. ☎ 0577-94-03-52. • info@boschettodipiemma.it • selvadelletorri.com • À 2 km au sud de San Gimignano. Bien indiqué. Ouv tte l'année. Selon saison, 20-40 € pour 2 avec tente et voiture, douches chaudes comprises. Piscine. Internet.* Dans une forêt de chênes, avec laverie, snack-bar et terrain de tennis (payant). C'est le seul camping de la ville, du coup, les campeurs s'y entassent, et c'est un peu bruyant en été. Bon accueil.

Agriturismo

Podere Villuzza *(hors plan par A1,* ***19****) : loc. Strada, 25, 53037 San Gimignano. ☎ 0577-94-05-85. 📱 33-16-20-33-84. • info@poderevilluzza.it • poderevilluzza.it • À 4 km de San Gimignano en direction de Certaldo (SP 127) ; attention à ne pas rater le panneau « Strada ». Congés : 15 janv-15 fév. Doubles 100-110 €, petit déj inclus ; appart avec cuisine 115-150 €/j. pour 2-4 pers. Pina vous concocte un menu complet pour 25 €. Réduc de 10 % sur le prix de la chambre sur présentation de ce guide.* Depuis cette belle maison traditionnelle à l'écart du village, on embrasse la campagne et les hautes tours de San Gimignano. Un environnement de choix pour une douzaine de chambres rustiques et cossues. Superbe piscine.

C'est aussi une ferme biologique qui produit huile, vinaigre balsamique et vin. Une de nos meilleures adresses dans le coin.

Chic

Hotel-ristorante da Graziano *(hors plan par A3, **17**) : via Matteotti, 39 a, loc. Santa Chiara. ☎ 0577-94-01-01. • info@hoteldagraziano.it • hoteldagraziano.it • ♿ À 500 m du village. Resto tlj sf lun. Congés resto : 15 nov-15 mars ; congés hôtel : 7 janv-10 mars. Double 80 € avec petit déj. Possibilité de ½ pens 55 €/pers (avec choix de plats à la carte). Au resto (ouv jusqu'à 21h30), menus à partir de 16 €. Parking gratuit. Internet, wifi. Apéritif maison offert sur présentation de ce guide.* Une dizaine de chambres claires, modernes et confortables. Quelques-unes s'agrémentent d'un balcon avec vue sur la campagne (n° 27) ou sur le village (n° 24). Bon accueil en français. Une adresse sympathique.

Hotel Le Renaie *(hors plan par A1, **18**) : loc. Pancole, 10 b. ☎ 0577-95-50-44. • info@hotellerenaie.it • hotellerenaie.it • À Pancole, 5 km au nord de San Gimignano. Resto fermé le lun. Congés : nov-mars. Doubles 100-150 €, petit déj inclus ; possibilité de ½ pens. Repas env 25 €. Réduc de 10 % sur le prix de la chambre 1er-15 mai et oct sur présentation de ce guide.* Bel établissement isolé dans un petit village paisible, avec grand jardin et piscine. Deux douzaines de chambres, toutes climatisées, meublées tendance rustico-moderne... Les plus chères disposent d'un balcon. Salons douillets pour bouquiner. Resto un peu cher. Accueil agréable.

Où manger ?

Très bon marché

Locanda di Sant'Agostino *(plan A1, **30**) : piazza di Sant'Agostino, 15. ☎ 0577-94-31-41. Tlj 9h-23h. Congés : 10 janv-28 fév. Menu éco 10 € sans la boisson.* On y vient surtout pour le calme et l'environnement agréable, avec une terrasse déployée sur la place à l'ombre de Sant'Agostino. Salades généreuses et pâtes à toute heure. Beaucoup de charme une fois la nuit tombée, et si vous aimez les roses, la salle en est tapissée... Service efficace.

Prix moyens

La Perucà *(plan A1, **24**) : via Capassi, 16. ☎ 0577-94-31-36. • ristorante@peruca.eu • Tlj sf lun 12h-14h30, 19h-22h30. Congés : déc-janv. Repas complet 20-40 €. Apéro maison offert sur présentation de ce guide.* Dans l'un des plus anciens *palazzi* de la ville, un resto réputé auprès des locaux, à tel point qu'on a installé un petit banc dans la ruelle pour attendre son tour. Plats toscans typiques mais élaborés. Viandes juteuses (au poids). Surtout, ne faites pas l'impasse sur les desserts ! Un bon vin et une *grappa* pour arrondir le tout, sur conseil du sommelier, et on se laisse bercer par la chaude ambiance familiale, sous les voûtes de la salle à la lumière tamisée. Service pressé et pourtant dans les règles de l'art.

Cum Quibus *(plan A1, **25**) : via San Martino, 17. ☎ 0577-94-31-99. • info@cumquibus.it • Tlj sf mar. Congés : janv-fév. Compter 25-30 €. Café offert sur présentation de ce guide.* Un peu excentré et donc moins assailli par les touristes. Petite cour ombragée et tranquille, déco fleurie et ambiance jazzy. On se laisse facilement tenter par cette cuisine inspirée, d'autant que la courte carte change tous les mois et que les prix sont très corrects (pas de *coperto*). Accueil cordial et en français.

Chic

Osteria delle Catene (*plan A1,* **22**) *: via Mainardi, 18. ☎ 0577-94-19-66. Tlj sf mer 12h30-14h, 19h30-22h. Congés : 8 janv-8 mars. Menus dégustation 20-31 €. Digestif offert sur présentation de ce guide.* Dans une ruelle à l'écart des foules, l'une des meilleures tables de la ville, tenue par 2 garçons adorables parlant le français. Cuisine traditionnelle toscane sans faute, avec un soupçon de fantaisie à l'occasion. Portions un peu chiches néanmoins...

Ristorante Il Pino (*plan A1,* **13**) *: via Cellolese, 6-10. ☎ 0577-94-04-15. Fermé jeu et ven midi. Compter 30-35 €.* Une bonne table proposant, notamment, des spécialités toscanes à la truffe. Joli travail sur les saveurs, qui restent toutefois un petit peu timides, de même que les portions. À éviter en cas de grosse faim et de petit porte-monnaie. Accueil courtois. Propose aussi des chambres (voir plus haut « Où dormir ? »).

Où déguster une glace ? Où boire un verre ?

Gelateria dell'Olmo (*plan B2,* **31**) *: piazza della Cisterna, 34. Tlj 10h-1h.* Glaces artisanales et crémeuses à souhait. Goûter les parfums *truffato* ou *stracciatella* s'ils sont disponibles.

Divinorum Wine Bar (*plan B2,* **32**) *: via degli Innocenti, 4. ☎ 0577-90-71-92. • info@divinorumwinebar.com • Accès également par la piazza della Cisterna, mais on préfère l'entrée par le « chemin des innocents »... Tlj 11h-21h (parfois plus tard en été). Congés : janv-fév.* L'œnothèque a élu domicile au sein des venelles qui se faufilaient entre les piazze Taverne et dell'Olmo, avant qu'elles ne soient réunies pour former la piazza della Cisterna. Plutôt que de jouer la carte médiévale, les propriétaires se sont tournés vers un design sobre et branché, créant un espace tout en voûtes, très réussi, où déguster son p'tit verre de *vernaccia,* accompagné de *bruschette* ou d'un carpaccio (pas donné). Petite terrasse.

Caffè delle Erbe (*plan A2,* **33**) *: via Diacceto, 1. ☎ 0577-95-51-19. À l'angle de la piazza delle Erbe, à côté de la poste. Tlj sf sam 8h-minuit. Congés : janv. Plats env 15-18 €. Café offert sur présentation de ce guide (à condition d'y manger).* Idéalement situé, on y vient pour boire un verre en profitant de la jolie terrasse et de sa vue sur le Duomo. On s'y sustente d'un plat de pâtes, d'un *panino* ou d'une salade. Accueil agréable. Que demander de plus ?

À voir

San Gimignano mérite au moins une demi-journée de visite. Baladez-vous dans les vieilles ruelles jusqu'au parc de la Rocca. De là-haut, très belle vue sur l'ensemble du village et les vignobles.
Il existe deux forfaits : l'un à 5,50 € cumulant la visite du musée d'Art sacré et du *Duomo* (la collégiale) ; l'autre à 7,50 €, combinant la visite du palazzo del Popolo (avec la pinacothèque), de l'ex-couvent de Santa Chiara (avec le Musée archéologique, la galerie d'Art moderne et la pharmacie de Santa Fina) et du Musée ornithologique. Les horaires sont donnés à titre indicatif, car ils changent régulièrement : vérifier à l'office de tourisme, sur le site • *sangimignano.com* • ou en téléphonant au ☎ 0577-94-00-08.

Duomo (*plan A2*) *: piazza del Duomo. Avr-oct, lun-sam 10h30-19h10 (17h10 sam), dim 12h30-17h10 ; nov-mars, lun-sam 10h30-16h40, dim et j. fériés 12h30-16h40 ; fermé les 15 derniers j. de nov et de janv. Ne se visite pas pdt les messes. Entrée : 3,50 € ; réduc.* Cernée de tours et de palais formant un cadre magnifique, la collégiale fut construite entre les XIe et XIIe s dans le style roman et agrandie au XVe s par Giuliano de Maiano. La façade a été refaite au XIXe s. À l'intérieur, fabuleuses fresques de Domenico Ghirlandaio et de l'école de Sienne. À gauche, scènes tirées du Nouveau Testament. À droite, scènes inspirées par l'Ancien Testament. À la contre-façade, dos au chœur, un *Martyre de saint Sébastien,* de Benozzo Gozzoli, voisine avec un *Jugement dernier,* aux effrayantes terreurs de l'Enfer, de Tadeo di Bartolo. Vente d'une brochure en français à l'intérieur.

Museo d'Arte sacra *(plan A2)* **:** *tt près de la collégiale, dans un palais du XII*^e^ *s. Mêmes horaires et dates de fermeture que le* Duomo. *Entrée : 3 €.* Pas indispensable, présentation désordonnée. Vous y verrez, entre autres, quelques sculptures. Ne pas rater la *Maestà* de Lippo Memi (à comparer avec celles de Martini et de Duccio à Sienne).

La piazza della Cisterna *(plan B2),* particulièrement agréable avec ses terrasses de cafés, doit son nom au puits *(cisterna)* qui en occupe le centre. Triangulaire, elle est bordée de remarquables tours et palais médiévaux.

Chiesa Sant'Agostino *(plan A1)* **:** *en haut de la via delle Romite. Tlj 7h-12h, 15h-19h (18h nov-mars).* Cet édifice romano-gothique de la fin du XIIIe s remarquable par sa simplicité, contraste avec de belles fresques, en particulier celles dues à Benozzo Gozzoli (XVe s) consacrées à la vie de saint Augustin. À gauche de l'église, un passage conduit à un cloître. On y apprécie le silence, ce qui change un peu de la horde bruyante des touristes. Beau cadran solaire.

Palazzo del Popolo e Museo civico *(plan A2)* **:** *mars-oct, 9h30-19h ; nov-fév, 10h-17h30. Entrée : 5 € ; réduc.* C'est le siège de la municipalité. La célèbre Torre Grossa de 54 m le domine, d'où vous aurez une vue magnifique sur les tours et les toits de la ville. L'entrée, recouverte de fresques (décrépites) est superbe. Le musée rassemble, au 2e étage, des œuvres remarquables des écoles siennoise et florentine et, dans la salle du Podestat, des scènes nuptiales qui font l'apologie de la vie conjugale. Pour les férus d'histoire, c'est de cette salle que Dante, ambassadeur de Florence, réclama, le 8 mai 1300, l'envoi de députés au congrès guelfe. Au 1er étage, salle des Réunions secrètes et fresques dues à Lippo Memmi.

Museo archeologico *(plan A1)* **:** *dans l'ex-couvent de Santa Chiara. Visite 11h-17h30, sf Noël et Jour de l'an. Entrée : 3,50 €.* Collections d'objets étrusques et romains.

Rocca di Montestaffoli *(plan A2)* **:** *à l'ouest de la ville.* De la piazza del Duomo, bien indiqué : on y accède par des petites ruelles entrelacées. Forteresse du XIVe s. À ne rater sous aucun prétexte. La vue sur la campagne toscane est É-POUS-TOU-FLAN-TE !

Museo del Vino *(plan A2)* **:** *en contrebas de la Rocca. ☎ 0577-94-12-67. Tlj 11h30-18h30 (slt le w-e en hiver, horaires variables, rens à l'office de tourisme). Entrée gratuite.* Un petit musée retraçant les origines du vin dans la région. On peut aussi déguster les cépages toscans, sous les conseils avisés d'un sommelier dans une petite salle prévue à cet effet (sur résa et payant).

➤ DANS LES ENVIRONS DE SAN GIMIGNANO

Sanctuaire de Pancole : *à l'entrée du hameau de Pancole, 5 km au nord de San Gimignano. Tlj sf lun 9h-12h30, 16h-19h.* En 1668, la Vierge serait apparue pour guérir une jeune sourde et muette, fournissant, par la même occasion à sa famille de l'huile, de la farine et du vin. Il n'en fallut pas moins pour que les gens du coin lui construisent un sanctuaire dès 1670. Détruit pendant la Seconde Guerre mondiale, puis reconstruit, il abrite aujourd'hui une *Madone allaitant l'Enfant* de Pier Francesco Fiorentino (XVe s). En sous-sol, une crèche vous rafraîchira par temps de grosses chaleurs.

CERTALDO ALTO

(50052)

À 9 km au nord de San Gimignano, Certaldo se divise en deux parties : la ville basse, de construction moderne, et la partie haute (Certaldo Alto), un adorable village médiéval comme un nid d'aigle, constitué de petites rues pavées repliées sur elles-mêmes, étroites comme le chas d'une aiguille et fleuries de géraniums. Des cyprès grands comme des oriflammes semblent le rattacher au ciel. L'auteur du *Décaméron,* Giovanni Boccaccio, y vit le jour, mais c'est l'oignon qui fait la fierté de la ville depuis le Moyen Âge, à tel point qu'outre la célèbre soupe à la *cipolla di Certaldo,* on en fait aussi de la confiture !

Arriver – Quitter

En train

Stazione FS : *via Matteotti, dans la ville basse. À quelques mn à pied du funiculaire.* La gare de Certaldo se situe sur la ligne Empoli-Poggibonsi, deux nœuds ferroviaires pratiques.

➢ Nombreuses liaisons avec ***Florence,*** parfois avec changement à ***Empoli.*** D'Empoli à Certaldo, trains ttes les heures. À Empoli, correspondance pour Pise et son aéroport.

➢ Nombreuses liaisons avec ***Poggibonsi.*** De là, bus pour San Gimignano.

Circulation et stationnement

À Certaldo Alto, la circulation n'est autorisée qu'aux résidents. Un grand parking est situé devant la mairie de la ville basse : environ 1 €/h. L'accès à Certaldo Alto se fait de deux manières :

➢ ***Par un escalier*** qui monte dans la petite rue Vicolo Signorini qui part de la pointe droite de la place quand on a la mairie dans le dos. Parcours plutôt réservé aux sportifs.

➢ ***Par le funiculaire :*** de mi-avr à mi-oct, départ ttes les 15 mn 7h30-1h (1,20 € l'aller-retour). Le départ se trouve via Roma, à la pointe gauche de la place.

Adresse utile

Office de tourisme : *piazza Masini (dans un des bâtiments de la gare ferroviaire). ☎ 0571-65-67-21. • info.turismo@comune.certaldo.fi.it • De Pâques à déc, tlj 9h-13h, 15h30-19h.* Donne de la doc en français et un plan de la ville, infos sur les environs et réservation d'hôtels. Bon accueil.

Où dormir ?

Dans la ville basse

Auberge de jeunesse

Fattoria di Bassetto : *via delle Città, 3. ☎ 0571-66-83-42. • info@fattoriabassetto.com • fattoriabassetto.com • À env 30 mn à pied de la gare ferroviaire, au sud de la ville, en direction de Poggibonsi. Compter 24 € en dortoir 4-6 lits (min 2 nuits), petit déj compris. Dans les dépendances, 6 doubles 70 €,*

LE VAL D'ELSA

meublées d'antiquités. Internet, wifi. Logée dans un ancien couvent bénédictin datant du XIVe s, un peu isolée dans la nature, une auberge de jeunesse comme on voudrait qu'elles soient toutes. Cuisine commune, laverie, piscine, belle bibliothèque, soirées pizza, tournées dans les vignobles du coin et cours de cuisine toscane... Le site est tout simplement sublime et les installations pleines de cachet. Infos pour faire de la rando et du vélo dans les environs. Pas de couvre-feu et Duigald, le père-aubergiste, assure une navette 2 fois par jour pour la gare ferroviaire. Une bonne base pour visiter Florence quand on n'est pas de la famille de Crésus.

À Certaldo Alto

Prix moyens

Casa al Cantone : *via Boccaccio, 2. ☎ 0571-66-65-78. • info@countrydomus.com • Résa indispensable.* À deux pas du palazzo Pretorio, un grand appartement avec un petit salon et une grande cuisine *(90 €/j.)*. À l'étage, une chambre avec une vaste salle à manger, une cuisine et une terrasse *(80 €/j.)*. Les 2 logements possèdent autant de charme (vieux meubles, tomettes, fauteuils « club »).

Osteria del Vicario : *via Rivellino, 3. ☎ 0571-66-82-28. • info@osteriadelvicario.it • Doubles tt confort 90-110 €, petit déj inclus. Wifi. Réduc de 10 % sur présentation de ce guide.* Situées dans un couvent du XIIIe s jouxtant le palazzo, les 12 chambres de l'*osteria* ont été aménagées avec beaucoup de goût dans les anciennes cellules de moine. 2 d'entre elles s'agrémentent même de lits à baldaquin ; toutes disposent de TV, téléphone, ventilateur et mobilier toscan. Excellent accueil. Sur la terrasse panoramique, resto gastronomique. Voir « Où manger ? ».

Où manger ?

Osteria del Vicario : *via Rivellino, 3. ☎ 0571-66-86-76. • info@osteriadelvicario.it • Fermé mer en basse saison. Carte 30-35 €.* Plats de viande et de poisson inspirés de la tradition toscane, cuisinés à la perfection gastronomique par le chef résident. Les assiettes, suffisamment copieuses, sont un vrai plaisir pour les yeux. Pour faire votre choix parmi les bons vins proposés, demandez l'aide du sommelier en nœud pap'. Aux beaux jours, repas sur la terrasse du cloître, dominant la magnifique vallée. Cristal, nappes, fleurs, bougies... Bon, c'est cher, mais si vous voulez épater votre amoureux(se), voilà l'endroit rêvé pour faire briller ses beaux yeux. Les desserts nous ont moins convaincus...

À voir

Un billet unique valant 6 € *(réduc)* permet d'avoir accès aux trois sites suivants : palazzo Pretorio, casa di Boccaccio et musée d'Art sacré (au lieu de 4,50 € par musée).

Palazzo Pretorio : *au croisement des rues Boccaccio et Rivellino. Tlj sf mar 9h30-13h30, 14h30-19h (16h30 nov-mars). Entrée : 4,50 € ; réduc.*
Bâtie au XIIe s, cette haute demeure, dont la façade est incrustée de blasons, abrita la famille Alberti avant d'être le siège du Vicariat. On visite aujourd'hui la prison, la salle d'audience et quelques appartements, mais l'œuvre la plus remarquable se trouve dans l'église *San Tommaso e Prospero,* située juste à côté : *le tabernacle des condamnés*, une fresque peinte vers 1464 par Benozzo Gozzoli (à qui l'on doit, entre autres, le Cortège des Mages).

LE VAL D'ELSA

Grâce à un édit de Frédéric Barberousse, signé en 1164, on sait que ce palais logeait la famille Alberti avant que les Florentins ne décident d'y installer leurs vicaires en lieu et place du podestat local à l'époque de la peste noire (vers 1350). Le palazzo est resté dans leur giron jusque vers les années 1420. Puis, le grand-duché de Toscane supprimant la charge du vicariat, les religieux furent contraints de faire leurs valises. Personne ne prit leur place, et le lieu tomba peu à peu à l'abandon.

Casa di Boccaccio : *via Boccaccio. Entrée : 4,50 € ; réduc.* Démolie pendant la Seconde Guerre mondiale, puis reconstruite à l'identique, elle abrite une bibliothèque collectant toutes les publications sur l'œuvre de cet auteur mort en 1375. Il est d'ailleurs enterré un peu plus loin, dans l'église San Jacopo (du XIIIe s).

Musée d'Art sacré : *dans l'ancien couvent des Augustins.* Quelques salles où sont exposées des peintures à partir du XIIIe s, mais également des sculptures, dont une pièce unique, un crucifix en bois dit « du Christ triomphant » datant de la seconde moitié du XIIIe s.

Manifestations

– ***Cena da Messer Boccaccio*** (repas médiéval) **:** *il a lieu 1 à 2 soirs en juin, rue Boccaccio, avec vaisselle d'époque et figurants en costume. Résa obligatoire. Infos : ☎ 0571-66-31-28. • elitropia.org •*
– ***Mercantia :*** *en juil.* Certaldo accueille un festival de théâtre de rue « 100 % » marionnettes. Toutes les rues sont alors décorées de petits stands. *Infos : ☎ 0571-66-12-59. • mercantiacertaldo.com •*

LUCQUES ET SES ENVIRONS

LUCCA (LUCQUES) (55100) 100 000 hab.

Un véritable coup de cœur pour cette ville qui, nonobstant le fait qu'elle est devenue très touristique, échappe encore aux boutiques de souvenirs. Lucca a conservé sa structure romano-médiévale, et, dans sa superbe corolle de murailles et de bastions de brique rouge du XVIIe s, la belle vous attend dans le calme de ses placettes et de ses rues piétonnes, à l'ombre de belles églises et de palais. Successivement étrusque, romaine puis lombarde, elle fut, dès le XIe s, le centre d'une activité économique florissante, et dès le XIIIe s, ses soieries s'échangeaient sur tous les marchés d'Europe et d'Orient. D'ailleurs, l'embellissement de la ville date de cette époque : construction de remparts et d'églises, de belles demeures et de tours verdoyantes aux faîtes desquelles des jardins suspendus étaient aménagés. Lucca porte encore aujourd'hui l'intelligence de sa trame urbaine – le *cardo maximus* et le *decu-*

UN CADEAU IMPÉRIAL !

Une piazza Napoleone, en Italie, n'est pas chose commune ! Préservée par son enceinte, la ville fut, pendant des siècles, la capitale d'un État indépendant. Bonaparte, lors de sa campagne d'Italie en 1799, en fit une principauté qu'il offrit en 1805 à sa sœur Élisa, qui y régna jusqu'en 1815. Celle-ci s'y investit pleinement, notamment dans le domaine des arts, et c'est aussi à elle que l'on doit cette piazza Napoleone.

manus maximus, les deux voies romaines qui la structuraient jadis, sont encore efficientes –, et quand bien même elle n'a cessé d'évoluer et de se remodeler, son urbanité, au sens étymologique du terme, lui confère encore aujourd'hui son inimitable cachet. Dans ce décor de cinéma a lieu, tous les troisièmes dimanches du mois, un marché aux puces très prisé des collectionneurs. En outre, il faut croire que l'atmosphère de Lucca est favorable à la musique : Luigi Boccherini (1743-1805), Alfredo Catalani (1854-1893) – auteur de l'air de la cantatrice dans *Diva,* le superbe film de Jean-Jacques Beineix – et Giacomo Puccini (1858-1924) y virent le jour. En été, manifestations musicales et concours lyriques attirent de nombreux mélomanes.

Arriver – Quitter

En train

Gare ferroviaire *(plan C4)* ***:*** *piazza Ricasoli. Tlj 6h30-20h10. ☎ 0583-46-70-13 (billets) ou 89-20-21 (horaires) ou • trenitalia.it •*

➢ ***San Giuliano Terme, Pise Centrale :*** départ ttes les 30 mn. Durée du trajet : env 30 mn. L'***aéroport Galileo Galilei à Pise*** est très bien relié en train à Pise Centrale.
➢ ***Pescia, Pistoia, Prato, Florence :*** env 2 trains/h (l'un de 1h20 et l'autre de 1h40).
➢ ***Rome :*** par l'*Eurostar* entre Rome et Florence, où il faut changer de train. Jusqu'à 18h, 1 à 2 départs d'*Eurostar* ttes les heures. Durée du trajet (Rome-Lucca) : env 3h50.
➢ ***Gênes :*** aucun direct, il faut changer à Viareggio.

En bus

Gare routière *(plan A3)* ***:*** *piazzale Verdi. ☎ 0583-58-78-97. • vaibus.it • Lun-sam 6h-20h ; dim 7h55-19h55.*

Vaibus regroupe les compagnies *Clap* et *Lazzi* et dessert plutôt bien les environs.

■ Adresses utiles

- Offices de tourisme
- Parkings
- @ **3** Copisteria Paolini
- **4** Poli Antonio Biciclette (location de vélos)
- @ **5** Internet Point

Où dormir ?

- **10** Ostello San Frediano
- **11** B & B Al Tondone
- **12** La Gemma di Elena
- **13** Albergo La Luna
- **14** Piccolo Hotel Puccini
- **15** B & B La Bohème
- **16** Hotel San Marco
- **19** Affittacamere La Colonna
- **20** Rest in Lucca B & B
- **33** B & B Locanda Buatino

Où manger ?

- **30** Mensa Ferroviere dello Stato
- **31** Danne
- **33** Locanda Buatino
- **34** Pizzeria Bella'Mbria
- **35** Da Giulio
- **37** La Corte dei Vini
- **38** Ristorante Buca di San Antonio

Où déguster une bonne pâtisserie, une glace ? Où acheter de bons produits ?

- **36** Pizzicheria La Grotta
- **40** Panificio Chifenti Agape
- **41** La Tosca

Où boire un verre ?

- **37** La Corte dei Vini
- **80** Caffetteria San Colombano
- **81** Rewine

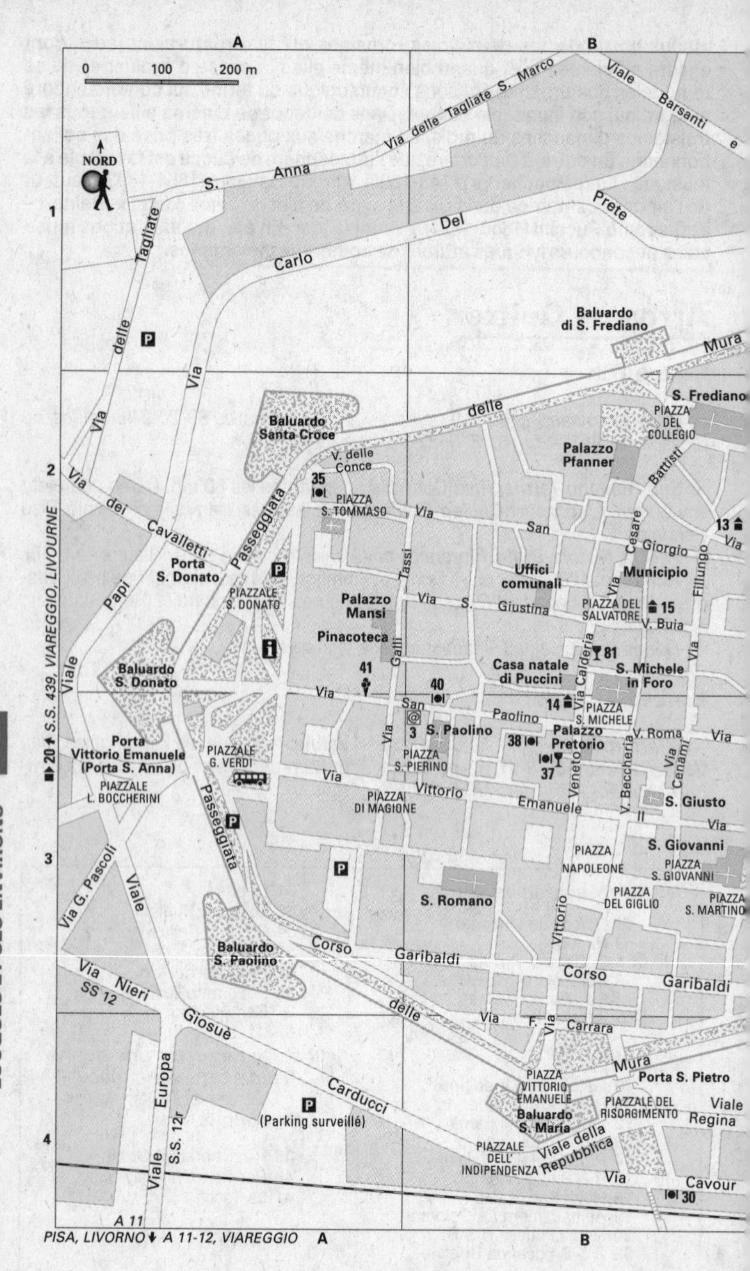

0 100 200 m
NORD
Via delle Tagliate S. Marco
S. Anna
Viale Barsanti e
Via Carlo Del Prete
Via delle Tagliate
Baluardo di S. Frediano
Mura delle
S. Frediano
PIAZZA DEL COLLEGIO
Palazzo Pfanner
Baluardo Santa Croce
V. delle Conce
35
PIAZZA S. TOMMASO
Via San Giorgio
Battisti
Cesare
13
Via dei Cavalletti
Porta S. Donato
Passeggiata
PIAZZALE S. DONATO
Palazzo Mansi
Pinacoteca
Via Tassi
Via S. Giustina
Uffici comunali
Municipio
PIAZZA DEL SALVATORE
15
V. Buia
Fillungo
Viale Papi
Baluardo S. Donato
41
Via Galli
Casa natale di Puccini
81
S. Michele in Foro
Via San Paolino
40
14
Via Calderia
PIAZZA S. MICHELE
3
S. Paolino
38
Palazzo Pretorio
37
V. Roma
Via Cenami
Porta Vittorio Emanuele (Porta S. Anna)
PIAZZALE G. VERDI
PIAZZA S. PIERINO
PIAZZALE L. BOCCHERINI
Via Vittorio Emanuele
PIAZZA DI MAGIONE
Veneto
V. Beccheria
S. Giusto
PIAZZA NAPOLEONE
S. Giovanni
PIAZZA S. GIOVANNI
Via G. Pascoli
Viale
S. Romano
PIAZZA DEL GIGLIO
PIAZZA S. MARTINO
Vittorio
Baluardo S. Paolino
Corso Garibaldi
Via Nieri
SS 12
Giosuè Carducci
delle Mura
Via F. Carrara
PIAZZA VITTORIO EMANUELE
Porta S. Pietro
PIAZZALE DEL RISORGIMENTO
Viale Regina
Baluardo S. Maria
(Parking surveillé)
Viale Europa
S.S. 12r
PIAZZALE DELL' INDIPENDENZA
Viale della Repubblica
Via Cavour
30
A 11
S.S. 439, VIAREGGIO, LIVOURNE
20
PISA, LIVORNO A 11-12, VIAREGGIO
A
B
1
2
3
4

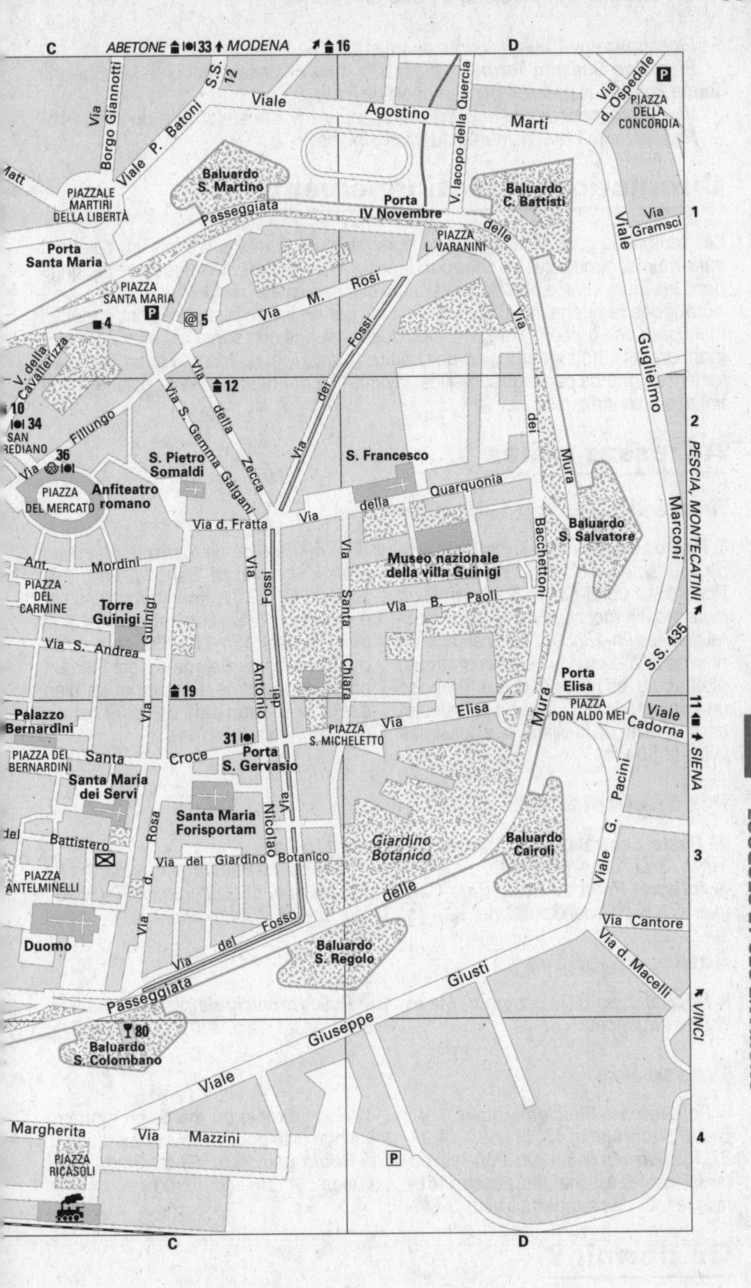

LUCCA (LUCQUES)

➢ ***Florence :*** env 1 bus/h ; durée du trajet : 1h15.
➢ ***Pise, San Guiliano Terme :*** 1 à 2 bus/h ; tous ne desservent pas San Guiliano Terme, mais tous passent par l'aéroport de Pise.
➢ ***Viareggio*** *(pour piquer une tête dans l'eau)* ***:*** env 1 bus/h ; durée du trajet : 1h.
➢ ***Pescia :*** env 1 bus/h ; durée du trajet : 35 mn.

Circulation et stationnement

Les motorisés gareront leur voiture hors les murs, à moins d'avoir un logement intra-muros, auquel cas ils pourront déposer leurs affaires. Les quelques parkings dans les murs sont le plus souvent chers et réservés aux résidents.
Autour des remparts, les places délimitées par les lignes blanches sont gratuites mais pour une durée limitée (1h). Quelques parkings non surveillés sont normalement gratuits, notamment près de l'*hôpital (plan D1)* et du *marché (plan D4)*. Également de grands parkings surveillés payants (1 € de l'heure 24h/24 ; paiement à la fin) très bien indiqués.

Adresses utiles

Informations touristiques

ℹ ***Ponto Informazione Turistica*** *(office de tourisme ; plan A2)* ***:*** *piazzale San Donato. ☎ 0583-58-31-50. • info@luccaitinera.it • luccaitinera.it • Tlj sf fêtes religieuses 9h-18h30. Wifi.* Distribue un plan de la ville en couleur, très pratique, et effectue les résas d'hôtels. Propose un audioguide (9 €, réduc si plusieurs) pour la visite de la ville. Loue aussi des vélos (2,50 €/h).

ℹ @ ***APT*** *(office de tourisme régional ; plan C1)* ***:*** *piazza Santa Maria, 25. ☎ 0583-91-99-31. • www.luccaturismo.it • Avr-nov, tlj 9h-20h ; déc-mars, tlj sf dim 9h-13h, 15h-18h.* On se croirait dans une boutique, mais c'est bien un office de tourisme. Également un plan de la ville bien fait et réservation d'hôtels. Point Internet.

Poste et Internet

✉ ***Poste centrale*** *(plan C3)* ***:*** *via Vallisneri, 2. Lun-sam 8h15-19h.*
@ ***Internet Point*** au ***Betty Blue Café*** *(plan C1,* ***5****)* ***:*** *via del Gonfalone, 12. Tlj sf mer 11h-1h.*
@ ***Copisteria Paolini*** *(plan A-B3,* ***3****)* ***:*** *via San Paolino, 65. Lun-ven 8h30-19h30 ; sam 9h-13h, 15h30-19h30. Wifi.*

Santé, urgences

■ ***Hôpital*** *(plan D1)* ***:*** *campo di Marte. ☎ 118 (urgences).*
■ ***Police municipale*** *(plan A2)* ***:*** *piazzale San Donato, 12 a. ☎ 0583-44-27-27.*

Transports

■ ***Poli Antonio Biciclette*** *(plan C1,* ***4****)* ***:*** *piazza Santa Maria, 42. ☎ 0583-49-37-87. Tlj sf lun mat 8h30-20h.* Pour les routards hostiles à la marche, possibilité de faire le tour des remparts à vélo (3 €/h ; 13 € la journée) ou même en tandem. Un bon plan pour découvrir Lucques.
■ ***Radio-taxi :*** *☎ 0583-33-34-34.* ***Taxi Lucca :*** *☎ 0583-95-52-00.*

Où dormir ?

Les hôtels sont peu nombreux, vite complets, et assez chers pour les prestations offertes. Nous vous conseillons donc de vous rabattre sur les *affittacamere*, qui offrent un meilleur rapport qualité-prix, surtout celles hors les murs. Que cela ne vous décourage pas pour autant, une soirée à Lucca est quelque chose d'inoubliable, lorsque la ville a rejeté son trop-plein de touristes et que les petites rues recouvrent leur calme. Si vous ne trouvez pas de place, prenez la route SS 12 qui va vers Pise. Motels tout le long.

Bon marché

Ostello San Frediano *(plan C2, **10**) : via della Cavallerizza, 12. ☎ 0583-46-99-57. • info@ostellolucca.it • ostello lucca.it • À deux pas de l'église San Frediano. Congés : 5 nov-8 déc, 5 janv-10 fév. Résa conseillée en été. Env 20 €/pers en dortoir 6-8 lits (avec sdb privée ou non) ; 58 € la double avec sdb. Ajouter 3 €/pers si vous n'êtes pas membre. Parking gratuit. Internet. Réduc de 10 % sur présentation de ce guide en fév et oct.* Pas de panique : les dortoirs propres et confortables n'ont rien d'une cellule, et vous ne serez pas réveillé à l'aube pour les matines ! Chapeau d'avoir réussi à faire de ces anciens bâtiments conventuels un lieu de vie pratique, tout en lui gardant une âme avec des pièces communes immenses, aux plafonds très hauts. Quelques chambres quadruples en duplex, parfaites pour les familles. Vraiment une belle auberge, dotée en plus d'un charmant jardin. Accueil frisquet mais efficace.

B & B Locanda Buatino *(hors plan par C1, **33**) : via borgo Giannotti, 508. ☎ 0583-34-32-07. Hors les murailles, au nord de la ville. Le borgo Giannotti est en sens interdit au rond-point ; contourner en passant par viale P. Batoni, puis au 2e rond-point prendre à gauche via M. Civitali jusqu'à la via dei Salicchi ; prendre celle-ci à gauche et, au croisement tt de suite après, à gauche encore. Pas facile de se garer. Doubles 50-70 €, petit déj inclus. Réduc de 10 % sur le prix de la chambre et apéro, café ou digestif offert sur présentation de ce guide.* Propose 3 chambres, genre garçonnière ou chambre d'artiste. Déco sympa, salle de bains sur le palier. Prévoyez quand même vos boules Quiès ou faites la fermeture du resto juste en dessous !

Prix moyens

La Gemma di Elena *(plan C2, **12**) : via della Zecca, 33 ; 1er étage. ☎ 0583-49-66-65. • lagemma@interfree.it • virtualica.it/gemma • Doubles sans bains 55 €, avec 65 €, petit déj-buffet compris. Parking privé (6 €/24h). Internet.* Grand appartement, d'une demi-douzaine de chambres meublées moitié baba cool, moitié *world-culture*. Bonne atmosphère et plein de bons tuyaux sur les choses à faire à Lucques. Bon accueil d'Anna.

B & B Al Tondone *(hors plan par D3, **11**) : via Fontanella, 663, San Filippo. ☎ 0583-95-53-70. 📱 32-99-61-45-83. • altondone@tin.it • famigliatomei.it • À 5 mn en voiture du centre, dans un secteur résidentiel tranquille. De la via Cadorna, prendre la via di Tiglio à droite qui bifurque presque immédiatement à gauche ; continuer jusqu'à voir l'église, juste devant tourner à droite dans la via Chiesa XXI, prolongée par la via San Filippo, puis la via Fontanella. Doubles 60-75 € sans ou avec sdb ; loc apparts dans le centre de Lucques, dont un petit à 75 € la nuit. Thé, café, tisane offerts, prêt de vélo gratuit et réduc de 10 % à partir de 3 nuits sur présentation de ce guide.* Tenue avec sérieux par un couple hospitalier, cette maison agréable, dotée d'un petit jardin, comprend une demi-douzaine de chambres confortables. Bref, un vrai logement chez l'habitant, même si c'est un peu loin du centre. Très bon accueil d'Anna-Maria.

Affittacamere La Colonna *(plan C2, **19**) : via dell' Angelo Custode, 16. ☎ 0583-44-01-70. 📱 39-35-98-85-20. • zimmeroomslacolonna@paginesi.it • dormireintoscana.it/lacolonna • Doubles sans bains 50 €, avec 65 €. CB refusées.* Dans cette demeure un peu sombre, une poignée de chambres non dénuées de charme avec leurs meubles anciens ; certaines donnent sur un petit jardin intérieur. À ces prix-là, intra-muros, n'attendez pas non plus un palace, et comme dit le proprio : « Ici, c'est un camping élégant ! ». Accueil gentil et en français, surtout avec les dames !

Rest in Lucca B & B *(hors plan par A3, **20**) : via Carlo Angeloni, 211. ☎ 0583-31-25-94. 32-88-51-01-34. • info@restinlucca.it • restinlucca.it • Hors les murs mais à 300 m du centre historique, dans un quartier résidentiel paisible. Doubles 70-100 €, petit déj inclus. Internet, wifi.* Dans une maison récente, 3 doubles et autant de quadruples super grandes, fraîches, fleuries, aux murs parés de tableaux. Ensemble très bien tenu et petit déj servi dans la véranda. Accueil familial, en douceur.

Chic

Piccolo Hotel Puccini *(plan B2-3, **14**) : via di Poggio, 9. ☎ 0583-55-421. • info@hotelpuccini.com • hotelpucci ni.com • Double 95 € ; petit déj 3,50 €. Possibilité de parking (payant). Wifi. Réduc de 10 % nov-mars sur présentation de ce guide.* Très bien situé, un adorable petit hôtel familial aux parties communes joliment décorées d'antiquités. Une quinzaine de chambres au mobilier simple, mais douillettes. Le patron, très accueillant et anglophone, donne de bons conseils pour la visite de la ville.

B & B La Bohème *(plan B2, **15**) : via del Moro, 2. ☎ 0583-46-24-04. 32-94-08-65-16. • info@boheme.it • bohe me.it • En plein centre, dans une ruelle tranquille. Doubles 90-120 €, petit déj inclus ; 25 €/pers supplémentaire.* Au 1er étage sans ascenseur d'un immeuble ancien, la réception nette et moderne cache 6 chambres pleines de charme et climatisées. Belles couleurs chaudes, sols d'origine, lustres type Murano, grandes armoires en bois et même un lit à baldaquin dans la n° 16. Tout est bien propre et accueil fort courtois. Ne reste plus qu'à insuffler un peu d'esprit bohème...

Albergo La Luna *(plan B2, **13**) : corte Compagni, 12 (via Fillungo). ☎ 0583-49-36-34. • info@hotelaluna. com • hotellaluna.com • Congés : 6 janv-15 fév. Doubles 96-122 € selon taille ; quadruples 150-175 € ; petit déj 11 €. Garage 15 € la nuit. Café offert sur présentation de ce guide.* Niché au fond d'une jolie placette, un hôtel offrant une trentaine de chambres spacieuses (pour les plus chères) et au charme inégal : certaines, dans un cadre ancien, sont joliment décorées, d'autres plus standard. Pas franchement donné mais central et bien équipé. Accueil agréable.

Hotel San Marco *(hors plan par C1, **16**) : via S. Marco, 368. ☎ 0583-49-50-10. • info@hotelsanmarcolucca.com • ho telsanmarcolucca.com • ♿ Remonter la via Matteo Civitali dir Camaiore, puis à droite au 1er feu, via San Marco. Doubles env 100-140 €, petit déj inclus. Parking clos gratuit. Piscine. Internet, wifi. Apéro maison offert sur présentation de ce guide.* Bel hôtel contemporain à deux pas de la vieille ville, dans le quartier résidentiel. Façade en brique aux allures d'entrepôt, grands salons lumineux et chambres assez standard mais bien confortables, impeccables, calmes et illuminées par leur grande fenêtre. Personnel sympathique, Accueil en français.

Où dormir entre Pise et Lucca ?

Villa Cheli *: via Nuova per Pisa, 1798, 55057 Massa Pisana. ☎ 0583-37-97-99. • info@villacheli.it • villacheli.it • Sur la SS 12, entre Pise (15 km) et Lucca (5 km). ♿ Double 100 €, petit déj inclus. Internet, wifi. Réduc de 10 % en basse et moyenne saisons sur présentation de ce guide.* En retrait de la route, une magnifique villa doublée d'un superbe accueil (en français) de Lina, la maîtresse des lieux. Les petits apparts dans les dépendances sont un peu plus neutres que les chambres de la villa, belles, spacieuses et avec jolie vue pour celles du 1er étage. Les nids d'amour sous les toits n'ont pas la vue mais offrent beaucoup de charme. Salle commune à l'ambiance « château mais détendu », à l'image du matou de la maison, qui prend ses aises sur le canapé. Aux beaux jours, les séduisantes terrasses feront de l'œil à votre inclination au farniente.

■ **Casetta delle Selve :** *à Pugnano, 56010 San Giuliano Terme. ☎ et fax : 050-85-03-59. À 13 km au nord-est de Pise et 10 km de Lucques. Prendre la SS 12 jusqu'à San Giuliano Terme ; dans le village, quitter la SS 12 et emprunter celle de Molina di Quosa et Ripafratta ; à Pugnano, sur la droite, prendre un chemin en terre de 1,5 km, accidenté et très pentu ; les arrivées de nuit risquent d'être épiques, en tt cas, montez la dernière partie en première. Congés : début nov-fin mars. Résa conseillée. Double avec sdb env 80 € ; petit déj 7 €. Séjour min 3 nuits. CB refusées.* Tenue par Nicla, personnage haut en couleur (comme ses peintures), une adresse qui se mérite, car on jouit d'un panorama superbe. De la terrasse, vue sur la mer au loin et sur l'île Gorgona (on en resterait médusé !). Les 5 chambres (+ 1 pour le pèlerin de passage) sont d'un honnête confort et toutes décorées selon le goût de Nicla, qui y a mis tout son cœur. Un lieu plein de poésie !

■ **Villa di Corliano :** *via Stratale Abetone, 50, San Giuliano Terme. ☎ 050-81-81-93. • ussero.com • Fermé en nov. Doubles 70 € sans sdb, 110 € avec, petit déj compris.* Dans un parc remarquable, planté d'arbres séculaires, un *B & B* aménagé dans une villa du XVIIIe s qui propose une douzaine de chambres dont la majorité avec salle de bains sur le palier. L'ensemble est défraîchi mais pas dénué de charme, avec ses fresques magnifiques, son atmosphère « grand siècle » et ses lithos dans d'interminables couloirs. Dans les chambres : lavabo, bidet et une écritoire pour ses cartes postales. On regrette seulement que le petit déj soit pris à la cave la plupart du temps et non dans le parc...

Où manger ?

De très bon marché à bon marché

|●| **Danne** *(plan C3, **31**) : via Santa Croce, 113. ☎ 0583-46-40-44. • info@danne.it • À côté de la porte San Gervasio, après la place de la colonne. Tlj sf lun. Formule env 6 €.* Certains jours, il faut carrément jouer des coudes pour entrer dans cet estaminet tenu dans la bonne humeur par ce couple hors du commun. Maurizio l'Italien et Marie la Suédoise parlent à eux deux pas moins de 5 langues ! Elle à la caisse, lui aux fourneaux, ici, rien que du local et du bio, et on mange correctement (sandwich + boisson + dessert, ou encore une *pasta* et un verre de rouquin). Ah oui ! On oubliait ce détail : il n'y a que 2 tables !

|●| **Mensa Ferroviere dello Stato** *(self-service ; plan B4, **30**) : via Cavour, 163. ☎ 329-76-48-172. • etienne3002@libero.it • En face de la porte San Pietro. Tlj midi et soir sf dim soir. Menu env 9 €. Café ou digestif offert sur présentation de ce guide.* On n'a jamais vu quelqu'un interdit d'accès au self des employés des chemins de fer ! Au contraire, le sourire du personnel et la bonhomie des convives sont une bonne invitation aux agapes. Entrée, plat du jour à choisir entre plusieurs variétés, *contorno,* dessert pour un prix très modique. Idéal pour les routards fauchés. Cadre pas terrible, mais on n'y va pas pour ça !

|●| **Pizzeria Bella'Mbria** *(plan C2, **34**) : via della Cavallerizza, 29. ☎ 0583-49-55-65. En face de l'auberge de jeunesse. Fermé mar. Congés : janv. Repas env 10 €.* On choisit sa pizza et sa boisson que l'on commande et paie au comptoir avant de s'asseoir. Oui, ça fait un peu fast-food, mais le décor et l'accueil sont plutôt sympathiques. La musique est un peu trop présente, les couverts n'ont pas vraiment le droit de cité et l'endroit ne conviendra pas aux tourtereaux pour une soirée roucoulades aux chandelles. En revanche, parfait pour un repas rapide et bon... car les pizzas sont goûteuses !

Prix moyens

|●| ***Da Giulio*** *(plan A2,* ***35****) : via delle Conce, 45. ☎ 0583-55-948. À deux pas de la porte San Donato. Tlj sf dim. Congés : fév. Compter 25 €. Digestif offert sur présentation de ce guide.* Un resto un poil suranné... Pour un peu, on verrait Vittorio Gassman débarquer au volant d'un pot de yaourt en klaxonnant comme un diable ! La déco est tout ce qu'il y a de plus classique. De la grande salle, vue sur la vitrine réfrigérée où bronzent quelques cochonnailles. La cuisine est plutôt familiale : purée de patates, soupe de lentilles (excellente), et le *matuffi,* une bouillie de farine de maïs sauce *ragù* et tomates. On a particulièrement apprécié la morue à la livournaise, mais on a noté quelques faiblesses sur le *tiramisù.*

|●| 🍷 ***La Corte dei Vini*** *(plan B3,* ***37****) : corte della Campana, 6. ☎ 0583-58-44-60. • massimo213@fastwebnet.it • À deux pas de la pl. San Michele. Tlj sf dim. Repas 15-20 €. Digestif offert sur présentation de ce guide.* Un bon bar à vins, caché dans une cour-impasse et avec une terrasse bien appréciable. À déguster avec votre verre de vin, le plat du jour ou de bonnes salades variées, des *crostini,* des fromages...

|●| ***Locanda Buatino*** *(hors plan par C1,* ***33****) : via borgo Giannotti, 508. ☎ 0583-34-32-07. Hors les murailles, au nord de la ville. Pas facile de se garer. Tlj midi et soir sf dim. Repas env 20 €.* Bondé mais pas surchauffé, ce bistrot réputé mêle sans vergogne voyageurs égarés et fidèles de la première heure. Au plafond, les 2 ventilateurs brassent sans distinction effluves alléchants et conversations animées. Dans les assiettes, de bons plats de ménage solides et sans chichis. Et pour finir, concert de jazz certains soirs d'octobre à mai. Copieux programme !

Chic

|●| ***Ristorante Buca di San Antonio*** *(plan B3,* ***38****) : via della Cervia, 3. ☎ 0583-55-881. • info@bucadisantantonio.com • ♿ Près de San Michele. Fermé dim soir-lun. Congés : 1 sem en janv et 1 sem en juil. Résa conseillée. Menu dégustation de produits toscans à midi 20 € ; repas 35-40 € ; coperto 3,50 € !* Décor intime et accueillant, à l'image des propriétaires. Véritable institution de Lucca, considérée à juste titre comme l'une des meilleures tables de la ville, la *Buca di San Antonio* accommode une délicieuse cuisine toscane, un rien inventive mais toujours proche du terroir. Ici, on fabrique ses pâtes fraîches tous les jours. Au gré du marché, on passe de bons *risotti* à de délicats plats de poisson, mais la spécialité de la maison, c'est la tripe !

Où déguster une bonne pâtisserie, une glace ?

|●| ***Panificio Chifenti Agape*** *(plan B2-3,* ***40****) : via San Paolino, 66. Tlj sf dim (ouv le 3e dim du mois) 7h30-19h30 ; fermé 15 août.* On y vend la spécialité de Lucques : la *torta di verdura coi becchi,* ainsi que d'autres pâtisseries locales.

🍦 ***La Tosca*** *(plan A2-3,* ***41****) : via San Paolino, 100. ☎ 0583-41-90-34. Tlj 11h-20h.* Bon choix de délicieux *gelati,* servis avec le sourire.

Où boire un verre ?

🍷 ***La Corte dei Vini*** *(plan B3,* ***37****) : corte della Campana, 6.* Voir le texte dans « Où manger ? ».

🍷 ***Caffetteria San Colombano*** *(plan C4,* ***80****) : Mura Urbane, Baluardo San Colombano, 10. ☎ 0583-46-46-41. • in* *fo@caffetteriasancolombano.it • Tlj sf lun.* Sur la promenade des remparts, un endroit à la déco contemporaine, frais et calme en été. Certains soirs, un DJ vient mettre les lieux en musique. Fait aussi resto.

🍷 ***Rewine** (plan B2, **81**) : via Calderia, 6. ☎ 0583-05-01-24. Tlj 8h-23h.* Petit bar à vins au look jeune et branché, qui se noircit de monde à l'heure de l'apéro, et pour cause : les vins (ou autres boissons) de qualité sont alors accompagnés de l'*aperitivo,* cette belle tradition du nord de l'Italie, qui pour le prix d'un verre, vous permet de grignoter une multitude de bonnes petites choses...

Où acheter de bons produits ?

***Pizzicheria La Grotta** (plan C2, **36**) : via Anfiteatro, 2. Tlj sf mer ap-m.* Tout pour préparer son pique-nique « du terroir » : salaisons, *focaccie* à la demande, crudités et fromages. Aussi quelques plats préparés, de la bière et du chianti !

À voir

Lucca se visite à pied ou à vélo. De plus, les beaux remparts ont été aménagés en promenades verdoyantes bien agréables, livrant de nombreuses échappées sur la campagne ou sur des jardins obligés de dévoiler leurs secrets. Bonne balade ! Possibilité de louer un audioguide à l'office de tourisme *(plan A2).*

***Duomo** ou **cattedrale San Martino** (plan C3) : piazza San Martino. ♿ Tlj 9h30-17h45 (dim 9h-10h45, 12h-18h). Ferme 1h plus tôt en hiver. Interdit aux visites pdt les messes. EN COURS DE RÉNOVATION JUSQU'EN 2012...*

Édifié à partir du XIe s. La sculpture du saint du XIIIe s se trouve à l'entrée de la nef centrale. Façade où sont sculptés les travaux des douze mois de l'année, avec trois galeries à colonnades inspirée de Pise. Noter une curiosité : la façade romane richement décorée vient buter dans la grande tour de 69 m qui existait déjà auparavant, et l'architecte a dû réduire la dernière arcade. La façade y gagne ainsi une belle asymétrie.

IL ÉTAIT UN PETIT NAVIRE...

On ignore qui a sculpté le crucifix. Il serait arrivé un beau matin sur les côtes d'Italie, à bord d'un bateau sans voiles ni équipage, puis emporté à Lucques sur une charrette tirée par deux taureaux sauvages... Les pèlerins du Moyen Âge pensaient qu'il avait été sculpté par Nicodème, contemporain du Christ.

L'intérieur est de style gothique. Pavements de marbre polychrome. Plusieurs chefs-d'œuvre : au troisième autel à droite, splendide *Cène* du Tintoret (mais éclairage payant). Dans la nef, sur le côté gauche, dans un petit temple octogonal, le *Volto Santo* (la Sainte Face), christ noir en bois du XIIIe s. Son visage, qui serait la réplique parfaite du *Voile de Véronique,* est saisissant. Dans la sacristie (petit droit d'entrée), remarquer le magnifique retable de Ghirlandaio, *Vierge et l'Enfant sur le trône,* ou encore le tombeau d'Ilaria del Carretto Guinigi.

En sortant, aller admirer l'église du côté de l'abside, avec son élégante loggia.

Visiter également, à gauche de l'édifice, le ***museo della Cattedrale** : avr-oct, tlj 10h-18h ; nov-mars, 10h-14h (17h w-e). Billet cumulable avec l'entrée de l'église San Giovanni et la sacristie de la cathédrale : 6 € ; sinon, 4 €. Audioguide en français 4 € (les cartels sont en italien et en anglais).* Renferme des objets liturgiques, peintures, sculptures et toutes sortes de bondieuseries. Sont exposées ici parures en or et autres petites merveilles d'orfèvrerie qui habillent le *volto santo* pour sa « sortie annuelle ». Également quelques reliques de saints, des calices, des crucifix et un remarquable triptyque représentant une madone à l'enfant datant de 1430 et attribué à Francesco Anguilla. Et puisque vous êtes à deux pas, jetez un œil sur le portail de l'*église Santa Maria della Rosa* (via della Rosa).

¶¶ Repasser par la ***piazza San Giovanni*** pour constater que l'***église*** *(plan B3)* du même nom tient le choc face au *Duomo* : *tlj 10h-18h (17h de début nov à mi-mars) ; billet cumulable avec le musée de la Cathédrale : 6 € ; sinon, 2,50 €.* Beau portail du XIIe s, avec chapiteaux surmontés de lions sur une façade postérieure (XVIe s). Très beau plafond à caissons. L'église sert souvent de salle de concert. Elle serait construite au-dessus des vestiges d'une église lombarde datant du VIIIe s, elle-même érigée sur les restes d'un temple romain... En fait, les couches successives de ruines souterraines raconteraient douze siècles d'histoire.
À côté, la ***piazza Napoleone,*** fut construite par Elisa Bacciochi, la sœur aînée de Napoléon. Au centre, le monument à Marie-Louise de Bourbon, réalisé en 1843 par Bartolini. Au fond, la longue façade jaune du palais ducal.

¶ ***Palazzo Mansi*** *(plan A2)* **:** *via Galli Tassi, 43. ☎ 0583-55-570. ♿ Tlj sf lun 8h30-19h (13h30 dim et j. fériés). Entrée : 4 € ; réduc. Billet cumulable avec la villa Guinigi : 6,50 €.* Cette ancienne demeure patricienne du VIe ou VIIe s abrite la **pinacothèque nationale,** exposant des œuvres du XVIe au XIXe s. Peintures des écoles italienne et flamande. Remarquable *Chambre des Époux* avec une décoration délirante, or et soies brodés.

¶¶ ***Chiesa San Michele in Foro*** *(plan B2-3)* **:** *tlj 9h-12h, 15h-18h (17h hors saison) ; fermé à la visite pdt l'office religieux du dim mat et j. fériés.* Élevée sur l'ancien forum romain, aujourd'hui l'une des plus belles places de la ville. Chef-d'œuvre de l'art roman pisan. On reste de longues minutes fasciné par la façade à cinq étages, richement décorée de scènes de chasse et surmontée d'un immense Saint Michel terrassant le dragon encadré par deux anges. Noter que toutes les colonnettes possèdent une forme différente et que certains des graffitis datent du Moyen Âge. À l'angle, une *Vierge à l'Enfant* offerte par la ville après une épidémie de peste en 1480. Durant tout le Moyen Âge, l'église était le palais de justice lucquois.
Tout autour, de nobles demeures et, à l'angle de la via Veneto, le *palazzo Pretorio,* belle œuvre Renaissance. Via di Loretto, le *palazzo Orsetti* avec les plus belles portes de la ville.

¶ ***Via Fillungo*** *(plan B-C2)* **:** c'est la grande rue commerçante de Lucca, bordée de palais et de jolies maisons médiévales (maison Barletti, palais Cenami). Devantures de boutiques très anciennes, vieilles inscriptions et enseignes originales. Au n° 104, ne pas manquer la façade coquette de la bijouterie. Le soir, de 18h à 19h30, c'est là que s'effectue la *passeggiata.*

¶¶ ***Piazza Anfiteatro*** ou ***Anfiteatro romano*** ou ***piazza del Mercato*** *(plan C2)* **:** une place atypique. En effet, les anciennes arènes romaines du IIe s furent proprement « avalées » par la ville. S'appuyant sur leurs vestiges et en respectant la forme elliptique, de pittoresques maisons se sont élevées tout autour. En se baladant dans la via dell'Anfiteatro, on peut d'ailleurs apercevoir, figés dans les façades, de nombreux blocs de pierre et éléments des arènes. Vraiment une place à croquer. Tout le quartier possède, lui aussi, un charme redoutable.

¶¶ ***Casa natale di Giacomo Puccini*** *(plan B2)* **:** *corte San Lorenzo, via di Poggio ; au 2e étage. ☎ 0583-58-40-28. Juin-sept, tlj 10h-18h ; oct-mai, 10h-13h, 15h-18h ; fermé janv-fév. Entrée : 3 €. Fermé pour travaux de rénovation jusqu'à une date indéterminée...* Sans parler de prédestination, il est tout de même amusant de constater que l'auteur de *La Bohème* est issu d'une longue lignée de musiciens lucquois. Il écrivit dans cette maison toutes ses compositions jusqu'à la *Messa a 4 voci* (1880). Elle abrite aujourd'hui de nombreux témoignages, comme des partitions dédicacées, sa correspondance, ou encore le superbe pianoforte Steinway sur lequel il commença à composer *Turandot.* Ceux qui veulent en savoir plus iront à Torre del Lago, au bord du lac.

Chiesa San Frediano *(plan B2)* **:** *piazza San Frediano, à deux pas de la via dell'Anfiteatro. Tlj 9h-12h, 15h-17h (18h en hiver). Les visites ne sont pas autorisées pdt les messes.* L'une des plus intéressantes. Façade assez originale avec, chose rare, une belle mosaïque romano-byzantine du XIIIe s en fronton représentant le Christ lors de l'Ascension. Intérieur superbement austère, mais étonnamment mis en valeur par l'éclairage naturel le matin. Chapelles riches en œuvres d'art. Notamment, dans la dernière chapelle de la nef à gauche, un devant d'autel de marbre en forme de polyptyque gothique (Vierge entourée de quatre saints). Magnifiques fonts baptismaux romans. Au-dessus, une *Annonciation* en terre cuite d'Andrea della Robbia. Voir aussi les fresques de la chapelle Saint-Augustin et la momie de sainte Zita (en entrant, à droite, derrière les fonts baptismaux).

Palazzo Pfanner *(plan B2)* **:** *via degli Asili, 33. À côté de San Frediano. Tlj 10h-18h. Fermé nov-fév. Entrée : 2,50 € pour le palais ou les jardins ; 4 € pour l'ensemble.* Un palais du milieu du XVIIe s offrant un immense escalier... en béton (le marbre blanc ayant disparu dans la restauration !). Il a successivement appartenu aux familles Moriconi puis Controni. En 1860, il est acheté par un Autrichien, Felice Pfanner, pour en faire une... brasserie ! Celle-ci fonctionnera jusqu'en 1929.
Il est vivement conseillé de grimper sur les remparts juste derrière pour jouir du délicieux jardin à la française ponctué de statues et de citronniers plantés dans d'énormes pots en terre cuite, avec en toile de fond le beau chevet de San Frediano et son campanile. Plaquette en français.

Torre Guinigi *(plan C2)* **:** *à l'intersection des vie Sant'Andrea et Guinigi. Tlj sf dim-lun 9h30-18h30 (16h30 en hiver) ; fermé j. fériés. Entrée : 5 €.* Harmonieuse construction en brique du XIVe s, édifiée par la riche famille Guinigi. Noter la finesse des fenêtres à colonnettes. On peut accéder au sommet après avoir grimpé 230 marches. Une curiosité qui « décoiffe » : la chevelure de chênes verts qui a poussé sur la tour. Vue étonnante sur toute la ville, sa mosaïque de toits de tuiles et ses nombreuses terrasses.

Chiesa Santa Maria Forisportam *(plan C3)* **:** *piazza Santa Maria Bianca. Tlj 9h-17h (18h en hiver) ; fermé pdt les offices religieux.* Cette église doit son nom au fait que jusqu'à la construction des remparts, au Moyen Âge, elle se trouvait à l'extérieur des portes de la ville. On y trouve la colonne tronquée qui servait de but dans les courses du Palio. L'église, construite sur le modèle de la cathédrale de Pise, propose la riche décoration de son portail et, à l'intérieur, une remarquable peinture sur bois : *Dormition de la Vierge et Assomption.*

Via del Fosso *(plan C3)* **:** si les vestiges des remparts du XIIIe s sont peu nombreux (porte fortifiée Saint-Gervais, entre autres), l'ancien fossé, lui, a été habilement incorporé au tissu urbain. Très pittoresque.

Museo nazionale della villa Guinigi *(plan D2)* **:** *via della Quarquonia. ☎ 0583-49-60-33. ♿ À côté de la piazza San Francesco. Tlj sf lun 9h-19h (14h dim et j. fériés). Entrée : 4 €. Billet cumulable avec le palazzo Mansi : 6,50 €.* Dans l'élégante villa de Paolo Guinigi, l'homme qui régna sur Lucca de 1400 à 1450. Collections archéologiques, plusieurs primitifs religieux dignes d'intérêt, soies et tissus précieux, orfèvrerie et meubles anciens. Portrait d'Alexandre de Médicis par le Pontormo.

Les remparts : plantés d'arbres, ils constituent un lieu de promenade idéal aménagé au XIXe s par Marie-Louise de Bourbon. La ville ancienne fut entourée de près de 4 km de murailles, réalisées pour la plupart au XVIe s par des ingénieurs flamands. Ces fortifications, d'une douzaine de mètres de hauteur et de 3 m de large à la base, sont agrémentées de onze bastions et percées de six portes. Avec la piazza dell'Anfiteatro, Lucca rêvasse dans son corset de mémoire. En été, des milliers de lucioles clignotent dans les douves. Le spectacle est féerique !

Fêtes et manifestations

Attention, en raison des nombreuses foires et festivités qui animent la ville en septembre, le logement y est alors difficile et (encore plus) onéreux.

– ***Summer festival :*** *en juil. Rens : ☎ 0583-46-77.* • *summer-festival.com* • Festival de musique rock et pop célèbre dans toute l'Italie avec nombre de stars internationales à l'affiche. Concerts payants.
– ***Palio della Balestra per San Paolina :*** *3 j. autour du 12 juil.* Chaque soir, festivités en l'honneur d'un des saints patrons de la ville.
– ***Murabilia – Mura i Fiore :*** *1er w-e de sept. Rens : ☎ 0583-48-783.* • *murabilia.com* • Sur les remparts, marché aux fleurs, où vous trouverez aussi tout ce qui concerne le jardin.
– ***Luminare di Santa Croce :*** *13 sept.* Procession du Volto Santo de l'église San Frediano à la cathédrale San Martino, clôturée par un concert gratuit dans la cathédrale et un feu d'artifice. Plusieurs fêtes et foires en l'honneur des saints patrons de la ville en ce mois de septembre (San Michele, San Matteo...).
– ***Lucca Comics & Games :*** *en nov. Rens : ☎ 0583-48-522.* • *luccacomicsandgames.com* • Après Angoulême, un des festivals de B.D. les plus importants en Europe.
– ***L'Olio ed i tesori di Lucca :*** *un w-e de nov ou déc.* Fête de l'huile d'olive, à l'occasion de laquelle de nombreux palais ouvrent leurs portes.

MONTECATINI TERME

(51016)

Ville thermale par excellence, Montecatini cultive l'indolence comme une parure à sa beauté. Résolument ville d'eau, on y croise des curistes de tous âges, un tantinet prout-prout, certes, mais c'est ce qui fait son charme... La courte visite de Montecatini Alto, auquel on accède par un funiculaire datant de la fin du XIXe s, rend la balade encore plus agréable. Mais le fin du fin, c'est d'aller prendre un thé en fin de journée aux thermes Tettuccio, et dans un décor somptueux, de se laisser bercer par la mélodie du concertiste qui, chaque soir aux beaux jours, caresse l'ivoire de son piano sous la grande coupole.

Florence : 40 km ; *Pise* : 50 km ; *Lucques* : 30 km.

Arriver – Quitter

En train

🚂 ***Stazione FS :*** 2 gares, ***Montecatini Terme*** (la gare principale), *piazza Italia, où se trouve également la gare des bus,* et ***Montecatini Centro,*** *piazza Gramsci.* • *trenitalia.it* •

➢ ***Florence :*** *5h35-23h ttes les 30 mn.*
➢ ***Lucca :*** *6h-23h ttes les 30 mn.*
➢ ***Viareggio :*** *6h-23h, 16 trains/j.*

En bus

🚌 ***Gare routière :*** *la gare principale se trouve en face de la gare ferroviaire Montecatini Terme. Liaison par navette 3 fois/j. avec l'aéroport de Pise.* • *cttcompany.it/flyBusIt.asp* •

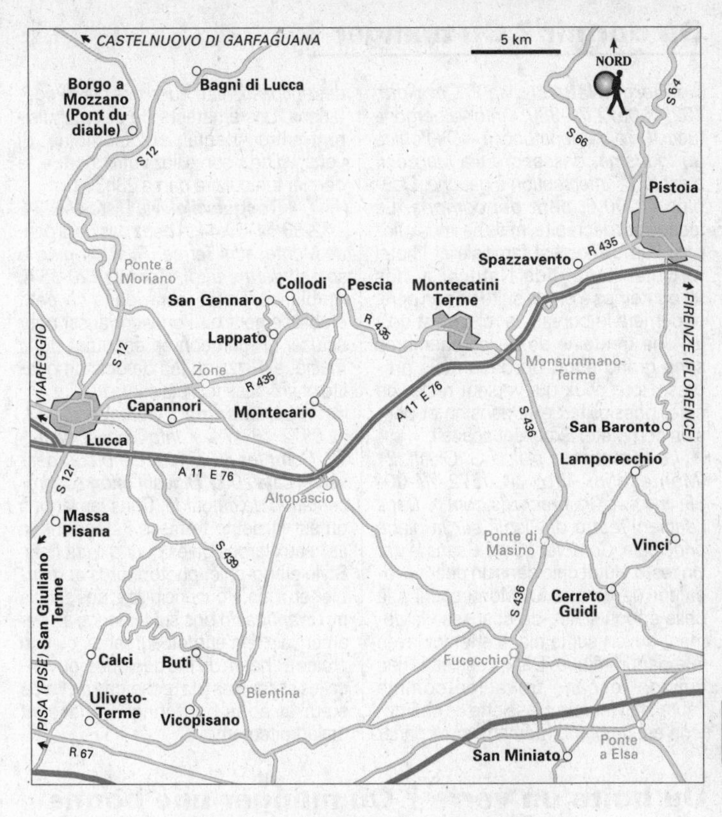

LUCCA (LUCQUES) ET SES ENVIRONS

Stationnement

Circulation strictement interdite à Montecatini Alto. En bas, nombreux parkings bien indiqués.

Adresses utiles

🅘 @ ***Office de tourisme :*** *viale Verdi, 66-68.* ☎ *0572-92-761.* • *montecatinituri smo.it* • ou le site de la ville • *montecatini.it* • *Tlj 9h-13h, 15h-19h.* Donne des plans de la ville et réserve des billets de train et de bus. Point Internet payant. Accueil charmant.

■ ***Funiculaire :*** *viale Diaz (dans le parc, derrière les thermes Tettuccio).* ☎ *0572-76-68-62.* • *funicolare1898.it* • *Tlj Pâques-fin oct 9h30-minuit (pause 13h-14h30). Une liaison ttes les 30 mn. On achète son billet à l'arrivée 3,50 € le trajet simple, 6 € l'aller-retour.* Une relique qui date de la fin du XIXᵉ s et ne manque pas de cachet : carrosserie vermillon, bancs en bois ; il fait la fierté de la station. C'est le moyen le plus agréable de programmer une visite à Montecatini Alto.

Où dormir ? Où manger ?

Albergo Natucci : *via F. Cavallotti, 102. ☎ 0572-70-380. • info@albergonatucci.it • albergonatucci.it • De l'office de tourisme, descendre via Manzoni, c'est la 1re intersection à gauche. Doubles 40-90 €, petit déj compris.* La façade est décrépite, mais ne vous y fiez pas, l'ambiance est familiale et l'hôtel fort bien tenu. Ilde Natucci et ses 90 printemps a pris la suite de son père, et derrière le bureau, la relève est déjà là. Une trentaine de belles chambres sans grand effort de déco mais propres. Pour ceux qui veulent rester en cure, possibilité de ½ pension et pension complète. Excellent accueil.

Le Maschere : *piazza G. Giusti, 21 (Montecatini Alto). ☎ 0572-77-00-85. • fulvio@minrecords.com • Dans l'ancien Teatro di Risoli, sur la place principale. Compter 35-40 € sans le vin.* Un resto plutôt chic dans un décor évocateur de ce que fut Montecatini à la belle époque. Rez-de-chaussée largement ouvert sur la place et étage avec vue panoramique. Dans l'assiette, une cuisine toscane travaillée comme l'aurait fait mamie. L'assiette de charcuterie est un grand moment, sans parler des *antipasti*, mais aussi des plats végétariens. Les amateurs de *pizze* choisiront entre Arlequin et Colombine. Si vous y dînez, surveillez votre montre, le dernier funiculaire part à 23h30 !

Tocqueville : *via Pistoiese, 34. 32-88-51-60-44. À deux pas de la gare de Montecatini Terme. Tlj sf lun-mar, le soir slt (ferme tard). Compter 20-25 €.* Ambiance plutôt jeune dans ce petit établissement où l'on vient aussi pour écluser un gorgeon en écoutant de la musique. Pizza au feu de bois de qualité et *antipasti* fort plaisants.

La Cascina : *viale Verdi, 43. ☎ 0572-78-474. • info@incascina.it • Tlj. Compter 40 € (formule pizza, dessert et café 20 €). Digestif offert sur présentation de ce guide.* Dans les jardins ou sur la petite terrasse l'été, dans la salle aux larges baies quand il fait frais. Style ethno-chic, photophores et meubles en rotin. Pour une pizza, des sushis ou un *antipasto* pris sur le pouce au bar américain. Un endroit agréable, où l'on croise à l'heure du thé quelques jouvencelles esseulées à la recherche de l'âme sœur et ados boutonneux chassant maladroitement.

Où boire un verre ? Où manger une bonne glace ?

Bar des Thermes Tettuccio : après avoir payé un droit de visite (5 €), rendez-vous tous les après-midi 17h-19h aux beaux jours, au bar des thermes pour assister à un miniconcert sous la grande coupole. On est resté baba devant le côté gentiment « touring-club » de cet établissement très classe.

Crema & Cioccolato : *viale Verdi, 56. À côté du cinéma* Excelsior. Tous les parfums, et l'occasion d'essayer les *cialde de Montecatini,* une pâte sucrée, fine et croustillante, de la taille d'une petite assiette à consommer avec une glace. Hmm !

À voir

Montecatini Alto

Le plus pratique est de s'y rendre en empruntant le funiculaire. Autrement, se garer sur le parking du belvédère (le plus haut) ; le centre n'est qu'à 150 m à pied. Plusieurs restos touristiques sans grand intérêt sur la place Giuseppe Giusti. À voir, la crèche animée qui se trouve dans l'***église San Pietro*** (XVIIe s), un petit ange descend du ciel, et c'est parti pour une petite histoire en V.O. de 7 mn.

Montecatini Terme

Montecatini est sans conteste l'une des plus élégantes stations thermales d'Europe. Ses eaux sont réputées depuis le XIVe s, et les amateurs d'Art Nouveau seront aux anges. Au fil de leur promenade dans la ville, ils découvriront un nombre important de bâtiments de cette époque. L'un des plus évocateurs étant le cinéma Excelsior (1922) avec sa marquise en verre et fer forgé et son fronton curviligne en encorbellement. Une balade le long du mail de la viale Verdi, planté de tilleuls et de catalpas centenaires est très rafraîchissante. Bref, il règne à Montecatini, avec ses thermes, son golf, son hippodrome et ses cours de tennis (où le prix de la cotisation atteint des sphères intersidérales), le charme (pas très discret) de la bourgeoisie italienne.

Thermes Tettucccio : *à l'extrémité de la viale Verdi, non loin du départ du funiculaire. ☎ 0572-17-781. • termemontecatini.it • Heures des cures 8h-12h, 16h-19h. Ouv au public pour la visite 11h-16h (dernière entrée). Entrée : 13 € (aux heures de cures, verre d'eau compris), 5 € (pour la visite seule).* Un très bel établissement thermal qui n'est pas sans évoquer ce que furent les thermes romains. Admirer les fresques et les détails architecturaux, mais surtout, faites-le avant d'aller boire votre verre d'eau purgative !

PISTOIA (51100)

Cette riche cité médiévale, rivale de Lucques et de Florence jusqu'aux terribles pestes de 1348 et 1401, fut le champ de bataille de deux clans rivaux, les guelfes blancs et les guelfes noirs. Les guelfes, nationalistes et partisans du pape, se divisèrent au XIIIe s, notamment pour des raisons sociales : les *cerchi* (blancs) étaient proches du peuple, tandis que les *donati* (noirs) frayaient avec l'élite florentine. Pistoia a conservé intacte sa belle vieille ville plantée d'églises romanes, célèbres pour leurs façades à bandes bicolores, vert et blanc. Évitez d'y aller un dimanche, car on y célèbre encore plus de messes que les autres jours et, ici, les monuments les plus intéressants sont les églises. En outre, Pistoia et sa région sont célèbres pour leur activité de pépinières. C'est souvent de Pistoia que proviennent les plus beaux arbres plantés dans les grandes villes d'Europe !

Florence : 40 km ; *Pise* : 60 km ; *Lucques* : 40 km.

Arriver – Quitter

En train

Stazione FS : *piazza Dante Alighieri. ☎ 89-20-21. Au sud de la ville, à 10 mn à pied du centre (piazza del Duomo), hors les murailles.*

➢ Pistoia se trouve sur la ligne ferroviaire ***Lucques-Florence.*** Un train à peu près ttes les heures. Env 40 mn de trajet pour Lucques ou Florence. En chemin vers Lucques, le train marque l'arrêt à ***Pescia*** ; vers Florence, à ***Prato*** et ***Sesto Fiorentino.***

En bus

Gare routière : *piazza Dante Alighieri (celle de la gare ferroviaire).*

➢ Les ***Blubus*** (*☎ 0573-36-32-43 ou n° Vert : ☎ 800-27-78-25 ;* • blubus.it •) regroupant les compagnies *COPIT* et *LAZZI* assurent la liaison avec ***Florence*** env 10 fois/j. (beaucoup moins le w-e), mais également avec Lamporecchio, Vinci et Empoli.

Stationnement

Même topo que dans la plupart des villes. Interdiction de circuler dans le centre pour les non-résidents. Quelques parkings bien fléchés et gratuits sont disponibles. Le parking Cellini est peut-être le plus pratique. Navette pour le centre toutes les 5-10 mn (0,80 €), autrement il faut 10 mn à pied.

Adresses utiles

Office de tourisme : *sur la pl. du Duomo. ☎ 0573-21-622. • turismo.provincia.pistoia.it • Tte l'année sf Noël, lun-sam 9h-13h, 15h-18h ; dim et j. fériés 10h-13h, 15h-18h.* Plan de la ville très bien fait. Renseignements sur la ville et ses environs.

@ **Cyber Com :** *via Carducci, 25. Dans une petite rue perpendiculaire à la via Cavour, derrière l'église San Giovanni Fuorcivitas. Tlj 9h-22h.* Une multitude d'ordis. Fait aussi *Western Union*.

Où dormir ? Où manger ?

Hotel Patria : *via Crispi, 8. ☎ 0573-25-187. • info@patriahotel.com • patriahotel.com • ♿ Derrière l'église San Giovanni Fuorcivitas. Doubles 80-100 € (prix plus bas en été), petit déj compris. Parking gratuit.* Un établissement récemment rénové, agréable et tenu par un propriétaire charmant qui vous renseignera dans la langue de Molière. Chambres sans grande originalité mais spacieuses, propres et confortables.

Il Duomo : *via Bracciolini, 5. ☎ 0573-17-80-197. Dans une petite rue qui part de la piazza del Duomo, dans l'alignement de l'office de tourisme. Lun-sam libre-service le midi 12h-15h ; ven, sam aussi le soir. Repas 15-20 €.* Un petit self de cuisine 100 % toscane. 2 salles qui fleurent bon la cochonnaille et le *ragù* qui mijote. Bonne ambiance et le goût y est, alors pourquoi s'en priver ?

La Bottegaia : *via del Lastrone, 17. ☎ 0573-36-56-02. • info@labottegaia.it • labottegaia.it • Fermé dim midi et lun. Congés : 8-29 août. Repas complet 25-30 € ; menus à partir de 20 €.* 2 mini-terrasses, l'une dans la petite via del Lastrone et l'autre derrière le baptistère, sur la place de la cathédrale. Entre les 2, une salle fraîche et agréable, dans les tons pastel. Dans l'assiette, une cuisine toscane agréablement travaillée. Essayez la sélection de *bruschette* ou un *risolito*. Pour les pâtes, on a connu mieux. Le service est efficace et les vins sont bien conseillés, mais comme dans toutes les *enoteche* victimes de leur succès, le vin est surfacturé. Pour passer un bon moment.

Casa del Popolo : *via Provinciale Lucchese, 249, à Spazzavento (à env 4 km du centre de Pistoia). ☎ 0573-57-25-03. Si si ! c'est bien là, dans le sous-sol du parking ! Ouv jeu-dim le soir slt. Repas complet 20-25 € ; on mange à partir de 15 €. CB refusées.* Ici, pour passer inaperçu, mieux vaut avoir laissé son sac Gucci aux vestiaires ! Un resto à mi-chemin entre une troisième mi-temps de rugby et le repas des noces d'argent de tante Simone. N'empêche que tout y est : l'ambiance, le prix et la quantité. Pour la déco, vous repasserez, c'est une enfilade de salles totalement dépourvues d'âme. C'est d'ailleurs ce qui fait le succès de cette table hors norme, gérée par une association ou les membres œuvrent tantôt en cuisine, tantôt en salle. Ici, le rouge râpe un peu et le menu change tous les jours. Disons une cuisine maison à grande échelle. N'y allez pas en amoureux, mais en groupe, autrement vous risquez d'être placé à côté de la porte des toilettes !

Où boire un verre ?

Trattoria Gargantuà : *piazzetta dell'Ortaggio, 12-13. ☎ 0573-23-330. • gargafb@gmail.com • À une centaine de mètres de la* Bottegaia. *Tlj sf lun midi*

LUCQUES ET SES ENVIRONS

et soir. On y mange aussi, mais la terrasse fait le plein pour ses apéros à rallonge et ses rassemblements d'oiseaux de nuit en partance pour leurs migrations nocturnes. Chaude ambiance les soirs d'été.

Fitzpatrick Irish Pub : *via Campo Marzio, 38. En face du sq. de la République.* Ne cherchez pas, tout est dans le titre ! Personne avant 23h. Plutôt un rade pour les soirées d'hiver. *Jam-sessions* et concerts (bon blues), et de quoi voir pousser des trèfles au fond de sa *Guinness*. Ah si ! Repérez bien les 4 lampions accrochés sur la façade, vous risquez de les avoir oubliés en ressortant d'ici !

Librairie Edison : *via degli Orafi, 64. ☎ 0573-31-866.* Une librairie très sympa qui propose des animations musicales tous les 3 ou 4 soirs aux beaux jours. Un endroit à découvrir en soirée en sortant du resto...

Où dormir ? Où manger dans les environs ?

Relais del Lago : *via della Chiesa di Gragnano, 36, à Capannori. ☎ 0583-97-50-52. • info@relaisdellago.com • relaisdellago.com • Juste en dessous de la villa Marqui Arnolfini (fléché Fanini). Suivant saison et petit déj compris, doubles 100-130 € ; apparts 150-200 € pour 2 + 15 €/pers en sus. Café offert et réduc de 10 % sur présentation de ce guide.* Situation exceptionnelle pour ce *B & B* tenu par Alessandro et sa famille. Une demi-douzaine de chambres et 3 apparts aménagés avec goût, clim' et tout le confort : petits salons, livres d'art à dispo. Pour les nuits sauvages, il y a même une chambre isolée, avec lit circulaire, peau de panthère et spa privé. Les romantiques préfèreront dîner aux chandelles sur le petit affût semblant flotter sur le lac. Belle terrasse, superbe piscine et le petit déj est un pur bonheur !

Azienda agricola Marzalla : *via Collechio, 1, à Pescia. ☎ 0572-49-07-51. • info@marzalla.it • marzalla.it • ♿ (1 appart). Entre Pistoia et Lucques. Depuis l'autoroute (sortie Chiesina Uzzanese), faire 5 bons km en direction de Pescia ; au rond-point situé à hauteur du supermarché, tourner à gauche vers Lucca, puis prendre à droite, à 800 m, une petite route qui monte vers Collechio. Double env 80 €, petit déj compris ; apparts 2, 4 ou 6 pers 380-1 390 €/sem selon taille et saison. CB refusées. Internet.* Défendue par un impressionnant portail, cette jolie demeure toscane à la façade ocre propose un hébergement de qualité dans un très bel espace, vaste, aéré, chaque appartement jouissant d'un généreux espace privé et d'une belle vue sur la campagne (et la piscine). De plus, cette adresse est idéalement située pour rayonner, même pour les non-motorisés : elle est à seulement 1 km de la gare de Pescia, d'où l'on peut rejoindre Florence, Pise et Lucques en train. Accueil adorable, en français.

San Gennaro Castello B & B : *via di Castello, 40, à San Gennaro. ☎ 0583-97-84-64. 📱 33-31-14-97-56. • info@sangennarocastello.it • sangennarocastello.it • Traverser San Gennaro, c'est dans un des derniers hameaux perchés dans la montagne. Double 60 €, petit déj compris.* Un *B & B* pour déstresser. Une poignée de chambres sobres (peut-être même un peu trop) dans une petite maison coincée dans l'une des ruelles d'un hameau dominant la plaine. Beau petit déj. Une bonne base pour partir à la découverte des environs.

Trattoria Da Baffo : *via della Tinaia, 7, à Montecarlo. ☎ 0583-22-381. 📱 33-34-68-90-66. À partir de la via Montecarlo, prendre la route qui part en face du stade de foot, puis à gauche via Tinaia (suivre les indications viticultore Fuso). Tlj sf lun, le soir slt. Menu fixe 22 €.* Pas de signe extérieur. Une salle ridiculement petite, quelques tables et chaises en plastoc sous les néfliers. Pour Gino, formé à l'école des Vosnes-Romanées, ce qui compte, c'est ce qu'il y a dans l'assiette et dans le verre. Moitié anar, moitié bluesman (comme en témoigne le nom de son dernier cru « For Duke »), ce restaurateur libertaire, comme il se définit lui-même, propose une cuisine on-ne-peut-plus-basique : des *antipasti* de la terre, du poulet-frites et de la soupe d'orge ! Rien que du bio et du vin ! Pas le sien malheureusement, car il est trop cher ! Faut dire que sa famille, installée ici pratiquement depuis le néolithique, produit un cru fort apprécié. Barack Obama en a même bu lors de son investiture !

I●I ***Al Covo :*** *via Pesciatina, 761. Loc. Lappato à Capannori.* ☎ *0583-97-58-53. À Lappato, prendre la route de San Genaro qui part en face du centre commercial* Pinocchio, *puis 1re à droite, c'est fléché. Tlj midi et soir sf mar soir et mer. Compter 25-35 € pour déjeuner (rajouter 10 € pour dîner).* Certainement pas pour l'environnement ni pour la déco ! On vient pour le poisson et les pâtes fraîches. Anna prépare les *pappardelle* tous les jours, et les accommode avec des calamars, des champignons ou des fleurs de courgette. Côté viande, une *fiorentina* saisie à point, et pour un plat sans arête, un filet de *dentice* (un poisson de la famille des sars, comme la daurade) aux asperges !

À voir

Il fait bon flâner dans le *centro storico* de Pistoia. Tous les matins, la *piazza della Sala* accueille les marchands de fruits et légumes. Se crée alors une animation haute en couleur qui ne semble avoir changé depuis le Moyen Âge.

Piazza del Duomo : avec son ensemble d'édifices médiévaux, son baptistère du XIVe s et ses *palazzi del Podestà* et *del Comune* (1284-1385).Tous les bâtiments qui cernent la place valent le coup d'œil. Le palais de Justice, avec ses fresques et ses blasons mérite à lui seul le détour.

Museo civico : *dans le bâtiment de l'hôtel de ville (palazzo comunale), face au Duomo. Mar, jeu, ven, sam 10h-18h ; mer 16h-19h ; dim 11h-18h. Oct-mars, ferme à 17h. Entrée : 3,50 € ; réduc.* Un intéressant petit musée. Au 1er niveau, peinture florentine des XIIe, XVe et XVIe s. Cartels en italien et en anglais. Au 2e, les passionnés d'archi et d'aménagement urbain ne manqueront pas le centre Giovanni Michelucci (l'un des maîtres de l'Art nouveau) pour y découvrir esquisses, crobars et maquettes du célèbre architecte. Également une petite salle où sont exposées des peintures et sculptures d'artistes pistoiens du XIXe s. Enfin, au 3e niveau, des bois et des huiles sur toile du XVIIe s, ainsi que la collection Puccini (belles série de portraits).

Duomo : ☎ *0573-25-095.* Présente une élégante façade à portique, surmontée d'un fronton à arcades en bichromie. Imposant campanile de pierre (ancienne tour de guet) haut de 66 m et enrichi d'étages à colonnes. Possibilité d'y monter le week-end ; visite guidée de 1h (5 €) en anglais et italien à 11h, 12h, 16h et 17h.
Ce chef-d'œuvre de l'orfèvrerie toscane, commencé en 1287, ne fut achevé que vers la fin du XVe s. Des générations d'artistes ont contribué à cette œuvre étonnante où l'on compte, paraît-il, 628 figures. Remarquer, sur le côté gauche devant l'autel, deux apôtres attribués à Brunelleschi (l'auteur de la coupole du *Duomo* de Florence).
À l'intérieur, beaux chapiteaux et un superbe autel en argent dans la *chapelle San Jacopo* (visible de 10h à 12h30 et de 15h à 17h30 ; 2 €). À gauche en entrant, monument sculpté pour le cardinal Forteguerri par Andrea Verrocchio (le maître de Léonard de Vinci) et ses élèves, parmi lesquels Lorenzo di Credi. Le buste et le sarcophage sont du XVIIIe s. Dans la chapelle de gauche, au fond, monter les escaliers et demander à voir le tableau qui est souvent protégé par un rideau : une *Vierge à l'Enfant entourée de saint Jean-Baptiste et de saint Zénon,* le patron de l'église. Il est de Lorenzo di Credi, sur un carton d'Andrea Verrocchio, vers 1485.

Battistero : *face au Duomo. Tlj sf lun 10h-13h, 15h-18h30.* Date du XIVe s. Peut-être construit selon les plans de Nicola Pisano. À l'intérieur, belle architecture de brique rose avec une voûte octogonale surprenante (et vertigineuse). Au centre, fonts baptismaux du XIIIe s.

Ospedale del Ceppo : *pas loin du Duomo.* Mérite le coup d'œil pour la magnifique frise en terre cuite, œuvre de l'atelier des Della Robbia. On reconnaîtra les œuvres de miséricorde : visite aux malades, aux détenus, les enterrements.

Museo Rospigliosi *(musée Clemente Rospigliosi)* **:** *via Ripa del Sale, 3. Mar-sam 10h-13h, 15h-18h et 2e dim du mois. Entrée : 3,50 €.* Belle collection de toiles du XVIIe s, composée surtout par trois séries de huit tableaux de Giacinto Gimignani puisant dans la mythologie, l'Ancien et le Nouveau Testament.

Chiesa Sant'Andrea : *via di Sant'Andrea. Tlj 7h30-18h.* Belle façade du XIIe s. À l'intérieur, remarquable chaire de Giovanni Pisano avec de très belles scènes de la vie du Christ exécutées entre 1298 et 1301. Caractère dramatique des figures, bien plus développé que dans la chaire de Guido da Como (chiesa San Bartolomeo in Pantano).

Chiesa San Bartolomeo in Pantano : *piazza San Bartolomeo. Tlj 8h30-12h, 16h-19h.* Fondée au milieu du XIIe s. À l'intérieur, une magnifique chaire avec des scènes de la vie du Christ, datée de 1250 et signée de Guido da Como. Elle représente le passage entre l'art roman et l'art plus moderne de Giovanni Pisano (voir « Chiesa Sant'Andrea » ci-dessus).

Manifestations

– ***Pistoia Blues Festival :*** *en juil.* ● *pistoiablues.com* ● Plus que du réel blues, c'est plutôt le Woodstock des faubourgs de Florence. Déplacement en masse de la jeunesse tendance « hippy-centro-sociale », donc pénurie de logements à prévoir ! Un grand terrain vague est aménagé en camping, mais il est rapidement plein à ras bord !
– ***Joute de l'Ours*** *(Giostra dell'Orso)* ***:*** *le 25 juil.* ● *giostradellorso.it* ● C'est le *Palio* de Pistoia. L'ours est un des emblèmes de Florence, repris par Pistoia pour rejoindre le camp florentin. Les festivités ont lieu sur la piazza del Duomo.

➤ DANS LES ENVIRONS DE PISTOIA

COLLODI *(51014)*

Village escarpé auquel l'auteur de *Pinocchio,* Carlo Lorenzini, doit son pseudonyme, Collodi mérite une petite escale. La découverte du village, qui dégringole de son promontoire rocheux, est spectaculaire quand on arrive de San Gennaro. En outre, en plus du parc (pas folichon) dédié au petit bonhomme dont le nez s'allonge quand il ment, le village recèle un très beau jardin italien du XVIIIe s, le parc de la villa Garzoni.

Adresse utile

Infos touristiques : *piazza Collodi ; à deux pas de l'entrée du parco di Pinocchio.* ☎ *0572-42-96-60.* ● *turismocollodi@comune.pescia.pt.it* ● *Ouv mars-nov : mar, mer 9h-13h ; 14h-17h le reste de la sem. Fermé lun.* Donne des renseignements sur les choses à faire dans la région de Pescia.

À voir

Parco di Pinocchio : ☎ *0572-42-93-42.* ● *pinocchio.it* ● *Tlj 8h30-19h ; fermé nov. Entrée : 11 € ; 8 € pour les 3-14 ans. Billet combiné avec les jardins de la villa Garzoni et la maison des papillons : 20 € ; 16 € pour les 3-14 ans.* Ce n'est pas un parc d'attractions, mais plutôt l'œuvre d'un collectif d'artistes retraçant les aventures de Pinocchio à travers des sculptures et des mosaïques disséminées dans le parc. Chemin faisant, on croise les protagonistes du livre de Lorenzini. Spectacles et animations de mars à septembre. Sincèrement, si la promenade n'est pas désagréable, l'ensemble semble un peu léger pour le prix, surtout que nombre d'attractions sont payantes, et si vos enfants ne connaissent pas Pinocchio, il se pourrait bien que cet univers plein de références leur passe un peu au-dessus de la casquette.

Parc de la villa Garzoni et maison des papillons : *☎ 0572-42-73-14. Tlj avr-nov de 9h jusqu'au coucher du soleil. Entrée : 13 € ; 10 € pour les 3-14 ans.* Commencé au début du XVIIe s et terminé à la fin du XVIIIe, ce jardin est un étonnant exemple de la tradition toscane. Épousant à la perfection la dénivelée du terrain, c'est l'un des rares jardins de style baroque que l'on peut encore observer en Europe. Une volière à papillons agrémente la visite.

PRATO

(59100) 180 000 hab.

Connue dès le Moyen Âge pour son industrie textile lainière, Prato, que l'on appelle aussi « la petite Florence » eu égard à la beauté de certains de ses monuments, joue un rôle économique de premier ordre dans la région. Située au débouché de la vallée du Bizenzio, au centre de la plaine qui va de Florence à Pistoia, la ville possède un *centro storico* très agréable à visiter, de beaux monuments de facture romane et Renaissance, ainsi qu'un intéressant musée du textile.

Arriver – Quitter

En train

Gares ferroviaires : 2 gares, ***Prato Centrale*** sur la ligne Florence-Bologne, et ***Prato Porta al Serraglio*** sur la ligne Florence-Viareggio. La première se trouve à l'est de la ville. Prendre un bus *LAM* pour se rendre au *centro storico (arrêt Piazza San Domenico)*. La seconde est plus près du centre-ville.

En bus

Gare routière : *piazza Stazione. ☎ 0574-60-82-35. • capotaulinee.it • Les bus s'arrêtent en face de la gare Prato Centrale.* Bus ttes les 15 mn avec *CAP* et *LAZZI* depuis Florence. Compter 35 mn de trajet.

Circulation et stationnement

Depuis l'autoroute, le mieux est de prendre la ***sortie Prato Est,*** ceci afin d'éviter la zone industrielle et d'accéder plus facilement au centre. Ensuite, se garer sur le parking situé en face de la poste.

Adresse utile

Agenzia per il turismo di Prato : *piazza Duomo, 8. ☎ 0574-24-112. • pratoturismo.it • Avr-sept, lun-sam 9h-13h30, 14h30-19h (18h30 le reste de l'année ; dim le mat slt).* Petits guides sur la ville. Bon accueil.

LUCQUES ET SES ENVIRONS

Où dormir ? Où manger ?

Hotel Il Giglio : *piazza San Marco, 14.* ☎ *0574-37-049.* • *albergoilgiglio@tin.it* • *albergoilgiglio.it* • ♿ *Juste à l'entrée des remparts, dans un angle de la pl. San Marco (sculpture de Henry Moore). Doubles 60-72 €, parking et petit déj compris. Wifi.* Petit hôtel sans prétention mais très propre. Une douzaine de chambres correctes dont la moitié avec salle de bains. Au rez-de-chaussée, 2 d'entre elles accessibles aux personnes à mobilité réduite. Ambiance « hôtel chez l'habitant » d'autant qu'Alvaro et sa fille Stefania vous accueillent gentiment dans la langue de Molière.

Aroma di Vino : *via San Stefano, 24.* ☎ *0574-43-38-00. Derrière la cathédrale. Tlj sf à midi lun-mer. On y mange bien pour 20-25 €. Café offert sur présentation de ce guide.* Un joli petit resto, tout en couleur et patiné aux encoignures. Bonne ambiance, bonne musique. Ici, tous les produits sont faits maison, d'ailleurs Trudy est passée maîtresse dans l'art de concocter ses desserts (paraît qu'on fait de la route pour goûter sa tarte aux épinards et aux amandes !). Autrement, c'est l'occasion d'essayer une cuisine toscane gentiment revisitée : lasagnes végétariennes, céleri à la pratoise et d'excellentes soupes.

Lo Scoglio : *via Verdi, 42.* ☎ *0574-22-760. Tlj sf sam midi. On mange pour 25-30 € si on ne force pas sur les plats ; moins pour une pizza.* Dans un couvent datant de 1400, salles voutées, ambiance proprette. La maison a fait sa spécialité du poisson frais comme en témoigne la vitrine réfrigérée en entrant. Autrement, bonnes pizzas, mais le soir seulement. Bons desserts. On regrette juste le R&B en musique de fond.

Ristorante Tonio : *piazza Mercatale, 161.* ☎ *0574-21-266. Derrière la cathédrale. Repérez le campanile de l'église San Bartolomeo, c'est juste à côté. Tlj midi et soir sf dim-lun. Repas 35-40 €.* Un resto aux standards des années 1950 ; rien n'a changé depuis l'ouverture. Une table on ne peut plus classique, un service stylé, une cuisine goûteuse et sans surprise, bien dans la tradition. On y vient surtout pour le poisson.

Où manger une bonne glace ?

Il Lingotto : *piazza Mercatale, 145 a.* ☎ *0574-60-58-63.* Un excellent glacier où les portions sont bien servies et, qui plus est, vend des glaces *senza glutine* (sans gluten).

À voir

Entre autres, le ***Duomo,*** de style romano-gothique, assez représentatif de ce que furent ces édifices bicolores qui alternaient l'*alberese* (pierre calcaire claire) et la serpentine jusqu'au XVe s. Il est célèbre pour sa chaire extérieure, œuvre de Donatello et Michelozzo. À l'intérieur, belle chaire Renaissance en marbre blanc. Dans l'abside, les fresques de Filippo Lippi (admirable *Banquet d'Hérode* annonçant Botticelli !) sont accessibles moyennant 3 € (audioguide compris dans le prix).

– Voir aussi le *museo dell'Opera del Duomo : tlj sf mar 10h-13h, 15h-18h30 ; dim 10h-13h. Entrée : 5 €.* Orfèvrerie religieuse, sculpture de Donatello.

Le palazzo Pretorio abrite la ***Galleria comunale*** et son importante collection de peintures (Filippo Lippi, Bernardo Daddi, Fra Bartolomeo, Giovanni da Milano). Également une belle collection de gravures sur bois allant du XVIe au XIXe s. Toujours en travaux lors de notre passage, sa date de réouverture au public n'était pas encore connue.

🍴🍴 ***Centro per l'arte contemporanea Luigi Pecci :*** *via della Repubblica, 277.* ☎ *0574-53-17.* • *centropecci.it* • *Tt de suite au niveau de l'entrée en ville, quand on prend la sortie Prato-Est de l'autoroute (repérez la banane en béton, œuvre de M. Staccioli).* En cours de lifting, qui devrait lui donner une allure plus en rapport avec la qualité des collections exposées (pour le moment, vu de l'extérieur, c'est vraiment pas terrible !). Accueille de très belles expos temporaires (et continue de le faire même pendant les travaux). Possède aussi dans son fonds propre des œuvres de Mario Merz, David Tremlett, Julian Schnabel, Gilberto Zorio... *Entrée : 5 €.* Pour les amateurs d'art contemporain, c'est L'endroit en Toscane.

🍴🍴 ***Museo del Tessuto*** *(musée du Tissu)* ***:*** *via Santa Chiara, 24.* ☎ *0574-61-15-03.* • *museodeltessuto.it* • *Au sud-est du centro storico. Lun-ven 10h-18h, sam 10h-14h, dim 16h-19h ; fermé mar. Entrée : 4 € ; réduc.* Un musée entièrement consacré à l'art et à l'industrie textile qui regroupe des pièces allant de l'Antiquité à nos jours. Belle muséographie mettant en valeur des tissages du monde entier. Les vitrines recèlent des pièces rares, comme des fragments de tissages précolombiens, mais aussi des velours vénitiens et florentins de la Renaissance. Dans les pièces contemporaines, signalons les œuvres de Moore, Ponti ou Dufy. Aussi une riche collection de vêtements et tout sur le passé industriel de la ville. Maintenant que vous êtes aiguillé, prenez une navette et filez-y dare-dare !

🍴 À voir également, l'étonnante ***chiesa Santa Maria delle Carceri*** (Sainte-Marie-des-Prisons) dont la forme de la petite coupole n'est pas sans évoquer celle de Brunelleschi.

➢ En quittant l'autoroute A 11 de Lucques à Florence et en vous enfonçant vers le sud en direction de San Gimignano, vous traverserez le *monte Albano* et découvrirez un morceau de campagne riche en histoire, compris entre l'autoroute Fi-Pi-Li de Pise à Florence (sortie à Pistoia) au sud, et l'A 11 de Lucques à Florence (sortie à Empoli) au nord. Quelques monuments et musées d'importance jalonnent cet itinéraire, notamment sur les pas de Léonard de Vinci, dans sa propre ville natale. La meilleure période pour visiter la région est l'automne ou l'hiver : c'est le temps des vendanges, des récoltes d'olives et de la dégustation de l'huile et du vin nouveaux... Mais le printemps, tout empreint de fragrances boisées, de jasmin et de roses mélangées, n'est pas mal non plus...

➤ DANS LES ENVIRONS DE PRATO

VINCI *(56059)*

À 25 km au sud de Pistoia, 60 km à l'est de Pise et 47 km de Florence par l'autoroute Fi-Pi-Li.

La patrie de Léonard. Ce petit village perché en forme d'amande ne s'est pas cantonné à surfer sur la notoriété du génie. En soirée, on peut encore flâner dans ses petites rues coquettes sans être agressé par une volée de T-shirts à l'effigie de l'enfant prodige. La campagne avoisinante est magnifique et offre de jolis panoramas. La nature change de visage et les champs alentour sont couverts d'oliviers.

Arriver – Quitter

➢ ***En train, puis en bus de Florence :*** au départ de la gare S. M. Novella, prendre le train jusqu'à Empoli, puis bus fréquents *COPIT* (le n° 49) depuis la gare d'Empoli jusqu'à Vinci (piazza della Libertà).

Adresse utile

ℹ ***Office de tourisme :*** *via della Torre, 11.* ☎ *0571-56-80-12.* ● *terredelrinascimento.it* ● *Au pied du château dei Conti Guidi. Mars-oct, tlj 10h-19h ; nov-avr, lun-ven 10h-15h, w-e et j. fériés 10h-18h.* Réservation d'hébergements et nombreuse documentation sur la région. Bon accueil et en français !

Où dormir à Vinci et dans les environs ?

Campings

▲ ***Camping Village San Giusto :*** *via Castra, 71, 50050 Limite Sull'Arno.* ☎ *055-871-23-04.* ● *info@campingsangiusto.it* ● *campingsangiusto.it* ● *À 10 km à l'est de Vinci, sur la route de Carmignano. Navette tlj pour la gare d'Empoli à 9h30, de là, on gagne Florence en train, départ ttes les 15 mn, retour à 18h30. Ouv Pâques-début nov. Résa conseillée. Nuit 25 € pour 2 avec tente et voiture. Chalets 2-4-6 pers 40-84 €. Internet, wifi. En basse saison, une nuit gratuite pour un séjour d'au moins 1 sem sur présentation de ce guide.* Agrippé à flanc de colline, ce vaste camping (où l'on doit quand même un peu se tasser l'été) déploie ses emplacements dans l'un des secteurs les plus verdoyants du mont Montalbano. Propre et très ombragé, il propose en outre de bonnes prestations : épicerie, resto, aire de jeux pour les enfants... Vraiment un bel endroit, à l'ambiance sereine. Accueil très gentil.

▲ ***Camping Barco Reale :*** *via Nardini, 11, à San Baronto (commune de Lamporecchio).* ☎ *0573-88-332.* ● *info@barcoreale.com* ● *barcoreale.com* ● ♿ *À 10 km au nord de Vinci, sur la route de Pistoia. Ligne de bus Pistoia-Empoli, arrêt San Baronto. Congés : oct-mars. Résa obligatoire en juil-août. Nuit 26-38 € pour 2 avec tente et voiture selon saison. Internet.* Un vaste camping moderne et très bien tenu, stratégiquement situé au cœur de la Toscane. Emplacements bien délimités, au sommet d'une colline boisée. Resto, bar, épicerie et animations (un peu bruyantes parfois...). Belles piscines (une pour les grands et une petite pour les enfants) jouissant d'un panorama...

Agriturismi

🏠 ***La Gioconda :*** *via S. Lucia, 4.* ☎ *0571-90-90-02 ou 393-96-50-506.* ● *agriturismo.lagioconda@virgilio.it* ● *agriturismolagioconda.com* ● *À 250 m de la maison natale de Leonardo et à 3 km de Vinci. Congés : nov-fév. Doubles 50-60 € ; petit déj 5 € ; apparts 4 pers 70-120 €/j. CB refusées. Internet. Apéro ou café offert sur présentation de ce guide.* Perchée sur une jolie colline, cette belle propriété de caractère bénéficie d'un panorama époustouflant sur la campagne avoisinante et sur le petit village de Vinci. Un jardin très fleuri, une très belle piscine avec vue imprenable sur la vallée, beaucoup de cachet et de confort, AC dans toutes les chambres (7 au total, dont 6 avec kitchenette) et cet environnement... Waouh, que c'est beau ! Enfin, les apprentis vignerons peuvent se faire la main à l'occasion des vendanges. Bon accueil d'Eva et de Lorenzo, qui prêtent aussi des vélos.

🏠 🍴 ***Il Vincio :*** *via di San Pantaleo, 28.* ☎ *0571-56-009.* ● *il.vincio@virgilio.it* ● *ilvincio.it* ● ♿ *À 2 km au sud de Vinci, direction Cerreto Guidi ; au rond-point, continuer sur 500 m et prendre à droite vers San Pantaleo. Congés : nov (à cause de la récolte des olives). Double 80 € ; petit déj 8 € ; apparts 2 pers 480-550 €/sem selon saison. Repas 25-30 € ; cuisine fermée le mar. Réduc de 10 % en juin sur le prix de la chambre sur présentation de ce guide.* Une poignée de chambres, avec salle de bains, spacieuses et bien arrangées. Quant au petit déj, c'est un vrai festin constitué des produits de la ferme. L'environnement est simple, dans une *azienda* bio et familiale, au cœur de 7 ha de vigne, de céréales et de fruits. Cristina, qui parle le français, respire la bonne humeur et vous réserve un accueil vraiment chaleureux. Sur demande, elle prépare une excellente cuisine familiale. Possibilité de manger dans le vaste jardin et d'utiliser le barbecue.

Agriturismo Podere Zollaio : *via Pistoiese, 25. ☎ 0571-56-439. • agriturismopoderezollaio@tin.it • poderezollaio.com • À Vinci, prendre la route qui monte au pied du Museo ideale Leonardo da Vinci, puis à gauche, un virage en épingle juste après la sortie du village. Ouv tte l'année. 4 apparts 2-4-6 pers 400-610 €/sem pour 2 suivant taille et saison (+ 26 €/pers en sus). CB refusées.* Dans une maison du XVe s entièrement rénovée, Lisa propose une poignée d'appartements tout confort, coquets et très agréables à vivre. L'endroit est fabuleux, noyé dans les oliviers, avec sa piscine qui domine le bourg médiéval de Vinci et la campagne qui ondule jusqu'à la mer. Pas de petit déj, tout est en *self-catering,* petites kitchenettes, barbecue pour griller sa *fiorentina* ou arroser sa *dentice* d'huile extra-vierge produite au domaine.

Antico Masetto : *piazza Berni, 12, à Lamporecchio. ☎ 0573-82-704. • info@anticomasetto.it • anticomasetto.it • Ouv tte l'année. Résa conseillée en été. Doubles 60-125 € en fonction du type de chambre et de la charge de l'hôtel, petit déj-buffet compris.* Pour celles et ceux qui préfèrent l'hôtel aux *B & B,* un très bel établissement sur la place du village de Lamporecchio (très animé le vendredi, jour de marché). Une vingtaine de chambres tout confort. C'est nickel, et pour quelques euros de plus, offrez-vous celles qui donnent sur l'arrière, la vue est magnifique ! Excellent accueil de Sauro.

Où manger à Vinci ?

Ristorante-Pizzeria Leonardo : *via Montalbano nord, 16. ☎ 0571-56-79-16. Au pied du museo Leonardiano, dans le centre. Tlj midi et soir. Congés : nov ou janv. Menu touristique 13 € le midi, compter le double le soir. Café ou digestif offert sur présentation de ce guide.* Petit resto, service nappé, au frais l'été, et les inévitables roues de charrettes pour faire plus campagnard. C'est la cantine des gars du coin, on y vient à *pranzo* pour *una bistecca* avec des frites, les yeux rivés sur la télé. Autrement, la patronne prépare une cuisine toscane sans surprise. C'est bon mais le service du fils mériterait d'être plus souriant.

À voir. À faire

Museo Leonardiano : *☎ 0571-93-32-51. • museoleonardiano.it • Tlj 9h30-19h (18h nov-fév). Entrée : 6 € ; réduc.* Musée officiel rappelant la vie de Leonardo et son avant-gardisme, réparti sur deux bâtiments : le *castello dei Conti Guidi* (le château de Vinci), comprenant plusieurs maquettes des machines de Léonard (dont les célèbres machines volantes...), une salle dédiée aux travaux de Léonard en matière d'optique ; et le *palazzina Uzielli* (à deux pas), où commence la visite puisqu'il abrite la billetterie ; demandez la très complète brochure en français pour cette partie assez technique mais intéressante. Expo sur les machines de chantier, les grues, leur histoire, leur évolution et leur rôle dans la construction des églises et autres monuments. Également des maquettes sur la contribution de Léonard à la technologie textile.

Museo ideale Leonardo da Vinci : *tlj 10h-19h (17h en hiver lun-sam). Entrée : 5 € ; réduc.* Musée privé. La visite commence sous une grande cave voûtée puis se poursuit dans des salles plus contemporaines. Belle scénographie, même si le fil conducteur n'est pas toujours facile à suivre. L'ensemble est constitué d'œuvres ou « objets » inspirés des maquettes et travaux de Vinci ; certains sont un détournement des œuvres de l'artiste.

Casa natale di Leonardo da Vinci : *à Anchiano. ☎ 0571-56-519. À 3 km de Vinci. Tlj 9h30-19h (18h nov-fév). Entrée gratuite.* Explications principalement en italien. Ne vous attendez pas au grand luxe : perchée en haut d'une colline et entourée d'oliviers, la maison natale de cet inventeur de génie est réduite à sa plus simple expression.

➢ De nombreux ***sentiers de randonnée*** rayonnent depuis Vinci. Le départ des itinéraires (tous fléchés par un panneau bordeaux et blanc) se fait au nord du village sur la route en direction d'Anchiano. Ils sont praticables aussi bien à pied qu'à VTT. Le circuit le plus sympa est le n° 16, qui part d'Anchiano, mais c'est également le plus long (compter 2h l'aller-retour à pied).

CERRETO GUIDI *(50050)*

À 5 km au sud de Vinci, 28 km au sud de Pistoia, 45 km à l'ouest de Florence et 60 km à l'est de Pise (sortie de l'autoroute Fi-Pi-Li à Empoli). Situé sur un col qui marquait un passage stratégique vers le marais de Fucecchio (la plus vaste zone marécageuse d'Italie), ce petit village tranquille, qui tire son nom des comtes Guidi, vaut surtout pour sa ***Villa Medicea,*** une demeure chargée d'histoire.

Arriver – Quitter

➢ ***En train, puis en bus :*** par le train de Pise à Florence, descendre à la gare d'*Empoli*. Ensuite, prendre le bus, mais ils sont très peu fréquents et circulent plutôt entre 7h et 13h (bus *LAZZI, Piu Bus,* ☎ *0571-74-194*).

Adresse utile

ℹ ***Office de tourisme*** *(Pro Loco) : via Saccenti, 57. Au pied de la Villa Medicea. ☎ 0571-55-671. • prolococerretoguidi.it • Mar-ven 10h-13h, 17h-19h ; sam 9h-13h, 16h-19h ; dim 9h30-12h30.*

À voir

Villa Medicea : *via dei Ponti Medicei, 7 ; dans le centre du village. Ouv 8h15-19h, fermé 2e mer du mois. Entrée : 2 €.* Cette imposante bâtisse fut dressée là, au-dessus des ruines du château des Guidi, sur ordre de Cosme Ier de Médicis, trop content de pouvoir écraser son adversaire de manière aussi ostentatoire. À l'intérieur, musée dédié aux Médicis, avec des portraits de leurs plus fameux membres. La villa fut marquée par le scandale, au XVIe s, lorsque la fille de Cosme Ier, soupçonnée d'adultère, fut étranglée par son mari dans l'une des pièces. Impressionnants escaliers à l'avant, connus sous le nom de *Ponti Medicei*. Autrement, une huile sur toile du Tintoret et quelques mobiliers remarquables en marqueterie datant de la première moitié du XVe s. Les amateurs d'armes trouveront une belle collection de lames (certaines des XIe et XIIe s), pistolets, escopettes, tromblons et revolvers. À noter également : quatre superbes tapisseries du XVIe s représentant les quatre saisons.

SAN MINIATO *(56027)*

À 40 km à l'est de Pise et 40 km à l'ouest de Florence par l'autoroute Fi-Pi-Li. Juchée sur une colline élevée, dominée par la haute tour de son château et le *Duomo*. L'origine de la ville est étrusque, mais ce n'est qu'au VIIIe s, quand une poignée de Lombards décident d'y bâtir une église en mémoire de leur saint martyr *Miniato,* que s'établit véritablement la ville. Ensuite, son histoire, comme celle de ses voisines, est liée aux incessants tiraillements entre Pise et Florence. Après la chute de Pise à la fin du XIIIe s, les villageois arrivent à proclamer leur « commune libre ». Elle s'allie alors à la ligue guelfe mais ne peut résister aux sirènes florentines et tombe sous la férule de Florence à la fin du XIVe s. Si bien qu'une fois établie la puissance des Médicis, San Miniato roule pour la « capitale de la Toscane » et fait partie intégrante du grand-duché.

Arriver – Quitter

Gare ferroviaire : *à Fucecchio, à 3 km au nord de San Miniato.* Pour plus de renseignements, appeler l'office de tourisme de San Miniato.

➢ Nombreux trains ***depuis et vers Florence*** ou ***Pise*** (gare centrale et aéroport).

Stationnement

Se garer sur le parking gratuit *Fonti Alle Fate. Ouv avr-nov 7h30-20h30 ; dim et j. fériés 9h-20h.* Ensuite prendre l'ascenseur. L'office de tourisme se trouve au 2e étage. Autrement, nombreuses aires de stationnement, mais plutôt loin du centre.

Adresses utiles

Office de tourisme : *piazza del Bastione, 1.* ☎ *0571-42-745 ou 41-87-39.* • *cittadisanminiato.it* • *Tlj 9h-13h, 15h-19h ; dim et j. fériés 9h30-13h, 15h-19h30.* Donne des plans de la ville et de la doc en français.

Pro Loco : *corso Garibaldi, 2.* ☎ *0571-42-233.* • *prolocosanminiato.it* • *Lun-sam 10h-13h, 15h-18h ; dim horaires variables.*

@ ***Internet Point :*** *à la bibliothèque, dans la rue principale, à côté de la mairie. Lun-ven 9h-13h, 14h15-19h ; sam 9h-13h.* Autre possibilité à San Miniato basso.

Où dormir ? Où manger à San Miniato et à Palaia ?

Dimora del Grifo : *via Cesare Battisti, 31, San Miniato.* ☎ *0571-42-697.* • *dimoradelgrifo@yahoo.it* • *Dans le centre historique ; dans la rue qui part de la piazza del Popolo. Double 60 € (+ 15 €/pers supplémentaire) avec sdb commune ; pas de petit déj. CB refusées. Une lithographie de la ville offerte sur présentation de ce guide !* Une belle maison ancienne avec beaucoup de cachet, renfermant une poignée de chambres (bleue, rose et jaune) spacieuses, coquettes et confortables. Accueil très gentil.

Agriturismo La Palazzina : *via La Palazzina, 37, Palaia.* 📱 *33-81-52-56-72.* • *lapalazzina.net* • *De l'autoroute Fi-Pi-Li, prendre la sortie Montopoli, puis suivre le fléchage Palaia qui passe par Monte Foscoli. Ouv tte l'année. Résa conseillée. Double 70 €, petit déj compris. Aussi une petite dizaine d'apparts 80-130 €/j. selon taille et saison.* Un *B & B* très sympa dans un environnement exceptionnel. Une poignée de chambres et quelques beaux apparts. Pas de clim'. Poutres apparentes, tomette toscane, et des lits qui grincent juste ce qu'il faut pour imprimer à vos voisins d'agréables souvenirs de vacances. C'est frais, lumineux et meublé dans un style campagnard. Bon petit déj pris dans le pavillon de chasse, à un jet de pierre de la piscine qui domine la vallée. Une bonne adresse pour les vacances.

🍽 **Antico Bar-trattoria :** *via IV Novembre, 29, San Miniato. ☎ 0571-40-08-12. Fermé dim. Congés : 20 premiers j. d'août. Menus à partir de 13 €. CB refusées.* Petit bar-resto populaire avec une minuscule terrasse. Sandwichs au bar ou *pasta* (spécialité de pâtes aux noix et aux truffes) et *zuppe* sur les quelques tables, préparés avec des produits frais. On peut aussi opter pour les salades mixtes, ultracopieuses. Accueil sympathique, mais n'arrivez pas trop tard pour dîner, Pietro baisse le rideau de bonne heure !

🍽 **Trattoria Antica Farmacia :** *via del Popolo, 51, Palaia. ☎ 0587-62-21-49. Dans la rue principale de Palaia. Tlj sf mer, le soir slt. Repas 25-30 €.* Une petite salle voûtée, une cheminée d'époque, pas de nappe, mais une fenêtre largement ouverte sur la verdure en été. La carte est écrite à la main, un peu de travers. Un chianti blanc pour annoncer la couleur, ici on sait vivre. Ensuite, Marcello énumère les plats : une longe de porc, un civet de lapin, une belle assiette d'*antipasti* ou alors du poisson, car Marcello en connaît un rayon, le *surfcasting* est sa passion. Il vous refilera de bons tuyaux pour la plage. Alors quoi dire sinon qu'on y mange bien et que le *tiramisù* est excellent. Si, peut-être, une chose encore : des restos comme ça, on en trouve de moins en moins...

À voir

San Miniato et Palaia (quelques kilomètres au sud-ouest) sont parmi nos villages préférés de Toscane centrale. On y croise beaucoup moins de touristes qu'à San Gimignano, et la campagne est plus sauvage pour peu que l'on s'éloigne des grands axes routiers. Pour découvrir la ville, il existe un forfait à 5 € pour 8 musées (valable 1 an).

Pour commencer la visite, remonter la via Conti jusqu'à la place de la République. En cours de route, vous tomberez sur :

Museo San Genesio : *mar 10h-13h ; mer, ven 14h-18h ; sam-dim 11h-18h. Gratuit.* Petit musée archéologique de la période étrusco-romaine qui, entre autres, retrace l'histoire de San Miniato comme étape importante sur la via Francigena.

Piazza del Seminario *(piazza della Repubblica)* **:** *en contrebas du Duomo.* Place très romantique la nuit. Le séminaire, long bâtiment, présente de nombreuses fresques en trompe l'œil sur sa façade. De là, des escaliers conduisent à la piazza del Duomo et au Musée diocésain.

Duomo : accès par un escalier monumental. Construit au XIIIe s, souvent remanié. Originalité : une des tours de l'ancien château lui sert de clocher. Plafond richement décoré. Dans le transept gauche, une *Déposition* de Lo Spillo (1528).

Museo d'Arte diocesano : *à côté du Duomo. Jeu-dim 10h-18h en été ; 10h-13h, 14h-17h en hiver.* On y trouve une jolie *Maestà* en fresque, un retable de Neri di Bici, un *Saint Michel archange* de l'école d'Orcagna, *Le Sacrifice d'Isaac* de Cigoli, une *Annonciation* d'Empoli et une *Visitation* de Matteo Rosselli.

Rocca di Federico II : *à partir de la cathédrale, suivre le chemin d'accès. Mar-dim 11h-18h (17h en hiver).* Connue comme San Miniato « al tedesco » (San Miniato la germanique), la ville arbore fièrement la tour de l'empereur souabe Frédéric II. Détruite pendant la Seconde Guerre mondiale, elle fut reconstruite en 1956. Du sommet, panorama époustouflant sur les environs.

En revenant vers la piazza del Popolo

Chiesa San Iacopo et Lucia : *piazza del Popolo.* Édifiée au XIVe s. Beau tombeau dessiné par Donatello. Nombreuses fresques. Nef ornée de trompe-l'œil et étonnante ambiance due aux vitraux jaunes. Dans le couvent San Domenico, attenant à l'église, se trouve le ***Musée archéologique*** *(tte l'année sam-dim 11h-18h ; 17h en hiver),* qui expose des pièces extraites d'une nécropole étrusque. Intéressants outils en bronze, céramiques et terres cuites.

CARRARE ET LA VERSILIA

Géographiquement inscrite entre les rives du Cinguale, au nord et celles du Fosso di Motrone, au sud ; respectivement entre Massa et Torre del Lago, la Versilia délimite une bande côtière adossée aux contreforts des Alpes apuanes. Très humide en raison des fréquentes entrées d'air maritime, elle n'en demeure pas moins, avec ses plages interminables et ses possibilités de randos en montagne, un lieu de villégiature très prisé des Italiens. Dès le début du XIXe s, en effet, nombre d'artistes ont jeté leur dévolu sur elle, tant et si bien qu'elle connaît par la suite un rayonnement mondial, grâce notamment au style Art nouveau (Liberty) dont témoignent encore aujourd'hui, avec élégance, la plupart de ses monuments. Car ce n'est pas tant pour la beauté de ses plages que la région a acquis ses lettres de noblesse. Entre Torre del Lago, patrie chérie de Puccini, et Pietrasanta, terre d'adoption de Fernando Botero, la Versilia – avec ses nombreuses fonderies et un savoir-faire multiséculaire en ce qui concerne la taille du marbre –, est résolument tournée vers les arts ! En outre, celles et ceux qui pensent que les vacances passent aussi par la table seront ravis, car l'arrière-pays regorge de bonnes petites adresses.

CARRARA (CARRARE) (54033) 65 000 hab.

Connue dans le monde entier pour la qualité de son marbre, la petite ville de Carrare, lovée au pied de la montagne dont elle tire subsistance depuis l'époque romaine, n'est pas très gironde. On ne s'y attardera donc pas. Ici, on n'exploite pas le marbre, on le cultive disent les puristes ! C'est vrai que la visite vaut surtout pour les carrières, ou encore pour le très sérieux atelier Nicoli, qui travaille les œuvres des plus grands artistes et les expédie un peu partout à travers le monde. Dans un autre domaine, sachez que Carrare demeure l'un des bastions de l'anarchisme italien et international (comme en témoigne la place Sacco et Vanzetti) et qu'en septembre 1968, y fut créée l'Internationale des Fédérations Anarchistes.

LE QUATRE HEURE DU CARRIER

Même s'il tend à disparaître, le merendare, *goûter des ouvriers et des tailleurs de marbres, est encore très prisé. Autrefois, habitude était prise de cesser le travail sur les coups de 17h et de se rafraîchir la gorge d'un blanc de Candia, avec un* biroldo *(boudin) coincé entre deux tranches de* sciocco, *le pain sans sel typique de la Toscane.*

Arriver – Quitter

En train

🚂 ***Gare ferroviaire :*** *via Petacchi à Avenza.* ☎ *89-20-21 (horaires) ou* ● *trenitalia.it* ● La gare est desservie par les bus nos 52, 70 et 73.

➢ Liaisons avec ***La Spezzia, Pise, Milan, Livourne, Florence, Turin.***

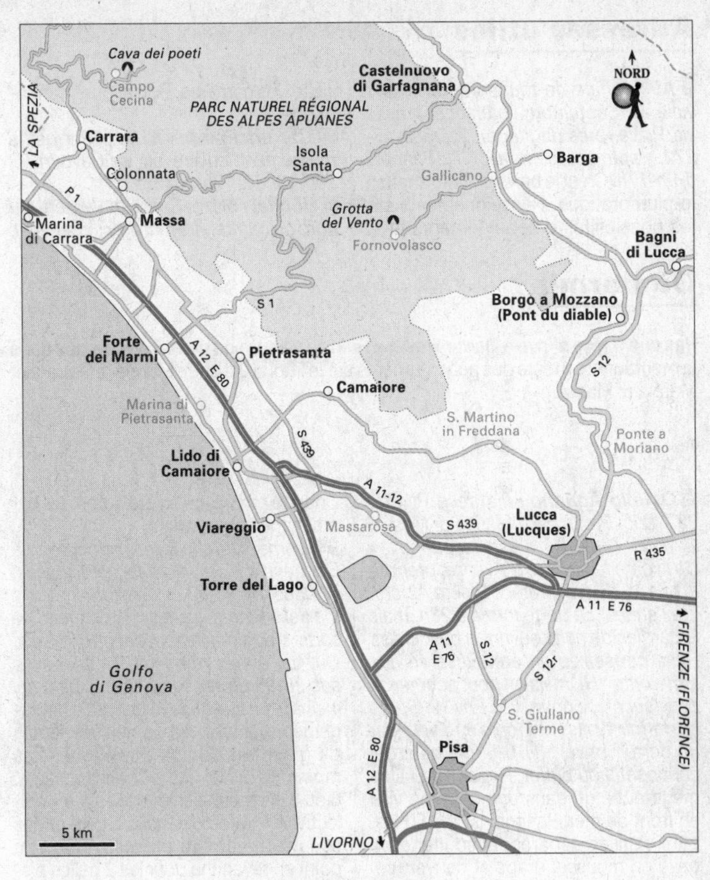

LA VERSILIA

En bus

Gare routière : *piazza Sacco et Vanzetti (devant l'hôpital). De la via Verdi (artère principale de la ville, remonter la via Sarteschi jusqu'au bout).* • *vaibus.it* •

➢ C'est d'ici que l'on prend les petits cars pour les villages environnants : ***Marina di Carrara*** (70), ***Massa*** (75), ***Marinella*** (52), ***Paradiso*** (73, 53), ***Colonnata*** (50), ***Miseglia*** (49), ***Aulla*** (17), ***Fivizzano*** (39), ***Sorgnano*** (47), ***Torano*** (48).

Circulation et stationnement

Deux grands parkings gratuits : *San Francesco* (près de l'église du même nom) et *San Martino* (sur la gauche en arrivant en ville). De là, prendre une navette gratuite 7h15-19h, qui part toutes les 15 mn (en principe !) et vous dépose devant la mairie. Autrement, le centre est à 15 mn à pied.

Adresses utiles

APT *(office de tourisme régional) : viale XX Septembre (intersection avec via Piave, près du stade).* ☎ *0583-43-272.* • *aptmassacarrara.it* • *Tte l'année, tlj 9h-17h.* C'est le bureau d'information le plus pratique. Renseignements sur les possibilités d'hébergements et la visite des carrières. Bon accueil francophone.

@ **Carrara Point :** *via Ulivi, 19 a (petite rue perpendiculaire à la via Cavour). Tlj 10h-13h30, 17h-20h30.*

Hôpital : *piazza Sacco et Vanzetti (au nord du centre-ville).* ☎ *118 (urgences).*

Où dormir ?

Pas une mince affaire à Carrare même. Rien en ville, un ou deux *B & B* perdus dans la montagne. Le reste des hébergements sur le littoral est entre Marina di Carrara et Marina di Massa.

Bon marché

Ostello Apuano : *via delle Pinete, 237. Loc. Partaccia à Marina di Massa.* ☎ *0585-78-00-34.* • *ostelloapuano.it* • *De la gare ferroviaire d'Avenza, prendre le bus n° 56 et s'arrêter à Pinete Alberti. Tte l'année. La porte ferme à 23h, mais le gardien de nuit l'ouvrira si besoin est. Résa conseillée en été. Réservé aux adhérents YHI, mais on peut acheter sa carte sur place pour 18 €. Env 12 €/pers en dortoir 12 lits (13 €/pers en hiver pour un dortoir privé) ; 1,70-3 € le petit déj continental ou buffet. Repas 10 €.* Une méga-auberge dans une superbe villa en front de mer. Pas moins de 160 lits, gars et filles séparés, avec literie de base en mousse, draps et couverture. La douche est contingentée, cuisine à jeton et salon TV. Accès direct à la mer, mais si vous ne souhaitez pas piquer une tête dans les cailloux, il y a une plage de sable à moins de 100 m ! Chaude ambiance en été autour du bar aménagé sur le parking.

Turimar Ostello Internazionale : *via Bondano a Mare, 4, à Marina di Massa.* ☎ *0585-24-32-82.* • *ostelloturimar.it* • *Via delle Pinete, juste avt le panneau de sortie d'agglomération Marina di Massa. Ouv tte l'année 7h-minuit. Doubles avec sdb 26-35 €/pers selon saison, petit déj inclus. Possibilité de ½ pens.* Un hébergement qui rappelle un peu les heures de gloire de l'Union soviétique. Pas moins de 1 400 lits ! Chambres 2, 4, 6 ou 8 lits meublées dans le style « collectivité », réfectoire hall de gare et des scouts en veux-tu en voilà. Très bon point en revanche pour les 2 belles piscines et pour l'accès direct à la plage. Pour les nostalgiques des camps de vacances du Parti, le tilleul-menthe, les œufs durs et le chou rouge au petit déj en moins...

Prix moyens

Albergo Kelly : *via delle Pinete, 75, à Marina di Massa.* ☎ *0585-24-53-59. De l'autoroute, sortie Massa, direction Marina di Massa jusqu'aux feux avec via delle Pinete, c'est à 100 m à droite. Doubles sans sdb 50-70 € selon saison, petit déj-buffet compris. CB refusées.* Dans une charmante villa crème, une dizaine de chambres à la déco gentiment balnéaire. Bonne literie, frigo, mais salle de bains à l'étage. C'est très propre. Dans le jardin, piscine hors-sol et table de ping-pong. Accueil avec le sourire. Ambiance familiale.

B & B Il Fontanino : *piazza Padre Ignazio Rossi, 3, à Bedizzano (Carrara).* ☎ *0585-76-82-23.* 📱 *33-83-11-38-74.* • *ilfontanino.it* • *Entre Carrare et Colonnata, au cœur du village de Bedizzano. Doubles 60-70 € sans ou avec terrasse, petit déj compris.* Un *B & B* dans un village tranquille. Belle réalisation, meu-

CARRARE ET LA VERSILIA

blée avec goût, parquet, couleurs chatoyantes. De la salle du petit déj, belle vue sur la verdure alentour. 3 chambres doubles à l'étage, dont une aménageable en quadruple, toutes avec salle de bains. Un coup de cœur pour celle du pigeonnier, sorte de minisuite avec terrasse plein sud. Bel endroit pour se reposer.

Chic

Hotel Carrara : *via Petacchi, 21, à Avenza (Carrara). ☎ 0585-85-76-16. • info@hotelcarrara.com • hotelcarrara.com • En face de la gare ferroviaire. Congés : fêtes de fin d'année. Double 105 € (négociable en basse saison), petit déj compris. Parking gratuit. Internet, wifi.* Un hôtel d'une trentaine de chambres coquettes. AC, meubles mélaminés en bois sombre, et une toile au-dessus de chaque lit pour faire classe. C'est très propre. Au sous-sol, beau salon meublé dans un style bourgeois et salle de resto pour un super petit déj-buffet. L'accueil est sympathique.

Où manger ?

De très bon marché à bon marché

Plusieurs *focaccerie* dans la rue Verdi, dont certaines mettent des tables sur la rue l'été.

Gelateria Imperiale : *piazza Menconi, 4, à Marina di Carrara. ☎ 0585-63-00-08. Face à la piazza Gino Menconi. Tlj sf mer en hiver.* Ici, le percolateur n'a pas le temps de refroidir... Un staff exclusivement féminin sert le petit noir à la chaîne, des glaces aussi. Dans l'arrière-salle en hiver ou en terrasse le regard sur la place en été, un plat du jour à prix raisonnable.

Ristorante Est-Est-Est : *via Verdi, 29 ; à deux pas de la pl. du XXVII Aprile. Lun-ven, le midi slt. Formule plat du jour, pain, couvert et quart de* rosso *pour 7 €.* Toute petite salle sans prétention avec peintures à l'aérographe un peu niaises aux murs. Service rapide pour une salade ou un hamburger maison.

Prix moyens

Tarasbi : *via Cavour, 2, dans le centre-ville de Carrare. ☎ 0585-77-51-70. Tlj sf lun 11h30-minuit. Compter 10-15 € pour des pâtes, 5-8 € pour une pizza.* Un resto-*enoteca* en sous-sol, un tantinet branché et qui accueille de temps à autre des œuvres d'artistes du cru. Déco soignée, pierre, cuivre et fer forgé. Bonne ambiance. Pour le menu du jour ou une pizza *tarasbi* (au poisson).

Chic

La petite cuisine di Roberto : *via Verdi, 4. ☎ 0585-70-226. Tlj midi et soir sf dim. Compter 30-35 € sans le vin.* Salle minuscule, nappes blanches et sacrées bouteilles... Un resto de poisson qui sert de cantine aux cols blancs du coin, mais c'est le soir que la cuisine prend toute sa dimension. Le service est correct. Bons *antipasti* de la mer, spécialité de daurade au four, pâtes aux langoustines ou raviolis de poisson maison. La carte des vins mériterait plus d'étiquettes. En dessert, craquez pour un *semifreddo di torrone* et *pinolata*. Pour passer un bon moment.

Où manger du lard de Colonnata ?

|●| ***Ristorante Venanzio :*** *piazza Palestro (au pied de la tour) à Colonnata. ☎ 0585-75-80-33 ou 62. Tlj midi et soir sf jeu et dim soir. Résa fortement conseillée. Menus 30-35 € sans le vin.* En terrasse sur la placette ou en salle, pâtes et lard et patate... Pour la spécialité du cru : une tranche fine de lard noble sur un *crostino* bien chaud et un verre de blanc sec. Autrement, toute une symphonie de mets fins, travaillés avec passion et servi avec brio. Une excellente adresse.

À voir

Connue mondialement pour son marbre, c'est évidemment l'un des intérêts premiers d'une visite de Carrare. Un petit musée en retrace d'ailleurs toute l'histoire. Si vous avez le temps, passez voir les mines, sinon, la visite des ateliers Nicoli est très enrichissante.

Duomo : *piazza Duomo. Tlj 8h-13h, 15h30-19h. Fermé à la visite pdt les offices religieux.* La cathédrale San'Andrea des XIe-XIVe s est orientée bizarrement. Elle présente un superbe fronton romano-gothique de style pisan. À l'intérieur, *murale* du XVe-XVIe s, *« la vergine della cintola »*, mais rien d'exceptionnel. Sur la place, belle statue inachevée de Neptune représentant Andrea Doria, exécutée entre 1528 et 1538 par Baccio Bandinelli à la demande de la République de Gênes.

Museo del Marmo : *viale XX Septembre. Loc. Stadio (en face du bureau de l'APT, à env 2 km du centre en allant vers Marina di Carrara). ☎ 0585-84-57-46. Bus no 70 ou 52, arrêt Stadio. Tlj sf dim : mai-sept, 9h30-13h, 15h30-18h ; le reste de l'année, 9h-12h30, 15h-17h. Entrée : 4,50 € ; réduc.* Comme son nom ne l'indique pas, ce n'est pas un musée de la petite enfance, mais bel et bien un musée du marbre ! Créé en 1982 à l'initiative de la commune, ce musée, dont on a vite fait le tour, relate l'histoire de l'exploitation du précieux filon depuis l'époque romaine. On y apprend beaucoup sur la géologie ; il y a aussi un bel échantillonnage de marbres, travertins et granites, mais le reste peut sembler un peu « froid » et risque de laisser de marbre (!) nombre de visiteurs.

QUAND LE DUCE DÉBLOQUE (DE MARBRE)...

Connue depuis l'époque romaine, ce n'est qu'au XIIe s, au temps des cathédrales toscanes, que commença véritablement l'exploitation du marbre à Carrare. Les grandes familles prirent rapidement le contrôle de cette industrie, jusqu'au moment où la Révolution française ralentit la cadence, orientant le marché exclusivement vers l'édification de monuments funéraires. C'est Mussolini, avide de luxe, qui relancera la machine en y faisant extraire un bloc de 300 tonnes d'un seul tenant !

Cava 177 : *en montant vers Colonnata. 📱 33-85-78-36-29. • cava177.com • Tte l'année 10h30-18h30 (mais plus sûr mars-oct et l'ap-m de préférence). Entrée : 5 € ; réduc.* Une carrière typique à ciel ouvert. Marco, qui travaille ici avec son père et son oncle, vous fait faire la visite. Le tour dure une bonne demi-heure et permet d'appréhender les différentes techniques qui, depuis l'Antiquité à aujourd'hui, ont permis aux hommes de découper la montagne.

Marmo Tours : *à Fantiscritti. 📱 33-97-65-74-70. • marmotour.com • De la cava 177, emprunter le tunnel, c'est sur le versant caché. Tte l'année, lun-ven 11h-17h. Entrée : 7 € ; réduc.* Dix personnes à chaque fois dans un minibus, et hop, c'est parti pour un tour ! La mine se trouve à l'intérieur de la montagne. Rien de vraiment transcendant hormis de gros engins, mais attention à la grosse angine, car à l'intérieur, il ne fait que 16 °C, même en plein été ! Ici aussi, visite éclair et même contenu didactique. Juste à côté, le petit ***musée Walter Danesi*** témoigne de la pénibilité du travail de mineur et expose aussi de très jolies réalisations en marbre.

🍴🍴 ***Colonnata :*** dans un cirque vert et blanc de feuillus qui pointent vers le ciel et de gros blocs qui dégringolent les pentes, un village typique, rythmé par le clocher de l'église et l'incessant balai des dumpers qui charrient les éboulis vers l'aval. Ici, on a l'âme ouvrière. De la placette qui jouxte l'église, beau panorama. Autrement, un lacis de ruelles jalonné de *larderie* où chacun y va de sa recette maison. On a même vu du chocolat au lard de Colonnata !

🍴🍴 ***Cava dei poeti :*** celles et ceux qui possèdent une voiture pousseront jusqu'à la cava dei poeti (cava Morlungo D), un amphithéâtre naturel perdu dans la montagne, à 1 300 m d'altitude, sorte de symphonie en vert-blanc-bleu, d'où la vue est à couper le souffle. Compter vingt bonnes minutes par la petite route qui passe par Campo Cecina (route de Gragnana). De là-bas, partent des chemins de rando pour le parc des Alpes apuanes.

🍴🍴🍴 ***Ateliers Nicoli :*** *piazza XXVII Aprile, 8 e, à Carrara. ☎ 0585-70-079. • carlo nicoli.com • Tte l'année, lun-ven 9h-12h, 13h-16h. Entrée : 2 €.* Un atelier qui travaille pour les plus grands sculpteurs, mais héberge aussi quelques artistes en résidence. L'occasion d'une visite au cœur du marbre pour admirer ce que des doigts habiles peuvent en tirer. Deux ateliers : dans le plus grand, les ouvriers de Nicoli travaillent à la commande ; dans l'autre, quelques artistes viennent sculpter eux-mêmes. Dans le grand atelier, des moulages célèbres : Melotti, Poncet, César, Louise Bourgeois... Mais aussi des classiques de Michel-Ange, Bernin, Canova. Enfin, une intéressante petite galerie d'art contemporain, et surtout, l'envie de Francesca Nicoli, fille du maître, de faire partager sa passion des beaux-arts.

FORTE DEI MARMI (55042) 8 300 hab.

L'attrait pour cette partie de la côte remonte au fameux *Manuel pour les bains de mer,* un précis de savoir-se baigner écrit par un médecin en 1833. Mais Forte dei Marmi, qui tire son nom du fort bâti pour la défendre, connaît son véritable essor au XIXe s, alors qu'elle sert de base pour expédier le marbre aux quatre coins du globe. Ce n'est véritablement qu'à partir des années 1960 que la station voit affluer le gratin des villes. On y construit alors d'élégantes résidences, parées de magnifiques jardins, et les cabines de bains, parasols et autres transats éclosent un peu partout sur ses plages. Il faut dire que la ville a de l'allure, avec ses boutiques de mode, ses *bagni* et ses larges avenues noyées dans la verdure. Hors saison, l'atmosphère n'y est pas dénuée de charme, moitié *chicos* moitié *casual,* faussement décontract' et *dress-code* dès la tombée de la nuit.

Arriver – Quitter

En train

🚂 ***Gare ferroviaire :*** *à Querceta, commune de Seravezza.* La gare se trouve sur l'axe Pise-Gênes.

En bus

🚌 ***Gare des bus :*** pas de gare véritable, on prend son bus *via Pascoli* (rue qui part en face du club de voile). Liaison régulière avec la gare ferroviaire située à *Querceta. Ts les horaires sur • vaibus.it •* et pour Milan sur *• autostadale.it •*

Circulation et stationnement

Pas trop de problèmes pour se garer hors saison. L'été, en revanche, c'est autre chose, surtout à l'approche de la seule plage publique du coin, à la limite de Marina di Massa.

Adresses utiles

Fondazione città di Forte dei Marmi : *via A. Franceschi, 8 b. ☎ 0584-80-091. • apversilia.it • ou • comune.forte-dei-marmi.lucca.it • Pour les hôtels : • myforte.it • Tlj 9h-14h, 15h-19h30 (en hiver, le mat slt, fermé le dim).* Donne de bons tuyaux. Accueil sympa.

@ **Internet Point :** *via Carducci, 6, à la bibliothèque municipale. Mer, sam 9h-12h ; mar, jeu, ven 18h-20h. Autrement,* **wifi gratuit dans les espaces publics** *aux alentours du fort. • fortesenzafili.it • On vous demande votre numéro de portable et vous obtenez un code d'accès valable 10 j.*

✉ **Poste :** *via Idone ; à deux pas de la piazza Marconi ; lun-ven 8h15-19h ; sam 8h15h-12h30. Distributeur de billets.*

Hôpital : Ospedale Versilia, *via Aurelia, 335, à Lido di Camaiore. N° d'appel spécial : ☎ 0584-60-51. • usl12.toscana.it • Urgences : ☎ 118.*

Location de vélos : Coppa bike, *via Franceschi, 4 d (lungomare, à côté de l'office de tourisme). Compter 4 €/h, 11 € pour la journée.* Beau choix de vélos et autres engins à pédales.

Où dormir ?

Comme tout au long de la côte, une multitude d'hôtels, le plus souvent barricadés hors saison. L'été, les prix doublent ou triplent et les réservations sont obligatoires.

Hotel Regina : *via Torino, 6. ☎ 0584-78-74-51. • h.regina@libero.it • hotelreginaforte.it • Dans une rue tranquille, à une encablure de la plage (privée). Congés : déc-fév. Double 110 € (plus du double en été), petit déj compris.* Un hôtel familial de la cuisine aux chambres, entièrement rénové. Intérieur marmoréen, fer forgé, beaucoup de goût. Chambres tout confort et très propres. Petit solarium avec Jacuzzi en plein air, agréable jardin pour prendre son petit déj. La maison loue aussi des vélos. Bon accueil.

Hotel La Pace : *via Nazario Sauro, 15. ☎ 0584-78-71-77. • hotellapacefortedeimarmi.it • Ouv avr-sept. Double 100 €, petit déj-buffet compris (hors juil-août). ½ pens 89 €/pers (jusqu'à 138 €/pers en août). Parking gardé. Internet, wifi.* Un établissement qui fleure bon les vacances à ne rien faire. Belles chambres avec balcon décorées dans un style balnéaire. Agréables communs et petit salon de jardin sous les pins parasols. Charmant accueil.

Où manger ?

On ne le répètera jamais assez, l'arrière-pays regorge de bonnes adresses. N'hésitez pas à faire la dizaine de kilomètres qui fera toute la différence, poussez jusqu'à Pietrasanta ou Camaiore, mille sabords !

Bar Pizzeria Da Valè : *piazza Garibaldi, 4. ☎ 0584-89-361. Tlj midi et soir. Compter 15-20 €.* Ici, pas d'effort de déco, l'affaire tourne toute seule ! On s'y presse pour ses *bombolini* (sorte de beignets fourrés), ses *schiaciatine*, la *focaccia* typique du coin (pizza blanche). C'est disons, le resto « popu » de Forte... On y croise quand même quelques louloutes en Prada !

La Barca : *viale Italico, 3. ☎ 0584-89-323. Sur le front de mer. Tlj sf lun et* *jeu midi (et mar en été), midi et soir. Résa fortement conseillée. Menu dégustation 40 €, sans le vin.* Géré par la famille Petrucci depuis 1906, date à laquelle une barque s'est échouée sur la plage. Un grand resto qui est souvent plein. Dans le petit jardin ou dans l'une des grandes salles à manger. Style marine, bois verni, nappes blanches, service classieux tout en restant familial. Dans l'assiette une cuisine de la mer et des pâtes. Pourquoi changer ? Goûter au *cacciucco,* la soupe de poissons maison ou à un risotto de la mer et essayer de ne pas sombrer dans la carte des vins (plus de 400 étiquettes !).

Où aller à la plage ?

Étant donné que toutes les plages sont privées ou presque, ce n'est pas une mince affaire ! Sachez qu'en gros, on vous autorise un accès à la mer tous les kilomètres environ, et ce, sur tout le littoral. À Forte dei Marmi, la plage publique se trouve en limite de Marina di Massa. Juste après l'école de voile (zone de dunes protégées). Parking gratuit juste devant, mais hors saison seulement !

À voir

La forteresse : construite à la fin du XVIIIe s pour servir de poste de douane et abriter une garnison dans le but de défendre le littoral contre d'éventuels envahisseurs en provenance de la mer, l'édifice ne présente aujourd'hui qu'un intérêt limité. Le rez-de-chaussée sert de lieu d'exposition temporaire, quant au 1er étage, il abrite un musée de la satire et de la caricature.

Le marché : *piazza Marconi.* Tous les mercredis et aussi le dimanche en été, un gigantesque marché aux vêtements a lieu à l'ombre de la place. Connu dans toute l'Italie, il attire une foule de badauds.

Manifestation

– ***Prix de la satire :*** *ts les ans au mois de sept.* Une manifestation qui couronne depuis 1973 des écrivains, polémistes, journalistes et caricaturistes.

PIETRASANTA

(55044) 25 000 hab.

Surnommée « la petite Athènes » eu égard au grand nombre d'ateliers de taille du marbre et de fonderies de bronze qu'elle recèle, Pietrasanta est une étape à ne manquer sous aucun prétexte. Fondée en 1255 par Guiscardo da Pietrasanta, alors podestat de Lucques, puis capitale de la capitainerie des Médicis, la ville s'est enrichie au fil des siècles de fastueux monuments. Aujourd'hui, noyau d'art et de culture, ses ruelles promettent au visiteur d'agréables promenades à la rencontre de petites galeries d'artistes et de boutiques de créateurs.

Arriver – Quitter

En train

Gare ferroviaire : *tt près du centre-ville. Guichet tlj sf dim 9h-13h. Aussi la gare de Lido di Camaiore (mieux desservie), lun 16h-19h, mar-ven 10h-12h30, 16h-19h, sam 10h-12h30.* Trains pour Florence, Pise, La Spezzia, Pontremoli.

En bus

Gare routière : *derrière la gare ferroviaire (emprunter le passage souterrain). Liaison pour l'aéroport de Pise 6h-21h (env 8 bus directs, le reste avec changement à Viareggio). Horaires sur • vaibus.it •*

Circulation et stationnement

Tous les parkings sont bien fléchés. Le plus pratique est celui situé à l'est, sur la route de Camaiore (parking des *carabinieri*). De là, remonter la rue Garibaldi, la piazza Duomo est à 5 mn à pied.

Adresses utiles

Kiosk d'informations touristiques : *piazza Statuto. ☎ 0584-28-33-75. • apversilia.it • Tte l'année, tlj sf dim et jeu mat 9h-13h, 16h30-19h.* Renseigne bien. Bon accueil.

@ **Net Service :** *piazetta San Antonio, 32. ☎ 0584-79-04-89. Descendre la via dei Piastroni à partir de la piazza Statuto. Tlj sf sam ap-m et dim 9h-12h30, 16h-19h.* Connexion aussi à la **bibliothèque municipale** *(couvent Sant'Angostino) mar-ven 9h-13h, 14h-19h ; sam 14h-19h.*

✉ **Poste :** *piazza della Repubblica. Lun-ven 8h15-19h, sam 8h15-12h30. Distributeur de billets sur le côté (peu visible).*

Où dormir ?

Pas vraiment terrible à Pietrasanta même, mais il y a de beaux petits *B & B* dans les environs et aussi une offre considérable d'hôtels sur la côte.

Prix moyens

Nonna Lory B & B : *via Traversagna, 5. ☎ 0584-79-00-31. 34-02-26-90-29. • nonnalory.it • En sortant de la ville en direction du sud, prendre tt de suite à gauche après la voie ferrée, c'est la 2e à droite. Ouv tte l'année. Double 60 €, triple 65 €, petit déj-buffet compris ; AC.* Dans une grande maison particulière qui fait aussi petit resto, 8 chambres basiques, à la déco réduite au strict minimum. C'est propre, literie un peu molle. La maison sert d'excellents raviolis, et une spécialité : la *pasta della nonna,* des pâtes au poisson et aux champignons. Bon accueil.

Hotel-Ristorante Stipino : *via Provinciale, 50. ☎ 0584-71-448. À l'ouest de la ville. Ouv tte l'année sf Noël. Double 70 €, sans petit déj (65 € hors saison).* Un hôtel familial d'une douzaine de chambres avec salle de bains, proprettes mais pas très « fun ». Pour le petit déj, il y a une pâtisserie juste à côté.

Très chic

B & B Locanda Pietrasantese : *piazza Duomo, 29. ☎ 0584-70-147. Double 200 €, petit déj compris.* Sur la place la plus sympa de la ville, au-dessus de la *Locanda* du même nom. Déco chic, un chouia baroque et tirant sur le flamboyant. Salles de bains délirantes, lits *king size* et bien fermes, vue sur la *piazza,* écrans plats et quelques bondieuseries en marbre. Pour les amateurs de câlins qui souhaitent rythmer leurs ébats au son des cloches.

Où dormir dans les environs ?

Camaiore et Lido di Camaiore sont des bases intéressantes pour un séjour dans le coin.

🏠 ***La Mandolata B & B :*** *via del Paduletto, 19. Loc. Secco, à Lido di Camaiore. ☎ 0584-61-91-76. 📱 34-77-13-22-11. • lamandolata.it • Pas très loin de l'hôpital de la Versilia. Tte l'année. Résa fortement conseillée. Double 80 € (possibilité de triple ou quadruple), petit déj-buffet compris. Attention, plus du double en été ! Parking gardé.* Dans une grande maison entièrement restaurée, une demi-douzaine de chambres et appartements tout confort. Beaux volumes, déco soignée, très *clean*. Agréable jardin avec belle piscine et solarium. Accueil et service irréprochables d'Antonella qui s'exprime très bien en français.

🏠 |●| ***Hotel Gigliola :*** *via del Secco, 23, à Lido di Camaiore. ☎ 0584-61-71-51. • hotelgigliola.it • Tte l'année. Double 70 € (130 € en été), petit déj compris. Possibilité de ½ pens l'hiver ou pens complète l'été. Parking gardé.* Dans une villa Liberty du début du XXe s, une vingtaine de chambres hautes sous plafond ; sol moquetté, meubles style années 1980. Préférez celles des dépendances, sur l'arrière. L'été, la maison possède des accords avec certaines plages privées. Excellent accueil de Monica.

🏠 |●| ***Hotel Locanda Le Monache :*** *piazza XXIX Maggio, 36, Camaiore. ☎ 0584-98-92-58 ou 0584-98-42-82. • lemonache.com • Dans le centre du bourg de Camaiore. Tte l'année. Résa conseillée. Doubles 65-90 € selon taille et saison, petit déj compris. ½ pens 45-60 €/pers (réduc si séjour prolongé). Internet, wifi.* Au-dessus de la porte d'entrée, on peut lire : *Infidis Impervia*, « interdit aux infidèles », ça met tout de suite dans l'ambiance ! Rassurez-vous, cet ancien relais de la via Francigena a été entièrement remis au goût du jour ! On y trouve une quinzaine de chambres très cosy, style baroque et bois peint, parquet, tapis d'Orient, fleurs et angelots. Service classieux.

Où manger ?

|●| ***Trattoria Da Sci :*** *vicolo Porta a Lucca, 3. ☎ 0584-79-09-83. À côté de l'osteria la Tecchia. On peut aussi passer par l'arrière en empruntant le porche situé à côté du bureau de tabac rue Garibaldi. Tlj sf dim et fêtes, midi et soir. Compter 25-30 € avec le vin de la maison. Da Sci* veut dire « oui » en dialecte de Massa, terre de l'ancien proprio à qui les gars du coin assénaient sans relâche ce quolibet. Pas plus d'une demi-douzaine de tables à l'intérieur et la moitié en extérieur dans la cour. Giovanni propose une cuisine simple et 100 % locale : morue sauce tomate, soupe de fayots, d'orge ou de blé. Polenta, tripes et pour finir un remarquable gâteau au chocolat et une non moins délicieuse salade de fruits cuits au four. Pour celles et ceux qui ne supportent plus les terrasses où flottent dans l'air des embruns d'ambre solaire...

|●| ***Trattoria Il Marzocco :*** *via del Marzocco, 64. ☎ 0584-71-446. Tlj sf mar, à partir de 20h. Résa fortement conseillée le w-e et en été. Compter 30-35 € avec le vin de la maison.* Un resto comme on les aime, pas petit... pas grand... mais plutôt petit. En été, ça déborde allègrement sur les pavés ! 2 salles où l'on se régale. Carte simple mais efficace. Faut dire qu'aux fourneaux, l'association d'un Indien et d'une Marocaine annonce la couleur : ici, on cuisine régional à l'échelle planétaire ! Une adresse qui ne désemplit pas.

|●| ***Pizzeria Il Vaticano :*** *via del Marzocco, 132. ☎ 0584-72-185. Sur la piazza Statuto, à un jet de pierre du kiosque de l'office de tourisme. Tlj sf mer, le soir slt (sert aussi le dim midi en été). Compter 25-30 € sans le vin ; moins pour une pizza.* Une affaire de famille

que cette pizzeria de renom. 2 salles voutées, mobilier mastoc, on se serre un peu... On vient ici pour une pizza au feu de bois ou des *spaghettoni alle vongole* (petites palourdes). La patronne prend la commande avec le sourire. Propose aussi un beau *B & B* à *Pozzi Seravezza* avec piscine et beau jardin. Une bonne adresse.

|●| ***Locanda del Gusto :*** *via del Marzocco, 82. ☎ 0584-28-30-91. Tlj midi et soir sf lun. Compter 30-40 € sans le vin.* Déco zen, chic et ton sur ton. C'est lumineux. L'été, terrasse dans la ruelle, mais c'est vite plein. Ici, on accommode la tradition d'une pointe d'exotisme. Priorité au goût. Pour un potage à l'orge, des pâtes aux langoustines, des calamars, un risotto ou un poisson du jour. On est résolument tourné vers la mer, les amateurs de viande se rabattront sur une longe de porc à la mode de Sienne.

Où manger dans les environs ?

|●| ***La Dogana :*** *via Sarzanese, 442, à Capezzano Pianore. ☎ 0584-91-51-59. Dans un virage au bord de la route (repérer la station-service), c'est à 100 m. Tlj sf lun. Résa fortement conseillée. Comptez 35-40 € si vous voulez bien manger.* Décor soigné, mais sans plus ; les salles sont communicantes. L'une d'elles est privatisable si vous venez en groupe. Chaque jour, un menu de terre et un de mer pour une cuisine travaillée avec élégance. *Linguini* aux langoustines ou papillotes de fruits de mer, très appréciés des habitués. Le tout arrosé d'un excellent *Sannio Falanghina*. Mais les carnivores ne seront pas en reste, car le *cuoco* (le chef) sait aussi revisiter la cuisine du terroir. Excellents desserts. Le service est efficace, et l'ambiance fleure bon les années de métier. À découvrir en amoureux...

|●| ***Osteria Il Vignaccio :*** *via della Chiesa, 26. Loc. Santa Lucia, à Camaiore. ☎ 0584-91-42-00. Tlj sf mer. Compter 25 € sans le vin.* Un resto perché parmi les chênes verts et les cyprès. Manger ici, ça se mérite ! De la baie vitrée le panorama est splendide. Dans la salle, c'est plus cosy et désuet avec quelques lithos et de vieilles réclames. Service souriant. Les gens du cru viennent y passer un bon moment autour d'une cuisine locale. À la carte : carpaccio *de magro* ou grillades, et belle assiette de charcuterie, quoiqu'un peu grasse. Pas de poisson, sauf dans les entrées, les végétariens se vengeront sur les artichauts ! Prévoir un bon capitaine de soirée, car la route tournicote infiniment pour redescendre.

Où manger une bonne glace ? Où boire un verre ?

Gelateria La Dolce Vita : *via Stagio Stagi, 4. À un jet de pierre de la terrasse de la* Locanda Pietrasantese. On aimerait que ça ferme plus tard hors saison !

Locanda Pietrasantese : *piazza Duomo, 29. ☎ 0584-70-147.* Pas facile d'y trouver une place aux beaux jours !

À voir

Pietrasanta se prête magnifiquement à la promenade car, en dépit d'une certaine rigueur militaire, ses rues – avec leurs boutiques d'art et d'antiquités, leurs ateliers d'artistes et leurs galeries d'expo –, demeurent encore fort agréables à arpenter. De la piazza Duomo à la piazza Matteotti, où trône fièrement *Le Guerrier* de Botero, une succession d'échoppes aux façades baroquisantes sont toujours un ravissement pour l'œil. Les soirs d'été, à l'heure où les vacanciers partent à la conquête des terrasses un apéro en tête, il règne sur la piazza Duomo comme un semblant de *dolce vita.*

Duomo San Martino : *piazza Duomo.* Construite sur les bases d'une église plus ancienne au XIVe s, commande des Lucquois qui tenaient à affirmer leur autorité sur la région, cette imposante cathédrale entièrement parée de marbre blanc, est l'une des plus belles du coin. Son campanile, qui lui, date du début du XVIe s, fait 36 m de haut. Inachevé (il devait être lui aussi recouvert de marbre), il tranche avec l'ambiance générale de la place, et le magnifique escalier hélicoïdal qui tourne à l'intérieur n'est malheureusement que très rarement visitable. À l'intérieur de la cathédrale, quelques huiles sur toile exécutées par des peintres anonymes du XVIIe s. Aussi une *Vierge à l'Enfant* (la Vierge du soleil, patronne de la ville), représentée entre saint Jean et saint Jean-Baptiste, datée de 1424, malheureusement cachée la plupart du temps. Aussi un calice hexagonal de Donato Benti (1508), et dans la chapelle du Saint Sacrement, un Christ en bois du début du XIVe s. À visiter à l'heure de la sieste pour être plus tranquille.

Baptistère : *sur la droite de la cathédrale, rue Garibaldi.* C'est l'oratoire de sainte Jacynthe. À l'intérieur, deux fonts baptismaux, chose assez rare. Le plus ancien, de forme hexagonale, date de 1385, il est l'œuvre de Pardini. Le second est une bonbonnière travaillée avec finesse par Donato Benti et Nicolas Civitali. Commencé au XVIe s, il fut terminé plus tard, au début du XVIIe s, par Bergamini et Pellicia.

Chiesa della Misericordia *(Sant'Antonio e Bagio) : via Giuseppe Mazzini.* Immanquable avec sa façade rose, cette petite église, construite avant 1320, est l'une des plus anciennes de Pietrasanta. Elle avait une double fonction, servant de lieu de culte et de dispensaire pour les plus démunis et les condamnés au gibet. Elle a subi de nombreuses transformations. À l'intérieur, belles sculptures en bois, une toile de Lorenzo Cellini (1550), la « Madonna del carmine », et plus proche de nous, deux œuvres magistrales de Fernando Botero, la *Porte du Paradis* et la *Porte de l'Enfer,* don de l'artiste à la ville où il réside depuis plusieurs années.

Museo dei Bozzetti : *piazza Duomo.* ☎ *0584-79-55-00.* • *comune.pietrasanta.lu.it* • *Dans l'ancien couvent Sant'Agostino. Mar-sam 14h-19h, dim 16h-19h. Entrée gratuite.* C'est le centre culturel de Pietrasanta. En coursive, une expo pêle-mêle de toutes les maquettes des artistes qui ont plus ou moins résidé à Pietrasanta. Les plus volumineuses sont stockées à l'arrière du bâtiment comme *Le Centaure* de César ou encore *Adam* de Botero. Au rez-de-chaussée de la bibliothèque, petites expos de céramiques extraites des fouilles du couvent (fin XVe-début XVIe s).

Rocca di Sala : *départ du petit chemin d'accès derrière le couvent Sant'Agostino. Compter une bonne vingtaine de mn à pied.* De là-haut, très belle vue sur la piazza Duomo en contrebas. Cet ensemble défensif fait partie d'un vaste dispositif militaire déjà en place au Moyen Âge. Il fut intégré intramuros à l'époque du *condottiere* Castracani (début du XIVe s).

DES *CONDOTTIERES* PAYANTS !

L'Italie du Moyen Âge et de la Renaissance est célèbre pour une race d'hommes bien particuliers : les condottieri, ces chefs de guerre mercenaires à la solde des plus grands et dont les services étaient rémunérés en titres ou en espèces. Parmi les plus célèbres, citons Castracani, dont Machiavel a écrit la biographie, ou encore Andrea Doria, qui servit François Ier.

Spartaco palla Scultore : *piazza Carducci, 25.* ☎ *0584-70-547.* • *spartacopalla-scultore.it* • *En face de l'hôtel* Palagi. Dans une belle demeure toscane qui arbore sur son fronton les bustes d'illustres sculpteurs. Si vous n'êtes pas trop nombreux, Rosana vous fera découvrir l'atelier où son mari exécute les commandes des artistes. Belles salles, où l'on peut admirer des sculptures classiques et modernes.

VIAREGGIO

(55049) 64 000 hab.

Connue dans toute l'Italie pour son Carnaval – le 2e plus important après celui de Venise –, Viareggio intéressera surtout les amateurs d'Art nouveau (Liberty) et les férus de bronzette. Car si une petite cité a bien vu le jour dans la première moitié du XVIe s, ce n'est qu'au début du XIXe s, avec le développement du balnéaire, que la ville fait véritablement parler d'elle. On lui attribue même la première *passeggiata,* si chère aux Italiens depuis. Aujourd'hui, avec ses plages ensoleillées et ses discothèques qui la rendent attrayante de jour comme de nuit en été, elle est devenue le lieu privilégié du tourisme gay international.

Arriver – Quitter

En train

■ ***Gare ferroviaire :*** *piazzale Dante Alighieri.* ☎ *89-20-21 (horaires) ou* ● *trenitalia.it* ● Tristement célèbre depuis la gigantesque explosion de juin 2009, elle se situe à l'extrémité de la via Mazzini, à 10 mn à pied du front de mer. Viareggio est le terminus de la ligne n° 8, qui part de Florence. Liaison également pour Pise, Gênes, Turin et Rome.

En bus

■ ***Gare routière :*** *piazza d'Azeglio, 1.* ☎ *0584-30-996. Lun-ven 6h30-20h, dim 8h-19h30 (21h en été). Ts les horaires sur* ● *vaibus.it* ● En été, service de bus 24h/24 entre Torre del Lago et Forte dei Marmi, autrement bus ttes les 30 mn pour Pietrasanta dans un sens ou Torre del Lago dans l'autre.

Circulation et stationnement

Circulation facile hors saison, impossible l'été. Stationnement itou. Tentez votre chance dans les rues vers le port.

Adresses utiles

ℹ ***APT*** *(office de tourisme régional) : viale Carducci, 10.* ☎ *0584-96-22-33.* ● *aptversilia.it* ● *Entre la marina et le* Grand Hotel, *repérer la tour de l'horloge, côté plage, c'est presque en face. Tte l'année, lun-sam 9h-14h, 15h-19h ; dim 9h-14h (horaires plus larges en été).* Renseigne sur les facilités d'hébergement, mais aussi sur les transports et les excursions à faire. En été, le « train des saveurs » vous emmène découvrir l'arrière-pays. Renseignements sur ● *pontineltempo.it* ● Excellent accueil.

■ ***Hôpital : Ospedale Versilia,*** *via Aurelia, 335, à Lido di Camaiore. N° d'appel spécial :* ☎ *0584-60-51.* ● *usl12.toscana.it* ● *Urgences :* ☎ *118.*

Où dormir ?

Pratiquement tous les hôtels sont fermés hors saison, à la rigueur ouverts le week-end. En été, les prix flambent, et ils sont pris d'assaut. Aussi, est-il préférable de loger dans des coins un peu plus tranquilles comme Lido di Camaiore.

Camping

▲ ***Camping Viareggio :*** *via Comparini, 1, Viareggio.* ☎ *0584-39-10-12.* ● *campingviareggio.it* ● *Sur la ligne de bus Torre del Lago-Viareggio, arrêt Sombrero. Ouv avr-sept. Compter 20 € pour 2 avec tente et voiture.* À 800 m à pied de la plage publique (à travers la pinède). Un camping bien dans la tradition, mais peut-être « moins pire » que les autres. Emplacements bien verts sous les peupliers, sanitaires impeccables. L'été, bien sûr, c'est autre chose...

Où dormir dans les environs ?

▲ ***B & B Simonetti :*** *viale Puccini, 238, à Torre del Lago.* ☎ *0584-34-05-97.* ● *info@casasimonetti.com* ● *casasimonetti.com* ● *Ouv avr-sept. Double 70 €, petit déj compris (130 € en hte saison), ajouter 10 € pour la clim'. Apéritif ou café offert sur présentation de ce guide et réduc de 10 % en basse saison au-delà de 3 nuits.* Dans une demeure bourgeoise, une petite dizaine de chambres hautes sous plafond dont la moitié avec salle de bains privative. Ambiance « grand siècle » ; pour un peu on entendrait Puccini faire ses gammes dans la pièce d'à côté. Ici, rien ne semble avoir changé depuis que le maestro composait ses opéras au bout de la rue. Aux murs, quelques peintures du fils de la maison, mobilier d'époque. Nous, on préfère les petites chambres de bonne aménagées dans les dépendances, elles ont un charme délicieusement désuet. Agréable jardin, où à l'ombre du magnolia centenaire, le papa sert un copieux petit déj-buffet.

Où manger dans les environs ?

Là aussi, Viareggio ne nous a pas laissé de souvenirs impérissables. Mis à part ***Da Giorgio,*** *via Giuseppe Zanardelli, 71,* « *the* resto de poissons » de la ville, mais réservé aux bourses pleines, il faut savoir pousser un peu en dehors pour trouver une table digne de ce nom.

|●| ***La Cantina da Bruno :*** *via Italica, 61, à Lido di Camaiore.* ☎ *0584-67-624. Tlj midi et soir sf jeu et ven midi. Résa fortement conseillée. Compter 25-30 € sans le vin ; moins pour une pizza.* Un resto « sans âge », gentil brouhaha, service nappé et du personnel qui, visiblement, a des heures de vol. Une cuisine qui a fait ses preuves. Délicieuse salade de la mer, et toute une flopée d'*antipasti* du même acabit. On se régale. Autrement la « terre » se tient aussi, avec tout ce que la campagne alentour produit de cochonnaille et de bons légumes. C'est copieux, alors gardez une place pour les *dolce* qui font la réputation de la maison. Resto intergénérationnel, on y croise des *teenagers* qui parlent avec les yeux et des sexas qui terminent au *limoncello.* Une excellente adresse.

|●| ***Locanda Le Monache :*** *piazza XXIX Maggio, 36, à Camaiore.* ☎ *0584-98-92-58 ou 0584-98-42-82. Dans le centre du bourg de Camaiore. Tlj sf mer. Résa conseillée l'été. Repas 25-30 € le midi, un peu plus le soir.* Resto cosy, mi-chaises, mi-sofas, livres anciens, le nez dans un verre de chianti, les yeux sur la réplique de Bruegel qui habille le mur. Du caractère et du style, pour une cuisine du cru : des gnocchis *alla crema di tartufo,* une pâte aux champignons des bois (en saison) ou des *sacottini,* sortes de petites boules fourrées à la crème de cèpe et liées avec de la ciboulette. Essayez aussi la *cipollata,* un plat médiéval à base d'oignon, mais gardez de la place pour les desserts : une poire au vin rouge et glace à la crème, ou des *cantuccini* au *vin santo,* ces biscuits trempés dont raffolent les Lucquois.

|●| ***Osteria Candalla :*** *via di Candalla, 264, loc. Lombrici, à Camaiore.* ☎ *0584-*

98-43-81. 33-56-35-38-88. • info@osteriacandalla.it • Traverser Camaiore en direction de Lombrici, puis suivre le fléchage, c'est au bout du monde. Ouv le soir mar-dim, aussi le midi sam-dim. Résa fortement conseillée. Compter 30-35 € sans le vin. En terrasse, 2 par 2 les yeux dans les yeux, avec dans les oreilles le doux bruissement du torrent. En salle, photophores et chandelles sous une musique jazzy. Dans l'assiette, une cuisine inventive à dominante carnée sans être trop pour viandard. Aussi, *antipasti, crostini,* soupes et pâtes fraîches, bref une table toscane à dominante lucquoise, mais légèrement détournée à grand renfort de sésame. Quelques faiblesses sur les desserts et un accueil un peu trop commercial. Cela dit, l'endroit est magique en été.

À voir

Le principal attrait de Viareggio est de se balader à vélo le long du littoral. Autrement, préférer les plages « synthétiques », car la promenade sur le front de mer, à l'exception de la percée située au niveau de l'*Hotel Principe di Piemonte,* n'est faite que de plages privées.

Le marché aux poissons et la marina : le quartier du port mérite une petite visite. D'abord parce que les amateurs de belles étraves seront aux anges (des yachts superbes accostent ici pour se refaire un lifting complet), ensuite parce que s'y tient quotidiennement un des trois marchés aux poissons de la ville. Le principal se déroulant tous les jours *piazza Cavour.*

L'architecture balnéaire : les amateurs d'architecture de style Art nouveau (Liberty), ne manqueront pas d'arpenter le *viale Margherita* (célèbre pour ses pizzas), ainsi que l'*av. Marconi* (célèbre pour son pâté). Également de beaux immeubles autour de la *piazza Mazzini,* en empruntant le *viale Manin.*

Manifestations

– **Carnaval de Viareggio :** *un défilé a lieu chaque année, ts les dim au mois de fév ainsi que le Mardi gras.* À Viareggio, le premier défilé masqué date de 1873, mais ce n'est vraiment qu'en 1921 que le carnaval devient une institution. Les chars supportant des géants de papier mâché s'inspirent en général de la politique nationale et internationale et sont suivis d'une mascarade. C'est également un prétexte aux rencontres d'artistes et expositions.
– **Festival Puccini :** *en juil-août à Torre del Lago. • puccinifestival.it •* Une rétrospective des œuvres du maestro dans le plus grand théâtre en plein air de Toscane, avec le lac pour arrière-plan. Superbe !

➤ DANS LES ENVIRONS DE VIAREGGIO

TORRE DEL LAGO

Les romantiques pousseront jusqu'à Torre del Lago, où, de mars à septembre, on peut se balader en bateau sur le lac et les canaux navigables du marais (observation des oiseaux). En été, service de bus 24h/24 entre Torre del Lago et Forte dei Marmi.

Villa Museo Giacomo Puccini : *viale Puccini, 266. ☎ 0584-34-14-45. • giacomopuccini.it • Bus n° 1 ligne Torre del Lago-Piazza d'Azeglio. Visite guidée en groupe tlj sf lun, ttes les 40 mn 10h-18h (pause à midi). Entrée : 7 € ; réduc.* C'est en 1891 que Puccini arrive pour la première fois à Torre del Lago. La maison que l'on visite aujourd'hui, dans laquelle reposent les restes du maestro, date de 1899. C'est ici que Puccini composa la plupart de ses opéras : *Manon Lescaut, La Bohème, Madame Butterfly,* pour ne citer que les plus connus. La visite permet de découvrir l'atmosphère qui inspira le musicien, des toiles de ses amis de l'école des Macchioli, ainsi que sa collection d'armes (le maître était un fieffé chasseur de gibier d'eau).

BAGNI DI LUCCA ET LA GARFAGNANA

Région historique de la province de Lucques, située aux confins des Alpes apuanes et des Apennins toscans émiliens, la Garfagnana, véritable joyau naturel, est traversée par une imposante rivière : le Serchio. Saupoudrée de villages médiévaux, où le gris de la pierre tranche sur le vert des forêts alentour, la région, encore épargnée par les cohortes de touristes, est un paradis pour les amateurs de sport de pleine nature.

BAGNI DI LUCCA (55022) 6 500 hab.

Petite station thermale noyée dans la verdure, Bagni di Lucca doit ses lettres de noblesse aux prestigieux visiteurs qui se sont baignés dans ses eaux. De Montaigne à Lord Byron, d'Heinrich Heine à Carducci, en passant par Élisa Bonaparte, la ville n'a cessé d'attirer celles et ceux qui souhaitaient se remettre en forme. Et ça continue... Avec ses thermes et sa campagne tavelée de villages reliés entre eux par des virages sans fin, Bagni est un paradis pour ceux qui souhaitent s'époumoner. Mais on peut aussi prendre l'apéro en terrasse au bord de la rivière en attendant les autres...

Arriver – Quitter

La commune de Bagni di Lucca est très étendue. Il y a en gros 3 parties. ***Fornoli,*** d'où part la route pour la Garfagnana et où se trouve le stade et la gare ferroviaire, ***Ponte a Serraglio,*** d'où l'on accède aux thermes, et enfin ***La Villa.***

En train

Gare ferroviaire : *à Fornoli. ☎ 89-20-21 (horaires) ou • trenitalia.it •* Une gare « champêtre », noyée dans la verdure. Liaison pour Pise, Aulla, Viareggio et Minucciano-Pieve. Pas de guichet. Liaison par navette pour les différentes parties de Bagni di Lucca.

En bus

Gare routière : *de l'arrêt situé devant la gare ferroviaire, bus pour Castelnuovo et Ceccarello. Ts les horaires sur • vaibus.it •* Autrement, 3 arrêts : gare ferroviaire, piazza di Ponte a Serraglio et devant la mairie.

Circulation et stationnement

Un petit parking à l'entrée de la ville en venant de Lucques. On est à 3 mn à pied de Ponte a Serraglio. Hors saison, aucun problème de stationnement.

Adresses utiles

ℹ @ ***Office de tourisme :*** *via del Casino, 4, à Ponte a Serraglio, dans l'ancien casino.* ☎ *0583-80-57-45.* • *bagnidilucca.net.it* • *Tte l'année, lun-sam 10h-13h, 16h-19h ; dim 10h-13h.* Renseignements sur les possibilités d'hébergements et les balades à faire dans le coin. Quelques ordis pour surfer sur Internet. Bon accueil.

@ ***Jacqueline's :*** *via Ponte a Serraglio, 66. Lun-ven 9h-13h, 15h30-19h30 ; sam ap-m.*

✉ ***Poste :*** *en face du* Bridge Hotel *à Ponte a Serraglio. Lun-ven 8h15-13h30 ; sam 8h15-12h30.*

Où dormir ?

Prix moyens

Hotel Bernabo : *à Ponte a Serraglio (sur les hauteurs).* ☎ *0583-80-52-15.* • *bernabohotel.it* • *Au bord de la route qui monte aux thermes. Tte l'année. Double 60 €, petit déj compris (10 € en plus avec balcon). Réduc si séjour prolongé.* Une petite dizaine de chambres, dont 4 avec balcon offrant une vue superbe sur la vallée (ne pas s'en priver). Les chambres, aux couleurs pastel, ne sont pas immenses et possèdent un grand lit et un petit lit. L'escalier grince, ne rentrez pas trop tard !

Chic

Albergo La Corona : *via Serraglia, 78, à Ponte a Serraglio.* ☎ *0583-80-51-51.* • *coronaregina.it* • *Doubles à partir de 59 €, petit déj compris. Internet, wifi.* Dans une demeure du XVIIIe s, relookée à l'intérieur dans un style Liberty. Une quinzaine de chambres tout confort, lumineuses et meublées de façon on ne peut plus classique. Bois sombre, un tantinet désuet. Réveil au son du déversoir de la Lima, situé en contrebas. Autrement, communs communs (on se répète), salle de fitness et piscine bouillonnante. Accueil timide.

Antico Albergo Terme : *via del Paretaio, 1.* ☎ *0583-86-034.* • *anticoalbergo@termebagnidilucca.it* • *termebagnidilucca.it* • *On accède aux thermes en empruntant la route qui monte devant le* Bridge Hotel *depuis Ponte a Serraglio. Congés : à Noël et de mi-janv à mi-fév. Doubles 45-53 €, petit déj compris ; 30 € de plus pour une chambre avec terrasse. Internet. Apéritif maison offert sur présentation de ce guide.* Une petite trentaine de chambres style années 1970, sans effort de déco. La literie est un peu molle. Également un petit resto pour avaler des carottes râpées et des pommes vapeur. Pour celles et ceux qui privilégient l'idéal ascétique en oubliant que Montaigne, l'épicurien, est passé par là avant eux.

Où manger ?

Circolo dei Forestieri : *piazza Jean Varraud, 10, à La Villa.* ☎ *0583-86-038.* • *circolodeiforestieri.it* • *Tlj sf lun. Repas 25-30 € (ajouter 10 € pour un bon dîner).* Un resto que fréquentaient déjà les aristos lucquois dans les années 1800. Ambiance Belle Époque, dentelles, marquises et voilages. Aux beaux jours, la maison a la bonne idée de proposer un menu touristique à 13 €. À déguster à l'arrière, sur la terrasse qui surplombe le torrent. Dans l'assiette, des spécialités du coin, mais aussi melon au jambon de Parme, fantasia d'*antipasti* ou terrine de la mer. Les carnivores essayeront un filet de bœuf au poivre. Le service est stylé.

Ristorante Antico Caffe Del

Sonno : *viale Umberto Ier, 146-148, à La Villa. ☎ 0583-80-50-80. Tlj sf lun. Repas 20-25 € si on prend une pizza.* Sous les voûtes, dans la salle, ou carrément sur la terrasse tout en longueur qui borde la route, pour une pizza au feu de bois.

À voir. À faire

La commune de Bagni di Lucca ne compte pas moins de 25 petits villages disséminés un peu partout autour du point culminant local, le *mont Pratofiorito* et ses 1 297 m. De nombreux sentiers de randonnée sont balisés pour y accéder. Le village médiéval de ***Montefegatesi,*** perché sur son monticule à 850 m d'altitude, est absolument fantastique. Non loin de là se trouve le plus beau canyon de Toscane, l'***Orrido di Botri,*** sanctuaire naturel de l'aigle royal. Voir aussi ***Casabasciana, Casoli*** et ***Lucchio,*** qui ne sont pas mal du tout non plus. Les amateurs de randonnée pousseront jusqu'aux ***gorges de la Cocciglia*** pour voir ses eaux émeraude.

Les thermes Jean Varraud : *via del Paretaio, 1. ☎ 0583-86-034. • termebagnidilucca.it • Congés : à Noël et de mi-janv à mi-fév. Tlj 8h-12h30 et de mi-juin à mi-oct, aussi 14h30-17h30. Accès aux piscines 12 € (20 € avec accès à la grotte et 20 mn de massage).* Dans la grotte, l'eau sort à 54 °C, c'est un genre de hammam naturel, puis elle est dérivée vers différents bains. Il règne un charme désuet dans cet établissement, avec ses salles d'attente et de massage très agréablement décorées, surtout dans la partie des thermes où se trouvait l'ancien casino.

Le casino : *via del Casino, à Ponte a Serraglio. Mêmes heures d'ouverture que l'office de tourisme. C'est la dame de l'office qui assure la visite.* Déjà au XVe s, la ville était connue pour ses réunions galantes, mais à l'époque, les bals avaient lieu dans les thermes. Le casino actuel a fermé ses portes à la fin de la Seconde Guerre mondiale. Ici, seuls les lustres et les portes sont d'origine, car le bâtiment a été sérieusement endommagé pendant la guerre. À noter que c'est à Bagni di Lucca qu'a vu le jour le premier casino d'Europe. La roulette ayant été inventée en France, deux Français y avaient élu résidence pendant les neuf premières années de sa mise en service, histoire de mettre le train sur les rails, et ont par la suite gagné Monaco.

Le Ponte del diavolo *(Ponte della Maddalena)* ***:*** *à Borgo a Mozzano, avt d'arriver à Bagni di Lucca, il enjambe le Serchio.* Même forme, même reflet, même nom que tous les ponts du diable de France et de Navarre, sauf que celui-ci, bâti dans la seconde moitié du XIe s, sur un point névralgique de la *via Francigena* qui reliait Canterbury à Rome, a été reconstruit par Castrani (le fameux condottiere) au début du XIVe s. De nombreuses légendes courent à son sujet.

➤ DANS LES ENVIRONS DE BAGNI DI LUCCA

C'est au nord de Bagni di Lucca que commence la grande Garfagnana, une des régions les plus sauvages d'Italie. La haute vallée du Serchio, avec ses reliefs escarpés et sa végétation dense, offre de multiples possibilités de randonnées à pied ou à VTT. À partir de Castelnuovo di Garfagnana, un itinéraire balisé de 9 jours permet de faire le tour des plus beaux sites naturels de la région. Tous les renseignements sur • *turismo.garfagnana.eu* • Consulter également le site du parc naturel régional des Alpes apuanes : • *parcapuane.it* •

BARGA

Cette petite ville, perchée sur sa montagne et quadrillée d'étroites ruelles, a su garder son caractère médiéval. C'est aujourd'hui le centre le plus important de la vallée du Serchio. Le *Duomo,* dont on aperçoit la tour crénelée bien avant d'arriver,

date du IXe s. Il a été agrandi au XIIIe s, et abrite de nombreuses œuvres d'art. Un festival de jazz se déroule en ville chaque année en été.
De Barga, vous pouvez gagner la *Grotta del Vento,* une des grottes les plus importantes d'Europe.

À voir

🧍🧍 ***Grotta del Vento :*** *village de Fornovolasco, à l'extrémité de la vallée de la Turitte Gallicano. • grottadelvento.com • Tlj avr-nov, 26 déc-6 janv. Le reste de l'année, ouv dim et j. fériés. 3 itinéraires possibles avec des horaires différents suivant la durée. Entrée : 7,50-17 € selon l'itinéraire choisi.* Partie intégrante du puissant système karstique qui caractérise les Alpes apuanes, la grotte du Vent est l'une des plus richement fournies en concrétions d'Europe. Ouverte au public depuis la fin des années 1960, elle offre trois itinéraires distincts, qui permettent d'appréhender la géologie du coin. Pour la visite, n'oubliez pas une paire de chaussures adéquates et une petite laine.

CASTELNUOVO DI GARFAGNANA

Centre névralgique de la région, situé au confluent de la Turrite Secca et du Serchio, Castelnuovo est réputé pour son marché du jeudi (depuis 1430). C'est aussi le point de départ de nombreux sentiers de randonnée.

Adresse utile

ℹ ***Centro Visite Parco Alpi Apuane :*** *piazza delle Erbe, 1. ☎ 0583-65-169 ou 0583-64-42-42. • turismogarfagnana.eu • Tte l'année, tlj sf j. fériés : en été, 9h-13h, 15h-19h ; en hiver, 9h-13h, 15h30-17h30.* Fournit une jolie carte sur tous les itinéraires praticables à pied ou à VTT dans le parc, et donne aussi des renseignements sur les hébergements. Excellent accueil.

➢ De Castelnuovo, on peut rejoindre la côte, en empruntant une petite route qui passe par ***Isola Santa,*** un adorable petit village médiéval surplombant une retenue d'eau. Compter une petite heure. Le parcours est superbe, surtout dans la seconde partie du trajet. Seul hic, ça tourne sans arrêt, alors si vous avez dans l'idée de promettre une glace aux enfants, offrez-la-leur plutôt à l'arrivée !

LA TOSCANE LITTORALE

LIVORNO (LIVOURNE)

(57100) 170 000 hab.

Le destin de la ville fut scellé en 1421, lorsque les Médicis achetèrent ce petit port aux Génois pour désengorger Pise. Le commerce florissant et une politique libérale vis-à-vis des immigrés juifs enrichirent considérablement la ville. Au XVIIIe s, c'est une cité paradisiaque, dont les habitations sont l'œuvre des meilleurs architectes de l'époque. Hélas, les bombardements alliés de la dernière guerre lui ont ravi ses charmes. Seuls restent le front de mer, avec ses belles maisons de villégiature, et son quartier central qui, avec ses canaux, lui offre quelques airs de Venise. Mais cela ne suffit pas. On ne s'attarde pas à

Livourne, à moins d'avoir un bateau à prendre pour la Corse ou la Sardaigne. Avant de quitter le port, sachez tout de même qu'ici naquit le peintre Modigliani.
Pise : 22 km ; *San Gimignano :* 83 km ; *Florence :* 120 km ; *Grosseto :* 135 km ; *Sienne :* 185 km ; *Rome :* 400 km.

Arriver – Quitter

En train

Stazione FS Livorno Centrale : *piazza Dante.* ☎ *89-20-21.* Loin du centre-ville (30 mn à pied), mais les bus urbains relient fréquemment la gare à la piazza Grande dans le centre (notamment le bus n° 1).

➢ ***Pise :*** 2 à 4 trains/h. Durée du trajet : env 15 mn. Moyen le plus simple de rejoindre l'aéroport de Pise pour les non-motorisés.
➢ ***Florence** (S. M. Novella)* **:** 1 à 2 trains/h. Durée du trajet : env 1h30.
➢ ***Grosseto :*** env 1 train/h. Durée du trajet : env 1h30.
➢ Il est possible de rejoindre ***Piombino*** en train (1h30 de trajet), d'où partent les ferries pour l'île d'Elbe, mais il faut le plus souvent changer à *Campiglia Marittima.*

En bus

Compagnie de bus CPT : *départ des bus piazza Grande.* ☎ *800-012-773.* • *cpt.pisa.it* •
➢ ***Pise :*** 1 à 2 bus/h.
Compagnie de bus ATL *(Azienda Trasporti Livornese)* ***:*** *via Carlos Meyer, 57.* ☎ *0586-84-71-11.* • *atl.livorno.it* • *Derrière la cathédrale. Tlj sf dim 7h-19h30. Les bus partent de la piazza Grande (devant la cathédrale).*

➢ Nombreux bus quotidiens reliant ***Antignano*** et ***Montenero.*** Départs piazza Grande.
➢ Également une liaison régulière avec ***Cecina.*** Départs piazza Grande.
➢ ***De/vers l'aéroport Galileo-Galilei (Pise) :*** bus ttes les 1 à 2h ; mieux vaut prendre le train, plus simple et plus rapide. À Livourne, les bus partent et arrivent via Masi, derrière la stazione FS.

En ferry

Pour se rendre au ***terminal d'embarquement,*** *prendre la direction porto Mediceo, puis stazione marittima et suivre le fléchage. Les bureaux des compagnies maritimes sont dans la grande bâtisse ocre, au 1er étage.*
■ ***Corsica Ferries :*** *à Livourne,* ☎ *0586-88-13-80. Ou à Bastia : 5 bis, rue Chanoine-Leschi.* ☎ *04-95-32-95-95.* • *corsicaferries.com* • Forfaits intéressants, comme les tarifs « Jackpot ». Départs tlj pour Bastia (Corse) ou Golfo Aranci (Sardaigne).
■ La compagnie ***Mobylines*** reste toutefois la moins chère et la plus rapide pour gagner la Corse ou la Sardaigne (4h). *Infos et résas :* ☎ *0586-89-99-50.* • *mobylines.it* •

➢ ***Pour l'île d'Elbe :*** départs du port de Piombino (à env 90 km au sud de Livourne) avec les compagnies *Mobylines* ou *Toremar* (• *toremar.it* •).

Circulation et stationnement

Les quartiers sympas de la ville, avec les quais et les principaux centres d'intérêt, se trouvent en face du terminal d'embarquement des ferries. On y accède par la via Italia ou par la via della Cinta Esterna, qui longent le port.

Dans le centre-ville, pas facile de circuler : un véritable labyrinthe de rues en sens unique s'étend entre la piazza della Repubblica (très animée et où se dresse la Fortezza Nuova, dans le quartier de la Venezia), la piazza Grande (où se trouve le *Duomo*) et la piazza Cavour. Mieux vaut donc se cantonner à la via Italia et à la Cinta Esterna, car on peut assez facilement s'y garer pour 0,50 à 1 €/h.
Autre parking : piazza Unità d'Italia (1 €/h).

Adresse utile

Offices de tourisme *(APT) : ☎ 0586-20-46-11. • costadeglietruschi.it • Piazza del Municipio : juin-sept, 9h-18h ; oct-mai, tlj sf dim ap-m 9h-17h.* Autre bureau : *piazza Cavour, 6 ; au 2e étage. Lun-ven 9h-13h, 15h-17h ; sam 9h-13h.* On peut y acheter la ***Livornocard,*** un forfait *(5 € pour 3 j.)* qui rend le bus gratuit, accorde des réducs sur le bateau et des entrées gratuites aux musées de la ville.

Où dormir à Livourne et dans les environs ?

Camping

Collina 1 : *via di Quercianella, 269, à Montenero. ☎ 0586-57-95-73. • mail@collina1.it • collina1.it • À une dizaine de km au sud de Livorno. De Livourne, avt Quercianella, prendre à gauche et suivre les panneaux. Compter 35 € pour 2 avec tente et voiture.* Perdu parmi les collines, un camping verdoyant d'une tranquillité à toute épreuve, aux emplacements ombragés mais à 2 km de la grande bleue. Les anti-campings domestiqués devraient s'y plaire, même si les équipements et les sanitaires sont un peu rustiques pour le prix.

Prix moyens

Auberge de jeunesse Villa Morazzana : *via Curiel, 110. ☎ 0586-50-00-76. 📱 34-85-18-30-67. • info@villamorazzana.it • villamorazzana.it • ♿ Au sud-est de Livourne, en dehors de la ville. Bus no 3 depuis la piazza Grande (direction Monterotondo). En voiture, sur la SS 1 prendre la sortie Montenero, puis suivre le fléchage. Ouv mars-oct. Réception fermée 10h30-16h30. Lits en dortoir 6-10 lits, en chambre familiale 22 €/pers ; doubles sans ou avec sdb 40-60 € ; petit déj 4 €.* Sur les hauteurs de la ville, une belle maison de caractère, à peine troublée par le chant des oiseaux. Elle profite d'un cadre superbe parmi les pins et les palmiers, et jouxte un beau parc où l'on peut bouquiner sur un transat. Chambres agréables, décorées de manière originale.

Hotel Cavour : *via Adua, 10 ; au 1er étage. ☎ 0586-89-96-04. • hotelcavour@hotelcavour-livorno.it • hotelcavour-livorno.it • Résa conseillée en été. Doubles 55-65 € sans ou avec sdb. Réduc de 10 % sur présentation de ce guide.* Très centrale, cette pension un peu vieillotte mais bien tenue dispose d'une dizaine de grandes chambres sans fioritures ni charme. Très bon accueil de Fabio.

Hotel Touring : *via Goldoni, 61. ☎ 0586-89-80-35. • hoteltouringlivorno@virgilio.it • De la piazza Cavour, dos au canal, prendre la via Ernesto Rossi à gauche au fond de la place ; ensuite, c'est la 3e à droite. Doubles avec sdb 80-90 €, sans petit déj. Parking 20h-7h juste à côté (15 €).* Hôtel au charme discutable, mais qui remplit parfaitement sa part du contrat : on y dort au calme, dans des chambres confortables (AC, frigo, TV...) et fonctionnelles. Bon accueil.

Où manger ?

Une halte gastronomique s'impose à Livourne pour goûter au célèbre *cacciucco*, soupe de poisson et crustacés accompagnée d'une tranche de pain aillée.

De bon marché à prix moyens

|●| ***La Barrociaia :*** *piazza Cavalloti, 13.* ☎ *0586-88-26-37. Tlj midi et soir sf lun. On mange bien pour 15-20 €. Apéritif, café ou digestif offert sur présentation de ce guide.* 2 tables à l'extérieur, à peine plus en salle, et des jambons suspendus. Une sandwicherie de terroir où l'on vous sert à la demande. Essayez les *panini* ou la *torta di ceci* à la livournaise, c'est du plaisir garanti.

|●| ***10 + 10 (dieci più dieci) :*** *piazza della Repubblica, 39.* ☎ *0586-89-25-46. Au débouché de la via de Larderel, sous les arcades. Tlj midi et soir sf lun. Compter 20-25 € pour un repas complet.* La pizzeria de référence à Livorno. Luigi est fier de sa napolitaine ! En revanche, on a connu terrasse plus agréable...

|●| ***DOC, Parole e Cibi :*** *via Goldoni, 40.* ☎ *0586-88-75-83. De piazza Cavour, dos au canal, prendre la via Ernesto Rossi à gauche ; c'est la 3e à droite. Fermé lun. Repas complet 25-30 €.* Une suite de salles façon bistrot plutôt élégant. Une *enoteca* doublée d'une *olioteca.* Profitez-en pour goûter une des nombreuses spécialités vinicoles du pays, au verre ou en bouteille, avec un excellent carpaccio, une salade ou une assiette de charcuterie.

Chic

|●| ***Ristorante-pizzeria Vecchia Livorno :*** *scali delle Cantine, 34.* ☎ *0586-88-40-48. • vecchialivorno@gmail.com • De la piazza Unità d'Italia, remonter la via Grande jusqu'à la piazza della Repubblica, c'est à deux pas. Fermé mar. Congés : 2 sem en sept. Repas 25-35 €.* Petit resto de famille au cadre intime et chaleureux. La femme du patron est aux fourneaux et cuisine un excellent poulpe à la livournaise. Sinon, les poissons (au poids) demeurent une valeur sûre, accommodés en toute simplicité pour ne pas gâter les saveurs.

À voir

Museo civico Giovanni Fattori : *via San Jacopo in Acquaviva.* ☎ *0586-80-80-01. Suivre le* lungomare *vers le sud, passer devant le* Grand Hotel, *puis à gauche 200 m après. C'est fléché. Tlj sf lun 10h-13h, 16h-19h. Entrée : 4 € ; réduc.* Dans une grande villa aux volets clos. Un musée qui accueille des expos temporaires, mais la villa mérite à elle seule une visite. Construite en 1865 pour le riche commerçant Francesco Mimbelli, elle présente un décor intérieur fastueux et délirant. Au rez-de-chaussée, ne pas manquer la *sala Turca,* un fumoir orientalisant avec un luxe de mosaïques et de marqueteries. Rampe d'escalier on ne peut plus kitsch, avec des chérubins en céramique polychrome. Au 1er étage, une salle de bal ouvertement inspirée de la galerie des Glaces à Versailles, sans la démesure mais avec son lot de dorures adéquat. Et ce n'est qu'un échantillon...

Dans le quartier du Museo civico et vers le sud, de nombreuses ***villas*** témoignent de la richesse passée de la ville. Si vous avez envie de piquer une tête avant de prendre le bateau, rendez-vous au ***Bagni Pancaldi*** *(juste en face du* Grand Hotel, *entrée : 4,50 €).* C'est la plus ancienne plage privée de Livourne, il y règne une ambiance très sixties.

PISA (PISE)

(56100) 100 000 hab.

Pour le plan de Pisa, se reporter au cahier couleur.

Pendant de nombreuses années, les tour-opérateurs ne programmaient Pise que pour y déverser leurs flots de visiteurs dans la cour des miracles. Une excursion au pas de course, une photo-souvenir (en faisant mine de retenir la tour avec les mains comme le veut la tradition), et le car reprenait la route vers une autre ville toscane. Il en est tout autrement aujourd'hui. Pise se visite pour elle-même. Avec ses immeubles Renaissance de brique rose, ses croix du Languedoc (héritage des croisades), le charme nonchalant et provincial de ses ruelles, et le fleuve qui coule en son milieu, elle nous rappelle un peu Toulouse. En revanche, bien que la ville soit étudiante, sa sagesse étonne, car exception faite de quelques points névralgiques, on ne relève aucune animation particulière dans ses rues le soir. Pise est aussi la ville natale d'Antonio Tabucchi.

PISE, LA (TROP ?) SAGE ÉTUDIANTE

Les étudiants constituent un tiers de la population de Pise (environ 30 000 étudiants pour 100 000 habitants). Son université fut l'une des premières en Europe (1343), et c'est aussi ici que les bonnes familles envoient leurs chérubins à « la Scuola » (Normale Superiore), *fondée par Napoléon en 1813.*

Florence : 77 km ; *Livourne* : 22 km ; *Rome* : 335 km ; *Sienne* : 106 km ; *San Gimignano* : 79 km.

UN PEU D'HISTOIRE

Ville étrusque puis romaine, elle devint rapidement un port florissant à 10 km de l'estuaire de l'Arno, puis une ville de marché prospère dès le Xe s. République marchande, elle conquit les Maures, la Sardaigne en 1063, la Corse en 1092 et participa aux côtés des Catalans à la conquête des *Pitiusas* (Ibiza-Formentera) en 1114. Les Pisans prirent également part aux croisades. La puissance de la ville faisait trop d'ombre à Gênes et Venise. Son penchant pour les gibelins (Hohenstaufen) lui coûta sa puissance ; sa flotte fut anéantie en 1284 par les Génois (bataille de Melona), elle perdit la Corse en 1300, puis la Sardaigne tombée dans l'escarcelle du royaume d'Aragon en 1325.
Les guelfes de Toscane l'assiégèrent. Après les Visconti de Milan, ce fut le tour des Médicis. Malgré une résistance héroïque, elle passa définitivement sous la tutelle de Florence avec quelques soubresauts d'indépendance sous Charles VIII.
Les Pisans sont célèbres pour leurs édifices romans, dont la célèbre tour, et leur université. Sous l'Empire français, la ville fut le chef-lieu d'arrondissement du département de la Méditerranée, créé par Napoléon. La ville fut annexée avec la Toscane au royaume d'Italie en 1860.

Arriver – Quitter

En avion

✈ ***Aéroport Galileo Galilei*** *(hors plan couleur par D3) : ☎ 050-84-93-00 (infos sur les vols).* • *pisa-airport.com* • *Aéroport le plus important de Toscane,* *situé à 5 mn du centre-ville, dans la banlieue sud.* Pratique puisqu'il est bien desservi par une gare ferroviaire qui le relie à Pise centre, et de là à Florence et d'autres villes de Toscane. Quelques *Bancomats* et une annexe de l'office de tourisme.

➢ Ligne directe avec **Paris** (Orly ou Roissy en 2h), ainsi qu'avec la plupart des grandes villes européennes. Des liaisons *low-cost* également avec Paris et Charleroi en Belgique.
➢ L'aéroport dessert également les principales villes italiennes et siciliennes : ***Rome, Milan, Catane*** et ***Palerme.***

Depuis et vers l'aéroport

Gare ferroviaire de l'aéroport : les billets s'achètent au bureau des infos, à droite en sortant des arrivées ; le train se prend du côté opposé, en sortant du bâtiment sur la gauche. Mais mieux vaut prendre le bus.

➢ ***Pour la gare FS de Pise Centrale :*** trains ttes les 30 mn 7h30-21h30 ; quelques trains 21h30-7h30. Compter un peu plus de 1 € et 5 mn de trajet.

Arrêt des bus : *à la sortie des arrivées.* Les billets sont en vente au même bureau des infos que pour le train ; l'achat de billet dans le bus est un peu plus cher.

➢ ***Pour le centre de Pise :*** le bus de la ligne rouge de la compagnie *CPT* (bus *LAM Rossa*) part ttes les 15-20 mn 6h-23h env, à destination de la gare FS de Pise Centrale, rive gauche. Il marque ensuite plusieurs arrêts avant de rejoindre la tour et enfin San Jacopo, son terminus, où se trouve le parking Pietrasantina ; de la tour, vous pourrez aller à pied au camping *Torre Pendente.* Même chose du centre-ville à l'aéroport. Billet env 1 € (plus si vous l'achetez dans le bus).
➢ ***En taxi :*** à la sortie du terminal des arrivées. Env 10 € pour le centre.
➢ ***En voiture :*** tous les grands loueurs ont leur bureau à l'aéroport, mais dans une zone à l'écart. Prendre une navette (gratuite).

En train

Gare ferroviaire *(plan couleur C3) : piazza della Stazione, rive gauche.* ☎ *89-20-21.* ● *trenitalia.it* ● Pas de *Bancomat* dans la gare, mais en sortant sur la gauche à la *Banco San Paolo.*
■ ***Consigne à bagages :*** *en entrant, sur la gauche du quai nº 1. Tlj 6h-21h. Compter 3 €/12h de consigne.*
Les liaisons avec le nord de l'Italie et Lucca passent aussi par l'autre gare de Pise, la ***stazione Pisa S. Rossore,*** *viale della Cascine,* qui se trouve à 5 mn à pied de la tour et du camping.

➢ ***Florence (S. M. Novella),*** via *Pontedera, Empoli* et *San Miniato* **:** 1 à 3 trains/h. Durée du trajet : 1h-1h30. Attention, tous les trains ne s'arrêtent pas à San Miniato.
➢ ***Lucca :*** 1 à 2 trains/h. Durée du trajet : 30 mn.
➢ ***Livourne :*** 2 à 4 trains/h. Durée du trajet : env 15 mn.
➢ Service d'*Eurostar* pour ***Rome, Florence, Bologne*** et ***Milan.***
➢ ***Rome :*** env 3h de trajet. Les nombreux trains quotidiens entre Pise et Rome passent soit par *Florence S. M. Novella* (où il faut parfois changer), soit par *Livourne* et *Grosseto* (marquant parfois également l'arrêt à *Cecina, Fellonica, Orbetello* et *Capalbio*).
➢ ***Gênes :*** 1 train ttes les 1 à 2h. Durée du trajet : 2-3h. Les trains les plus longs passent par Viareggio et ttes les petites gares de la Versilia.

En bus

***Gare routière** (plan couleur B3) : piazza Sant'Antonio, dans le bel immeuble avec la tour. Cette gare accueille principalement la compagnie **CPT** : ☎ 050-50-55-11 et 050-50-07-17 ou 800-012-773 (n° Vert). • cpt.pisa.it •*

➢ ***Marina di Pisa et Tirrenia** (la plage) :* bus ttes les 15-30 mn. Durée du trajet : env 30 mn.
➢ ***Vicopisano :*** env 1 bus/h. Durée du trajet : 40 mn.
➢ ***Calci et Tre Colli :*** 1 bus/h env. Durée du trajet : env 30 mn.
➢ ***Livourne :*** ttes les 30 mn. Durée : 1h. Le train est moins cher que le bus et met 20 mn... enfin, nous, ce qu'on en dit...

Circulation et stationnement

Pratiquement impossible de circuler à Pise, les rues sont presque toutes en sens unique, sans compter que le centre est **strictement interdit aux véhicules des non-résidents**. Ne vous y aventurez pas ! Il y a des caméras de surveillance partout, et chaque lecture de votre plaque d'immatriculation vous coûtera 120 € si vous n'êtes pas accrédité ! Garez donc impérativement votre voiture dans un parking (bien indiqué), prenez le bus (payant) et arpentez la ville à pied. Le stationnement coûte de 0,50 à 1,50 €/h, suivant l'endroit où l'on se trouve ; tarifs souvent en vigueur du lundi au samedi de 8h à 20h.

***Parkings gratuits** (hors plan couleur par A1 et B1, **1**) : le premier est sur la via Pietrasantina (hors plan par A1), le second sur la via del Brennero (la SS 12, direction Lucca ; hors plan par B1).* Immenses parkings gratuits. Navettes des parkings au centre-ville.

***Parking** (plan couleur A1, **2**) : via Carlo Cammeo. Env 1,50 €/h.* Le parking payant le plus proche du campo dei Miracoli.

***Parking** (plan couleur B3, **3**) : via Cesare Battisti, près de la gare. Env 1 €/h.*

***Parking** (plan couleur D3, **4**) : le long de la fortezza Nuova. Emplacements gratuits.*

***Parking** (plan couleur B2, **5**) : sur la piazza F. Carrara. Env 1,50 €/h.* Très pratique car situé près du quartier le plus animé du centre.

Adresses et infos utiles

Informations touristiques

***Uffici di informazioni** (plan couleur A1) : APT, dans le museo dell'Opera del Duomo, juste à côté de la tour penchée. • duomo@pisa.turismo.toscana.it • pisaturismo.it • Tlj 10h-19h (17h en hiver).* Brochures en français sur Pise et ses environs.

***Uffici di informazioni** (plan couleur C3) : APT, piazza Vittorio Emanuele II, 16. ☎ 050-42-291. • stazione@pisa.turismo.toscana.it • Lun-ven 9h-19h ; sam 9h-13h30. Pas facile à trouver, car la place est en travaux pour un bon bout de temps (jusqu'en 2015).*

***Bureau de tourisme de l'aéroport** (hors plan couleur par D3) : juste à la sortie des arrivées. ☎ 050-50-25-18. Tlj 11h-23h.*

PISE ET SES ENVIRONS

Poste et Internet

✉ ***Poste centrale** (plan couleur C3) : piazza Vittorio Emanuele II. ☎ 050-50-18-69. Tlj sf dim 8h15-19h.*

@ ***White & Black** (plan couleur B2, **4**) : via La Nunziata, 14. ☎ 050-50-12-52. Lun-sam 9h30-13h, 15h30-20h.* Quel-

ques ordinateurs marchant à la pièce et un peu coincés dans une petite salle.
@ *Il Vicolo (plan couleur B2, 3) : via della Croce Rossa, 9 (à côté du bar Ambaraba). ☎ 050-58-02-61. Lun-sam 9h-13h, 14h-19h.*

Santé, urgences

Pour trouver une ***pharmacie*** de garde, regarder la liste affichée sur la porte de la première pharmacie venue.

■ ***Hôpital Santa Chiara*** *(plan couleur A1, **6**) : via Roma, 67. ☎ 050-99-21-11. Près de la cathédrale.*

■ ***Préfecture de police*** *(questura) : ☎ 050-58-35-11.* Pour les vols de papiers.

Transports

■ ***Radio-taxis :*** *☎ 050-54-16-00.*

Où dormir ?

Rive gauche (quartier de la gare)

Prix moyens

■ ***Hotel La Torre*** *(plan couleur B3, **13**) : via C. Battisti, 17. ☎ 050-25-220. • info@hotellatorre.pisa.it • hotellatorre.pisa.it • Doubles 55-70 € sans ou avec sdb, petit déj-buffet compris. Parking privé 10 €/24h ou 6 € dans la rue avec accréditation de l'hôtel. Wifi.* Un établissement labyrinthique d'une petite trentaine de chambres propres, mais qui détonnent un peu avec l'ambiance design affichée par le hall. Celles avec bains sont climatisées et celles donnant sur la rue possèdent un double vitrage. Bon accueil.

■ ***Hotel Milano*** *(plan couleur C3, **16**) : via Mascagni, 14. ☎ 050-23-162. • info@hotelmilano.pisa.it • hotelmilano.pisa.it • Fermeture des portes à 1h. Doubles env 50 € sans sdb, 75 € avec, petit déj inclus.* Derrière une façade peu engageante se cache un hôtel familial à la déco sobre mais bien net et agréable. Bon accueil.

Chic

■ ***Hotel Minerva*** *(plan couleur D3, **18**) : piazza Toniolo, 20. ☎ 050-50-10-81. • info@hotelminerva.pisa.it • hotelminerva.pisa.it • Doubles avec TV et AC 95-120 € selon période, petit déj-buffet compris.* Un hôtel tout confort et bien calme à proximité de la fortezza Nuova. L'ensemble offre un standing assez stylé, sol moquetté, meubles en bois sombre, mais sans chichis et (surtout) dispose d'un beau jardin ombragé où l'on peut prendre son petit déj. Accueil gentil.

Rive droite (quartier de la tour et au-delà)

Camping

⛺ ***Camping Torre Pendente*** *(hors plan couleur par A1, **23**) : via delle Cascine, 86. ☎ 050-56-17-04. • info@campingtorrependente.it • campingtorrependente.it • À env 1 km au nord-ouest de la tour. Bus n° 3 de la gare. Venant de Lucca en train, descendre à la station Pisa San Rossore ; le camping est tt proche. Ouv d'avr à mi-oct. Env 30-37 € pour 2 avec tente et voiture selon saison.* La situation de ce camping, non loin de la tour, est idéale, même si son environnement, juste au bord d'une route très passante, est un peu bof-bof. Accès au centre-ville rapide, mais il faut aimer traverser les longs tunnels pas franchement riants. Cela dit, le site est bien aménagé, ombragé et conviendra à un court séjour. Piscine, jeux pour enfants, laverie, vélos à louer, supermarché... Prévoyez l'équipement antimoustiques : ce terrain est un de leurs garde-manger !

Prix moyens

Pensione Rinascente *(plan couleur B1,* ***17****) : via del Castelletto, 28. ☎ 050-58-04-60. • info@rinascentehotel.com • rinascentehotel.com • Doubles env 50 € sans sdb et 64 € avec. CB refusées. Réduc de 10 % sur le prix des chambres nov-fév sur présentation de ce guide.* Idéal si vous voyagez à plusieurs. Dans une demeure du XVIIe s, décorée de meubles antiques, cette pension on ne peut plus centrale, propose un confort relativement sommaire mais un cadre vraiment superbe et une atmosphère unique en son genre. Certaines des chambres sont immenses avec plafonds voûtés à fresques. Préférez celles avec un grand lit. Ambiance décontractée et très bon accueil de Pina, qui vous reçoit avec classe et sourire.

Hotel Amalfitana *(plan couleur B2,* ***19****) : via Roma, 44. ☎ 050-29-000. • hotelamalfitanapisa@hotmail.it • hotelamalfitana.it • Double 75 € ; petit déj continental 6 €. Petit déj offert sur présentation de ce guide.* Charmant petit hôtel, idéalement situé (à 5 mn à pied de la tour et du centre-ville), possédant une vingtaine de chambres au standard des années 1980, tout confort, clim', TV. Bonne literie et accueil agréable.

Chic

Hotel Novecento *(plan couleur B2,* ***21****) : via Roma, 37. ☎ 050-50-03-23. • info@hotelnovecento.pisa.it • hotelnovecento.pisa.it • Double 120 €. Apéro et petit déj offerts sur présentation de ce guide et réduc de 10 % sur le prix de la chambre nov-janv, hors j. fériés et veilles de j. fériés.* Cet élégant nid pour vos nuits cache bien son jeu avec sa façade discrète. L'intérieur feutré, à la fois contemporain et classique, respire le confort et la sérénité. Le « détail » qui achève de faire la différence : le joli carré de verdure sur l'arrière, une véritable oasis pour âmes et jambes fatiguées.

Où camper dans les environs ?

Mare e Sole : *viale del Tirreno, 56018 Tirrenia-Calambrone. ☎ 050-32-757. • campingmareesole.it • Sur la côte au sud, vers Tirrenia. De Pise ou Livorno, prendre la ligne pour Calambrone et descendre à via Tirrenia. Ouv 20 avr-20 sept. Env 20-25 € pour 2 avec tente et voiture selon saison. Loc de bungalows pour 4 pers (140 €/j.) en mai ou sept, y compris parasol et relax pour la plage.* Terrain moyennement arboré mais bien équipé : aire de jeux pour les enfants, bar avec terrasse et piscine, pizzeria. Un alignement de bungalows colorés (mais tassés) mène tout droit à la belle plage gratuite pour les campeurs. Un site qui conviendra aux familles cherchant un camping avec animations et activités pour leurs bambins, beaucoup moins aux campeurs en quête de tranquillité, surtout l'été.

Où dormir dans les Monti Pisani ?

Au nord-est de la ville, entre Pise et Lucques, s'étendent les montagnes pisanes, comprenant les villages médiévaux de Vicopisano, Calci, Buti, et Tre Colli à l'est de

Pise, disséminés sur la route de l'huile d'olive, où les champs d'oliviers occupent des terrasses à flanc de colline. Au nord, sur la route de Lucques, se trouvent San Giuliano Terme et Pugnano. Voir également « Dans les environs de Pisa » plus loin.

À l'est de Pise

Il Molendino B & B : *via Nicosia, 1, 56011 Calci. ☎ 050-93-42-59. 34-77-84-59-59. • info@b-bmolendino.it • b-bmolendino.it • Doubles 75-90 € selon confort, petit déj compris. Appart 90 €/j. (3 nuits min). Wifi. Réduc de 10 % de nov à mi-mars sur présentation de ce guide.* Un véritable havre de paix que cet ancien moulin intelligemment restauré par Stephano et Fabiola. Dans un hameau tranquille, noyé dans la verdure, 4 belles chambres décorées avec goût avec ou sans salle de bains et un appart idéal pour un séjour en famille. Hamacs pendant aux oliviers, gentils coins pour la lecture, produits bio au petit déj et maîtres des lieux toujours de bon conseil vous feront aimer le coin ! Une excellente adresse.

B & B San Francesco : *piazza San Francesco, 2, à Buti. ☎ 0587-72-21-55. 32-01-11-72-39. • info@bebsanfrancesco.it • bebsanfrancesco.it • Bus CPT n° 141 de Pise. Double 50 € avec sdb ; 80-100 € pour 4 pers ; petit déj 5 €.* Au centre de ce ravissant village médiéval, un *B & B* dans une maison ancienne dotée d'installations modernes. Belles salles de bains, literie confortable et petit déj copieux, parfois composé des pâtisseries préparées par la chaleureuse Rita, que l'on peut savourer sur la terrasse aux beaux jours. Très bonne adresse.

Azienda agricola I Felloni : *loc. La Fellonica, Tre Colli, 56010 Calci. ☎ 050-93-86-65. 33-86-48-35-28. • info@ifelloni.it • ifelloni.it • Non loin de la certosa di Pisa. Après Calci (15 km à l'est de Pise), continuer en direction de Tre Colli et suivre les panneaux La Fellonica. Bus CPT n° 160 de Pise. Ouv de mi-avr à début oct. Résa indispensable. Séjour 2 nuits min. Double env 65 € ; loue aussi des apparts 2-4 pers.* Isolé en pleine nature parmi les aulnes et les sureaux, un beau corps de bâtiment tout en pierre surplombant un ru, labyrinthe d'étages et d'escaliers. Chambres simples, avec poutres et charpente apparentes comme souvent en Toscane et des fenêtres qui s'ouvrent sur la verdure, le ruisseau et les oliviers. Belle adresse pour se mettre au vert. En plus de ça Catarina vous accueille en français.

B & B Villa Fiona : *le Risaie, via delle Risaie, 1, à Vicopisano. ☎ 050-79-61-60. • info@villafiona.it • villafiona.it • De Vicopisano, suivre direction Buti, puis Cascine di Buti ; surveiller le fléchage parfois trop discret. Congés : de mi-janv à mi-fév. Doubles 63-68 € selon saison, petit déj inclus ; familiales 4 pers 85-95 €. Café ou digestif offert sur présentation de ce guide.* Dans une agréable maison toute restaurée, entourée par les vignes et les oliviers, des chambres très propres, bien meublées mais qui manquent un peu d'âme. Excellent accueil.

Où manger ?

De très bon marché à bon marché

Pizzeria Il Montino di J. Collodi *(plan couleur B1,* ***30****) : vicolo del Monte, 1. ☎ 050-59-86-95. Depuis le borgo Stretto, tourner dans la piazza Donati. Tlj sf dim ; ferme tôt le soir en basse saison. Congés : août. Pizzas 4-8 € selon taille et type.* Réputée pour confectionner les meilleures pizzas de la ville. À pâte épaisse, elles sont simplement mais généreusement garnies. C'est aussi là que vous pourrez goûter à la spécialité de Pise : la *cecina*, une galette de pâte croustillante sur le dessus et moelleuse à l'intérieur, servie simplement assaisonnée de sel et poivre. L'endroit est populaire, et l'on s'y presse à midi.

Vineria di Piazza *(plan couleur C2,* ***32****) : piazza delle Vettovaglie, 13. ☎ 050-382-04-33. • rauparen@alice.it • Fermé dim. Repas 12-20 €. Café offert sur présentation de ce guide.* Tables et bancs de collectivités à même la place, vaisselle réduite à sa plus simple expression, ici, on ne s'embarrasse pas de cartes pléthoriques, on se contente de 3 ou 4 plats bien ficelés. Au gré du marché et de l'humeur du chef, les assiettes arborent des pâtes fraîches, des salades ou de délicieuses cochonnailles de l'arrière-pays. Cette table atypique est bien vite engorgée, notamment par les pigeons, et gare aux nichoirs en forme de pont qui pourraient bien assaisonner votre assiette !

Pizzeria-tavola calda La Tana *(plan couleur B2,* ***34****) : via San Frediano, 6. ☎ 050-58-05-40. Tlj sf dim, midi et soir. Pizzas 5-8 €, repas 10-15 €.* Pas franchement le rendez-vous des gastronomes mais plutôt une vaste cantine pour caler une grosse faim à moindre coût. Étudiants et touristes y viennent pour les pizzas au feu de bois et alimentent une ambiance trépidante, voire délirante les soirs de foot.

De prix moyens à chic

Trattoria Da Stelio *(plan couleur B2,* ***40****) : piazza Dante, 11. ☎ 050-220-01-71. ♿ Lun-ven 11h30-15h. Fermé w-e. Congés : août. Menu 22 €, plat complet 28 €. Digestif offert sur présentation de ce guide.* Cuisine simple très honnête, ambiance locale et petite terrasse l'été sur la place.

Trattoria San Omobono *(plan couleur C2,* ***36****) : piazza San Uomobuono, 6-7. ☎ 050-54-08-47. Lun-sam 19h-22h. Résa conseillée. Repas 15-25 €. Trattoria* familiale qui dissimule derrière ses rideaux une salle cosy avec pilier travaillé et nappes à carreaux. Cuisine bien maîtrisée dans le détail mais sans fioritures. Bonnes *trippe alla pisana* et carpaccio de bœuf. Accueil très sympathique.

Osteria La Grotta *(plan couleur C1,* ***39****) : via San Francesco, 103. ☎ 050-57-81-05. • info@osterialagrotta.it • Fermé dim. Congés : 15 j. en août et de Noël au Nouvel An. Repas 25-35 €.* Depuis 1947, *La Grotta* – le nom convient parfaitement au cadre – propose une cuisine de qualité, traditionnelle et toscane. Certes, le goût est à l'honneur, mais la cuisinière ne lésine pas sur l'huile d'olive (la meilleure du monde), et d'aucuns trouveront que certains plats manquent un peu de légèreté. Vaste sélection de fromages italiens et français. Côté vins, le choix ne manque pas (pas moins de 300 étiquettes !). Une valeur sûre que Scilla et Jacomo mènent avec brio.

Où manger ? Où boire un verre dans les environs ?

Trattoria da Cinotto : *via Provinciale Vicarese, 132, à Uliveto Terme. ☎ 050-78-80-43. À la sortie d'Uliveto, à droite, en allant vers Vicopisano (attention, c'est à peine visible, le resto est mal indiqué et en contrebas de la route). Fermé ven soir, sam. Congés : 2 sem en juin et 2 sem en août. Compter 25-30 €.* Stanislao, en salle, annonce le menu en français avec un brin d'humour, et Lia, aux fourneaux, travaille une cuisine du cru. Bref, une petite *trattoria* à des années-lumière des pièges à touristes des sites de la région. On vient ici pour une longe de porc aux cèpes, un pâté d'aubergines, ou un poulpe bouilli aux haricots blancs. Le tout arrosé d'un montecarlo ou d'un petit jésus en culotte de velours. Reste plus qu'à trouver un coin d'ombre pour piquer un roupillon...

La Puppa de' Vecchi Enoteca : *piazza San Francesco, 1, à Buti.* Une sympathique *enoteca* pour boire un verre en terrasse, sur le petit bout de la place qui n'est pas accaparé par les voitures, ou à l'intérieur, à l'ambiance à la fois cave à vin et bistrot du village. Pour accompagner le liquide, de généreux et goûteux *crostini* ou autres petits plats à grignoter.

I●I **Ristorante Alloro :** *via Rio Magno, 101, à Buti.* ☎ *0587-72-33-33. À la sortie du village sur la route de Pise, juste en face de la station-service. Ouv ts les soirs et aussi dim midi. Fermé mar. Congés : 2 sem en fév. Compter 20-25 € si pizzas, un peu plus à la carte. Petite bouteille d'huile d'olive locale offerte sur présentation de ce guide.* Un resto aménagé façon « pages déco de *Marie-Claire* » dans les blancs légèrement fleuris avec quelques dorures. Dans l'assiette, de bonnes pizzas au feu de bois et une cuisine locale tout en rondeurs. Accueil gentil.

Où déguster une bonne glace ?

De Coltelli Gelateria Naturale *(plan couleur C2,* ***70****) : lungarno Pacinotti, 23.* • *decoltelli.it* • *À côté du* Royal Victoria Hotel. Un glacier haut de gamme. *Granite, gelati* et *tutti quanti,* évidemment *home made,* tout bio, tout bon. La chantilly se défend pas mal, et le sorbet menthe-citron est à tomber en pâmoison. Une adresse devant laquelle on s'incline (normal, on est à Pise...).

Bottega del Gelato *(plan couleur C2,* ***60****) : piazza Garibaldi, 11.* ☎ *050-57-54-67. Tlj sf mer sept-fév, 11h-1h en été, jusqu'à 20h le reste de l'année. Congés : 3 sem en déc-janv.* L'une des *gelaterie* les plus réputées. Quelques parfums vedettes : *fragola,* yaourt (le plus onctueux qu'on ait découvert), *zabaione, fiore di panna...* Incontournable.

Achats alimentaires

Ravitaillement possible *tlj sf dim au* ***marché de la piazza delle Vettovaglie*** *(plan couleur C2),* où l'on trouve de la charcuterie, du poisson, de la viande, du pain, du fromage, des fruits et légumes...

Où boire un verre ?

Pise est une ville universitaire, on y croise des cohortes d'étudiants et pourtant, on ne peut pas dire que les bars soient légion ; qui plus est, elle s'avère très très calme en soirée. On s'est demandé si les étudiants pisans n'étaient pas un peu trop sérieux. Qu'on se rassure, on les a découverts bel et bien festifs dans le borgo Stretto *(plan couleur C2)* et ses ruelles adjacentes, et même buvant des bières en rang d'oignons sur le mur qui longe l'Arno. Là, vous trouverez, à l'angle de la piazza Cairoli et du lungarno Mediceo, ***Amaltea*** *(plan couleur C2,* ***71****)* ou encore le tendance ***Bazeel*** *(plan couleur C2,* ***72****),* lungarno Pacinotti, 1.

À voir

Rive droite : le Campo dei Miracoli (plan couleur A1)

On ne vous apprendra rien en vous disant que Pise doit sa renommée à sa célèbre tour penchée (la *torre pendente*). Eh bien, vous découvrirez qu'elle fait en réalité partie d'un ensemble exceptionnel, ceint de murailles médiévales, répondant au nom de *Campo dei Miracoli* ! Ce « champ des Miracles » comprend le *Duomo,* le *Battistero* et le *Campo Santo,* ainsi que deux musées (*museo dell'Opera* et *museo delle Sinopie*).

Pour vraiment l'apprécier, mieux vaux la découvrir en arrivant du centre-ville, quand elle se dévoile en douceur au détour des rues paisibles et que, tout à coup, bing ! Vous tombez sur cette grande prairie grouillante de monde et parée de magnifiques monuments. Si vous arrivez du nord-ouest, par les parkings du Campo dei Miracoli, la gare S. Rossore ou du camping, la vision de tous ces vendeurs à la sauvette, l'ambiance de foire et la cohue risquent de vous donner envie de tourner les talons... et ce serait vraiment dommage, car bien qu'extrêmement touristique, cet ensemble est de toute beauté et cette tour fascinante...

– ***La billetterie principale*** *(8h-19h40, derrière la tour, dans le palazzo de couleur jaune)* propose différents forfaits, comprenant des visites à choisir parmi 5 sites du Campo : le *Duomo,* le *Battistero,* le *Campo Santo,* le *museo dell'Opera* et le *museo delle Sinopie.* Billet pour 1 site : 5 € ; 2 sites : 6 € ; 5 sites : 10 €. Et enfin le « biglietto unico » permettant de visiter 10 sites répartis dans toute la ville pour 13 € (en été slt !). Seule la tour échappe à la règle (tiens donc !).

➢ De la gare, bus de la ligne rouge *(LAM Rossa)* ou 20 mn à pied.

– ***Horaires d'ouverture des monuments et des musées :*** pas une mince affaire, car ça change très souvent. Le plus sage est de consulter leur site internet : • *opapisa.it • En général, cela donne : janv-fév : 10h-17h ; mars : 9h-18h ; avr-sept : 8h-20h ; oct : 9h-19h ; nov-déc : 10h-17h ; et du 25 déc au 6 janv : 9h-18h.*

Torre di Pisa *(la tour de Pise ou Campanile ; plan couleur A1)* ***:*** *en saison, mieux vaux réserver son billet longtemps à l'avance, même si c'est plus cher ; résas par Internet sur • info@opapisa.it • opapisa.it • Tarif : 15 €/pers pour grimper dans la tour (17 € sur résa). Interdit aux moins de 8 ans.*

Si la vision de cette tour est assez hallucinante (selon le point de vue, elle penche plus ou moins), l'intérieur n'est pas palpitant.

Depuis longtemps, les redresseurs de tours cogitent sur les solutions pour empêcher son inexorable chute. Parmi les milliers de projets présentés, les plus fantaisistes proposèrent une gigantesque bouteille de *Coca-Cola* pour servir de tuteur, ou envisagèrent d'y installer une rampe de lancement de fusées. Plus sérieusement, des ingénieurs écolos préféreraient planter des séquoias tout autour pour retenir la terre. Il y a enfin les tenants de la technique d'Abou Simbel : découper la tour et la remonter plus loin. Bref, la chute de la tour de Pavie en 1989 (pourtant bien droite, elle !) a précipité les décisions. En 1992, on a entrepris des travaux titanesques en cerclant la tour avec des câbles d'acier pour empêcher les pierres de jouer. Puis une ceinture de béton a été coulée à la base pour la renforcer, et un contrepoids de 750 t de plomb a progressivement redressé les 15 000 t de pierres du colosse. Un tour de force qui offre à la tour un répit de trois siècles selon les experts. Les Pisans ont donc de la marge avant que le ciel ne s'écroule sur leur tête... On prévoit également l'ouverture des étages (actuellement obstrués) qui permettrait d'observer le ciel de l'intérieur de la tour.

« L'EFFET TOURNESOL ! »

La tour de Pise est l'un des plus célèbres édifices au monde : elle évoque Pise comme Pise l'évoque. Commencés en 1173, les travaux ne prirent fin qu'en 1370, après avoir été longtemps bloqués au niveau du 3e étage. Deux nappes phréatiques trop proches ont imbibé la terre et l'ont rendue instable, provoquant un sérieux affaissement du terrain. Depuis le Moyen Âge, son sommet s'est décalé de 5,20 m vers le sud. En plus, il paraît qu'elle tourne un peu aussi !

Duomo *(plan couleur A1)* ***:*** *attention, visite suspendue pdt les offices. Prévoir pour les femmes un vêtement qui couvre les épaules (des ponchos sont disponibles à l'entrée).*

Symbole de l'art roman pisan qui essaima dans toute la région, cette cathédrale commencée en 1063 fut achevée au XIIIe s. Malgré la durée des travaux, les proportions sont harmonieuses. Longue de 100 m, haute de 34 m, large de 35 m et construite en forme de croix latine. Façade superbe qu'on copia abondamment à l'époque. Le truc : avoir inventé ces rangées d'arcades, détachées de la paroi et qui lui donnaient rythme et profondeur.
À l'intérieur, là aussi, on remarque l'ensemble tout en rythme et harmonie par la répétition des arcades et la polychromie de la pierre. Dans le transept droit, sarcophage du roi Henri VII. Au centre, *Vierge en gloire.* Dans le chœur, balustrade de marbre en marqueterie avec ange de bronze de Jean Bologne. Dans le transept gauche, dans l'abside, *Assomption* en mosaïque du XIVe s. Tombeau de l'archevêque d'Elci.
Pour finir, le chef-d'œuvre du *Duomo* : la *chaire,* due au ciseau de Giovanni Pisano dans les années 1302-1311. Exubérance de style totale. Colonnes corinthiennes s'appuyant sur des lions et supportant d'admirables panneaux représentant des scènes du Nouveau Testament. À côté de la chaire, lampe de bronze datant du XVIe s, appelée lampe de Galilée. Son balancement régulier, bien que diminuant, durait toujours un temps égal. Cela avait amené Galilée à de savants calculs sur les oscillations.

Battistero *(le baptistère ; plan couleur A1)* **:** *démonstrations de l'écho ttes les 30 mn.* Commencé en 1153 et achevé au XIVe s. Cela explique la coexistence des styles roman-pisan pour la base et gothique pour les étages. Nicola Pisano, auteur de la chaire, y travailla ; son fils Giovanni, architecte du *Duomo* de Sienne, lui succéda en 1285 pour effectuer le décor extérieur. Le dôme gothique, enfin, ne coiffa l'ensemble qu'à la fin du XIVe s. L'intérieur détonne par son dépouillement architectural. Deux étages à arcades seulement. Belle lumière. Ne pas manquer de monter au 1er étage pour admirer les fonts baptismaux par immersion et, sur les côtés, les petites cuves pour les nouveau-nés. *Chaire* de Nicola Pisano ; réalisée en 1260, elle est considérée comme la première œuvre gothique italienne. Trois des sept colonnes sont soutenues par des lions. Multitude de symboles : aux angles de la chaire, au-dessus des chapiteaux corinthiens, les Vertus (entre autres, la Force, symbolisée par Hercule, la Foi, la Charité). Sur les panneaux sculptés, les grands classiques : Crucifixion, le Jugement dernier...

Campo Santo *(plan couleur A1)* **:** ce monumental cimetière du « Champ Consacré » fut réalisé en 1278 par Giovanni di Simoni. C'est un long édifice de marbre au style très sobre, avec arcatures aveugles. L'intérieur évoque des galeries de cloître aux grandes baies flamboyantes. Belles pierres tombales médiévales et Renaissance sculptées, et séduisants jeux de lumière à travers les baies. Pourtant, en 1944, un cruel bombardement provoqua l'incendie de la toiture. On tremble à l'idée qu'une de ces bombes aurait pu tomber sur le *Duomo* ou le baptistère, situés seulement à quelques dizaines de mètres !
On raconte qu'à l'occasion des croisades, plusieurs navires rapportèrent de pleines cargaisons de terre du mont Golgotha pour que les nobles familles pisanes puissent reposer en Terre sainte.
De nombreuses fresques des XIVe et XVe s furent détruites lors de la dernière guerre, mais il y a toujours des miracles : conservée dans l'une des salles sur le côté, l'une des plus fascinantes, *Le Triomphe de la Mort,* en réchappa et se révèle aujourd'hui un fabuleux chef-d'œuvre, attribué à un artiste pisan inconnu du XIVe s. Dans cette période de guerres sans pitié et de cruelles épidémies, le thème de la mort revenait sans cesse dans les préoccupations des artistes. Ici, dans la scène principale, c'est la découverte des trois étapes de la mort symbolisées par un cadavre gonflé comme une outre, un autre se décomposant, enfin, le dernier réduit à l'état de squelette. Très grand réalisme, pourtant dédramatisé par la joliesse du paysage et l'élégance des vêtements des personnages. Au fond de la salle, *Le Jugement dernier.* Les élus d'un côté, les damnés de l'autre. Au milieu, de petites scènes pittoresques qui échappent parfois au regard la première fois. Ainsi, cet « ange-chef » qui ordonne à

l'un de ses subalternes de récupérer au dernier moment une jeune fille avant l'Enfer. Dans ses yeux, un mélange de joie et d'incrédulité. Quant aux « scènes des damnés », elles se révèlent là aussi d'un réalisme et d'une précision « diaboliques ». Difficile d'imaginer supplices plus féroces. Les malheureux pécheurs sont éventrés, coupés en morceaux, croqués par d'odieux serpents, bouillis, dégustés en brochette... quel raffinement !

Museo delle Sinopie *(le musée des Sinopie ; plan couleur A1) : au sud du campo dei Miracoli. ☎ 050-56-18-20.* Installé dans un ancien hôpital du XIIIe s construit par le même architecte que celui du Campo Santo. La sinopia est une terre de couleur rouge-brun qui servait à rehausser les dessins (appelés *sinopie*) préliminaires aux fresques. On les a donc redécouverts sous les fresques, à l'occasion de la reconstruction du Campo Santo, lorsqu'elles furent relevées. Ils se révèlent d'une qualité vraiment exceptionnelle, et leur mise en valeur est tout à fait réussie. En particulier, vous retrouverez les merveilleux dessins du *Triomphe de la Mort*, du *Jugement dernier* et une belle *Crucifixion* de F. Traini.

Museo dell'Opera del Duomo *(plan couleur B1) : piazza Arcivescovado, 8. ☎ 050-56-18-20. À côté de l'évêché (au fond à droite comme toujours), et tt près de la tour.* Installé dans un ancien couvent de capucines du XVIIe s, il renferme des œuvres d'une grande richesse provenant des monuments principaux du Campo. Celles-ci ont été remplacées par des copies. Signalons que du cloître et du jardin de cet ancien couvent, on a un très beau point de vue sur la tour.
– *Au rez-de-chaussée,* ne pas rater la copie de la chaire magnifique de la cathédrale. Remarquer également les neuf bustes des Pisano père et fils, les tombes d'archevêques de Nino Pisano (XIVe s) ou le monument funéraire d'Andrea Guardi (beaux drapés des personnages). Enfin, le trésor passionnera les amoureux d'objets liturgiques.
– *À l'étage,* ce sont surtout les admirables travaux de marqueterie des stalles de la cathédrale qui retiennent l'attention (belles représentations des quais de Pise au XVe s). Également de beaux antiphonaires (recueils de chants liturgiques), une sélection de vêtements ecclésiastiques et une petite section archéologique.

Autres monuments de la rive droite

Palazzo Arcivescovile *(le palais de l'Archevêché ; plan couleur B1) : piazza Arcivescovado.* Aujourd'hui, faculté de théologie. Ne se visite pas, mais on peut admirer la ravissante cour du XVe s.

Via Santa Maria *(plan couleur A-B1-2) :* bordée d'élégants palais, pour la plupart occupés par des départements de l'université. Tenter, au détour de portes ou cours ouvertes, de découvrir les secrets des demeures. Détailler les façades pour repérer les trucs insolites. Notamment autour de l'*église San Nicola* (en bas, proche de l'Arno), noter comme tous les édifices ont été curieusement triturés, retouchés, rafistolés. L'église elle-même présente un patchwork de modifications apportées au fil des siècles. Tour octogonale ajourée de fines colonnettes et légèrement penchée (c'est une manie !). Au no 19, escalier monumental, voûtes, colonnes doubles. Au no 26, la *maison de Galilée,* le savant étant né à Pise.

Piazza dei Cavalieri *(plan couleur B1) :* calme, particulièrement poétique la nuit, elle semble en revanche un peu sèche et nue en plein jour. Entourée de beaux palais, devenus aujourd'hui, presque tous, des bâtiments de l'université.
Le plus remarquable : le ***palazzo dei Cavalieri,*** du XVIe s *(Scuola Normale Superiore).* Entièrement décoré des sgraffites du célèbre Giorgio Vasari (technique qui consiste à gratter un enduit clair posé sur un fond sombre). Bustes des grands-ducs de Toscane dans des niches richement sculptées. Devant, jolie fontaine ornée de la statue du premier Médicis (XVIe s).

En face, le ***palazzo dell'Orologio.*** Édifié à partir de deux anciennes tours médiévales complètement englobées dans la nouvelle construction, reliées par un haut passage voûté. Sous le passage, on remarque un des angles de la tour, dégagé du mur.

UNE PETITE HISTOIRE AVANT DE S'ENDORMIR...

L'une des tours du palazzo dell'Orologio fut la prison communale. Au XIIIe s, on y enferma avec ses enfants le comte Ugolino della Gherardesca, podestat de la ville, accusé de despotisme et condamné à mourir de faim ; on dit qu'il mangea l'un de ses enfants. Dante le cite d'ailleurs dans La Divine Comédie *(« l'Enfer »).*

Chiesa Santo Stefano dei Cavalieri *(plan couleur B1)* **:** *lun-sam 9h-18h, dim 11h30-17h30 (11h-16h30 en hiver ; fermé pdt les offices).* Édifiée en 1565 par Vasari pour l'ordre national des chevaliers de Saint-Étienne, ordre militaire fondé par Cosme Ier de Médicis avec la croix de Malte comme symbole. Le campanile est plus tardif, ainsi que la belle façade de marbre commandée par Jean de Médicis en 1602. À l'intérieur, admirer d'abord l'exubérant plafond à caissons racontant des épisodes de l'histoire de l'ordre. Tout en haut également, huit lanternes en cuivre doré des XVIe et XVIIIe s, prises aux galères turques. Le long du mur de droite, vestiges de galère toscane. Nombreux drapeaux saisis aux Turcs, dont la flamme de combat du vaisseau amiral d'Ali Pacha lors de la célèbre bataille de Lépante (7 octobre 1571). Bas-côté gauche : quelques toiles, dont une *Nativité* de Bronzino et une *Sainte Famille* d'Aurelio Lomi, ainsi qu'une chaire en marbre marqueté. L'habituelle faute de goût, le maître-autel de style baroco-funéraire très lourd (XVIIe et XVIIIe s).

Via delle Sette Volte *(plan couleur B1)* **:** *entre la via dei Consoli del Mare et la via Ulisse Dini.* Pittoresque ruelle médiévale (de nuit surtout). Presque entièrement couverte de larges voûtes.

Chiesa Santa Caterina *(plan couleur C1)* **:** *piazza Santa Caterina.* Édifiée au XIIIe s par les dominicains, elle abrite un beau tombeau de Nino Pisano.

Les thermes *(plan couleur B1)* **:** au nord de Santa Caterina, par la via San Zeno, accès aux vestiges des thermes romains du IIe s. À côté, la *porta a Lucca* percée dans la muraille médiévale.

Chiesa San Francesco *(plan couleur C1)* **:** *à l'angle des vie San Francesco et F. Buonarroti.* Construite en trois temps : début du XIIIe s, XIVe et XVIIe s pour l'austère façade. Dans le chœur, retable en marbre du XVe s de Tommaso Pisano. Sur la voûte, fresques de Taddeo Gaddi (1342). Dans la deuxième chapelle de droite, ravissant triptyque et dalle funéraire des Gherardesca (voir anecdote du palazzo dell'Orologio, plus haut).

Museo San Matteo *(plan couleur D2)* **:** *piazza San Matteo, lungarno Mediceo. ☎ 050-54-18-65. Tlj sf lun 8h30-19h (13h dim). Entrée : 5 € ; 8 € avec une entrée pour le palazzo Reale.* Expositions temporaires fréquentes. Tout à côté de l'église, il occupe un ancien couvent bénédictin.

– ***Dans le cloître :*** arcades romanes en brique sur colonnes de pierre. Pierres tombales finement sculptées.

– ***1er étage :*** *peinture médiévale et primitifs religieux* exposés dans un cadre remarquable. Œuvres du Maestro de San Torpè (XIVe s), dont le beau *Christ en croix,* avec scènes du Nouveau Testament ; *Sant'Andrea Apostolo* et polyptyque de Lippo Memmi ; *Annonciation* en bois polychrome (de 1321) et polyptyque de Simone Martini (XIVe s).

Dans la salle consacrée aux *Sculptures médiévales,* de gracieuses figures féminines. *Vierge à l'Enfant* de Nino Pisano, avec un petit qui semble bien goulu et une

Vierge à l'expression si douce. Salle voisine : *Vierge et anges* d'Antonio Veneziano (toujours le clin d'œil du peintre : l'un d'eux se retourne vers le spectateur !), triptyque de Taddeo di Bartolo (délicatesse du vêtement de *La Vierge et l'Enfant*, scène équilibrée avec du mouvement et de la profondeur).
Une petite salle est consacrée à Benozzo Gozzoli, et dans une autre est présenté le splendide buste-reliquaire de San Rossore en bronze doré, œuvre magistrale de Donatello. Intéressant *Saint Paul* de Masaccio (XVe s) et *Vierge et l'Enfant* par Gentile da Fabriano.
On déambule avec plaisir dans les belles salles qui se succèdent, même si la plupart des textes sont en italien. Outre les œuvres évoquées ci-dessus, on admire ici une des plus belles collections de céramique décorative médiévale, et là des chapiteaux (qu'on a rarement l'occasion de pouvoir scruter d'aussi près).

Prefettura *(plan couleur D2)* **:** *lungarno Mediceo. À côté du musée.* C'est l'ancien palais des Médicis du XIIIe s, souvent lieu de résidence de Laurent le Magnifique. Noter l'extrême finesse des colonnettes géminées ou triples, ainsi que l'harmonieuse alliance de la pierre, du marbre et de la brique.

Palazzo Reale *(plan couleur B2)* **:** *lungarno Pacinotti, 46. ☎ 050-92-65-11. Lun, mer, ven 9h-14h30 ; sam 9h-13h30 ; fermé dim, mar et j. fériés. Entrée : 5 € ; réduc. Musée souvent fermé par manque de personnel.* Collections réunies depuis 1989 par des donations successives : tableaux, tapisseries, mobilier, et surtout armures et armements métalliques utilisés pour le *Gioco del Ponte* introduit par les Médicis depuis 1596 et qui se perpétue de nos jours (en juin, voir rubrique « Manifestations »). Brochure en français.

Rive gauche

Moins de prestigieux monuments bien sûr, mais on y trouve d'agréables balades dans des quartiers peu touristiques, et de jolies églises. Accès par le *ponte di Mezzo,* le plus ancien pont de Pise. Dans son prolongement, le *corso Italia,* la grande voie commerçante piétonne de la ville.

Palazzo Gambacorti *(plan couleur C2)* **:** *au pied du ponte di Mezzo.* Un des plus beaux palais de la rive gauche. Construit au XIVe s. Côté quai, bel assemblage de grès vert de toutes nuances, pierre blanche, grise, et jolies baies gothiques. Nombreuses armoiries. À l'intérieur, au rez-de-chaussée, on peut admirer les voûtes en ogive avec retombées sur colonnes corinthiennes.
En face, les ***logge di Banchi,*** au début du corso Italia. Ce sont les halles édifiées au début du XVIIe s et qui abritaient le marché de la laine et de la soie. De l'autre côté, le *palazzo Pretorio.*

Chiesa Santa Maria della Spina *(plan couleur B2)* **:** *lungarno Gambacorti. En face du palazzo Reale, de l'autre côté de l'Arno. Mar-ven 11h-13h45, 15h-17h45 ; w-e 10h-18h45. Ferme 1h entre 14h et 15h. Entrée : env 2 € ou 3 € si billet cumulé avec la* ***Torre Guelfa*** *(mars-oct, ven, sam, dim 15h-19h).* Cette adorable chapelle de marbre au bord de l'Arno compose depuis le ponte Solferino l'un des plus insolites paysages urbains qui soient. L'édifice trônait depuis 1230 à l'embouchure de l'Arno et subissait sans cesse les crues du fleuve. En 1871, l'église fut démontée et reconstruite à cet emplacement, seule, coincée entre le fleuve et une route très passante.
Elle doit son nom à une relique, une épine *(spina)* de la couronne du Christ rapportée de Terre sainte ; celle-ci se trouve maintenant dans l'église Santa Chiara de l'Hôpital (près du *Duomo*). Très riche décor gothique de la face sud, forêt de pinacles, flèches, baldaquins, clochetons et statues. À l'intérieur, un beau plafond de bois peint et le bruit de la circulation qui rend le lieu peu propice au recueillement, ce qui n'est d'ailleurs plus son but puisqu'il accueille désormais des petites expos temporaires.

Chiesa San Paolo a Ripa d'Arno *(plan couleur B3) : lungarno Sonnino Sidney.* Peu avant le ponte della Cittadella, vos pas vous porteront vers cette ravissante église, probablement la plus ancienne de Pise. Construite au IXe s, elle hérita d'une façade de style roman pisan. Considérée comme une sorte de maquette du *Duomo,* car on y retrouve nombre d'éléments architecturaux et décoratifs identiques. Le dépouillement de l'intérieur est tel qu'il rend le lieu impressionnant. Ne pas rater, derrière, la *chapelle Sant'Agata,* du XIIe s. Construction octogonale de brique assez originale. En face, rive nord, s'élèvent les vestiges de la citadelle construite par les Florentins au XVe s, ainsi que les arsenaux des galères (de 1588).

Sur le lungarno Galileo, la ***chiesa del San Sepolcro*** *(plan couleur C2),* du XIIe s. Élégante construction octogonale avec dôme. Campanile inachevé. Une curiosité historique : on y trouve la tombe de Marie Mancini, le grand amour de jeunesse de Louis XIV, que Mazarin dut exiler pour qu'elle ne perturbe plus le jeune roi.
La via San Martino *(plan couleur C2)* est l'ancienne rue des marchands arabes et turcs ; elle est bordée d'étroites et pittoresques ruelles, et mène à l'église du même nom. Édifiée au XIVe s sur l'emplacement d'une église du XIe s ayant appartenu à l'ordre des Augustins.

Corso Italia *(plan couleur C2-3) :* élégante voie commerçante piétonne, reliant l'Arno à la piazza Vittorio Emanuele II (malheureusement en travaux jusqu'en 2015). Quelques beaux palais. Voir aussi les admirables *logge di Banchi.*

Manifestations

– ***Giugno Pisano :*** le mois de *juin* est festif à Pise. Les réjouissances commencent avec la ***régate des anciennes républiques maritimes :*** avec défilé où les anciennes républiques maritimes sont représentées (Amalfi, Gênes, Pise et Venise) avant de s'affronter sur l'Arno. Également, la ***Luminara de San Ranieri :*** à la tombée de la nuit, des milliers de bougies illuminent les palais, les murs et les églises des rives de l'Arno. Le même soir, la tour et l'enceinte du Campo dei Miracoli sont également mises en lumière... une atmosphère magique enveloppe alors la ville. Puis vient la ***régate de San Ranieri,*** qui voit s'affronter les 4 quartiers historiques de la ville. Le ***Gioco del Ponte,*** le dernier dimanche de juin, conclut ce mois de festivités. Une parade militaire costumée du XVIe s précède les jeux mettant aux prises deux groupes qui, selon des règles bien définies, vont s'affronter pour la conquête du ponte di Mezzo. Tous les renseignements sur • *giugnopisano.com* •
– ***Festival Anima Mundi :*** *sept-oct.* Festival de musique sacrée rassemblant de grands ensembles ou interprètes nationaux et internationaux. Nombre de concerts sont donnés dans le cadre magnifique du *Duomo.*

➤ DANS LES ENVIRONS DE PISA

À l'ouest

Basilica di San Piero a Grado : *sur la route de Marina di Pisa.* L'église actuelle remonte au XIe s. Bel appareillage de pierres dorées et fresques du XIVe s racontant la vie de saint Pierre, qui, selon la légende, aurait accosté à cet endroit lors de son retour de Palestine en 44 apr. J.-C.

À l'est

Certosa di Pisa : *à* ***Calci.*** ☎ *050-93-84-30. À env 13 km à l'est de Pise. Accessible par le bus n° 160 de la CPT au départ de Pise ; liaisons régulières ; 30 mn de*

trajet. Visites « accompagnées » (mais non guidées) mar-sam ttes les heures 9h-19h, dim et fêtes jusqu'à 13h. Fermé lun. Entrée : 4 € ; réduc. Brochure en italien.
Un des plus grands ensembles monastiques d'Italie, facilement visible depuis Pise. Fondée en 1366, la chartreuse doit son aspect actuel au père prieur Giuseppe Alfonso Maggi (comme le bouillon), qui conduisit les travaux de remaniements de 1764 à 1794. En tout et pour tout, une dizaine de pièces à visiter, depuis la superbe pharmacie jusqu'à la bibliothèque, en passant par le réfectoire, la cuisine et le jardin potager de cet établissement où vivaient quinze pères et une soixantaine de *conversi.* La cerise sur le gâteau, ce sont la *chiesa,* avec sa superbe façade de marbre, et les douze chapelles, toutes richement décorées par Pietro Giarrè, à la fin du XVIIIe s, de fresques représentant la vie des richissimes occupants et des scènes religieuses. Le lieu n'est pas anodin car l'un des bailleurs de fonds de cet ermitage était le grand-duc Pierre Léopold de Toscane. Il avait ses appartements privés dans une des ailes. Curieusement, reste le baldaquin du lit, mais le lit a disparu ! On note un débordement de luxe : mosaïques, marbre de Carrare, fresques d'une richesse sans égale. En 1808, un décret napoléonien sonne le glas de cette vie fastueuse des religieux observant la règle de saint Bruno. Commence alors le début de la désaffection progressive de l'édifice, confirmée 60 ans plus tard. Mais ce n'est qu'en 1972 que le dernier des moines de Calci quitte le superbe cloître. Cette chartreuse a accueilli de belles scènes de l'histoire du cinéma.

CALCI, UN BLASON QUI NOUS BOTTE !

À l'époque romaine, Calci était connue pour être un important centre de manufacture de cothurnes, ces bottes aux semelles épaisses et lacées sur le devant du mollet que portaient les légionnaires romains. La ville les arbore encore aujourd'hui sur son blason.

– Ne pas manquer, dans le village, à 1 km, l'***église paroissiale*** de style romano-pisan ainsi que l'***église du couvent di Nicosia*** (un joyau qui malheureusement ne se visite pas).
– ***Museo di storia naturale del Territorio :*** *à côté, dans les superbes bâtiments de la chartreuse. ☎ 050-221-29-70. De juil à mi-sept, mar-ven 10h-19h, w-e et j. fériés 10h-20h (horaires souvent étendus en août, mieux vaut se renseigner préalablement) ; de mi-sept à juin, mar-sam 9h-18h, dim et j. fériés 10h-19h. Entrée : 7 € ; réduc.* Très ancien musée géré par l'université de Pise.

ǩǩ ***Monti Pisani :*** au nord-est de Pise, cette région tout en vallons, montagnes, forêts et oliveraies gagne à être visitée. Elle comprend les villages de *Vicopisano, Calci, Buti, San Giuliano Terme* et *Vecchiano.* La route qui relie Calci à Buti et part à l'assaut des contreforts parmi les robiniers, les châtaigniers et les pins est très belle, elle laisse parfois de ravissantes échappées sur la grande bleue et la plaine noyée dans la brume de chaleur. On trouve des aires de repos pour pique-niquer.
Parmi les villages, ***Buti*** demeure l'un de nos préférés. Ne pas manquer d'aller faire un tour dans le vieux quartier (l'office de tourisme se trouve derrière le *Duomo*). L'adorable village de ***Vicopisano*** clame haut et fort son nom. Il était en effet un des hauts lieux de la lutte entre l'Évêché et la commune de Pise. Son suffixe indique qui des deux gagna. Témoins de cette époque, les quelques demeures aux façades de couleur pastel disséminées çà et là dans la campagne. Mais à partir de 1275, ce village entra au cœur de la lutte entre les gibelins et les guelfes. Rebelote au XVe s ! Les Florentins s'en emparèrent. Il subsiste une belle (mais petite) forteresse médiévale. Jusqu'à l'unité italienne, il resta dans l'escarcelle florentine.

ǩ ***Parco naturale regionale di Migliarino – San Rossore – Massaciuccoli :*** • *parks.it/parco.migliarino.san.rossore/Eindex.html* • Créé en 1979, ce parc régional s'étend entre Viareggio et Livourne, sur 32 km d'un littoral épargné par la

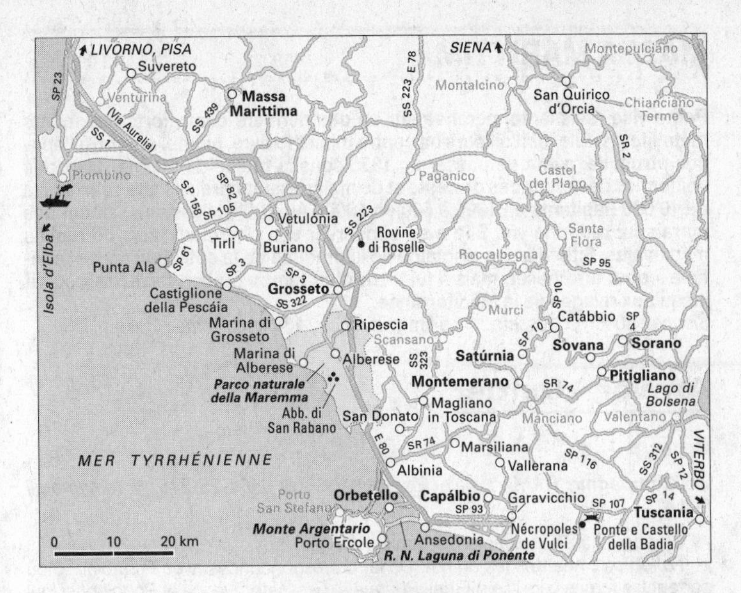

LA MAREMME

« bétonite » qui touche le reste de cette côte. Pour des visites guidées à pied, à cheval ou à bicyclette, contacter le *Centro Visite San Rossore* (☎ *050-53-01-01* ou • *visitesr@tin.it* •).

Les plages

Attention, il est quasi impossible d'accéder au littoral sans payer un droit d'accès aux loueurs de transats et de parasols à ***Marina di Pisa*** et consorts. Quant au parc naturel, il est gardé et seules quelques plages autorisées permettent d'aller piquer une tête dans la grande bleue.

Pour se baigner sur une vraie plage, aller à ***Marina di Vecchiano*** dans le parc naturel, sur la route de Torre del Lago. Accessible en transports en commun, en été seulement, par le bus n° 80 de la compagnie *CPT* pour Migliarino, d'où vous prendrez un autre bus pour Marina di Vecchiano. La plage, dans sa première partie, est un peu sale, mais si vous poussez plus loin sur le rivage, ça s'améliore.

LA MAREMME

La Maremme est le parent pauvre de la Toscane. Longtemps négligée par les professionnels du tourisme, on y trouve moins d'Anglais, d'Allemands et autres compatriotes que dans le Chianti. Il faut donc en profiter ! Car la Maremme présente des visages bien différents, du paysage de bocage dans la région de Scansano à la presqu'île escarpée et très chic de l'Argentario, en passant par les superbes villages médiévaux sis sur le tuf.

MASSA MARITTIMA (58023) 13 000 hab.

Petite ville ravissante, perchée sur un des derniers contreforts des monts métallifères. Elle fut d'ailleurs un centre minier (cuivre, plomb, argent) à l'époque étrusque, avant de passer en 1335 sous la tutelle de Sienne. Mais des épidémies dévastatrices de peste et de malaria anéantirent la cité : elle passa de 10 000 habitants en 1300 à 500 en 1500 ! Au XIXe s, l'assainissement des marais lui redonna vie. Elle a su conserver son charmant lacis de ruelles médiévales. Située à une vingtaine de kilomètres de la côte, son nom « maritime » peut interpeller, mais il lui vient d'un temps où son territoire courait jusqu'aux rivages de la Méditerranée.
Sienne : 50 km ; *Grosseto* : 47,5 km ; *Florence* : 134 km ; *Rome* : 234 km.

Arriver – Quitter

En bus

Compagnie RAMA : *viale Risorgimento. ☎ 0564-25-215. • ramamobilita.it •*

➢ ***Sienne :*** 2 à 3 bus directs/j. sf dim et j. fériés.
➢ ***Follónica :*** bus ttes les 30 mn. De là, correspondances avec *Piombino* (d'où partent les ferries vers l'île d'Elbe), *Punta Ala, Grosseto, Sienne* et *Poggibonsi* (qui dessert San Gimignano et le val d'Elsa).
➢ ***Grosseto :*** 3 bus directs/j. sf dim.

Adresse utile

Office de tourisme Strada del Vino : *via Todini, 3-5. ☎ 0566-90-27-56. • stradavino.it • altamaremmaturismo.it • Rue démarrant piazza del Duomo. Tlj 9h30-13h30, 15h-19h30 en été ; horaires restreints en basse saison et fermé dim.*

Où dormir ? Où manger ?

Ostello S. Anna : *via Gramsci, 5. ☎ 0566-90-11-15. 📱 32-90-03-09-31. • leclarisse@libero.it • digilander.libero.it/leclarisse • ♿ Réception 9h-12h, 17h-20h. Résa indispensable en été. 15 €/pers en chambres 2-10 lits, draps inclus ; petit déj 1,50 €. CB refusées. Parking gratuit.* À quelques encablures au nord-est de la vieille ville, extra-muros, une petite équipe sympathique s'efforce de proposer un logement simple mais de qualité aux voyageurs. Certes, la déco brille par son absence, mais c'est très propre et plutôt confortable.

Albergo Massa Vecchia : *☎ 0566-90-38-85. • info@massavecchia.it • massavecchia.it • En contrebas du bourg, sur la route de Sienne (SR 439), fléché au km 159. Doubles 60-116 € selon confort et saison, petit déj inclus. Possibilité de ½ pens : supplément de 22 €/pers.* Madame est italienne, monsieur suisse. Un mélange des cultures qui rend ce lieu agréable, véritable paradis des vététistes. 2 bâtiments, un récent et un de pierre (plus authentique) abritent des chambres simples et confortables. La plupart avec kitchenette, certaines avec balcon. Les plus anciennes, moins chères, ont finalement plus de charme. Grande piscine pour se dorer la pilule après l'effort.

Taverna del Vecchio Borgo : *via Norma Parenti, 12. ☎ 0566-90-39-50. • taverna.vecchioborgo@libero.it • En* *contrebas du Duomo. Ouv slt le soir mar-dim. Congés : 15 fév-15 mars. Compter 20-30 €.* Ici, on respecte les traditions culinaires du pays, sans aucune concession pour les effets de mode vaporeux. Du coup, on goûte de solides plats locaux cuisinés façon grand-mère, comme des grillades juteuses ou des *minestre* qui sentent bon le terroir.

|●| ***La Tana del Brillo Parlante :** vicolo del Ciambellano, 4. ☎ 0566-90-12-74. De la place du Duomo, par la via della Libertà. Tlj. Résa conseillée. Compter 28 €. Café offert sur présentation de ce guide.* Dans une minuscule et charmante ruelle pleine de fraîcheur, ce resto grand comme la tanière d'un grillon surfe brillamment sur l'excellente pente *slow food*. Le chef Ciro Murolo et son épouse sont aux petits oignons pour leurs convives. Un bon sanglier à la bière ou bien à la *maremmane* et d'onctueux desserts maison vous font sortir de cet abribus gastronomique repu et bienheureux.

À voir

★★ ***Piazza Garibaldi :*** bordée de beaux monuments historiques dont le plus important, le ***Duomo,*** revêtu d'une belle aube de travertin, se dresse en haut d'un escalier scénique. Étant donné la déclivité de la place, les architectes ont fait jouer les perspectives et, si l'on regarde bien, on constate, entre autres, que le portail central est légèrement décalé. Le campanile est allégé par le nombre croissant de ses arches superposées sur cinq étages d'ouvertures. Admirer, à l'intérieur, les fonts baptismaux du XIIIe s, la *Madonna delle Grazie,* peinte dans une chapelle latérale et, dans l'abside, le tombeau avec des bas-reliefs contant la vie de saint Cerbone.

Le palazzo Pretorio et le ***palazzo comunale*** complètent le bel ensemble de cette place Garibaldi. Le palazzo del Podestà *(comunale)* abrite le ***Museo archeologico.*** *☎ 0566-90-22-89. Tlj sf lun 10h-12h30, 15h30-19h (17h nov-mars). Entrée : 3 €.* Exposition d'objets datant du paléolithique à l'époque romaine. Voir absolument la superbe statue-stèle du IIIe millénaire av. J.-C., sorte d'ancêtre de *Barbapapa*.

★ ***Museo della Miniera :** via Corridoni. ☎ 0566-90-22-89. À l'est du village, hors les murs. Tlj sf lun 10h-12h30, 15h-17h30 (16h30 oct-mars) ; visite guidée env ttes les heures. Entrée : 5 €.* Plus qu'un simple musée, c'est la reconstitution d'une mine de métal, mise en scène dans les galeries d'anciennes carrières.

★ ***Torre del Candeliere :** tlj sf lun ; avr-oct, 10h-13h, 15h-18h ; nov-mars, 11h-13h, 14h30-16h30. Entrée : 2,50 €.* En remontant la via Moncini, juste derrière la porte de la ville, admirer la tour du XIIe s et son pont à arche unique : vraiment unique.

★ ***Complesso museale di San Pietro :** corso Diaz. ☎ 0566-90-22-89. De la piazza Garibaldi, remonter la via Moncini, passer la porte de la ville, puis prendre le corso Diaz.* L'ancienne église San Pietro all'Orto, du XIIe s, abrite plusieurs musées. Attenant, le reposant *chiostro de Sant'Agostino*.

– ***Museo di Arte sacra et Centro Espositivo di Arte contemporanea Martini :** tlj sf lun ; avr-sept, 10h-13h, 15h-18h ; oct-mars, 11h-13h, 15h-17h. Entrée : 5 €.* La star des œuvres exposées est une élégante *Maestà* du XIVe s d'Ambrosio Lorenzetti (représentant la Vierge assise, entourée de saints). Également des bas-reliefs romans de toute beauté, d'origine inconnue, qui furent exposés jadis dans le *Duomo*.

– ***Museo degli Organi Meccanici :** au 1er étage. Tlj sf lun : avr-sept, 10h-13h, 16h-19h ; oct-mars, 10h-12h, 15h-18h. Fermé de mi-janv à fév. • museodegliorgani.it • Entrée : 4 € ; réduc.* Un lieu certes petit, mais dont la beauté, l'atmosphère et l'acoustique méritent la visite, surtout si vous êtes mélomane. Sont présentés ici de magnifiques orgues du XVIIe au XIXe s, venant de toute la Botte. Tous sont en état de marche. Parmi eux, un des trois seuls orgues portables qui subsiste en Italie. Le fondateur de ce musée, le passionné Lorenzo Ronzoni, restaure les orgues sur place. Également quelques pianos. Avec un peu de chance, vous aurez droit à quelques airs pour apprécier la différence de puissance entre un pianoforte de 1830 et un autre de 1892.

➤ DANS LES ENVIRONS DE MASSA MARITTIMA

Suvereto : à 26 km au nord-ouest de Massa Marittima. Moins touristique, voilà un autre charmant patelin, recroquevillé autour de ses ruelles pavées, ses passages discrets et ses escaliers. En bas, extra-muros, l'*église San Giusto* du XIIe s : romane du portail jusqu'au chœur, sans ajout « barococos » à l'italienne, une simplicité rare dans le coin ! Beau *palazzo comunale* du XIIIe s avec arcades, et joli *cloître de San Francesco,* XIIIe s, revêtu de briques. Tout en haut, la *Roca Aldobrandesca* est le lieu du village originel (du IXe s), dont il reste un vestige de fortification (XIIe-XIVe s).

Manifestation

– ***Balestro del Girifalco :*** *le 4e dim de mai et le 2e dim d'août.* À cette occasion, les arbalétriers des différents quartiers revêtent des costumes médiévaux.

GROSSETO

(58100) 72 000 hab.

Très active pendant la journée, cette grosse cité administrative plonge ses faubourgs dans un sommeil sans rêve dès la tombée de la nuit. L'animation se concentre alors dans son vieux quartier, plutôt agréable, ceint de murs puissants du XVIe s en forme d'étoile. Encore un cadeau des Médicis ! Grosseto reste un nœud ferroviaire important d'où l'on rayonne vers les petits villages de l'arrière-pays et plages du littoral, dont celles de *Marina di Grosseto,* toute proche. Et puis, on y mange fort bien !
Sienne : 75 km ; *Florence :* 140 km ; *Pise :* 151 km ; *Livourne :* 132 km ; *Rome :* 178 km.

Arriver – Quitter

En train

Gare ferroviaire *(plan A1)* **:** *piazza Marconi. ☎ 89-20-21 (0,54 €/mn). Guichet d'infos lun-ven 6h-20h40 ; sam et j. fériés 9h-13h, 14h-17h.*

➢ ***Sienne :*** env 7 trains directs/j. Trajet : 1h30.
➢ ***Florence :*** 4-5 trains directs/j. Trajet : env 3h. Nombreuses autres liaisons via Livourne, Sienne ou Pise, guère plus longues que les trains directs.
➢ ***Pise et Rome :*** Grosseto se trouve sur le trajet des nombreux trains Pise-Rome (env ttes les heures), qui font aussi halte à *Livourne,* voire *Cecina, Follónica, Orbetello et Capálbio* pour les moins directs. Trajet : 1h30 env pour Pise, 2h env pour Rome.
➢ ***Piombino*** (départ des ferries pour l'île d'Elbe) via *Campiglia Marittima.* Env 4 trains/j. Trajet : 1h20 (correspondance comprise).

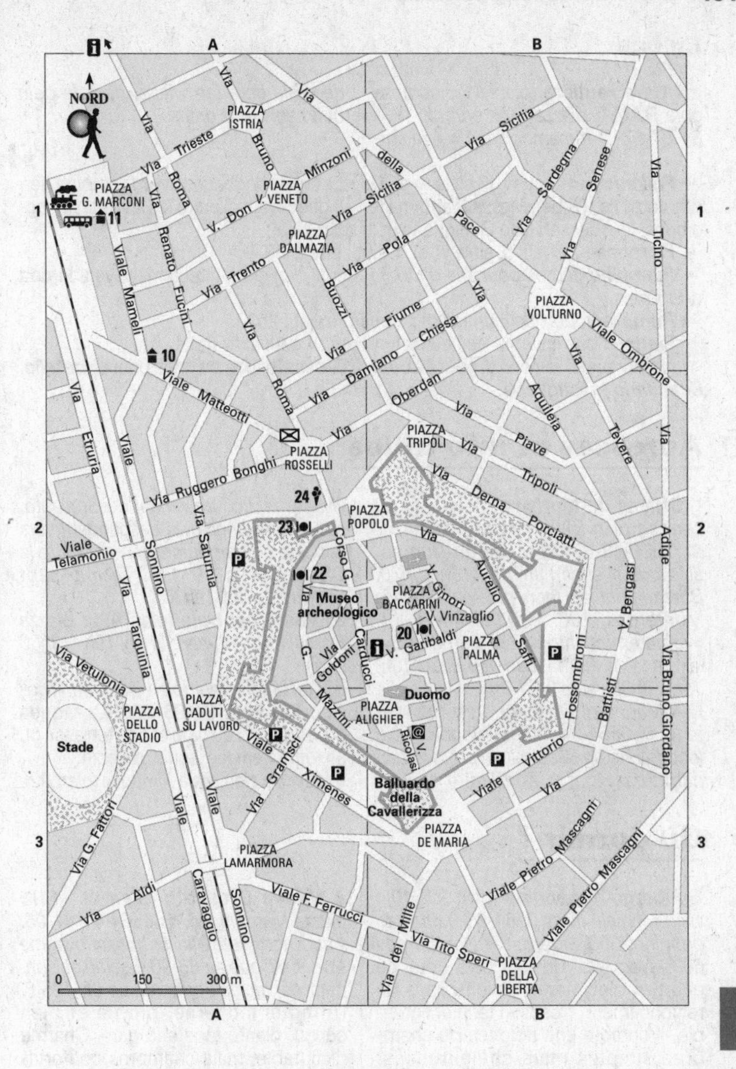

GROSSETO

■ **Adresses utiles**

- Offices de tourisme
- @ Caffè Ricolasi
- Parkings

11 Nuova Grosseto

Où dormir ?

10 Albergo Appennino

Où manger ? Où manger une bonne glace ?

20 Vineria da Remolo
22 Il Canto del Gallo
23 Ristorante da Claudio
24 Gelateria Corsero Nero

En bus

🚌 ***Gare routière*** *(plan A1)* **:** *compagnie* ***RAMA,*** *piazza Marconi ; ☎ 199-84-87-87 ; • ramamobilita.it • À la sortie de la gare ferroviaire, dans le petit bâtiment sur la droite.*

➢ ***Follónica :*** 4-6 bus/j. (3 slt le w-e). De là, correspondances avec *Piombino* (ferries vers l'île d'Elbe), *Massa Marittima* (env 3 directs aussi entre les 2 villes) et *Poggibonsi* (qui dessert San Gimignano et le val d'Elsa).
➢ ***Florence :*** 7 bus/j. (2 slt le w-e). Trajet : env 2h30.
➢ ***Piombino*** *(ferries pour l'île d'Elbe)* **:** 3 bus/j. en sem, directement vers le port des ferries.
➢ ***Rome*** *(aéroport de Fiumicino)* **:** 1 bus/j. Trajet : 2h30.
➢ ***Sienne :*** bus env ttes les heures lun-sam ; 1 seul dim. Trajet : 1h.
➢ Nombreuses liaisons tlj pour ***Marina di Grosseto,*** une poignée pour ***Orbetello, Scansano*** et ***Pitigliano.***

Adresses et info utiles

ℹ ***Offices de tourisme*** *(point info au centre ; plan B2)* **:** *corso Carducci, 1. ☎ 0564-48-82-08. Face au Duomo. Juin-oct, tlj sf dim 9h-13h, 16h-19h30. Bureau principal (hors plan par A1) : via Monterosa, 206. ☎ 0564-46-26-11. • lamaremma.info • Rue perpendiculaire à la via Roma. Lun-ven 8h30-13h, 15h-18h30 ; sam 9h-13h.*
ℹ *À Marina di Grosseto : via Grossetana. ☎ 0564-34-449. • infopoint@prolocomarinadigrosseto.it • prolocomarinadigrosseto.it • À la limite sud du village. Tt droit en venant de Grosseto, sur l'artère principale descendant vers la plage à partir du croisement entre la SS 322 et la SP 158. Tlj mai-sept 9h-12h30, 16h-19h30.*
✉ ***Poste centrale*** *(plan A2)* **:** *piazza Rosselli, 9. Lun-sam 8h15-19h (13h30 sam).*
@ ***Caffè Ricolasi*** *(plan B3)* **:** *via Ricolasi, 20. ☎ 0564-26-220.* Quelques ordis au fond du café et une terrasse où se retrouvent les jeunes du coin.
– ***Marché :*** *jeu, viale Ximenes (plan A3).*

Où dormir ?

🏠 ***Albergo Appennino*** *(plan A1,* ***10****)* **:** *viale Mameli, 1. ☎ 0564-23-009. • appennino2005@libero.it • Double env 60 € avec sdb.* Un tout petit hôtel de quartier, discrètement niché dans un renfoncement. Très bien tenu et agréable, il compte une poignée de chambres simples mais chaleureuses. Accueil très gentil.

🏠 ***Nuova Grosseto*** *(plan A1,* ***11****)* **:** *piazza Marconi, 26. ☎ 0564-41-41-05. • nuovagrosseto@tin.it • hotelnuovagrosseto.it • Doubles 68-90 € selon saison, petit déj inclus ; quadruples 96-125 €.* Un hôtel moderne, propre et bien conçu, planté face à la gare. Charme discutable, mais chambres confortables et bien équipées (TV, minibar...).

Où dormir dans les environs ?

Campings

⛺ ***Camping Il Sole :*** *via Cavalleggeri. ☎ 0564-34-344. • info@campingilsole.it • campingilsole.it • Proche de Marina di Grosseto, 1er camping sur la SP 40 en direction du sud (vers Principina al Mare). Ouv de mi-avr à mi-sept. Réception 8h-minuit. Selon saison, 21-37 € pour 2 avec tente. Parking obligatoire à l'extérieur. Bungalows 4 pers 385-870 € ; mobile homes 4 pers 260-*

700 €. En plein milieu de la pinède de Marina di Grosseto, un beau camping bien organisé et bien équipé : petite piscine, boutique, barbecues, etc. Prévoyez une bonne crème contre l'ennemi n° 1 ici, la *zanzara* (moustique). Accueil agréable.

Camping Village Cielo Verde : *via Trappola, 180, 58046 Marina di Grosseto. ☎ 0564-32-16-11. • info@cieloverde.it • cieloverde.it • Le long de la SP 40, un peu plus au sud que le camping* Il Sole. *Ouv de mi-mai à mi-sept. Réception 8h-12h, 16h-20h. Selon saison, 18,20-43 € pour 2 avec tente et voiture ; mobile homes et bungalows. Internet, wifi. Café offert sur présentation de ce guide.* Pour les campeurs citadins ! Avec ses rues tirées au cordeau, ses ronds-points, sa banque ou encore sa chapelle (!), on a scrupuleusement reconstitué l'atmosphère d'une petite cité. L'espace est beau, calme, verdoyant et très bien équipé, mais l'esprit n'est ni souple ni très bohème (tout le monde n'entre pas dans ce camping !). Les emplacements sont joliment ombragés, assez spacieux... et même dotés de téléphones pour certains !

Où manger ?

De bon marché à prix moyens

Il Canto del Gallo *(plan A2, **22**) : via Mazzini, 29. ☎ 0564-41-45-89. Tlj sf dim, le soir slt. Congés : fév. Repas 25-30 €. Café offert sur présentation de ce guide.* D'emblée, la petite cave voûtée, coquette à souhait, comble d'aise. Les 2 hôtesses entrent alors en scène, arborant un large sourire communicatif, pour détailler par le menu les spécialités du jour. Ici, on travaille des produits frais, bio même. Ni du congelé ni du réchauffé. Du coup, on passe sans prévenir du gibier au coq au vin, ou du gratin de légumes aux crêpes aux cèpes. Belle sélection de vins locaux.

Vineria da Remolo *(plan B2, **20**) : via Vinzaglio, 3. ☎ 0564-27-551. Repas 15-25 €.* Façade et terrasse avec des masques de Bacchus qui poussent au tonneau, le ton est donné. La salle vaut son pesant de cacahuètes : bouteilles de pinard, vieux outils, dictons pour donner bonne conscience à la ripaille, comme « Qui boit timidement du vin rentre d'humeur morose chez soi. » Le menu de *Remolo* est tout aussi bric-à-brac, avec ses *bruschette, tortelli maremmani,* assiettes de cochonnaille ou de fromages locaux. On n'a pas toujours ce qu'on a commandé, mais c'est bon... et arrosé de petits vins de pays à rouler sous la table. Et puis *Remolo* est un peu de la famille : routard dans l'âme, un planisphère tapisse le comptoir, épinglant ses périples.

Chic

Ristorante da Claudio *(plan A2, **23**) : viale Manetti, 1. ☎ 0564-25-142. Sous le bastion Garibaldi. Fermé dim et lun. Congés : 2 sem en janv et en juil. Repas 35-50 €.* Une cuisine fine, inspirée et généreuse, relevée à l'occasion, que l'on savoure dans la belle salle voûtée rouge. Quelques viandes figurent à la carte, mais les poissons ou produits de la mer sont à l'honneur... et honorés par une préparation qui leur sied terriblement bien ! Ambiance un rien chic mais pas guindée, et service attentif.

Où manger une bonne glace ?

Gelateria Corsero Nero *(plan A2, **24**) : via Roma, 17. Tlj sf lun 10h-minuit.* Pour venir partager avec les locaux des glaces aux saveurs pas toujours communes : sorbet à la mûre et corsaire noir y font merveille. Le must, 2 parfums renouvelés chaque jour.

Où manger dans les environs ?

|●| **Osteria Il Cantuccio :** *piazza Independenza, 31, 58040 Buriano. ☎ 0564-45-82-12. • osteriailcantuccio@virgilio.it • À 15 km au nord-ouest de Grosseto, au centre du village. Ouv le soir slt et dim midi. Congés : nov. Résa conseillée. Repas 30-35 €. Café offert sur présentation de ce guide.* Certainement une des meilleures adresses dans le coin. Cuisine inventive et savoureuse à base de *chianina* en tartare (une vache élevée dans les prés toscans), de *pancetta* aux prunes ou de lièvre. À table, une sélection d'huiles d'olive du cru (testez une goutte de chaque sur un bout de pain, elles sont excellentes !). Sans oublier des desserts pur sucre, à l'instar de la *zucotta* aux amandes accompagnée de son verre de muscat. Service attentif et raffiné : ne sursautez pas si le serveur déploie la serviette sur votre jambe. Réservez, ce serait trop bête de rater ce rendez-vous avec la gastronomie maremmane !

À voir. À faire

🍴🍴 **Duomo** *(plan B2-3)* **:** de style gothique avec sa façade en marbre blanc et rose, il fut construit vers 1300 et rénové en 1845 ; sa beauté en impose et confère à la place qu'il domine une certaine allure. En façade, beau statuaire symbolisant les évangélistes (lion pour saint Marc, aigle pour saint Jean, taureau pour saint Luc et homme pour saint Matthieu). Le portail latéral est également très ouvragé avec ses colonnettes à vis, statues et autre voussure torsadée. Beau campanile de 1402, avec ses baies géminées et triplées.

🍴🍴 **Museo archeologico** *(plan B2)* **:** *piazza Baccarini, 3. ☎ 0564-48-87-52 ou 50. Mars-avr, mar-ven 9h30-13h, 16h30-19h ; mai-oct, tlj sf lun 10h-13h, 17h-20h (23h ven-sam) ; nov-fév, mar-ven 9h-13h et w-e 9h30-13h, 16h30-19h. Entrée : 5 € (avec accès aux expos temporaires dans le même bâtiment). Brochure en français.* Dans le palais du vieux tribunal, des objets exhumés à Roselle (voir plus bas) et autres découvertes archéologiques dans la Maremme bénéficient d'une très belle muséographie. Le musée d'Art sacré partage le 3ᵉ étage avec des salles consacrées à l'histoire de Grosseto.

🍴 **Les remparts :** ils offrent une belle promenade le long des jardins.

➤ DANS LES ENVIRONS DE GROSSETO

🍴 **Sito archeologico di Roselle :** *à 12 km au nord-est de Grosseto, par la S 223. Tlj 8h30-19h (18h30 mars-avr et sept-oct ; 17h30 nov-fév). Entrée : 4 € ; réduc.* En haut d'une colline, un imposant mur d'enceinte fait de blocs de pierre pouvant atteindre 2 m de haut ! Le site, choisi par les Étrusques il y a 2 500 ans, offre une vue à 180° sur la campagne environnante et la Méditerranée. Pas étonnant que les Romains aient pris la ville (en 294 av. J.-C.), nous laissant un forum, une voie romaine, des mosaïques et un petit amphithéâtre de forme ovale.

🍴 **Vetulónia :** *à env 24 km au nord-ouest de Grosseto (route de Livourne, puis Follónica).* Ce petit village paisible, juché sur sa colline, fut le premier centre d'exploitation minière et une puissante ville étrusque, dont les vestiges sont disséminés ici et là dans la ville et ses environs, notamment la *Tomba delle Pietrera,* celle *del Diavolino* et celle *del Belvedere* (VIIᵉ s av. J.-C.), isolées dans la campagne, bien avant d'arriver au village (indiqué en venant du sud), normalement *ouv tlj 10h-19h*. Dans le village, tout en découvrant les restes du *Mura del Arce,* on jouit d'un délicieux point de vue sur les paysages de la Maremme qui s'étendent à l'infini.

👓 ***Castiglione della Pescáia et ses alentours :*** *à env 22 km à l'ouest de Grosseto.* À deux pas de la mer, une charmante cité médiévale aujourd'hui bien chic et touristique, entourée d'inélégantes constructions. De Castiglione, on peut serpenter sur des routes dans les collines généreusement arborées. Au passage, sur les hauteurs, le village de Tirli baigne encore dans son jus, et la côte s'offre joliment à vos yeux.

PARCO NATURALE DELLA MAREMMA (PARC NATUREL DE LA MAREMME)

UN PEU D'HISTOIRE

À 40 km au sud de Grosseto, ce parc enserre les monts de l'Uccellina, entre l'estuaire de l'Ombrone au nord et le golfe de Bengodi. On y accède par le village d'***Alberese.*** La Maremme, froide et humide en hiver, est une terre sèche en été. Les Romains ayant progressivement délaissé les drainages créés par leurs prédécesseurs étrusques (comme dirait Obélix : « Sono Pazzi Questi Romani ! »), les anophèles meurtriers s'y épanouirent, colportant des épidémies de malaria. Au Moyen Âge, Sienne, sans débouché maritime (contrairement à Florence), lorgnait avec intérêt ce bout de côte. Mais Florence le lui souffla en absorbant la Maremme dans son orbite économique.

RÉGIME SEC POUR LES MARAIS

Aux temps forts de la malaria, tout le gouvernement de Grosseto dut plier bagages et émigrer sur les hauteurs de Scansano, au nord de Satúrnia, afin d'échapper aux satanées zanzare (moustiques). *Le seul pouvoir politique à prendre vraiment les choses en main pour mettre fin aux épidémies fut celui de... Mussolini. Lors de la célèbre « bataille du Blé », il mobilisa les anciens combattants pour assainir le marais. Le mauvais air* (malaria) *fut ainsi chassé et la* palude *(marais) curée de son paludisme.*

UN PEU D'ETHNO

La Maremme est accessible à certaines conditions. Le moyen de locomotion le plus adéquat (la région étant la moitié du temps inondée) est la plus noble conquête de l'homme : le cheval. On trouve ici une race autochtone croisée avec quelques cousins du Nord au cours de différentes vagues d'invasion. Relativement robuste, d'un pied très sûr, loyal et volontaire, il résiste aux moustiques, lui. Autant de qualités pour en faire un cheval ès armées. Aujourd'hui, il ne sert plus de chair à canon mais est mené par les *buteri,* des bergers façon *gauchos* argentins ou *manadiers* camarguais, qui élèvent de drôles de vaches grises aux cornes style guidon de bicross. Depuis la crise de la « vache folle », la viande de ces *vacche maremmane* connaît un succès sans précédent. Le *butero* est toujours muni d'une grande perche en bois de cornouiller débarrassée de son écorce par le feu. À sa pointe se trouve un crochet en corne multi-usages (fermeture d'une barrière, sanglage à distance des jeunes pur-sang fougueux, ramassage du chapeau tombé à terre...). Avec un peu d'expérience, on peut les accompagner dans leur travail quotidien.

Recommandations de bon sens

Vous êtes dans un parc naturel où le fragile écosystème doit être respecté encore plus qu'ailleurs. C'est peut-être évident, mais les mégots de cigarettes, mouchoirs ou papiers gras ne sont pas les bienvenus ici. Les oiseaux viennent nidifier ou se reposer dans la région : alors si vous pouvez amener vos canettes pleines, ramenez les vides à la civilisation plutôt que de polluer. Quant aux chiens, ils restent à la niche.

Arriver – Quitter

***Arrêt des bus :** à Alberese. • ramamobilita.it •*
➢ ***Grosseto :*** 7 bus/j. lun-sam.

Adresse utile

***Centro visite di Alberese :** via del Bersagliere, 7-9. ☎ 0564-40-70-98. À l'entrée d'Alberese en venant du nord. Tlj : de mi-mars à mi-sept, 8h30-17h ; de mi-sept à mi-mars, 8h30-13h30.* Toutes les infos sur le parc et vente des billets pour les balades. Départ des bus pour le parc devant le centre.

Où dormir ?

***Agriturismo Redipuglia :** strada Vecchia Aurelia, 31, 51010 Alberese. ☎ 0564-40-70-41. 📱 34-70-60-47-11. • info@agriturismoredipuglia.com • agriturismoredipuglia.com • Sur la route de Marina di Alberese. Doubles avec bains 50-60 € ; pas de petit déj.* Belle ferme bien entretenue, aux chambres simples mais vastes et fraîches. L'une d'elles (la plus chère) a même son coin cuisine. En prime, la charmante propriétaire met à disposition table et chaises pour prendre l'apéro dans le jardin bien soigné, ainsi que des vélos pour se balader. Très bon rapport qualité-prix.

***Azienda Alberese :** loc. Spergolaia, Alberese. ☎ 0564-40-71-80 ou 00. • agriturismo@alberese.com • alberese.com • Sur la route de Marina di Alberese. Apparts 455-1 015 €/sem ou 150-310 € pour 2 nuits, selon taille et saison.* Cette immense hacienda, la seule dans le parc, est unique en son genre. Point de chute idéal pour rayonner, à pied ou à cheval, dans les 4 000 ha de terres qu'exploitent encore les *buteri* de l'hacienda. Plusieurs apparts, de 45-55 m², tout confort et tout équipés sont répartis dans 4 fermes disséminées dans le parc.

***La Pulledraia :** via del Molinaccio, 10, Alberese. ☎ 0564-40-72-37. • prenatoziani@pulledraia.it • pulledraia.it • ♿ En venant du nord, juste à la sortie d'Alberese, à gauche (longue allée de pins). Fermé dim. Congés : nov-fév. Doubles 40-60 € selon saison, petit déj compris. ½ pens (obligatoire juin-sept) 60-80 €/pers selon saison. CB refusées. Piscine. Wifi. Café ou digestif offert sur présentation de ce guide.* Entourées d'un jardin indiscipliné, cette belle bâtisse et son annexe abritent des chambres sobres mais belles, meublées à l'ancienne, de bonne taille pour certaines, ou avec terrasse pour les plus petites. Ambiance très nature et familiale dans cette belle exploitation agricole bio dont on mange les produits au dîner. Bon accueil.

Où manger ?

***Bar-ristorante Da Remo :** via Stazione, 5-7, Ripescia. ☎ 0564-40-50-14. À deux pas de la gare. Sortir de Ripescia : c'est à droite après le pont de chemin de fer. Ouv slt le soir et aussi à midi dim et j. fériés. Congés : 1er-25 nov. Résa conseillée. Primi 7 € et poisson au poids ; repas complet 20-35 €. Digestif offert sur présentation de ce guide.* Genre resto de routiers convivial, fréquenté par les autochtones, avec un bar et 2 salles bien claires.

L'attrait principal chez Remo, spécialisé dans le domaine de l'écaille, ce sont les prix. Testez le poisson blanc au vinaigre balsamique.

À voir. À faire

➢ ***Randonnées :*** *de mi-sept à mi-juin, visite en solo ; de mi-juin à mi-sept, guide obligatoire (en italien, anglais, parfois allemand). Même tarif avec ou sans guide : 3-9 €/pers selon le parcours (2 à 5h de marche) ; réduc. Navette obligatoire entre le centre de visite et le point de départ des circuits : env ttes les heures. Départ 9h-15h ; retour 11h-19h.* Deux itinéraires balisés mènent : vers l'***abbaye de San Rabano,*** ou sur les tours médiévales parsemées sur les collines. D'autres trajets thématiques explorent paysages forestiers méditerranéens, pinède et embouchure de l'Ombrone.

➢ ***À cheval, à bicyclette et en bateau :*** pour les adeptes de la petite reine, prévoir 8 € par jour. En été, des promenades de nuit sont organisées. Des centres équestres privés proposent deux itinéraires balisés à cheval (liste au *Centro visite di Alberese).* Découverte accompagnée également possible en canoë (sur résa). Compter 16 €/pers pour 2h.

Les plages : on accède aux plages du parc (joliment sauvages) dans le cadre des itinéraires balisés. Génial pour la période de visite en solo, mais en été le guide n'attend pas que vous fassiez trempette. En limite de parc, à Marina d'Alberese, des plages publiques sont aussi accessibles : librement en voiture hors saison (parking payant) ; l'été, en navette obligatoire (et gratuite) depuis Alberese.

L'*Azienda Alberese* (voir « Où dormir ? ») propose des visites de cette vaste ***ferme publique*** totalement autarcique (forge, scierie, entrepôts, sellerie...).

L'ARGENTARIO (LA CÔTE D'ARGENT)

ORBETELLO (58015) 15 000 hab.

La vieille ville, coincée sur une bande de terre bordée par deux belles lagunes, rassemble quelques ruelles agréables autour de son *Duomo* gothique du XIVe s (belle façade, où deux modillons lutins regardent à travers un oculus). Étrusque puis byzantine, Orbetello fut de 1557 à 1808 la capitale du petit État espagnol des Présides (Presidi), d'où les armoiries de la porte du Secours, les éléments de style hispano-flamand de certaines parties de sa cathédrale et un moulin hispanique sur la lagune à la sortie ouest de la ville. Elle a désormais délaissé sa carrière militaire (jusqu'à l'époque mussolinienne, elle était une base pour hydravions).

Arriver – Quitter

En train

Gare ferroviaire : *à Orbetello Scalo, à 2 km de la ville. Ensuite, bus RAMA pour Orbetello-ville (normalement calés sur les horaires des trains).* ☎ *0564-86-30-76.* • *trenitalia.com* •

➢ ***Orbetello*** ainsi qu'***Albinia*** et ***Capálbio*** sont sur la ligne Grosseto-Rome (attention, les express ne s'arrêtent pas dans ces 3 villes) ; liaisons fréquentes.

➢ ***Florence :*** liaisons régulières, souvent via Pise. Trajet : 3h30.
➢ ***Pise :*** liaisons env ttes les 2h. Trajet : 2h15.

En bus

RAMA : *viale Mura di Ponente, 4. ☎ 0564-85-58-45. • ramamobilita.it •*

➢ Quelques bus directs pour Monte Argentario et (plus rares) Capálbio. Pour rejoindre Manciano, quelques bus directs, sinon bus ou train via Albinia.

Adresses utiles

Office de tourisme *(Pro Loco) : piazza della Repubblica, 3 ; en face du Duomo. ☎ 0564-86-09-13. • infoorbetello@lamaremma.info • lamaremma.info • Avr-sept, tlj 9h-13h, 16h-20h ; oct-mars, 9h-13h, 15h-19h (dim, mat slt).*

Poste : *corso Italia, 75-77. En plein centre. Lun-ven 8h15-19h (sam, mat slt).*

@ Internet Train : *via Gioberti, 13. ☎ 0564-85-01-06. Tlj sf sam ap-m et dim 9h30-13h, 16h-20h.*

Où dormir à Orbetello et dans les environs ?

Campings

Dès la mi-juin, les hôtels de l'Argentario sont bondés. Le plus économique est d'opter pour un bungalow ou appartement des campings de la région, même si ces derniers ne sont pas bon marché du tout. Aux campings bruyants bordant l'Aurelia, on préfère des adresses plus sereines sur le Tombolo della Giannella qui relie le Monte Argentario, à 1,5 km d'Albinia.

Camping Bocche d'Albegna : *loc. Torre Saline, 58010 Albinia. ☎ 0564-87-00-97. • info@bocchedalbegna.com • bocchedalbegna.com • Ouv avr-sept. Nuit 26-52 € pour 2 avec petite tente et voiture. Également apparts (2-5 pers) 380-1 180 €/sem selon saison. Réduc de 10 % sur présentation de ce guide.* Emplacements (gravillons) rentabilisés au maximum. Sanitaires nombreux et bien conçus mais plus ou moins propres selon l'heure. Le camping donne sur une petite plage à l'embouchure de la rivière d'Albegna et pratique des tarifs raisonnables pour le coin. Bref, du bon et du moins bon... la somme des deux restant positive !

Argentario Camping Village : *loc. Torre Saline, 58010 Albinia. ☎ 0564-87-03-02. • info@argentariocampingvillage.com • argentariocampingvillage.com • Nuit 24-41 € pour 2 avec tente et voiture ; bungalows 4 pers 390-830 €/sem pour les plus simples, 670-1 180 € pour les plus confortables. Attention, pas de résa pour les courts séjours.* Cher, mais il vaut mieux s'asseoir pour lire la liste des prestations ! Plages (publique et privée), centre équestre, terrain de foot, 3 (!) piscines, supérette, cabaret... À déconseiller aux ermites. Même si, à ce prix-là, on pouvait attendre des sanitaires mieux tenus et plus confortables (toilettes à la turque, notamment).

Prix moyens

Pensione Verde Luna : *via Banti, 1. ☎ 0564-86-74-51. • albergoverdeluna@yahoo.it • paginegialle.it/albergoverdeluna • Dans une ruelle perpendiculaire au corso Italia. Doubles 70-110 € selon saison, sans petit déj.* Une petite pension très soignée. Les chambres sont claires (surtout au 2e étage), grandes et fraîches. Ameublement moderne assez standard, avec confort au rendez-vous, dont TV et frigo. Pour la région, un bon rapport qualité-prix et un accueil vraiment agréable.

Albergo Piccolo Parigi : *corso Italia, 169. ☎ 0564-86-72-33. Fax : 0564-86-72-11. Double 70 €, petit déj léger compris.* Le « *Petit Paris* » n'a pas retenu grand-chose de la capitale. Il dispose en tout cas de chambres simples, à la déco passée de mode, mais convenables et bien tenues.

Où dormir un peu plus loin ?

Azienda agricola La Speranza : *loc. Casale Nuovo, strada prov. Guinzoni, Frazione Marsiliana, 58010 Manciano. ☎ 0564-60-60-37. 📱 33-84-11-43-66. • info@agriturismolasperanza.it • agriturismolasperanza.it • Depuis Albinia, suivre la SR 74, direction Manciano ; 3 km après Marsiliana, au rond-point à gauche (fléché). Ouv Pâques-fin oct. Apparts 2-4 pers 70-160 €/nuit et 300-900 €/sem selon confort et saison. Séjour de 1 sem min en juil-août.* De prime abord, l'endroit ressemble plus à un petit complexe touristique qu'à une exploitation agricole. Mais l'accueil très convivial, les quelque 10 appartements spacieux et confortables, et puis la piscine, le terrain de tennis, le jardin potager, le sauna, tous libres d'accès, ainsi que la jolie terrasse avec tables et barbecue pour dîner ou boire un verre, font de lui un lieu idéal pour les séjours en famille.

Locanda Le Mandriane : *loc. San Donato, 58010 Orbetello. ☎ 0564-87-81-78. • info@locandalemandriane.it • locandalemandriane.it • Depuis Albinia, suivre la SR 74, direction Manciano, puis à gauche vers San Donato, fléché ensuite sur la droite. Doubles 60-100 € selon saison, avec petit déj. Tt confort : TV, clim', sdb.* Fabio et sa famille ont aménagé cette grande ferme en îlot de verdure au milieu des champs, avec transats et petites tables, pour une bonne tranche de farniente. On y croise des perroquets, paons, autruches et même des chats perchés, comme dans un conte. Les chambres sont confortables, le petit déj consistant, et seuls des ébats de poules voleront quelques instants à la quiétude de vos songes. Une bonne base arrière à deux pas des prix délirants de l'Argentario !

Où manger à Orbetello et dans les environs ?

I Pescatori : *via Leopardi, 9. ☎ 0564-86-06-11. Juste à l'extérieur des remparts, au bord de l'eau. De mi-mai à mi-sept, tlj ; en basse saison, slt jeu-dim. Repas env 25 €.* Cette adresse fait le plein à l'heure du dîner. On commande et on paie avant d'être placé à l'une des grandes tables dans la vaste salle ou, aux beaux jours, entre 2 hangars en bord de lagune. Ça tourne, c'est bruyant, l'atmosphère est plus celle de la cantine enfiévrée que du resto pour repas aux chandelles. Mais on vient ici pour ce qui est dans l'assiette : du poisson frais et grillé par des spécialistes. Service express. Et, proximité de l'eau oblige... moustiques virulents !

Antica Trattoria da Aurora : *chiasso Lavagnigni, 12-14, 58051 Magliano in Toscana. ☎ 0564-59-20-30. À 22 km au nord d'Orbetello. 1re rue à droite après la porte San Giovanni. Tlj sf mer jusqu'à 13h30 et 21h. Congés : janv-fév. Repas env 35 €.* Une halte gastronomique de choix, qui donne l'occasion de découvrir une jolie cité ceinte de remparts. 2 belles salles voûtées ou un agréable jardin-terrasse déployé face aux murailles étrusques. Carte selon le marché, composée de plats faits à l'ancienne. Bonne cave à vins. Accueil chaleureux.

Vineria La Meria : *via Garibaldi, 58, 58051 Magliano in Toscana. ☎ 0564-59-21-22. Dans la rue principale. Vin au verre 3 €. Assiettes de fromages ou charcuterie 6-8 €.* Excellent choix de vins locaux. Le *poggio argentario* blanc (produit à 3 km) a un fruité très doux au palais. On peut compléter avec une bonne assiette de charcuterie ou de fromages du cru. Musique jazzy, senteurs de jasmin, *la vita è bella* !

À voir à Orbetello et dans les environs

Museo Archeologico di Orbetello : *via Mura di Levante. Ouv ven, w-e et j. fériés : juil-août, 18h-22h ; sept, 16h-20h ; oct-juin, 10h-13h. Entrée gratuite.* Dans le beau bâtiment d'une ancienne poudrière espagnole, un petit musée archéologique pas inintéressant (commentaires traduits en anglais).

La réserve naturelle de la laguna di Ponente : *au nord-ouest.* ☎ *0564-87-01-98. Visite guidée possible, sinon accès libre et gratuit.* La langue de sable ou *tombolo di Giannella,* qui relie le Monte Argentario à la terre ferme et clôt la lagune, sert de point d'observation. La réserve, riche en faune avicole, est gérée par le WWF.

MONTE ARGENTARIO

Le Monte Argentario, relié au continent par trois langues de terre, est une destination phare des riches Italiens. Son nom vient probablement des puissants banquiers qui y régnaient à l'époque romaine. Vierge et arboré, ses coins les plus beaux sont malheureusement d'accès difficile, notamment ses magnifiques petites criques à l'eau turquoise. Entre rivages rocheux et forêt, la route côtière offre de beaux panoramas, mais s'interrompt désormais quelques kilomètres après *Porto Ercole,* petit port de pêche et de plaisance, qui occupe un beau site dominé par des forteresses, dont l'imposant *Forte Stella,* édifice espagnol en forme d'étoile. Au nord, la station balnéaire de *Porto Santo Stefano,* sans grand attrait, est le port de départ pour les îles de Giglio et Giannutri. Les tarifs hôteliers n'incitant guère aux longs séjours, autant loger dans les terres et venir en balade pour la journée.

Les plages : les maintes criques sont surtout accessibles en bateau. Ceux qui préfèrent le sable en trouveront des kilomètres sur les langues de terre : version « urbanisée » sur le *tombolo di Giannella,* version bien plus sauvage sur le *tombolo di Feniglia* (aux abords envahis par des cafés avec pignon sur plage. Le prix des parasols et lits bain de soleil ne donne qu'une envie : griller à même le sable !).

➢ Les nombreux ***sentiers de randonnée*** parcourant la péninsule sont le meilleur moyen de la découvrir. Vous pouvez vous procurer une carte (un peu juste, quand même) auprès de l'office de tourisme d'Orbetello. Ceux du sud sont les plus beaux car ils traversent les nombreuses criques paradisiaques à l'eau limpide. Sinon, les motorisés ou les sportifs grimperont jusqu'au couvent *Dei Padri Passionisti* (suivre la route d'*Il telegrafo*), d'où la vue sur la lagune se passe de commentaires !

La Tagliata etrusca : *à 7 km au sud d'Orbetello. Depuis l'Aurelia, prendre la sortie Ansedonia (km 138). Continuer 1,5 km vers la mer, jusqu'au parking payant de la plage (pas d'indication).* Les Étrusques ont taillé un canal de plusieurs kilomètres dans la falaise côtière. En utilisant le courant des eaux du lac de Burano, ces fins hydrologues créaient ainsi une « chasse » qui désensablait naturellement le port d'Ansedonia. Astucieux, non ? À noter : à côté de la petite plage, la ***Torre della Tagliata*** (XVIe s) où Puccini résida et composa quelques œuvres dont le fameux *Turandot.*

CAPÁLBIO

(58011) 800 hab.

Cité mignonnette avec remparts, chemin de ronde et ruelles encaissées. Il faut absolument prendre les dix minutes nécessaires pour se promener sur les murailles. Point de vue saisissant sur la campagne de la Maremme

s'étendant jusqu'à la mer. Guettant les rares va-et-vient à travers les meurtrières, on prendrait presque les malheureux routards de passage pour des guelfes ennemis : sus !

Où manger ? Où boire un verre ?

Trattoria Toscana : *via IV Novembre, 2. ☎ 0564-89-60-28. À l'entrée de la vieille ville. Fermé mer. Repas env 25 €.* Cuisine familiale, servie dans des salles rustiques aux allures d'auberge de campagne. Autant aimer le sanglier ou la truffe, car, ici, ils sont servis à toutes les sauces : *tagliatelle al cinghiale, prosciutto di cinghiale...* Du solide, peu inventif et assez cher quand même.

Il Frantoio : *via Renato Fucini, 10. ☎ 0564-89-64-84. • mc.monaci@hotmail.it • Donne sur la place, à l'entrée de la ville nouvelle. Tlj sf mar. Congés : 7 janv-15 fév. Compter 55 € pour un repas complet. Musique sam soir. Digestif offert sur présentation de ce guide.* Un lieu un brin alternatif installé dans une ancienne coopérative où l'on pressait les olives. L'œil attentif remarquera dans ce bâtiment brut aux fenêtres originales certains éléments restés tels quels. Idéal pour l'apéritif au superbe comptoir ou pour un dernier verre (ils servent même des camomilles pour les plus sages). Parfois des expos à l'étage et une petite boutique « produits du monde ».

Où manger dans les environs ?

Bar-trattoria La Vallerana : *loc. Vallerana, 1. ☎ 0564-89-60-50. À env 11 km de Capálbio. De Capálbio, suivre la direction de Pescia Fiorentina, puis Vallerana. Congés : fév. Résa conseillée. Repas 20-30 €.* Un cadre ordinaire pour une cuisine pas banale : on vient de loin pour goûter des plats traditionnels toscans de bonne tenue. Mais c'est sans conteste la viande de bœuf qui excite les convoitises ! Vendue au kilo, on la cuit à sa convenance sur une pierre brûlante. Pour finir la libation, prenez donc un *dolce della Geraldine.* Une adresse connue et appréciée dans toute la région.

Achats

Baglioni Carlo : *via Nuova Capálbio, 2. ☎ 0564-89-62-53. Boutique-chalet, avt les murailles de la vieille ville. Tlj sf mer 9h-13h, 15h-21h.* On y trouve un excellent *pecorino,* mais aussi des saucissons, pâtés et ragoûts de sanglier, de perdrix, etc. Facile : Carlo est chasseur.

➤ *DANS LES ENVIRONS DE CAPÁLBIO*

Il Giardino dei Tarocchi : à **Garavicchio,** à 6 km de Capálbio. *☎ 0564-89-51-22. • nikidesaintphalle.com • D'avr à mi-oct, tlj 14h30-19h30. Entrée : 10,50 € ; réduc. Nov-mars, ouv slt 1er sam du mois 9h-13h, et là c'est gratuit.* En 1955, Niki de Saint-Phalle, la célèbre artiste franco-américaine a flashé sur le *parc Güell* à Barcelone. Son horoscope l'a convaincue que ses personnages aux formes rondes et lisses devaient s'exprimer dans la nature. Un songe aujourd'hui devenu réalité. Le *Jardin des Tarots* présente, parmi les chênes verts et les oliviers, une grosse douzaine de gigantesques « personnages » en mosaïque dans lesquels on entre, on monte, et que l'on peut actionner pour certains. Notre préférence va à la *Mort,* qui caracole allègrement sur son cheval bleu. Une étape mêlant le ludique et l'artistique.

LA MAREMME DES COLLINES

MONTEMERANO ET SATÚRNIA

(58014 et 58050)

Déjà à l'époque romaine, on n'hésitait pas à faire de longs trajets pour plonger dans les eaux sulfuro-boriques de Satúrnia. On quittait alors la *via Aurelia,* 121 *millaria* après Rome, pour s'engager sur la *via Clodia* dont quelques vestiges et une belle porte subsistent à deux pas de l'église. Une paire de millénaires plus tard, avec une nette amélioration des moyens de transport, les touristes affluent tout au long de l'année, trustant sans complexe les terrasses des bistrots du vieux village. Du coup, on préfère largement se réfugier à Montemerano, un très joli village fortifié aux ruelles serrées dans un étroit maillage. Placettes au charme médiéval et coquette église San Giorgio du XIVe s à l'intérieur aussi exubérant que la façade est austère. On y voit une belle fresque des XVe-XVIe s racontant l'amour vache entre saint Georges et le dragon.

À env 70 km d'Orbetello et 20 km de Sovana.

Adresse utile

Office de tourisme : *l'Altra Maremma, via Mazzini, 4, 58050 Satúrnia. ☎ 0564-60-12-80. • saturnia@laltramaremma.it • laltramaremma.it • Au début d'une rue qui part de la grand'place. Tlj sf dim 10h20-13h, 15h-19h.*

Où dormir à Satúrnia ?

De bon marché à prix moyens

Affittacamere La Cherubina : *via Italia, 3. ☎ et fax : 0564-60-10-34. 33-95-41-86-68. Dans une rue qui part de la place principale. Doubles 50-65 € ; pas de petit déj.* Une poignée de chambres fleuries et propres. Un vrai logement chez l'habitant (Fernanda et Monia Tanturli), avec un accueil en italien adorable. Certes, la déco est un peu datée, mais c'est nickel et certaines chambres ont un balcon. Bonne adresse pour un court séjour. Le fiston ayant ouvert un hôtel proche des thermes (plus cher), ne pas faire de *confuzione* entre les 2 établissements !

Chic

Hotel Villa Clodia : *via Italia, 43. ☎ 0564-60-12-12. • info@hotelvillaclodia.com • hotelvillaclodia.com • Dans le centre du village. Congés : 10 janv-6 fév. Double env 115 €, petit déj compris. Sauna et bain turc (payants). Wifi. Café ou digestif offert sur présentation de ce guide.* Joli petit hôtel de charme très bien tenu, à la décoration toute bleue et au beau mobilier. Salon avec cheminée. Vue sur la vallée ou l'adorable jardin ombragé avec sa piscine. Terrasse sur le toit pour prendre son petit déj dans la verdure. Accueil d'une extrême gentillesse. Tickets de réduction pour se baigner aux thermes.

Où dormir à Montemerano ?

Prix moyens

🏠 ***Pian dei Casali :*** *loc. Pianetti.* ☎ *0564-60-26-25.* ● *info@piandeicasali.it* ● *piandeicasali.it* ● *À 2 km avt les thermes, en arrivant de Montemerano. Double avec sdb 70 €. Wifi.* Chambres réparties dans une annexe récente de plain-pied. Très propres et confortables (TV, frigo), elles disposent de petites terrasses, d'une cuisine d'été avec barbecues et d'une belle piscine pour prendre le frais. Ah ! On allait oublier... le patron est passionné de montgolfières, mais ça, on le découvre rapidement...

🏠 🍽 ***Le Fontanelle :*** *Poderi di Montemerano.* ☎ *0564-60-27-62.* ● *informazioni@lefontanelle.net* ● *lefontanelle.net* ● ♿ *À quelques km de Montemerano, en direction de Manciano (fléché sur la droite). Double 85 €, petit déj inclus. Possibilité de ½ pens : 66,50 €/pers. Réduc de 10 % sur le prix de la chambre et digestif offert sur présentation de ce guide.* Isolée en pleine nature, cette belle maison traditionnelle dispose d'une dizaine de chambres confortables, réparties dans plusieurs bâtisses. Environnement très agréable, avec le village de Montemerano à l'horizon et une réserve de daims au pied de la propriété. Accueil très chaleureux.

Chic

🏠 ***Villa Acquaviva :*** *strada Scansanese.* ☎ *0564-60-28-90.* ● *info@relaisvillaacquaviva.com* ● *relaisvillaacquaviva.com* ● *À 800 m de Montemerano, sur la droite en direction de Scansano. Doubles 92-180 € selon confort et saison, petit déj inclus.* Drapée de vignes, cette ancienne *fattoria* dresse son imposante façade ocre saumon aux côtés d'une belle annexe en pierre du pays (le *tavertino*). Un bel *agriturismo* de luxe avec des chambres élégantes, climatisées et douillettes, même si certaines, parmi les moins onéreuses, sont un peu étroites. Salle à manger très agréable, avec poutres apparentes. Piscine. Tennis. Production de vin et de miel.

Où manger dans le coin ?

🍽 ***Passaparola :*** *vicolo delle Mura, 21, à Montemerano.* ☎ *0564-60-28-35. Dans le vieux bourg, une rue perpendiculaire à la via Italia. Fermé jeu. Congés : 2 sem en janv et en juil. Repas 20-25 €. Digestif offert sur présentation de ce guide.* Petit resto familial, souvent pris d'assaut. Bonne cuisine de terroir : *sfilacci di cavallo* (cheval), *filetto di capra* (chèvre) et belle carte de fromages aborigènes au miel d'abeilles indigènes. On peut emporter, en fin de repas, le vin que l'on a savouré. Petite terrasse l'été, avec vue dégagée.

🍽 ***Trattoria La Posta :*** *via Verdi, 9, 58055 Catábbio.* ☎ *0564-98-63-76.* ● *info@trattorialaposta.com* ● *À 8 km au nord-est de Satúrnia, en direction de Sovana. Tlj sf lun : le soir mar-dim, et midi w-e slt. Congés : janv et juil. Menus 20-30 €. Digestif maison offert sur présentation de ce guide.* Voilà une petite *osteria* de famille qui ne paie pas de mine, mais qui propose une délicieuse cuisine 100 % autochtone et faite maison. Goûtez aux succulents *pappardelle al cinghiale, all'acquacotta.* Bon petit vin du pays de Pitigliano pour en souligner les saveurs.

À faire

– ***Terme di Satúrnia :*** *à 2 km en contrebas de Satúrnia, sur la route de Montemerano.* ☎ *0564-60-01-11. Ouv 9h30-19h. Au sein d'un complexe hôtelier de soins* *thermaux de luxe, un bain public est accessible à ts, avec sa propre entrée : 22 €/j. ; 17 € à partir de 15h. Parking : 4 €.* Accès à toutes sortes d'équipements : jets d'eau, Jacuzzi, bassins d'eau chaude... Tout le monde vient faire trempette ici. Vous verrez, les gens ont leurs rituels, c'en est presque religieux. Les eaux jaillissent à 37 °C, et on souffre de leur forte odeur d'œuf pourri (eh oui ! le soufre). Avec le magnésium, le carbonate et les algues, elles laissent une peau très douce, des cheveux soyeux : presque une fontaine de jouvence. Évitez les longueurs forcenées ou de rester plus de 15 mn d'affilée dans l'eau, cela peut causer des malaises. Cette attraction populaire, très sympa, est tout à fait relaxante. N'oubliez pas la serviette (pour vous sécher, mais aussi pour « contempler le ciel », côté face, et « nez dans le gazon », côté pile), savon, shampooing, car, pour peu que vous dîniez chic ce soir-là, vous risqueriez d'emporter quelques senteurs peu ragoûtantes au restaurant...

– ***Cascate del Mulino :*** *dans un virage, à 1 km après les thermes, en venant de Satúrnia.* Des petits bassins naturels, une cascade, la même eau que celle des thermes... mais un parking et un accès gratuits ! Évidemment, l'endroit est très populaire, et on s'y entasse un peu, ce qui brise légèrement le charme de l'endroit.

– ***Baptême de l'air en montgolfière :*** *à l'*agriturismo *Pian dei Casali (voir « Où dormir à Montemerano ? »). • maremmamongolfiera.it • Compter 220 €/pers (min 4 pers) ou 130 € en* last minute, *pour env 2h de balade.* Selon le proprio, aérostier de la première heure, il n'y aurait guère plus de 50 ballons dans toute l'Italie. Alors, si l'envie vous prend de découvrir la Maremme d'en haut : comme les prix... vertigineux !

SOVANA (58010) 500 hab.

Réputé comme étant l'un des plus beaux villages d'Italie, ce village-rue aux allures médiévales a aussi pris des allures de village-musée. C'est l'un des cœurs des nécropoles étrusques. Un peu le Père-Lachaise de cette civilisation. Les fouilles sont loin d'être terminées, d'autant que 4 700 tombes ont été recensées dans la région. Le village fut pendant des siècles le fief d'une famille d'origine allemande, les Aldobrandeschi, qui régnait sur la Maremme et dont est issu le pape Grégoire VII (1020-1085). Vassal de Sienne, il fut ensuite gouverné par les Médicis de Florence.

Adresse utile

ℹ *Petit* ***bureau d'information :*** *sur la piazza del Pretorio. Tlj : avr-oct, 10h-13h, 15h-19h ; nov-mars, 15h-19h.*

Où dormir ? Où manger ?

LA MAREMME

Albergo Scilla & Locanda della Taverna Etrusca : *via del Pretorio, 13. ☎ 0564-61-65-31. • info@scilla-sovana.it • sovana.eu • 2 hôtels différents gérés par le même bureau (à côté de la chiesa Santa Maria). Doubles 75-120 € selon saison, petit déj compris. Dans les 2, 10 % de réduc sur le prix de la chambre sur présentation de ce guide.* La *Locanda della Taverna Etrusca* est située dans une belle et vieille demeure médiévale (avec le resto au rez-de-chaussée), dont les origines remontent à 1200. L'*Albergo Scilla,* quant à elle, propose des chambres tout aussi élégantes et confortables, et laisse à la disposition de ses hôtes un appréciable petit salon avec cheminée. Le *Ristorante dei Merli (repas 25-30 €)* sert une cuisine traditionnelle dans une grande et élégante véranda ; la *Taverna Etrusca* propose une cuisine plus inventive mais aussi plus onéreuse *(repas env 35 €).*

|●| ***Pizzeria La Tavernetta da Mauro e Angela :*** *via del Pretorio, 1. ☎ 0564-61-62-27. Fermé jeu. Congés : juil. Repas 15-20 € ; menu le midi 14 €.* Une cuisine très honnête, notamment les succulentes pizzas au feu de bois (goûtez la « pizza étrusque » aux artichauts... une merveille !), que l'on dévore dans la salle climatisée ou, donnant sur la rue piétonne, sur une petite terrasse surélevée tout en longueur et égayée par des jardinières généreusement fleuries.

À voir

Necropoli etrusca : *poggio di Sopra Ripa, à 1,5 km à l'ouest sur la route de Satúrnia. Mars-oct, tlj 10h-19h. Entrée : 5 € ; un billet cumulatif à 7 € comprend également l'entrée à la forteresse et au Musée médiéval de Sorano, au musée de Sovana et aux sites rupestres de Vitozza et S. Rocco. Sinon, 2-5 € par site.* La *tomba Ildebranda,* la plus intéressante, a conservé de grandes colonnes cannelées. Des douze d'origine, il n'en reste plus guère. Sur le côté gauche, on peut encore contempler (en hauteur) des feuilles d'acanthe. Voir également la *tomba della Sirena* sur la route de Satúrnia, avec des vestiges de bas-reliefs, celle *des Enfants,* ou encore celle *da Edicola.*

Chiesa Santa Maria de Sovana : l'une des plus belles de la région. En tout cas, c'est notre préférée. Son ciborium du IXe s provient du *Duomo* (qui se trouve au bout du village). Admirez les fresques d'inspiration byzantine représentant le Christ en majesté encadré par les quatre évangélistes.

Duomo : magnifique église datant de l'époque romane. Situé à la sortie du village, on peut admirer son portail magnifique décoré des animaux les plus variés et farfelus. L'intérieur est tout aussi splendide : dépouillé avec des chapiteaux historiés.

Via Cave : *en contrebas du village. Pas de droit d'entrée.* Ce ne sont pas les caves des Étrusques mais l'autoroute des nécropoles étrusques. Creusée à même le tuf, profondément encaissée, traversée par le ruisseau, la Folonia, elle est par conséquent très humide (rafraîchissante les jours d'été). À un point tel qu'un spécimen unique de fougère (la *capele venere*) y prospère. On remarque en hauteur de nombreuses figures gravées à même le tuf, comme un énorme svastika (symbole du soleil).

Les ruines : ce pan de muraille que vous croisez en entrant dans le village est ce qui reste du vieux château du XIIIe s des Aldobrandeschi (Ildebrando).

SORANO (58010)

Comme ses voisins, un village qui n'a pas tellement changé depuis bien des siècles. Ses belles demeures s'accrochent à la roche pour ne pas dévaler dans les profondes gorges du Lente, tandis que l'impressionnante forteresse des Orsini surveille ses ouailles du haut de la falaise. Pittoresque. Parking en haut du bourg, derrière le château.

Adresse utile

Office de tourisme : *piazza Busatti. ☎ 0564-63-30-99. • comune.sorano.gr.it • Au pied de la porte de la vieille ville. Tlj sf mer 10h-13h, 15h-18h30 (plus tard l'été).* Toilettes publiques à côté.

Où dormir ?

De prix moyens à chic

Antico Casale Il Piccione : *podere Belvedere, loc. La Fratta, Sorano. ☎ 0564-63-31-91. 📱 33-83-21-03-42. • info@casaleilpiccione.it • casaleilpiccione.it • À 1 km du centre, en direction de San Quirico, au bout d'un chemin de terre sur la droite. Doubles 60-70 € selon confort, petit déj compris.* Comme son nom l'indique, cette *affittacamere* aux allures de gentilhommière est sise dans un ancien pigeonnier du XVe s. On a donc conservé toutes les niches dans lesquelles se réfugiaient jadis les ramiers. Chambres sous les toits (belle vue), agréables et spacieuses, avec mobilier toscan. Possibilité d'utiliser la cuisine et le four à pizza. Piscine et très beau site. Accueil bien sympathique.

Hotel della Fortezza : *piazza Cairoli, 5. ☎ 0564-63-20-10. • info@hoteldellafortezza.it • sovana.eu • ♿ Congés : janv-fév. Doubles 110-130 €, petit déj compris. Grand parking gratuit dans la cour, à l'intérieur des remparts.* Nichées au cœur de la forteresse de Sorano, la quinzaine de chambres bénéficient d'une belle vue sur les toits de tuiles latines (surtout celles du rez-de-chaussée, qui ont une vue plongeante sur le village) et la superbe nature environnante. Elles sont simplement meublées, dotées de mobilier d'époque 1800, et bien équipées (minibar, TV satellite). Bon, le confort des matelas laisse parfois un peu à désirer, les chambres ne sont pas toujours très grandes et à part le salon qui sert également pour le petit déj, il n'y a pas vraiment de coin détente avec canapé moelleux et cheminée. Tout de même, une bonne adresse, intime, où l'accueil veut dire quelque chose.

Où manger ?

Locanda dell'Arco : *via Roma, 22. ☎ 0564-63-36-08. Dans le centre historique. Fermé lun en hiver. Congés : 10 j. en janv et nov. Repas 15-20 €.* Quelques tables sous un passage, d'autres dans une salle à plafond très haut et voûté. Plats typiques sans fioritures, préparés avec des produits de qualité.

À voir

Museo medievale : *à l'intérieur de la forteresse Orsini. ☎ 0564-63-37-67. Tlj sf lun 10h-13h, 15h-19h. Fermé oct-mars. Entrée : 2 € ; visite guidée (40 mn) des caves et de la forteresse (anglais ou italien) 3 € ; possibilité de billet cumulatif (7 €) pour les différents sites archéologiques de la région (lire à Sovana « À voir. Necropoli etrusca »).* Il s'agit du château médiéval des Aldobrandeschi qui, depuis cette retraite, préparaient leur plan d'attaque sur les Pisans. Il tomba ensuite dans l'escarcelle des Orsini. Le musée conserve quelques fresques et présente l'histoire de la région sous diverses vitrines, en italien seulement, et les quelques choses retrouvées lors de la restauration de la forteresse.

PITIGLIANO

(58017) 5 000 hab.

L'éperon rocheux sur lequel Pitigliano se cramponne entre ciel et terre a été dessiné par les rivières Lente et Meleta. Pitigliano offre le visage pittoresque d'une cité médiévale idéale, avec ses rues pavées et tortueuses, ses petits passages couverts où l'on se perd facilement, son aqueduc du XVIe s et son palais.

La falaise est truffée de caves, parfois installées dans d'anciennes tombes étrusques. Elles s'étagent souvent sur près de trois niveaux sous les maisons. Destinées à conserver le grain lorsqu'elles sont au sud et le vin lorsqu'elles sont au nord, ces caves constituent une véritable cité souterraine. D'ailleurs, si vous en visitez quelques-unes, vous verrez que jadis, un véritable réseau reliait les cavités entre elles (les portes sont aujourd'hui murées).
Du charme à revendre ! Passez-y au moins une nuit : une fois le soleil couché, la façade de tuf et les vieilles maisons au bord du gouffre sont illuminées. *Bellissimo !*
Ville médiévale oblige, on se gare hors les murs, dans les différents parkings de la ville moderne.
Grosseto : 80 km ; *Sienne :* 120 km ; *Florence :* 190 km.

UN PEU D'HISTOIRE

La communauté hébraïque de Pitigliano présente une exception territoriale, d'où le nom de petite Jérusalem attribué à la cité. Son implantation est due au bon vouloir du comte Orsini, vassal des Aldobrandeschi de Sovana. Il leur réserva un privilège teinté de tolérance. En 1599, les juifs peuvent bâtir leur synagogue (toujours visitable) qui vient s'adjoindre à leur école, au cimetière, au four à pain azyme, et leur offre ainsi la possibilité d'abattre leur propre bétail, et même de le vendre aux catholiques. Chose rare, Orsini défend même aux inquisiteurs de les molester et aux autorités de les expulser en cas d'épidémie. Le ghetto s'étale sur la voie Zuccarelli, le vicolo Manin et l'ex-via de Sotto. La présence de cette communauté apporte un certain dynamisme à la petite ville. Mais l'appui du comte ne veut pas dire l'appui de la commune, dans laquelle ils n'ont aucune base politique. En 1608, le comte perd son emprise sur la région, ce qui annonce le déclin de la communauté. À la fin du XVIIIe s (1799), suite à l'occupation française de la ville, elle ne compte plus que 300 membres. Après la Seconde Guerre mondiale, le ghetto est abandonné. Il reste aujourd'hui une fabrication de produits casher et un important cimetière hébraïque.

Arriver – Quitter

Gare routière RAMA : *via Santa Chiara, 72. ☎ 0564-61-60-40. • ramamobilita.it •*
➢ ***Rome :*** prendre le train pour *Albinia* ou *Grosseto,* puis le bus pour Pitigliano ; env 3 bus/j. de et vers Grosseto (durée du trajet : 2h).
➢ ***Sovana :*** 1 bus/j.

Adresses utiles

Office de tourisme : *L'Altra Maremma, piazza Garibaldi, 51. ☎ 0564-61-71-11. • lamaremma.info • À côté du Municipio. Tlj sf lun 10h30-12h30, 15h-19h.* Carte culturelle détaillée de la région, visites guidées...
@ *Wine bar :* *piazza F. Petruccioli, 16.* Il s'agit du café situé sous l'*Albergo Guastini*. Un seul poste (bonne connexion) et cher.

Où dormir ?

Bon marché

Casa per Ferie San Paolo della Croce : *piazza Dante Alighieri, 80. ☎ 0564-61-60-97. À 2 mn à pied de la vieille ville ; dans la ville nouvelle, sur la* *place dans le prolongement de la rue qui vient du vieux pont enjambant la via Unità Italia. Nuit 25 €/pers, petit déj en sus. Parking gratuit à deux pas.* Maison de vacances religieuse proposant de grandes chambres fonctionnelles, sans aucun charme mais propres et confortables. Réfectoire pour la *colazione*, petite chapelle et un jardin de poche. Tenu par des bénévoles. Excellent accueil. Parfait pour une petite famille.

Prix moyens

Affittacamere Rosanna Camilli : *via Unità d'Italia, 92-98. ☎ 0564-172-03-59. 34-70-84-83-07. Nuit 62 € pour 2, petit déj compris. Réduc de 10 % si vous restez au min 2 nuits sur présentation de ce guide.* 2 petits appartements avec kitchenette, poutres et lits en fer forgé, situés dans une maison ancienne rikiki, sur la gauche dans la montée vers Pitigliano. Le grand plus, c'est la vue extraordinaire dont on bénéficie depuis les apparts.

Locanda Il Tufo Rosa : *piazza F. Petruccioli, 97. ☎ 0564-61-70-19. 330-47-01-98. • info@iltuforosa.com • iltuforosa.com • Tlj 10h-20h. Congés : 10 j. fin juin. Doubles avec sdb 55-65 € selon taille et saison. Guide de la région offert sur présentation de ce guide.* Un *affittacamere* modèle réduit, juste à côté d'une petite boutique de souvenirs où officient les très affables propriétaires. Escalier étroit pour accéder aux chambres, dont les moins chères ne sont vraiment pas larges. N'en reste pas moins un bon rapport qualité-prix pour cette région.

Albergo Guastini : *piazza F. Petruccioli, 16. ☎ 0564-61-60-65 ou 0564-61-41-06. • htlguastini@katamail.com • albergoguastini.it • Congés : 10 janv-28 fév. Doubles 50-100 € selon saison et confort ; petit déj 8 €.* Postée comme une sentinelle face à la porte de la vieille ville. Propreté et agencement réglés comme du papier à musique. Des chambres petites, à la déco simple mais plutôt agréable et au mobilier fonctionnel ; certaines ont vue sur la vallée. Accueil courtois. Fait aussi resto *(fermé lun)*.

Où dormir dans les environs ?

Agricamping Poggio del Castagno : *Poggio del Castagno, 58017 Pitigliano. ☎ 0564-61-55-45. • poggio_castagno@tiscali.it • À 8 km de Pitigliano. Suivre direction Manciano ; après 2 km, tourner à gauche, route de Viterno et Pantano, puis suivre le fléchage. Tlj. Env 21 € pour 2 avec tente et voiture. Doubles avec sdb 45-55 € selon confort ; pour 3 ou 4 pers, 15 €/pers supplémentaire ; petit déj 4 €. Dîner 17 €.* Fondu dans la nature, un tout petit camping rustique, très tranquille (20-25 personnes maximum), aux emplacements de bonnes tailles, sous les arbres. Les quelques chambres sont également très sobres, avec des sanitaires basiques, mais très correctes pour leur prix. Une grande salle commune conviviale pour les jours de pluie ou le dîner (si vous le souhaitez), avec bouquins et jeux de société à disposition. Enfin, un magnifique chêne pluricentenaire vous offre son branchage pour jouer au lézard en hamac ou chaise longue.

Locanda Pantanello : *S. P. del Pantano, N 6233. ☎ 0564-61-67-15. 32-86-21-72-46. • l.pantanello@tiscali.it • pantanello.it • De Pitigliano, suivre la route de Manciano sur 2 km, puis prendre à gauche la route secondaire pour Pantano et La Rotta. Congés : 10 janv-10 fév. Doubles 90-120 €, petit déj compris. Repas 25-30 €. CB refusées. Internet.* Chambres fort confortables et décorées à l'ancienne. La maîtresse des lieux met une cuisine à la disposition des résidents, mais après avoir goûté les petits plats de Morena, tout le monde s'y abonne. Excellent *prosciutto* et pâtes fraîches faits maison. Piscine et solarium. Tables de ping-pong et *mountain bikes* gratuits. Accueil charmant des hôtes.

Où manger ? Où boire un verre ?

Bon marché

🍴 ☕ 🍷 ***Jerry Lee Bar :*** *via Roma, 28.* ☎ *0564-61-40-99. Fermé lun.* Lieu de rencontre et de vie de la petite société pitiglianaise. Le matin, les pépés du coin y sortent leur journal ou vont retrouver leurs copains devant un petit blanc pour parler de tout et de rien, tandis que, le soir, les jeunes se donnent rendez-vous devant le bar de mosaïque multicolore le temps d'une bière. Possibilité de prendre le petit déj ou de grignoter un sandwich. Concerts parfois en fin de semaine.

Prix moyens

🍴 ***La Chiave del Paradiso :*** *via Vignoli, 209. Au bout de la via Roma, sur la droite en contrebas de la piazza San Gregorio. Tlj sf lun. Congés : janv-fév. Menu 17 € ; carte 15-20 €.* Dans le quartier le plus populaire. Quelques tables en terrasse ou dans une salle agréable, pour se repaître d'une cuisine vite faite et souvent bien faite.

Chic

🍴 ***Osteria Il Tufo Allegro :*** *vicolo della Costituzione, 5.* ☎ *0564-61-61-92. • iltufoallegro@libero.it • Dans une rue perpendiculaire à la via Zuccarelli, qui démarre de la piazza della Repubblica. Fermé mar, et le mer midi. Congés : janv. Repas 35-40 € (moins si vous optez pour les pâtes). Apéritif maison offert sur présentation de ce guide.* Ce resto réputé se situe au-dessus d'une cave en tuf typique de la ville. Cuisine du marché réalisée avec panache, qui laisse les papilles tétanisées par l'émotion ! Bonne carte de vins locaux. Service inégal.

À voir

Ne pas manquer de visiter quelques-unes des ***caves*** qui constituent ici une véritable cité souterraine. En route vers Sovana, celles que vous pouvez visiter (gratuitement) sont indiquées.

Museo Archeologico all'Aperto « Alberto Manzi » : *via Cava del Gradore.* ☎ *0564-61-40-67. De Pitigliano, suivre la route de Manciano sur 2 km, puis prendre à gauche vers Viterno et Pantano ; le musée se trouve sur la gauche, au bord de la route. Tlj sf lun 10h-13h, 15h-19h (18h en hiver). Entrée : 4 € ; réduc.* Chaussez-vous bien, la voie étroite est très irrégulière par endroits et peut être glissante (nos genoux bleuis en sont témoins !) ; la balade est assez longue et un peu pentue, prévoyez de l'eau. La visite commence par quelques panneaux sur l'habitat à Pitigliano de l'âge du bronze à l'époque étrusque. Ensuite, l'ancienne voie dans la roche vous mène au gré des témoignages du passé étrusque (tombes, nécropoles), vous offrant au passage de superbes vues sur Pitigliano. C'est d'ailleurs l'un des intérêts du lieu : mêler la visite culturelle à la promenade dans un bel environnement.

Autre siège du pouvoir des ***Orsini,*** Pitigliano accueille leur ***château,*** abritant aujourd'hui deux musées :

– ***Museo d'Arte sacra :*** ☎ *0564-61-60-74. Tlj sf lun 10h-13h, 15h-19h (17h janv-mars, 18h avr-juin) ; en août tlj. Entrée : env 3 € ; réduc. Distribution d'un petit guide en français pour la visite.* Si ce lieu mérite le coup d'œil, c'est surtout pour y admirer le dédale de pièces (dont le donjon) et de couloirs. Au fil des salles, vous découvrirez aussi quelques beaux plafonds à caissons, malheureusement bien endommagés.

– ***Museo civico archeologico :*** *à côté, dans la grange aux grains du château. Tlj sf lun 10h-13h, 15h-19h. Entrée : 2,50 € ; réduc.* Le musée, qui présente une collection d'objets étrusques provenant des nécropoles du voisinage, est petit, mais les objets y sont assez bien mis en valeur. Dommage que tout ne soit qu'en italien.

Sinagoga : *via Zuccarelli. Mai-oct, tlj sf sam 10h-12h30, 15h30-18h30. Entrée : 3 € ; réduc.* Longtemps négligé, ce vestige de l'ancienne communauté juive a rouvert ses portes. On peut y voir des vestiges de bains rituels, ainsi que le four à pain azyme.

Achats

Cantina cooperativa di Pitigliano : *Ildebrando, via S. Chiara, 70.* ☎ *0564-61-44-25. À 200 m de l'entrée de la vieille ville.* Tous les produits « bons comme là-bas, dis ! », sauf que la fabrication est *hic et nunc* (100 % locale). Tomates séchées au soleil, *pesto*, aromates et vin local casher (l'une des spécialités de Pitigliano), et le *bianco di Pitigliano*, un petit blanc dont la production s'étend sur 1 250 ha jusqu'aux confins de Manciano.

La Cantina Incantata : *piazza Petruccioli, 68.* ☎ *0564-61-60-02. Sous la porte principale de la cité.* Si vous ne vous laissez pas tenter par les produits locaux, allez au moins jeter un coup d'œil dans les nombreuses caves.

➤ DANS LES ENVIRONS DE PITIGLIANO

L'ensemble rupestre de Vitozza : *visite guidée slt. Rdv dim, lun et mer avec le guide à 10h piazza della Repubblica à San Quirico.* ☎ *0564-61-40-74. Visite : 2 €.* Un dédale de couloirs parmi les roches témoigne de l'occupation lointaine de la zone, entre le Ier s av. J.-C. et le Ier s apr. J.-C. Billets cumulés avec d'autres sites à acheter dans les offices de tourisme de Sorano ou de Sovana.

TUSCANIA

(01017) 8 000 hab.

Avec un nom pareil, on s'en voudrait de ne pas inclure en Toscane cette adorable petite cité, même si elle se situe dans le Lazio. Ses remparts abritent un centre avec tout juste ce qu'il faut pour plaire (beaux édifices religieux, rues pavées, passages couverts et cours de maisons). La ville se dresse au beau milieu d'une vaste plaine alluviale et à proximité des centres étrusques de Vulci. Elle a subi des dégâts considérables lors du tremblement de terre de 1971.

Arriver – Quitter

En bus

Départs depuis le viale Trieste (avenue parallèle aux remparts, à l'ouest). Compagnie *Cotral :* ☎ *0766-89-041.* • *cotralspa.it* •

➢ ***Viterbo :*** env 20 bus/j.
➢ ***Gare de Montalto di Castro :*** env 10 bus/j.

En train

Il n'y a pas de gare à Tuscania. Le plus commode est de se rendre à ***Montalto di Castro*** en bus, à 25 km (voir ci-avant).

➢ ***Rome :*** 12 trains/j., dont 8 directs et 1 express. Dernier départ vers 22h. Trajet env 1h20.
➢ ***Grosseto :*** 11 trains/j. Trajet env 40 mn.
➢ ***Pise via Livourne :*** 6-7 trains/j. Trajet env 3h.

Circulation et stationnement

Bonne nouvelle, pour une fois, le centre-ville n'est pas interdit aux voitures de tourisme. Stationnement gratuit, limité à 30 mn ou 1h. Le nom des rues fait l'objet de bizarreries, avec des doubles plaques auxquelles mêmes les habitants ne comprennent rien !

Adresse utile

Office de tourisme : *piazza Trieste. ☎ 0761-43-63-71. • turistico.tuscania@libero.it • Chalet de bois à l'extérieur de la* Porta del Poggio fiorentino. *Tlj sf lun 10h-12h30, 16h-18h.*

Où dormir ? Où manger ?

Affittacamere Carla : *via della Libertà, 27. ☎ 0761-43-50-21 (bar). 34-96-74-67-48 (Angelo). Pas d'enseigne. Double avec bains 50 €, petit déj compris. CB refusées. Parking gratuit.* 5 chambres à petit prix, basiques mais *clean*. Angelo (le proprio) n'habite pas sur place. Il faut l'appeler, ou demander les infos au bar de son fils à l'entrée du rempart (*Porta del Poggio fiorentino*).

Osteria da Alfreda : *largo Torre di Lavello, 1-2. Ne pas confondre avec l'établissement chic situé juste au-dessus. Fermé jeu.* Chez *Alfreda*, prix populaires. Il n'y a pas de carte mais, grosso modo, vous ne dépenserez jamais plus qu'il ne faut (env 11 €). Et pour du populaire, c'est du popu, animé à l'italienne. On aime beaucoup. On y mange en terrasse, sur de grandes tables en bois avec toiles cirées, une cuisine franche allant des tripes au traditionnel plat de melon et *prosciutto*. Quand le temps est maussade, on passe les rideaux de perles et on installe les mêmes tables rudimentaires à l'intérieur, dans une salle voûtée, lambrissée à mi-hauteur. Cuisine *casalinga* loin d'être touristique. Accueil franc, on s'en doutait !

À voir

Au cœur de Tuscania, dans le dédale des rues, nombreux ***palais :*** *Baronale* (Poggio Barone, 9 b), *Tartaglia, palazetto Farnese* (via Rivellino, 19), *Maccabei* (via Lunga, 23), *Spagnioli* (via Valle d'Oro, 22), *Giannoti* (via della Libertà).

Basilica di San Pietro : *à l'extérieur des murs, au sud-ouest de la ville. Tlj sf lun 9h-13h, 15h-19h (17h oct-avr ; en continu en juil-août). Entrée gratuite.* Construite du VIIIe au XIIIe s, dépouillée et inutilisée mais avec un beau sol de mosaïque polychrome. Le site lui-même est très pictural. Notez ces curieux couvercles de sarcophages étrusques (Ier-IIe s av. J.-C.) éparpillés alentour. Ils adoptent la position allongée du repas.

Chiesa Santa Maria Maggiore : *juste en contrebas de la basilique. Mêmes horaires.* Petite et toute trapue, de style furieusement médiéval. Belle charpente en bois et surtout magnifique pupitre ciselé en marbre. Autel couvert également intéressant. Belle *Annonciation.* Portails romans du XIIIe s. L'église a été sérieusement endommagée pendant le tremblement de terre de 1971 ; sa reconstruction à l'identique est parfaite.

➤ DANS LES ENVIRONS DE TUSCANIA

👣 ***Les nécropoles de Vulci :*** *à env 20 km vers l'ouest.* ☎ *0761-43-77-87.* • *vulci.it* • *Entrée : 2 € ; réduc ; gratuit moins de 18 ans.* Vulci était l'une des douze villes de la fédération étrusque. Un paysan qui labourait vit le sol se dérober sous ses pieds : le site était découvert. Lucien Bonaparte, frère de Napoléon et proprio un peu fauché du lieu, lança aussitôt des fouilles dans l'espoir de découvrir quelque trésor. En quatre mois, environ 2 000 objets furent exhumés. Persuadé que les Étrusques étaient d'ascendance ionienne, on ne conserva que les poteries à figure rouge. Les vases noirs, jugés sans intérêt, furent détruits systématiquement. Manque de pot (ça, on peut le dire !), c'étaient des *buccheri,* si caractéristiques de la civilisation étrusque, teintés au cœur par une cuisson avec de l'oxyde de fer. Les nécropoles se visitent désormais dans un très beau site.

👣 ***Ponte e castello della Badia :*** *au nord des vestiges.* Très bel ensemble. Le pont, d'abord, suspend bien haut son unique jambe au-dessus de l'Olpetta : la base est d'époque étrusque puis romaine, le tablier est médiéval. Le château, ensuite, ancien prieuré bénédictin fortifié (IXe s), devenu une place militaire sous les Aldobrandeschi, accueille le ***Museo archeologico de Vulci*** *(ouv 8h30-19h30 ; entrée : 2 €).* Nombreux sarcophages et objets étrusques provenant des tombes découvertes autour de la ville. On peut en visiter quelques-unes (sur réservation).

L'ISOLA D'ELBA (L'ÎLE D'ELBE)

Elbe est-elle une perle tombée du collier de Vénus, formant l'archipel toscan, incluant l'île de Montecristo qui inspira Dumas en visite chez Napoléon ? Elbe est-elle la sœurette de la Corse, toute proche, dont elle partage la physionomie à l'ouest et au centre : maquis, denses forêts de chênes et côtes escarpées ? Centre d'extraction de métaux dès l'ère étrusque, lieu de villégiature de riches patriciens romains, ensuite dans le giron des Espagnols et du grand-duché de Toscane, son nom entre dans l'histoire de France lors de l'exil de Napoléon. L'*Elba,* bien italienne, conserve des témoignages de toutes ces époques : mines à l'est et au sud ; fortifications à Portoferraio et sur les reliefs ; palais de Napoléon. Aujourd'hui, l'île est une destination de tourisme familial. Abordable et adorable à la mi-saison, elle devient plus dispendieuse et saturée en plein été, prisée qu'elle est des Romains et Florentins. Mais, signe des temps, c'est en allemand que les boutiques de plage vendent *Astérix en Corse*...

PETIT COUPLET SUR L'HISTOIRE D'ELBE ET DE FRANCE...

Après la calamiteuse retraite de Russie et la défaite de Leipzig, Napoléon doit capituler. Les alliés lui offrent une prison dorée à deux bonds d'espadon de sa Corse natale. Empereur d'une partie de l'Europe, le voilà déchu simple roi d'Elbe en mai 1814. Il en esquisse le drapeau blanc à bande rouge, frappé de trois abeilles (toujours actuel) et réforme sans répit. L'horizon est sombre : on envisage de rebaptiser « Franz » son *Aiglon* reclus à la cour d'Autriche, auprès de Marie-Louise qu'on dit peu fidèle. Et puis les alliés parlent d'éloigner Napoléon à Sainte-Hélène. Le 26 février 1815, à bord de *L'inconstant,* l'Aigle prend donc son envol pour s'abîmer, 100 jours plus tard, sur sa dernière morne plaine.

Arriver – Quitter

En bateau

➢ ***Liaisons maritimes :*** départs de *Piombino.* **Moby Lines** (☎ *0565-91-41-33 ;* • *moby.it* •) *et* **Toremar** (☎ *0565-96-01-31 ;* • *toremar.it* •) arment les ferries de Piombino à Portoferraio : ttes les heures, avr-sept ; env ttes les 2h oct-mars ; compter 1h et 10 €/pers, 20-40 €/véhicule. Taxes en sus (parfois élevées !).
– Également des ferries *(Toremar)* vers Rio Marina en 30 mn et Porto Azzurro en 1h ; tarifs équivalents.
– De mi-avr à mi-oct, 4-5 hydroglisseurs/j. *(Toremar)* joignent Portoferraio en 40 mn (piétons slt). Compter 10 €/pers.
– Billets sur Internet ou à la gare maritime. En été, on peut gagner à traverser en piéton puis louer un *motorino* sur l'île.

Infos utiles

Bus locaux : ATL. ☎ *0565-91-43-92. Liaisons sur l'île en ttes saisons. À Portoferraio, départ juste au-delà du débarcadère.*
– ***Guide des plages :*** *Tutte le spiagge,* éd. Tascabile (en français). Pour trouver quelques perles côté sable.
– ***Guide de rando :*** *Guida ai sentieri natura,* éd. RS (en italien). Pour les dingos de la rando.
– ***Marchés :*** *Marciana-Marina, mar ; Capoliveri, jeu ; Portoferraio, ven.*

Festivités

– ***Polpando e gli antichi sapori :*** *mi-avr à Portoferraio.* Le poulpe dans tous ses états. *Antipasti,* pâtes...
– ***Festa del Corollo :*** *ts les dim de mai à Campo nell'Elba*. Les soupirants soupirent sous les fenêtres des belles, qui préparent le *corollo* (gâteau traditionnel).
– ***Magna Longa :*** *juin à Capoliveri.* Rando et gastronomie sur une route panoramique, dégustations tous les 800 m... hmm !
– ***Legenda dell'Innamorata :*** *le 14 juil à Capoliveri*. Retraite aux flambeaux sur terre et en mer.
– ***Elba Isola Musicale d'Europa :*** *sept. À Portoferraio et autres sites de l'île*. Zizique classique et jazz de bonne tenue.

PORTOFERRAIO

(57037) 12 000 hab.

Quelle chance, on aborde *la darsa* en bateau depuis le continent. Cette anse, tout en longueur, est fortifiée depuis le XVIe s pour se préserver des pirates. Barberousse n'en fit néanmoins qu'une bouchée. C'est sous ce profil darse-port-bastions que la capitale d'Elbe est la plus remarquable. Passé le front des immeubles colorés du port, la ville intérieure mérite aussi une balade. Et si vous ratez la *Villa dei Mulini,* où séjourna Napoléon, on vous exile à Sainte-Hélène !
Sienne : 146 km ; *Grosseto :* 78 km ; *Florence :* 180 km ; *Rome :* 255 km ; *Waterloo :* 100 jours.

Adresses utiles

ℹ ***APT :*** *calata Italia, 43.* ☎ *0565-91-46-71.* • *aptelba.it* • *À gauche du quai d'arrivée des ferries. Fév-mars : sem 9h-13h, 15h-17h (mat slt lun, mer, ven ;*

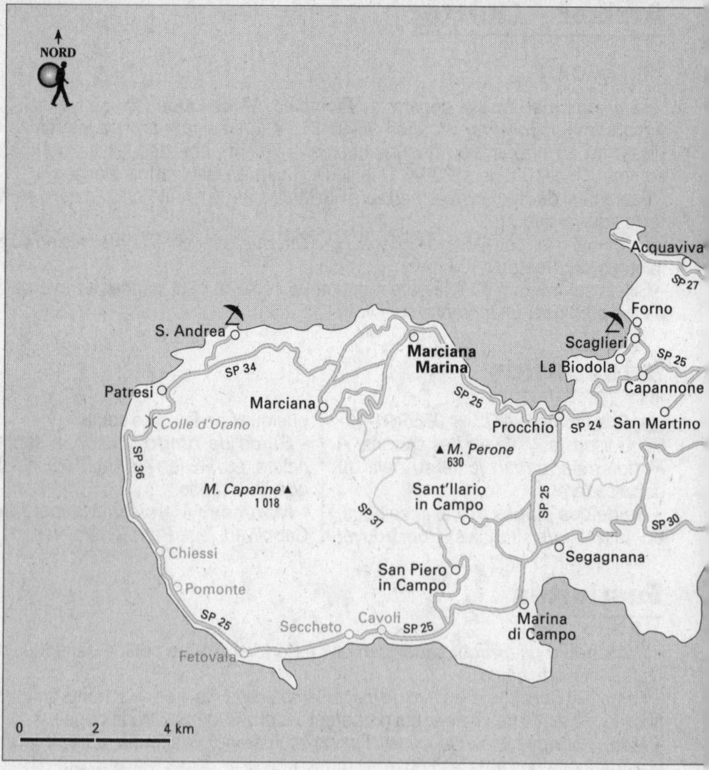

fermé w-e) ; avr-sept : lun-sam 9h-19h et dim 9h-12h, 15h-18h (dim mat slt en avr-mai).

✉ **Poste centrale :** *via Manganaro, 7. À 500 m du centre. Lun-sam 8h15-19h (12h30 sam).*

■ **Location de véhicules :** plusieurs agences autour du quai des ferries. *Motorino : 30-40 €/j. ; voiture : 45-55 €/j.*

Où dormir ?

B & B Le Stanze del Casale : *loc. San Giovanni. ☎ 0565-94-43-40. 📱 33-57-03-06-55. • info@lestanzedelcasale.com • lestanzedelcasale.com • À 3 km au sud de Portoferraio, fléché depuis la route de Capoliveri. Ouv avr-oct. Doubles 120-160 € selon saison, avec petit déj. Wifi.* Florence a rénové avec goût sa grande maison. Le soin particulier apporté au choix des matériaux, pigments (terre cuite, ciment lissé, ocres...), confère beaucoup de charme au lieu. Beau mobilier et draps brodés complètent le tableau. Petit déj dans un patio ouvert et jardin pour se reposer en regardant les ferries dans la rade de Portoferraio. Pour ne rien gâcher, votre hôtesse parle le français. Notre adresse de charme sur l'île.

Albergo Le Ghiaie : *loc. Le Ghiaie. ☎ et fax : 0565-91-51-78. Depuis le débarcadère, à droite vers le centre, puis à gauche sur 400 m vers « Spiaggia Le Ghiaie ». Résa conseillée. Doubles*

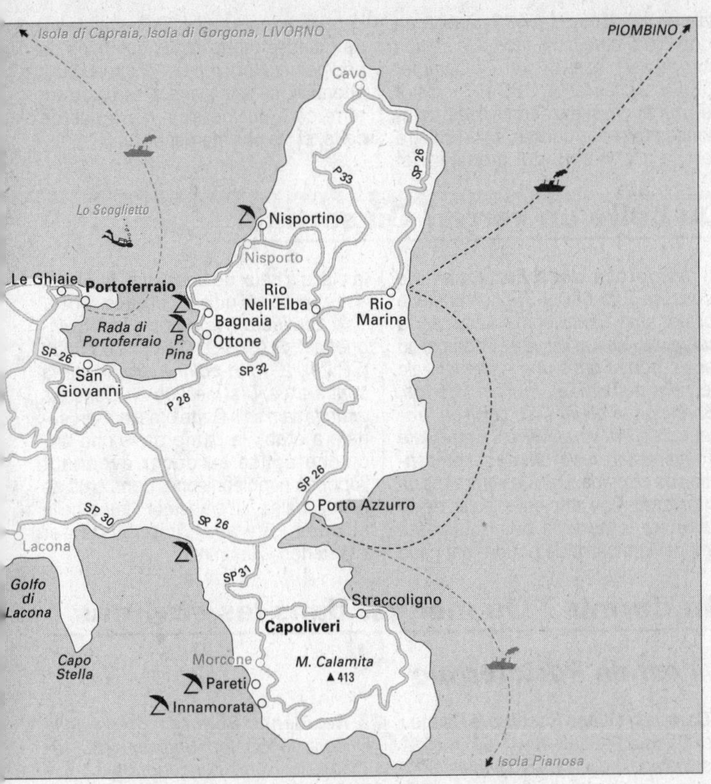

L'ÎLE D'ELBE

70-80 € selon saison, sans petit déj. Petit établissement très bien situé : sur la plage de galets et sable blanc, dominé par la citadelle de la ville. Chambres propres avec balconnets, certaines donnant sur la mer. Bon plan pas cher.

Où manger ?

|●| ***Caffescondido Enosteria :*** *via del Carmine, 65. ☐ 34-03-40-08-81. Proche du Teatro dei Vigilanti. Tlj sf dim. Compter 25-30 €. Digestif offert sur présentation de ce guide.* Plus qu'un café perdu, un vrai bon resto. Une poignée de tables sur ruelle et une terrasse qui zieute les toits rouges. On met les pieds dans le plat de la *slow food* : *tono al chianti* et *polpo alla cacciatore* (poulpe chasseur). Franche cuisine du terroir, prix sans mauvaise surprise. Pour agrémenter le tout, un verre (pas cher) de blanc ou de rouge local ; leur devise : « Qui boit de l'eau a quelque chose à cacher... ».

|●| ***Pizzeria Il Castanacciaio :*** *via del Mercato Vecchio. ☎ 0565-91-58-45. Ruelle face à l'hôtel de ville. Tlj. Compter 6-8 €.* Une institution où l'on aime les *pizze*, certes, mais surtout les 2 spécialités : la *torta di ceci*, une galette de pois chiches vendue à l'hectogramme et le *castagnaccio*, galette de châtaignes sucrée. Recette ancestrale bien connue en Corse. Rien de bien diététique, mais idéal pour cultiver l'authentique !

|●| ***La Saccheria :*** *cantiere navale, loc.*

Casacia. ☎ *0565-91-57-13. Sonner au portail gris, côté port, face à la station* Esso *du viale Tesei (SP 24). Tlj. Compter 25-32 €.* Accès façon OSS 117, cuistot déjanté aux baskets dépareillées, commande passée en cuisine, voilà un lieu à part, entre yachts qui mouillent et bateaux en cale sèche. On se régale sur de grandes tables façon cantoche de poulpe très frais, morue, anchois. Mais attention, ce lieu *space* a les pieds sur terre côté business : il n'y a pas de carte, et les prix montent vite.

Où boire un verre ? Où sortir ?

Enoteca della Fortezza : *via Scoscesa.* 📱 *33-58-39-37-22.* • *enoteca dellafortezza@gmail.com* • *Accès par la forteresse (dire qu'on va à l'*Enoteca*) ou par un portail dans une ruelle latérale (fléchage peu visible). Tlj sf lun 11h-15h, 18h-minuit. Plateau 6 € : salaison, fromage, dessert. Vin au verre 2 € env. Café et dégustation de vin offerts sur présentation de ce guide.* Dans les entrailles de la *fortezza,* une ancienne salle de tir ouvre sur le port via des bouches à canons. Les barils de poudre ont cédé la place à ceux de bons vins de l'île, et autres produits du cru. Prix très sages.

Birrificio Napoleon : *loc. Spinghettao.* ☎ *0565-91-83-26. Du centre (SP 24), 2e rond-point à droite, sur la contre-allée. Tlj sf mer 20h-2h. Concerts gratuits sam soir.* Cette brasserie artisanale a établi le camp dans une ancienne église au décor évoquant l'épopée napoléonienne. Bons crus de bière locale : « L'empereur », une belle blonde ; « Tre api », une rousse ; et « Waterloo », la brune.

Où dormir ? Où manger dans les environs ?

À l'est de Portoferraio

Camping Village Roselba le Palme : *loc. Ottone.* ☎ *0565-93-31-01.* • *info@ roselbalepalme.it* • *roselbalepalme.it* • *À 9 km du centre, à droite de la route de Bagnaia. Selon saison, 14-48 € pour 2 avec tente et voiture.* Terrain immense avec une piscine qui ne l'est pas moins. Préférez les emplacements en terrasses, ceux sur le plat souffrent plus de promiscuité. Équipements au top, super entretenus. Plage à 500 m et, cerise sur le gâteau, un jardin botanique, véritable cœur vert du camping.

Residence Bounty : *strada della Falconaia, 153, loc. Bagnaia.* 📱 *33-19-13-94-26.* • *residencebounty.com* • *À 11 km du centre. En sortant de Bagnaia vers Nisporto. Doubles 80-100 € selon saison.* Une maisonnette abrite une poignée de chambres récemment agencées. La pierre, le bois et le bambou leur donnent beaucoup de charme. Plein de recoins pour se délasser. Belle pelouse, proche du barbecue où Vincenzo organise des soirées à thème en plein été. Pas de piscine mais la mer est à 150 m.

À l'ouest de Portoferraio

Camping Aquaviva : *57037 Portoferraio.* ☎ *0565-91-91-03.* • *campingaqua viva.it* • *Du centre (SP 24), 2e rond-point à droite (direction Envola), fléché 2 km plus loin. Selon saison, 18-44 € pour 2 avec tente et voiture ; supplément de 5 € au bord de l'eau.* À l'écart de la route. De hautes haies délimitent de larges emplacements, où s'entassent 2 ou 3 tentes en été. Autant venir hors saison. Bons équipements. Petite piscine et mer au bord du terrain.

B & B La Collina : *loc. Capannone, Biodola.* ☎ *0565-96-98-00.* 📱 *33-81-40-02-57.* • *allegro52@libero.it* • *marein collina.it* • *À 7 km du centre (SP 24). Au 1er col, « à droite toute » (sans descendre vers Forno). Petite route sur 500 m, fléché. Doubles 70-130 € selon saison, avec petit déj.* La maison d'Alessandro et Manuela accroche ses murs roses à flanc de *collina*. Accueil chaleureux ponctué de français. Chambres impeccables, spacieuses, climatisées et bien décorées, tableaux à la clé. Normal, monsieur est peintre. Le pompon : l'immense terrasse qu'on se partage. Vue imprenable sur le golfe, le Monte Capanne et, au loin... la Corse : à faire pâlir Napoléon d'envie !

Da Luciano : *loc. Scaglieri. ☎ 0565-96-99-52. À 7,5 km du centre, en bord de plage. Compter 22-35 €.* Épaule contre épaule avec une langue de rochers, la côte découpée et les flots bleus en face, une plage de sable beige... On y fait bonne chère à des prix corrects vu le site : excellentes lanières de steak de thon, légumes grillés. Même le Monte Capanne, au loin, lorgne votre assiette.

À voir

– Pour la Fortezza Medicee, le Teatro dei Vigilanti et le Museo archeologico, tarif : 3 € par monument ou 5 € en combiné ; réduc.

Fortezza Medicee : *entrée via Guerrazzi, à l'ouest du port. ☎ 0565-94-40-24. Ouv Pâques-Toussaint : tlj sf mer 10h-13h, 15h30-19h ; 9h-20h de mi-juin à mi-sept. Voir tarif ci-dessus.* Terrasses en surplomb les unes des autres, dans une succession de bastions reliés par des galeries et autres escaliers. Très beaux points de vue sur le port, la rade et le grand large.

Teatro dei Vigilanti : *piazza Gramsci. ☎ 0565-94-40-24. Tlj sf dim 9h-13h. Voir tarif plus haut.* La *chiesa del Carmine* (1618) s'est faite théâtre à l'italienne pour les beaux yeux de Pauline, la sœur du « roi d'Elbe ». Il convia avec un rien d'autorité les grandes familles elbanes à en partager le coût d'agencement. En retour, chacune gagnait une loge privée ornée à son goût. Une restauration récente a uniformisé le style où règnent faux marbre et guirlandes en trompe l'œil. Les cloches sonnent lors du festival de musique.

Torre del Martello : *accès libre.* Cette tour octogonale construite au milieu du XVIe s termine la *Linguella,* une fine langue de rocher au bout du port. L'édifice fut longtemps un exemple d'ingénierie militaire. Chemin faisant, le ***Museo civico archeologico :*** *Calata Buccari. ☎ 0565-94-55-28. Tlj sf jeu 10h-13h, 15h30-19h. Voir tarif plus haut.* Renferme des pièces étrusques ou romaines trouvées sur et autour de l'île.

Villa dei Mulini : *piazzale Napoleone. ☎ 0565-91-58-46. Tlj sf mar 9h-19h (13h dim et j. fériés). Tarif : 3 € ; billet combiné avec la villa di San Martino : 5 € ; réduc ; gratuit moins de 18 ans.* Villa choisie par Napoléon durant ses 300 jours d'exil pour sa position stratégique sur la rade de Portoferraio. Aménagée comme ses résidences françaises. Voir notamment la chambre attenante à la bibliothèque, seule pièce d'époque d'ailleurs, même si le mobilier est de style Empire (sans blague !).

➤ DANS LES ENVIRONS DE PORTOFERRAIO

Villa di San Martino : *loc. San Martino. ☎ 0565-91-46-88. À 4,5 km au sud-ouest du centre (SP 24). Sinon, ligne no 1 de bus depuis le port. Tlj sf lun 9h-19h (13h dim et j. fériés). Tarif : voir la villa dei Mulini.* Villa d'agrément que Napoléon comparait volontiers à la Malmaison. Comme pour les *Mulini,* on a une vue sur la darse de Portoferraio. Le mobilier n'a jamais croisé l'empereur, mais le décor est d'époque avec ses faux marbres, légions d'honneur, abeilles et cygnes. L'immodeste bâtiment du rez-de-chaussée (milieu du XIXe s) accueille des expos temporaires sur l'époque de Napoléon. Le portail, a été bâti dans les années 1930 par Mussolini.

Rio nell'Elba : *à 14 km à l'est de Portoferraio, par les SP 24, 26, 28 et 32.* Mesnil perché à l'est de l'île, dont les abords lotis n'ôtent rien au charme : lacis de ruelles, escaliers, venelles et passages dérobés. Sur la place, en bas, l'église fait ressortir les angles d'une ancienne fortification.

Parco Minerario : *via Magenta, 26. 57038 Rio Marina. ☎ 0565-96-20-88. Accès fléché depuis le port. Musée : 2 €. Visite en train : 11,50 € (7 € pour les 4-12 ans). 1-4 visites/j., durée 1h20. Résa obligatoire.* Le train parcourt la mine à ciel ouvert de Valle Grove, la plus grande de l'île, jadis réputée pour ses roches riches en fer. Les géologues en herbes peuvent y prélever quelques échantillons d'hématite ou de pyrite au cours des visites.

Où planter le parasol ?

Le nord de l'île ne manque pas de ressources pour déployer l'*ombrelone*.

Punta Pina : *à 9 km à l'est de Portoferraio.* Site agréable, petite plage exempte de plagistes (si, si !), très belle vue sur la rade de Portoferraio. Plus loin **Bagnaia,** un petit village balnéaire pas trop bousculé. Encore au-delà, une piste en lacet joint **Nisportino,** plus *roots* avec ses galets et sable mêlés d'algues.

Golfo della Biodola : *à env 7 km à l'ouest de Portoferraio,* plusieurs plages et criques. **La Biodola,** bien pour les *bambini* avec sa faible pente et son sable blanc, mais vous n'y serez ni les premiers ni les derniers. **Forno,** minuscule crique à la mince bande de sable, rivalise avec **Scaglieri,** moins fréquentée mais grignotée par les terrasses. **Campo all'Aia** fait la part belle aux plagistes ; un pont, à droite, permet d'échapper à la cohue.

Où taquiner la murène ?

Pourquoi ne pas chausser le masque sur cette île en forme de poisson, et au large de laquelle Mayol a établi son premier record d'apnée à couper le souffle ?

Bluelba diving : *plage de Punta Pina. 📱 33-39-78-32-89 (Francesca, francophone). • diving@bluelbadiving.it • bluelbadiving.it • Fléché en bord de SP 28 et rens au camping* Roselba le Palme *(voir plus haut).* Belles immersions dans le parc naturel, entouré de poissons-lunes, raies pastenagues, murènes et mérous maousses. Plus profond, gorgones et coraux en perspective. Nombreuses épaves (certaines datant des argonautes). Francesca accompagne les palanquées sur le bateau : pratique pour le briefing ou en cas de pépin. Caisson hyperbare à Portoferraio.

À L'OUEST DE L'ÎLE

MARCIANA MARINA (57033) 1 900 hab.

Depuis la route, on passerait presque au large de ce qui fait le charme de ce gros village dominé par Poggio, Marciana et l'imposant Monte Capanne. Tout d'abord, son front de mer, ponctué de tamaris hors d'âge, frangé de galets, sur lequel veille une tour du XIIe s et peuplé d'une rangée de bâtisses colorées, bars, restos et glaciers. Ensuite, son dédale de ruelles qui résonnent encore de cris de pêcheurs sortis d'un passé révolu. Au hasard des *vicoli,* on aboutit face à l'église à la façade baroque. Sa place pavée de galets

noirs et gris se couvre parfois de pelouse synthétique pour quelque populaire tournoi de sixte : *Forza Marciana Marina !*

Où dormir ?

Hotel Tamerici : *via Aldo Moro, 10. ☎ 0565-99-445. • tamerici@elbalink.it • tamerici.it • Depuis la SP 25, rue à droite avt la sortie du bourg. Doubles 60-75 €/pers selon saison en ½ pens (obligatoire).* Hôtel classique décoré de blanc jusqu'aux *chesterfields* des salons. Chambres pas immenses mais bien aménagées, avec loggias individuelles. Resto correct, le service peine néanmoins à justifier ses étoiles.

Où manger ? Où boire un coup ?

Il Gastronomo : *vicolo del Sete, 10. ☎ 0565-99-70-21. Rue donnant sur le front de mer. Tlj sf jeu. Compter 15-25 €.* Lieu simplissime et populaire, presque plus cantine que restaurant. Il étale ses tables dans une ruelle et une petite salle. Prix mini, service sans chichis. Au menu, pizzas et autres petits plats consistants.

Borgo al Cotone : *via del Cotone, 23. ☎ 0565-90-43-90. À droite du front de mer. Tlj, midi (sf de mi-juil à fin août) et soir. Compter 30-35 €.* Au bout du bout du lido, la terrasse offre une belle vue sur les flots, la tour et le port. Un service enlevé y honore une cuisine italienne classique orientée vers la mer. Le choix de desserts étant pauvre, on ira finir ses libations dans une *gelateria*...

Bar Gelateria La Perla : *piazza Vittoria, 29. Tlj 8h-minuit.* Agréable terrasse pour siroter un *limoncino* ou savourer une glace artisanale (liste de parfums énorme !).

Où dormir ? Où manger dans le coin ?

B & B in Poggio : *via Monteperonne, 1, 57030 Poggio. 📱 39-33-37-53-07-30. • inpoggio@gmail.com • À Poggio, au début de la route vers le Monte Peronne. Doubles 40-72 € selon saison, avec petit déj. Sdb privées, parfois sur le palier.* Petit hébergement sans prétention. Une vue quasi aérienne sur la côte, un hôte sympa (Angelo), des petits prix, mais la maison est un peu décatie. Ensemble correctement tenu.

Ristorante Pizzeria Bellavista : *piazza di For di Porta, 57030 Marciana. À 6,5 km au sud de Marciana Marina (SP 25). Au centre. Tlj sf jeu. Pizzas 6-8 € ; repas 16-22 €.* Beatrice (Bea pour les habitués) gratifie sa clientèle de bonnes pâtes et pizzas sur la terrasse de sa propre maison ou dans une véranda plus chic. Pas de téléphone : « Je suis toujours là pour qui veut me trouver »... Gros atout du lieu : sa vue panoramique sur la côte, même si le parapet s'interpose un peu.

À voir. À faire à l'ouest de l'île

Nombre de petites plages et criques ourlent la côte de Marciana Marina à Procchio (plus à l'est). Laissez la voiture en bord de route et descendez conquérir votre coin à vous. Très populaire et moins intime, il y a aussi la vaste plage de Procchio.

Poggio : *à 5 km au sud de Marciana Marina (SP 25).* Ce patelin bien séduisant domine la baie. Les ruelles s'y entrelacent sans plan préconçu. Envoûtants escaliers escarpés parfois taillés à même la roche, venelles, androne (passages sous voûtes), senteurs de jasmins et plantes ornementales. Tout en haut du bourg, la petite église San Niccolò (XVIe-XVIIe s) est intimement imbriquée dans un jeu de bastions d'angles : difficile de savoir qui du religieux ou du militaire était là en premier.

Monte Capanne : *téléphérique (Cabinovia) à Marciana ; ☎ 0565-90-10-20 ; tlj 10h-12h15, 14h45-17h ; aller-retour : 17 € (11 € l'aller simple) ; réduc. Brochure du parc national dans les offices de tourisme.* Sommet de l'île, il culmine à 1 019 m. Vue impayable sur les rivages d'Elbe, la Corse et la côte toscane. On le rejoint en « télécage » (sujets au vertige, s'abstenir). Sinon, depuis le parking de la télécabine, sentier de 4 km pour une dénivelée de 750 m : compter 2h à la montée. Depuis le col entre le Monte Peronne et le Monte Capanne (SP 37), un réseau de belles sentes parcourt la montagne, dont un sentier aménagé pour les non-voyants. À noter, enfin, de jolies routes au nord et à l'est du massif, sous des frondaisons fournies de chênes, châtaigniers, acacias et de bien belles pinèdes. La partie sud et ouest est plus aride, avec des paysages de maquis.

Sant'Ilario : *à 11 km au sud de Poggio (SP 37 et 29).* Juché sur un téton de colline, le vieux centre de ce *paesino* compte trois longues ruelles parallèles, pas plus. Le paradis des chats et vieilles gens sur leur pas de porte, dans un univers de jasmins et bougainvilliers. En haut, admirez le plafond en trompe l'œil de la petite église. Sur une colline en face on aperçoit ***San Piero*** : de ses carrières furent extraites certaines des pierres du panthéon de Rome et de la colonnade de Saint-Pierre du Vatican.

Aquario dell'Elba : *loc. Segagnana, 57034* ***Marina di Campo.*** *☎ 0565-97-78-85. • aquarioelba.com • À 11 km au sud de Marciana Marina. Fléché depuis la SP 30 vers Lacona. Tlj 9h-23h30 (19h30 de mi-sept à mai). Tarif : 7 € ; réduc.* Petit aquarium et dioramas présentant la faune et la flore marines qui crèchent autour de l'île : langoustes, tortues, petits requins, oiseaux et mammifères du cru. Les piranhas, eux, viennent d'Amazonie : vos bambins peuvent aller à la plage sans risque.

Balades en bateau Desidera Princess : *sur le port de Marina di Campo. 📱 32-87-82-14-55. ♿ À 12 km au sud de Marciana Marina. Tarifs : 10-25 € ; un enfant (jusqu'à 8 ans) gratuit par adulte payant.* Deux trajets pour découvrir la côte sud : à l'ouest, côte escarpée couverte de maquis ; à l'est, jolie baie de Lacona, Capo de la Stella et Monte Calamità. On a des chances de croiser des dauphins.

Sant'Andrea *(57030)*

À 13 km à l'ouest de Marciana Marina. C'est un des lieux de l'île les plus charmants qui soit. Les eaux d'un bel azur y mouillent une petite plage et des criques découpées dans des roches plates de granit, moucheté de feldspath, où il fait bon poser sa serviette. Au programme : farniente. Le cas échéant, on peut louer un bateau (tarifs élevés) pour une excursion vers quelque coin de rocher inhabité car la côte jusqu'à Cavoli (au sud du Monte Capanne) est peu accessible par la route panoramique.

Où dormir ? Où manger à Sant'Andrea et dans les environs ?

De prix moyens à plus chic

Hotel-Residence Bel Tramonto : *loc. Patresi, 57030 Marciana. ☎ 0565-90-80-27. • beltramonto@valverdehotel.it • valverdehotel.it • À 5 km à l'ouest de Sant'Andrea, au-dessus de la route, dans Patresi. Doubles 70-140 € selon vue et saison, avec petit déj ; ½ pens au resto voisin : supplément de*

20 €/pers. Petit hôtel à taille humaine, tout vêtu de blanc. Ambiance calme, que l'agréable accueil ne contrarie pas. Chambres spacieuses, de bon confort et belle vue panoramique sur la côte escarpée. Et comme l'hôtel n'a pas les pieds dans la grande bleue, on se rafraîchit dans la piscine.

B & B Alda Anselmi : *loc. Sant'Andrea, 57030 Marciana. ☎ 0565-90-81-76 (été) ou 0565-90-11-22 (hiver). • info@camereanselmi.it • camereanselmi.it • En bas du bourg à gauche. Doubles 70-100 € selon saison, avec petit déj ; ½ pens possible en été, supplément de 20 €/pers.* Grand B & B aux allures de petit hôtel. Chambres propres à deux pas de la mer. Une seule avec balcon. Terrasse pour faire bronzette. Ventilateur et bon confort général.

Ristorante Pizzeria Da Marco : *loc. Sant'Andrea, 57030 Marciana. ☎ 0565-90-83-38. Tlj. Pizzas 5-8 €. Repas complet 18-25 €.* La meilleure option sur la plage pour une pizza ou des plats classiques. Côté terre, *bistecca* de veau ou *fettina* de porc. Côté mer, salade de poulpe et anchois à toutes les sauces. Large terrasse avec vue sur la mer de parasols et les flots bleus ou petite salle avec vue sur le *telegiornale*.

Plus chic

Hotelilio Boutique Hotel : *loc. Sant'Andrea, 57030 Marciana. ☎ 0565-90-80-87. • info@hotelilio.com • hotelilio.com • À mi-pente de la route, fléché. Doubles 70-240 € selon confort et saison, avec petit déj ; ½ pens possible, exigée en août (5 nuits min).* À trois pas de la plage, dans un parc arboré, des bâtiments bas accueillent des chambres avec loggias. Pour les familles, demander celles à l'arrière, autour du jardin. Éviter celles sans vue. En fonction du style, de la taille et de la formule (*B & B* ou ½ pension), tarifs complexes comme une table logarithmique ! Mais ça n'ôte rien au charme du lieu, zen et moderne, comme son fin cuisinier de patron, Maurizio. Resto de bonne réputation proposant une copieuse cuisine du marché et un excellent petit déj.

AU SUD-EST DE L'ÎLE

CAPOLIVERI

(57031) 3 100 hab.

Même s'il souffre d'hypertension touristique, ce vieux village a un cœur qui bat bien fort. Fièrement tanqué sur sa colline, il offre de belles échappées sur la côte et les montagnes centrales. Ses deux poumons, les places Garibaldi et Matteoti respirent de vie avec leurs cafés où les locaux viennent *passaggiare* et les touristes *festeggiare*. De là part la via Roma, sur la crête. Elle distribue des ruelles en arêtes de poisson qui dégringolent la pente abrupte. N'hésitez pas à vous plonger dans cet écheveau... mais hardi les mollets, tout ce qu'on descend est autant à remonter !

Où dormir dans les environs ?

Agricampeggio Bioelba : *loc. Straccoligno. ☎ 0565-93-90-72. 📱 34-08-93-86-08. • pippo@bioelba.it • bioelba.it • Depuis Capoliveri, direction Calanova ; à 3 km, maison du proprio (réception) à gauche (fléché). Camping à 2 km au-delà. Fermé 25 fév-15 mars. Selon saison, 30-37 € pour 2 avec tente et voiture.* Enfin un petit terrain ! Très peu d'emplacements s'abritent sous une pinède qui glisse en pente jusqu'à la mer. Tout en bas, une *plagette*. Installations sommaires (eau des douches chauffée au soleil). Bonne alternative, fort calme, aux campings-villages de l'île.

Albergo Villa Miramare : *loc. Pareti. ☎ 0565-96-86-73. • info@hotelvillamiramare.it • hotelvillamiramare.it • À 3 km au sud de Capoliveri. Ouv avr-nov. Doubles 45-120 € selon saison, avec petit déj.* Sur une de nos plages préférées dans le coin, le *Miramare* n'usurpe pas son nom. La moitié des chambres donne côté mer, avec de belles terrasses. Celles à l'arrière sont moins agréables. Bon confort, murs blancs et mobilier standard, tout à fait clean. Accueil agréable et des prix pas dispendieux à l'arrière-saison.

Où manger ?

Summertime : *via Roma, 56. ☎ 0565-93-51-80. Presque au bout de la rue principale. Tlj en saison, fermé le midi en août. Congés : janv et 1 sem à Noël. Résa conseillée. Compter 25-30 €.* La petite salle pimpante alliant ocre de Sienne et jaune de Naples ne prépare pas au festin du lieu. Bepe Sylvio apprête avec réussite des produits locaux dans la mouvance de la *slow food*. Le poulpe s'enivre de vin blanc, l'espadon fond dans la bouche et le *semifreddo* au *gianduja* ne laisse pas de glace. Bons crus elbans. Service discret et agréable. Venez-y vite et mangez-y lentement !

Ristorante Pizzeria Il Torchio : *via Pozzo Vecchio, 4. ☎ 0565-96-87-80. Fléché, en contrebas de la via Calamità. Tlj, le soir slt. Pizzas 5-7 €. Repas complet 18-25 €.* Une adresse à l'écart de l'animation du centre. Belle vue panoramique sur les toits de tuiles, la baie de Rio Marina et, au loin, Piombino. Dans l'assiette, le *pesce spada* (espadon) est roi, qu'on le mange en carpaccio ou grillé, à la messine. Également quelques recettes du sud du pays dont des *gniocchi alla sorentino.*

Où écouter de la musique ? Où danser ?

Sugar Reef : *route de Morcone. 33-89-17-90-26. • sugar-reef.com • À 1 km de Capoliveri. Mar, ven-sam : de 23h à pas d'heure.* Groupes live ou DJs viennent animer des soirées endiablées à dominante latino.

À voir. À faire dans les environs

Monte Calamità : ses pentes arides raviront les amateurs de marche. Aucune route ne s'y engage, celle qui en faisait jadis le tour est désormais interrompue. Pour la petite histoire, chargé de magnétite, il déboussolait les navires... une calamité désormais conjurée par le dieu GPS !

Plusieurs plages sauront vous ravir. Elles bordent l'ouest du Monte Calamità. Chacune a ses arguments à fleur de sable ou de roche : ***Lido di Capoliveri*** (par SP 26) est la plus populaire. Dans une très large baie, elle aligne des forêts de parasols, et ses flots bouillonnent dans les babillements de gamins. ***Pareti*** est petite, presque intime. Couverte de sable fin, les affres du stationnement en limitent naturellement l'accès. ***Innamorata*** mouille son sable brun à quelques brasses de deux îlots jumeaux *(Isole Gemine),* pour vous enamourer.

➢ À 11 km à l'ouest de Capoliveri, juste avant Lacona, rando sympa et facile sur la péninsule qui se termine au Capo Stella.

L'OMBRIE

ABC DE L'OMBRIE

- ***Superficie :*** 8 546 km^2.
- ***Densité :*** 106,5 hab./km^2.
- ***Chef-lieu :*** Pérouse.
- ***Divisions administratives :*** 2 régions (Pérouse et Terni).
- ***Population :*** 900 800 hab.
- ***Principales ressources :*** agriculture, vin, cuir, chocolat, tourisme.

Petite région en plein centre de la Botte, au relief en grande partie montagneux, l'Ombrie mérite bien son appellation de « poumon vert » de l'Italie. Aux confins de l'Italie du Nord et de celle du Sud, traversée de part en part par le Tibre et l'antique via Flaminia des Romains, elle se fait discrète derrière ses murailles, plus secrète et authentique que sa voisine toscane. Au détour des collines apparaissent tour à tour bourgs d'origine étrusque et villes millénaires, accrochés aux versants couverts de vignobles, d'oliveraies et d'amanderaies. Ici, un ermitage à flanc de falaise, au milieu des châtaigniers. Là, un clocher s'élevant au-dessus des blés et des cyprès. Terre de seigneurs et d'une paysannerie longtemps exploitée. Mais une terre saine et sainte, peut-être même magique. Au centre domine la belle Assise, berceau de saint François, patron de l'écologie, qui prêchait aux oiseaux et communiait avec les loups. À l'est, la sorcière Sibylle détournait les croisés des chemins de Jérusalem à leur passage dans les Apennins, du côté de Nursie. D'autres sanctuaires plus populaires attirent les pèlerins du monde entier : celui de sainte Rita à Cascia et de saint Valentin à Terni. Un paradis pour amateurs d'art religieux, dont la douceur et les charmes des paysages inspirèrent maints artistes, tels Giotto, Signorelli et même Raphaël, élève du Pérugin. Ceux-ci en saisirent l'essence pour mieux la célébrer au travers de grandes fresques, comme celles du magnifique Dôme d'Orvieto ou de la basilique Saint-François d'Assise. Mais pour visiter ces joyaux de l'architecture, il faudra du courage car, comme le remarquait justement Pie II en 1462, on ne voit rien en Ombrie sans grimper. Peinture, architecture, mais aussi céramique, qui tient une place de choix dans l'artisanat ombrien depuis que, au XVIe s, un certain Mastro Giorgio inventa la technique du *riverbero,* un lustre métallique dont la formule garde encore quelques secrets.

Attachés à leur patrimoine tant naturel que culturel et à leurs traditions, les Ombriens ne cèdent pas facilement aux produits sous Cellophane et au folklore aseptisé. Ici, le passé, on en vit. On le revit même chaque année, au travers de reconstitutions médiévales et de fêtes ancestrales. Dans ces décors de vieilles pierres et de venelles en escaliers, on s'y croit tout à fait.

LE NORD DE LA VALLÉE DU TIBRE

Le Tibre traverse l'Ombrie du nord au sud, irriguant la campagne de bon nombre de ses cités importantes. L'invisible frontière qui sépare la vallée du Tibre du reste de l'Ombrie prend source dans son histoire : l'Est fut occupé par les Umbrii, tandis que l'Ouest fut un temps dominé par les Étrusques, dont la civilisation a laissé de beaux vestiges à Pérouse et à Città di Castello. Important carrefour depuis l'Antiquité, le territoire de Pérouse fut une étape obligatoire pour les érudits en route vers Rome, tels Goethe ou Lord Byron à l'époque du romantisme. Tous deux furent charmés par la lumière du lac Trasimène, ainsi que le fameux Pérugin (dont vous entendrez assurément beaucoup parler) qui naquit dans l'actuelle Città della Pieve, non loin de là. Et à propos de peintures, les pinacothèques de Pérouse et Città di Castello exposent les meilleures collections de toute l'Ombrie.

PERUGIA (PÉROUSE)

(06100) 166 250 hab.

Capitale administrative de la région, Pérouse la cosmopolite est perchée sur une colline ceinte de remparts derrière lesquels pointent cyprès et clochers, dominant le Tibre. Dès le premier contact, la ville réveille l'intérêt du plus blasé des voyageurs : de jour, la splendeur de ses palais Renaissance coupe le souffle ; la nuit, son labyrinthe de ruelles étroites fait plonger dans un univers mystérieux.

Fondée par les Étrusques, Pérouse resta romaine sept siècles durant, puis subit le joug des envahisseurs goths, ostrogoths, lombards et byzantins. Au Moyen Âge, devenue l'une des cités-États, des guerres incessantes l'opposèrent à Assise et à d'autres villes des environs. Elle tomba en 1538 dans l'escarcelle pontificale pour ne s'en libérer qu'en 1860. De son passé tumultueux, la capitale ombrienne conserve un riche patrimoine. Son relief escarpé pourrait vous décourager de vous écarter du corso Vannucci, l'artère principale ; pourtant, le véritable plaisir se trouve dans la découverte des ruelles en contrebas. Heureusement, escalators *(scala mobile)* et ascenseurs fonctionnent toute la journée et une partie de la soirée ! Et si vous n'avez pas les chevilles assez souples, la seule visite de l'éblouissante Galleria Nazionale est tout un programme ! Le Pérugin y est à l'honneur, mais aussi le Pinturicchio, le « petit peintre », enfant du pays.

Ville imprégnée d'histoire donc, mais aussi dynamique, réunissant étudiants de l'Université pour étrangers et amateurs de jazz. En effet, chaque année, lors d'un festival estival de haute volée, on vient de toute l'Europe assister aux concerts dans les rues de la vieille cité.

SANGLANTS CINGLÉS

La ville a vu, vers le milieu du XIIIe s, s'épanouir la secte des Flagellants. Ces énergumènes défilaient en se flagellant avec des lanières aux bouts cloutés. Et ce pendant 33 jours, en référence à l'âge supposé du Christ à sa mort. Cette seule pratique, rejetée par l'Église qui finit par les livrer à l'Inquisition, était censée faire gagner le Paradis à ses adeptes. Nul ne sait si leur objectif a été atteint...

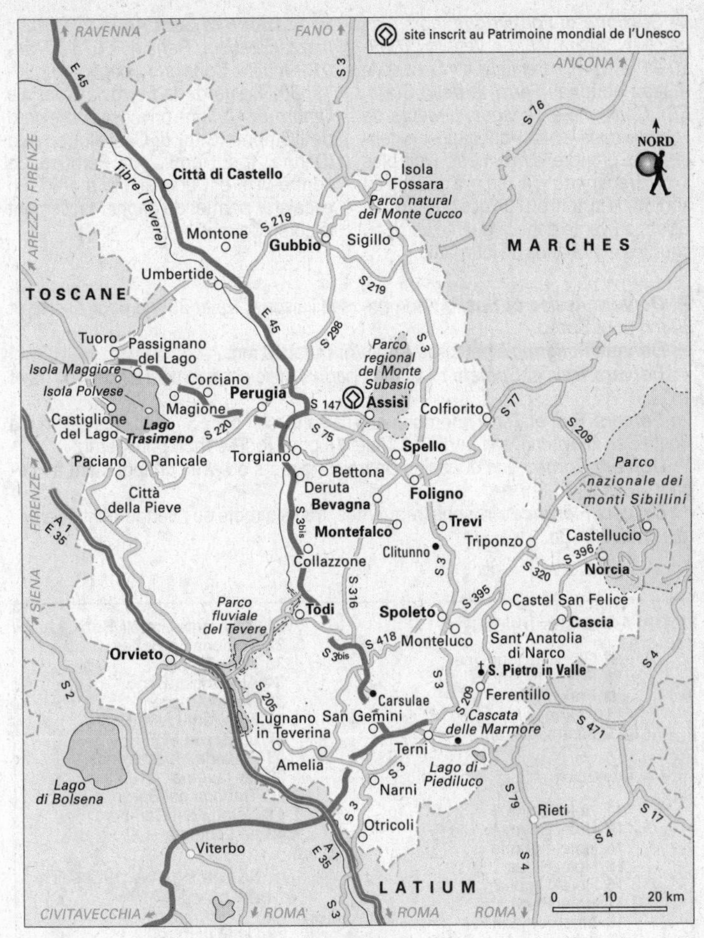

L'OMBRIE

Arriver – Quitter

En avion

✈ ***Aéroport Sant'Egidio :*** *à 16 km de Pérouse.* ☎ *075-592-141.* ● *airport.umbria.it* ● Liaisons avec *Londres Stansted* (correspondances pour de nombreuses villes françaises) et *Milan.* Liaisons par bus *(3,50 € le billet)* avec la *piazza Italia* (départ 2h avant le vol) et la *gare ferroviaire FS.*

■ À l'aéroport, location de voitures : ***Avis,*** ☎ *075-692-93-46 ;* ***Maggiore,*** ☎ *075-500-74-99 ;* ***Europcar,*** ☎ *075-692-06-15 ;* ***Hertz,*** ☎ *075-500-24-39.*

En train

Pérouse est desservie par le réseau *FS* et le réseau *FCU,* dont les trains partent de deux gares différentes.

Stazione di Fontivegge *(hors plan par A4)* **:** *piazza Vittorio Veneto.* ☎ *89-20-21 (n° Vert).* • *trenitalia.it* • Dessert le réseau national (*Ferrovie dello Stato, FS*). *Consigne à bagages. Loueurs de voitures dans le hall.* Pour gagner le centre-ville, prendre le *minimetrò* (voir plus loin « Transports ») à 100 m à gauche en sortant de la gare ou l'un des bus C ou G. Billets en vente dans la guérite verte ou chez les marchands de journaux.

Stazione di Sant'Anna *(plan B3)* **:** *piazza Bellucci. Rens :* ☎ *075-57-54-01.* • *fcu.it* • *Consigne à bagages 8h30-19h30.* Trains de la *Ferrovia Centrale Umbra (FCU)*, ligne privée reliant le nord de l'Ombrie (Città di Castello) au sud (Deruta, Todi, Terni...) via Pérouse. Le centre-ville est accessible à pied (un escalator permet de gagner facilement le corso Cavour).

➢ ***De/vers Assise et Spello :*** nombreuses liaisons. Trajet 25 mn pour Assise et 30 mn pour Spello.
➢ ***De/vers Foligno :*** à peu près 1 train/h. Trajet 40 mn.
➢ ***De/vers Trevi et Spolète :*** 1 train/h, parfois avec changement à *Foligno.* Trajet 1h10.
➢ ***De/vers Todi et Terni :*** nombreuses liaisons, soit par *FS* (avec changement à *Ponte San Giovanni*), soit par *FCU.* Trajet 1h pour Todi et 1h30 pour Terni.
➢ ***De/vers Rome :*** une douzaine de trains, directs ou avec changement à *Foligno.* Trajet 2h30-3h.
➢ ***De/vers Florence :*** liaisons fréquentes, trains directs ou changement à *Terontola.* Trajet 2h-3h.

■ Adresses utiles

- Office de tourisme
- @ Points Internet
- Parkings
- 1 Pharmacie
- @ 2 Informagiovani

Où dormir ?

- **11** Hotel Signa
- **13** Hotel Eden
- **14** Hotel Fortuna
- **15** Hotel Sirius
- **16** Hotel Umbria
- **17** Hotel Priori
- **18** Albergo Anna
- **20** Primavera Mini Hotel
- **21** Hotel Morlacchi
- **22** Hotel San Sebastiano
- **23** Centro internazionale di accoglienza per la gioventù Bontempi
- **24** Ostello per la gioventù Mario Spagnoli
- **25** Etruscan Chocohotel
- **26** Hotel Sant'Ercolano

Où manger sur le pouce ?

- **50** Caffè di Perugia
- **52** Milano
- **54** Osteria del Turreno

Où manger ?

- **30** Osteria Il Gufo
- **31** Ristorante Fratelli Brizi
- **32** Trattoria La Botte
- **33** Dalla Bianca
- **34** Al Mangiar Bene
- **35** Dal mi Cocco
- **36** Ristorante Alter Ego
- **37** La Bocca Mia
- **38** Pizzeria Mediterranea
- **39** La Taverna
- **40** Trattoria del Borgo
- **41** Osteria del Gambero
- **42** La Lanterna

Où déguster des pâtisseries et des glaces ?

- **50** Caffè di Perugia
- **51** Sandri
- **53** L'Antica Latteria
- **55** Pasticceria dell'Accademia
- **56** Grom

Où boire un verre ? Où sortir ?

- **62** The Merlin Pub
- **63** Birreria Bratislava
- **64** La Bottega del Vino
- **65** Buskers
- **66** Caffè Morlacchi

Où faire ses achats gastronomiques ?

- **70** Chez Giuliano
- **71** Augusta Perugia

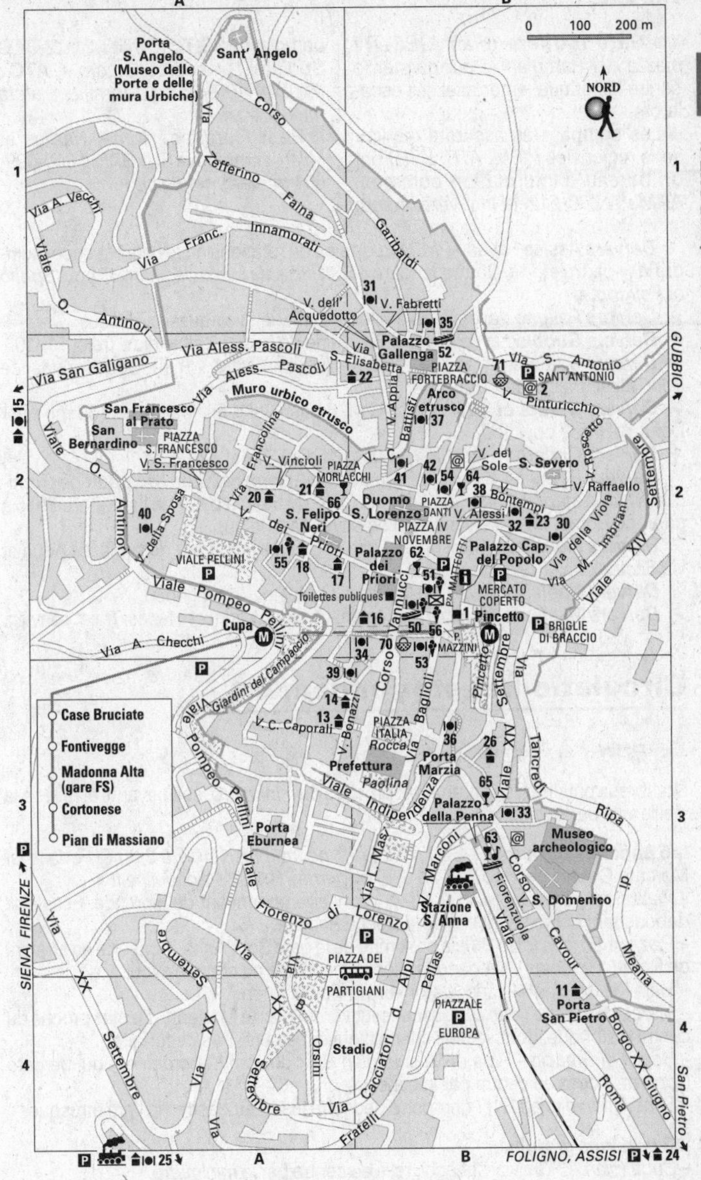

PERUGIA (PÉROUSE)

En bus

Gare routière *(plan A-B3-4)* : *piazza dei Partigiani*. Pour gagner le centre historique, empruntez les escalators.

■ Les compagnies assurant les liaisons régionales *(APM, ATC, SSIT)* ont un bureau d'information commun. **APM :** ☎ *800-512-141 (nº Vert)* ; • *apm perugia.it* • **SSIT :** ☎ *0743-21-22-08 (à Spolète)* ; • *spoletina.com* • **ATC :** ☎ *0744-40-94-57 (à Terni)* ; • *atcterni.it* •

■ Pour *Florence, Rome, Naples* et *Milan*, compagnie **SULGA**. ☎ *800-099-661 (nº Vert)*. • *sulga.it* •

➢ ***De/vers Assise :*** avec *APM*. Une dizaine de rotations en sem (fréquence moindre le w-e). Trajet : 1h. Correspondance *SSIT* à *Santa Maria degli Angeli* pour ***Spello*** et ***Foligno***.
➢ ***De/vers Foligno :*** avec *SSIT*, 2 directs/j (sf w-e). Voir aussi ci-dessus.
➢ ***De/vers Gubbio :*** avec *APM*. Une dizaine de bus/j., 3 slt le dim. Trajet : 1h10.
➢ ***De/vers Spolète :*** avec *SSIT*. 3 bus/j. (sf dim). Trajet : 1h30. Correspondance pour ***Terni*** (trajet total : 3h).
➢ ***De/vers Deruta et Todi :*** avec *APM*. 6 bus/j. (sf dim). Trajet : env 30 mn pour Deruta et 1h30 pour Todi.
➢ ***De/vers Orvieto :*** avec *ATC*. 1 bus/j. (sf dim). Trajet : 2h.
➢ ***De/vers Rome :*** 4-6 liaisons/j. au départ du terminal C de *l'aéroport de Fiumicino* et de la *stazione Tiburtina* à Rome. 3h10 de trajet à partir de l'aéroport, 2h15 à partir de Rome. Les billets peuvent se payer dans le bus.
➢ ***De/vers Florence :*** 1 liaison/j. sf dim et j. fériés au départ de la piazza Adua et via *Sienne*. Trajet : 2h.
➢ ***De/vers Naples :*** 1 bus/j. de la piazza Garibaldi. Trajet : 4h30.
➢ ***De/vers Milan :*** de la piazza Famagosta, 1 bus/j. sf dim et j. fériés. Trajet : env 7h.

Circulation et stationnement

Se garer à Pérouse

Nombreux parkings, soit gratuits et proches du *minimetrò*, soit payants et reliés à la vieille ville par escalator ou ascenseur.

6 parkings payants : *1 € à 1,70 € la 1re heure, puis 1,40 € à 2,30 €. Forfaits (sf* Mercato Coperto) *soirée 20h-2h (2 €) et journée (15 €).* • *sipaonline.it* •
– *Piazza dei Partigiani (plan A-B3-4) :* conseillé en arrivant de Florence. Escalator débouchant corso Vannucci via la Rocca Paolina.
– *Piazzale Europa (plan B4) :* à proximité de la gare Sant'Anna. Conseillé en arrivant de Rome. Le moins cher de tous. Accès mécanisé au corso Cavour.
– *Viale Pellini (plan A2) :* escalator vers la via dei Priori.
– *Mercato Coperto (plan B2) :* ascenseur vers la piazza Matteotti. Le plus proche du centre historique, donc le plus cher et souvent saturé. Pas de forfaits.
– *Briglie di Braccio - Ripa di Meana (plan B2) :* utile en débordement du *Mercato Coperto*. Accès au centre par ascenseur.
– *Sant'Antonio (plan B1) :* grimpette pédestre jusqu'au centre via l'arc étrusque.

3 parkings gratuits :
– *Cupa (plan A2-3) :* via Checchi, relié au centre par le *minimetrò*.
– *Del Bove (hors plan par A4) :* via Campo di Marte, relié au centre par le bus I, dédié essentiellement aux camping-cars (attention, une partie est payante).
– *Porta Nova à Pian di Massiano (hors plan par B4) :* relié au centre par le *minimetrò*, idéal pour ceux arrivant de Florence ou hébergés à l'extérieur de la ville, surtout à l'ouest. Attention, il doit être libéré pour le marché du samedi matin !

Adresses utiles

Informations touristiques

Office de tourisme (*plan B2*) **:** *piazza Matteotti, 18. ☎ 075-577-26-86 ou 075-573-64-58. • info@iat.perugia.it • regioneumbria.eu • comune.perugia.it • Tlj 8h30-18h30.* Propose un plan-guide de la ville avec des itinéraires quartier par quartier, ainsi que des brochures très bien faites sur l'Ombrie (le tout en français), la liste des hébergements, un guide de visite de la ville pour personnes handicapées (en italien). Vous pouvez aussi commander ces brochures par téléphone ou par mail et les recevoir chez vous.

Point d'information de Pian di Massiano (*hors plan par A3*) **:** *piazza Umbria Jazz. ☎ 075-505-85-40. Tlj en saison 8h30-18h30.* Prestations identiques au précédent. Idéal pour qui utilise le parking *Porta Nova* et le *minimetrò*. Attention cependant, sa pérennité n'est pas garantie !

Association des guides d'Ombrie AGTU : pour visiter la ville avec un guide francophone (voir « Adresses utiles » à Assise).

– **Viva Perugia :** *env 1 €, en italien.* Petit mensuel très pratique en vente dans les kiosques, comportant tous les renseignements utiles, les expos en cours, les concerts, etc.

Spécial 14-30 ans

@ **Informagiovani** (*plan B2,* **2**) **:** *piazza del Melo (qui donne sur la via Pinturicchio). ☎ 075-577-24-96. Lun-ven 10h-13h30 et lun-mer 15h30-17h.* La carte *Informagiovani*, gratuite, permet l'accès à Internet (sur place), le wifi gratuit dans le centre historique (identifiants de connexion donnés avec la carte), la consultation de journaux et revues, ainsi que des réductions et des avantages chez les partenaires (restaurants, bars et très nombreux commerces).

Poste, téléphone et Internet

✉ **Poste centrale** (*plan B2*) **:** *piazza Matteotti. ☎ 075-573-69-77. Lun-sam 8h-18h30.*

@ **Internet Corner** (*plan B2*) **:** *piazza Danti, 5 b (juste derrière le resto* La Lanterna*). Tlj 9h30 (12h dim)-minuit.* La ruelle est sombre, le couloir et l'escalier sordides, mais c'est central, ouvert tard, et tout fonctionne !

@ **Euclide Internet** (*plan B3*) **:** *corso Cavour, 150. Tlj 10h-13h30 (sf dim) et 15h-20h.*

– Pour d'autres adresses, demander la liste à l'office de tourisme.

Transports

Voir aussi ci-dessus « Arriver – Quitter ».

Autobus urbains : outre les billets ordinaires (1 € à l'unité si achetés « à terre » et 1,50 € à bord du bus), il existe des tickets touristiques (3,60 € pour 24h ou 8,60 € pour 10 voyages). Les autobus portent des lettres selon l'itinéraire. Les arrêts où convergent la plupart des bus urbains se trouvent à la gare FS, piazza Italia et piazza Morlacchi.

– **Minimetrò :** *lun-sam 7h-21h, dim 8h30-20h30. Mêmes tarifs que les autobus.* Riquiqui et rigolo.

Radio-taxi : *☎ 075-500-48-88. Stations via Cesare Fani (près de la piazza Matteotti, plan B2), piazza Italia (plan B3) et piazza Partigiani (plan A-B3-4).*

Location de voitures : *à l'aéroport (tlj) ou à la gare de Fontivegge (tlj sf sam ap-m et dim).*

Divers

Pharmacie (*plan B2,* **1**) **:** *piazza Matteotti, 26. ☎ 075-572-23-35. Lun-ven 8h-20h, sam mat.* Affiche les pharmacies de garde (que l'on trouve aussi dans *Viva Perugia*).

■ ***Commissariat de police*** *(questura ; hors plan par B3)* **:** *piaggia di Ferro di Cavallo, 1.* ☎ *113.*

■ ***Urgences :*** ☎ *112.*

■ **Gendarmerie** (*polizia stradale*) **:** ☎ *075-50-67-51.*

■ ***Toilettes publiques :*** *dans une venelle donnant sur le corso Vannucci et longeant le palazzo dei Priori ; au marché couvert (piazza Matteotti, 18) ; aux jardins Carducci (en contrebas de la Rocca Paolina) ; aux parkings de la piazza dei Partigiani et de la piazzale Europa.*

Où dormir ?

Réservez longtemps à l'avance si vous devez vous rendre à Pérouse en juillet, pendant la période d'*Umbria Jazz*.

CAMPINGS

À 10 km env du centre de Pérouse. En voiture, sur la superstrada, *sortir à Ferro di Cavallo ; au rond-point, prendre à gauche vers Trinità ; après 1,5 km env, guetter le panneau « Camping » à droite. Accès fermé de minuit à 7h. Bus Z4 direct entre les terrains et la piazza Italia (2 le mat, 3 à la mi-journée, 2 en fin d'ap-m). Sinon, bus J au bas de la strada Fontana (ttes les 20 mn), puis une sérieuse grimpette.*

⛺ ***Camping Il Rocolo :*** *loc. Colle della Trinità, strada Fontana, 1 n.* ☎ *075-518-16-35.* • *ilrocolo.it* • *Ouv de mi-avr à fin oct. Selon saison, 22-27 € pour 2 avec tente. Internet.* Une centaine d'emplacements en terrasses au milieu des oliviers, sur un beau terrain verdoyant très bien entretenu, avec laverie, table de ping-pong et barbecue. Sanitaires impeccables. Snack-bar.

⛺ ***Paradis d'Été :*** *loc. Colle della Trinità, strada Fontana, 29.* ☎ *075-517-31-21.* • *wel.it/cparadis* • *Env 2,5 km plus haut que le précédent. Ouv avr-sept. Accueil 15h-21h. Selon saison, 22-28 € pour 2 avec tente. Bungalows 25 €/pers.* Sur 25 000 m² de terrain bien ombragé, un brin désordonné, dans un coin de nature sauvage. Piscine en été et grand bar bien approvisionné avec snacks. Tables de ping-pong. Mieux vaut être motorisé.

AUBERGES DE JEUNESSE

■ **Centro internazionale di accoglienza per la gioventù Bontempi** *(plan B2,* ***23****)* **:** *via Bontempi, 13.* ☎ *075-572-28-80 ou 075-573-94-49.* • *ostello@ostello.perugia.it* • *ostello.perugia.it* • ♿ *Réception 8h-11h, 15h30-minuit. Retour nocturne jusqu'à 3h30 (vérifiez quand même !). Congés : 15 déc-15 janv. 15 €/pers et 2 € pour les draps la 1re nuit et à chaque change. Séjour 15 j. max. Consigne à bagages.* AJ privée fonctionnant comme une officielle, avec 150 lits. Dortoirs (non mixtes) bien agencés de 4, 6 ou 8 lits, dans un ancien palais du XIIIe s orné de fresques du XVIe s. Cours d'italien gratuits. Très belle bibliothèque, salle TV et cuisine spacieuse pour mitonner ses propres plats. Sanitaires nickel. En un mot, un palais à prix doux. De la terrasse, très belle vue sur Pérouse et Assise.

■ ***Ostello per la gioventù Mario Spagnoli*** *(hors plan par B4,* ***24****)* **:** *loc. Pian di Massiano, via Cortonese, 4.* ☎ *075-501-13-66.* • *perugiahostel@tiscali.it* • *perugiahostel.com* • ♿ *En voiture, sortir de la* superstrada *à Madonna Alta. Excentré, mais relié à la gare FS et au centre par le* minimetrò *(station Cortonese). Accès 7h-minuit. Suivant prestations 16-22 €/pers, petit déj compris. Parking gratuit. Internet. Réduc de 10 % sur présentation de ce guide.* Dans une grande bâtisse jaune construite autour d'une tour médiévale restaurée, en retrait par rapport à la route. Dortoirs très propres, avec salle de bains. Comprend une salle d'étude, une cafétéria *(repas complet pour 10 €)*, une bibliothèque, une laverie. À deux pas de la plus grande bibliothèque de B.D. *(fumetti)* d'Italie ! Accueil très sympa.

HÔTELS

Bon marché

Hotel San Sebastiano *(plan A-B2, **22**) : via San Sebastiano, 4 (entre la via Elisabetta et la via Eremita). ☎ 075-572-78-65. • info@hotelsansebastiano.it • hotelsansebastiano.it • Doubles 40-75 € selon confort et saison. Parking gratuit. Petit déj offert sur présentation de ce guide.* Grande maison au calme dans le quartier universitaire, avec un petit parc privatif gazonné de l'autre côté de la rue, où vivent quelques canards et les chats de la maison. Une dizaine de chambres assez spacieuses avec salle de bains, TV et parfois vue sur le parc, et autant avec salle de bains commune. Cadre agréable et accueil vraiment serviable.

Hotel Sant'Ercolano *(plan B3, **26**) : via del Bovaro, 9. ☎ 075-572-46-50. • s-ercolano@yahoo.it • santercolano.com • Doubles 45-85 €, petit déj compris.* Les 14 chambres n'ont aucun charme particulier, mais l'hôtel est très bien situé et le quartier est calme.

Prix moyens

Albergo Anna *(plan A2, **18**) : via dei Priori, 48. ☎ 075-573-63-04. • info@albergoanna.it • albergoanna.it • Résa indispensable. Doubles 60-80 € selon saison et confort, petit déj compris. Réduc de 10 % sur présentation de ce guide.* Au 2e étage d'un immeuble de la vieille ville, une pension à l'atmosphère familiale, surchargée d'un bric-à-brac d'objets et de meubles plus ou moins anciens. Les chambres, bien que rustiques, sont confortables et propres. Préférez celle qui possède une cheminée colorée et une petite véranda avec vue sur les toits (n° 4) ou celle avec terrasse (n° 3). Accueil charmant, en français.

Hotel Eden *(plan A3, **13**) : via Cesare Caporali, 9 ; au 3e étage. ☎ 075-572-81-02. • info@hoteleden.perugia.it • hoteleden.perugia.it • Doubles 69-89 € selon saison et confort, petit déj-buffet inclus. Wifi. Apéritif et café offerts sur présentation de ce guide.* Chambres impeccables et gentiment décorées, avec une ou plusieurs toiles de votre hôtesse, Silvia. Allemande, elle parle parfaitement le français et vous réserve un accueil très pro. Des nos 24 et 25, jolie vue.

Primavera Mini Hotel *(plan A2, **20**) : via Vincioli, 8. ☎ 075-572-16-57. 📱 33-46-26-54-68 (après 21h). • info@primaveraminihotel.it • primaveraminihotel.it • Réception au 2e étage. Congés : 10 janv-10 fév. Doubles 65-85 € selon taille ; petit déj 6 €. Wifi. Parkings à proximité par l'escalator.* Coup de cœur pour ces 8 chambres, mignonnes, sobres et très confortables, avec vue sur les vieilles maisons du centre. TV, minibar. La n° 40, mansardée, dispose d'une terrasse avec une réelle vue panoramique. Quartier très calme. Ambiance familiale et bon accueil en français.

Hotel Morlacchi *(plan A2, **21**) : via Leopoldo Tiberi, 2. ☎ 075-572-03-19. • info@hotelmorlacchi.it • hotelmorlacchi.it • Doubles 72-82 €, petit déj inclus. Wifi. Réduc de 10 % sur le prix de la chambre en janv, fév et août sur présentation de ce guide.* Une quinzaine de chambres, pas très grandes mais tout à fait plaisantes, réparties autour d'un escalier central et meublées à l'ancienne. Belle cheminée sculptée dans la n° 58 et fresque au plafond dans la n° 54. Une adresse calme et familiale, où l'on vous accueille avec le sourire.

Hotel Signa *(plan B4, **11**) : via del Grillo, 9. ☎ 075-572-41-80. • hotelsigna@tin.it • hotelsigna.it • ♿ Congés : 2e quinzaine de déc. Doubles 62-87 € selon saison et confort ; petit déj 6,50 €. TV satellite. Parking gratuit. Wifi. Sur présentation de ce guide, 10 % sur le prix de la chambre à partir de 3 nuits hors festivals et événements.* À 800 m du centre historique. Chambres modernes, certaines (nos 234, 236 et 352) avec terrasse panoramique ouverte sur le quartier et la campagne. Jardinet où est servi, aux beaux jours, le petit déj. Loue également des appartements : *borgo XX Giugno, 38 (☎ 075-572-66-67).*

Accueil en français.

Hotel Umbria *(plan B2,* ***16****) : via Boncampi, 37. ☎ 075-572-12-03. • info@hotel-umbria.com • hotel-umbria.com • Doubles 67-82 €, petit déj inclus ; quadruples 100-140 €.* Pas très spacieux mais tout confort, et l'accueil est sympathique. Une bonne capacité, à deux pas de la rue principale et dans une ruelle au calme absolu.

Hotel Priori *(plan A2,* ***17****) : via Vermiglioli, 3. ☎ 075-572-33-78. • hotel.priori@gmail.com • hotelpriori.it • Doubles 70-95 €, petit déj compris. Garage payant (très cher). Café offert sur présentation de ce guide.* De nombreuses chambres offrent une vue panoramique sur une mer de toits. Évitez celles, bruyantes, donnant sur la via dei Priori (étudiants en goguette le soir). Salon de lecture. Terrasse vraiment agréable, surplombant la vieille ville. Bon accueil en français. Idéal pour qui veut être au cœur de la ville.

De chic à très chic

Peu d'adresses hors du commun dans ces prix, nous vous renvoyons donc à nos adresses de charme dans la région.

Hotel Fortuna *(plan A-B3,* ***14****) : via Bonazzi, 19. ☎ 075-572-28-45. • fortuna@umbriahotels.com • umbriahotels.com • Double 128 €, petit déj-buffet inclus. Parking 20 €. Internet, wifi. Réduc de 10 % sur présentation de ce guide.* Dans un ancien palais du XIIIe s (quelques pièces sont ornées de fresques baroques, et l'on vous montrera un mur du IIIe s !), une cinquantaine de chambres meublées avec un goût très sûr et en harmonie avec l'immeuble. Les moins chères n'ont pas l'AC, en revanche certaines disposent de balcons offrant une vue splendide sur la ville et ses environs. Belle terrasse, salle de lecture. Accueil d'une immense gentillesse (le sourire de Dina apparaît à chaque page du livre d'or).

Etruscan Chocohotel *(hors plan par A4,* ***25****) : via Campo di Marte, 134. ☎ 075-583-73-14. • etruscan@chocohotel.it • chocohotel.it • ♿ À 500 m de la gare FS de Fontivegge et à 1 km du centre historique. Doubles 88-140 €, petit déj inclus. Selon disponibilités, chambres « éco » à 69 €, petit déj inclus. Parking et piscine gratuits. Wifi. Resto proposant un* chocomenu *(il fallait s'y attendre !) à 23 €. Réduc de 10 % sur le prix de la chambre sur présentation de ce guide.* Construction moderne qui évoque un hôtel de chaîne, mais avec une façade en forme de tablette de chocolat, soulignée de motifs étrusques. Chambres confortables, avec une déco à l'atmosphère cacaotée plutôt réussie. *Chocostore* présentant diverses variétés de votre gourmandise préférée. Aux beaux jours, piscine à ciel ouvert au dernier étage. Accueil pro.

Où dormir dans les environs ?

Prix moyens

Hotel Sirius *(hors plan par A2,* ***15****) : via Padre Guardiano, 9. ☎ 075-690-921. • mail@siriush.com • siriush.com • À 5 km du centre, direction Elce, puis Santa Lucia et Montemalbe ; de la* superstrada, *sortie Ferro di Cavallo et suivre le fléchage. Bus ttes les heures jusqu'à 20h30 vers le minimetrò. Congés : 20 janv-10 mars. Doubles 52-85 € selon saison. Menu 20 €. Parking gratuit. Internet. Petit déj offert sur présentation de ce guide.* Souvent réservé par des groupes, cet hôtel fonctionnel propose des chambres modernes, spacieuses et claires, avec vue imprenable sur Pérouse, Assise, la vallée ombrienne et même les monts Sibyllins. Grande terrasse. Beau parc forestier de 1,5 ha. Accueil dans un français parfait de la famille Angeli. Une bonne adresse pour profiter à la fois de la ville de Pérouse, de l'air pur et du chant des oiseaux.

Agriturismo Mandoleto : *loc. Solomeo. ☎ 0755-29-31-19. • mandoleto@tin.it • mandoleto.it •* Superstrada vers *Florence, sortie Corciano, suivre Maggione et, après env 1 km, prendre Solomeo à gauche et traverser le village pour trouver la maison. Congés : janv. Doubles 72-98 € selon saison, petit déj compris. Apparts (2-4 pers) 80-175 € selon taille et saison.* Si, après les visites, vous avez besoin de campagne, cet endroit, à seulement 10 km de Pérouse, est fait pour vous. Chambres claires et confortables, piscine. Propriétaire très communicative et à l'écoute de ses clients.

Où manger ?

Sur le pouce

Osteria del Turreno *(plan B2, **54**) : piazza Danti, 16. ☎ 075-572-19-76. • osteriadelturreno@yahoo.it • Tlj sf sam, à midi slt. On s'en sort pour 10-15 €. Réduc de 10 % sur présentation de ce guide.* Ce self-*tavola calda* possède une jolie terrasse donnant sur la cathédrale et des salles très propres avec tables en marbre et éclairage tamisé. Ça change de la cantoche ! On choisit son plat de résistance (poisson, viande), ses légumes frais et ses pâtes avant de passer à la caisse. Tout est bon : on fait un repas équilibré, et le prix est raisonnable.

Caffè di Perugia *(plan B2, **50**) : via Mazzini, 10-14. ☎ 075-573-18-63. • mail@caffediperugia.it • Resto tlj sf mar en nov et fév.* L'endroit chic de Pérouse : les prix sont en conséquence mais la qualité est au rendez-vous. Bons sandwichs, pizzas à partir de 8 €. En salle, coexistence inattendue de voûte romane et d'aménagement *Mitteleuropa*. On peut y lire la presse internationale. Terrasse agréable. Fait aussi épicerie et œnothèque.

Milano *(plan B2, **52**) : corso Garibaldi, 2. Tlj sf dim.* Dur de décider s'il faut venir ici avant tout pour le décor mi-branché, mi-high-tech, pour les boissons (vin, bière, thé, cocktail) ou pour un repas sur le pouce, entre *focaccia* et *pasta*...

De très bon marché à bon marché

Trattoria La Botte *(plan B2, **32**) : via Volte della Pace, 33. ☎ 075-572-26-79. • info@ristorantelabotte.com • Près de la porta Sole, accès par la via Bontempi. Tlj sf dim jusqu'à 22h. Pizzas à partir de 3 € (à emporter) ou 5 € (sur place) ; menu env 11,50 €.* À deux pas de l'AJ, dans une ruelle pittoresque, une cantine d'étudiants et d'employés, sympathique et animée, installée dans 3 salles voûtées. Carte longue comme le bras à base de *pizze* et de *paste*. Service efficace.

Ristorante Fratelli Brizi *(plan B1, **31**) : via Fabretti, 75. ☎ 075-572-13-86. Fermé mar. Congés : déc. Menu (qui change tlj) 11 €, midi et soir jusqu'à 22h. À la carte 15-20 €.* À deux pas du palazzo Gallenga (l'université pour étrangers). 2 petites salles voûtées accueillent une clientèle d'habitués. La nourriture étant d'une honnête qualité, les routards fauchés trouveront ici leur bonheur avec un plat de pâtes, des saucisses grillées ou des viandes (agneau, poulet).

Dal mi Cocco *(plan B1, **35**) : corso Garibaldi, 12. ☎ 075-573-25-11. Tlj sf lun, midi et soir jusqu'à minuit. Congés : 20 juil-15 août. Résa obligatoire le soir. Menu unique 13 €, variant partiellement chaque soir.* Dégrafez vos ceintures, et en avant pour un enchaînement pantagruélique de plats plutôt rustiques : des *crostini* au *vino santo* en passant par la soupe aux macaronis, il ne manquera rien ! Et, comble du bonheur, le pain et les pâtes sont à base de farine bio. L'un des restos préférés des étudiants. Excellent rapport qualité-prix. Petites faims, s'abstenir !

Pizzeria Mediterranea *(plan B2,*

38) : *piazza Piccinino, 11. ☎ 075-572-13-22. Tlj midi et soir. Fermé Noël et Jour de l'an. Pizzas 4-8 €.* Beau cadre dépouillé avec voûtes en brique et luminaires en cuivre. Une vingtaine de pizzas cuites au feu de bois. Petit blanc pétillant pas cher et bières de toutes tailles et couleurs. La surprise vient du *tiramisù, ottimo !* Service sympa et efficace. Rançon du succès : une longue queue certains soirs, prenez votre ticket et attendez gentiment dehors !

|●| **Dalla Bianca** (*plan B3,* **33**) : *via Piantarose, 13-14 ; à l'angle de la via del Persico. ☎ 075-572-71-32. • rist bianca1947@mail.com • ♿ Tlj sf sam jusqu'à 21h45. Congés : 2de quinzaine de juil. Menu 16,50 €. Carte env 20 €. Café et couverts offerts sur présentation de ce guide.* Dans une ruelle, près du Musée archéologique, une salle animée et bruyante où se retrouvent les habitués du quartier. Malgré une façade pas très engageante, l'établissement sert une bonne cuisine familiale simple et réussie, avec des plats copieux.

|●| **Al Mangiar Bene** (*plan B2,* **34**) : *via della Luna, 21. ☎ 075-573-10-47. • al mangiarbene@hotmail.it • Tlj sf dim. Menu (entrée et plat) 14 €. Pizzas le soir. Carte env 25 €.* Du corso Vannucci, une ruelle étroite plonge vers l'entrée de ce resto installé dans une vaste et belle salle voûtée. Si les oreilles sont à la peine les jours d'affluence, les papilles sont à la fête avec un choix de plats locaux bien cuisinés, uniquement à base de produits bio.

Prix moyens

|●| **Trattoria del Borgo** (*plan A2,* **40**) : *via della Sposa, 23 a. ☎ 075-572-03-90. • blusnc@hotmail.it • Tlj sf dim, le soir slt. Congés : 10 j. en janv et 20 j. en août. Carte env 27 €. Café offert sur présentation de ce guide.* La carte fait la part belle aux viandes rouges (la fameuse race *chianina*), mais aussi au porc, à l'agneau, au lapin et autres gibiers (sanglier, faisan à la broche). Délicieuses charcuteries de Nursie. Pour les pâtes, suivre les *proposte del giorno* du patron qui ne manque pas d'inspiration. Desserts maison. Joli jardin intérieur aux beaux jours. Bref, on sort repu (attention, la pente est raide pour s'en retourner !) pour un prix correct.

|●| **Osteria Il Gufo** (*plan B2,* **30**) : *via della Viola, 18. ☎ 075-573-41-26. • info@osteriailgufo.it • ♿ Mar-sam jusqu'à 1h. Congés : août. Menu 18 €. Carte env 25 €. CB refusées. Digestif offert sur présentation de ce guide.* Joli resto composé de 2 salles tamisées et décorées d'œuvres modernes et colorées. Spécialités ombriennes, telles que le *cinghiale al finocchio selvatico* (sanglier au fenouil), mais aussi des pâtes maison. Pas facile à trouver, mais le jeu en vaut la chandelle. Patron francophone et accueillant.

|●| **Ristorante Alter Ego** (*plan B3,* **36**) : *via Floramonti, 2 a. ☎ 075-572-95-27. • info@ristorantealterego.it • ♿ Du corso Cavour, remonter la ruelle Sant'Ercolano, qui débouche sur la via Floramonti à gauche. Fermé dim. Menu 22 €. Carte env 30 €. Apéritif maison offert sur présentation de ce guide.* Ce resto, au cadre raffiné et branché, propose des plats succulents et créatifs, tantôt cuisinés à la bière, tantôt au vin. Le service est jeune, sympa et irréprochable. Bon conseil sur le vin, qu'on peut prendre au verre.

|●| **La Bocca Mia** (*plan B2,* **37**) : *via Ulisse Rocchi, 36. ☎ 075-572-38-73. • laboccamia@alice.it • Tlj sf dim jusqu'à 23h. Menus à midi 14, 19 et 30 €. Carte env 25 €.* Entrée glamour avec petit salon apéritif. Salle voûtée classique et intime, en sous-sol. Pour un dîner en amoureux, on peut réserver un des petits salons privés, dans une alcôve chargée d'histoire. C'est bien la bonne bouche *(bocca)* que l'on célèbre ici, car la cuisine est composée de plats simples et typiques à base de viande et de poisson, changeant régulièrement. Impressionnante collection de bouteilles (le patron est passionné de vins). Accueil en français par la patronne (d'origine russe !). Samedi, musique live (chanson plutôt rétro).

|●| **La Lanterna** (*plan B2,* **42**) : *via Ulisse*

Rocchi, 6. ☎ 075-572-63-97. • lalanterna@lalanterna.it • Tlj sf mer jusqu'à 22h. Carte env 25 €. Salle aux tons rouges et ocre-jaune associés au brun du bois, avec plusieurs dizaines de reproductions de toiles de maître : exercez-vous à reconnaître Fra Angelico ou Giotto ! Bons plats bien cuisinés, avec des recettes de pâtes originales. Serveur marocain francophone.

Chic

|●| ***Osteria del Gambero*** *(plan B2, **41**) : via Baldeschi, 8 a. ☎ 075-573-54-61. • info@osteriadelgambero.it • ♿ Tlj sf lun le soir jusqu'à 23h, dim ouv aussi le midi. Congés : 10-25 janv et 2de quinzaine de juin. Repas 32-37 €, que ce soit au menu ou à la carte.* On dîne à la bougie et la cuisine (ombrienne typique et inventive, assez copieuse) est à la hauteur des tarifs annoncés. Osez l'expérience de dégustation d'huiles d'olive. Ici, on est épris de bonne chère : la cave à vins compte près de 700 références (!) et une bibliothèque thématique (vins, alcools, cuisine), constituée de livres et de revues en italien, français et anglais, occupe un grand pan de mur.

|●| ***La Taverna*** *(plan A-B3, **39**) : via delle Streghe, 8. ☎ 075-572-41-28. Indiqué par une enseigne lumineuse sur la piazza della Repubblica. Fermé lun. Carte env 35 € (ou 45 € pour un repas à base de truffes).* Considérée par la bourgeoisie pérugine comme l'une des meilleures tables de la ville. Les plus aisés pourront s'offrir un festin de truffes *(tartufi)* : *antipasto* de croûtons aux truffes noires hachées ; *primo piatto* de raviolis aux truffes et parmesan ; en *secondo,* un médaillon de filet aux truffes noires. Les autres trouveront le bonheur gustatif parmi le large choix de spécialités régionales. Très belle carte des vins (celui de la maison, un montefalco, se laisse boire avec beaucoup de plaisir). Service décontracté mais irréprochable. Cadre agréable en sous-sol et petite terrasse tranquille... à condition de ne pas être allergique au bruit de l'extracteur d'air de la cuisine !

Où déguster des pâtisseries et des glaces ?

C'est le moment de goûter au *torciglione,* un gâteau composé d'amandes, d'œufs et de sucre, très nourrissant, en forme de serpent et dont les yeux sont en général deux griottes.

|●| 🍦 ***Pasticceria dell'Accademia*** *(plan A2, **55**) : via dei Priori, 52. ☎ 075-573-43-84. Tlj sf lun 7h-21h.* Un bar-pâtisserie à l'ancienne, où il fait bon faire une pause sucrée ou prendre le petit déj. Clientèle locale d'habitués et prix justes.

🍦 ***Grom*** *(plan B2, **56**) : via Mazzini, 31, angle piazza Matteotti. ☎ 075-509-21-91. Avr-oct, tlj 11h-1h ; nov-mars, tlj 10h-minuit.* Un glacier piémontais qui choisit des bons ingrédients pour davantage d'arôme. Notre tiercé gagnant : citron, noisette et gianduja ! Un poil plus cher qu'ailleurs, mais le parfum et le crémeux des *gelati* le valent.

|●| 🍦 ***Sandri*** *(plan B2, **51**) : corso Vannucci, 32. ☎ 075-572-241-12. Fermé lun.* LE pâtissier de Pérouse, sur lequel les avis sont partagés : surfait ou incontournable ? En tout cas, le cadre est superbe (bois, marbre et fresques), le café de grande classe et les viennoiseries alléchantes. Aux beaux jours, terrasse sur le corso Vannucci.

|●| 🍦 ***Caffè di Perugia*** *(plan B2, **50**) : voir « Où manger ? Sur le pouce ».* Ce *caffè,* très en vue et central, offre à la dégustation ses pâtisseries, particulièrement appétissantes.

|●| 🍦 ***L'Antica Latteria*** *(plan B2-3, **53**) : via Baglioni, 5. Lun-sam 7h-13h, 16h-20h.* Un des plus anciens commerces du centre historique : Umberto exerce son activité depuis 56 ans ! Il se fera un plaisir de vous servir sa fameuse *panna* (crème), avec une pâtisserie ou une boisson chaude, ou encore en accompagnement d'une glace.

Où boire un verre ? Où sortir ?

L'artère principale de la ville est le *corso Vannucci (plan B2-3),* nom de famille du Pérugin. Il regorge de terrasses d'où vous pourrez assister au flux et reflux des passants. Mais si vous cherchez le dernier repaire à la mode, adressez-vous aux étudiants car ça change de saison en saison. Voici toutefois une sélection pour ne pas vous laisser assoiffé.

***Caffè Morlacchi** (plan A-B2, **66**) : piazza Morlacchi, 8. Face à l'université. Tlj jusqu'à 2h (22h dim).* Café branché, dans une belle pièce voûtée aux lumières tamisées. Sympathique atmosphère pour une rencontre. Clientèle 18-30 ans. Très animé en fin de semaine.

***The Merlin Pub** (plan B2, **62**) : via del Forno, 19 (ruelle en coude accessible depuis la via Cesare Fani). Tlj sf dim 18h-2h.* Happy hours *affichées sur l'ardoise via Cesare Fani.* Endroit fréquenté des étudiants, surtout étrangers. Ambiance à l'avenant.

***Buskers** (plan B3, **65**) : corso Cavour, 46. Tlj 18h-2h.* Pub irlandais, avec des tables en terrasse autour desquelles se presse une jeunesse pleine de joie de vivre et de désirs d'évasion.

***La Bottega del Vino** (plan B2, **64**) : via del Sole, 1. Tlj sf dim et lun midi 12h-15h, 19h-1h.* Vous cherchez plutôt une ambiance raffinée ? Du jazz cool et le romantisme de la flamme des bougies ? Un choix de vins de qualité ? Vous êtes arrivé !

***Birreria Bratislava** (plan B3, **63**) : via Fiorenzuola, 12. Dans une ruelle sombre, parallèle au corso Cavour (escalator depuis la gare de Santa Anna). Tlj sf lun 20h30-2h.* Dans une salle voûtée, un bar central servant aussi de quoi manger sur le pouce (salades, *crostini, panini,* grillades). Sélection de bières étrangères. Sono pour oreilles exigeantes, diffusant jazz et rock de qualité. Salle fumeurs. Clientèle 20-40 ans. Mieux fréquenté en hiver qu'en été, où les fêtards migrent des caves aux terrasses. Le patron est très accueillant et parle le français.

Dans les environs de Pérouse, quelques discothèques permettront aux couche-tard de dépenser l'énergie qui leur reste après avoir arpenté les rues de la ville. Un service de **bus gratuits** vous conduit, le week-end dès 23h, de la piazza Fortebraccio (au pied de l'arc étrusque) à des boîtes un peu excentrées. Retour assuré à 4h précises.

Où faire ses achats gastronomiques ?

***Chez Giuliano** (plan B2, **70**) : via Danzetta, 1. Tlj sf dim 8h-13h, 16h-20h.* Tous les produits gastronomiques locaux : *pasta, prosciutto, salami,* huile d'olive, miel, truffes, *salumi di Norcia,* vins d'Ombrie...

***Augusta Perugia** (plan B2, **71**) : via Pinturicchio, 2. Lun-sam 10h30-23h ; dim 10h30-13h, 16h-20h.* Une chocolaterie artisanale dont les produits font des cadeaux appréciés... si vous ne craquez pas d'ici à la fin de votre voyage ! Les glaces sont elles aussi de qualité.

***Marchés** : un grand marché le sam mat à* Pian di Massiano, *au terminus du minimetrò. Et le marché couvert, auquel on accède par le n° 18 de la piazza Matteotti, tlj 7h-13h30.*

À voir

– ***Une carte des musées de Pérouse,*** en vente dans les musées *(10 € ; réduc),* permet de belles économies et évite les files d'attente. Valable 48 h, elle donne accès à 5 musées au choix parmi les 12 conventionnés (repérés ci-dessous).
– En général, les *églises* sont ouvertes au public de 8h à 12h et de 16h jusqu'au coucher du soleil.

– Pérouse est une ville étendue où le cheminement piéton réserve des surprises. Repérez les emplacements des ascenseurs et des escalators *(scale mobili)* : certains peuvent vous éviter de longs détours. Mettez de bonnes chaussures, confortables et adaptées à la marche sur des pavés inégaux et, s'il vous faut grimper, adoptez le « pas du montagnard », lent et régulier : si vous ne voyez pas la fin de l'escalier ou de la ruelle, la montée peut être plus longue que vous ne le pensez.

Autour de la piazza IV Novembre

Notre itinéraire de visite commence piazza IV Novembre *(plan B2),* centre artistique de Pérouse, entourée de monuments prestigieux.

Fontana Maggiore : édifié à la fin du XIIIe s, ce chef-d'œuvre de l'art gothique, dû à Nicola Pisano et à son fils Giovanni, alterne sur trois niveaux scènes bibliques et mythologiques, entrecoupées de fines colonnes cannelées. Remarquer l'extrême finesse de l'exécution.

Duomo San Lorenzo *(plan B2)* **:** construit au XIVe s, il ne fut jamais achevé, si bien que la façade attend toujours ses plaques de marbre ! Côté piazza IV Novembre, majestueux escalier et, près de la loggia, superbe statue du pape Jules III (1555). L'intérieur, très dépouillé, est assez décevant. Dans la chapelle Saint-Bernardin, belle grille en fer forgé du XVe s, derrière laquelle on peut apercevoir une intéressante *Déposition* du Baroche. La chapelle du Saint-Anneau conserve dans un tabernacle l'anneau qui, d'après une vieille légende, fut passé au doigt de la Vierge lors de son mariage. Dans l'abside, stalles sculptées et marquetées.
La sacristie permet d'accéder au cloître, qui abrite un ***Musée capitulaire*** *(mar-dim 10h-13h, 15h-18h ; entrée : 3,50 €, réduc). Conservez votre ticket pour obtenir une réduction dans les autres musées diocésains (Gubbio, Assise, Spolète...).* Expose de riches parements et ornements liturgiques, ainsi que de nombreux tableaux et sculptures du XIVe au XIXe s. Parmi les peintures, belle *Vierge à l'Enfant* de Luca Signorelli.

Palazzo dei Priori *(palais des Prieurs ; plan B2)* **:** sa construction débute vers 1293 et ne s'achève qu'en 1443. Architecture extrêmement harmonieuse. Côté corso Vannucci, magnifique portail. En haut, appuyés sur deux consoles, les symboles de Pérouse, le griffon et le lion guelfe. L'intérieur du palais accueille l'imposante et austère salle des Notaires dont la voûte, décorée de blasons, est soutenue par huit grands arcs romans. Belles fresques historiques. Le palais des Prieurs abrite aussi la Galerie nationale de l'Ombrie, la guilde du Commerce et la guilde du Change.

Collegio della Mercanzia e Collegio del Cambio *(guilde du Commerce et guilde du Change)* **:** *au rdc du palais des Prieurs ; accès par le portail au no 15 du corso Vannucci. Mars-oct, lun-sam 9h-12h30, 14h30-17h30 ; dim 9h-12h30. Nov-fév, mar-sam 9h-14h ; dim 9h-12h30. Billets cumulant la visite des 2 salles : 5,50 € ; réduc. Conventionnés.* Le *Collegio del Cambio* possède un des exemples les plus significatifs de l'art de la Renaissance italienne. Le Pérugin (aidé peut-être par son disciple Raphaël) y a peint des sujets religieux et civils, ainsi qu'une série de personnages illustres. Des divinités païennes figurent sur la voûte décorée de grotesques (figures fantastiques et caricaturales inspirées de l'Antiquité) et de sujets astronomiques.

Galleria nazionale dell'Umbria *(plan B2)* **:** *corso Vannucci, 19. ☎ 075-572-10-09. ● gallerianazionaleumbria.it ● Tlj sf lun 8h30-19h30. Entrée : 6,50 € ; réduc. Conventionné.* Située au 3e étage *(ascenseur)* du palais des Prieurs, la Galerie abrite la plus riche collection de peinture ombrienne (du XIIIe au XIXe s). Excellente présentation, aérée et bien éclairée.
– La salle 1, voûtée et imposante, est consacrée aux bronzes et peintures du Moyen Âge. Sublimes croix préfigurant le Christ de Cimabue et les icônes byzantines, notamment celle, monumentale, de Maestro di San Francesco.

– En salle 2, surprenante *Vierge à l'Enfant,* de Meo di Guido da Siena, avec un effet proche du négatif photo obtenu par un dégradé de verts.
– En salle 4, explosion de laques et de dorures à la feuille dans de beaux triptyques et morceaux de polyptyques. Celui de Mello da Gubbio, représentant l'Enfant Jésus avec un visage très poupon, est particulièrement intéressant.
– Salles 6 à 8, par ordre chronologique croissant, succession de retables, plus sublimes les uns que les autres.
– Arrêtez vos pas en salle 9 et fixez votre œil sur les chères têtes blondes de Giovanni Boccati, du milieu du XVe s, avant de décider si, pour vous, le regard de l'*Enfant* de Benozzo di Lese est plutôt craintif ou cabotin.
– Pour les effets de perspective qui donnent le vertige, rendez-vous en salle 11... c'est tout bonnement magistral ! En salle 16, un *Saint Sébastien* qu'annonce celui, tout aussi androgyne, de Mantegna. Levez les yeux en salle 18 pour un surprenant trompe-l'œil au milieu du plafond.
– Au 2e étage, place à la Renaissance à Pérouse et aux œuvres du Pérugin, autrement dit de Pietro Vannucci, né à Città della Pieve en 1446, qui fut le maître de Raphaël. De la salle 22 à la 25, on traverse les diverses étapes qui ont marqué l'œuvre du peintre, avec un crescendo dans la saturation des bleus et des rouges. On mentionnera *L'Adoration des Rois mages, Les Miracles de saint Bernardin* et *Le Christ mort.* Les tableaux des salles suivantes vous rapprocheront du style de Raphaël : scènes de dévotion mêlées au quotidien, gracieux déhanchés, angelots suspendus en plein vol...
– En salle 31, une *Nativité* du XVIe s, étonnamment moderne, avec Marie accouchant. Remarquez, en salle 32, le profil de la Vierge de la *Natività* de San Domenico di Paride Alfani. Une question : qui a servi de modèle pour ce tableau ?
– Les dernières salles déploient une petite collection de peintures jusqu'au XIXe s, sans grand intérêt.

Palazzo del Capitano del Popolo *(plan B2)* ***:*** *piazza Matteotti. Prendre la via Cesare Fani, qui descend en face du palais des Prieurs.* Édifice Renaissance au beau portail ouvragé.

Terrasse du marché couvert : *accès par un passage couvert près du n° 18 de la piazza Matteotti.* Beau panorama sur la ville et ses environs. Au loin, on distingue Assise sur les pentes du Monte Subasio.

Via Volte della Pace *(plan B2)* ***:*** *prendre vers le nord, cette ruelle part dans le prolongement de la piazza.* La ruelle médiévale la plus pittoresque de Pérouse, presque entièrement couverte de hautes voûtes et de passerelles.

Cappella San Severo *(plan B2)* ***:*** *piazza Raffaello. À l'extrémité de la via Volte della Pace, contourner l'église en face par la droite et prendre la via Raffaello à droite. Tlj : avr-oct, 10h-13h30, 14h30-18h ; nov-mars, 11h-13h30, 14h30-17h. Entrée : 3 € ; réduc ; combine l'entrée au* Pozzo etrusco *et au* museo delle Porte e delle mura Urbiche. *Conventionné.* Une fresque de Raphaël, seule œuvre attestée du peintre que l'on puisse admirer à Pérouse. La partie inférieure fut complétée par le Pérugin, après la mort de son célèbre élève.

Pozzo etrusco *(le puits étrusque ; plan B2)* ***:*** *piazza Danti, 18. Revenir en direction du Duomo par la via Raffaello. Horaires et tarifs : voir la* Cappella San Severo *ci-dessus. Conventionné.* Puits étrusque du IIIe s av. J.-C., de plus de 36 m de profondeur, que l'on peut parcourir grâce à un système d'escaliers. Il alimentait la ville en eau.

Au nord, par le corso Garibaldi

Au départ de la piazza Danti, prendre le long du Duomo le passage voûté *(via Cantine).* Ensuite, deux possibilités (une pour l'aller et une pour le retour !) :

– Juste en face, un autre passage voûté conduit à une longue volée de marches *(via Appia, plan B2)*, de laquelle part la *via dell'Acquedotto (plan B1-2)*. Emprunter cet ancien aqueduc romain transformé en voie piétonne et continuer tout droit jusqu'à la *via Benedetta* qui permet de rejoindre le *corso Garibaldi (plan A-B1)*.
– Prendre à droite pour rejoindre la *via Cesare Battisti (plan B2)*. Panorama agréable sur un quartier résidentiel arboré et la *via dell'Acquedotto*. Suivre le mur étrusque jusqu'à l'***Arco etrusco,*** datant du IIIe s av. J.-C., au pied duquel part le *corso Garibaldi*.

👁👁 ***Museo delle Porte e delle mura Urbiche*** *(plan A1) : porta Sant'Angelo. Tlj sf lun mai-oct (avr et août, ouv aussi lun) 10h30-13h30, 15h-18h ; nov-mars, 11h-13h, 15h-17h. Tarifs : voir la* Cappella San Severo *ci-dessus. Conventionné.* Au fin fond de la ville, dans un coin tout à fait charmant, presque campagnard, un gros donjon du XIVe s. Le musée dédié aux portes et aux murs de la ville intéressera les spécialistes italianisants. Les autres jetteront un coup d'œil aux maquettes sommaires représentant la ville à différentes époques. On y va surtout pour grimper sur la plate-forme et profiter de la vue panoramique exceptionnelle sur Pérouse et sa région.

👁👁 ***Tempio Sant'Angelo*** *(plan A1) : porta Sant'Angelo.* Juste à côté, contre les remparts, entouré de cyprès, un curieux édifice paléochrétien du VIe s. De plan circulaire, il est constitué d'un chœur appuyé sur une colonnade dépareillée provenant de monuments romains, entouré d'un péristyle. Un bon millénaire plus tard, il hérita d'un portail gothique. On y sent le souffle de l'Histoire, et nombreux sont les couples qui viennent y célébrer épousailles ou noces d'or.

À l'ouest, en bas de la via dei Priori

Au palais des Prieurs, prendre la *via dei Priori (plan A2)*, puis, en bas, la via *San Francesco*.

👁👁 ***Oratòrio San Bernardino e oratorio San Francesco al Prato*** *(plan A2) : ouv 8h-12h30, 15h-18h.* Sur la même place, deux églises côte à côte qui méritent le déplacement. *San Francesco al Prato* offre un merveilleux assemblage polychrome de figures géométriques. L'église est en rénovation permanente depuis le XVe s à cause de la friabilité du terrain ! *San Bernardino* fascine par sa façade ornée de sculptures Renaissance.

Au sud, de part et d'autre du corso Cavour

Cette partie de la visite part de la *piazza Italia (plan B3)*, à l'extrémité sud du *corso Vannucci*.

👁👁 ***Rocca Paolina*** *(plan B3) : accès par la piazza Italia (via l'escalier mécanique vers la* piazza dei Partigiani*). Autres accès possibles par la via Marzia, la via Masi ou le viale Indipendenza. Entrée libre.* Centro Servizi Museali *tlj sf lun avr-oct (avr et août, ouv aussi lun) 10h-13h30, 14h30-18h ; nov-mars, 11h-13h30, 14h30-17h ; entrée : 1 €. Conventionné.*
Lorsque le pape lui confia la construction de la forteresse, Antonio da Sangallo se contenta de faire disparaître certains quartiers en les englobant dans la forteresse et en les recouvrant. On visite un bel ensemble constitué de rues avec voûtes en berceau, de maisons médiévales reliées par des arches, de tours, de bassins de réception des eaux de pluie, etc. Quelques salles abritent des expos temporaires gratuites.
En 1860, lorsque l'unité italienne se réalisa, on se dépêcha de liquider la forteresse, symbole de l'absolutisme pontifical. Il en reste une petite portion de remparts englobant la ***porta Marzia,*** l'une des plus belles portes étrusques, intégrée

au mur par l'architecte qui répugnait à la détruire (pour la voir, descendre vers l'église Sant'Erculano et emprunter la via Marzia).

Palazzo della Penna *(plan B3)* **:** *via Podiani, 11. De la piazza Italia, prendre la via Baglioni et tourner tt de suite à droite dans la via Santa Lucia, puis continuer via Sant'Erculano pour rejondre le corso Cavour ; la via Podiani est tt de suite à droite. ☎ 075-571-62-33. • sistemamuseo.it • Tlj (sf lun sept-mars) : avr-oct, 10h-13h, 16h-19h ; nov-mars, 10h30-13h, 16h-18h30. Entrée : 3 € ; réduc. Conventionné. Attention, en cas d'expo temporaire, les horaires peuvent être ajustés... et les tarifs augmentés.* Dans un palais du XVIe s, le musée des « collections de la ville » propose un petit parcours entre baroque et contemporain, faisant cohabiter les extrêmes, à savoir le fasciste Dottori et l'écolo Beuys.

– *Accademia :* œuvres du XIXe s plutôt convenues sur lesquelles on ne s'attardera guère, si ce n'est sur les plafonds peints, notamment celui avec détails de dentelle.

– *Espace Gerardo Dottori,* peintre inventeur de l'art sacré futuriste dans les années 1930, avec des corps fluides et une drôle de lumière céleste, voire extraterrestre ! Versions géométriques et aériennes de la *Crucifixion* et de *Saint François d'Assise.* Nu féminin *Flora,* très harmonieux dans sa composition et dans le choix des couleurs.

– Au 1er sous-sol, *collection Martinelli* : ensemble baroque romain (sculptures, peintures, esquisses, estampes...).

– Au 2e sous-sol, six *Tableaux noirs* (oui, oui, ceux de l'école !) de l'artiste allemand Joseph Beuys, conçus en 1980 lors d'une conférence que Beuys donna à Pérouse à propos de son message artistique et philosophique. La ville acheta les tableaux pour 25 millions de lires (soit 13 000 €) et les Pérugins crièrent au scandale. Un art conceptuel difficile à déchiffrer pour les non-initiés : génie ou supercherie ?

Museo archeologico nazionale dell'Umbria *(plan B3)* **:** *piazza G. Bruno, 10. Retour corso Cavour que l'on continue sur 200 m pour trouver le musée à gauche. ☎ 075-572-71-41. • archeopg.arti.beniculturali.it/musei • Tlj 8h30 (10h lun)-19h30. Entrée : 4 € ; réduc. Conventionné.* Dans le couvent de la basilique San Domenico, collections préhistoriques, étrusques et romaines. Rien de très remarquable, à l'exception des principales pièces étrusques : le cippe de Pérouse, stèle couverte d'une longue inscription, quelques beaux sarcophages provenant de la nécropole de Sperandio, la copie en bois d'un char funéraire, et surtout, le tombeau des Cutu, présenté en sous-sol dans l'état où il a été trouvé. Cartels prolixes, mais en italien seulement.

Basilica San Domenico *(plan B3)* **:** *jouxte le musée archéologique. Entrée par la porte latérale via del Castallano. ☎ 075-573-15-68. Ouv 7h-12h, 16h-19h (19h30 en été).* La nef de la plus grande église de Pérouse est d'une ampleur à couper le souffle. On y trouve le plus grand vitrail du monde (24 x 10 m) et un tombeau gothique admirable, celui de Benoît XI.

LE FRUIT DÉFENDU

Benoît XI, fils d'un berger de Trévise, fut nommé pape de l'Église catholique romaine en 1303. Malheureusement pour lui, son pontificat ne dura que 8 mois. Empoisonnement par Guillaume de Nogaret, ministre de Philippe le Bel et ennemi juré de la papauté, ou simple indigestion ? Il serait mort après avoir ingurgité des figues, fruit dont il raffolait. Péché mignon et péché mortel !

Chiesa San Pietro *(hors plan par B4)* **:** *à 700 m du musée archéologique via le corso Cavour et la porta San Pietro. Entrée discrète au fond d'une cour de la faculté d'Agriculture.* C'est l'ancienne cathédrale de la ville (X^e s), dominée par un élégant campanile des XIVe et XVe s. L'extérieur est bien défraîchi mais, à l'intérieur, quel choc ! L'église, dont la nef principale est surplombée par un plafond à caissons, est somptueusement décorée. C'est tout simplement la plus importante collection d'art de Pérouse après celle de la galerie nationale. Les voûtes des nefs latérales couvertes de fresques, le chœur décoré de panneaux de bois en *intarsia* (marqueterie avec effet de relief) et ses stalles Renaissance finement sculptées, le baldaquin richement orné, les chapelles chargées d'œuvres des meilleurs artistes locaux, la sacristie dotée (entre autres !) de portraits de saints du Pérugin, tout concourt à faire de cette visite le point d'orgue de votre séjour à Pérouse. Sans oublier la crypte du haut Moyen Âge qui, à l'opposé de cette profusion, est d'une grande sobriété dans ses décorations. Derrière l'église, ne manquez pas la promenade dans les jardins médiévaux *(accès libre par le couloir s'ouvrant au fond et à droite de la cour intérieure)*. Tout au bout, belle vue sur Assise, le Subasio et, en arrière-plan, les monts Sibyllins.

En dehors du centre historique

L'hypogée des Volumni : *via Assisana, 53. ☎ 075-39-33-29. À 5 km ; du centre, suivre « Autostrade » puis « Assisi ». Juil-août, tlj 9h-12h30, 16h30-19h ; le reste de l'année, w-e 9h-13h, 15h30-18h30. Entrée : 3 € ; réduc. Conventionné.* L'hypogée (en grec, « sous la terre ») est l'une des plus intéressantes sépultures étrusques connues (IIe s av. J.-C.) où reposent les Volumni, une famille noble. Elle fait partie d'une nécropole de plus de 200 tombes, le Palazzone. Un couloir à gradins permet de descendre jusqu'à un vaste vestibule donnant accès à plusieurs petites chambres dont l'une contient les urnes funéraires sculptées. La visite est rapide car l'espace est exigu et les suivants attendent...

Manifestations

Contrairement à la plupart des autres villes d'Ombrie, Pérouse n'organise pas de grande manifestation à caractère historique ou religieux.

– ***Umbria Jazz :*** *☎ 075-573-24-32. • umbriajazz.com • En juil (les dates varient).* Chaque année, toute la ville, et notamment la piazza IV Novembre, est animée de concerts jazz, blues, funk ou soul. Parmi les très grands qui sont passés par là, citons B. B. King, James Brown, Herbie Hancock, Gilberto Gil, Keith Jarrett, Maceo Parker, Mark Knopfler, Sonny Rollins, Chick Corea, Pat Metheny, Paolo Conte...
– ***Sagra musicale Umbra :*** *☎ 075-572-22-71. • perugiamusicaclassica.com • En sept.* Fête de la musique classique et sacrée. Orchestres et chorales se produisent dans les cathédrales, les églises et les théâtres de plusieurs villes et villages de l'Ombrie (Torgiano, Deruta, Montefalco...). La plupart des concerts ont toutefois lieu à Pérouse.
– ***Eurochocolate :*** *☎ 075-502-58-80. • eurochocolate.com • Pdt 10 j. en oct.* Qui mieux que Pérouse, ville des célèbres *baci* (baisers), noisettes enrobées de chocolat, pouvait être la capitale européenne du chocolat ? Chaque année, autour d'un thème différent, le centre médiéval se couvre de stands de dégustation du chocolat sous toutes ses formes. Cours de cuisine, laboratoires et stages.

➤ DANS LES ENVIRONS DE PERUGIA

– Si vous avez envie de randonner, sachez que le *Service touristique territorial du Trasimène* à Castiglione del Lago dispose de cartes gratuites des pistes cyclables (25 parcours en boucle de difficulté variée, de 15 à 72 km avec des dénivelées de 50 à 1 000 m) et des parcours de rando (30 parcours en boucle de 2 à 5 h), couvrant également les environs de Pérouse et de Deruta.

PARCO DI MONTE TEZIO

À 15 km au nord de Pérouse ; par San Marco, Cenerente et Compresso (route SP 170-1), village près duquel partent les sentiers.
– Massif constituant un belvédère qui offre une vue grandiose, des Apennins au lac Trasimène. Plusieurs sentiers le parcourent, d'une durée d'une à deux heures, et autant pour le retour. Le plus ardu (jusqu'au sommet du Monte Tezo) a une dénivelée de 400 m. • *montideltezio.it* •

CORCIANO

À 15 km à l'ouest de Pérouse ; prendre la *superstrada* vers Florence, la sortie est indiquée.

Le village : du XIVe s, perché sur sa colline. Ruelles tortueuses et belles fortifications médiévales quasiment intactes. La légende raconte qu'il fut fondé par un compagnon d'Ulysse, Coragino. Comme souvent dans la région, le Moyen Âge a laissé ici la plus forte empreinte. Vous pourrez admirer la *porta Santa Maria,* la *chiesa San Francesco,* de style gothique (XIIIe s), et la *chiesa Santa Maria Assunta,* qui conserve des œuvres précieuses, dont une *Assomption* du Pérugin.
– Pendant la 1re quinzaine d'août, reconstitutions médiévales : sérénades de ménestrels, processions au flambeau, pièces de théâtre, etc.

TORGIANO

À 15 km au sud de Pérouse ; prendre la *superstrada* vers Rome, la sortie est indiquée. Dans cette bourgade de 6 500 habitants, une grande famille de riches négociants d'Ombrie, les Lungarotti, a aménagé dans le centre historique deux beaux musées.

Museo del Vino : *corso Vittorio Emanuele II, 11. ☎ 075-988-02-00. • museo vino@lungarotti.it • Ouv 9h-13h, 15h-19h (18h en hiver). Entrée : 4,50 € ; réduc. Billet jumelé avec le musée de l'Olive et de l'Huile (7 € ; réduc). ☎ 075-988-03-00.* Aménagé dans un ancien palais, ce musée a reçu en 1992, lors du troisième Salon international des musées de Paris, le prix de l'excellence régionale, vous comprendrez vite pourquoi. Des poteries aux manuscrits, sans oublier les pressoirs (étonnant exemplaire dont la poutre maîtresse fait près de 10 m de long) ni les céramiques à usage œnologique (noter les belles pièces modernes), aucun aspect de l'histoire de la vigne et des techniques viticoles depuis trois millénaires n'a été oublié tout au long des 20 salles d'exposition. Bornes interactives bilingues anglais-italien, et cartels en anglais à l'entrée des salles.

Museo dell'Olivo e dell'Olio : *via Garibaldi, 10. Mêmes téléphone, horaires et tarifs que le musée du Vin.* Très beau parcours, idéalement agencé : domestication de l'arbre, usage alimentaire, lumifère et religieux, techniques de culture et d'extraction, symbolique de l'olivier et de l'huile, vous deviendrez incollable sur l'autre richesse de la région.

BETTONA

À 5 km à l'est de Torgiano.

Le village : un bourg aux ruelles médiévales, dit « le balcon étrusque », perché sur un promontoire et ceint de lourds remparts d'origine étrusque. Les diverses églises de la ville, notamment l'oratoire Sant'Andrea, renferment de belles fresques de l'école de Giotto. Le ***museo della Città*** *(tlj sf lun : mars-juin, 10h30-13h, 14h30-17h ; juil-sept, 10h-13h, 15h-18h30 ; oct, 10h30-13h, 15h-17h30 ; nov-fév, jeu-dim*

10h30-13h, 14h30-17h) présente une section archéologique et une pinacothèque avec notamment deux toiles du Pérugin, *Sant'Antonio da Padova* et *Madonna della Misericordia*.

Relais La Corte di Bettona : *via Santa Caterina, 2 et viccolo del Forte, 11, à Bettona. ☎ 075-987-114. • info@relaisbettona.com • relaisbettona.com • Doubles 100-270 € selon chambre et saison ; suites 170-330 € ; petit déj inclus. Menu 30 €. Carte env 40 €. Apéro ou café offert sur présentation de ce guide.* Dans 2 bâtiments médiévaux rénovés (un moulin à huile et un monastère), avec tout le confort dont on peut rêver. Chambres tout simplement superbes (poutres apparentes et meubles élégants, lits immenses), certaines avec vue sur Assise ou la campagne. Une réussite. Pour ne rien gâcher, l'accueil est agréable. Son resto gastronomique *Taverna del Giullare* constitue une étape incontournable, le Tourmalet des restos avec sa cuisine créative et originale. Belle salle et terrasse panoramique avec piscine.

DERUTA

Une belle bourgade perchée de 8 500 habitants, dominée par ses trois clochers et agrémentée de cyprès, connue depuis le XVe s comme LA ville de la céramique. À ce titre, les amateurs ne la manqueront sous aucun prétexte. La succession de boutiques est impressionnante.

Comment y aller ?

➢ **En voiture :** à 20 km au sud de Pérouse par la *superstrada* vers Rome, la sortie est indiquée.
➢ **En bus :** nombreux bus *APM* jusqu'en fin d'ap-m, sf dim, arrêt à Deruta via Tiberina, en bas de la ville (env 10 mn de montée).
➢ **En train :** trains *FCU* (de la gare de Sant'Anna à Pérouse) tlj jusqu'à *Fanciullata* (à 2 km de Deruta) mais pas de bus jusqu'à Deruta.

Adresse utile

Pro Deruta : *piazza dei Consoli. ☎ 075-971-15-59. • proderuta.it • regioneumbria.eu • Tlj en été sf lun ap-m, 9h-12h, 15h-18h.* Plan de la ville et guide avec divers points d'intérêt à découvrir au fil des rues.

À voir

Museo della Ceramica : *largo San Francesco. ☎ 075-971-10-00. • museoceramicaderuta.it • Oct-mars, tlj sf mar 10h30-13h, 14h30-17h ; avr-juin, tlj 10h30-13h, 15h-18h ; juil-sept, tlj 10h-13h, 15h30-19h. Entrée : 5 € lun-ven, 7 € w-e et j. fériés incluant un vidéoguide en français et cumulable avec la pinacothèque ; réduc.* Outre de belles pièces de collection relevant des arts de la table, on verra des pièces archaïques, de la mosaïque de sol provenant de l'église San Francesco de Deruta, des plaques votives, des bouliers... Les images religieuses côtoient des dessins coquins et humoristiques. Tout aussi impressionnant, le « dépôt », une ancienne salle de cinéma avec ses balcons, regroupant des dizaines de vitrines qui renferment plus de 6 000 céramiques modernes. Un dernier espace est dévolu aux expositions de céramique contemporaine. Bibliothèque spécialisée.

Chiesa della Madonna dei Bagni : *en arrivant par la E 45, prendre la sortie Casalina, au sud de Deruta, c'est plus ou moins bien fléché ; de Deruta, on peut* *suivre la via Tiburtina vers le sud. Tlj 8h-12h30, 14h30-18h30 (19h l'été). Messe à 17h (18h en été).* Dans un bosquet au bord de la *superstrada*. Les parois de cette petite église sont tapissées d'ex-voto en céramique offerts, depuis 1657, par les fidèles en remerciement à la Vierge pour une grâce reçue. Chaque tableau raconte, sans aucune légende, un petit drame de manière touchante et en toute simplicité. Ce millier d'anecdotes témoigne de l'évolution de la vie en Ombrie durant presque quatre siècles : au fil du temps, les accidents ont changé de nature, des chutes de cheval à celles de moto... L'ensemble, très coloré, produit une forte impression.

LAGO TRASIMENO (LE LAC TRASIMÈNE)

Quatrième lac d'Italie par sa taille (128 km²), le Trasimène porte le nom d'un roi tyrrhénien qui s'y serait noyé en poursuivant une nymphe. Byron comparait le lac à un « voile d'argent » ; son charme romantique et ses hauteurs couronnées de châteaux ont en effet inspiré plus d'une belle plume et plus d'un bon pinceau : explorez les toiles du Pérugin, né à Città della Pieve, vous y trouverez souvent le Trasimène en arrière-plan. Ses abords ne sont hélas pas toujours à la hauteur de ses légendes et la baignade est déconseillée. Mais les îles et les bourgs médiévaux alentour, qu'ils se trouvent sur les rives ou sur les collines environnantes, offrent de belles découvertes.

UNE TACTIQUE BRUMEUSE

Ce lac évoque avant tout une bataille au cours de laquelle Hannibal et son armée infligèrent une sacrée dérouillée aux légions romaines, en 217 av. J.-C. Celles-ci, étirées en une longue colonne et trompées par des feux que le rusé chef punique avait fait allumer dans le lointain, furent surprises par un ennemi surgissant soudain de la brume. Il s'ensuivit une déroute qui coûta pas loin de 16 000 morts, côté romain ! Cet épisode reste encore aujourd'hui inscrit dans le nom du hameau Sanguineto, qui signifie « Sanglant ».

Arriver – Quitter

En voiture

➢ ***De Pérouse,*** prendre la *superstrada* en direction de Florence. Sorties à *Magione, Passignano del Lago, Tuoro* et *Castiglione del Lago*, où commence notre itinéraire de visite.

En bus

➢ La compagnie ***APM*** *(☎ 075-506-781)* assure plusieurs liaisons par jour (tlj sf dim) vers ***San Feliciano, Passignano, Castiglione del Lago*** et ***Città della Pieve,*** au départ de la piazza Partigiani à Pérouse.

En train

➢ ***Castiglione del Lago*** se trouve sur la ligne FS Rome-Florence. *Env 8 trains/j. dans les 2 sens (moins le dim).* Compter 1h30 de trajet pour ***Rome*** et 1h10 pour ***Florence.*** Pour *Pérouse, Assise, Foligno* et *Spolète,* changement à *Terontola.*

Adresse utile

Service touristique territorial du Trasimène : *piazza Mazzini, 06061 Castiglione del Lago. ☎ 075-965-24-84. • info@iat.castiglione-del-lago.pg.it • trasimeno.umbria2000.it • En saison, tlj 8h30 (9h sam-dim)-13h, 15h30 (16h dim)-19h ; hors saison, lun-ven 8h30-13h, 15h30-19h et sam mat.* Remarquables brochures, une mensuelle en italien, *Intorno al Trasimeno*, donnant toutes (vraiment toutes !) les infos utiles, et une en français détaillant les activités sportives (sports nautiques, randonnées hippiques, cyclistes ou pédestres, etc.) et artistiques proposées. Cartes gratuites des pistes cyclables (25 parcours en boucle de difficulté variée, de 15 à 72 km avec des dénivelées de 50 à 1 000 m) et des parcours de rando (30 parcours en boucle de 2 à 5 h).

CASTIGLIONE DEL LAGO *(06061)*

La petite capitale de la région du lac domine celui-ci du haut de son promontoire. Les routards appréciant la proximité de leurs semblables y trouveront matière à satisfaction.

Où dormir ? Où manger ?

Camping Badiaccia : *via Pratovecchio, 1. ☎ 075-965-90-97. • info@badiaccia.com • badiaccia.com • Suivre la SS 71 sur 6 km en direction de Pérouse. Ouv avr-oct. Selon saison, 18-23 € pour 2 avec tente et voiture.* Terrain bien tenu, assez spacieux et ombragé. Foot, volley, tennis, salle de jeux, 2 piscines et, en juillet, animation en journée et en soirée, élection de Miss camping... ça promet ! Petite plage privée avec location d'embarcations à pédales.

Il Torrione : *via delle Mura, 4-8. ☎ 075-953-236. • info@iltorrionetrasimeno.com • iltorrionetrasimeno.com • Congés : de mi-nov à fin fév. Doubles avec bains 60-70 €.* Les meilleures chambres donnent sur le beau jardin, situé au sommet d'une petite tour du XVIe s, avec une vue agréable sur le lac. Intérieur aux couleurs chaudes et murs tapissés d'œuvres de votre hôte. Ce dernier mettra tout son cœur à vous accueillir, et en français ! Une bien bonne adresse.

Hotel Aganoor : *via Vittorio Emanuele, 91. ☎ 075-95-38-37. • info@hotelaganoor.it • hotelaganoor.it • Doubles 70-80 € ; petit déj 5 €.* 8 chambres aux tons pastel impeccables, fraîches et romantiques à souhait avec leurs meubles anciens, leurs têtes de lit en fer forgé et la vue sur le lac. Superbe terrasse-solarium. Accueil pro et cordial.

Pizzeria Come te Pare : *via Vittorio Emanuele, 80. Compter env 12 €.* Quelques tables en terrasse et un service type fast-food, par exemple pour une pizza *al taglio* sur le pouce, un *calzone* jambon-fromage ou un plat de pâtes tout prêt.

Ristorante La Cantina : *via Vittorio Emanuele, 93. ☎ 075-965-24-63. Ouv lun-ven 12h30-15h. Menu 13 €. Carte env 30 €.* Cuisine typique du Trasimène et de l'Ombrie, servie soit sur une plaisante terrasse avec vue sur le Trasimène soit dans une grande salle voûtée à la déco rustique. Grand choix de poissons, préparés au gril. Pizzas le soir et viandes au poids. Petite carte de vins analysés et commentés par un éminent œnologue.

À voir

Palazzo della Corgna et Rocca Leone : *☎ 075-951-10-99. Tlj : avr, mai et sept, 9h30-13h, 15h30-19h ; juin-août, 10h-13h30, 16h-19h30 ; oct, 9h30-13h,*

14h30-18h ; nov-mars, se renseigner. Entrée : 4 € ; réduc. Loc. de jumelles. Un long passage couvert relie l'ancien palais ducal à la forteresse qui occupe l'extrémité du promontoire. Le palais n'offre qu'un intérêt anecdotique, malgré les fresques dont la plupart sont de Niccolò Circignani. Dans la forteresse, un parcours en boucle est organisé. Vue imprenable sur le lac, surtout si vous trouvez la petite porte discrète ouvrant sur les 84 marches permettant d'accéder à la tour.

PASSIGNANO DEL LAGO *(06065)*

De Castiglione, prendre la direction de Pérouse.
C'est la deuxième destination des touristes séduits par le lac, qui ne se lassent pas de parcourir la longue promenade offrant une vue sur les îles et la forteresse de Castiglione.

Où dormir ? Où manger ?

Hotel Kursaal : *viale Europa, 24. ☎ 075-82-80-85. • info@kursaalhotel.net • kursaalhotel.net • Doubles 72-94 € selon chambre et saison, petit déj compris. Camping : 22-28 € pour 2 avec tente selon saison. Au resto, env 32 € à la carte.* Bien au calme, au milieu de pins et de cèdres centenaires, une demeure à l'avenant. Belles chambres sobres, toutes avec petit balcon, TV, AC et coffre-fort. Piscine, solarium sur le lac et petite plage privée. Resto avec agréable terrasse, bien entendu sur le lac. Presque du luxe de château à des prix raisonnables. Gros bémol pour le camping qui n'accepte pas les familles nombreuses...

L'ISOLA MAGGIORE *(06060)*

Embarcadères à Passignano, Tuoro et Castiglione. APM : ☎ 800-512-141 (n° Vert), • apmperugia.it • Les billets peuvent s'acheter à bord.
Son nom de « Majeure » ne doit pas faire illusion : l'île, habitée par quelques familles de pêcheurs, ne fait qu'environ 700 m de long pour 300 de large ! Autant dire que c'est un lieu très paisible où, en plus de beaux bâtiments chargés d'histoire, vous pourrez apprécier le silence nocturne.

Où dormir ? Où manger ?

Hotel da Sauro : *via Guglielmi, 1. ☎ 075-82-61-68. • info@dasauro.it • dasauro.it • Congés : nov-fin fév. Doubles avec bains 65-70 €, petit déj inclus.* Auberge lacustre de 12 chambres comblant amoureux et Robinson d'un jour. Pas de panique, l'auberge fait aussi resto, vous ne manquerez donc de rien !

MAGIONE

Continuer en direction de Pérouse.
Cette petite ville commerçante de 13 000 habitants est idéale pour s'approvisionner, ce qui n'empêche pas une visite.
Prendre ensuite la SS 599 pour rejoindre ses hameaux San Savino (avec un éventuel crochet gastronomique à San Feliciano), puis Sant'Archangelo.

Où dormir ? Où manger dans le coin ?

Villaggio Italgest : *via Martiri di Cefalonia, 06060 Sant'Arcangelo. ☎ 075-84-82-38. • camping@italgest.com • italgest.com • Ouv avr-sept. Réception 8h-20h. Selon saison, 20-27 € pour 2 avec tente. Mobile homes (4-6 pers) avec AC 47-125 € selon saison et confort. Réduc de 10 % (sf juil-août) sur présentation de ce guide.* Vrai village de vacances avec plage privée. Grande piscine avec toboggan (dès mi-mai). Multiples services : embarcadère pour petits bateaux, supermarché, resto, pizzeria *(juin-août)*, discothèque *(juil-août)*. Pas mal de monde dès les beaux jours. Le tout est bien tenu et le personnel aimable.

Ristorante Da Settimio : *via Lungolago 1, 06060 San Feliciano. ☎ 075-847-60-00. Au bord du lac, non loin de l'embarcadère, à l'écart de la route. Tlj sf jeu jusqu'à 21h. Repas env 25 €. CB refusées.* Pour manger du poisson tout frais pêché dans le Trasimène, ainsi que du gibier local (en saison). Salle moderne avec baie vitrée.

Ristorante Da Massimo : *via dei Romani, 16, 06063 San Savino (fléché depuis la route, puis aller jusqu'à un grand portail anonyme à 250 m). ☎ 075-847-60-94. Tlj sf lun jusqu'à 21h. Pizzas le soir à partir de 7 €. Repas env 25 € et jusqu'à 35 € avec du poisson.* Clientèle de connaisseurs locaux. Plats très copieux, risottos, viandes et poissons du lac. Uniquement en salle mais avec vue sur le lac.

À voir

Torre del Lambardi : *Magione. Fléché depuis la route. Ouv avr-sept, jeu-dim 10h30-13h, 15h-18h ; juil-août, tlj 10h30-13h, 16h-19h. Entrée : 3 € ; réduc.* Tour de défense très massive, au milieu d'un bel espace planté de pins et de cyprès, qui offre de son sommet une vue admirable sur le lac et sur Pérouse.

Castello di Magione : *via Cavalieri di Malta, 31, Magione (au début de la descente vers Pérouse). • castellodimagione.it • Ouv l'été mar-sam 9h30-12h30, 15h-18h.* Ancienne abbaye transformée en château par les chevaliers de Malte, aujourd'hui un lieu de négoce de vin, d'huile et de miel.

Oasi naturalistica La Valle : *au sud de San Savino. ☎ 075-847-28-65. • oasinaturalisticalavalle.it • Ouv avr-sept, tlj (sf lun avr et mai) 9h-13h. Visite guidée 3 € (4 € avec audioguide italien-anglais).* Petite exposition sur cette réserve et le lac en général. Observation des oiseaux nicheurs (grèbes, hérons...) et migrateurs. Jumelles fournies.

L'ISOLA POLVESE

Embarcadère à San Feliciano (également 1 liaison/j. avec Passignano). APM : ☎ 800-512-141 (nº Vert). • apmperugia.it • Les billets peuvent s'acheter à bord.
Au contraire de l'isola Maggiore, l'isola Polvese, trois fois plus grande, n'est pas habitée à l'exception de l'adresse ci-dessous. On ne s'y rend ni pour sa petite église, ni pour les ruines du monastère ou du château, mais pour un parc scientifique et éducatif comprenant un *jardin des Plantes aquatiques (ouv w-e avr-juin, tlj juil-sept avec visites guidées à 11h, 12h, 16h et 17h).*

Où dormir ? Où manger ?

Ostello Il Poggio : *06061 Isola Polvese. ☎ 075-965-95-50. • info@fattoriaisolapolvese.com • fattoriaisolapolvese.com • Ouv mars-oct. Accès*

LE NORD DE LA VALLÉE DU TIBRE

7h-10h, 15h30-23h30. Double 56 €. ½ pens 40 €/pers. Digestif offert sur présentation de ce guide. Chambres nickel de 2 à 4 lits. Dans une ferme rénovée, une auberge de jeunesse écologique d'où l'on peut admirer le lac en rêvassant dans un hamac. Les repas sont préparés avec les herbes et les légumes du jardin, et l'eau est chauffée grâce à des panneaux solaires. Une sympathique adresse innovante.

PANICALE

Continuer sur la SS 599 et prendre à gauche la SP 306.
Ce bourg de 6 000 habitants, blotti derrière ses murailles, offre une vue fort agréable sur le lac et ses îles, ainsi que le charme de ses placettes et les trésors de ses églises.

À voir

Piazza Umberto I : au centre du bourg médiéval, paisible et charmant ensemble de maisons mêlant brique rouge et pierre ocrée, avec la fontaine en son centre et les terrasses des *trattorie* sur le pourtour. Toute proche, la chiesa San Michele Arcangelo incite au recueillement dans sa nef exceptionnellement obscure.

Chiesa di San Sebastiano : *demander la clé à l'office de tourisme local, piazza del Ospedale, ouv en saison 10h30-12h30, 15h-17h30. ☎ 075-837-319.* Beau *Martyre de saint Sébastien* du Pérugin, dont l'arrière-plan représente le lac tel qu'il était en 1505.

CITTÀ DELLA PIEVE *(060062)*

Continuer sur la SP 306 via Piegaro.
Très agréable bourgade médiévale de 7 800 habitants, patrie du Pérugin, dotée de beaux palais et de riches églises. Elle possède le privilège de détenir la rue la plus étroite d'Italie : *la Baciadonne* (« le Baiser des Dames »). On ne vous fait pas de dessin !

Où manger ?

Bistrot del Duca : *via Po' di Mezzo, 3. ☎ 0578-29-80-08. • bistrot.duca@yahoo.it • Derrière le théâtre (indiqué). Tlj sf mar 12h-2h. Congés : fév. Env 25 € le repas. Parking gratuit. Apéritif offert sur présentation de ce guide.* Ce petit restaurant un peu en retrait, tenu par 3 dynamiques garçons, est une bonne surprise. Au menu, des plats délicieux et inventifs, comme le carpaccio *di spada, yogurt e menta,* la *crema di cipolle e timo* ou les *linguine con pesto di rucola.* En dessert, nous avons fondu pour le *nido di mele e miele di castagne.* Toute petite salle intérieure avec vue plongeante ou terrasse ombragée et tranquille. Entre 2 plats, il arrive que le chef sorte sa guitare. Très sympa.

Manifestations autour du lac Trasimène

– **Palio delle Barche :** *à Passignano, fin juin.* Commémoration d'une escarmouche entre les familles Oddi et Baglioni en 1495, où les premiers avaient dû prendre la fuite en utilisant des barques de pêcheurs. Course en trois temps entre les quartiers de la ville, le 1er et le 3e sur le lac et le 2e avec les barques portées à l'épaule.

– ***Palio dei Terzieri :*** *à Città della Pieve, avt-dernier dim d'août.* Dans les rues de la vieille ville, le XIVe s est de retour, avec un cortège historique en habits inspirés des œuvres du Pérugin. Au terme du défilé, avant le *Palio,* consistant en un concours de tir à l'arc sur des cibles mobiles à l'effigie d'un taureau, a lieu l'*Infarinata,* bagarre généralisée à coups de sachets de farine. N'espérez pas y échapper !

CITTÀ DI CASTELLO (06012) 39 800 hab.

À 50 km au nord de Pérouse, sur la route d'Arezzo, une petite ville tranquille, au relief plat, ceinte de remparts. La proximité de la Toscane lui donne un aspect plus Renaissance que médiéval, ce qui la différencie de ses voisines ombriennes. On aime bien son atmosphère paisible et authentique, ainsi que ses façades patinées par le temps.

Arriver – Quitter

En train

Stazione : *au bout de la via Carlo Liviero, à côté de la piazza della Repubblica, hors les murailles, à l'est du centre-ville. Uniquement réseau FCU.* ☎ *075-575-40-34.* • *fcu.it* •

➢ ***De/vers Pérouse :*** tlj, une dizaine de trains. Trajet : 1h.
➢ ***De/vers Terni et Todi :*** tlj, une dizaine de liaisons, avec changement à *San Giovanni.* Trajet : 2-4h.

En bus

Gare routière : *piazza Garibaldi.*
➢ ***De/vers Arezzo :*** avec *SITA.* Une vingtaine de bus/j., 5 slt dim. Trajet : 1h-1h45.
➢ ***De/vers Gubbio :*** avec *APM.* Une dizaine de bus/j., 3 slt dim. Trajet : 1h10.
➢ ***De/vers Todi et Rome :*** avec *Sulga.* 1 bus/j. lun-sam. Départ à 5h30. Billets à acheter dans le bus. Départ de Rome vers Città di Castello à 16h. Trajet : 4h. *Résas :* ☎ *800-099-661 (n° Vert).* • *sulga.it* •

En voiture

➢ ***Pour Arezzo :*** aux routards motorisés qui se dirigent vers la Toscane, nous conseillons un très agréable chemin des écoliers par *Monte Santa Maria Tiberina,* un charmant village en nid d'aigle à 10 km de Città di Castello. Pour cela, prendre la route panoramique qui passe par la colline et le camping *La Montesca.* De là-haut, vue prodigieuse sur la ville et la région. De Monte Santa Maria Tiberina, on rejoint ensuite Monterchi par d'étroites routes désertes, à travers de beaux paysages.

Adresses utiles

Office de tourisme : *piazza Matteotti, loggia Buffalini.* ☎ *075-855-49-22.* • *info@iat.citta-di-castello.pg.it* • *regioneumbria.eu* • *Lun-sam 9h-13h, 15h30-18h30 ; dim mat slt.* Carte de la ville et plusieurs bons dépliants (y compris en français) sur la ville et la région de la haute vallée du Tibre.

@ ***Points Internet et téléphones :*** nombreux dans la ville ; liste auprès de l'office de tourisme. Par exemple, borgo Farinario, 3, non loin de l'hôtel *Le Mura.*

Où dormir ?

Camping

Camping La Montesca : *loc. Montesca. ☎ 075-855-85-66. • info@lamontesca.it • lamontesca.it • Bus Emidi tlj sf dim à 8h30 de la piazza Garibaldi. Sinon, route de Monterchi vers Arezzo (bien fléché). Ouv avr-sept. Selon saison, 22-26 € pour 2 avec tente.* Sur une colline avec de très belles vues. Camping 3 étoiles dans la verdure, spacieux et confortable, avec piscine.

Prix moyens

Hotel Umbria : *via S. Antonio, 6. ☎ 075-855-49-25. • hotelumbria.net • Entrée par la via Galanti. Double 55 €. Parking.* Un hôtel familial bien tenu. Le bâtiment principal dispose de bonnes chambres, mais dans la dépendance les pièces sont un peu petites. À deux pas des arrêts de bus pour Pérouse. Accueil en français par la patronne, native de Saint-Étienne.

Hotel Le Mura : *borgo Farinario, 24. ☎ 075-852-10-70. • hotellemura.it • Doubles 60-80 €.* Un 3-étoiles impersonnel mais de taille modeste (30 chambres), rendez-vous des congressistes de tout poil. Déco intérieure récente, avec une touche d'art contemporain. Grandes chambres confortables avec AC, TV, minibar. Accueil agréable et en français.

Residenza Antica Canonica : *via San Florido, 23. ☎ 075-852-32-98. • info@umbriaholidays.net • umbriaholidays.net • Accès possible également par la tour cylindrique de la Canonica, à côté de la cathédrale (si vous êtes chargé, ascenseur sur via San Florido). Tte l'année. Doubles 72-92 € selon saison, sans petit déj. Parking gratuit. Wifi. Prix fixe de 35 €/pers sur présentation de ce guide.* Dans un ancien monastère du XVIe s dont on a conservé les portes des cellules. Propose 9 appartements de 2 à 6 lits, tous avec cuisine (ce qui explique qu'aucun petit déj n'est servi), salon et grande salle de bains. Les chambres sont sobres, quasi austères pour respecter l'histoire du lieu, mais de bon goût. Géré par la dynamique Elisa.

Chic

Hotel Tiferno : *piazza Raffaelo Sanzio, 13. ☎ 075-855-03-31. • info@hoteltiferno.it • hoteltiferno.it • Dans un ancien couvent situé à deux pas de l'église San Francesco. Doubles 95-150 €, petit déj-buffet compris. Réduc de 10 % sur présentation de ce guide. Parking réservé. Wifi.* L'un des plus anciens hôtels d'Ombrie (1895), mêlant élégamment l'ancien et le contemporain à l'esprit design. Belle réception avec voûtes, cheminée et tableaux originaux d'Alberto Burri, un artiste de la ville dont on peut admirer l'œuvre dans le palais voisin. Le couchage est excellent, l'AC fonctionne à merveille, et les petits salons communs, meublés avec soin, donnent envie de prolonger le séjour. Excellent accueil.

Où manger ? Où boire un verre ?

Trattoria Lea : *via San Florido, 38 a. ☎ 075-852-16-78. Dans le prolongement de la rue Marconi. Tlj sf lun, midi et soir jusqu'à 22h. Congés : de mi-juil à mi-août. Carte env 20 €. Digestif offert sur présentation de ce guide.* Une valeur sûre ! La file d'attente devant la porte le prouve ! 2 belles salles voûtées et fraîches avec une déco classique de *trattoria*, sans faute de goût. On y vient pour les pâtes maison, excellentes. Les *tagliatelle* aux truffes et les *agnolotti* aux cèpes sont exceptionnelles. Pour ne pas perdre une miette de ces délices, on peut les demander en version bis (2 types dans la même assiette) ou ter pour les gros appétits. Bon *antipasto* maison avec assortiment de tartines *(crescia)*. Parmi les *secondi*, les saucisses grillées et les escalopes de veau sont de bons choix. Bonne sélection de vins et de *grappa*. Service ultra-efficace.

|●| ***L'Osteria :*** *via Borgo di Sotto (fléché depuis la piazza Matteotti).* ☎ *075-855-69-95. Fermé dim. Carte env 20 € ; énorme choix de bonnes pizzas à partir de 5 €.* Viandes au gril et salades bien fraîches. Tous les âges se côtoient dans cette auberge conviviale à la tonalité jaune et vert, décorée avec goût et exposant les œuvres d'artistes locaux. Pour le dessert, laissez de la place pour les profiteroles au mascarpone, absolument diaboliques. Portions généreuses à souhait. Poignée de tables en terrasse. Service jeune et efficace.

|●| 🍷 ***L'Accademia :*** *via del Modello, 1.* ☎ *075-852-31-20. Le soir slt. Fermé lun. Congés : août. Carte env 25 €.* Terrasse à l'ombre de la cathédrale et salle bien agencée avec des tables en bois d'olivier. Le menu change souvent, il est court mais précis, incluant de la viande *chianina* provenant des élevages du coin. Aux pâtes *della casa,* s'ajoute le pain fait maison. Service impeccable. Bien aussi pour l'apéro au bar ou pour déguster un verre de vin car la carte est bien garnie. Musique live le jeudi soir d'octobre à avril.

À voir

L'achat d'un billet à plein tarif *(Carta Musei)* dans n'importe quel musée de Città di Castello donne droit à l'entrée à moitié prix dans tous les autres musées de la ville.

Palazzo comunale : *dans le centre. Tlj.* Bel ouvrage gothique du XIVe s, avec un imposant hall d'entrée. La *Torre Civica* en face servit longtemps de prison, avec une seule cellule par étage. Elle est fermée à la visite depuis une secousse sismique en mars 2007 qui en a affaibli la structure.

Duomo San Florido : *à côté du palazzo comunale. Campanile tlj sf lun 10h-13h, 15h-18h ; entrée 4 € ; réduc.* De l'ancienne église romane ne subsiste que le *Campanile Cilindrico* du XIIIe s (de son sommet, vue imprenable sur la ville). Beau portail gothique et remarquable plafond à caissons. Au-dessous, l'église inférieure, de la seconde moitié du XVe s, à l'atmosphère de crypte.

Museo del Duomo : *● museoduomocdc.it ● Mar-dim 10h-13h, 15h-18h. Entrée : 6 € ; réduc.* Collection d'objets du culte remontant à l'époque des premiers chrétiens, tels une *pastorale* (crosse d'évêque) en argent, un *palliotto* (devant d'autel) du XIIe s et une exceptionnelle collection de plats et cuillères byzantins du VIe s retrouvés à Canoscio, une localité proche.

Pinacoteca comunale : *via della Cannoniera, 22.* ☎ *075-852-06-56. Tlj sf lun 10h-13h, 14h30-18h30 (15h-18h nov-mars). Entrée : 6 € ; réduc.* La plus belle collection de peintures ombriennes après celle de la *Galleria nazionale* à Pérouse. Dans le superbe palais Vitelli alla Cannoniera du XVIe s, à la façade recouverte de sgraffites (une technique proche de la fresque) attribués à Gherardi. Toute l'histoire de l'art en Ombrie est présentée dans le cadre médiéval de vastes salles à la somptueuse décoration intérieure, avec fresques et frises d'origine, mobilier en bois et cheminées. On admirera tout particulièrement un *Couronnement de la*

À HUE ET À DIA

Sur la deuxième rampe de l'escalier monumental du palais Vitelli alla Cannoniera, on remarque trois demi-lunes représentant Aristote, Hercule et Salomon se faisant chevaucher par des femmes en signe de soumission : est-ce un avertissement lancé par son épouse au jeune et puissant condottiere Vitelli ?

Vierge de Ghirlandaio, quelques Signorelli dont un intéressant *Martyre de saint Sébastien* de 1498 (forçant un peu sur l'arbalète !), ainsi que des œuvres de jeunesse de Raphaël travaillant déjà sur commande de riches seigneurs de Città di Castello. Au sous-sol, plâtres et bronzes contemporains, ainsi que quelques tableaux dont deux De Chirico.

À voir également, pour leurs stalles marquetées et leurs fresques, les églises ***San Domenico*** (via Signorelli) et ***San Francesco,*** où Raphaël réalisa l'un de ses chefs-d'œuvre, *Les Noces de la Vierge* (il s'agit d'une copie, l'original se trouvant à la pinacothèque de Brera à Milan). Le ***palazzo del Podestà,*** piazza Matteotti, constitue un bel exemple d'architecture du XIVe s.

Collections Burri : *via Albizzini, 1 et via Pierucci.* ☎ *075-855-46-49.* • *fondazioneburri.org* • *Mar-ven 9h-12h30, 14h30-18h30 ; sam-dim 10h30-12h30, 15h-19h. Entrée : 6 € pour le palais Albizzini seul ; 10 € pour les 2 sites (via Pierucci ouv sur résa slt, à demander au palais Albizzini) ; réduc. Demander la notice explicative en français.* Ce pionnier de la peinture contemporaine (1915-1995), qui vécut aux États-Unis, a légué son œuvre à sa ville natale. Elle est répartie entre le palais Albizzini, sur la piazza Garibaldi, et d'anciens séchoirs à tabac *(Seccatoi del Tabacco)* qui abritent les grandes œuvres et les sculptures. Burri, qui était doté d'un grand sens de la composition, excellait dans le détournement des matériaux de la vie quotidienne comme le plastique, le goudron, la toile de jute, le fer, les lamelles en bois, dont il récupérait la texture et qu'il assemblait de manière étonnante afin de leur restituer une nouvelle patine, voire une nouvelle couleur. Au rez-de-chaussée du palais, petites gouaches proches de la palette d'un Klimt, d'un Mirò ou d'un Calder. Au 1er étage, étonnants tableaux dont la toile laisse place au plastique fondu au chalumeau, où même le tableau se gonfle d'une excroissance comme dans la série des *Gobbi* (bosses) avec ses reliefs rugueux et ses saillies ferrugineuses, ou dans *Sacco 5P,* où la toile se fond en peau sanguinolente.

Manifestations

– ***Retrò, il mercatino delle Cose Vecchie & Antiche :*** *le 3e dim du mois, dans le centre historique.* Littéralement, « le petit marché des choses anciennes et antiques ».
– ***Festival des nations de Musique de chambre :*** *fin août-début sept.* Concerts dans un magnifique petit théâtre rouge et or.
– ***Foire nationale au cheval :*** *2e w-e de sept.* La 2e plus importante d'Italie après celle de Vérone. Toutes les races équines y sont présentes. Spectacles équestres.

➤ DANS LES ENVIRONS DE CITTÀ DI CASTELLO

Montone : *à 22 km au sud. Suivre Pérouse et guetter le fléchage à gauche un peu avt Umbertide. Se garer au pied des murailles.* Protégée de hautes murailles qui lui donnent un cachet austère, lieu de naissance d'un fameux chef de guerre du Moyen Âge, Montone a le charme des bourgades médiévales rendues somnolentes par la digestion de leur glorieuse histoire. Parcourez ses ruelles sinueuses et pentues, de préférence au soleil couchant, moment inégalable de silence et de sérénité.

Où dormir et manger chic ?

La Locanda del Capitano : *via Roma, 7.* ☎ *075-930-65-21.* • *info@ilcapitano.com* • *ilcapitano.com* • *Au centre médiéval de Montone. Congés : de déc à mi-mars. Doubles 120-140 €, petit déj inclus. Carte env 45 €.* Un hôtel de charme décoré de meubles anciens et abritant de belles chambres, dont les plus grandes possèdent une terrasse avec vue sur les toits. Resto chic avec service en salle ou en terrasse. Par la parole et par le contenu de vos assiettes, le patron vous fait partager son amour des plats traditionnels revisités avec une touche de modernité. Les goinfres regretteront les portions « nouvelle cuisine ». Remarquable carte des vins. Ambiance jazz. Très bon accueil.

LE TERRITOIRE EUGUBIN

Au pied de la chaîne des Apennins ondulent les monts verdoyants du bassin Eugubin, bordé à l'est par le Monte Cucco. La forêt, parsemée de hêtres et d'ifs séculaires, couvre 30 % du territoire. Dans les sous-bois abondent les cèpes *(funghi porcini)* et les *truffes blanches* entrant dans la composition de plats simples et typiques – les meilleurs d'Ombrie, paraît-il. La rivière Chiascio prend sa source dans l'argile du mont Ingino, surplombant la ville de Gubbio. Farouchement attachée à ses coutumes, la population eugubine célèbre chaque année son patrimoine historique à travers de grandes fêtes populaires auxquelles chacun participe allègrement. C'est ici que, selon la légende, saint François fit d'un loup dangereux une créature inoffensive et amicale, lors de l'un de ses multiples périples sur le sentier de la Paix que l'on peut encore parcourir de Gubbio à Assise.

GUBBIO

(06024) 32 000 hab.

Dominée par la haute silhouette du palazzo dei Consoli, Gubbio semble tout droit sortie du Moyen Âge, avec son dédale de ruelles et d'escaliers accrochés aux pentes du Monte Ingino. Détruite à plusieurs reprises par les hordes barbares, occupée par les Longobards quand mourut l'Empire byzantin, Gubbio devint ville-État au XIIe s sous la régence éclairée d'Ubaldo Baldassini. Au XIVe s, les ducs d'Urbino et de Montefeltro l'assujettirent, et sa position stratégique sur la route de Rome lui permit de rivaliser avec la puissante Pérouse. Outre pour ses fêtes qui trouvent leur origine dans ce passé glorieux, la ville est célèbre pour ses céramiques car, au XVe s, un artisan local découvrit le secret de certaines couleurs comme le rouge rubis, très à la mode pendant la Renaissance. Mais le maître qui a laissé la plus forte empreinte est Mastro Giorgio qui, au XVIe s, s'est spécialisé dans la céramique lustrée.

Arriver – Quitter

En train

La stazione FS *la plus proche est* ***Fossato di Vico,*** *à 20 km.* Liaison avec la ville par une douzaine de bus/j. (moins le dim).

➢ ***De/vers Rome :*** une petite dizaine de trains/j, presque tous directs. Env 2h30.
➢ ***De/vers Pérouse et Assise :*** une dizaine de trains/j. pour Pérouse et Assise, changement à *Foligno.* Env 1h-1h30.

En bus

Gare routière *(plan A2)* ***:*** *piazza dei 40 Martiri. Mar mat, jour de marché, les bus partent et arrivent via Matteotti.*

➢ ***De/vers Pérouse :*** avec *APM (☎ 800-51-21-41 ou 075-50-67-81. • apmperugia.it •)*, une dizaine de bus/j., 3 slt le dim. Trajet : 1h10.
➢ ***De/vers Assise :*** correspondance nécessaire à *Pérouse*.
➢ ***De/vers Rome :*** avec *Sulga*. 1 bus/j. lun-sam. Départ à 5h50. Billets à acheter dans le bus. Départ de Rome vers Gubbio à 16h. Trajet : 3h. *Résas : ☎ 800-099-661 (n° Vert). • sulga.it •*

En voiture

➢ ***De Gubbio à Assise :*** nous vous conseillons la petite route, fort peu fréquentée, passant par Padule puis, quittant la SS 219, par Colpalombo, Carbonesca et Casa Castalda. De là, deux possibilités, soit Valfabricca et Pieve San Niccolò, soit, encore plus beau, San Presto et Piano di Pieve dans le parc du Monte Subasio. Ces routes longent le *Chemin franciscain*. Paysages sereins des collines et adorables villages. Le plus beau du « cœur vert de l'Italie », surtout le soir, au soleil déclinant.
➢ ***De Gubbio à Pérouse :*** SS 298, par Mengara et Belvedere. Presque aussi charmant que les itinéraires précédents.

Adresses utiles

ℹ ***Office de tourisme*** *(STT ; plan A2)* **:** *via della Repubblica, 15. ☎ 075-922-06-93 ou 075-922-07-90. • info@iat.gubbio.pg.it • gubbio-altochiascio.umbria2000.it • comune.gubbio.pg.it • Lun-ven 8h30-14h (9h-13h sam et 9h30-13h dim), l'ap-m tlj 15h-18h30 (18h dim) ; horaires réduits en hiver.* Le meilleur accueil de toute l'Ombrie et une efficacité à toute épreuve. Bonne documentation en français, avec un plan de la ville.
@ ***International Point*** *(plan A2,* ***5****)* **:** *via Perugina, 32. ☎ 075-927-74-30. Lun-sam 9h-12h30, 15h30-19h30 ; dim 15h30-19h30. Pas de wifi.*
@ ***Servizi Sebastiani*** *(plan B2,* ***6****)* **:** *via Nino Bixio, 46. ☎ 075-922-26-56. Lun-sam 8h30-13h, 14h30-20h ; dim 11h-13h, 15h-20h. Pas de wifi. Accueil très sympa.*
✉ ***Poste*** *(plan A-B2)* **:** *via Cairoli, 11. ☎ 075-927-39-25. Lun-ven 8h-18h30 ; sam 8h-12h30 ; en été, slt le mat.*
🅿 ***Parkings gratuits :*** primo, de part et d'autre du *viale del Teatro Romano (plan A1,* ***2*** *et* ***3****, ce dernier avec quelques places ombragées et un accès direct au centre par un passage couvert tt au fond).* Secundo, le long de la *via del Cavarello (plan B2,* ***4****)*, mais attention, elle est barrée en son milieu !
🅿 ***Parking payant :*** *sur la piazza dei 40 Martiri (plan A2,* ***1****). Moins de 1 €/h et 12 €/j. (8 € si vous êtes à l'hôtel). Attention, il faut enlever sa voiture le lun soir à cause du marché le lendemain.*

Où dormir ?

Beaucoup de monde en saison et lors des fêtes, surtout à l'occasion de la *Festa Ceri* (15 mai) et à Pâques. Il est alors indispensable de réserver.

Bon marché

🏠 ***Residenza Le Logge*** *(plan A1,* ***22****)* **:** *via Piccardi, 7-9. ☎ 075-927-75-74. • residenzalelogge@virgilio.it • Dans une des ruelles passantes de la ville. Doubles 55-90 €, petit déj compris. Familiale 80 €.* Une poignée de chambres sommaires mais bien décorées, dans une maison particulière très bien entretenue, donnant sur un petit jardin agréable. Meubles en bois et parquets for-

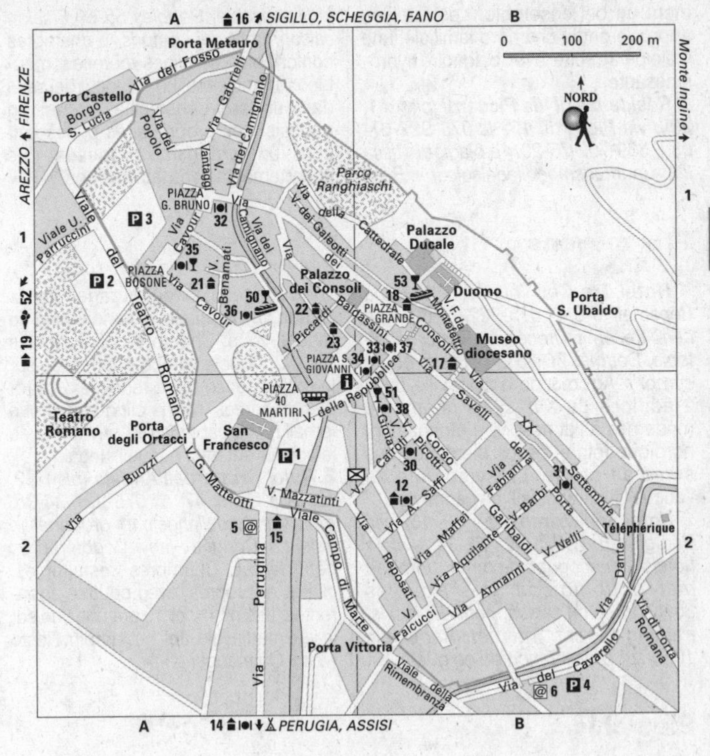

GUBBIO

Adresses utiles

- Office de tourisme (STT)
- 1 Parking payant
- 2, 3, 4 Parkings gratuits
- @ 5 International Point
- @ 6 Servizi Sebastiani

Où dormir ?

- 12 Hotel Grotta dell'Angelo
- 14 Centro agrituristico Oasi Verde Mengara
- 15 Hotel San Marco
- 16 Hotel La Rocca
- 17 Hotel Bosone
- 18 Relais Ducale
- 19 Villa Montegranelli
- 21 Hotel Tre Ceri
- 22 Residenza Le Logge
- 23 Residenza di Via Piccardi

Où manger ?

- 12 Grotta dell'Angelo
- 30 San Francesco e Il Lupo
- 31 Picchio Verde
- 32 Trattoria San Martino
- 33 Alla Balestra
- 34 Federico da Montefeltro
- 35 Osteria dei Re
- 36 Fabiani
- 37 Taverna del Lupo
- 38 La Cantina

Où boire un verre ? Où déguster une glace ? Où manger sur le pouce ?

- 50 The Village
- 51 Fusion Café
- 52 Bar 5 Colli
- 53 Buvette des Giardini Pensili

ment un bel ensemble. Les familles apprécieront la chambre familiale, une vraie petite suite, avec baignoire hydromassante.

Residenza di Via Piccardi *(plan A1, **23**) : via Piccardi, 12. ☎ 075-927-61-08. 📱 339-702-75-20. • e.biagiotti@tiscali.it • agriturismocolledelsole.it • Résa indispensable. Doubles 55-60 € selon saison, petit déj compris.* 6 chambres confortables, certaines voûtées et meublées à l'ancienne. En été, petit déj servi dans un jardin ensoleillé. Accueil en français. Les propriétaires possèdent aussi un *agriturismo* proposant des appartements dans les environs.

Prix moyens

Hotel Tre Ceri *(plan A1, **21**) : via Benamati, 6-8. ☎ 075-922-21-09. • treceri@treceri.it • treceri.it • Résa souhaitable. Doubles 66-85 €, petit déj-buffet compris.* Au cœur de la vieille ville, dans 2 édifices du XVe s, 25 chambres modernes à l'atmosphère étonnament nordique (pin et tissus bleutés). Vous serez au calme. La sympathie de l'accueil (en français !) ne gâche rien.

Hotel San Marco *(plan A2, **15**) : via Perugina, 5. ☎ 075-922-02-34. • info@hotelsanmarcogubbio.com • hotelsanmarcogubbio.com • ♿ Doubles 80-110 € selon saison, petit déj inclus. Parking payant. Internet. Réduc de 10 % sur présentation de ce guide.* Ne vous laissez pas décourager par la façade : à l'intérieur, le standing est au rendez-vous. Chambres confortables (TV, AC, double vitrage pour celles sur la rue) et récemment rénovées, plutôt bien décorées (moins clinquantes que le hall !). Agréable jardin privatif, avec jeux pour enfants. Accueil inégal.

Hotel Grotta dell'Angelo *(plan B2, **12**) : via Gioia, 47. ☎ 075-927-34-38. • info@grottadellangelo.it • grottadellangelo.it • Congés : janv. Double 60 € ; petit déj 5 €.* Chambres très simples, claires et propres, avec poutres apparentes. Les nos 18 et 19 ont une vue sur la ville médiévale. Joli petit jardin. Resto (voir « Où manger ? »).

Plus chic

Hotel Bosone *(plan B1, **17**) : via XX Settembre, 22. ☎ 075-922-06-88. • info@hotelbosone.com • hotelbosone.com • ♿ Congés : 10 janv-10 mars. Doubles à partir de 110 € en hte saison, petit déj inclus ; suite 240 €. Réduc de 10 % sur présentation de ce guide.* Dans un palais du XIVe s qui fut la demeure de la famille Bosone, fréquentée par Dante et Pétrarque. Chambres prestigieuses, meublées avec style, parquetées et hautes de plafond. Depuis celles du 2e étage, mansardées, la vue est magnifique. Fresques dans les nos 212 et 214. On prend son petit déj sous une voûte baroque décorée. Un des plus beaux hôtels de Gubbio. Son restaurant ne nous a pas paru relever du même standing.

Relais Ducale *(plan B1, **18**) : via Galeotti, 19, via Ducale, 2. ☎ 075-922-01-57. • info@relaisducale.com • mencarelligroup.com • ♿ Doubles 85-105 € selon saison, TV et AC, petit déj compris. Deluxe et suites 115-175 € selon saison. Café offert sur présentation de ce guide.* Déco simple pour les chambres standard, luxueuse pour les autres, évoquant l'époque où ce petit palais recevait les hôtes des ducs d'Urbino. Jardin avec fontaine. Entrée de souterrains reliant le palais au Duomo. Très jolie terrasse fleurie où prendre le petit déj en profitant d'une vue grandiose sur la campagne et le palais dei Consoli. Du haut de gamme pour un service pro, à un tarif somme toute raisonnable.

Hotel La Rocca *(hors plan par A1, **16**) : via Monte Ingino, 15. ☎ 075-922-12-22. • laroccahotel.net • ♿ Accès par la route vers Scheggia ou par le téléphérique. En face de la basilique de Sant'Ubaldo. Congés : 7 janv-31 mars, 3 nov-23 déc. Résa impérative. Double 110 €, petit déj inclus.* Belle bâtisse en pierre avec terrasse, accolée à la roche. Une douzaine de chambres de style classique et parfaitement tenues. Idéal au printemps avec les senteurs des pins des collines environnantes. La vue panoramique sur Gubbio et la vallée fait de nombreux adeptes, et les chambres nos 12 et 22 sont très demandées.

Où dormir dans les environs ?

Camping

⛺ **Camping Villa Ortoguidone Country Club** *(hors plan par A2)* **:** *situé à Ortoguidone, via Perugina.* ☎ *075-927-20-37.* • *info@villaortoguidone.com* • *villaortoguidone.com* • *gubbiocamping.com* • *À 3,5 km de Gubbio par la N 298 vers Pérouse. Guetter le fléchage à droite et continuer 1,5 km. Ouv de Pâques à mi-sept. 31 € pour 2 en 4-étoiles, accès piscine compris (tarif appliqué slt si la piscine est ouv), et 23 € en 3-étoiles, sans piscine. Piscine ouv vers la mi-juin (selon le temps) jusqu'au 31 août. Réduc de 5 % en basse saison sur présentation de ce guide.* Places en 4-étoiles bien ombragées grâce à des bâches tendues, et une centaine en 3-étoiles, sous la voûte étoilée. Sanitaires impeccables. Camping-cars acceptés.

Prix moyens

🏠 |●| **Centro agrituristico Oasi Verde Mengara** *(hors plan par A2,* ***14****)* **:** *loc. Mengara Vallingegno, 1.* ☎ *075-922-70-04.* • *info@oasiverdemengara.it* • *oasiverdemengara.com* • *À 15 km en direction de Pérouse. Congés : 10 janv-14 fév. Doubles 70-85 € selon saison, petit déj compris. Wifi. Resto fermé mer. Menu ½ pens 19 €. Autres menus 30-40 €. Carte env 25 €. Digestif offert sur présentation de ce guide.* Sur une exploitation agricole de plus de 100 ha, une quinzaine de chambres joliment meublées et décorées avec goût. Agréable salon. Belle salle de resto et vente de produits de la ferme. Piscine en été. Le tout dans la verdure, mais un peu près de la route.

Plus chic

🏠 **Villa Montegranelli** *(hors plan par A1,* ***19****)* **:** *à Monteluiano.* ☎ *075-922-01-85.* • *info@hotelvillamontegranelli.it* • *hotelvillamontegranelli.it* • *Sortir de Gubbio par le viale Ulisse Parruccini qui devient la SP 206 ; à l'arrivée sur la SP 205, prendre à gauche et guetter le fléchage. Doubles 80-140 € avec TV satellite et AC, petit déj compris.* Dormir dans un palais fortifié avec fresques au plafond, c'est possible... à condition d'y mettre le prix ! Ce très bel ensemble de luxe, logé dans une villa du XVIIIe s, a conservé le nom de ses premiers propriétaires : les comtes Guidi di Romena et Montegranelli. Vue sur Gubbio pour les chambres nos 6, 7, 8, 9, 20 et 25. Jardin panoramique et piscine. Bon accueil.

Où manger ?

Gubbio a la réputation d'être LA destination gastronomique de l'Ombrie. Après quelques excès dus au succès touristique de la région, les prix se sont stabilisés du fait de la crise économique, mais Gubbio reste une ville chère.

Bon marché

|●| 🍷 **Osteria dei Re** *(plan A1,* ***35****)* **:** *via Cavour, 15 b.* ☎ *075-922-25-04. Tlj jusqu'à 1h, sf mer. Résa conseillée le soir. À la carte env 18 €.* Ce tout petit

LE TERRITOIRE EUGUBIN

resto a pour spécialité l'assiette du Roi *(piattone del Re)* qui constitue, à elle seule et pour 13 €, un condensé de la gastronomie paysanne locale : jambon, omelette, *bruschette,* flageolets, *torta al testo,* fromages, pommes de terre *al forno...* Ce n'est certes pas très fin, mais cela a du goût et le mérite de satisfaire tous les appétits à un bon prix. Sinon, kyrielle d'autres plats dont certains typiques. Belle salle voûtée.

|●| ***San Francesco e Il Lupo*** *(plan B2,* ***30****) : via Cairoli, 24. ☎ 075-927-23-44. • manuccialessandro@libero.it • Tlj sf mar. Menu 14 € ; carte env 20 €. Café offert sur présentation du guide.* Dans une salle d'inspiration médiévale, plats de la région et d'autres provinces de la Péninsule, que l'on peut arroser d'un petit vin blanc d'Ombrie. Les gnocchis aux cèpes sont un bonne option. Bon choix de *pizze.*

|●| ***Alla Balestra*** *(plan B1,* ***33****) : via della Repubblica, 41. ☎ 075-927-38-10. Tlj sf mar. Résa conseillée. Menus 14-29 €, plus ou moins sophistiqués.* Cuisine traditionnelle, pas de grandes inventions culinaires, mais des *pizze*, plats aux truffes *(gnocchetti)* et viandes *alla brace.* On mange dans une grande salle qui accueille un monde fou. Pour les quelques tables sous la véranda, mieux vaut réserver, car la vue sur le palais connaît un gros succès.

|●| ***Grotta dell'Angelo*** *(plan B2,* ***12****) : voir « Où dormir ? Prix moyens ». Tlj sf mar. Menu 17 € tt compris ; carte env 32 €. Réduc de 10 % sur les plats à la carte sur présentation de ce guide.* Service dans une belle cave et, en été, sous une tonnelle de l'autre côté de la rue. La cuisine d'Angelo n'a rien de surprenant, mais elle est plutôt bonne et copieuse.

|●| ***La Cantina*** *(plan B2,* ***38****) : via Piccotti, 3. ☎ 075-922-05-83. Menu 13 € ; carte env 30 €.* Même équipe que *San Francesco e Il Lupo.* Dans de belles salles voûtées un peu sonores et décorées avec goût, de souriants jeunes gens vous accompagnent dans la dégustation d'une cuisine honorable et roborative. Bon choix de vins, dont certains au verre. Bougie sur chaque table, pour rendre encore plus charmantes dames et demoiselles.

Prix moyens

|●| ***Picchio Verde*** *(plan B2,* ***31****) : via Savelli della Porta, 65. ☎ 075-927-66-49. Tlj sf mar. Menu 14 €, vin, café et service compris. Carte env 25 €. Digestif offert sur présentation de ce guide.* C'est un peu excentré. Certes, les grandes salles dépouillées, un peu sonores, ne sont pas particulièrement engageantes au premier abord. Mais dès qu'on passe devant la grande cheminée où se préparent les grillades, on a de quoi être rassuré : le repas s'annonce bien. Pâtes maison. Service efficace et portions généreuses.

|●| ***Federico da Montefeltro*** *(plan B1-2,* ***34****) : via della Repubblica, 35. ☎ 075-927-39-49. • info@federicodamontefeltro.it • Fermé mer. Congés : fév. Menu 17 € ; carte env 30 €. Réduc de 10 % (hors menus) sur présentation de ce guide.* Fréquenté par de nombreux Eugubins, ce qui est bon signe. Un resto de bonne tenue, au service impeccable. Délicieuse cuisine classique avec des spécialités comme les *umbrichelli* aux champignons et un soufflé au fromage parfumé aux truffes. À savourer dans l'agréable jardin à l'arrière dès que la saison le permet.

|●| ***Trattoria San Martino*** *(plan A1,* ***32****) : via dei Consoli, 8. ☎ 075-927-32-51. Tlj sf mar. Largement satisfait avec 25 €.* Un resto familial dont la salle ne désemplit pas, et pour cause : on s'y régale de spécialités régionales à base de jambon, de truffes, de cèpes et de gros haricots. C'est le moment d'essayer le *friccò* (fricandeau) de viandes blanches ou d'agneau. Belles portions. En été, belle terrasse couverte de glycines.

|●| ***Fabiani*** *(plan A1,* ***36****) : piazza dei 40 Martiri, 26 b. ☎ 075-927-46-39. Tlj sf mar. Menu 16 €. Ven-dim, sur résa, 3 menus de poisson 20-30 €.* Grandes salles aux poutres apparentes et céramiques aux murs, manquant un peu d'intimité, mais le cadre reste fidèle aux vieilles pierres. Carte très fournie. L'été, on mange sur l'agréable terrasse couverte à l'arrière.

Chic

Taverna del Lupo *(plan B1, **37**) : via Ansidei, 21 et via della Repubblica, 17. ☎ 075-927-43-68. • info@tavernadellupo.it • Fermé lun sf en août, sept et pdt les fêtes de fin d'année. Résa conseillée. 3 menus de hte tenue 22-30 € tt compris. Carte env 45 €.* Grande salle voûtée au style médiéval raffiné. Les livres de gastronomie donnent le ton, la carte des vins est renversante. Goûtez à l'*arrosto misto della casa* (rôti) ou au *faraono al ginebro* (faisan). Pour finir, rien de tel que des biscuits à tremper dans du *vino santo*. Accueil pro et sympa.

Où boire un verre ? Où déguster une glace ? Où manger sur le pouce ?

***Nombreux glaciers :** via della Repubblica (plan A2-B1-2) ou via dei Consoli au niveau de la piazza Grande (plan B1).*

***Bar 5 Colli** (hors plan par A1, **52**) : piazza Empedocle, 9. Du théâtre romain, prendre la via Alcuino di York qui donne sur la via Parruccini (en voiture, compliqué du fait des sens uniques !) et aller jusqu'à la piazza.* Aux dires des locaux, le meilleur glacier de Gubbio, avec une terrasse ombragée. Et ce ne sont pas les nombreux *ragazzi* en Vespa, qui se donnent des rendez-vous galants ici, qui vous diront le contraire ! Nous non plus, d'ailleurs.

***Fusion Café** (plan B2, **51**) : via Gioia, 3. Tlj 18h-2h.* L'endroit où il se passe quelque chose à Gubbio à la nuit tombée. Les soirs les plus chauds, l'ambiance festive s'étend aux rues voisines.

***The Village** (plan A1, **50**) : piazza dei 40 Martiri, 29. Tlj sf mar 19h30-2h.* Dans une ancienne chapelle. Pas mal d'ambiance dans ce pub à la britannique où l'on peut goûter une bonne variété de bières et manger sur le pouce *(pizze, bruschette)*. Musique rock à fond.

***Buvette des Giardini Pensili** (plan B1, **53**) : dans les jardins du palais ducal. Accès par un passage voûté via Federico da Montefeltro, en face du musée diocésain, dans la montée au palais ducal. Tlj 9h-19h de mi-mars à fin oct.* Snack avec spécialités de *piadina*, *crescia* et *focaccia*. Quelques tables à l'ombre des cyprès, sauf si vous préférez vous accouder à la rambarde pour savourer la vue sur la ville et la vallée. Vraiment plaisant !

À voir

Le parking du viale del Teatro Romano *(plan A1, **2**)* sert de point de départ pour la visite, qui ne peut s'effectuer qu'à pied.

La ville a mis en place deux initiatives intéressantes. Un ***audioguide*** *(3 €/j, slt en italien et anglais)* décrit 62 sites. La ***Turisticard*** *(7 €)* donne droit à l'audioguide et au téléphérique gratuit, ainsi qu'à des réductions dans certains musées et chez ses partenaires (hôtels, restaurants, boutiques...).

Vue d'ensemble de la ville : du long du viale Parruccini, vue d'ensemble exceptionnelle avec le théâtre en premier plan et la cité médiévale en fond. Encore plus beau en fin de journée, au soleil couchant ou quand les monuments commencent à être éclairés.

***Teatro romano** (plan A1-2) : entrée libre 10h-19h en été, jusqu'à 17h30 le reste de l'année. ☎ 075-922-09-92.* Au milieu d'un grand terre-plein herbeux partiellement ombragé (avec tables de pique-nique), il rappelle que la ville fut un centre très important de l'Antiquité, au Ier s notamment, date de la construction de l'édifice. Des gradins subsistent et accueillent les spectateurs lors du festival d'été.

¶ ***Chiesa di San Francesco*** *(plan A2) : piazza dei 40 Martiri.* ☎ *075-927-34-60. Ouv 7h15-12h, 15h30-19h30.* L'édifice est repérable grâce au campanile octogonal. Dans les absides, belles fresques de la fin du XIIIe s et du début du XIVe s. Le reste, remanié à la fin du XVIIIe s, n'est pas passionnant.

¶ ***La piazza dei Quaranta Martiri*** *(plan A1-2)* porte son nom en hommage aux 40 habitants de Gubbio exécutés par les nazis en août 1944 en représailles de la mort de deux officiers allemands. Elle marque le centre de la ville basse avec ses étonnantes *logge dei Tiratori dell'Arte della lana* du XIVe s où, sous les arcades, les artisans faisaient sécher et étiraient les pièces d'étoffe qu'ils venaient de tisser. Chaque matin, des fleuristes y dressent désormais leurs étals.

¶¶¶ En suivant la très commerçante via della Repubblica, on arrive à un ascenseur et un escalier (au choix !) permettant d'accéder à la ***piazza Grande*** *(plan B1).* Cette vaste esplanade offre une très belle vue sur la plaine et la ville basse. Elle est bordée d'un côté par le ***palazzo Pretorio*** (siège de la municipalité) et de l'autre par le ***palazzo dei Consoli,*** construit au XIVe s et surmonté d'un beffroi haut de 60 m.

¶¶ ***Pinacoteca e museo civico di palazzo dei Consoli*** *(plan A-B1) : piazza Grande.* ☎ *075-927-42-98. Tlj 10h-13h, 15h-18h (14h-17h nov-mars) ; fermé 13-15 mai. Entrée : 5 € ; réduc.* Le musée abrite des pierres tombales et des urnes cinéraires retrouvées dans les environs. Mais, surtout, y sont exposées les *Tables eugubines* (300-100 av. J.-C.), composées de sept plaques de bronze découvertes par un berger près du théâtre, en 1444. Des générations de chercheurs se sont escrimées à déchiffrer les mystérieux caractères gravés en langue ombrienne (un alphabet écrit de droite à gauche, dérivant de l'étrusque), pour découvrir qu'il s'agit d'une description de cérémonies divinatoires et sacrificielles. Au 1er étage, la pinacothèque abrite, entre autres, des fresques provenant d'églises locales, des œuvres de l'école toscane (quelques Signorelli), des collections de monnaie et des céramiques. Au fond de la salle des céramiques à droite, un petit couloir permettait aux édiles municipaux d'observer secrètement la grande salle de l'Assemblée. Depuis le balcon, surplombant la ville basse (gare au vertige !), on a la plus belle vue sur les toits de tuiles de la ville et la campagne alentour.

¶ La via Federico da Montefeltro conduit au ***Duomo*** *(plan B1),* une construction du XIIIe s à nef unique assez dépouillée, qui ne manque pas d'allure. Plusieurs autels latéraux, surmontés de tableaux de la Renaissance, accompagnent les dépouilles des évêques de Gubbio.

¶¶ ***Museo d'Arte Palazzo Ducale*** *(plan B1) : face au portail ogival du Duomo.* ☎ *075-927-58-72.* • *madgubbio.it* • *Tlj sf lun 8h30-19h. Entrée : 5 € ; réduc.* Une belle cour Renaissance à arcades donne accès à ce musée aménagé sur trois niveaux.

– Au niveau supérieur, plusieurs salles de peinture du XIVe au XVIe s, la majeure partie montrant des toiles de faible intérêt. L'écran en libre-service en salle D permet d'identifier chaque œuvre. L'immense salle C est consacrée à Federico da Montefeltro, l'un des plus célèbres *condottiere* de la Renaissance, duc d'Urbino, né à Gubbio. Meublée à la mode du *Quattrocento*, tout en clair-obscur, elle propose deux dispositifs. Le premier est un carré de lumière dans lequel on se déplace pour faire apparaître des morceaux de puzzle du célèbre portrait du duc et de son épouse Gentile, peint par Piero della Francesca. Le second est une projection sur tulle d'une vidéo imaginant une discussion (en italien, bien sûr) entre Federico et Gentile, autour de la problématique du pouvoir et de la guerre. Les acteurs sont incroyablement ressemblants et le mode de projection leur donne une présence étonnante. La salle B1 présente la reproduction du tout petit cabinet de travail de Federico (aujourd'hui exposé au *Metropolitan Museum of Art* de New York), réali-

sée entre 2002 et 2007 par des artisans de la ville en utilisant les méthodes et les outils de l'époque : un époustouflant travail de marqueterie en trompe l'œil et de belles fresques au plafond évoquant la vie à la cour de Federico. De ce niveau, on peut accéder à la partie supérieure de la galerie.
– Au niveau intermédiaire (descendre l'escalier en colimaçon), grande salle voûtée du XIIe s avec explications (très techniques et en italien) sur les diverses périodes de construction du palais. Au fond, balade parmi les murets découverts pendant les dernières fouilles, jusqu'à une petite salle où est projetée une vidéo réservée aux italophones non encore allergiques aux *Quatre saisons* de Vivaldi.
– Au niveau bas, expositions temporaires d'art moderne, dans un très bel espace.

Museo diocesano : *via Ducale, en contrebas du Duomo. ☎ 075-922-09-04. En sem 9h-18h (17h oct-mai) ; w-e et j. fériés sans interruption. Fermé 15 mai. Entrée : 3 € ; réduc. Conservez votre ticket pour obtenir une réduction dans les autres musées diocésains (Pérouse, Assise, Spolète...).* À côté d'un ensemble lapidaire (colonnettes et chapiteaux) d'intérêt inégal, il présente une collection de reliquaires, des fresques de la fin du XIIIe s, des vêtements sacerdotaux de la Renaissance, de beaux bois polychromes (poignant Christ souffrant) et de nombreux retables souvent anonymes. Ne manquez pas le tonneau visible de la rue, qui renfermait, pour l'usage des moines de la cathédrale, l'équivalent de 387 barriques contenant chacune 52 litres de vin de messe ! Faites le calcul !

Redescendre par la ***via Galeotti* :** tout en voûtes, fraîche et romantique, elle se faufile entre les vieilles demeures et débouche ***via dei Consoli*** *(plan A-B1)*, l'une des plus pittoresques de la ville. Elle conduit au *palazzo del Bargello*, construit en 1300, qui domine la ***fontana dei Matti.***
Passer ensuite devant la *chiesa San Domenico*, qui abrite derrière son élégante façade quelques belles fresques. Remontant la ***via Gabrieli,*** vous atteindrez la *porta Metauro* et le *palazzo del Capitano del Popolo*. Prolongez votre visite en flânant dans cet univers médiéval, empruntant au hasard ruelles et escaliers. Églises, palais et humbles demeures baliseront votre promenade.

PLUS ON EST DE FOUS, PLUS ON RIT !

La légende veut que lorsqu'un individu fait trois fois le tour de la fontana dei Matti et feint de s'autobaptiser avec son eau, il acquiert la citoyenneté eugubine et obtient ainsi le titre de matto *(fou) de Gubbio. Le mot « fou » prend ici un sens léger, plein de gentillesse et dépourvu de mauvaises pensées. Ce rituel est finalement un honneur !*

Via Baldassini *(plan A-B1)* **:** *en contrebas de la piazza Grande.* C'est ici que se trouve le plus bel ensemble de maisons du XIIIe s, avec leurs portes des morts (lire « À voir » à Assise).

Funivia Colle Eletto *(téléphérique ; plan B2)* **:** *via Armanni. ☎ 075-927-38-81. • funiviagubbio.com • Juin, sem 9h30-13h15 et 14h30-19h, sam-dim 9h-19h30 ; juil-août, 9h-20h ; reste de l'année : très compliqué, se renseigner à l'office de tourisme. Aller-retour : 5 € ; réduc.* Maintenant que vous connaissez tous les monuments de la ville, amusez-vous à les reconnaître en empruntant, debout à deux dans une nacelle métallique ressemblant furieusement à la cage de votre canari, le téléphérique qui conduit à la chiesa di Sant'Ubaldo. Si vous souffrez du vertige, abstenez-vous en cas de vent.

Chiesa di Sant'Ubaldo *(hors plan par B1)* **:** *accès par le Funivia Colle Eletto, en voiture ou à pied (5 km), en sortant par la porte Sant'Ubaldo, derrière le Duomo.* Ubaldo Baldassini, saint patron de Gubbio, a été régent de la ville de 1130 à 1160. Contrairement aux autres évêques de l'époque, il ne s'intéressait pas aux biens matériels, vivait chichement et refusait tout népotisme. Ceci lui valut une immense popularité, encore renforcée lorsqu'il convainquit l'empereur Frédéric Barberousse de ne pas mettre la ville à sac. Son corps momifié, coiffé de sa tiare, est exposé dans l'église, lieu de pèlerinage à l'agencement plutôt dépouillé. Sur la droite, les trois *ceri* (cierges) portés en procession le 15 mai (voir « Manifestations » ci-dessous). Après ce moment de recueillement, notez que vous êtes sur le flanc du Monte Ingino, à 827 m, et qu'il fait plus frais qu'en ville : c'est un bel endroit pour le pique-nique, des tables vous tendent d'ailleurs les bras.

UNE HISTOIRE QUI TOURNE ROND

Sant'Ubaldo avait légué son anneau épiscopal à son serviteur. À la mort du saint homme, celui-ci partit rejoindre son foyer, loin au nord, cachant dans son bâton l'anneau auquel était collé un peu de la peau du doigt. Le 30 juin 1161, sur le site actuel de Thann, en Alsace, il ne put reprendre son bâton, enraciné ! À cet instant, le comte Engelhard de Ferrette aperçut trois lumières au-dessus de la forêt. Y voyant la volonté divine, il fit vœu de construire une chapelle sur les lieux du prodige et, aussitôt, le bâton se détacha. La chapelle devint la collégiale de Thann, où est conservée la relique. Et en 1976, l'analyse de l'ADN a confirmé qu'elle provient bien de la dépouille de Gubbio...

Gola (gorge) del Bottaccione *(hors plan par A1) : à la sortie de la ville en direction de Scheggia. Centre visiteurs ouv mer et sam 10h-12h30 sur résa au 328-136-74-18 ou • fernanda.clementi@tele2.it •* Ce défilé anodin est célèbre dans le milieu scientifique, car Walter Alvarez y trouva dans les années 1970 la justification de sa théorie selon laquelle une météorite aurait été à l'origine de l'extinction des dinosaures, voici 65 millions d'années. Dans une couche d'argile, une concentration extrêmement élevée d'un métal rarissime sur terre, l'irridium, prouve que, à cette époque-là, un corps céleste important a percuté notre planète.

Manifestations

– ***Procession du Christ mort :*** *le vendredi saint.* Les membres de la confrérie de Santa Croce défilent en fin d'après-midi, encadrés de chanteurs qui psalmodient le *Miserere.*

– ***Festa dei Ceri :*** *le 15 mai. • www.festadeiceri.it •* Voici LA fête, la vraie, dont l'origine remonte à la nuit des temps. Les *ceraioli* (porteurs de Cierge) revêtent un pantalon blanc et une chemise de couleur selon le saint : une jaune pour Ubaldo (protecteur des maçons), une noire pour Giorgio (protecteur des artisans) et une bleue pour Antonio (protecteur des paysans). Leurs statues trônent sur d'énormes *ceri* (c'est-à-dire « cierges », pièces de bois formées de deux prismes octogonaux) de 300 kg et près de 4 m de haut, portés par de solides équipes également à leurs couleurs. C'est une course folle dans les rues de la ville, avant l'ascension du Monte Ingino. La foule suit avec une extraordinaire ferveur ce rite annuel, mélange troublant de mysticisme religieux et de rites païens. Les dimanches suivants se déroulent la ***festa dei Ceri Mezzani*** puis la ***festa dei Ceri Piccoli.*** La première met en scène des équipes d'adolescents, la seconde des équipes d'enfants, avec des *ceri* moins lourds, mais la course est tout autant chargée d'émotion. Pour ces trois fêtes, nous conseillons vivement d'arriver la veille pour bien prendre connaissance des lieux et des horaires ainsi que, bien sûr, de réserver sa chambre d'hôtel longtemps à l'avance. Le programme est immuable. La journée commence à 5h30 avec le « réveil des capitaines ». À 8h, est célébrée la messe à l'issue de laquelle a lieu le tirage au sort des capitaines qui guideront la fête deux ans plus tard. La procession des porteurs se met en branle à 10h30. Une heure plus tard, c'est la « levée des cierges » avant leur dépôt à 14h sur d'antiques piédestaux. Le défilé

des porteurs s'ébranle à 16h30. Le départ de la course frénétique est fixé à 18h, piazza Grande, avant l'ascension du Monte Ingino. Petit détail : cette course n'est pas une compétition, et l'ordre d'entrée dans l'église est toujours le même.
– ***Palio della Balestra :*** *dernier dim de mai.* Concours de tir à l'arbalète (reine des armes eugubines) entre les représentants de Gubbio et de Sansepolcro vêtus de parures médiévales, sur une cible placée à 36 m. Pendant le concours, les *sbandieratori* jonglent avec les bannières. Après la compétition, un cortège parcourt la vieille ville. Le gagnant reçoit un étendard appelé *Palio.* Cette fête remonte à l'an 1461.
– ***Torneo dei Quartieri :*** *le 14 août en soirée.* Reconstitution médiévale d'un jour de fête par les habitants. Superbes costumes. Toutes les catégories sociales sont représentées.
– ***L'arbre de Noël le plus grand du monde :*** *7 déc-10 janv.* • *alberodigubbio.com* • Dessiné sur les pentes du mont Ingino avec près de 1 000 ampoules et 20 km de câbles.

Achats

Tartufi *(plan B2) : via della Repubblica, 19.* Spécialités à dévorer : truffes, gâteaux de Norcia, *vino santo,* saucissons divers et variés, huiles d'olive et pâtes de toutes tailles.
La Madia di Giuseppe *(plan B1-2) : via Mastro Giorgio, 2. Tlj sf mar et mer mat.* Dans cette œnothèque, cochonnailles, fromages, huile d'olive et près de 600 vins. Soyez prêt à débourser le prix de la qualité.
Nombreux ***magasins de céramiques*** *sur la via dei Consoli (plan A-B1).*

PARCO NATURALE DEL MONTE CUCCO (PARC NATUREL DU MONT CUCCO)

Le Monte Cucco, c'est une succession de falaises, de grottes (dont l'une des plus longues au monde) et de gouffres vertigineux. Renommé pour son relief karstique et sa nature préservée, le parc s'appréciera évidemment bien mieux en randonnée. Plus de 120 km de sentiers de tous niveaux sont balisés, que l'on parcourt au chant des pinsons dans des forêts sillonnées de petites rivières. Sur le versant est, on peut croiser des blaireaux, des porcs-épics et même, avec un peu (ou beaucoup !) de chance, des loups.

Arriver – Quitter

➢ ***En train et bus :*** *la gare la plus proche est* ***Fossato di Vico,*** d'où 2 bus quotidiens partent pour ***Scheggia,*** l'un tôt le mat et l'autre en début d'ap-m. De Scheggia, pas de transport public jusqu'au *Val di Ranco,* mais 13 km qui demandent 4h30 de marche pour 500 m de dénivelée (carte nécessaire). Les très bons marcheurs peuvent aller de la gare au Val di Ranco en 6h env (17 km pour 500 m de dénivelée).
➢ ***En voiture :*** au départ de Gubbio, prendre la SS 298 pour Scheggia, passant par le *col de la Madonna della Cima,* d'où l'on profite d'une belle vue sur le mont Cucco.

Adresse utile

Maison du Parc : *via Matteotti, 52, 06028 Sigillo.* ☎ *075-917-73-26.* • *par co.montecucco@libero.it* • *Sur la rue principale, juste à côté de la pizzeria* Villa

Anita *(panneau jaune). Lun-ven 9h30-13h30, lun et jeu 15h-18h.* Dispose de cartes (nous conseillons celle au 1/16 000) et d'une brochure (en italien ou en anglais) décrivant une dizaine de balades à pied ou en voiture. Accueil aimable et bonnes informations.

Où dormir ? Où manger ?

■ |●| ***Albergo Monte Cucco di Tobia :*** *loc. Val di Ranco, 06028 Sigillo. ☎ 075-917-71-94. • albergomontecucco@gmail.com • albergomontecucco.it • Double 52 €, petit déj protéiné compris. ½ pens 40 €/pers, à partir de 3 nuits.* Au centre du parc, au départ des sentiers ! Chambres simples et confortables situées dans un écrin de verdure fait de hêtres centenaires, au fond d'un vallon couvert de fleurs des prés. Le paradis des randonneurs.

À voir. À faire

Pour les randonneurs, les principaux départs de sentiers sont situés en altitude (de part et d'autre du mont Cucco), et il est donc préférable d'être motorisé.

🚶🚶 ***Val di Ranco :*** pour les routards motorisés qui n'ont pas beaucoup de temps. À Scheggia, prendre vers Sigillo (10 km) puis tourner à gauche en direction du mont Cucco. 9 km de montée par une bonne route asphaltée avec de superbes vues sur la vallée. En haut, à 1 100 m d'altitude, nombreux départs de sentiers et possibilité d'hébergement et de restauration.

🚶🚶 ***Pian delle Macinare :*** pour les routards motorisés qui aiment flâner. À Scheggia, prendre la direction de Sigillo mais, dès la sortie du village, prendre tout de suite à gauche la petite route qui monte et qui passe devant l'hôtel *La Pineta.* C'est parti pour 11 km de montée sur une petite route, tantôt asphaltée tantôt empierrée, qui traverse la forêt avec de beaux points de vue sur la vallée jusqu'au pied de l'autre versant du mont Cucco. Possibilité de pique-niquer et resto en saison. Beaucoup de départs possibles pour les randonneurs et notamment pour atteindre l'ermitage du mont Cucco *(Eremo San Girolamo).*

🚶🚶 ***Le tour du mont Cucco :*** pour les routards motorisés qui ont beaucoup de temps et qui veulent allier découvertes spirituelles et visions vertigineuses. Cet itinéraire, qui forme une boucle d'environ 100 km, est décrit dans le sens qui nous semble le plus aisé, mais on peut aussi l'effectuer dans l'autre sens. À Scheggia, prendre à droite vers Sigillo puis, quelques centaines de mètres plus loin, tourner à gauche en direction d'Isola Fossara, que l'on rejoint par 10 km d'une belle route qui longe la rivière. De là, une route de 20 km aller-retour conduit au *monastère de Fonte Avellana (visites guidées slt, lun-sam 10h, 11h, 14h, 15h et 16h ; dim ttes les 30 mn 9h30-12h, 14h30-18h ; offrande demandée)*, dont l'origine date d'avant l'an 1000 et qui hébergea Dante Alighieri. En route, vous remarquerez la petite *abbaye Badia di Sitria,* fondée par saint Romuald il y a près de 1 000 ans. Du monastère, on peut monter en voiture à l'*Orrido del Balzo dell'Aquila* puis jusqu'au sommet du *mont Catria* (route des Scalettes) : de là-haut, la vue est superbe. De retour à Isola Fossara, reprendre la route vers Sassoferrato. Au niveau de Casacce, tourner à droite en direction de l'*ermitage San Girolamo* et passer le village de Pascelupo (sans y entrer, sinon demi-tour difficile). L'ermitage, perché en dessous des falaises, apparaît peu après, sur la droite. Il ne se visite pas et n'est pas accessible en voiture. L'itinéraire se corse un peu pour atteindre *Bastia* par les chemins de traverse : continuer la route jusqu'au village de Perticano, à droite toute après le pont ; au bout de quelques km, contournement du hameau de Rucce. Arrivé à Viacce, encore quelques km, puis prendre la petite route à droite pour atteindre Bastia. N'entrez pas dans le village ; suivez la route qui se transforme en 7 km de piste parfois un peu rugueuse, montant régulièrement avec des points de vue fabuleux sur la région. Un dernier petit km de descente et vous retrouvez le goudron à quelques kilomètres de *Val di Ranco*. Poussez donc la balade jusqu'au bout de la route avant une descente en lacet vers Sigillo.

– Le parc comporte d'autres sites spectaculaires accessibles seulement à pied, comme le ***ravin du rio Freddo,*** où l'on peut faire du rafting, ou la ***grotte du Monte Cucco.***

LA VALLÉE OMBRIENNE

Entre le Tibre à l'ouest et les Apennins à l'est, la vallée ombrienne déploie ses charmes d'Assise à Spolète. Ses douces collines fertiles se parent de petits bourgs médiévaux, perdus entre les chênes, les oliviers, les vignes et les prairies de coquelicots. Au couchant, quand les rayons obliques soulignent arbres et bâtiments, c'est un spectacle d'une rare douceur qu'offrent vallée et collines baignées d'une lumière dorée. Mais si cette vallée attire autant de pèlerins, c'est que la ferveur religieuse l'occupe tout entière et que saint François d'Assise est au détour de chaque chemin. C'est ici qu'il fonda l'ordre des Franciscains, tandis que sainte Claire créait celui des Clarisses. Ici, les défunts parlent aux saints, les saints prêchent aux oiseaux et les vierges pleurent des larmes de sang. Le territoire dans son intégralité reçoit de nombreux visiteurs, pieux pénitents ou touristes curieux. Dès lors, sortir des chemins battus par saint François comme par ses suiveurs s'avère compliqué. Si Assise reste l'attrait principal de la vallée, il est de nombreuses bourgades environnantes qui offrent davantage d'authenticité.

ASSISI (ASSISE)

(06081) 27 000 hab.

Alanguie au pied du Monte Subasio, inchangée depuis des siècles, Assise offre au regard ému du visiteur ses nombreuses églises, sa magnifique basilique Saint-François, son imposante Rocca et ses ruelles pentues, qui ont inspiré maints artistes italiens. La ville, fondée par la tribu des Umbrii puis important municipe de l'Empire romain, déclina suite aux grandes invasions. Sa renaissance date du Moyen Âge. Berceau de saint François et de sainte Claire, elle connut alors bien des périodes fastes durant lesquelles la fine fleur de l'art toscan et ombrien s'y précipita. Elle rivalisait avec sa puissante voisine, Pérouse, qui finit par l'asservir avant de tomber elle-même aux mains de l'Église. Aujourd'hui inscrite par l'Unesco au Patrimoine mondial de l'humanité, Assise est parcourue chaque année par 6 millions de visiteurs, dont 90 % de pèlerins. Il faut dire que la cité le mérite.

Arriver – Quitter

En train

Stazione FS : *à Santa Maria degli Angeli (hors plan par A1), dans la vallée au pied de la colline d'Assise, sur la ligne Foligno-Terontola.* Billets en vente à la gare, ainsi qu'à ***l'agence de voyages Stoppini*** *(plan C2,* ***4****), corso Mazzini, 31.* ☎ *075-812-668.* Consigne à bagages (voir plus loin « Adresses utiles »). Navette ttes les 30 mn (ligne C, 5h30-22h40) avec le centre historique, piazza San Pietro *(plan A1-2)*, largo Properzio *(plan D3)* ou piazza Matteotti *(plan D2)*. Trajet : 20-30 mn.

➢ ***De/vers Pérouse :*** ttes les heures. Trajet : 30 mn.
➢ ***De/vers Trevi et Spolète :*** 1 train/h, parfois avec changement à *Foligno.* Trajet : 40 mn.
➢ ***De/vers Rome :*** une douzaine de trains, directs ou avec changement à *Foligno.* Trajet : 2h-2h30.
➢ ***De/vers Florence :*** liaisons fréquentes, trains directs ou changement à *Terontola.* Trajet : 3h-3h30.

En bus

Gares routières : *piazza Matteotti (plan C-D2) pour les bus régionaux* (APM *et* SSIT) *et piazza Unità d'Italia (plan A1) pour les bus interurbains.* Billets en vente dans les kiosques (bus régionaux) ainsi qu'à l'*agence de voyages Stoppini (plan C2,* ***4****), corso Mazzini, 31.* ☎ *075-812-668.*
Assise étant un haut lieu de pèlerinage pour tous les Italiens, de nombreux bus convergent du nord (Gênes, le Piémont) et du sud (Naples, Salerne). Fréquences et horaires sur • *orariobus.it* •

➢ ***De/vers Pérouse :*** une dizaine de rotations en sem (moins le w-e). Trajet : 1h. Départ d'Assise piazza Matteotti, piazza Unità d'Italia ou Santa Maria degli Angeli. Départ de Pérouse piazza Partigiani. *APM :* ☎ *800-51-21-41.* • *apmperugia.it* •
➢ ***De/vers Spello et Foligno :*** 3 bus/j. (trajet respectivement 25 mn et 50 mn). *SSIT :* ☎ *0742-67-07-47.* • *spoletina.com* •
➢ ***De/vers Montefalco et Bevagna :*** 1 bus/j. avec *SSIT,* départ de Santa Maria degli Angeli.
➢ ***De/vers Florence :*** 1 bus/j., lun et ven slt. Départ de Florence gare S. M. Novella, et d'Assise piazza Unità d'Italia *(plan A1).* Trajet : 2h30. *Sulga :* ☎ *800-099-661 (n° Vert).* • *sulga.it* • *Résa obligatoire.*
➢ ***De/vers Rome :*** 2 liaisons/j. avec *Sulga.* Départ de Rome Tiburtina et d'Assise piazza Unità d'Italia *(plan A1).* Trajet : 3h.

En voiture

La circulation dans le centre historique est limitée à 1h, le temps de poser vos bagages. Après cela, vous devez impérativement garer votre véhicule dans l'un des parkings payants, aménagés pour la plupart à l'extérieur des remparts *(1,10-1,50 €/h ou 10-17 € pour la journée)* :
– *Mojano (plan C2),* le plus spacieux, couvert et relié au centre-ville par des escaliers mécaniques ;
– *piazza Matteotti (plan D2),* le seul à l'intérieur des remparts et le plus cher ;
– *porta San Pietro (plan A2),* sous la piazza Unità d'Italia ;
– *porta Nuova (plan D3)* ;
– *porta San Giacomo (plan B1),* le plus proche de la basilique, presque toujours complet.
Attention, certains jours d'affluence particulière (comme le dimanche ou lors des grandes fêtes religieuses), d'immenses bouchons se forment sur la route venant de Santa Maria degli Angeli et sur celle des remparts. Les oliveraies se transforment alors en parkings privés (payants !).
➢ ***En direction de Pérouse :*** nous vous conseillons vivement un petit détour par le sud, par le très joli village médiéval de *Bettona,* halte gastronomique, et par *Torgiano* et son musée du Vin (voir « Dans les environs de Perugia »). Ou, par le nord, en rejoignant la SS 318, soit par *Pieve San Niccolò* et *Valfabbrica,* sur une petite route tranquille dans de beaux paysages, soit par *Tordibetto, Palazzo, Rocca Sant'Angelo,* itinéraire parsemé de bourgs médiévaux.

➢ ***En direction de Bevagna, Montefalco et Trevi :*** ne manquez surtout pas les villages perchés médiévaux de *Collemancio, Limigiano* et *Castelbuono* en quittant la SS 75 vers *Cannara.*

Adresses utiles

Informations touristiques

🅸 ***Office de tourisme*** *(plan C2)* **:** *piazza del Comune, 22. ☎ 075-81-25-34 et 813-86-80. ● info@iat.assisi.pg.it ● regio neumbria.eu ● Ouv juil-sept, Semaine sainte et Calendimaggio (voir « Manifestations ») lun-sam 8h-14h, 15h-18h30 et dim 10h-13h, 14h-17h. Le reste de l'année, lun-sam 8h-14h, 15h-18h et dim 9h-13h.* Toujours très affairé !

🅸 ***Pro Loco de Santa Maria degli Angeli*** *(hors plan par A1)* **:** *☎ 075-804-45-54. ● prolocosantamariadegliangeli.com ● Tlj mars-oct 9h30-12h30, 15h30-18h30.* Très serviables, peuvent vous orienter et vous aider dans votre recherche d'hébergement.

■ ***Association des guides d'Ombrie AGTU*** *(plan C2,* ***3****)* **:** *via Dono Doni, 18 b. ☎ 075-815-228. ● info@assoguide.it ● assoguide.it ● Centre de résa ouv en sem 9h-17h mars-juin et sept-oct ; le reste de l'année, mat slt. Journée 200 € (1 à 10 pers), demi-journée (2h30) 100 €.* Pour visiter non seulement la ville et ses environs, mais toute l'Ombrie, avec un guide francophone.

– ***Assisicard :*** *● assisicard.com ● Coût : 2 €.* Réductions (montant non publié) auprès de partenaires, dont des hôtels, des restaurants et des parkings. Donne droit à un billet cumulé à 8 € pour la pinacothèque, le *museo Foro Romano* et la *Rocca Maggiore,* ainsi qu'à une visite guidée à 21h (en anglais ou italien) à 10 €.

ASSISI (ASSISE)

■ Adresses utiles

- 🅸 Office de tourisme
- @ Points Internet
- 🅿 Parkings
- **1** Police
- **2** Centre de réservation hôtelière
- **3** Association des guides d'Ombrie
- **4** Agence de voyages Stoppini

Où dormir ?

- **10** Casa Santa Elisabetta d'Ungheria
- **11** Suore dell'Atonement
- **12** Hotel Roma
- **13** Camping Village Internazionale Assisi
- **14** Hotel La Rocca
- **15** Residenza d'epoca San Crispino
- **16** Complesso Turistico Fontemaggiore
- **17** Hotel Grotta Antica
- **18** Hotel San Rufino
- **19** Hotel Berti
- **20** Hotel Ideale
- **21** Hotel Il Duomo
- **22** Agriturismo Il Morino
- **23** Agriturismo Longetti
- **24** Lieto Soggiorno
- **25** Hotel Umbra
- **26** Hotel San Francesco
- **27** Hotel dei Priori
- **28** Country House Tre Esse
- **29** Agriturismo Malvarina
- **30** Ostello della Pace
- **31** Ostello Victor Center

Où manger ?

- **14** Ristorante La Rocca
- **21** Ristorante Il Duomo
- **22** Agriturismo Il Morino
- **25** Restaurant de l'Hotel Umbra
- **41** Trattoria da Erminio
- **42** Pizzeria Otello
- **44** Trattoria Pallotta
- **45** Osteria piazzetta dell'Erba
- **46** Da Cecco
- **47** Taverna dei Consoli
- **48** Perbacco
- **49** Ristorante La Fortezza
- **50** Buca di San Francesco
- **52** Dal Cacciatore

Où déguster de bonnes pâtisseries et de bonnes glaces ?

- **61** Pasticceria e gelateria Santa Monica
- **63** Bar Sensi

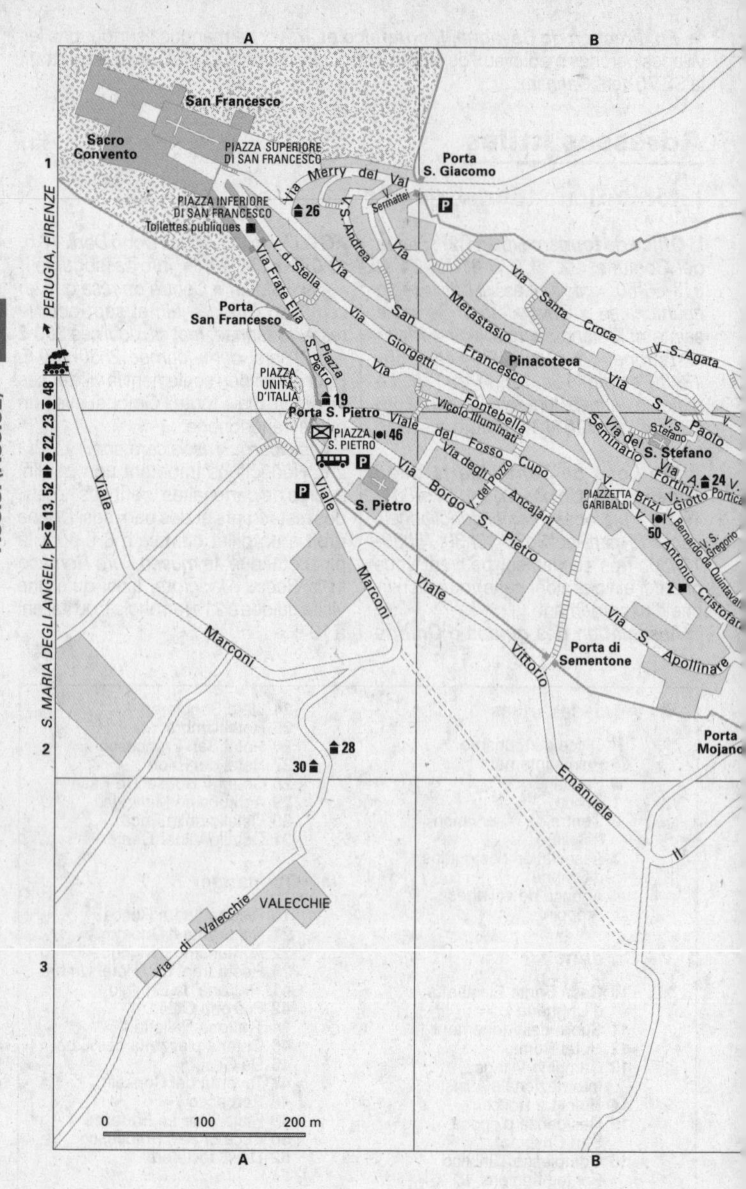
A
B
San Francesco
Sacro Convento
PIAZZA SUPERIORE DI SAN FRANCESCO
Porta S. Giacomo
Via Merry del Val
PIAZZA INFERIORE DI SAN FRANCESCO
Toilettes publiques
26
V. S. Andrea
V. Sermattei
Via Metastasio
Via Santa Croce
V. S. Agata
V. d. Stella
Via Frate Elia
Porta San Francesco
Via San Francesco
Via Giorgetti
Pinacoteca
Via S. Paolo
PIAZZA UNITÀ D'ITALIA
Piazza S. Pietro
19
Porta S. Pietro
Via Fontebella
Vicolo Illuminati
Viale del Fosso Cupo
PIAZZA S. PIETRO
46
Via degli Ancajani
V. del Pozzo
Via del Seminario
V. S. Stefano
S. Stefano
Via Fortini
A.
24
V. Giotto
V. Brizi
PIAZZETTA GARIBALDI
V. Antonio Cristofani
V. Bernardo da Quintavalle
V. S. Gregorio
50
2
Via Borgo S. Pietro
S. Pietro
Viale
Viale Marconi
Viale Vittorio Emanuele II
Via S. Apollinare
Porta di Sementone
Porta Mojano
28
30
VALECCHIE
Via di Valecchie
1
2
3
0
100
200 m
S. MARIA DEGLI ANGELI, 13, 52 22, 23 48
PERUGIA, FIRENZE

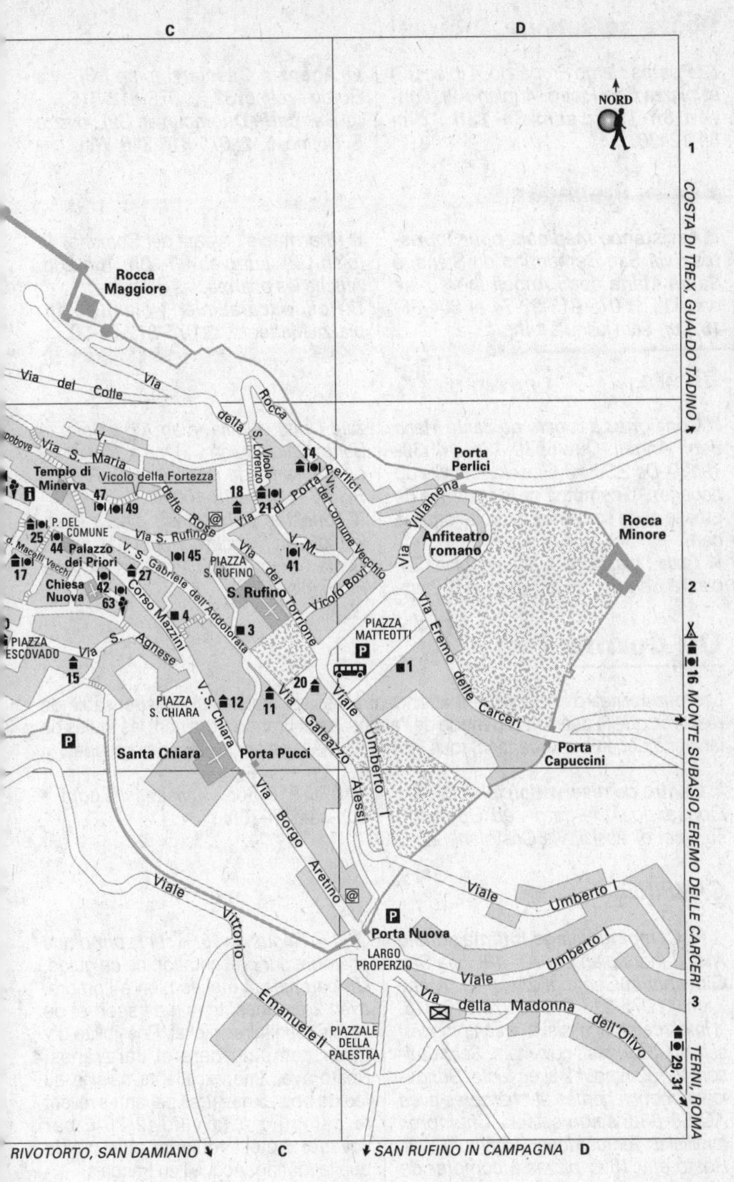

ASSISI (ASSISE)

Poste, téléphone, Internet

⊠ **Postes :** *largo Properzio, 4 (plan D3) et piazza San Pietro, 4 (plan A2). Lun-ven 8h-19h ; sam 8h-13h ; dim 8h-12h30.*

@ **Agenzia Casciarri** *(plan D3)* **:** *via Borgo Aretino, 39.* ☎ *075-812-815.*

@ **Bar-caffè Duomo** *(plan C2)* **:** *piazza S. Rufino, 5.* ☎ *075-816-246.* Wifi.

Santé, urgences

■ **Assistance médicale pour touristes :** *via San Bernardino da Siena, à Santa Maria degli Angeli (hors plan par A1).* ☎ *075-813-92-74 et 804-36-16. Lun-sam jusqu'à 14h.*

■ **Pharmacie :** *piazza del Comune, 44 (plan C2). Lun-ven 9h-13h, 16h-20h.* Affiche les pharmacies de garde.

■ **Police** *(carabinieri ; plan D2,* **1***)* **:** *piazza Matteotti.* ☎ *075-819-08-00.*

Divers

■ **Consigne :** *à la gare de Santa Maria degli Angeli. Ouv 6h30-13h, 14h30-19h30. De 2,50 à 3 €/j. selon la taille du bagage.* Au comptoir de la boutique de presse et de souvenirs, à droite dans la gare.

■ **Taxis :** *piazza del Comune (plan C2), piazza San Francesco (plan A1), piazzale Unità d'Italia (plan A1) et piazza Santa Chiara (plan C2), ou à la gare FS de Santa Maria degli Angeli.* **Radio-taxis :** ☎ *075-813-100.*

■ **Toilettes publiques :** *piazza Inferiore di San Francesco (plan A1), piazza Santa Chiara (plan C2) et via Arco dei Priori (plan C2).*

Où dormir ?

Les possibilités d'hébergement abondent à Assise, mais il est indispensable de réserver, quelle que soit la période de l'année, saint François drainant les foules de janvier à décembre. *Attention,* tous les hôtels d'Assise accueillent des groupes.

■ **Centre de réservation** *(plan B2,* **2***)* **:** *Consorzio Albergatori ed Operatori Turistici di Assisi, via Cristofani, 22 a.* ☎ *075-816-566.* • *visitassisi.com* • *Lun-sam 9h-20h.*

CAMPING

⛺ 🍽 **Camping Village Internazionale Assisi** *(hors plan par A1,* **13***)* **:** *via San Giovanni in Campiglione, 110. À env 2 km.* ☎ *075-813-710 ou 075-816-816.* • *info@campingassisi.it* • *campingassisi.it* • ♿ *Congés : nov-mars. Selon saison, 22-32 € pour 2 avec tente. Bungalows, mobile homes et chambres avec AC 58-63 € selon saison. Chambres familiales. Tentes à louer (16 €/nuit). Wifi. Resto env 15 €, pizzas à compter de 3,50 €. Réduc de 10 % sur le prix d'une chambre sur présentation de ce guide.* Un camping 3 étoiles bien à l'ombre, avec 2 piscines, terrain de sport et de tennis. Sanitaires nickel. Possibilité d'y garer camping-cars et caravanes. Resto avec une excellente cuisine au feu de bois. 5 navettes payantes relient le camping à la ville *(2,20 € par voyage)*... c'est toujours plus rapide que le footing. Accueil en français.

AUBERGES DE JEUNESSE

⌂ **Ostello della Pace** *(plan A2,* **30***)* **:** *via di Valecchie, 177.* ☎ *075-816-767.* • *assisihostel@tiscalinet.it* • *assisihostel.com* • ♿ *À 10 mn à pied de la gare routière. En voiture, de Santa Maria degli Angeli, suivre la direction d'Assise en* *guettant le panneau à droite. Ouv mars-oct ou sur résa. Réception fermée 9h30-16h. Dortoir 17 €/pers, petit déj inclus. Chambres privées à partir de 2 pers, 20 €/pers. Dîner (sur résa avt 18h30) 11 €. Wifi.* Bien au calme, dans un joli coin de nature, une ancienne ferme du XVIIIe s, tenue par une famille qui habite dans la maison. Dortoirs vastes et propres, avec une belle vue sur la vallée et sur Assise. Buanderie et location de vélos. La gérante parle un français parfait.

🏠 ***Ostello Victor Center*** *(hors plan par D3,* ***31****) : via Romana, 31, 06081 Capodacqua di Assisi.* ☎ *075-806-45-26.* • *info@victorhostel.com* • *ostellovictorcenter.com* • *À 4 km du centre d'Assise ; sortir par la via della Madonna dell'Olivo, continuer via Assisiana et tourner à gauche via Romana juste avt la* superstrada. *Accessible par le bus C. Double 46 €, petit déj inclus.* Dans un bâtiment un peu à l'écart de la route, une trentaine de chambres très simples mais accueillantes, avec douche.

CHAMBRES CHEZ L'HABITANT ET GÎTES

Les possibilités de location de chambres sont innombrables mais rarement bon marché. Au contraire, les gîtes, nombreux également, sont très abordables. Renseignements à l'office de tourisme.

MAISONS D'ACCUEIL RELIGIEUSES, MONASTÈRES

Au nombre de 17, ouvertes aux hommes et aux femmes, elles s'adressent aux couche-tôt épris de calme (ou bien sûr de prière) : au-delà de 23h, vous trouverez la porte irrémédiablement close. L'office de tourisme dispose de la liste complète de ces institutions.

🏠 ***Casa Santa Elisabetta d'Ungheria*** *(plan C2,* ***10****) : piazza del Vescovado, 5.* ☎ *075-812-366.* • *info@terziario-santaelisabetta.com* • *terziario-santaelisabetta.com* • ♿ *Ouv Pâques-oct. Double 76 €, petit déj compris. ½ pens 102 €. Min 2 nuits.* Une maison franciscaine décorée de fresques du XVIIe s. Chambres de 2 à 6 personnes, toutes avec salle de bains. Celles du 2e étage et une partie de celles du 1er disposent d'une belle vue. Superbe chapelle mêlant l'ancien et le moderne. Salle de lecture du XVe s, salle de TV.

🏠 ***Suore dell'Atonement*** *(plan C2,* ***11****) : via G. Alessi, 10.* ☎ *075-812-542.* • *atoneassisi@tiscali.it* • *Congés : nov-fév. Double avec bains 60 €, petit déj compris.* En arrivant, n'ayez pas peur du double portail grillagé : sonnez, parlez et on vous ouvrira avec le sourire ! Des franciscaines américaines vous offrent tout le confort de leur maison. Vu leur enthousiasme et leur joie de vivre, on regrette presque de ne pas avoir la vocation. Bibliothèque. Vue panoramique du très joli jardin. Parking de 10 places, ce qui est exceptionnel là-haut. Attention : c'est souvent complet !

HÔTELS

Bon marché

🏠 ***Hotel Il Duomo*** *(plan C2,* ***21****) : vicolo San Lorenzo, 2.* ☎ *075-812-742.* • *hilduomo@libero.it* • *Dans une ruelle en escalier menant à la Rocca Maggiore. Double avec sdb 50 € ; petit déj 4 €.* Chambres douillettes et bien meublées. Réception à l'hôtel *San Rufino,* un peu plus bas. Voir aussi « Où manger ? ».

🏠 ***Hotel La Rocca*** *(plan C2,* ***14****) : via di Porta Perlici, 27.* ☎ *075-812-284 ou 075-816-467.* • *info@hotelarocca.it* • *hotelarocca.it* • ♿ *Congés : 2e sem de janv. Double avec sdb 56 €, sans petit déj. ½ pens obligatoire en avr, mai, août et oct, 44 €/pers. Parking à 100 m.* Un hôtel moderne tout proche du mur d'enceinte de la ville. Très bien tenu et confortable. Terrasse au 2e étage, avec vue panoramique sur la vallée. Voir aussi « Où manger ? ».

Hotel Grotta Antica (plan C2, **17**) **:** *via Macelli Vecchi, 1. ☎ 075-81-36-20. • info@grottaantica.com • grottaantica.com • Résa indispensable. Double 50 €, petit déj compris. ½ pens 43 €/pers. Au resto, menu 15 € ou à la carte 25 €. Wifi. Sur présentation de ce guide, 10 % de réduc sur les repas en ½ pens ou pens complète, ainsi que sur la chambre en basse saison, apéritif et digestif offerts.* Dans une ruelle très calme. Chambres très simples, sombres mais propres. Hôtel familial prodiguant un bon accueil.

Hotel San Rufino (plan C2, **18**) **:** *via di Porta Perlici, 7. ☎ 075-812-803. • hotelsanrufino.it • À 50 m de la cathédrale. Congés : 10 j. en fév. Résa conseillée. Double 56 € ; petit déj 5 €.* Un tarif très honnête, compte tenu du standing. Dans un bâtiment médiéval rénové qui a conservé sa belle façade de pierre, des chambres équipées de TV et meublées avec goût.

Prix moyens

Lieto Soggiorno (plan B2, **24**) **:** *via Arnoldo Fortini, 26. ☎ 075-816-191. • info@lietosoggiorno.com • lietosoggiorno.com • Doubles 60-85 € selon saison, petit déj compris. Suites 95-110 €. Wifi.* Très belles chambres, toutes différentes, meublées avec beaucoup de goût. La chambre avec l'arche servant d'alcôve est remarquable ! Gestion familiale, accueil d'une grande gentillesse.

Hotel Roma (plan C2, **12**) **:** *piazza Santa Chiara, 13-15. ☎ 075-8-23-90. • info@assisihotelroma.com • assisihotelroma.com • ♿ Résa indispensable. Double 75 € avec douche et TV, petit déj compris. Parking Porta Nuova à 250 m.* Une trentaine de petites chambres sans charme mais super propres. Certaines, donnant sur la piazza Santa Chiara, bénéficient d'une vue magnifique. Pour plus de calme, préférer celles à l'arrière. Accueil dans un français parfait.

Hotel Berti (plan A1, **19**) **:** *piazza San Pietro, 24. ☎ 075-813-466. • info@hotelberti.it • hotelberti.it • Congés : 20 janv-1er mars. Doubles 75-100 € avec TV, AC, petit déj compris. Parking payant. Wifi.* Une dizaine de petites chambres modernes et cossues, à moquette épaisse. Agréable terrasse sur la piazza, pour le petit déj ou pour la lecture de votre guide préféré. Le restaurant *Da Cecco*, au n° 8, fait partie de la maison.

Country House Tre Esse (plan A2, **28**) **:** *via di Valecchie, 41. ☎ 075-816-363. • info@countryhousetreesse.com • countryhousetreesse.com • Hors les murs, à 1 km au sud. De Santa Maria degli Angeli, suivre la direction d'Assise en guettant le panneau à droite. Résa conseillée. Doubles 60-80 €, petit déj compris. Wifi.* Dans un hameau adorable, d'où le centre est accessible à pied. Ancienne maison paysanne entourée d'un jardin en terrasses fleuri et arboré ainsi que d'une piscine, avec d'un côté une vue imprenable sur Santa Maria degli Angeli et la vallée, de l'autre une petite vue sur Assise. Belles chambres tout confort (avec TV et AC). Un petit paradis, à condition d'éviter les chambres qui donnent sur la route d'accès, fréquentée la nuit. Très bon rapport qualité-prix.

Hotel Ideale (plan C2, **20**) **:** *piazza Matteotti, 1. ☎ 075-813-570. • info@hotelideale.it • hotelideale.it • Résa indispensable. Congés : fév. Doubles avec TV 70-100 € ; petit déj 5 €. Parking privé. Wifi. Réduc de 10 % sur le prix de la chambre (sf w-e, ponts et j. fériés) sur présentation de ce guide.* Situé sur les hauteurs de la ville, cet hôtel a beaucoup de « plus » à son actif : terrasse, magnifique jardin, confort des chambres avec une vue époustouflante sur la ville et la vallée, tout simplement sublime au soleil couchant... L'accueil est parfois un rien bourru au premier abord, il faut prendre le temps de faire connaissance !

Chic

Hotel Umbra (plan C2, **25**) **:** *via degli Archi, 6. ☎ 075-812-240. • info@hotelumbra.it • hotelumbra.it • Venelle partant de la piazza del Comune, au niveau* *de l'office de tourisme.* ♿ *Congés : déc-mars. Doubles 100-120 €, petit déj compris. Convention avec le parking Matteotti. Internet.* Géré par la même famille depuis belle lurette, l'hôtel séduit d'emblée, avec ses larges couloirs, ses 2 salons, sa terrasse et ses grandes chambres (plutôt des petites suites, avec salon et balcon) fort bien décorées. Certaines ont vue sur la vallée, panoramique de Spolète à Pérouse pour la n° 34. Presque toutes sont équipées de l'AC et de la TV. La terrasse, fleurie et recouverte d'une tonnelle, vous charmera. Le lieu est imprégné d'une ambiance méditerranéenne qui invite au farniente. Très bon accueil. Notre meilleur choix. Voir aussi « Où manger ? ».

Hotel dei Priori *(plan C2,* ***27****) : corso Mazzini, 15. ☎ 075-812-237. • info@hoteldeipriori.it • hoteldeipriori.it •* ♿ *Doubles 90-180 € selon chambre et saison, avec TV et AC. Petit déj inclus. Convention avec un parking payant de la ville. Wifi. Sur présentation de ce guide, digestif offert et réduc de 10 % sur le prix de la chambre (sf ponts et j. fériés).* Un palace miniature aux chambres spacieuses du XVIIe s. Belles fresques au plafond dans les chambres supérieures. Service professionnel et accueil en français.

Hotel San Francesco *(plan A1,* ***26****) : via San Francesco, 48. ☎ 075-812-281. • info@hotelsanfrancescoassisi.it • hotelsanfrancescoassisi.it • Doubles 110-165 € avec TV et AC, petit déj inclus. Parking gratuit. Wifi.* Bonne capacité : 44 chambres, dont certaines ont une vue imprenable sur la basilique. Tout le confort attendu dans un 3-étoiles.

Très chic

Residenza d'epoca San Crispino *(plan C2,* ***15****) : via Sant'Agnese, 11. ☎ 075-815-51-24. • info@assisiwellness.com • assisibenessere.it • En plein centre, à 200 m en amont du parking payant Mojano. Réception fermée à 18h30, sf si vous prévenez de votre arrivée tardive. Superbes doubles 160-320 € selon saison et prestations ; tarifs dégressifs à partir de 2 nuits. Wifi.* Un endroit d'exception, logé dans un couvent du XIVe s. Au choix, on préférera les chambres datant du XIIIe (en bas) ou du XVIIIe s (en haut). Certaines possèdent une vue magnifique sur la vallée, d'autres donnent directement sur le joli jardin. Toutes sont meublées avec beaucoup de goût, mêlant harmonieusement le cachet de l'ancien au confort moderne. L'accueil est d'une gentillesse à toute épreuve et votre séjour fera partie de vos plus beaux souvenirs.

Où dormir dans les environs ?

Les lecteurs motorisés avides d'air pur se reporteront également au chapitre « Parco regionale del Monte Subasio » plus loin.

Bon marché

Complesso Turistico Fontemaggiore *(hors plan par D2,* ***16****) : via Eremo delle Carceri, 24. ☎ 075-81-23-17 ou 075-81-36-36. • info@fontemaggio.it • fontemaggio.it • À 3 km, suivre le fléchage « Eremo delle Carceri ». 20 € pour 2 avec tente. Double sans petit déj 20 €/pers en AJ et 52 € en auberge. Petit déj 5 €. Appart pour 4 pers 120 €. Au resto, env 17 € à la carte.* Un complexe à portée de toutes les bourses. Immense terrain planté d'arbres de toutes essences, dont certains centenaires. Emplacements très dispersés sur tout le site. Chambres simples et confortables. Boutique. Buanderie.

Prix moyens

🏠 ***Agriturismo Il Morino*** *(hors plan par A1,* ***22****) : via Spoleto, 8, 06083 Bastia Umbra.* ☎ *075-801-08-39.* • *agriturismo@ilmorino.com* • *ilmorino.com* • *Prendre la route de Bastia Umbra et tourner à gauche juste avt le camping, c'est fléché ensuite. Double 53 €, petit déj compris.* Une dizaine de chambres correctes. Jardin agréable, avec minigolf et jeux pour enfants, situé au milieu des champs. Cette auberge de campagne fonctionne avant tout comme une bonne table, voir « Où manger dans les environs ? ». On y parle un peu le français.

🏠 🍽 ***Agriturismo Longetti*** *(hors plan par A1,* ***23****) : via Biagiano, 35.* ☎ *075-816-175.* • *webmaster@agriturismolongetti.com* • *agriturismolongetti.com* • ♿ *En arrivant sur Assise par l'ouest, tourner à gauche juste avt le pont, puis suivre le fléchage sur env 5 km. Double 65 €, petit déj compris ; appart 2 pers 75 € ; appart 4 pers (avec 2 chambres séparées) 130 €. Repas du soir env 20 €, pris dans une belle pièce commune.* Voilà du véritable agritourisme, tenu par de vrais paysans simples et accueillants ! À 500 m d'altitude, dans 25 ha d'oliviers et de chênes, une adorable *mamma* propose des chambres modestes mais bien tenues. L'activité principale de la ferme est l'élevage porcin : suivant le vent, vos narines pourront être chatouillées par les doux effluves de nos amis ! Petite piscine dans l'oliveraie.

🏠 🍽 ***Agriturismo Malvarina*** *(hors plan par D3,* ***29****) : via Pieve di Sant'Apollinare, 32.* ☎ *075-806-42-80.* • *info@malvarina.it* • *malvarina.it* • *En venant de Pérouse, sortir à* Rivotorto, *c'est fléché ; en venant de Foligno, sortir à* Viole di Assisi, *tourner tt de suite à droite puis tt de suite à gauche, puis c'est fléché. Résa impérative. Double 96 €, petit déj compris. Appart pour 4 pers 100 €, petit déj 10 €/pers. Repas 30 €, boisson incluse.* Les ingrédients du succès : une vraie ferme dans une vaste propriété à flanc de colline, des bâtiments au milieu des arbres, le calme et les chants d'oiseaux, un accueil familial, une grand-mère experte mitonnant des plats traditionnels avec les produits bio de l'exploitation. Et si la cuisine de Nonna Maria vous laisse pantois (et il y a de quoi !), pourquoi ne pas vous inscrire à l'un de ses cours de cuisine ?

Où manger ?

Inflation de restos plus ou moins touristiques. La plupart d'entre eux ferment leurs cuisines à 21h30. Même pour le déjeuner, ça ne traîne pas. L'ambiance est au recueillement, pas à la ripaille, vous l'aviez compris, non ?

De très bon marché à bon marché

🍽 ***Trattoria Pallotta*** *(plan C2,* ***44****) : vicolo della Volta Pinta, 3.* ☎ *075-812-649.* • *info@pallottaassisi.it* • *Tlj sf mar. Menus 16 €, 25 € (végétarien) et 27 € (dégustation) ; à la carte env 22 €.* Dans une venelle ouvrant en face du temple de Minerve et à côté de l'hôtel du même nom. Délicieuse cuisine familiale : *minestrone,* omelette, sauté de lapin, *strangozzi* (genre de tagliatelle sans œuf) aux champignons, lasagnes et autres *cannelloni* raviront les fines bouches. Cave bien garnie et vins au verre. Une excellente adresse pour un bon rapport qualité-prix. Bon accueil.

🍽 ***Ristorante Il Duomo*** *(plan C2,* ***21****) : vicolo San Lorenzo, 2.* ☎ *075-812-742. Tlj sf mer. 6 menus 13-28 €. Pizzas 5-8 €.* Salle voûtée avec four à bois tout au fond. Beaux lampadaires, mais éclairage peu flatteur... ah, ces vilaines ampoules basse conso ! Une vingtaine de pizzas et des bons *primi.* Simple et copieux, de quoi vous sustenter à prix corrects. Voir aussi « Où dormir ? ».

🍽 ***Trattoria da Erminio*** *(plan C2,* ***41****) : via Montecavallo, 19.* ☎ *075-812-506. Tlj sf jeu 12h-14h30, 19h-21h. Congés : fév-15 mars et 1re quinzaine de juil. Menu 16 € ; à la carte env 20 €.* Bonne petite table familiale, sans grande originalité mais qui présente l'avantage d'être toute proche du parking Matteotti. Spécialités de grillades. Une seule salle carrée, bien tenue, et quelques tables dans la ruelle, au calme.

|●| **Pizzeria Otello** *(plan C2,* ***42****) : piazzetta Chiesa Nuova.* ☎ *075-812-415. Tlj jusqu'à 22h30. Plat, pizza ou salade 5-9 € ; menu 13,50 €.* Bon vin de table (bio). 2 salles voûtées à la déco simple mais très soignée. Une adresse sympathique et efficace. La cantine quotidienne de routards du monde entier.

|●| **Ristorante La Rocca** *(plan C2,* ***14****) : via di Porta Perlici, 27.* ☎ *075-816-467 ou 075-812-284.* • *info@hotelarocca.it* • *Tlj sf mer 12h15-13h45, 19h-21h. Congés : 5 janv-5 fév. Menu francescano 9,50 €, du jour 13 € ; à la carte env 20 €.* Spécialités de biftecks, filets et autres viandes grillées. Carte variée. Une grande salle à l'étage, toute simple. Terrasse en été. Voir aussi « Où dormir ? ».

Prix moyens

|●| **Osteria piazzetta dell'Erba** *(plan C2,* ***45****) : via San Gabriele dell'Addolorata, 15.* ☎ *075-815-352.* ♿ *Fermé lun. Congés : janv. À la carte env 25 €.* Au calme, à l'écart de la foule. Ici, c'est frais, c'est beau et c'est bon. Petite carte de mets originaux à caractère gastronomique, au prix où la concurrence propose les sempiternelles spécialités ombriennes. À déguster en salle ou en terrasse. Et comme la déco est particulièrement agréable (si l'on oublie le hideux ventilateur orange...) et le service souriant, efficace et décontracté, on en redemande !

|●| **Ristorante La Fortezza** *(plan C2,* ***49****) : vicolo della Fortezza, 2 b.* ☎ *075-81-29-93.* • *lafortezza@lafortezzahotel.com* • *Fermé jeu. Congés : 15 j. en juil. Résa conseillée. 2 menus (simple et dégustation) 29 et 43 € ; à la carte env 25 €.* Installé dans une ancienne maison médiévale, elle-même bâtie sur les vestiges d'un édifice d'époque romaine, voici l'un des meilleurs restos de la ville. Les spécialités de la maison (pintade, canard, veau, oie), tout simplement grillées ou plus savamment cuisinées, sont toutes aussi bonnes les unes que les autres. Très bon service et belle carte des vins. Seul hic, les portions ne sont pas très copieuses.

|●| **Taverna dei Consoli** *(plan C2,* ***47****) : vicolo della Fortezza, 1.* ☎ *075-812-516.* • *tavernadeiconsoli@hotmail.it* • *Service à tte heure. Fermé mer. Congés : janv-fév. Menu 20 €. À la carte env 27 €. Digestif offert sur présentation de ce guide.* Très belle terrasse dominant la piazza del Comune, mais les places sont chères. Vous trouverez peut-être une table dans les 3 autres petites salles. Bonnes *pennette alla moda di Norcia, stringozzi* et autres plats à la truffe pour plaire au plus grand nombre.

|●| **Restaurant de l'Hotel Umbra** *(plan C2,* ***25****) : via degli Archi, 6.* ☎ *075-81-22-40. Tlj sf dim le soir slt, jusqu'à 21h15. À la carte env 26 €.* Qu'il fait bon venir dîner l'été sous la magnifique pergola ! Les plats servis par cette élégante maison sont à la hauteur du cadre. Voici nos propositions : risotto aux asperges suivi d'une grillade ombrienne. Bonne carte de vins. Voir aussi « Où dormir ? ».

|●| **Da Cecco** *(plan A2,* ***46****) : piazza San Pietro, 8 C.* ☎ *075-81-34-66.* • *info@hotelberti.it* • *Menu (entrée + dessert) 15 €. À la carte env 28 €.* Dans un quartier où l'on ne trouve guère que de médiocres enseignes destinées à apaiser la faim du pèlerin pressé, *Da Cecco* fait figure d'exception, avec ses 3 petites salles en enfilade joliment décoréees, sa cuisine honorable et sans chichis, ainsi que son service souriant et attentionné. Même s'il nous paraît un peu cher, de ce côté de la ville, a-t-on le choix ?

Chic

|●| **Buca di San Francesco** *(plan B2,* ***50****) : via Eugenio Brizi, 1 et via Antonio Cristofani, 26.* ☎ *075-812-204. Fermé lun. Congés : 1re quinzaine de juil. À la carte env 22 € avec les suggestions du jour, sinon 32 €.* Resto connu et appré-

cié plutôt pour ses vins (le choix est remarquable) que pour ses plats. Goûtez cependant aux *spaghetti alla buca*, à la *carlaccia* (sorte de galette fourrée) et au pigeon *alla assisana*. Le resto tire son nom d'anciennes cavernes où se retrouvaient les premiers chrétiens : demandez et visitez ! Mais, pour votre part, le choix est entre les 2 salles, dont une ancienne cave voûtée du XIIIe s à l'ambiance médiévale, et le beau jardin avec tonnelle. Accueil courtois.

Où manger dans les environs ?

🍽 ***Agriturismo Il Morino*** *(hors plan par A1,* ***22****) : voir plus haut « Où dormir dans les environs ? ». Repas pour les pensionnaires 17 €, sinon à la carte env 25 €.* Ce petit *agriturismo* situé au milieu des champs propose une carte variée de spécialités ombriennes. Viandes grillées et charcuteries sont à l'honneur. Excellente cuisine qui fond littéralement dans la bouche.

🍽 ***Perbacco*** *(hors plan par A1,* ***48****) : via Umberto I, 14, 06033 Cannara. ☎ 0742-720-492. ♿ À 12 km ; prendre vers Santa Maria degli Angeli que l'on traverse pour suivre la SP 408 jusqu'au panneau Cannara à gauche ; juste à l'entrée du centre historique, après le pont. Tlj sf lun 18h30-2h. Congés : fin juin-fin juil. Résa conseillée (pour la fin de sem). Menus 18 et 31 €. À la carte env 27 €. Digestif offert sur présentation de ce guide.* Osteria familiale moderne : une salle carrée au décor d'anges sympa (jetez un coup d'œil aux toilettes). Cadre original mais sans ostentation, pour une cuisine largement innovante ou plus sagement classique, réputée dans la région. Seul reproche : la salle devient rapidement sonore. Carte d'une centaine de vins.

🍽 ***Dal Cacciatore*** *(hors plan par A1,* ***52****) : Pieve San Niccolò, 8. ☎ 075-819-90-37. Au-dessus de Valfabbrica et à 10 km d'Assise. Tlj sf lun jusqu'à 22h. On se régale pour moins de 25 €.* Son nom annonce la couleur, ou plutôt la cuisson : saignante. Car *cacciatore* signifie « chasseur », et le menu abonde en bonnes viandes préparées au gril. Excellents saucissons bien secs. Des plats régionaux bien sûr, tels les *strangozzi* maison, pétris aux truffes ou accompagnés d'une sauce aux *funghi porcini*.

Où déguster de bonnes pâtisseries et de bonnes glaces ?

🍽 🍦 ***Pasticceria e gelateria Santa Monica*** *(plan C2,* ***61****) : via Portica, 4. Congés : 7 janv-7 mars.* Délicieuses pâtisseries qui tenteront même ceux qui n'ont aucun penchant pour le sucré. Excellents gâteaux à la noisette.

🍽 🍦 ***Bar Sensi*** *(plan C2,* ***63****) : corso Mazzini, 14.* Belles pâtisseries et glaces. Pizzas et sandwichs en tout genre. Et aussi du « pain de Saint-François », tourisme oblige ! Dégustation de vin au verre et de produits typiques.

Où boire un verre ?

Sur la ***piazza del Comune*** *(plan C2)*, la plus agréable pour prendre votre rafraîchissement préféré. De la terrasse où vous aurez posé votre auguste séant, observez le flot des groupes, toutes nationalités confondues. Et le soir, tout Assise s'y retrouve pour l'*aperitivo*.

À voir

Infatigables marcheurs des villes, vous allez vous régaler ! Vous découvrirez une atmosphère médiévale dans les ruelles et venelles, toutes baignées du mysticisme de la ville.

Rappel : pas de visite possible des églises et sanctuaires pdt les offices liturgiques. En particulier, la visite de la basilique n'est pas autorisée le dimanche mat.

🚶🚶🚶 **Basilica di San Francesco** *(plan A1) : ☎ 075-819-001. • sanfrancescoassisi.org • Pour les visites guidées (en français pour les groupes de 15 pers min), rens en face de l'entrée de la basilique inférieure ou téléphoner. Sinon, audioguide.*
Premier lieu de culte dédié au saint (XIIIe s), elle est composée de deux églises superposées, construites dans la superbe pierre blanche et rose du Subasio, aux effets si lumineux. C'est là que saint François fut enterré, sur la colline alors appelée *colle d'Inferno* (colline de l'Enfer) car on y exécutait les condamnés à mort. Depuis, le lieu a pris le nom de « colline du Paradis ».
– ***Chiesa inferiore*** *(1228-1230) : tlj 6h-18h45 (17h45 en hiver). Les horaires des messes varient selon les j. de la sem et la saison. Vêpres à 18h.* De prime abord, l'intérieur paraît assez sombre, car l'on ne voit devant soi que la nef réservée aux prières. Mais la nef principale s'ouvre à gauche et c'est l'éblouissement. Ses fresques, qui racontent la vie de Jésus et de saint François, troublèrent même l'agnostique Taine. Dans la chapelle Saint-Martin (la première à gauche), Simone Martini, l'un des premiers artistes à introduire la perspective, a retracé la vie du saint : *Saint Martin renonçant aux armes* et le *Rêve de saint Martin.* Tout autour du maître-autel, baigné d'un clair-obscur où toutes les sources de lumière, intérieures autant qu'extérieures, concourent à une harmonie qui n'a rien à envier à celle des sphères célestes, c'est une inimaginable profusion de fresques. Au-dessus, un ensemble attribué à Giotto représente *La Chasteté, La Pauvreté, L'Obéissance* et *Le Triomphe de saint François.* Dans le transept droit, ce sont des scènes de la vie de l'enfant Jésus, dont le chef-d'œuvre de Cimabue, une *Vierge entourée de quatre anges et de saint François.* Dans le transept gauche, Pietro Lorenzetti a peint la Passion, notamment la *Grande Crucifixion* et l'*Entrée de Jésus à Jérusalem.*

UN AVANT-GOÛT DE JUGEMENT DERNIER ?

En 2004, la basilique San Francesco a fêté ses 750 ans d'existence. Pourtant, le 26 septembre 1997, on a pu la croire perdue lorsque la terre a tremblé à Assise. En effet, à 20 km de l'épicentre, c'était une ambiance d'Apocalypse dans la bâtisse. Tympan effondré, fresques de Giotto et Cimabue réduites à l'état de puzzle (400 000 morceaux éparpillés sur le sol !), nef jonchée de débris... et quatre personnes sous les décombres. Rassurez-vous, depuis, les plaies ont été cautérisées. Mais il en reste quelques cicatrices, car une partie des fresques est irrémédiablement perdue.

Au centre de la nef, par un petit escalier, on accède à la ***crypte*** en forme de croix, redécouverte en 1818, au centre de laquelle reposent les restes de saint François *(messes et adoration dès 7h).* Sous un éclairage propre au recueillement, l'on ne peut être qu'impressionné par la ferveur et la dévotion des fidèles.
– ***Salle des reliques*** *(mêmes horaires que la basilique).*
Au fond du chœur, un escalier mène à l'église supérieure en passant par les bâtiments monacaux de style Renaissance. C'est dans l'harmonieux et lumineux cloître de Sixte IV que se trouvent le ***trésor de la basilique et la collection Perkins.*** *Tlj sf dim et fêtes religieuses, 9h30-17h ; fermé nov-Pâques. Entrée : une obole.* Nombreux objets de culte, tous de belles œuvres d'art (noter l'énorme tabernacle du XVIe s). Époustouflante collection de retables et de peinture religieuse du XVe s, la plupart d'obscurs maîtres connus des seuls spécialistes. Superbe tapisserie flamande du XVe s. Remarquable panneau peint byzantin de la fin du XIIIe évoquant (presque à chaud !) quatre miracles de saint François. Un vrai trésor qu'envieraient beaucoup de musées !
– ***Chiesa superiore*** *(1230-1253) : tlj 8h30-18h45 (17h45 en hiver). Messe à 12h.* Sous son clocher roman et derrière sa façade gothique (très belle rosace), une église plus haute, plus simple, aussi richement décorée mais moins émouvante que la *chiesa inferiore.* À part celles du transept gauche, peintes par Cimabue, les fres-

ques de l'église supérieure marquent l'hégémonie artistique de Giotto. La nef, du plus pur gothique, présente deux cycles indépendants. Le premier, en hauteur, représente des épisodes de la Bible ; le second retranscrit, en 28 scènes, la vie de saint François. À voir notamment de part et d'autre de l'entrée : *François parlant aux oiseaux* et le *Miracle de la source,* chefs-d'œuvre qui marquèrent les artistes de la Renaissance.

De la basilique, on remonte par la via Merry del Val jusqu'à la rude ***porta San Giacomo*** puis on redescend par des ruelles pittoresques et très fleuries, la ***via Santa Margherita*** puis le ***vicolo Sant'Andrea,*** bordé d'anciennes maisons médiévales, dont une, fort belle, de 1477, d'autres avec leur porte des morts. On rejoint ainsi la via San Francesco.

AUX PORTES DU PARADIS

En regardant bien les façades des maisons, vous apercevrez une seconde porte jouxtant l'entrée principale, plus petite et un peu surélevée, le plus souvent murée. Selon la légende, elle ne servait qu'au passage des cercueils et s'appelait la porta della Morte. *L'âme, quant à elle, entrée par la grande porte, restait ainsi dans la maison.*

Pinacoteca *(plan B1) : via San Francesco, 10. ☎ 075-815-52-343. Tlj de mi-mars à fin oct 10h-13h, 14h30-18h (juil-août 19h) ; de nov à mi-mars 10h30-13h, 14h-17h. Entrée : 3 € ; réduc.* Installé dans un palais du XVIe s, le musée abrite une petite collection de fresques de tout premier ordre, provenant de divers bâtiments de la ville et des environs. Touchante représentation de *Saint Julien assassinant ses parents,* gracieuse *Vierge à l'Enfant* de Giotto.

Chiesa San Stefano *(plan B2) : au niveau de la via Arnaldo Fortini, remonter vers la gauche. Ouv 8h30-21h30 (18h30 sept-mai).* L'une des églises les plus charmantes de la ville, du XIIe s. Nef unique et fenêtres étroites en forme de meurtrières, qui lui confèrent une atmosphère très propice au recueillement.

Piazza del Comune *(plan C2) : redescendre via Arnaldo Fortini et continuer jusqu'à la place.* Harmonieux mélange de styles, avec le *temple romain de Minerve* (Ier s) transformé en église d'intérieur baroque (bel exemple de préservation et d'intégration), la *Torre del Popolo* du XIIIe s, le *palazzo del Capitano* et le *palazo dei Priori* qui abrite l'hôtel de ville. C'est l'emplacement du forum antique, dont quelques maigres vestiges sont visibles dans le *museo Foro Romano, via Portica, 2, sous l'office de tourisme. Rens : ☎ 075-813-053. Tlj de mi-mars à fin oct 10h-13h, 14h30-18h (19h juil-août) ; de nov à mi-mars, 10h30-13h, 14h-17h. Entrée : 4 € ; réduc.*

Chiesa Nuova – Santuario casa paterna San Francesco *(plan C2) : ouv 8h30-12h, 15h-18h (17h nov-mars). Derrière le palazzo dei Priori.* Église de la Renaissance, édifiée sur les ruines de la maison natale de saint François grâce à la générosité du roi d'Espagne Philippe III. On y voit la « prison » du saint, espace étroit où il a été reclus par son père qui n'admettait pas que son fils dilapidât son patrimoine en réparant d'humbles chapelles.

Oratorio di S. Francesco Piccolino *(plan C2) : à côté de la chiesa Nuova. Ouv 8h-18h.* Le saint serait né dans cette modeste étable en pierre brute... ça ne vous rappelle pas quelqu'un ?

Basilica di Santa Chiara *(plan C2-3) : rejoindre le corso Mazzini en montant l'escalier dello Spirito Santo, et le prendre à droite jusqu'à la piazza Santa Chiara. ☎ 075-81-22-82. Ouv 6h30-12h, 14h-19h (18h nov-mars).* La façade fut conçue sur le modèle de celle de San Francesco (l'alternance des pierres blanches et roses en plus). Une originalité : l'énorme arc-boutant à angle droit qui prolonge la façade. À l'intérieur, fresques de l'école de Giotto et d'artistes ombriens (XIIIe et XIVe s). Sainte Claire, très jeune, quitta sa riche famille pour rejoindre l'idéal de pauvreté de saint François. Elle passa sa vie dans la solitude, la prière et la pénitence, à San Damiano. La basilique abrite une crypte où se trouve le tombeau de la sainte, ainsi que divers objets personnels. On y trouve également des reliques de saint François et, surtout, dans la chapelle à droite en entrant, le crucifix qui permit à Dieu de s'adresser à lui pour lui demander de réparer sa Maison qui tombait en ruine. À toute heure, des pèlerins y sont en adoration.

Cattedrale di San Rufino *(plan C2)* **:** *continuer jusqu'à la porta Pucci et prendre la ruelle qui remonte sur la gauche, puis une autre ruelle juste dans son prolongement qui mène à la piazza San Rufino. Ouv avr-oct 7h-12h30, 14h30-19h (7h-19h en août, ainsi que w-e et fêtes) ; nov-mars, 7h-13h, 14h30-18h.* Bel exemple d'architecture romane du XIIe s. Sa façade est l'une des plus jolies du pays. Grande finesse des sculptures du portail, de la frise de colonnettes, de la rosace et des lions (dégustant quelques païens, semble-t-il). Surprise : l'intérieur est en complet décalage ; baroque, il dégouline d'anges et d'angelots.
– À l'intérieur, ***museo Diocesano :*** *☎ 075-81-27-12. • assisimuseodiocesano.com • De mi-mars à mi-oct, tlj 10h-13h, 15h-18h (en août et le w-e, 10h-18h) ; de mi-oct à mi-mars, tlj sf mer 10h-13h, 14h30-17h30. Entrée : 3 € ; réduc. Conservez votre ticket pour obtenir une réduction dans les autres musées diocésains (Pérouse, Spolète, Gubbio...).* Sarcophage de saint Rufin, premier évêque et martyr d'Assise, mort en 238. Belle crypte du XIe s. Puits romain au centre des vestiges d'un cloître de style carolingien.

Rocca Maggiore *(plan C1)* **:** *prendre la via di Porta Perlici et votre courage à deux mains. ☎ 075-81-30-53. • sistemamuseo.it • Tlj 10h-19h (avr-mai), 19h30 (juin-août), 18h30 (sept), 17h30 (mars et oct) ou 16h (nov-fév). Entrée : 5 € ; réduc.* Édifiée au XIVe s sur les ruines d'une forteresse de l'empereur Frédéric Barberousse détruite par un soulèvement populaire en 1198. Elle offre un panorama de toute beauté sur Assise et la campagne ombrienne.

Abbazia di San Pietro *(plan A2)* **:** *ouv 7h30-19h.* Belle, haute et sobre. Ses trois nefs, son chœur surélevé au bout d'un plan incliné ascendant, sa coupole et sa pénombre sont une invitation à la méditation. Si vous avez traîné vos mouflets durant toute cette journée d'art et de religion, accordez-leur une récompense : au fond de la nef de gauche, belle crèche *(presepio)* permanente, peuplée de personnages variés. Des feux brillent dans les foyers et dans le lointain, tant sur la colline que dans les villages environnants. Magique !

Manifestations

Les fêtes religieuses abondent à Assise. Les païens égarés ici se contenteront des Calendes de mai.
– ***Semaine sainte :*** théâtre le Jeudi saint, procession le Vendredi saint (silencieuse, éclairée par les torches de centaines de fidèles) et le dimanche de Pâques.
– ***Festa del Calendimaggio :*** *1er jeu de mai.* Grande fête annuelle, défi entre les deux parties du centre historique (*sopra* et *sotto*). La ville se couvre de bannières et la foule se pare de rutilants costumes médiévaux pour s'affronter lors de joutes artistiques et sportives.
– ***Processions de la Fête-Dieu*** *(Corpus Domini)* **:** *le 9e dim après Pâques.* Certaines rues du quartier Porta Perlici s'habillent d'un immense tapis de fleurs (voir plus bas, à Spello, l'*Infiorata*).
– ***Festa del Voto :*** *vers le 22 juin.* Commémoration du miracle de l'Hostie : alors que, le 22 juin 1240, des soldats sarrasins à la solde de l'Empereur donnaient l'assaut au couvent de Saint-Damien, sainte Claire les en aurait éloignés en leur montrant l'hostie consacrée.
– ***San Francesco Patrono d'Italia :*** *début oct.* Célébration solennelle de saint François. Un grand moment de ferveur et de liturgie.

DANS LES ENVIRONS D'ASSISE

Dans les environs proches encore plus qu'à Assise, le tourisme se fait monomaniaque, car l'on reste en permanence dans les pas de saint François.

Basilica di Santa Maria degli Angeli *(hors plan par A1) : env 4 km au sud d'Assise. ☎ 075-80-511. • porziuncola.org • Tlj 6h15-12h50, 14h30-19h30, ainsi que 21h-22h30 juil-sept pour la prière silencieuse. Ts les sam à 21h, retraite aux flambeaux.*

De très loin, on aperçoit cette église édifiée au XVe s, dont il ne subsiste que le dôme et les murs d'origine. Le reste s'effondra lors d'un tremblement de terre au XIXe s. Le croirez-vous, la façade de style néo-Renaissance date... de 1927. Cette immense basilique possède une originalité : elle ne fut construite que pour protéger une chapelle du IVe s, fort modeste mais qui revêtait une grande importance aux yeux des habitants. En effet, elle abrita saint François durant trois ans, au début de sa « mission ». Le saint, fidèle à ses principes de ne rien posséder, avait d'ailleurs exigé de payer un loyer pour l'occuper, qui se monta à un panier de poisson annuel, jusqu'en 1226. Cette année-là, le 3 octobre, au point précis marqué par une construction de pierres dans la *Capella del Transito,* il passa de vie à trépas. Et alors qu'il voulait mourir en regardant Assise, le peintre, sur une fresque à droite de la chapelle, l'a immortalisé le regard tourné vers le mur d'une maison proche ! Jusqu'en 1290, on construisit la basilique Santa Maria pour protéger cette petite *chapelle de la Porziuncola,* installée à la croisée nef-transept, sous le dôme. On peut admirer un superbe polyptyque racontant des épisodes de la vie du saint ainsi que, à l'extérieur, sur l'abside, un fragment d'une fresque monumentale attribuée au Pérugin, la *Crucifixion.*

UN SUJET ÉPINEUX

Par une nuit où saint François était en proie à la tentation (la légende ne précise pas laquelle...), il se jeta dans les buissons de roses près de sa chapelle. Les épines tombèrent au contact de sa sainte peau, et depuis, la roseraie produit des fleurs sans épines...

Santuario di San Damiano : *à 2,5 km au sud d'Assise (fléché). ☎ 075-81-22-73. • assisiofm.org • Tlj 10h-12h, 14h-18h (16h30 en hiver).* Saint-Damien, au milieu des cyprès et des oliviers, fut primordial dans la vie de saint François. En 1205, il s'y arrêta pour prier et, dans la ferveur de ses oraisons, il entendit Dieu lui parlant par l'entremise du crucifix (aujourd'hui une copie, l'original est conservé dans la basilique santa Chiara, voir ci-dessus). C'est également ici que saint François élabora la majeure partie du *Cantique des créatures,* expression de son amour de Dieu. Vers 1212, sainte Claire y fonda l'ordre des Clarisses, et nombreux sont celles et ceux qui se recueillent dans la salle où elle dormit sur une paillasse, jusqu'à sa mort en 1260. Dans la chapelle à droite de l'entrée, crucifix de l'artiste sicilien Frate Innocenzo da Palermo, datant de 1637. En sortant, promenez votre regard sur Santa Maria degli Angeli et sur les collines moutonnant à l'horizon, en écoutant chanter vos petits frères ailés.

Santuario francescano del Sacro Tugurio di Rivotorto : *à 4,5 km au sud d'Assise. Tlj 8h-12h, 14h30-19h.* Saint François, après avoir obtenu l'approbation orale de la Règle par Innocent III, s'installa ici avec ses premiers compagnons et y resta de 1209 à 1210. Le galetas *(tugurio)* est le témoignage de la façon de vivre du premier groupe de frères, dans la simplicité et la pauvreté. En 1926, cet ensemble de deux masures reliées par un auvent fut promu Monument historique. Dans l'une d'elles, dans la pénombre, statue de saint François dormant. Remarquez sa petite taille et sa maigreur : on ne peut que ressentir intimidation et respect devant l'âme immense qui a occupé ce corps décharné. Des scènes de la vie du saint sont représentées par douze toiles de Cesare Sermei, malheureusement sombres et mal éclairées, ce qui contraste avec la mise en couleur joyeuse des quelques vitraux.

Eremo delle Carceri : voir ci-après « Parco regionale del Monte Subasio ».

➢ ***Sentiero francescano della Pace :*** saint François, chassé d'Assise par son père, alla trouver refuge à Gubbio. Par la suite, le moine itinérant arpenta fréquemment ce *chemin franciscain de la Paix,* que plusieurs générations de pèlerins ont ensuite parcouru, découvrant des paysages parmi les plus représentatifs et les plus beaux d'Ombrie. L'office de tourisme distribue un plan-guide avec la description des étapes. La seule bourgade proposant un choix d'hébergements étant *Valfabbrica,* au tiers du parcours, les bons marcheurs parcourent l'itinéraire (une quarantaine de km) en 2 jours, un pour la mise en jambes (environ 4h30) et l'autre pour les choses sérieuses (environ 9h).

PARCO REGIONALE DEL MONTE SUBASIO (PARC RÉGIONAL DU MONT SUBASIO)

Le mont Subasio, de par sa forme caractéristique en dos de tortue, se distingue immédiatement des monts environnants. Culminant à 1 290 m d'altitude, il attire les adeptes du parapente et offre, depuis son plateau sommital dénudé par l'homme au cours des siècles, une vue exceptionnelle sur toute la région. Autour, entre Assise, Spello, Nocera Umbra et Valtopina, s'étend un parc de 74 km² où vivent le loup et le sanglier, et qui permet de belles randonnées à pied, à VTT ou à cheval. En cas d'indigestion de fresques, c'est l'endroit qu'il vous faut. Vous y comprendrez certainement l'immense amour que saint François portait à la nature.

Où dormir ?

CAMPING

⛺ ***Campeggio Subasio :*** *via del Campeggio, 06038 Spello.* ☎ *075-801-06-55.* • *info@campeggiosubasio.com* • *campeggiosubasio.com* • *À 6 km de Spello. Prendre vers Collepino, puis tourner à gauche vers la pinède de Sportella (fléché). Ouv juin-sept. Pour 2 avec tente, 25 €.* Un petit camping de montagne sous les pins, bien équipé et très agréable, loin de l'agitation de la vallée. Bon rapport qualité-prix.

AUBERGE

🏠 🍽 ***Albergo Il Tartufaro :*** *06030 Balciano.* ☎ *0742-75-00-32.* • *tartufaro@tartufaro.it* • *tartufaro.it* • *À Valtopina (12 km au nord de Foligno), prendre la direction de Ponte Rio et guetter le fléchage à gauche. Doubles 50-80 €, petit déj inclus, avec TV satellite et minibar. Env 18 € à la carte.* Une auberge de campagne à flanc de colline, avec des chambres toutes simples, dans une totale tranquillité. La patronne rit encore de ce client se plaignant de ses insomnies domestiques et qui, ici, s'est réveillé à midi ! Piscine. Accueil souriant.

AGRITOURISMES

🏠 🍽 ***Agriturismo Il Castello :*** *frazione Costa di Trex, 25, 06081 Assise.* ☎ *075-801-36-83.* 📱 *333-328-22-25.* • *info@agriturismoilcastello.com* • *agriturismoilcastello.com* • ♿ *À 5 km d'Assise, sortir par la SS 444 en direction de Gualdo Tadino et guetter le fléchage à droite. Doubles spacieuses 58-70 € selon saison, petit déj compris. Repas 16 €. CB refusées. Café offert sur présentation de ce guide.* Dans une ferme rénovée, dominant de belles collines. Préférez les chambres nos 5, 7, 8 ou 9 qui ont vue sur la vallée. Terrasse ombragée.

Nourriture qui fait la part belle aux produits de la propriété (huile d'olive, agneau) ou de la région (soupe d'épeautre, tagliatelles au sanglier...). Accueil chaleureux et discret.

Agriturismo La Contessa : *loc. Madonna dei Tre Fossi, 47/c, Costa di Trex, 06081 Assise. ☎ 075-80-23-09. • lacontessa.assisi@tiscali.it • lacontessaassisi.it • À 10 km d'Assise, sortir par la SS 444 en direction de Gualdo Tadino et, au niveau de Piano delle Pieve, guetter le fléchage à droite ; une fois au bout du chemin, c'est le portail à gauche. Doubles 70-90 € selon chambre, petit déj compris. Dîner dégustation 25 € (enfant 15 €).* Le credo de vos hôtes, un couple très simple et bien sympathique, se décline en trois concepts : bon air, calme, bonne bouffe. Pour les 2 premiers, vu la situation de la maison, aucun problème ! Pour le 3e, repas 100 % bio et 100 % maison, avec de la viande d'agneaux, de veaux et de porcs élevés en liberté. Jolies chambres avec murs de pierre brute. Piscine. Départ de sentiers, avec de beaux coins pour pique-niquer.

Agriturismo La Tavola dei Cavalieri : *fraz. Santa Maria di Lignano, 104, 06081 Assise. ☎ 075-801-90-54. • cesare@luoghispeciali.it • latavoladeicavalieri.com • À 13 km d'Assise, sortir par la SS 444 en direction de Gualdo Tadino et, au niveau de Piano delle Pieve, guetter le fléchage à droite. Double 90 €, petit déj compris.* Dans un endroit perdu, au départ de sentiers et avec vue sur le Subasio, 12 chambres meublées XIXe s avec de belles têtes de lit peintes. Piscine avec petit bain et cascade. Repas à base de produits de la ferme, y compris du vin et de la bière élaborée d'après une recette trouvée dans les vieux manuscrits d'un ancien monastère. Accueil très pro et souriant.

Où manger ?

Ristorante Da Giovannino : *loc. Ponte Grande, 89/a, 06081 Assise. À 5 km d'Assise par la SS 444 en direction de Gualdo Tadino. Mar-ven midi ; w-e midi et soir. À la carte env 20 €.* Giovannino adore la bonne chère et vous le fait partager. Le restaurant est couplé à une épicerie où il vend les meilleurs produits de la région. Portions pantagruéliques (l'*antipasto da Giovannino* est un repas à lui tout seul) et viandes extrêmement goûteuses. Prix défiant toute concurrence. Agréable terrasse couverte.

À voir. À faire

– La partie nord du parc propose plusieurs sentiers balisés, pour lesquels il vous faudra la carte au 1/25 000 éditée par la section de Foligno du Club Alpin Italien (☎ 0742-229-21).
– Le mont lui-même est parcouru par un chemin carrossable que nous vous conseillons de parcourir d'Assise vers Spello.

Eremo delle Carceri : *à 4 km d'Assise. ☎ 075-81-23-01. • eremocarceri.it • Tlj 6h30-19h (18h nov-mars). Visites guidées 9h-12h, 14h30-18h (17h nov-mars). Parking payant.* L'ermitage, qui attire de nombreux pèlerins dont beaucoup en robe de bure, est accroché à la montagne, à 800 m d'altitude, au milieu d'une belle forêt. C'est ici que saint François se retira pour méditer, après avoir entendu la parole de Dieu. Lui et ses frères s'y retrouvaient et y dormaient dans l'humilité la plus totale. On peut voir leurs cellules *(carceri)*. De l'ermitage partent quelques sentiers qui permettent de bien agréables balades. Parfois, au couchant, lorsque la lumière devient féerique, on peut, tel saint François, se sentir débordé d'amour pour la nature ombrienne. Du parking, large vue panoramique s'étendant jusqu'à Spolète.

Le Monte Subasio : la route panoramique qui relie l'*Eremo delle Carceri* au village de **Collepino,** près de Spello, traverse les croupes dénudées du Subasio. Allant tantôt le long de la vallée ombrienne, qu'elle domine de près de 900 m, tantôt de l'autre côté, elle offre des vues réellement époustouflantes sur toute la région, en particulier sur les Apennins. Ces paysages, d'une sérénité incomparable, aident à comprendre pourquoi ces terres ont vu naître tant de personnages mystiques. Cette route peut se parcourir en voiture, à VTT ou à pied. Dans les deux derniers cas, assurez-vous qu'une distance de 20 km, pimentée par près de 1 000 m de dénivelée vers le haut puis vers le bas, ne vous fait pas peur !

SPELLO

(06038) 8 600 hab.

À quelques kilomètres au nord de Foligno, la coquette bourgade de Spello, bâtie comme Assise sur les contreforts du mont Subasio, est l'antique *Iula Hispellum* des Romains. Elle subit l'invasion d'Attila et de Totila avant de tomber aux mains des Longobards. Au cours du XIIe s, Spello obtint enfin son statut de commune libre. Aujourd'hui, elle est une alternative calme aux foules d'Assise et un lieu de séjour idéal. Ses vieilles ruelles grimpent autour des monuments situés au flanc de sa colline, d'où l'on aperçoit la belle vallée ombrienne entourée d'autres hauteurs plantées d'oliviers. Les amateurs du Pinturicchio aussi bien que les autres trouveront matière à enchantement et profiteront de cette sérénité propre à l'Ombrie.

PAS DE PRÉCIPITATION…

Le bienheureux Andrea Caccioli, l'un des premiers disciples de saint François, est né à Spello. Il est devenu célèbre en faisant, par la seule force de la prière, tomber la pluie dans une région où régnait la sécheresse, puis apparaître une source dans un couvent de Clarisses. Il eut aussi le privilège, dit-on, de serrer contre lui l'Enfant Jésus, apparu avec une armée d'anges.

Arriver – Quitter

En train

***La gare ferroviaire FS** (plan B3)* est située dans la vallée. Pour parvenir jusqu'au centre historique, il faut marcher (moins de 1 km jusqu'au mur d'enceinte) ou prendre un taxi (voir plus loin « Adresses et info utiles »).

➢ ***De/vers Pérouse** (stazione di Fontivegge), **Assise et Foligno :*** 20 trains/j. Trajets respectifs : 35, 10 et 7 mn.
➢ ***De/vers Spolète et Terni :*** une dizaine de trains/j., souvent avec changement à *Foligno.* Trajets respectifs : 30 mn et 1 h.
➢ ***De/vers Rome :*** une dizaine de trains/j., la plupart avec changement à *Foligno.* Trajet : 2-3h.
➢ ***De/vers Florence :*** une dizaine de trains/j., parfois avec changement à *Terontola.* Trajet : 2h30.

En bus

Les bus arrivent ou partent de la *porta Consolare (plan B3)*, la plus basse des cinq portes de l'enceinte romaine.

■ *Liaisons par la compagnie* ***SSIT :*** *☎ 0743-21-22-08.* • *spoletina.com* •

➢ ***De/vers Assise et Pérouse :*** 4 liaisons/j., tlj sf dim, avec Santa Maria degli Angeli où l'on trouve une correspondance *APM.* Départ de la piazza Matteotti à Assise et de la piazza dei Partigiani à Pérouse. Trajet total : env 1h.

➢ ***De/vers Foligno :*** tlj sf dim, 20 liaisons/j. Trajet : 15-30 mn. À Foligno, nombreuses correspondances vers le sud de l'Ombrie.

Circulation et stationnement

La circulation est interdite dans l'enceinte de la vieille ville. Des navettes gratuites sont assurées depuis les parkings de la *porta Consolare (plan B3)* et de la *porta Montanara (plan A1)*. Les touristes qui ont réservé un hôtel peuvent demander un permis de circuler.

Adresses et info utiles

ℹ ***Office de tourisme*** *(Pro Spello ; plan B2) : piazza Matteotti, 3. ☎ 0742-30-10-09. • prospello@libero.it • regioneumbria.eu • Tlj 9h30-12h30, 15h30-17h30 (16h-18h de mi-juin à fin sept).* Guides sur l'art à Spello en français. Bon accueil.

✉ ***Poste centrale*** *(plan B2) : piazza della Repubblica. ☎ 0742-30-081. Lun-ven 8h-18h30 (15h30 en août), sam 8h-12h30.*

■ ***Taxis :*** *📱 334-570-42-18.*

Où dormir ?

Bon marché

≜ ***Residenza La Terrazza*** *(plan A2,* ***12****) : via Torre di Belvedere, 35-37. ☎ 0742-65-11-84. • info@laterrazzadispello.it • laterrazzadispello.it • Double 50 € ; appart pour 2 avec kitchenette 60 € ; petit déj 4 €. Parking gratuit.* Selon la chambre, ameublement fonctionnel ou meubles anciens. Accueil très chaleureux des proprios ; madame se fait un plaisir de vous cuisiner le plus copieux des petits déj (avec pâtisseries maison !) et de vous le servir dans la chambre ou dans le jardin, d'où l'on profite d'un beau panorama sur la campagne. Une adresse simple et sympa.

≜ ***Hotel del Prato Paolucci*** *(plan B2,* ***11****) : via Brodolini, 4. ☎ 0742-30-10-18. • hoteldelpratopaolucci.it • ♿ À 5 mn à pied du centre historique, dans un quartier résidentiel. Doubles 50-60 € selon saison, petit déj sommaire compris. Parking.* Une propriété aménagée en hôtel et un immeuble au style motel presque adjacent. Plutôt simple, mais situation vraiment agréable, au calme. Magnifique vue sur la campagne depuis la salle du petit déj. Piscine l'été. Patronne très gentille sous un abord timide, gestion familiale.

De prix moyens à chic

≜ ***Albergo del Teatro*** *(plan A1,* ***13****) : via Giulia, 24. ☎ 0742-30-11-40. • info@hoteldelteatro.it • hoteldelteatro.it • Doubles 95-110 € selon saison, petit déj compris.* Chambres très soignées (parquet, poutres pour certaines) et bien équipées : TV, minibar et salle de bains dernier cri. Réception sympa. Petit déj servi sur la terrasse panoramique.

≜ ***Palazzo Bocci*** *(plan B2,* ***10****) : via Cavour, 17. ☎ 0742-30-10-21. • bocci@bcsnet.it • palazzobocci.com • Doubles 130-160 € selon saison, petit déj compris. TV, AC, minibar. Parking gratuit. Wifi.* Vous voulez du rêve et du charme ? Voici un palais du XVIIIe s avec ses fresques, son jardin méditerranéen gardé par 2 palmiers qui vous contemplent indolemment et un bar pour vous replonger dans l'ambiance du film *Le Guépard* avec votre bien-aimé(e). Une vingtaine de chambres confortables avec de beaux volumes, fonctionnelles à défaut d'être décorées avec des touches plus chaleureuses. Accueil à la hauteur du lieu.

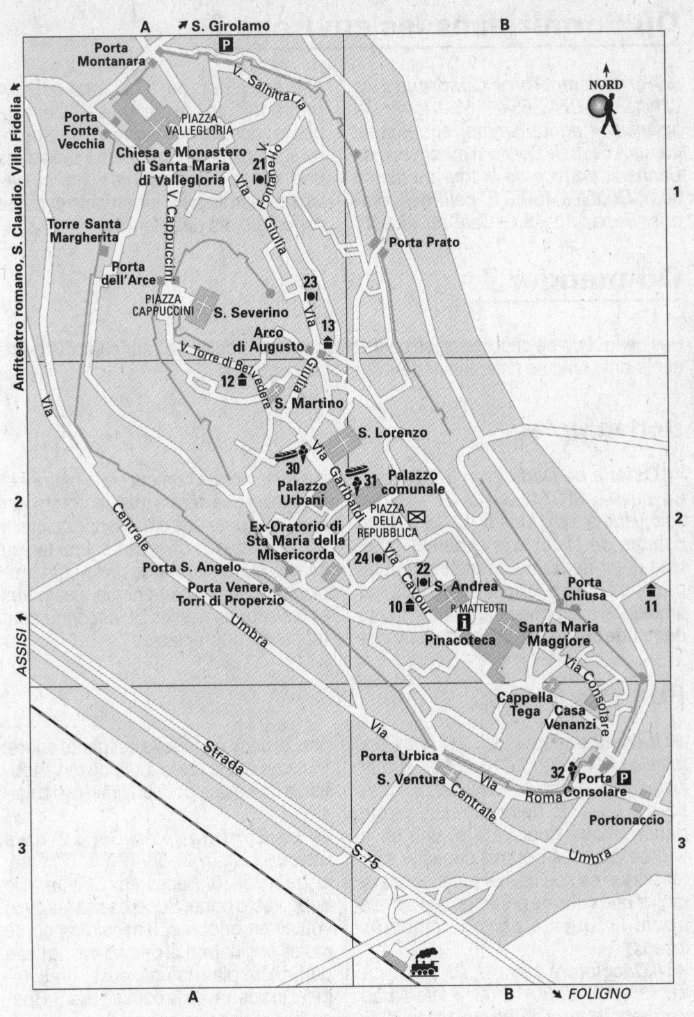

SPELLO

Adresses utiles

- Office de tourisme
- Parkings

Où dormir ?

- **10** Palazzo Bocci
- **11** Hotel del Prato Paolucci
- **12** Residenza La Terrazza
- **13** Albergo del Teatro

Où manger ?

- **21** Il Trombone
- **22** La Cantina
- **23** Il Cacciatore
- **24** Osteria de Dadà

Où manger sur le pouce ? Où déguster une glace ?

- **30** Tullia
- **31** Bar Giardino
- **32** Gelateria-bar Borgo

Où dormir dans les environs ?

Agriturismo Torre Quadrana : *via Limiti, 3. ☎ 074-265-28-56. • torrequ@tiscali.it • agriturismotorrequadrana.com • À 5 km de Spello, à mi-chemin de Cannara, en face de la tour du même nom. Doubles 45-50 €, petit déj compris. Repas 15-18 €. Café ou digestif offert et réduc de 10 % (mai-oct) sur présentation de ce guide.* Dans la plaine, non loin d'Assise et de Spello, un *agriturismo* abordable, familial, dans une grande maison sobre au milieu des vignes. Jardin pour les enfants et petite expo d'objets de la ferme.

Où manger ?

Pas beaucoup de choix pour les petits budgets, car Spello joue sur son côté bourgeois-chic pour se différencier d'Assise, plus populaire.

Bon marché

Osteria de Dadà *(plan B2, **24**) : via Cavour, 47. ☎ 0742-30-13-27. Tlj sf dim soir jusqu'à 22h. Menus 12-18 € selon nombre de plats ; à la carte env 20 €.* Une demi-douzaine de tables, tout au plus, déco de bric et de broc, et ambiance à la bonne franquette. On se demande si quelque chose peut un jour altérer la bonne humeur de la patronne. Laissez-vous tenter par les plats sur l'ardoise, pour une expérience culinaire qui ne sera pas décevante. Froides ou chaudes, des assiettes d'été sont proposées comme plat unique. Les pâtes et les soupes suivies du *secondo* sont tout aussi appréciables.

Prix moyens

Il Trombone *(plan A1, **21**) : via Fontanello, 1. ☎ 072-30-10-06. Tlj sf mar jusqu'à 1h. À la carte env 25 €. CB refusées.* Une très belle terrasse-jardin panoramique pour l'été et une cave voûtée, où vous pourrez déguster toutes sortes de spécialités ombriennes, à moins que vous ne préfériez une simple pizza. Fréquenté par de nombreux locaux.

Il Cacciatore *(plan A1, **23**) : via Giulia, 42. ☎ 0742-30-16-03. • info@ilcacciatorehotel.com • Tlj sf lun. Menu 20 €. À la carte env 30 €.* Le resto le plus traditionnel de Spello. Superbe terrasse ultrafréquentée en saison ; en revanche, la déco de la salle est plutôt sobre, tout comme la carte, qui conserve toutefois une place pour un grain de fantaisie.

La Cantina *(plan B2, **22**) : via Cavour, 2. ☎ 0742-65-17-75. Tlj sf mer jusqu'à 22h30. Repas env 30 €.* À ville bobo, resto bobo. Superbes salles avec voûtes en brique et luminaires pour le moins originaux. Ici, on sert même l'eau de Spello, plate ou gazeuse, gratuitement incluse avec le couvert (sic !). Spécialités régionales : *piccione e carni alla griglia*, pâtes fraîches (gnocchis aux truffes), agneau à l'artichaut. Desserts maison. Service aux petits soins.

Où manger sur le pouce ? Où déguster une glace ?

Tullia *(plan A2, **30**) : largo Mazzini, 6.* Idéal pour observer le va-et-vient paisible depuis la terrasse. En plus des glaces, bons sandwichs, *panini* et autres en-cas.

Bar Giardino *(plan A-B2, **31**) : via Garibaldi, 10. Tlj sf mer 7h-22h (minuit en été). Gelateria* et snack sur une immense terrasse bien ombragée avec une vue plaisante sur la campagne et les collines proches. Plateaux de charcuteries et fromages ; *bruschetta* et *torta al testo* pour le grignotage.

***Gelateria-bar Borgo** (plan B3, **32**) :* *piazza Kennedy, 14.* Sous un des parasols géants de la terrasse, admirez donc les statues romaines au-dessus des trois arches de la *porta,* tout en dégustant des *gelati* avant de vous enfoncer dans la vieille ville.

À voir

L'itinéraire suivant, à travers la petite ville de Spello, permet d'en apprécier l'essentiel... mais sa spécificité réside dans ses ruelles médiévales, pleines de charme.

***Chiesa Santa Maria Maggiore** (plan B2) : piazza Matteotti. Ouv 8h30-12h, 15h-19h en été (18h en hiver).* En 1600, il n'y avait à Spello que 2 000 habitants mais 100 églises, dont 22 consacrées à la Vierge. La plus importante, Santa Maria Maggiore, célébrait tous les événements de la vie de Marie. On n'y entre vraiment que pour ses éblouissantes fresques peintes en 1500 par le Pinturicchio, qui se trouvent dans la *cappella Baglioni* (à gauche), dite *la Bella* : elles représentent l'Annonciation, la Nativité et la Dispute du Temple. Les tons vifs et les visages expressifs des personnages tranchent avec ce que d'aucuns (et l'on en fait partie) appellent la mièvrerie du Pérugin. On sait que les deux peintres travaillèrent ensemble dans l'atelier du Pérugin, et les historiens de l'art parlent d'une complémentarité plutôt que d'une rivalité. Cependant, la chapelle Bella peut être interprétée comme une réponse aux fresques du *Collegio del Cambio* à Pérouse, que le Pérugin avait terminées quelques mois auparavant. Il s'agit sans doute de l'une des plus belles réalisations du Pinturicchio qui, certain de son succès, a même glissé son autoportrait dans un tableau accroché chez Marie dans la scène de l'Annonciation. Son grand sens de la décoration et de l'ornementation lui permet de recentrer la scène picturale, fragmentée en petits épisodes. Le Pérugin a signé, quant à lui, les fresques de la *Pietà* et *La Vierge sur le Trône* situées dans le chœur, de part et d'autre du baldaquin.

***Pinacoteca civica** (plan B2) : tlj sf lun ; avr-sept, 10h30-13h, 15h-18h30 ; oct-mars, 10h30-12h30, 15h30-17h30. Entrée : 2,60 € ; réduc.* L'œuvre maîtresse devrait être une *Madonna con Bambino* du Pinturicchio, volée il y a près de 35 ans en Allemagne et retrouvée fin 2004... mais on n'y voit, et ce pour une durée inconnue, qu'une reproduction en noir et blanc. On se console avec une statue de bois polychrome d'une *Madone à l'Enfant* du XIIIe s (dont on a dérobé le bambin en juin 2008... décidément !), une *Pietà* du XVIe s ou encore diverses œuvres religieuses des XVIe-XVIIIe s.

***Chiesa Sant'Andrea** (plan B2) :* vous engageant via Cavour, vous trouvez sur votre droite cette église du XIIIe s, sanctuaire franciscain à croix latine et à nef unique, qui abrite d'autres œuvres du Pinturicchio, notamment un grand tableau représentant une Vierge à l'Enfant avec saint Jean enfant. À gauche en entrant, dans la chapelle du baptistère, fresque de l'école de Foligno.

***San Lorenzo** (plan A-B2) :* continuant de remonter avec l'énergie qui vous est habituelle la via Cavour, vous arrivez bientôt à cette autre église à l'intérieur baroque plus ou moins réussi. Le baldaquin réplique celui que le Bernin conçut pour Saint-Pierre de Rome.

***Piazza Cappuccini** (plan A1) :* harassé par cette lente ascension, vous n'en continuerez pas moins votre visite des lieux. Vous emprunterez la via Torre di Belvedere, qui conduit au sommet de la colline où se trouvait l'*acropole antique.* Il en reste quelques vestiges, dont un petit arc romain qui en gardait jadis l'entrée. Mais l'intérêt de cette grimpette réside davantage dans la vue qu'on a depuis la piazza

Cappuccini sur la vallée du Topino et les collines. Puisque vous êtes parvenu au sommet de la ville, il ne vous reste plus qu'à entamer la descente par l'autre côté du tertre.

Manifestations

– ***Via Crucis da autore :*** *le Vendredi saint.* Des peintres contemporains interprètent la thématique religieuse et exposent dans toute la ville.
– ***Balcons et fenêtres fleuris :*** *en mai.*
– ***Infiorata di Spello :*** *en juin, le j. de la Fête-Dieu.* Spectacle haut en couleur, drainant une foule considérable. Pour profiter au mieux de la fête, préparez-vous à une nuit blanche ! Arrivez dans la soirée et observez les artistes à l'œuvre. Chaque groupe travaille à la constitution de son tableau : certains préparent les pétales, d'autres les broient ou les effilent, et les plus virtuoses composent les tableaux. L'inspiration est libre : scènes bibliques, motifs géométriques, allégories, symboles religieux. Puis, très tôt le matin, presque seul dans les ruelles, parcourez le trajet de la procession en vous extasiant sur cette beauté éphémère que va fouler la procession.
– ***Fête de l'Olive et de la Bruschetta :*** *1re sem de déc.*

FOLIGNO

(06034) 57 800 hab.

Foligno a toujours été une ville de commerçants et d'artisans. De par sa situation, elle fut un carrefour important entre les littoraux de l'Adriatique et de la mer Tyrrhénienne. Aujourd'hui encore, elle reste un centre commercial et industriel qui est loin d'avoir le charme des autres villes de la vallée.

Arriver – Quitter

Gare ferroviaire *(stazione FS)* ***et arrêt de bus*** *(devant la gare ferroviaire) : viale Mezzetti.* Pour rejoindre le centre-ville (piazza della Repubblica), petit quart d'heure à pied en remontant la viale Mezzetti puis, à droite, le corso Cavour. Achat des tickets de bus dans les kiosques de la gare ferroviaire.

En train

➢ Trains directs à peu près ttes les heures pour ***Assise*** (20 mn), ***Pérouse*** (40 mn), ***Trevi*** (10 mn), ***Spolète*** (20 mn), ***Terni*** (1 h) et ***Rome*** (2 h).

En bus

La gare routière étant un peu excentrée, tous les bus s'arrêtent sans exception devant la *stazione FS.* Liaisons assurées par la compagnie *SSIT : ☎ 0742-67-07-47. • spoletina.com •*

➢ Bonnes liaisons directes vers toutes les villes de la région, sf dim : ***Pérouse*** (6 bus/j., env 1h), ***Assise*** (3 bus/j., 50 mn), ***Spello*** (10 bus/j., 10 mn), ***Bevagna*** (8 bus/j., 20 mn), ***Montefalco*** (4 bus/j., 15-20 mn), ***Trevi*** (12 bus/j., 15-25 mn), ***Spolète*** (6 bus/j., 30 mn).

En voiture

➢ ***De/vers Pérouse et Assise :*** Foligno est à 36 km au sud-est de Pérouse et à 18 km au sud-est d'Assise par la S 75.
➢ ***De/vers Spolète :*** Foligno est à 29 km au nord, par la S 3.

Adresses utiles

ℹ ***Office de tourisme :** corso Cavour, 126. ☎ 0742-35-44-59. • info@iat.foligno.pg.it • comune.foligno.pg.it • Proche de la gare ferroviaire, dans l'un des premiers bâtiments au niveau de la porta Romana. Tlj 8h30-14h, 15h30-19h30.* Bon accueil et très efficace. Peut vous renseigner sur Montefalco, Bevagna et Trevi.

✉ ***Poste centrale :** via G. Piermarini. De la porta Romana, c'est la 3e à droite dans le corso Cavour.*

Où dormir ?

Bon marché

***Casa Beata Angelina :** via Alunno, 29. ☎ 0742-34-26-88. • info@casabeatangelina.it • casabeatangelina.it • À 10 mn à pied de la gare. Accès par le n° 16 de la via Monasteri, à deux pas de la via Umberto I. Double 60 €.* Monastère tenu par des sœurs clarisses, dont l'ensemble des bâtiments et plus particulièrement le cloître valent le coup d'œil. Chambres impeccables. Petit déjeuner généreux avec produits frais. Revers de la (sainte) médaille : fermeture des portes à 23h.

***Auberge de jeunesse Pierantoni :** via Pierantoni, 23. ☎ 0742-34-25-66. • info@ostellofoligno.it • ostellofoligno.it • ♿ À 10 mn à pied de la gare ; par la via Flavio Ottaviani et la via Umberto I, remonter jusqu'à la via Garibaldi et prendre à droite ; c'est à 200 m sur la gauche. Réception 7h-11h, 15h-23h30. Dortoir 16 €/pers. Double 44 €. Familiale env 18 €/pers. Ts prix incluant le petit déj. Repas (midi et soir) 8-12 €. Parking.* Dans un ancien couvent du centre-ville, l'aménagement est superbe. C'est propre, spacieux (200 lits), avec un petit parc pour se détendre. Sans doute l'une des plus belles auberges de jeunesse d'Italie, et un rapport qualité-prix inégalé dans la région.

Prix moyens

***Hotel Italia :** piazza Matteotti, 12. ☎ 0742-35-04-12. • info@hotelitaliafoligno.com • hotelitaliafoligno.com • ♿ Doubles 70-90 €, petit déj compris. Au resto, menus 18-35 €. Parking. Wifi. Café offert sur présentation de ce guide.* Parmi la quarantaine de chambres, certaines sont romantiques à souhait, à plafond voûté ou décoré de fresques (notamment la n° 110) ; d'autres tout à fait sobres. À vous de choisir selon vos préférences, mais sachez qu'en période de festivités les chambres côté piazza sont plus calmes, du fait des bars côté ruelle. Dans le salon à gauche en entrant, belle fresque ex-voto du XVe s.

Où manger ?

Les restos (notamment les pizzerias) pullulent à Foligno. Dans cette multitude, peut-être trouverez-vous votre bonheur. Deux adresses se détachent :

***Da Remo :** via del Campo, 4. ☎ 0742-34-05-22. Proche de la piazza San Francesco. Tlj sf lun. Congés : août. Menu 25 €, quart de vin de la maison compris. À la carte env 30 €. Café et digestif offerts sur présentation de ce guide.* Un classique à Foligno, fondé en 1893. Ambiance intime dans de belles salles chaleureuses. Grand choix de *primi*, viandes grillées et plats *al tartufo*. Ici, on aime et on respecte le vin : demandez à voir la petite salle souterraine, en bas d'un escalier de 70 marches, qui servait de frigo voici quelques siècles et permet de conserver, à température constante, les bouteilles les plus précieuses. Service pro et, aux beaux jours, terrasse.

Il Cavaliere : *via XX Settembre, 39. ☎ 0742-35-06-08. • info@ristoranteilcavaliere.eu • Dans une rue débouchant sur la piazza della Repubblica. Tlj sf lun. À la carte env 30 €.* Un resto de bonne tenue, même si l'extérieur ne paie pas de mine. 3 salles aux murs tapissés de bouteilles de crus locaux. Tous les plats ombriens sont à la carte, avec un supplément pour les truffes.

Où boire un verre ? Où manger une bonne glace ?

Central Bar : *piazza della Repubblica.* En été, une grande terrasse permet de vous délecter de *gelati* et de pâtisseries, au soleil et au cœur de l'action folignaise.

À voir

Duomo di San Feliciano : *piazza della Repubblica. Ouv 9h-12h, 16h-19h.* Cette cathédrale, construite au XIIIe s, a subi maintes modifications qui lui donnent un aspect composite intéressant et lui valent une caractéristique inhabituelle : elle possède deux façades, une pour la nef et une pour le transept gauche. Sa forme actuelle date de 1734 et de 1808, ce qui explique l'intérieur combinant les styles néoclassique et baroque, avec un baldaquin monumental rappelant celui de Saint-Pierre de Rome. La façade latérale romane a été sauvegardée : elle est splendide, avec son portail ouvragé, ses fenêtres à fines colonnettes et ses rosaces délicates.

Palazzo Trinci : *en face de l'entrée latérale du Duomo. ☎ 0742-33-05-84 et 05-85. Tlj sf lun 9h-13h, 15h-19h. Entrée : 6 € ; réduc. Billetterie en haut de l'escalier monumental.*

Les Trinci, seigneurs guelfes qui régnaient sur Foligno entre 1305 et 1439, possédaient quelques « modestes » palais. Relié au Duomo par une arcade, celui de Foligno abrite un musée municipal comportant trois sections. Le déploiement de moyens ferait pâlir d'envie bien des conservateurs de grandes institutions. Pourtant, les collections sont loin d'être inoubliables.

– *Section archéologique* dans les sous-sols, où sont notamment exposées des mosaïques romaines.

– *Pinacoteca comunale* avec, entre autres, de nombreuses œuvres de l'école de Foligno (XVe et XVIe s).

– *Museo Multimediale dei Torni, delle Giostre e dei Giocchi* (musée multimédia des Tournois, des Joutes et des Jeux) exposant divers objets sur ce thème ainsi que des mannequins richement vêtus. Cartels et vidéos en italien.

La visite vaut surtout pour le palais lui-même. Tout entier construit par une famille qui voulait démontrer sa puissance, il recèle de nombreuses fresques de style gothique flamboyant qui rappellent la grandeur passée des Trinci. L'une d'entre elles, dans la bibliothèque, représente les arts libéraux, les planètes et les âges de la vie. Dans la *loggia*, une belle représentation du mythe de Romulus et Remus. Signe de la mégalomanie des maîtres de céans, la salle des Empereurs et des Géants lie la famille Trinci aux grandes figures de l'histoire et de la mythologie (vous aurez aisément reconnu le seul personnage assis : l'empereur Auguste). Dans une chapelle peinte par Ottaviano Nelli, effets de perspective saisissants et superbe escalier gothique. Jetez un coup d'œil au magnifique plafond à caissons de la salle du pape Sixte IV et aux fresques du corridor menant à la cathédrale. Notez les expressions des visages, particulièrement intenses. Le sujet est délibérément emprunté à la culture française du roman courtois, afin de révéler la culture internationale des Trinci.

Manifestations

– ***Giostra de la Quintana*** *(Joutes de la Quaintaine) : en juin et sept.* • *quintana.it* • Fête s'inspirant d'un concours hippique datant du XVe s, précédée, la veille, d'un cortège de 600 personnes costumées défilant dans les rues. La joute entre les 10 quartiers de la ville a été codifiée en 1613 : les cavaliers au galop doivent enfiler sur leur lance trois anneaux de plus en plus petits suspendus à la main d'un guerrier en bois représentant Mars, la *Quintana*. Une bonne occasion de faire la fête en costume d'époque, et surtout de ripailler !
– ***Notte Barocca :*** *fin août-fin sept.* • *nottebarocca.com* • Musique baroque, danse et théâtre.
– ***I Primi d'Italia :*** *fin sept ou début oct.* • *iprimiditalia.it* • Réunit de grands chefs autour de recettes des plus extravagantes, dites « d'auteur », pour agrémenter les *primi* : pâtes, riz, polenta... Cours de cuisine au programme.

➤ DANS LES ENVIRONS DE FOLIGNO

Abbazia di Sassovivo : *à 6 km à l'est de Foligno, prendre la route vers Colfiorito puis, tt de suite après la quatre voies, suivre la direction d'Upello. Ouv de l'aube au crépuscule, accès libre.* Fondée au XIe s sur le versant du mont Serrone, dominant la vallée du torrent Renaro, cette ancienne abbaye bénédictine (accueillant aujourd'hui des moines de la Fraternité sacerdotale Jésus-Caritas), perchée sur la montagne à 2 km au milieu d'une forêt de pins, de genévriers et de chênes, vaut le détour pour son adorable cloître du XIIe s, fait de 128 colonnettes.

BEVAGNA

(06031) 5 000 hab.

À 8 km au sud-ouest de Foligno, au milieu d'une plaine verdoyante, la petite bourgade de Bevagna cache son charme indéniable derrière ses vieilles murailles. Rien n'aura été épargné à l'antique *Mevania*, construite le long de la via Flaminia : ni les invasions des Goths et des Lombards, ni les exactions des troupes papales et impériales, ni les pillages orchestrés par les ambitieux Trinci de Foligno et les veules Baglioni de Pérouse, ni, enfin, le tremblement de terre de 1997 qui avait endommagé toutes ses belles églises. La bourgade mérite un détour dans votre périple en Ombrie pour goûter l'atmosphère, ô combien agréable, de la place *Filippo Silvestri*, véritable cœur de la ville depuis le XIIe s.

Arriver – Quitter

En bus

Faute de gare à Bevagna, le seul moyen de transport est le bus au départ soit de ***Foligno,*** soit de ***Montefalco :*** 8 bus/j. sf dim (trajet : 20 mn dans les deux cas). *SSIT : ☎ 0742-67-07-47.* • *spoletina.com* •

En voiture

Bevagna est à 8 km au sud-ouest de Foligno par la SS 316 et à 7 km au nord-ouest de Montefalco.

Adresse et info utiles

Bureau d'informations touristiques *(Pro Loco) : église Santa Maria Laurentia, face au 58, corso Matteotti. ☎ 0742-36-16-67. • regioneumbria.eu • Tlj 9h-13h, 15h30-18h30 (15h-17h en hiver).* Plan de la ville, belle plaquette et nombre de dépliants (dont un itinéraire archéologique).

Parking : *en dehors des murs. L'accès au centre en voiture est réservé aux habitants.*

Où dormir ?

Camping

Camping Pian di Boccio : *loc. Pian di Boccio. ☎ 0742-36-01-64. • info@piandiboccio.com • piandiboccio.com • Prendre la route de Montefalco, tourner à droite après le pont puis suivre le fléchage (env 5 km). Véhicule indispensable. Ouv avr-sept. 23 € pour 2 avec tente. Bungalows 2-5 pers 40-70 €. Apparts 2 pers 70-95 €.* Grand terrain au milieu des arbres. Vente de produits locaux. Piscine, petit lac, terrains de sport, pizzeria.

Prix moyens

Albergo Il Chiostro di Bevagna : *corso Matteotti, 107. Réception au fond du cloître. ☎ 0742-36-19-87. • info@ilchiostrodibevagna.com • ilchiostrodibevagna.com • Congés : janv-fév. Double 80 €, petit déj-buffet compris. Parking privé gratuit. Internet. Réduc de 10 % sur présentation de ce guide.* Situé sur le côté de l'église San Domenico, cet ancien couvent dominicain garde son identité sans négliger le confort de ses hôtes. Une quinzaine de grandes chambres sobres au carrelage ocre, toutes avec vue sur les collines. Fresque du XIVe s dans la salle capitulaire. Accueil sympathique.

Hotel Palazzo Brunamonti : *corso Matteotti, 79 ; réception au 1, viccolo Cirone (accès derrière la pharmacie). ☎ 0742-36-19-32. • hotel@brunamonti.com • brunamonti.com • Congés : janv-fév. Doubles 80-100 € selon taille, petit déj compris. Parking. Réduc de 10 % sur présentation de ce guide.* Le palais qu'habita la poétesse Alinda Bonacci Brunamonti a été transformé en hôtel 3 étoiles d'une vingtaine de chambres confortables, avec TV et AC, dotées de belles armoires et de cadres de lit en fer forgé. Certaines possèdent un plafond voûté. Fresques dans les salles de petit déj. Accueil pro et prévenant.

Très chic

L'Orto degli Angeli : *via Dante Alighieri, 1. ☎ 0742-36-01-30. • ortoangeli@ortoangeli.com • ortoangeli.com • 5 doubles et 9 suites à partir de 200 €.* Un bel hôtel de charme comprenant des chambres et des suites, toutes différentes et luxueusement aménagées. Jardin suspendu entre le palazzo Alberti, construit sur les restes d'un théâtre romain, et la noble demeure que possède la famille Angeli Nieri Mongalli depuis 1788. Salon avec plafond à fresques et papeterie médiévale visitable. Belle salle à manger pour le petit déj. Accueil cordial.

Où manger ?

Miccheletto : *largo Gramsci, 1. ☎ 0742-36-09-99. • info@miccheletto.com • Sur la place derrière le palazzo dei Consoli. Tlj sf mar. À la carte env*

12 €. Petit resto-bar à vins doté d'une agréable terrasse avec parasols, dans un bâtiment du XVe s à l'architecture harmonieuse. Idéal pour un repas rapide avec une salade, un carpaccio ou un *antipasto.* Carte de vins locaux.

Enoteca di Piazza Onofri : *piazza Onofri, 1. ☎ 0742-36-19-26. • info@enotecaonofri.it • Ouv ts les soirs (sf mer), et le w-e à midi. Menus dégustation 37-47 € sans vin ; à la carte env 35 €.* Cave rustique aux murs de pierre transformée en bar à vins et resto, où un chef de talent propose des plats originaux à base de saveurs du terroir. Choix exceptionnel de vins (près de 700 références !) et on ne vous parle pas des alcools forts...

Où boire un verre ? Où manger une glace ?

Gran Caffè Garibaldi : *corso Matteotti, 66.* Un établissement de quartier qui, depuis 1884, délivre le breuvage roi et des *gelati* artisanales. Quelques chaises dans la rue principale permettent de ne rien manquer du défilé des touristes.

Miccheletto : *voir « Où manger ? ».* Fait aussi glacier pour la pause sucrée.

À voir

Piazza Filippo Silvestri : les bâtiments civils et religieux qui bordent cette place datent tous du Moyen Âge, ce qui confère à l'ensemble une belle unité. Seules la fontaine (XIXe s), reconstitution de l'originale, et la colonne romaine de San Rocco viennent d'autres époques. Le pouvoir temporel a légué le *palazzo dei Consoli,* petit palais qui repose, son grand âge l'y invitant, sur des arcades. Un ample escalier permet d'accéder à son 1er étage, dont vous aurez remarqué les belles fenêtres géminées.

Chiesa San Domenico : *piazza Silvestri, à gauche en arrivant par le corso Matteotti.* Abrite une fresque et un tableau d'un artiste local, Ascencidonio Spacca, rappelant les premières œuvres de Giotto.

Chiesa San Michele : *piazza Silvestri, à droite en arrivant par le corso Matteotti.* Construite fin XIIe-début XIIIe s, l'église a été l'objet de nombreuses restaurations. De son antique jeunesse datent le portail et la très belle corniche. À l'intérieur, très haut de plafond, chœur surélevé ménageant l'espace d'une grande crypte romane à l'acoustique sublime.

Chiesa San Silvestro : *piazza Silvestri, près du palazzo dei Consoli.* Contemporaine de la précédente, elle est demeurée inachevée, comme le montre sa façade. Très beau portail et intérieur roman d'une grande sobriété, dont la solennité est renforcée par le clair-obscur, la perfection des proportions et l'élévation du chœur auquel on accède par une monumentale volée de marches. Sous le chœur, la crypte.

Chiesa San Filippo : *prendre la ruelle à côté de San Michele.* Construite en 1725. Décoration en stuc et fresques de 1757 attribuées à Domenico Valeri.

Teatro Torti : *sur la piazza Silvestri. Une dizaine de visites guidées/j., à intervalles réguliers ; rens à l'office de tourisme ou au musée.* Mignon petit théâtre de 270 places construit en 1886 dans le palazzo dei Consoli. Si les contraintes d'utilisation le permettent, vous verrez un rideau remarquable réalisé par Domenico Bruschi à la fin du XIXe s et un autre réalisé par Luigi Frappi à l'occasion de la récente réouverture.

Museo comunale : *remonter le corso Matteotti jusqu'au 70. ☎ 0742-36-00-31. Juin-août, tlj 10h30-13h, 15h30-19h (15h-19h30 août) ; avr, mai et sept, tlj 10h30-13h, 14h30-18h ; oct-mars, tlj sf lun 10h30-13h, 14h30-17h (18h oct). Entrée : 5 € ; réduc.* Aménagé dans le *palazzo municipale,* collection de pièces archéologiques et surtout quelques peintures des XVIIe et XVIIIe s. La salle du Conseil est décorée de portraits des célébrités locales, de l'époque romaine au XXe s. Le reste du bâtiment est occupé par la bibliothèque municipale et les archives.

Chiesa San Francesco : *continuer à remonter le corso Matteotti et tourner à gauche vers la piazza Garibaldi, puis à droite.* Bâtie à l'endroit le plus élevé de la ville, à un emplacement où furent érigés successivement un temple romain puis un oratoire dédié à saint Jean Baptiste, elle est dotée d'un beau petit dôme décoré de terres cuites vivifiées. À l'intérieur, dans une chapelle à droite, scellée au mur et protégée par une grille, la pierre sur laquelle saint François était juché lorsqu'il fit son discours aux oiseaux.

– Bevagna conserve quelques autres vestiges du temps où elle s'appelait *Mevania.* Dotés d'un dépliant de l'office de tourisme *(Itinerario archeologico),* les amateurs de vestiges romains entreprendront ce petit voyage dans le temps et dans l'espace.

L'HOMME QUI MURMURAIT À L'OREILLE DES OISEAUX

Saint François, alors qu'il approchait de Bevagna, planta sa bande de compagnons pour se précipiter vers un groupe d'oiseaux en tout genre. Il les salua et, s'aperçevant que les volatiles l'écoutaient, leur dit qu'ils devaient entendre la parole de Dieu qui leur a donné des plumes pour les vêtir, des ailes pour voler et tout ce dont ils ont besoin pour vivre, puis loua leur simplicité de vie. Les oiseaux, pour lui témoigner leur joie, auraient piaillé en chœur tout en agitant les ailes !

Manifestation

– ***Mercato delle Gaite :*** *2de quinzaine de juin.* • *ilmercatodellegaite.it* • Atmosphère médiévale avec joutes et concours entre les quatre *gaite* ou quartiers de la ville. Tout le centre devient une foire où sont présentés d'anciens métiers : souffleurs de verre, tisseurs de soie, ferronniers, fabricants de cierges...

MONTEFALCO

(06036) 5 700 hab.

« Mont du Faucon » ou « Balcon de l'Ombrie », cette bourgade, perchée sur une colline au milieu des oliveraies et des vignobles, offre de très beaux points de vue et comble les amateurs de la peinture *a fresco.* Gozzoli, il Perugino, Melanzio et quelques autres encore, inspirés sans doute par le charme de Montefalco et de la campagne environnante, y ont semé quelques graines de leur génie respectif. Et visiblement, cela a rendu cette terre extrêmement féconde : pas moins de huit saints y ont vu le jour ! Pour vous qui, abandonné par vos amis épris de nourritures spirituelles, préférez les plaisirs de la table, un grand vin local, le *sagrantino,* sera un agréable compagnon en attendant le retour des esthètes.

Arriver – Quitter

En bus

Au départ de ***Foligno,*** 4 bus/j. sf dim (trajet : 15-20 mn). *SSIT :* ☎ *0742-67-07-47,* • *spoletina.com* •

En voiture

Montefalco est à 11 km au sud-ouest de Foligno, très visiblement fléché depuis cette ville.

Adresses utiles

Informations touristiques : il n'y a pas d'office de tourisme à Montefalco, mais celui de Foligno peut vous renseigner efficacement. Sur place, vous pouvez vous adresser au :

– *Bureau de la Strada del Sagrantino : piazza del Comune. ☎ 0742-37-84-90. Mars-oct, tlj 9h-13h, 14h-18h.* Regroupe les producteurs locaux et propose des visites des caves. Donne quelques infos, seulement sur les établissements affiliés.

– *Museo civico San Francesco : lire plus loin « À voir ».* Peut vous donner quelques renseignements basiques sur la région.

Poste : *corso Mameli. Lun-ven 8h-13h30, sam 8h-12h30.*

Parkings : 4 parkings le long des murs d'enceinte, sans compter celui du viale della Vittoria, à côté duquel on peut garer son camping-car.

@ **Caffé del Corso :** *corso Mameli, 63.* 3 postes.

Où dormir ?

Camping

Camping Pineta di Giano : *via Monte Ceretto, 25, 06030 Giano del Umbria. À 15 km au sud-ouest de Montefalco. ☎ 0742-93-00-40. • info@pinetadigiano.com • pinetadigiano.com • Sortir en direction de Cerrete, puis Giano ; monter jusqu'à la pinède. Ouv avr-sept. 17 € pour 2 avec tente ; bungalow 4 pers 42 €. Réduc de 10 % sur présentation de ce guide.* Un vaste camping au calme sous les pins, sur une hauteur surplombant les alentours. Extrêmement paisible, tout proche de la zone verte des Monte Martani. Grande piscine. Accueil sympa.

Prix moyens

B & B San Marco : *via Case Sparse, 67, San Marco. ☎ 0742-37-79-84. • info@bbsanmarco.it • bbsanmarco.it • À 5 km de Montefalco et 1 km de San Marco en direction de Bastardo. Congés : 12 janv-14 mars. Double 67 € avec petit déj ; appart 6 pers 500 €/sem ; studio 400 €/sem. Parking gratuit. Internet. Dîner offert le soir d'arrivée, slt sur résa, sur présentation de ce guide.* Tenu par un couple franco-italien bien sympathique, Carla et Philippe, ce *B & B* convivial situé dans une ancienne ferme en pleine campagne est idéal pour un séjour découverte en Ombrie, car vos hôtes vous dispensent d'excellents conseils. Chambres spacieuses et lumineuses. Barbecue, salle de TV avec cheminée, petit déj qui change tous les matins. Vraiment excellent accueil, en toute simplicité et avec un sens inné de l'hospitalité.

Chic

Villa Pambuffetti : *viale della Vittoria, 20 (entrée par la via Alunno). ☎ 0742-37-94-17. • info@villapambuffetti.it • villapambuffetti.com • Congés : janv. Au-dessus du grand parking à l'entrée de Montefalco. Doubles 120-240 € selon saison et chambre, petit déj-buffet compris. Parking privé. Réduc de 10 % sur le prix de la chambre sur présentation de ce guide.* Dans un parc aux arbres séculaires, un hôtel familial de 15 chambres, dont certaines avec vue panoramique sur la vallée et Assise. Chambres spacieuses, décoration soignée, piscine. Élégant et raffiné. Resto chic, comme il se doit, avec cuisine ombrienne créative *(à la carte env 30 €)*.

Où manger sur le pouce ? Où manger ?

Caffè Letterario : *dans les locaux du musée, mêmes heures d'ouverture.* Salades et assiettes de charcuterie, dégustation de vins.

Il Falisco : *via XX Settembre, 14. ☎ 0742-37-91-85. Pizzas 5 € et repas moins de 15 €.* Pour les petits budgets, à côté de l'église San Agostino et du square, un petit resto sans prétention qui évoque les films de l'école réaliste des années 1950, avec, tous les jours, les mêmes papys qui y jouent aux cartes ! Belle terrasse partiellement ombragée, avec vue sur Assise.

L'Alchimista : *piazza del Comune, 14. ☎ 0742-37-85-58. Fermé mar. Congés : fév. À la carte env 22 €.* Resto-œnothèque au cœur de la ville, à la déco soignée. La carte, vous l'aurez deviné, décline de nombreux plats au parfum de *sagrantino*, la vedette locale, sans oublier les truffes, bien sûr, ni d'autres produits comme le safran de Cascia.

Où dormir ? Où manger dans les environs ?

La Cardoncina : *loc. Pietrauta (au bout d'un chemin de terre prenant à 1,5 km en direction de Bastardo). ☎ 0742-37-80-98. 329-428-44-38. • lacardoncina@libero.it • lacardoncinavacanzeinumbria.it • Congés : janv-10 mars. Double 60 € (70 € août), petit déj inclus.* Bienvenue chez Luisa et Mauro, retraités très cool, qui entendent bien que vous le soyez aussi ! Ils ont mis tous les atouts dans leur jeu : propriété au milieu des oliviers avec vue panoramique, jardin fleuri où se niche la piscine, chambres confortables avec poutres apparentes et tissus de Montefalco, copieux petit déj, hamacs, barbecue, potager en libre-service, buanderie si vous restez quelques jours. 2 chambres disposent d'une kitchenette. Accueil en français. Adresse plébiscitée par nos lecteurs.

Tenuta San Felice : *loc. San Felice, 06030 Giano dell'Umbria. ☎ 0742-90-533. 328-449-52-20. • tenutasanfelice@libero.it • tenutasanfelice.com • Prendre vers Bastardo puis Massa Martana ; 300 m plus loin, prendre à gauche vers l'*abbazia San Felice *et continuer env 2 km en guettant le panneau. Doubles 50-55 €, apparts 3 pers 65-75 €, petit déj inclus, pris au resto* Il Buongustaio *(voir ci-dessous).* En pleine campagne. Chambres meublées rustique, avec frigo et TV. Têtes de lit joliment peintes par la famille. Appartements avec meubles cuisine, certains très spacieux avec mezzanine. Selon la saison, possibilité de voir faire l'huile, le vin ou le fromage.

Il Buongustaio : *loc. San Felice, 06030 Giano dell'Umbria. ☎ 0742-93-00-33. Même accès que la* Tenuta San Felice. *Fermé mer. Congés : 10-30 janv. À la carte env 25 €. Parking sous les oliviers. Café et digestif offerts sur présentation de ce guide.* Maurizio et son épouse tiennent à merveille cette auberge de campagne dans la tradition ombrienne. Éléments inattendus de déco andins (madame est péruvienne). On s'y régale de viandes grillées (y compris l'antilope et le kangourou !) et de succulentes pâtes maison *(cappellacci, pappardelle...)*, sauf à choisir une pizza. Desserts raffinés, vin maison gouleyant et propriétaires aux petits soins. Que dire de mieux ?

Où acheter une bonne bouteille ?

Les vins de Montefalco sont parmi les plus prisés de l'Ombrie, grâce au *rosso di Montefalco* et à deux vins particuliers : le *sagrantino* (vin rouge sec) et le *sagran-*

tino passito (rouge demi-sec, idéal pour le dessert). Le sagrantino, cépage qui serait originaire de Catalogne ou de Syrie, n'existe qu'ici. La *Settimana enologica* (Semaine œnologique, *généralement 3e sem de sept)*, et la *festa dell'Uva* (fête des vendanges) permettent de déguster ces crus. Quant à *la Strada del Sagrantino*, plus qu'une route des vins avec un itinéraire précis, c'est une association de viticulteurs et de professionnels de l'hôtellerie et de la restauration.

Cave Colle del Saraceno : *Pietrauta (3 km en direction de Bastardo).* ☎ *0742-37-95-00.* • *cantinabotti.com* • *Tlj sf dim ap-m.* Dégustations et explications du processus de production dans un français impeccable. Francesco et Maila sont des producteurs passionnés de *sagrantino,* ainsi que du blanc *grechetto.* Ils tiennent également une petite exploitation d'huile d'olive.

À voir

Montefalco a conservé ses remparts du XIVe s, percés de portes aux quatre points cardinaux. On entre dans la ville par la porta San Agostino et on remonte la via Umberto et le corso Mameli jusqu'à la piazza del Comune. Tout se fait à pied en moins de 2h. Très beau panorama depuis la ville.

Piazza del Comune : *visite de la salle des Conseillers lun-ven 8h-14h, s'adresser à l'*Uficio Culturale *à droite en montant l'escalier.* Appelée autrefois *campo del Certame* (champ de bataille), cette place pentagonale est dominée par le *palazzo comunale,* hôtel de ville de la fin du XIIIe s mais qui a moins bien vieilli que le vin. Précédée d'un portique, cette bâtisse un peu massive est surplombée par la *torre comunale,* d'où l'on jouit d'une vue couvrant quasiment toute l'Ombrie *(fermée pour restauration).* D'autres édifices civils (palais nobiliaires) et religieux (San Filippo Neri et Santa Maria di Piazza) achèvent de donner à l'ensemble son atmosphère médiévale.

Museo civico San Francesco : *via Ringhiera Umbra 6.* ☎ *0742-37-95-98. De la piazza del Comune, dos au palazzo comunale, prendre la 1re rue à gauche ; c'est un peu plus bas sur la droite. Juin-août, tlj 10h30-13h, 15h-19h (19h30 août) ; mars-mai, sept et oct, tlj 10h30-13h, 14h-18h ; nov-fév, tlj sf lun 10h30-13h, 14h30-17h. Entrée : 5 € ; réduc.* Ancienne église franciscaine transformée en musée, après avoir été très malmenée par le tremblement de terre de 1997. Le 4 octobre, on y célèbre une messe solennelle en l'honneur de saint François. Dès l'entrée, la profusion de fresques aux couleurs chaudes produit une forte impression. Temps fort de la visite : les fresques de l'abside centrale relatant la vie trépidante de l'incontournable saint François (réalisées par Gozzoli au XVe s), d'une qualité et d'une fraîcheur de ton fabuleuses. Contrairement à Assise, où Giotto représenta la vie au Moyen Âge telle qu'elle était au temps de saint François, Gozzoli donne ici une version Renaissance, avec un grand soin apporté aux détails, par exemple aux textures des vêtements (soie, tissus damassés, fourrures, chaussures en feutre) et aux mets (carafes de vin, eau, gâteaux...). Du Pérugin, magnifique *Nativité* et beau *Père éternel,* avec ce rapprochement improbable des couleurs des habits et ces coiffures féminines élaborées qui constituent l'une de ses signatures. Tibère d'Assise, quant à lui, signe une émouvante *Madone à l'Enfant* et une curieuse *Madone du Secours,* sujet récurrent dans les églises augustiniennes. La scène de la Vierge chassant le diable devant une mère repentie et son enfant peut surprendre : elle avait pour but de faire baptiser rapidement les nouveau-nés dans une période de forte mortalité infantile. À l'étage, ne négligez pas la très belle pinacothèque, qui abrite également une section consacrée à l'histoire locale. Remarquez la *Madone avec Enfant* de 1470, où l'on distingue des influences byzantines.

TREVI

(06039) 8 200 hab.

La *Trebia* des Anciens, située sur une hauteur escarpée au milieu des oliveraies, domine la vallée de l'Ombrie du haut de ses 412 m. Cette petite altitude en fera sourire certains... mais elle confère un charme supplémentaire à ce joli labyrinthe de venelles médiévales et d'antiques murailles. Et l'on passe forcément non loin de Trevi quand on vient se balader en amoureux (de la nature) sous les saules pleureurs d'un cours d'eau enchanteur, le Clitunno.

LA LENTEUR, C'EST LA SANTÉ

Ne dit-on pas qu'à l'heure de la sieste on peut entendre les ronflements des habitants dans toute l'Ombrie ? La ville se veut un modèle de sérénité. Elle fait partie des six villes ombriennes autoproclamées città slow. *Tout un programme ! Aux antipodes du fast-food et du stress urbain associé, on y milite (sans forcer !) pour les productions locales et le bien-vivre, au détriment de toute culture de masse.*

Arriver – Quitter

En train

La gare ferroviaire *(stazione FS)* est située dans la vallée. Pour rejoindre le centre-ville, il vous faudra, en descendant du train, attraper dans la foulée un des rares bus qui y montent. Les plus courageux pourront toujours grimper les 4 km à pied... De même pour les malheureux ayant raté le dernier départ, car il n'y a pas de taxi à Trevi. *Attention,* le dernier bus pour la gare ferroviaire quitte la piazza Garibaldi en milieu d'après-midi.

➢ Trevi se trouve sur la ligne ***Rome-Ancône,*** qui passe aussi par ***Foligno*** et ***Spolète.*** Depuis ces deux villes, trains fréquents.

En bus

Liaisons assurées par la *SSIT.* ☎ *0742-67-07-47.* • *spoletina.com* •

➢ ***De/vers Foligno :*** 12 bus/j. (en sem slt). Trajet : 15-25 mn.

➢ ***De/vers Spolète :*** 7 bus/j. (en sem slt). Trajet : 20 mn.

En voiture

➢ De Pérouse (47 km), prendre la SS 75, direction Terni jusqu'à Foligno, puis la S 3 jusqu'à une petite route sinueuse montant sur votre gauche. Garez votre voiture sur le parking payant de la piazza Garibaldi, située à deux pas du centre historique.

Adresses utiles

Office de tourisme *(Pro Trevi) : piazza Mazzini, 5.* ☎ *0742-33-22-69.* • *treviturismo.it* • *Tlj en été 9h-13h, 15h-17h ; le reste de l'année, slt le w-e.* Quelques brochures, en particulier le plan de la ville. En français, un seul dépliant général : *Trevi, au centre de la vallée d'Ombrie.*

■ ***Pharmacie :*** *via Coste, 1.* ☎ *0742-78-223.*

■ ***Carabinieri :*** *piazza Garibaldi, 12.* ☎ *0742-78-227.*

Où dormir ?

Il Terziere : *via Salerno, 1, à l'angle de la via Coste. ☎ 0742-78-359. • info@ilterziere.com • ilterziere.com • ♿ Près de la piazza Garibaldi (au fond à gauche). Congés : 2de quinzaine de janv. Doubles 60-100 € avec bains, TV, AC et petit déj.* Chambres plutôt spacieuses et confortables, dont 2 avec balcon offrant une vue sur la vallée. Jardin, piscine et terrasse. Gestion familiale. Fait aussi resto (voir plus bas « Où manger ? »).

Trevi Hotel : *via Fantosati, 2. ☎ 0742-78-09-22. • info@trevihotel.net • trevihotel.net • ♿ En montant, juste à gauche après la porta Nuova. Doubles 80-120 €.* Cet établissement de grande classe à l'atmosphère feutrée propose, dans des bâtiments du XVIIe s, 11 grandes chambres meublées à l'ancienne. Certaines sont pourvues de lits à baldaquin, d'autres d'une voûte en brique. Amusant petit coin salon où des peintures de rue en trompe l'œil et la lumière chaude d'une verrière rendent bien l'atmosphère d'une placette italienne. En été, petit déj sur la terrasse, avec vue sur la vallée. Très bon accueil.

Où dormir dans les environs ?

Agriturismo I Mandorli : *loc. Fondaccio, 6, 06039 Bovara di Trevi. ☎ 0742-78-669. • info@agriturismoimandorli.com • agriturismoimandorli.com • ♿ De Foligno, avt de monter vers Trevi, tourner à droite vers Bovara au rond-point et guetter le panneau à gauche ; de Spolète, suivre Trevi et guetter le panneau à droite. Doubles 60-70 € selon saison ; apparts 4 pers 120-145 €. Résa obligatoire (3 chambres et 3 apparts loués slt à la sem en hte saison).* Propriété familiale de 45 ha depuis la fin du XVIIe s (demandez à voir l'antique pressoir datant de cette époque), constituée de plusieurs bâtiments formant comme un hameau dans un écrin de verdure. Jardin privatif arboré pour chaque appartement. Chambres agréables mais standard, appartements très bien équipés. Barbecue, buanderie. Jolie piscine avec petit bain, terrasse solarium avec vue de Montefalco à Spolète. Produits de la ferme au petit déj. À l'automne, possibilité de participer à la cueillette des olives. Accueil super.

Casa Giulia : *loc. Corciano, 1. ☎ 0742-78-257. • info@casagiulia.com • casagiulia.com • ♿ De Trevi, suivre la nationale vers Spolète puis, après la station-service, prendre à gauche la route qui monte vers Bovara et guetter le panneau. Doubles 88-108 € selon saison, petit déj inclus. Apparts 420-860 €/sem selon saison et nombre de pers. Wifi.* Giulia Petrucci est une hôtesse de qualité. Elle vous accueillera gentiment dans sa superbe maison en brique rose (propriété familiale depuis 1300 !), située dans un très beau parc planté de grands pins, de cèdres du Liban et de marronniers. 7 chambres stylées, spacieuses et agréables, avec bains. Fresques du XVIIe s. Piscine avec vue sur la campagne. Accueil en français.

Où manger ?

Maggiolini : *via San Francesco, 20. ☎ 0742-38-15-34. À 50 m de la piazza Mazzini. Tlj sf mar. Repas env 20 €.* Petit resto proposant à prix modérés des spécialités locales (*strangozzi alla trevana* ou escalopes à la truffe...) et des desserts maison. On dîne sous un plafond voûté, dans une cave profonde, loin des ardeurs du soleil. Bonne liste de vins et accueil impeccable.

La Vecchia Posta : *piazza Mazzini, 14. ☎ 0742-38-16-90. Tlj (sf jeu sept-juin). Menus 20 € et 28 €. À la carte env 28 €.* Quelques tables sur la piazzetta et une belle salle intérieure cosy. Cuisine traditionnelle avec des *primi* de charcuterie, des pâtes maison et des viandes d'agneau et de sanglier. Desserts originaux. Bon service.

Il Terziere : *via Salerno, 1, à l'angle de la via Coste. ☎ 0742-78-359. Tlj sf dim soir et lun midi. À la carte env 25 €.* Bonne cuisine ombrienne et spécialités de Trevi, servies dans une grande salle accueillante ou en terrasse, avec vue sur un coin de verdure au calme. Parmi les plats : *strangozzi al tartufo,* risotto, escalope florentine de viande *chianina...* Dépend de l'hôtel du même nom, voir « Où dormir ? ».

Où manger chic dans les environs ?

La Taverna del Pescatore : *via chiesa Tonda, 50, 06039 Pigge di Trevi. ☎ 0742-78-09-20. À 5 mn en voiture de Trevi, en direction de Spolète : après le carrefour vers Bovara et Pigge à gauche, prendre une route qui longe la nationale en contrebas de celle-ci. Tlj sf lun. À la carte env 30 €. Vaste parking privé et ombragé.* Sa cuisine est réputée. Spécialités de poissons et de fruits de mer mais aussi quelques grillades. Plateau de fromages original. Carte des vins de toute la péninsule. De son agréable terrasse, laissez-vous bercer par les flots du Clitunno, qui prend sa source à quelques km. Accueil courtois et très pro.

À voir

Piazza Mazzini : Trevi, comme les autres villes d'Ombrie, possède sa place centrale où se dresse depuis le XVe s le *palazzo comunale,* dominé par une tour érigée deux siècles auparavant.

Complesso museale di San Francesco : *dans l'ancien couvent Saint-François. ☎ 0742-38-16-28. Juin-juil, mar-dim 10h30-13h, 15h30-19h ; août, tlj 10h30-13h, 15h-19h30 ; avr-mai et sept, mar-dim 10h30-13h, 14h30-18h ; oct-mars, ven-dim 10h30-13h, 14h30-17h. Entrée : 4 € ; réduc.* Une des rares billetteries au monde décorées d'une fresque de la Crucifixion de la première moitié du XIVe s !

– *Section archéologique,* pour spécialistes.
– *Musée de la Civilisation de l'Huile,* assez didactique, qui retrace l'histoire du fruit de l'arbre considéré comme le symbole de la paix ; ceux qui ont visité le musée de Bevara passeront rapidement, mais les enfants apprécieront les belles maquettes d'une exploitation agricole, le pressoir actionné par un âne (pas un vrai !) et la reconstitution des conditions de vie des journaliers du début du XXe s.
– *Pinacothèque,* avec de belles toiles du Pinturricchio et de Giovanni di Pietro, dont une monumentale *Incoronazione della Vergine e Santi.*
– *Église gothique,* emplie d'œuvres d'humbles artistes oubliés : buffet d'orgue richement décoré, fresque du XVIe s, statues en bois polychrome, toiles... le regard ne sait plus où se poser.

Où acheter de bons produits ?

– **Mercatino del Contadino :** *piazza Mazzini, le mat du 4e dim de chaque mois.* Vente du producteur au consommateur. Si vous pouvez cuisiner, ne manquez pas le céleri noir *(sedano nero)* de Trevi, une variété exclusive que vous pouvez aussi déguster dans certains restaurants de la ville.

Manifestation

– **Festa di Olio (FestivOl) :** *la 1re sem de nov.* C'est la fête de l'huile nouvelle, lors de laquelle les visiteurs ont accès au vieux pressoir pour goûter le cru de l'année sur des *bruschette.* S'adresse à ceux qui aiment « le bon, le beau, le classique, le moderne, le son, le silence, l'huile, l'huile et l'huile » !

➤ DANS LES ENVIRONS DE TREVI

Fonti di Clitunno : *sur l'ancienne route, entre Trevi et Spolète, au niveau de Pissignano, près d'une antique cheminée d'usine. Horaires à s'arracher les cheveux : au min 9h-15h avr-sept et 10h-13h, 14h-16h30 oct-mars. Entrée 2 € ; réduc.* Les sources du Clitunno ont été célébrées, entre autres, par Pline le Jeune, Virgile et Lord Byron. Une grande paix émane de cette étendue d'eau où barbotent cygnes et canards à l'ombre des saules.

Tempietto di Clitunno : *sur l'ancienne route, entre Trevi et Spolète, à env 1 km au nord des* Fonti. *Petit panneau très discret ! Ouv 8h45-19h45 (17h45 nov-mars). Entrée : 2 € ; réduc.* L'histoire de cette petite église en forme de temple corinthien, bâtie sur l'emplacement d'un édifice païen, reste très incertaine. Le site et l'édifice sont charmants.

SPOLETO (SPOLÈTE)

(06049) 39 000 hab.

Spolète, accrochée à une colline baignée par le Tessin, n'a pas l'aura de ses grandes voisines. Pourtant, elle vous réserve de belles émotions historiques et culturelles issues de près de trois millénaires d'histoire. Saint François lui-même aimait y séjourner et fonda un ermitage sur le Monteluco qui domine la ville. Le charme du site est hélas altéré par la route remplaçant l'antique via Flaminia, mais l'époque moderne nous a aussi apporté le rayonnement du passionnant festival des Deux Mondes.

LA VOIX DE LA MAISON

En 1205, le jeune François Bernardone partit guerroyer, avide de gloire et lourdement armé aux frais de son père, un riche drapier. Non pour une glorieuse croisade, mais pour rejoindre l'armée de Gautier III de Brienne, qui s'opposait à l'Empereur en revendiquant le royaume de Sicile. Il fit étape à Spolète et là, pendant la nuit, entendit une voix lui enjoignant de retourner chez lui, où l'attendaient d'autres combats. Que serait-il advenu si le futur saint François avait poursuivi son chemin ?

Arriver – Quitter

En train

Gare ferroviaire *(stazione FS ; hors plan par C1) : légèrement en dehors de la ville.* Pour rejoindre le centre, le plus simple est de prendre un bus orange, direction *Centro.* Départ ttes les 15 mn, 7h-20h30. Sinon, 30 mn à pied.

➢ **De/vers Terni, Narni et Rome-Termini :** très nombreux trains directs. Trajet pour Rome : 1h30-2h.
➢ **De/vers Florence :** nombreuses liaisons, mais avec changement à *Terontola, Orte* ou *Foligno.* Trajet : 3h-4h.
➢ **De/vers Assise et Pérouse :** 1 train/h, parfois avec changement à *Foligno.* Trajets respectifs : 50 mn et 1h10.

En bus

Liaisons assurées par la *SSIT.* ☎ *0743-21-22-08.* • *spoletina.com* •
➢ ***De/vers Pérouse :*** 1 seule liaison/j., tôt le mat au départ de Spolète et en début d'ap-m de Pérouse (piazza dei Partigiani), en sem slt. Trajet : 1h30.
➢ ***De/vers Terni :*** plusieurs liaisons tlj. Trajet : env 45 mn. Desservent *les Marmore* et *Piediluco*.
➢ ***De/vers Nursie ou Cascia :*** 3 à 5 bus tlj. Trajets : env 1h.

Circulation et stationnement

Pour résoudre les problèmes posés par l'afflux des véhicules de visiteurs (et des visiteurs eux-mêmes !), Spolète a frappé fort en installant trois parcours piétons mécanisés reliant de grands parkings au centre historique :
– du parking souterrain *Spoletosfera (plan B4 ; payant)* à la piazza della Libertà *(plan B3)* ;
– du parking *Posterna (plan B2 ; payant)* à la piazza Campello *(plan C3)* ;
– du parking *Tiro a Segna (plan D2 ; payant)* à la Rocca *(plan D3)*.
En cas d'allergie grave au parking payant, essayer *via Cacciatori delle Alpi (plan C1-2)*, qui propose de nombreuses places sous ses arbres, *via Don Pietro Bonilli (plan B3-4)*, près du stade communal, ou le long du *viale Martiri della Resistenza (hors plan par C1)*.
Et souvenez-vous que le centre est une ZTL *(Zona Traffico Limitato)* dans laquelle il vous faut un permis pour circuler librement.

Adresses utiles

Office de tourisme *(plan B3)* ***:*** *piazza della Libertà, 7.* ☎ *0743-21-86-20 ou 21.* • *info@iat.spoleto.pg.it* • *regioneumbria.eu* • *Lun-ven 8h30-13h30, 15h30-18h30 (16h-19h avr-oct) ; w-e 9h30-12h30 (plus 16h-19h avr-sept).* Abondante documentation sur la ville (une partie en français) dont une brochure (en français) décrivant 3 itinéraires pédestres à travers la ville. Le plan de la ville est curieusement orienté avec le nord à gauche !
– ***Spoleto Card :*** • *spoletocard.it* • *3 options : 4 musées en 1 j. pour 10 €, ts les musées en 1 j. pour 12 €, ts les musées en 2 j. pour 16 € ; réduc.* Elle permet, outre la visite des musées de la ville, l'utilisation gratuite des transports en commun et donne droit à un tour commenté de la ville. En vente dans les musées, à la librairie du *Duomo* et à l'office de tourisme.

✉ ***Poste centrale*** *(plan B3)* ***:*** *viale Matteotti, 2. Lun-ven 8h-18h30 ; sam 8h-13h.*

@ ***Téléphone et Internet : Spider Service*** *(plan B2), via Porta Fuga, 11.* ☎ *0743-22-51-65. Lun-ven 9h-13h, 15h30-20h30 ; sam 15h30-20h30.* Internet *(3 €/h)*, téléphonie et transfert d'argent *(Western Union)*. Allez-y pendant les heures de classe car, le reste du temps, les ados squattent les ordinateurs. Également au ***Bar degli Artisti,*** *piazza del Mercato (plan C3,* ***30****)*.

■ ***Hôpital :*** *via Madonna di Loreto, 3.* ☎ *0743-21-01.* Premiers secours.

■ ***Police municipale :*** *via dei Filosofi.* ☎ *0743-22-10-30.*

■ ***Taxis :*** ☎ *0743-22-58-09.*

Où dormir ?

En période de festival, réservez vos chambres très longtemps avant votre séjour. Un centre de réservation, ***Con Spoleto,*** jouxte l'office de tourisme. ☎ *0743-22-07-73.* • *info@conspoleto.com* •

Camping

⛺ ***Monteluco** : loc. San Pietro, suivre la direction Monteluco. ☎ 0743-22-03-58. • campeggiomonteluco@libero.it • campeggiomonteluco.com • Proche du centre-ville, juste derrière l'église San Pietro. Ouv avr-sept. 19-25 € selon saison.* 45 places réparties en terrasses, relativement bien ombragées et offrant une petite vue sur la vallée. Malheureusement, la via Flaminia passe juste en contrebas. Pizzeria bon marché *(tlj en été, pizzas à partir de 4 €)* et bar. Camping-cars acceptés.

Bon marché

***San Carlo Borromeo** (hors plan par B4, **9**) : via San Carlo, 13. ☎ 0743-22-53-20. • info@hotelsancarloborromeo.it • hotelsancarloborromeo.it • ♿ À 500 m du centre, à l'entrée sud de Spolète (porta Monterone), hors les murs. Doubles 55-120 € selon saison, petit déj compris. Parking.* Structure communale bien restaurée de plus de 30 chambres très simples, gérée par une coopérative. Jardin intérieur autour duquel sont réparties les chambres, avec vue sur l'église San Pietro. Hélas, la via Flaminia est toute proche.

***Albergo Panciolle** (plan C2, **3**) : via del Duomo, 3-5. ☎ 0743-45-677. • info@albergopanciolle.it • albergopanciolle.it • Résa indispensable (slt 7 chambres). Doubles 45-85 €, petit déj inclus. Parking (2,50 €/j., permettant de circuler dans la ZTL).* Belles chambres sobres, propres et bien équipées (TV, AC au 2e étage, minibar). Si vous cherchez la vue, prenez une chambre au dernier étage. Bon accueil.

Prix moyens

***Casa accoglienza religiosa San Ponziano** (plan D1, **1**) : via della Basilica di San Salvatore, 2. ☎ 0743-22-52-88. 📱 338-150-66-60. • info@sanponziano.it • sanponziano.it • ♿ À 10 mn à pied de la vieille ville. Double 60 € ; petit déj 4,50 €. Internet. Apéritif maison offert sur présentation de ce guide.* Légèrement excentrée, cette maison offre une vue d'ensemble du quartier historique. Très bel agencement, avec un mariage réussi d'architecture ancienne (le monastère, avec son cloître et sa fresque du *Quattrocento* dans la salle de conférences) et moderne (escaliers intérieurs métalliques, verrière). Accueil dynamique et sympa de Milena. Pas de couvre-feu. Une bonne adresse !

■ Adresses utiles

- Office de tourisme
- Parkings
- @ Spider Service

Où dormir ?

1 Casa accoglienza religiosa San Ponziano
2 Hotel Aurora
3 Albergo Panciolle
4 Hotel Clitunno
5 Hotel Charleston
7 Hotel Gattapone
8 Palazzo Dragoni
9 San Carlo Borromeo

Où manger ?

10 Trattoria del Festival
11 Osteria del Matto
12 Ristorante Il Panciolle
13 Ristorante Il Pentagramma
14 Osteria del Trivio
15 Pecchiarda
16 La Barcaccia
17 Il Biologico
18 Il Tiempo del Gusto
19 Taverna dei Duchi

Où boire un verre et manger sur le pouce ? Où manger une glace ?

30 Piazza del Mercato
31 Tric Trac Wine Bar
34 Bar La Portella
35 Bar Vincenzo

Parcours mécanisé (trottoir roulant, escalier mécanique)
TODI, S 418, MONTEFALCO, PERUGIA
LARGO DEI TIGLI
San Gregorio Maggiore
Viale della Resistenzia
V. della Posterna
Corso Garibaldi
Via della Mura
Via Interna della
Viale Martiri
POSTERNA
Torre dell'Olio
PIAZZA TORRE DELL'OLIO
Via Pierleone Leoni
V. Salara
Vecchia Via
LARGO B. GIGLI
Teatro Nuovo
San Domenico
PIAZZA SAN DOMENICO
PIAZZA MENTANA
PIAZZA COLLICOLA
Via Plinio il Giovane
Corso G. Mazzini
PIAZZA SORDINI
Via G. Mameli
Porta San Matteo
Via Madonna di Loreto
V. Sant' Agata
Via Apollinaire
Via delle Monterozze
PIAZZA DELLA LIBERTÀ
PIAZZA FONTANA
Teatro romano
Stadio Comunale
Via G. Valadier
Viale Martiri della Resistenza
G. Matteotti
V. Egio
Via San Paolo
Spoletosfera
Via Esterna delle Mura
Porta Monterone
San Paolo
TERNI, ROMA
LA VALLÉE OMBRIENNE

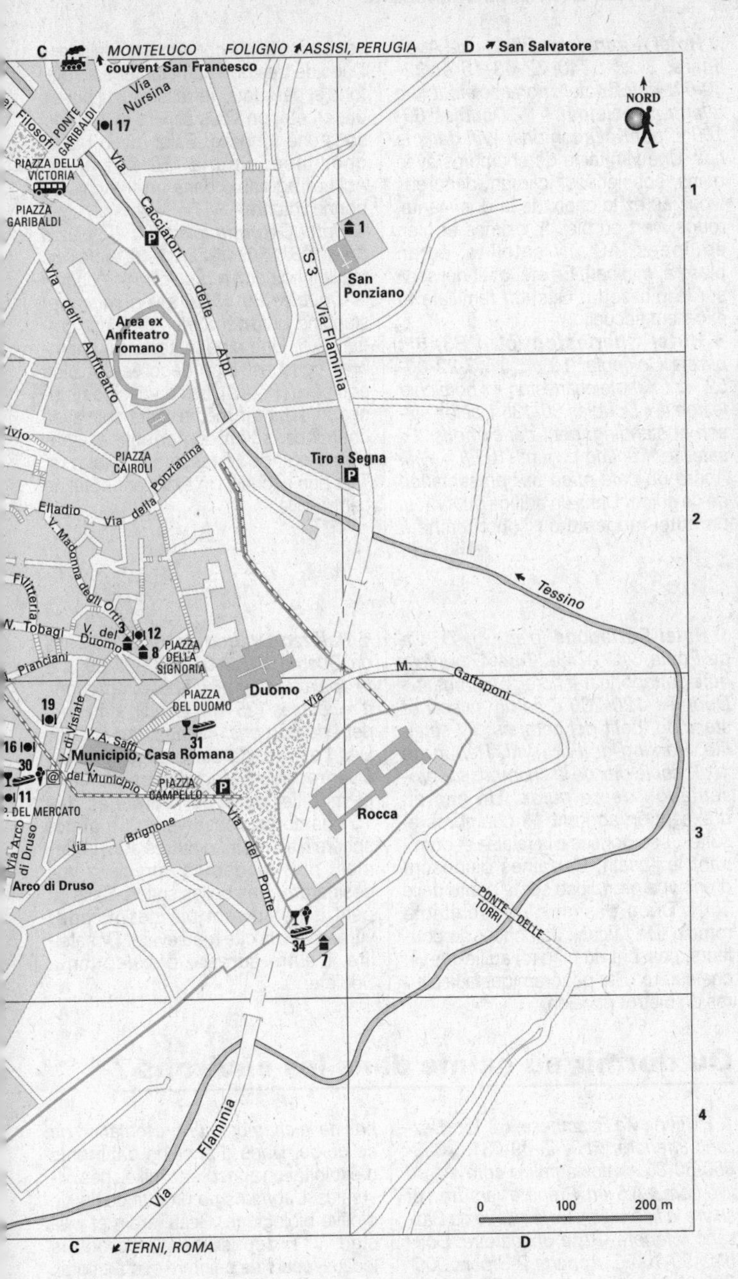

SPOLETO (SPOLÈTE)

Hotel Aurora *(plan B3, **2**) : via Apollinare, 3. ☎ 0743-22-03-15 et 22-30-04. • info@hotelauroraspoleto.it • hotelauroraspoleto.it • ♿ Doubles 60-100 €, petit déj compris. Wifi dans le hall.* Une vingtaine de chambres avec bains, spacieuses, joliment décorées (vous aurez le choix de la dominante, rouge, vert ou bleu !), calmes et bien équipées (AC, TV satellite, écran plasma, minibar). En été, petit déj servi sur la piazzetta. Gestion familiale et excellent accueil.

Hotel Charleston *(plan B3, **5**) : piazza Collicola, 10. ☎ 0743-22-00-52. • info@hotelcharleston.it • hotelcharleston.it • Doubles 60-135 € selon saison et standing, petit déj compris. TV satellite. Parking payant (10 €/j.). Wifi. Apéro ou café offert sur présentation de ce guide.* Dans un édifice du XVIIe s, un hôtel moderne où l'on cherche à vous accueillir « comme à la maison ». Déco de très bon goût, lambris au plafond et parquets. Terrasse sur la piazza où, en été, on vous servira le petit déj sous une tonnelle. Salon avec bar et cheminée. Sauna *(20 €/famille)*. Accueil agréable dans un français de bonne volonté.

Hotel Clitunno *(plan B3, **4**) : piazza Sordini, 6. ☎ 0743-22-33-40. • info@hotelclitunno.com • hotelclitunno.com • ♿ Doubles 80-180 € selon saison et standing, petit déj compris. Parking gratuit. Wifi.* Une cinquantaine de chambres cossues, bien décorées et bien équipées (TV, AC). Les parties communes sont dans le même esprit : bar avec cheminée, salon confortable et spacieux, grande terrasse sur la piazza. Très bon accueil. Un excellent hôtel de centre-ville.

Chic

Hotel Gattapone *(plan C3, **7**) : via del Ponte, 6. ☎ 0743-22-34-47. • info@hotelgattapone.it • hotelgattapone.it • Doubles 120-230 € selon saison et standing, petit déj compris. TV satellite. Parking gratuit. Wifi. Réduc de 10 % sur le prix de la chambre sur présentation de ce guide.* Un endroit d'exception abritant 15 chambres et suites, accrochées à la falaise et dominant le Tessin. Certaines disposent d'une vue grandiose sur le ponte delle Torri. Déco design d'un architecte romain (De Lucas). Joli choix de couleurs, passant du bleu roi au lie-de-vin chaleureux. Bar panoramique aux allures de bistrot parisien.

Palazzo Dragoni *(plan C2, **8**) : via del Duomo, 13. ☎ 0743-22-22-20. • info@palazzodragoni.it • palazzodragoni.it • Doubles 125-150 € selon standing, petit déj compris. Parking gratuit. Wifi.* Dès l'entrée, on est plongé en plein *Quattrocento* ! Magnifiques plafonds et mobilier de style. Certaines des 15 chambres conservent une atmosphère historique, d'autres sont nettement plus modernes : précisez vos desiderata. Très belles suites. Salle de petit déj s'ouvrant par des arcades vitrées vers la cité médiévale. TV satellite. L'autre adresse d'exception à Spolète.

Où dormir au calme dans les environs ?

L'Ulivo *: via Bazzanese, 62, loc. Bazzano Inferiore. ☎ 0743-49-031. 📱 333-650-30-86 • info@agrulivo.com • agrulivo.com • À 5 km. Prendre vers Trevi et suivre le fléchage vers le village de Bazzano Inferiore. Résa obligatoire. Doubles 50-100 €. Apparts 2-3 pers 300-800 €/sem selon saison. CB refusées. En basse saison (7 janv-11 mars et 26 sept-16 déc), réduc de 10 % sur le prix de la chambre sur présentation de ce guide.* Dans d'anciens bâtiments d'exploitation agricole au milieu des oliveraies. L'*agriturismo* produit de l'huile d'olive biologique. Beau jardin et piscine. VTT, dégustation de produits locaux, cours de peinture et d'art floral. Très calme. Accueil discret, néanmoins attentif.

Azienda Agrituristica Bartoli *: fraz.*

Patrico sul Monteluco, 10. Suivre Monteluco puis Patrico (14 km de route de montagne offrant de très belles vues). ☎ *0743-22-00-58.* • *info.bartoli@yahoo.it* • *agriturismobartoli.com* • *Congés : janv. Double 60 €/pers en pens complète (48 €/pers en ½ pens). Wifi. Café ou digestif offert sur présentation de ce guide.* Propriété de 6 ha, au milieu de nulle part, que la famille Bartoli habite depuis 1840 et où ils élèvent moutons, vaches et cochons à 1 400 m d'altitude. Chambres bien décorées, chacune dans sa couleur. Produits de la ferme servis à table : viandes, légumes, huile, fromage, safran... Demandez les ficelles pour trouver des truffes, qui abondent dans les environs. Nombreux sentiers traversant la propriété. Panorama sur la plaine ombrienne, s'étendant par beau temps jusqu'à Pérouse. Un endroit de rêve pour les bambins : air pur, chats, chiens, chevaux, et aucun trafic automobile car la route est en cul-de-sac.

Fattoria biologica Patrice : *via Lago di Bracciano, 148, fraz. Uncinano, à San Martino in Trignano.* ☎ *0743-26-80-08.* • *fattoria@patrice.it* • *patrice.it* • ♿ *De Spolète, prendre l'ancienne route pour Acquasparta jusqu'à San Giovanni di Baiano, tourner à droite vers San Martino, traverser le village, guetter le panneau à droite et continuer sur 5 km. Compter 55 €/pers, petit déj inclus ; ½ pens 45 €/pers. Parking gratuit. CB refusées. Digestif ou café offert sur présentation de ce guide.* Bien loin du monde, dans le chant des oiseaux et le murmure du vent dans les arbres, une exploitation de 17 ha entourée de vignes, de champs et d'oliviers, avec vue sur Montefalco, Assise et Trevi. Une dizaine de chambres simples et fraîches, avec exposition au nord idéale pendant les journées chaudes. La famille Niclas, franco-italienne, vous accueillera à sa table et vous montrera sa pratique de l'agriculture biologique (vin, lait, charcuterie, huiles, confitures). Produits en vente sur place et dans ses magasins à Spolète et à Terni. En automne, vous pourrez participer à la cueillette des olives et goûter le soir même l'huile obtenue ! Excellent accueil.

Où manger ?

Bon marché

Taverna dei Duchi *(plan C3,* ***19****) : via A. Saffi, 1.* ☎ *0743-40-323.* • *duchi@libero.it* • *Tlj sf ven jusqu'à 22h. 3 menus à partir de 16,50 € ; pizzas (le soir slt) à partir de 5,50 €. À la carte env 23 €.* Plusieurs grandes salles hautes de plafond, à la déco moderne, dans un bâtiment du XIVe s. Plats typiques de la cuisine spolétine. Copieux.

Trattoria del Festival *(plan B3,* ***10****) : via Brignone, 8.* ☎ *0743-22-09-93. Tlj sf jeu jusqu'à minuit. Congés : fév. Menus à partir de 12 €, dont un végétarien ; à la carte env 25 €. 10 % de réduc sur présentation de ce guide.* Petite *trattoria* sans prétention, plébiscitée par les locaux. 3 salles avec de belles voûtes en brique et une décoration un peu fouillis mais qui, avec de vieilles chansons en fond sonore, crée une atmosphère très agréable. Grand choix de *bruschette*, *paste* et *salsiccie*. Accueil chaleureux de Sergio et de sa gentille équipe.

Osteria del Matto *(plan C3,* ***11****) : vicolo del Mercato, 3.* ☎ *0743-22-55-06. Tlj sf mar. Menu 16 €, ou 20 € avec vin à volonté.* Petit resto familial, avec la *mamma* aux fourneaux et le fiston en salle. Tables à trois sous et chaises cannées, lumières douces et bougie sur chaque table, décor envahi par Pinocchio et les œuvres des artistes de passage. Menu variant chaque jour en fonction du marché et de l'inspiration du moment, mais c'est toujours une cuisine traditionnelle, généreuse et savoureuse.

Il Biologico *(plan C1,* ***17****) : via Cacciatori delle Alpi, 1.* ☎ *0743-401-64.* • *info@ilbiologico-spoleto.com* • *Tlj à midi sf dim. Résa conseillée. Menu unique 13 €.* Fatigué des agapes ombriennes ? Foie saturé ? Estomac stressé ?

Intestins en compote ? Au fond de leur boutique bio, voici vos sauveurs, Gianluca et Mariapaola. Lui, formé par de grands noms d'Italie et d'ailleurs, improvise chaque jour un menu à la manière des grands chefs, exclusivement composé de produits bio. Vous le voyez faire, dans la cuisine ouverte sur le coin resto. Quant à Mariapaola, elle sert la demi-douzaine de tables, sur fond musical raffiné. Succulent mais inadapté aux grosses faims.

Prix moyens

|●| ***Il Tempio del Gusto*** *(plan B3,* ***18****) :* *via Arco di Druso, 11. Accès possible par la piazza Fontana. ☎ 0743-47-121. • info@iltempiodelgusto.com • Tlj sf jeu. Menu ombrien 35 €. À la carte env 25 €.* Une placette tranquille, le glouglou de la fontaine, quelques tables en terrasse doucement éclairées, des bougies, des nappes blanches et un ballet de serveuses de noir vêtues... et si c'était LA soirée romantique de votre voyage ? Dans l'assiette, une nouvelle cuisine inventive, belle à voir et savoureuse. Tout au long du repas, de charmantes attentions à découvrir. S'il fait mauvais, de petites salles très agréables également : éclairage, musique et déco sont au top. Un vrai coup de cœur.

|●| ***Osteria del Trivio*** *(plan B2,* ***14****) :* *via del Trivio, 16. ☎ 0743-44-349. • info@osteriadeltrivio.it • Tlj sf mar. Congés : janv. Carte env 25 €.* Une *trattoria* tout à fait charmante dont les patrons, grands voyageurs, ont parié sur le retour aux racines ombriennes et à la fraîcheur des produits. Les pâtes aux légumes sont vraiment délicieuses, tout comme les viandes. Originalité et saveurs du terroir, on aime, malgré un accueil peu chaleureux.

|●| ***La Barcaccia*** *(plan C3,* ***16****) :* *piazza Fratelli Bandiera, 5. Panneau visible de la piazza del Mercato. ☎ 0743-22-50-82. • info@ristorantelabarcaccia.it • Menus 12 et 16 €. À la carte env 25 €.* Ambiance familiale, la *mamma* aux fourneaux, madame au service et monsieur, dynamique et accueillant, qui virevolte en salle parmi sa clientèle d'habitués et cherchera sûrement à vous placer son plat du jour ! Les plats proposés oralement ne sont pas tous au menu et l'addition peut être très « pifométrique », mais sans aucun excès. Belle salle claire décorée de nombreuses affiches et petite terrasse.

|●| ***Pecchiarda*** *(plan B2,* ***15****) :* *vicolo San Giovanni, 1. ☎ 0743-22-10-09. • info@pecchiarda.it • À la carte env 22 €.* Institution centenaire à la gestion familiale. Une salle traditionnelle, une autre sous véranda et des tables éparpillées dans un vaste jardin. Cuisine traditionnelle de Spolète, copieuse à défaut d'être très fine, à base de plats aux truffes et d'un excellent *filetto di manzo*. Bon rapport qualité-prix.

Plus chic

|●| ***Ristorante Il Pentagramma*** *(plan B3,* ***13****) :* *via Martani, 4. ☎ 0743-22-31-41 ou 31-31. • info@ristorantepentagramma.com • Tlj sf dim soir et lun. Congés : dernière sem de juil. À la carte min 30 € ; verre de vin 3 €.* Lancé en 1959 par le créateur du festival des Deux Mondes et la nièce de Toscanini. Aux murs, des dédicaces de nombreux artistes, comme Vittorio Gassman et Sophia Loren. Menu joliment mis en musique. Très belle et douce ambiance en salle, et quelques tables en terrasse dans la ruelle. Service impeccable, accueil un rien guindé.

|●| ***Ristorante Il Panciolle*** *(plan C2,* ***12****) :* *vicolo degli Eroli, 1. ☎ 0743-22-42-79. Accès par la via del Duomo, 3. Tlj sf mer jusqu'à 22h30. Congés : 2 sem en nov et 2 sem en fév. À la carte env 25 €.* 2 très belles salles médiévales joliment agencées. Cuisine inventive à base de spécialités ombriennes remises au goût du jour. Viandes et *bruschette* grillées dans l'âtre. Aux beaux jours, vous pourrez vous régaler sur la très jolie terrasse avec une plaisante vue panoramique.

Où boire un verre et manger sur le pouce ? Où manger une glace ?

Piazza del Mercato *(plan C3,* ***30****)* **:** une charmante place pleine de vie (en dehors de l'heure de la sieste !) avec de nombreuses terrasses. Parfait pour un verre, un *panino* ou une glace.

Bar Vincenzo *(plan B3,* ***35****)* **:** *corso Mazzini, 41. Ouv tlj sf lun 7h30-22h30.* Pâtisseries et gourmandises traditionnelles, ainsi que de bonnes glaces.

Bar La Portella *(plan C3,* ***34****)* **:** *via del Ponte.* L'endroit idéal pour vous requinquer une fois arrivé en haut de la rue qui mène au viaduc. La terrasse se compose de quelques meubles de jardin en plastique, mais la vue vaut tous les coussins du monde. Glaces et encas.

Tric Trac Wine Bar *(plan C3,* ***31****)* **:** *piazza del Duomo. Tlj sf mer, en hiver jusqu'à 23h et en été jusqu'à épuisement des clients.* Un bar agréable avec terrasse, pour admirer sans fin la façade du *Duomo* tout en vous dorant au soleil. Branché et plutôt cher. On peut aussi y manger sur le pouce.

À voir. À faire

À Spolète plus qu'ailleurs, les horaires de visite sont particulièrement fantasques.

Chiesa San Salvatore *(hors plan par D1)* **:** *à 20 mn à pied de la piazza della Vittoria. Accès par l'entrée supérieure du cimetière. Mai-août, 8h-12h, 16h-19h ; sept-avr, 9h-12h, 15h-18h (17h nov-fév).* San Salvatore nous vient du IVe s, époque où les chrétiens appréciaient de ne plus systématiquement être la pâture des lions du cirque. Le chœur, avec ses hautes et antiques colonnes, est resté inchangé malgré une restauration aux IXe et XIIe s. De cette époque paléochrétienne subsiste une atmosphère telle que la ville l'a utilisée en affiche avec pour accroche « *A spoleto, il tempo è spiritualità* ».

Chiesa San Ponziano *(plan C-D1)* **:** *descendre la via della Basilica di San Salvatore. Ouv 10h-12h, 15h-18h. Si c'est fermé, cherchez le gardien, qui n'est jamais loin. Obole bienvenue.* Le 14 janvier de chaque année, le crâne de saint Pontien, martyr décapité en 175, est porté en procession. Son église présente une façade romane à trois niveaux avec campanile latéral, typique de l'Ombrie. Crypte du Xe s merveilleusement mise en valeur par son éclairage, avec de belles fresques du XIVe s. Remarquer aussi les deux étranges colonnes effilées.

Ponte Sanguinario **:** *par la via Cesare Micheli, descendre piazza della Vittoria, au centre de laquelle s'amorce un escalier.* Construit à l'époque d'Auguste sur le Tessin et abandonné lorsque, poussée par l'homme, la rivière accepta de s'établir dans un lit plus confortable. La tradition populaire veut qu'il tienne son nom d'un épisode de persécution des chrétiens. Il en reste un pilier et deux belles arches, que l'on contemplera le temps qu'il faut pour rafraîchir sa carcasse brûlée par le soleil.

Chiesa San Gregorio Maggiore *(plan B1)* **:** *piazza Garibaldi. Ouv 8h-12h, 16h-18h.* L'église Saint-Grégoire-le-Majeur, édifiée au XIe s, domine la piazza Garibaldi de son puissant campanile dont la base est constituée de blocs de l'époque paléochrétienne. Belle architecture romane dépouillée à trois nefs, avec chœur surélevé en haut d'une volée de marches. Crypte sombre et humide. Les chapelles latérales baroques sont des ajouts postérieurs. La tradition voulant que, sous l'église, se trouvent les os de milliers de chrétiens tués par les Romains en 304 en même temps que saint Grégoire, une *chapelle des Innocents* a été consacrée. Accessible du porche du XVIe s mais protégée par une grille, elle est décorée de fresques évoquant ces martyrs.

Torre dell'Olio *(plan B2) : remonter la via dell'Anfiteatro jusqu'à la piazza Cairoli, puis prendre à droite la via S. Cecili.* C'est une tour défensive du XIIIe s, et la légende veut que l'huile bouillante jetée de son sommet ait mis en déroute l'armée carthaginoise. Or l'incursion d'Hannibal en Ombrie, c'était en 217... soit un bon millier d'années avant la construction de l'édifice ! C'est tout le charme des légendes...

Chiesa San Domenico *(plan B2-3) : prendre la via Pierleone Leoni. Ouv sam-dim 10h-18h (19h juin-août).* L'église, aux murs de pierres blanches et roses, mérite une petite halte pour ses œuvres d'art, parmi lesquelles des fresques de la légende provençale de sainte Marie-Madeleine et une toile du XVIIe s de Giovanni Lanfranco. Mais le clou de la visite est... l'un de ceux de la Crucifixion, c'est du moins ce qu'affirme la tradition !

Galleria civica d'Arte moderna *(plan B3) : juste à côté, sur la piazza Collicola. ☎ 0743-46-434. Tlj sf mar 10h30-13h, 15h30-19h (15h-17h30 oct-mars). Entrée : 4 € ; 6 € si billet combiné avec la Casa romana ; réduc.* Créé à la suite d'une donation d'un riche collectionneur romain et installé dans un ancien palais du XVIIIe s, il regroupe les œuvres d'artistes américains et italiens des années 1960 (notamment Accardi).

Piazza della Libertà *(plan B3) : prendre la via Plinio il Giovane et tourner à droite corso Giuseppe Mazzini.* Dominée par la façade du *palazzo Ancaiani* (XVIIe s), elle permet de jeter un coup d'œil au plus beau vestige de l'antique Spoletum, un *théâtre* datant des premières années de l'empire, utilisé par le festival pour des spectacles de danse. Si vous êtes passionné par la Rome antique, vous pouvez parcourir les gradins après avoir acheté un billet couplé avec la visite (rapide) du ***Musée archéologique*** tout proche, installé dans le palazzo Corvi, via Sant' Agata *(tlj sf 1er mai, 1er juin et 25 déc 8h30-19h30 ; entrée : 4 €).* Les objets sont d'un maigre intérêt mais les cartels (en italien et en anglais) sont excellents. On y voit la modélisation de deux sépultures de la première moitié du IVe s découvertes sur la piazza d'Armi (seuls les objets sont exposés, avec leur emplacement par rapport au corps).

Arco di Druso *(plan C3) : prendre la via Brignone et tourner à gauche sur la via dell'Arco di Druso.* L'arc de triomphe de Drusus, érigé en 23 apr. J.-C. pour vanter les mérites du fils de Tibère, mort d'une chute de cheval au retour d'une campagne chez les horribles Teutons, marquait l'entrée du forum. L'ancienne via Flaminia passait juste à côté.

Casa romana *(plan C3) : via di Visiale, 1. Continuer, traverser la piazza del Mercato et prendre à droite la via del Municipio qui coupe cette rue. Lun-jeu 11h-18h, ven-dim 10h30-19h. Entrée : 2,50 €.* Les quelques mosaïques de cette demeure hypothétiquement impériale (elle aurait appartenu à la mère de l'empereur Vespasien) ne réjouiront que les férus d'Antiquité. On peut cependant admirer le gros travail de restauration et passer un moment au frais.

Museo diocesano e chiesa Sant'Eufemia *(plan C3) : via Aurelio Saffi, 13. Aller jusqu'au bout de la via di Visiale et tourner à droite via Saffi. Rens : ☎ 0743-23-10-22. Avr-oct, lun-jeu (sf mer ap-m) 11h-13h, 15h-18h et ven-dim 11h-18h ; nov-mars, mer-dim 11h-13h, 14h30-17h30. Entrée : 3 € ; réduc. Brochure en français à la billetterie. Conservez votre ticket pour obtenir une réduc dans les autres musées diocésains (Pérouse, Assise, Gubbio...).* Installé dans le palais épiscopal du XVIe s, ce musée regroupe des œuvres du XIIIe au XIXe s. Ensemble de triptyques médiévaux et Renaissance de tout premier plan. Vous apprécierez notamment les magnifiques visages de la *Vierge à l'Enfant allaitante* (1485) de Filippino Lippi et l'impressionnant buste en bronze d'Urbain VIII (1640) par le Bernin. Au fond de la dernière salle, une petite chapelle couverte de fresques (levez les yeux !) donne accès à la *chiesa Sant'Eufemia,* datant du début du XIIe s (accessible uniquement via le musée). Il ne vous aura pas échappé qu'il s'agit de la seule église romane d'Italie centrale qui possède encore une galerie en hauteur (à l'époque, réservée aux femmes). Ouvrez le portillon pour accéder à la partie inférieure, prenez garde à la raideur des marches et appréciez en connaisseur l'élégante sobriété des lieux. Notez le curieux pilier à section cubique, finement sculpté.

¶¶¶ **Duomo** *(plan C2-3)* **:** *de retour via Saffi, remonter cette rue jusqu'à l'escalier descendant vers le Duomo. Visites 8h30-12h30, 15h30-19h. Quelques piécettes vous seront utiles pour éclairer les plus belles œuvres.* Construit de 1175 à 1227, le *Duomo,* à la façade précédée d'un portique Renaissance et dominé par un élégant campanile, capte le regard de tous. Au-dessus de la rosace centrale, belle et lumineuse mosaïque de Solsterno (1207), de style byzantin, représentant le Christ entouré de la Vierge et de saint Jean. L'intérieur a été remodelé au XVIIIe s : la coupole a été restaurée et la rosace dégagée, ce qui donne davantage de lumière à l'intérieur de l'édifice, doté d'un pavement d'origine. Il abrite un grand nombre d'œuvres, parmi lesquelles :
– En entrant à gauche, l'un des plus anciens *crucifix* peints sur parchemin et collés sur bois (1187), seule œuvre d'Alberto Sozio parvenue jusqu'à nous, aux bleus et aux rouges d'une grande subtilité.
– En face, dans la *capella degli Eroli,* fresque du Pinturicchio.
– Dans l'*abside,* fresque monumentale contant la vie de la Vierge, de Fra Filippo Lippi. Commencée en 1467, elle fut terminée en 1469 par les élèves du peintre, car celui-ci mourut sans pouvoir achever l'œuvre. Son fils Filippino fut chargé de construire son tombeau, qui se trouve dans le transept droit.
– À gauche du chœur, la *capella della Santa Icona :* en 1155, les armées de Frédéric II Barberousse avaient saccagé la ville et, se repentant, l'empereur lui offrit une icône de style byzantin que l'archevêque de Spolète présente chaque année à la foule qu'il bénit. Dans la même chapelle, une lettre autographe de saint François d'Assise au frère Léon (en latin, traduite en français) appelle au recueillement.

¶ ***Piazza della Signoria*** *(plan C2)* **:** *en contrebas du Duomo.* On y découvre une belle vue sur la ville.

¶ **Piazza Campello** *(plan C3)* **:** *de retour piazza Duomo, prendre la ruelle qui monte.* Agrémentée de la *fontana del Mascherone*, elle est aménagée en jardin et complétée par une promenade offrant de belles vues entre ses arbres.

¶ 👪 **Rocca Albornoziana** *(plan C-D3)* **:** *piazza Campello, 1. ☎ 0743-22-49-52. Tlj avr-oct 9h (10h lun)-18h (19h juin-sept). Fermeture des portes 45 mn plus tôt. Entrée : 6 €, ou 7,50 € avec le musée ci-après ; réduc.*

La *Rocca,* vaste quadrilatère de 140 m de long et de 40 m de large, fut témoin d'une histoire beaucoup plus mouvementée que ne le sera la visite. Au XIVe s, les possessions papales d'Ombrie étaient sous la coupe du gibelin seigneur de Viterbe, Giovanni di Vico. Le Saint-Siège confia au cardinal Albornoz la restauration du pouvoir pontifical, mission accomplie en 1354 à l'issue de la bataille d'Orvieto. Afin d'asseoir le pouvoir papal, Albernoz confia alors à Gattapone la construction de cette forteresse, qui accueillit des personnages importants, parfois tristement célèbres comme Lucrèce Borgia et son frère César. Dans la cour d'honneur, interminable succession des armoiries des papes. Dans une salle de la tour principale, la seule œuvre intéressante du lieu : une série de fresques de la fin du XIVe s et du début du XVe s représentant des scènes de chevalerie. Elles ne sont conservées qu'en partie mais valent le coup d'œil en raison de leur belle facture et de l'originalité de leur sujet : les représentations profanes étaient fort rares à cette époque dévote.

ROCCA'LCATRAZ

Cette forteresse fut une prison de haute sécurité de 1817 à 1982. Elle a accueilli de nombreux membres de la Mafia (du moins ceux que l'on avait réussi à arrêter) ainsi qu'Ali Ağca, qui tenta d'assassiner le pape Jean-Paul II en 1981.

¶ ***Museo nazionale del Ducato di Spoleto*** *(plan C3)* **:** *piazza Campello, 1. ☎ 0743-22-49-52 ou 30-55. Tlj sf lun 9h-13h30. Fermeture des portes 45 mn plus tôt.*

Entrée : 6 € ou 7,50 € avec la Rocca ; réduc. Une quinzaine de salles réparties sur deux étages de la cour d'honneur, évoquant l'unité culturelle de la région telle que l'ont façonnée les événements historiques, en commençant au milieu du IVe s avec la communauté chrétienne, puis en abordant le monachisme, le duché lombard de Spolète, l'Empire et la papauté, le Quattrocento, etc.

ééé ***Ponte delle Torri*** *(plan D3)* **:** épuisé par tant de visites, il vous restera à poursuivre votre chemin jusqu'à ce grandiose aqueduc du XIVe s, pas très loin de la Rocca. Enjambant le torrent Tessino, l'aqueduc (230 m de long pour 80 m de haut) permet de gagner à pied le Monteluco et la *chiesa San Pietro*. Goethe évoque dans son *Voyage en Italie* ce pont aux dix puissantes arcades qu'il a foulé du pied. Les routards souffrant de vertige demanderont à leurs camarades de ne pas faire semblant de les jeter dans le vide... Arrivé au milieu du pont, un regard aménagé dans la structure vous offrira une vue impressionnante sur la vallée. De l'autre côté, le *fortilizio dei Mulini* dresse ses ruines à flanc de colline.

éé ***Chiesa San Pietro*** *(hors plan par C4)* **:** *franchir le pont et, sur l'autre rive du Tessin, prendre à droite sur 800 m. Ouv 9h-18h30 (16h30 en hiver).* Bâtie fin XIIe-début XIIIe s sur une hauteur dominant la ville. L'escalier précédant l'église est imposant, la façade magnifique avec ses bas-reliefs, le point de vue sur les environs agréable... Trois bonnes raisons pour, en dépit de la fatigue, continuer jusqu'à ce chef-d'œuvre de l'art roman. Intérieur du XVIIIe s, avec une nef très dépouillée et un chœur moderne joliment arrangé autour de l'autel sous lequel repose san Giovanni di Spoleto, martyrisé le 19 septembre 887.

➢ Des sentiers permettent ***balades et randonnées,*** dans des paysages offrant de sublimes panoramas. En demander le plan à l'office de tourisme. Parmi les plus notables : *Monteluco* (2 km et 400 m de dénivelée), le *monte Fionchi* (9 km et près de 1 000 m de dénivelée) et *San Pietro in Valle* (17 km et plus de 1 000 m de dénivelée).

Manifestations

– ***Festival dei Due Mondi :*** *chaque année de fin juin à mi-juil. Bureau du festival : piazza della Libertà, 10. ☎ 0743-77-64-44 ou (billetterie) ☎ 0743-22-28-89. • festivaldispoleto.it •* Fondé en 1958 par Gian Carlo Menotti, compositeur italo-américain qui voulait rassembler le meilleur des jeunes talents américains et italiens, d'où son appellation. Des contentieux entre les autorités et la famille du fondateur, décédé en 2007, n'ont pas empêché qu'il continue à se dérouler. Concerts de musique classique, sacrée et jazz, opéra et danse, en plein air sur la piazza del Duomo, dans les églises, les théâtres et à la Rocca. Les billets sont plutôt chers, généralement autour de 30 €. Mais il faut débourser plus de 100 € pour une bonne place aux spectacles les plus recherchés... à condition de réserver au plus tard en avril !

– ***Feste Lucreziane :*** *une sem à une date variable.* Fête populaire et folklorique, en costumes d'époque, destinée à retracer l'événement historique que fut l'entrée de Lucrèce Borgia dans la ville, le 5 septembre 1499.

➤ DANS LES ENVIRONS DE SPOLETO

é ***Le Monteluco et le couvent San Francesco :*** bus au départ de la gare ferroviaire ou de la piazza della Vittoria (en été slt). 6 liaisons/j., dernier retour de Monteluco vers 19h. Durée 30 mn. Une fort belle route grimpe jusqu'au Monteluco (850 m), sillonné de sentiers de balades et de randonnées au milieu des forêts (lire ci-dessus, « À voir. À faire »). Là-haut, à côté de grandes prairies idéales pour la bronzette ou le pique-nique, un lieu saint, fief des anachorètes, ces petits hommes tonsurés appréciant la vie en solitaire. S'arrêter en contrebas de l'hôtel Ferretti.

Visite 9h-12h, 15h-18h. On y voit l'oratoire fondé en 1218 par saint François et le couvent primitif : un couloir sur lequel s'ouvrent les cellules. Remarquez la hauteur des portes (moins de 1,40 m) et imaginez-vous menant ici une vie de prières, sur votre bat-flanc avec une paillasse et quelques pots pour tout mobilier !

LE SUD DE LA VALLÉE DU TIBRE

Traversé par l'autoroute du Soleil, celle qui mène de Florence à Rome, le sud de la vallée du Tibre ne compte plus ses visiteurs. Il faut dire qu'il les mérite, avec ses airs de fraîcheur champêtre et sa belle lumière. Frontière du territoire étrusque, comme Pérouse au nord, il abrite en son fertile territoire quelques exemples probants de ces temps révolus. Le Tibre rejoint Todi, puis serpente vers l'ouest, à la recherche d'un nouveau lit. Rencontrant le barrage de Corbara, il s'élargit et se transforme en lac artificiel, autour duquel l'agritourisme fait bon commerce. Du temps des Romains, les marchandises étaient acheminées de Rome à Città di Castello, en passant par ici. Bifurquez pour une halte dans la vieille ville d'Orvieto, fière cité perchée sur une falaise de tuf volcanique, jalousée maintes fois pour sa magnifique cathédrale. Si vous avez boudé les fresques tout au long du voyage, vous jetterez cette fois un œil à celles de Fra Angelico et de Signorelli dans la cappella di San Brizio. Un seul regard suffit ici pour comprendre le cheminement du Moyen Âge à la Renaissance.

TODI

(06059) 17 300 hab.

Bâtie par les Étrusques sur deux collines jumelles, l'antique *Tuder* (d'un vieux mot étrusque signifiant « frontière ») fut remodelée par les Romains qui comblèrent la vallée les séparant afin d'en faire une place forte unique. De cette époque antique, il reste quelques vestiges dont de belles murailles. Aujourd'hui, ce gros bourg perché, ceint de remparts médiévaux et aux rues pavées à l'ancienne, est de ceux où nous aimons faire étape.

Arriver – Quitter

En train

La gare ferroviaire *de Todi est située à* **Ponte Rio,** *soit à 5,6 km au nord-est de la ville.* Pour gagner le centre-ville, bus C. Env 15 mn de trajet, au départ et à l'arrivée des trains.

➢ ***De/vers Pérouse*** *(stazione di Sant'Anna) :* nombreuses liaisons, soit par *FS* (avec changement à Ponte San Giovanni), soit par *FCU.* Trajet : 1h.
➢ ***De/vers Terni :*** plusieurs liaisons, en sem surtout. Trajet : 40 mn.

En bus

Gare routière *(plan A2) : via Menecali.* Pour gagner le centre-ville autrement qu'à pied, minibus orange *(tlj sf dim ; trajet 15 mn).* Il est possible toutefois que votre bus intercités vous dépose piazza Jacopone, au cœur de la ville.

➢ ***De/vers Pérouse :*** 6 bus/j. (sf dim) avec *APM* (☎ *800-51-21-41 ;* ● *apmperugia.it* ●). Départs de la piazza dei Partigiani à Pérouse. Trajet : 1h30.
➢ ***De/vers Terni :*** 1 seul bus/j. (sf dim) avec *ATC* (☎ *0744-71-52-07 ;* ● *atcterni.it* ●). Départ de la piazza Dante à Terni et de la piazzale Consolazione à Todi. Trajet : 1h10.
➢ ***De/vers Orvieto :*** 1 seul bus/j. (sf dim) avec *ATC,* en début d'ap-m d'Orvieto (piazza Cahen) et très tôt le mat au départ de la piazza Jacopone à Todi. Trajet : 2h.

Circulation et stationnement

La circulation dans Todi est difficile, et de toute manière interdite en juillet-août ainsi que certains w-e. Garez votre véhicule à l'extérieur des remparts pour gagner le centre-ville à pied ou en bus.
P À la sortie de l'ascenseur du ***parking payant*** de la porta Orvietana *(plan A2,* ***8****),* vous n'aurez qu'une petite grimpette jusqu'au centre. Ouvert 7h-minuit en été (horaires réduits en hiver) ; 0,90 €/h la 1re heure, 0,60 € ensuite, maximum 6,60 €/j.

Adresses utiles

i ***Office de tourisme*** *(plan A1)* **:** *piazza del Popolo, 38.* ☎ *0758-94-25-26 ou 0758-94-54-16.* ● *info@iat.todi.pg.it* ● *umbria2000.it* ● *Lun-sam 9h30-13h, 15h-18h ; dim 10h-13h.* Un seul dépliant en français.
✉ ***Poste centrale*** *(plan A1)* **:** *piazza Garibaldi. Lun-ven 8h-18h30 ; sam 8h-12h30.*

LE SUD DE LA VALLÉE DU TIBRE

Où dormir ?

Les charmes quelque peu toscans de Todi donnent le vertige aux hôteliers dont certains pratiquent des prix démesurés par rapport au confort offert...

Bon marché

Casa per Ferie Monastero S.S. Annunziata *(plan B1,* ***7****)* **:** *via S. Biaggio, 2.* ☎ *0758-94-22-68.* ● *monasterotodi@smr.it* ● *monastero.smr.it* ● *Horaires stricts. Double 60 €, petit déj compris. ½ pens 42 €. Internet.* Une pension religieuse d'une trentaine de chambres, très simples et propres, installée dans un couvent du XVe s et tenue par les sœurs de Marie-Réparatrice. Jardin. Accueil vraiment très gentil.

Prix moyens

Villa Luisa *(hors plan par B2,* ***2****)* **:** *via Cortesi, 147.* ☎ *0758-94-85-71.* ● *villaluisa@villaluisa.it* ● *villaluisa.it* ● ♿ *Doubles 75-130 € selon saison et standing, petit déj compris. Piscine.* Situé dans un beau parc bien entretenu, à 5 mn en voiture du parking de la porta Orvietana. Chambres bien équipées, ultraclassiques pour ne déplaire à personne. Fait aussi resto.
Hotel San Lorenzo Tre *(plan A1,* ***3****)* **:** *via San Lorenzo, 3 (ruelle s'ouvrant juste au niveau du bas de l'escalier du Duomo).* ☎ *0758-94-45-55.* ● *info@sanlorenzo3.it* ● *sanlorenzo3.it* ● *Congés : 10 janv-10 mars. Résa indispensable. Doubles 75 € sans sdb et 110 € avec, petit déj inclus.* Une vieille maison de famille en plein centre historique, avec des chambres confortables et très mignonnes sans TV ni téléphone. Les plus chères ont une très belle vue qui, les beaux jours, porte jusqu'à Assise. Accès au jardin et à la terrasse qui fait

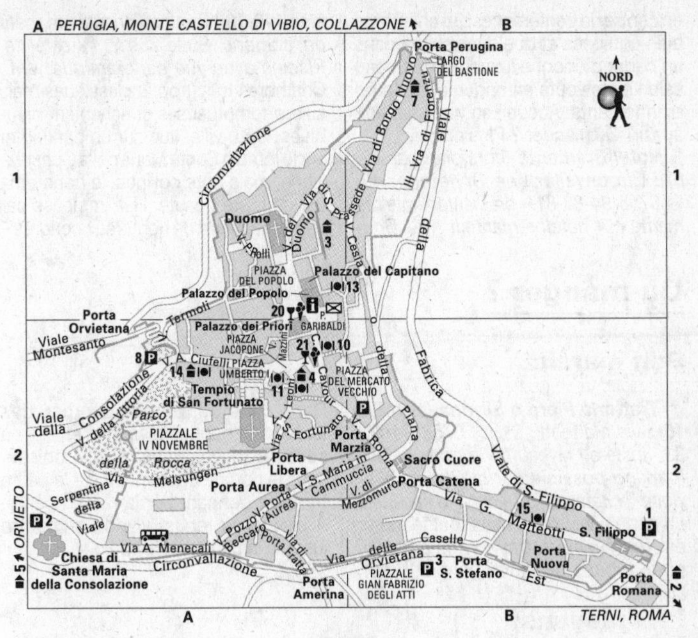

TODI

Adresses utiles

- Office de tourisme
- 1, 2, 3 Parkings gratuits
- 8 Parking payant

Où dormir ?

- 2 Villa Luisa
- 3 Hotel San Lorenzo Tre
- 4 Fonte Cesia
- 5 Hotel Bramante
- 7 Casa per Ferie Monastero S. S. Annunziata
- 14 Pane e Vino

Où manger ?

- 4 Le Palme
- 10 Ristorante Pizzeria Cavour
- 11 Trattoria Jacopone « da Peppino »
- 13 Umbria
- 14 Pane e Vino et Antica Hosteria de La Valle
- 15 Trattoria Piero e Silvana

Où boire un verre ? Où déguster une glace ?

- 20 Gran Caffè Todi
- 21 Pianegiani

solarium. Très prisé des Anglo-Saxons, d'où un copieux petit déj. Accueil très gentil.

Pane e Vino *(plan A2,* ***14****)* **:** ce resto (voir « Où manger ? ») propose des chambres en *B & B (80 € la double)* très bien situées, à 100 m de la piazza del Popolo.

Plus chic

Fonte Cesia *(plan A2,* ***4****)* **:** *via Lorenzo Leonj, 3. ☎ 0758-94-37-37. • fontecesia@fontecesia.it • fontecesia.it • ♿ Doubles avec frigo-bar, TV et AC 147-220 € selon saison et confort, petit déj inclus. Congés : janv-fév selon besoins de rénovation. Parking 10 €/j. Wifi. Réduc de 10 % sur la chambre (sf offres spéciales) sur présentation de ce guide.* Dans un ancien palais Renaissance, communiquant avec l'ancienne église Saint-Benoît (XIIIe s) transformée en centre de conférences, 36 chambres bien équipées et quelques suites dans un cadre d'époque luxueux. Très beau salon avec voûte en brique et fauteuils bien tentants. Accueil en français. Voir aussi « Où manger ? Plus chic ».

Hotel Bramante *(hors plan par A2,* ***5****) : Circonvallazione Orvietana, 48. ☎ 0758-94-83-81. • bramante@hotelbramante.it • hotelbramante.it • ♿ Doubles 140-190 € selon l'orientation, petit déj compris. Suite 260 €. TV satellite. Piscine avec vue panoramique. Wifi.* Chambres très (trop ?) classiques mais suites somptueuses et richement meublées. Côté ville, vue sur un parking et sur le tempio Santa Maria della Consolazione, mais côté collines, le panorama est de toute beauté. Hall immense car l'hôtel accueille de nombreux congrès.

Où manger ?

Bon marché

Trattoria Piero e Silvana *(plan B2,* ***15****) : via Matteotti, 91. ☎ 0758-94-46-33. Juste au niveau de la porta Nuova (parking possible sur la Circonvallazione Orvietana). Tlj. À la carte env 20 €.* La carte est simple, mais tout le terroir est représenté à travers les pâtes et plats à base de lapin, porc et bœuf. Dans cette *trattoria* de quartier, des tables aux nappes blanches et rouges sont disposées dans la salle boisée, sous le porche attenant ou sur la petite terrasse donnant sur la rue en pente. À l'issue du repas, vive la grimpette jusqu'à la piazza del Popolo !

Prix moyens

Ristorante Pizzeria Cavour *(plan A2,* ***10****) : corso Cavour, 21-23. ☎ 0758-94-37-30. Tlj sf jeu en hiver jusqu'à 2h. Congés : 20 déc-7 janv. Pizzas à partir de 5 € ; menus 15-17 € ; à la carte env 25 €. Café offert sur présentation de ce guide.* Plusieurs salles avec un petit côté usine. Grande terrasse sur 3 niveaux, dont un sous une tonnelle, avec vue sur les toits de la ville et la campagne et, juste au-dessus, le cyprès de Garibaldi (voir plus loin « À voir »). Sert entre autres la *ribollita* toscane (en hiver seulement) et des *bocconcini* de sanglier. *Pizze* et viandes y sont excellentes. Accueil dynamique, qui peut paraître un rien expéditif.

Pane e Vino *(plan A2,* ***14****) : via Ciufelli, 33. ☎ 0758-94-54-48. Tt près de l'ascenseur du parking de porta Orvietana. Tlj sf mer. Congés : 2 sem en hiver. Menu 25 €. À la carte env 28 €. Carte en français. Wifi. Le soir, apéritif offert sur présentation de ce guide.* Belles tables en terre cuite peinte sur la terrasse et 3 petites salles intérieures. L'accueil cordial du propriétaire vous prédispose à vous laisser conseiller sur les *primi* et les viandes. Ne passez pas à côté des charcuteries, servies avec du pain fait maison ! Belle cave, surtout de vins ombriens, avec possibilité d'en acheter.

Antica Hosteria de La Valle *(plan A2,* ***14****) : via Ciufelli, 19. ☎ 0758-94-48-48. • jpatdot183@hotmail.com • À 20 m du précédent. Tlj sf lun jusqu'à 22h. Repas env 30 €. Café offert sur présentation de ce guide.* Plats délicieux et copieux à base de spécialités locales, avec une carte de poissons. Si vous tombez à la bonne saison (la carte change 4 fois l'an), goûtez aux *tagliolini Antica Hosteria* (tomates fraîches et truffes). Dans la jolie petite salle de style rustique ou en terrasse, les jeunes patrons font eux-mêmes le service et viennent régulièrement s'enquérir du bien-être de leurs clients.

Trattoria Jacopone « da Peppino » *(plan A2,* ***11****) : piazza Jacopone da Todi, 3. ☎ 0758-94-23-66. Tlj sf lun jusqu'à 21h30. Congés : 1 sem en juil. À la carte env 25 €.* Vieille maison familiale proposant des plats locaux, parmi lesquels de bonnes spécialités de pâtes suivies par exemple de *carne alla brace.* Les murs sont un hommage au

LE SUD DE LA VALLÉE DU TIBRE

chef, dont les spécialités sont la palombe *alla ghiotta (slt oct-janv)* ou la *braciola* (côtelette de porc) *all etrusca.*

Plus chic

|●| ***Umbria*** *(plan A-B1,* ***13****)* **:** *via San Bonaventura, 13. ☎ 0758-94-27-37. Tlj sf mar. Résa conseillée. À la carte env 30 €.* Plats ombriens traditionnels, comme les tripes *alla parmigiana* ou la palombe *alla ghiotta (slt oct-janv).* Ce resto avec terrasse panoramique, souvent bondé, est une valeur sûre. *Antipasti* alléchants, spécialités de viandes grillées et plats du jour fort recommandables. Le tout arrosé d'un *orvieto classico* et c'est parfait, d'autant que le service s'avère courtois et efficace.

|●| ***Le Palme*** *(plan A2,* ***4****)* **:** *via Lorenzo Leonj, 3. ☎ 075-894-37-37. Tlj. À la carte env 30 €.* Resto de l'hôtel *Fonte Cesia.* 4 petites salles classiques ainsi qu'une belle terrasse dominant la fontaine et qui, le soir, est éclairée aux flambeaux. Plats traditionnels revisités. Spécialités de poissons et de fruits de mer.

Où dormir ? Où manger dans les environs ?

|●| ***Torre Sangiovanni :*** *à Collevalenza di Todi. ☎ 075-88-73-64. • info@torre-sangiovanni.it • torre-sangiovanni.it • À 5 km de Todi en direction de Terni. Dans le centre du bourg, fléché (se garer sur le parking « Condominio Il Castello »). Resto fermé mer. Congés : nov. Doubles 87-97 € selon saison. Menu 20 €. Wifi.* 9 chambres dans ce *B & B* vraiment charmant, avec meubles d'époque mais confort d'aujourd'hui : AC, TV satellite... Raffinement et touches de déco chaleureuses, que ce soit dans les chambres ou les parties communes. Tout petit resto avec des spécialités de poisson (la patronne est vénitienne).

|●| ***La Mulinella :*** *ponte Naia, 29, loc. Pontenaia. ☎ 0758-94-47-79. À 3 km de Todi : partir de la porta Romana ; c'est fléché à droite juste après l'hôtel* Luisa *à gauche ; suivre ensuite « Stadio comunale Franco Martelli », c'est juste à côté. Parking ombragé. Resto tlj sf mer jusqu'à 23h30. Congés : nov. Double 60 €. Carte env 28 €. Café offert sur présentation de ce guide.* Irma de la Mulinella, cuisinière émérite, ne connaît qu'une règle : « *fatti in casa* ». Sa cuisine paysanne offre un bon rapport qualité-prix. Goûtez au sanglier *alla cacciatora* (s'il est disponible, car tous les plats de la carte ne sont pas proposés chaque jour). Vaste terrasse et jeux pour enfants. Loue aussi des chambres avec TV, AC et minibar.

Où boire un verre ? Où déguster une glace ?

Gran Caffè Todi *(plan A1-2,* ***20****)* **:** *piazza del Popolo, 47. Tlj sf jeu jusqu'à 1h.* Depuis la grande terrasse, sirotant une boisson ou mangeant une glace, très belle vue sur le *Duomo* et la vie quotidienne des *Tuderti.*

Pianegiani *(plan A2,* ***21****)* **:** *corso Cavour, 40. Tlj sf lun. Congés en mars.* Beaucoup s'accordent à dire qu'on vend ici les meilleures glaces de la ville. Le soir, sur sa belle terrasse, l'animation bat son plein, couvrant les glouglous de la Fonte Cesia.

À voir

Tous les édifices que nous mentionnons se trouvent, à l'exception de Santa Maria della Consolazione, à l'intérieur de l'enceinte médiévale. Notez qu'il existe un *billet d'entrée combiné (7,50 € ; réduc)* pour la pinacothèque, la citerne romaine et le campanile San Fortunato.

Piazza del Popolo *(plan A1)* **:** sur le site du forum romain, au XIIIe s, poussèrent comme champignons après la pluie trois magnifiques palais témoignant de la vitalité de la vie communale. Le *palazzo del Popolo,* bâtiment austère surmonté de créneaux, comporte au rez-de-chaussée une galerie à arcades. À sa gauche, le *palazzo del Capitano* renferme les collections de la pinacothèque. À sa droite, le *palazzo dei Priori,* doté d'une tour trapézoïdale, est orné de l'aigle symbole de la ville, bronze fondu en 1340. En effet, la légende veut que le lieu où construire la ville ait été indiqué aux fondateurs par un aigle.

Museo communale e pinacoteca *(plan A1)* **:** *piazza del Popolo, au 2e étage du palazzo del Capitano. Tlj sf lun 10h-13h30, 15h-18h (nov-mars, 10h30-13h30 et 14h30-17h ; en janv, slt l'ap-m). Entrée : 5 € ; réduc.* Histoire de la ville de la période étrusque à la Renaissance, archéologie, numismatique, tissus et céramiques. Visite couronnée par une pinacothèque : belle collection de maîtres mineurs du *Cinquecento* et du *Seicento*, surtout originaires de Todi (Pietro Sensini, Andrea Polinori), et de Giovanni di Pietro (dit le Spagna). Noter, dans la salle des céramiques, les fresques du XVIIIe s représentant les gloires nées dans la ville.

Cisterne romane *(la citerne romaine)* **:** *dans une ruelle ouvrant face au palazzo del Capitano. Avr-oct, tlj sf lun 10h-13h30, 15h-18h ; nov-mars, slt sam-dim 10h30-13h et 14h30-17h ; en janv, slt l'ap-m. Entrée : 2 € ; réduc. Dépliant en anglais à l'entrée.* Enfilade de 12 salles souterraines, à 8,5 m de profondeur, dont une partie est ouverte à la visite. En sortant, remarquer le puits qui communique avec la citerne.

Duomo *(plan A1)* **:** *en été, 8h-12h30, 15h-18h30 (17h le reste de l'année).* Construit au XIIe s mais rénové par la suite, il domine l'ensemble civil de la piazza del Popolo du haut de son escalier. L'extérieur (façade en marbre rose et blanc ornée de rosaces) mérite un coup d'œil. À l'intérieur, les amateurs apprécieront les chapiteaux finement sculptés mais surtout, sur la contre-façade, *Le Jugement dernier,* fresque du XVIe s de Ferraù de Faenza, même si certains pensent qu'il s'agit d'une bien pâle copie de celle de Michel-Ange à la chapelle Sixtine. On peut aussi visiter le trésor, comportant entre autres un crucifix en bois du XIIe s *(2 €, adressez-vous au gardien, si vous le trouvez...).*

Piazza Garibaldi *(plan A1-2)* **:** cette place, jouxtant la piazza del Popolo, possède une terrasse de laquelle on jouit d'une très belle vue sur les environs et en particulier les monts Martani. Juste en contrebas, un arbre de 33 m connu comme le *cyprès de Garibaldi.* Il fut planté en juillet 1849, lorsque, après l'échec de la République romaine, Todi accueillit Garibaldi pourchassé par les Autrichiens.

Nicchioni romani *(niches romaines ; plan B2)* **:** *piazza del Mercato Vecchio. De la piazza Garibaldi, prendre le corso Cavour puis l'escalier à gauche. Accès tlj.* Ces quatre niches, datant d'Auguste, sont hautes de plus de 6 m. Imaginez les statues qu'elles pouvaient accueillir !

Chiesa Sacro Cuore *(Convento Padri Cappuccini ; plan B2)* **:** *du parking, prendre la via Cesia et la remonter.* On y admire une œuvre de Fiorenzo Bacci, sculpteur né à Todi en 1940, *Apparizione di Maria a Fra Raniero da San Seplocro*. Dans ce beau bronze, Marie, auréolée des couleurs pastel du mur sur lequel s'appuie l'œuvre, est reliée au saint homme porteur de l'enfant Jésus par une draperie s'élevant jusqu'aux cieux.

Tempio di San Fortunato *(plan A2)* **:** *remonter la via Roma et tourner à gauche après la porta Marzia. Tlj sf lun : avr-oct, 9h-13h, 15h-19h ; nov-mars, 10h-13h, 14h30-17h.* Élevé entre 292 et 1462, cet édifice, gigantesque pour la bourgade qu'est Todi, mêle éléments romans et gothiques. La façade, au majestueux portail, est l'œuvre de Lorenzo Maitani, maître d'œuvre du Duomo d'Orvieto. La légende veut que les Orviétans, craignant que cette nouvelle œuvre n'éclipse leur cathédrale, aient rendu l'artiste aveugle pour l'empêcher de terminer son travail. Sans doute réussirent-ils à l'effrayer car la façade est restée inachevée... Vous trouverez un peu de fraîcheur à l'intérieur, cela va sans dire, mais surtout de belles fresques peintes en 1432 par Masolino da Panicale *(Vierge à l'Enfant et deux anges)* ainsi que, dans une crypte austère et sans âme dont l'entrée se situe à gauche du chœur, le tombeau de marbre du poète franciscain Jacopone da Todi (1230-1306).

CHANGEMENT DE CAPE

Jacopone da Todi n'a pas toujours vécu en indigent. Né dans une famille noble, il mène une vie mondaine et épouse Vanna, aussi riche que lui. Vanna meurt durant une fête, quand s'effondre une tribune. Sur le corps, le veuf trouve un cilice (vêtement de crin porté en signe de pénitence) et comprend que Dieu lui fait signe. Il se jette dans la dévotion et la pauvreté en rejoignant l'ordre franciscain. Il s'élève contre l'autorité et la vie fastueuse du pape Boniface VIII, lequel l'excommunie et le fait emprisonner.

Campanile di San Fortunato *(plan A2) : tlj sf lun : avr-oct 10h-13h, 15h-18h30 ; nov-mars 10h30-13h, 14h30-17h. Entrée : 2 € ; réduc. Accès par l'église. Bien refermer la grille en haut pour éviter aux pigeons affolés par les cloches d'envahir la tour.* Vue panoramique sur quasiment toute l'Ombrie. On reconnaît en particulier le profil du mont Subasio avec Assise sur son flanc. Cela vaut bien l'ascension des 150 marches !

Parco della Rocca *(plan A2)* **:** agréable parc où se trouvent les ruines du château fort (XIVe s).

Chiesa Santa Maria della Consolazione *(plan A2) : du parc, descendre par la serpentina della Viale. Tlj sf mar : avr-oct, 9h-12h30, 15h-18h30 ; nov-mars, 9h30-12h30, 14h30-17h.* Ce joyau de la Renaissance, construit d'après des dessins de Bramante, a fêté en 2008 son demi-millénaire. Bâti en forme de croix grecque, l'édifice est coiffé d'un dôme. À l'intérieur, qui surprend par son volume (la lanterne est à près de 50 m de haut !), statues des douze apôtres sculptées par Scalza.

Vue d'ensemble de la ville *(hors plan par B2)* **:** de la route de Pontenaia (voir « Où dormir ? Où manger dans les environs ? »), on a une vue admirable de la ville et de sa colline, surtout en fin d'après-midi. Cyprès, peupliers, oliveraies, prairies et remparts composent un tableau idyllique.

Manifestations

– ***Rassegna Antiquaria d'Italia :*** *en avr.* • *eptaeventi.it* • Dans un palais au cœur de la ville, une foire aux antiquités parmi les plus anciennes et les plus réputées d'Italie.
– ***Grand Prix d'Italie des Montgolfières :*** *en juil.* Le spectacle nocturne où les montgolfières sont installées dans tous les emplacements du centre historique est un grand moment visuel.
– ***Todi Arte Festival :*** *dates variables, le plus souvent en sept.* Il ravira les amateurs de théâtre et de ballet.

➤ DANS LES ENVIRONS DE TODI

Monte Castello di Vibio : *à 12 km au nord de Todi. Fléché depuis la* superstrada *vers Pérouse.* Ce petit village très bien conservé avait pour mission principale de défendre Todi. Vous l'avez compris, et votre moteur également... ça monte, ça monte, jusqu'à 422 m d'altitude... Petites ruelles tortueuses avec beaucoup de cachet. S'enorgueillit de son tout petit *teatro della Concordia* en bois, qui date du XIXe s. Il serait le plus petit théâtre du monde avec 99 sièges. *338-918-88-92.*

LE SUD DE LA VALLÉE DU TIBRE

• prenotazioni@teatropiccolo.it • teatropiccolo.it • Visite tlj 1er juil-10 sept, sinon sam-dim, 10h-12h30 et 16h-19h avr-août (15h30-18h30 sept-mars). Gratuit, obole bienvenue.

Collazzone : *à 20 km au nord de Todi. Fléché depuis la* superstrada *vers Pérouse.* Petit village perché à 469 m d'altitude. De ses rues médiévales, qui semblent ne pas avoir bougé d'un iota, on peut jouir de jolis panoramas. À l'intérieur de l'église de San Lorenzo, remarquez une *Madonna Lignea* polychrome du XIIIe s.

La forêt fossile de Dunarobba : *à 17 km au sud, par la SP 379. ☎ 0744-94-03-48. Centre ouv avr-sept tlj sf lun au min 10h-13h, 15h30-18h30 ; oct-fév tlj 10h-13h et w-e 14h-16h30 (oct 15h30-18h30). Entrée : 5 € ; réduc. Visites guidées slt, 3 à 6/j. Feuillet d'info en français.* Au milieu d'un champ, non loin de Dunarobba, émerge un groupe d'une cinquantaine de troncs gigantesques datant de la fin de l'ère tertiaire. Ce phénomène géologique est connu depuis 1637 et a longtemps gêné l'extraction de tourbe et de lignite. Voisins du séquoia, ces arbres pouvaient atteindre 50 voire 100 m de haut, et l'on n'en voit donc qu'une petite partie. Ils ne sont pas pétrifiés, mais momifiés : il s'agit donc de vrais bois, vieux de 2,5 millions d'années ! Évidemment, une fois à l'air libre, ces troncs doivent être protégés, et les toitures de tôle gâcheront le plaisir des photographes. Trois sont d'ailleurs inclus dans une structure à température et humidité constantes. Petite expo d'intérêt limité.

ORVIETO

(05018) 21 000 hab.

Orvieto trône magnifiquement sur son rocher de tuf et de pouzzolane, témoins d'une activité volcanique vieille de mille siècles. Une tribu s'y installa dès l'âge du fer, avant de voir les Étrusques s'y implanter pour créer la cité de *Velzna,* détruite par les Romains qui y ont construit leur propre ville, *Urbe Vetus.* Annexée par les États pontificaux au milieu du XVe s, elle devient un séjour favori des papes, plus sûr que Rome. Possédant l'un des plus beaux *Duomo* d'Italie et un vin célèbre, la ville est devenue très touristique mais a su conserver son charme. On peut flâner longuement, sans but précis, dans ses ruelles médiévales qui réservent toujours des surprises.

UN VIN... BÉNI ?

Quand vous aurez épuisé toutes les ressources de cette charmante cité, arrêtez-vous pour déguster un verre de ce vin d'Orvieto que même le pape Paul III Farnèse, fin connaisseur s'il en était, appréciait particulièrement. Jadis majoritairement rouge, ce vin se décline aujourd'hui en blanc, soit moelleux (abboccato), *soit sec. Goûtez-le dans ses deux versions, protégées par une DOC.*

Arriver – Quitter

En train

Gare ferroviaire *(plan D1) : à Orvieto Scalo, à 4 km du centre historique.* Pour rejoindre celui-ci, funiculaire (voir ci-après « Circulation et stationnement ») ou bus n° 1. Consigne. Sur la ligne Rome-Florence.

➢ ***De/vers Rome et Florence :*** trains ttes les heures env au départ de *Roma Termini* (exceptionnellement *Tiburtina*) ou *Firenze Santa Maria Novella.* Trajets respectifs : env 1h15 et 1h45.

➢ ***De/vers Pérouse*** *(stazione di Fontivegge)* **:** une dizaine de trains avec changement à *Terontola* ou parfois à *Orte*. Trajet : 2-3h.

En bus

Gare routière *(plan C1-2)* **:** *piazza Cahen*. Centre à 15 mn de marche, ou via minibus A ou B.

■ ***ATC :*** *☎ 0763-30-12-24. ● atcterni.it ●*

➢ ***De/vers Todi :*** 1 liaison/j., tlj sf dim. Départ en début d'ap-m d'Orvieto et tôt le mat de la piazza Jacopone à Todi. Trajet : env 1h30.
➢ ***De/vers Terni :*** 6 bus/j., slt en sem, via *Narni* et *Amelia*. Départ de la gare routière de Terni. Trajet : 2h.

Circulation et stationnement

Mieux vaut ne pas chercher à entrer dans la vieille ville, la circulation y étant difficile, voire interdite à certaines périodes *(de mi-juin à mi-sept, 21h-1h et w-e 10h-19h ; reste de l'année, w-e 10h-18h)*. Deux solutions :
P À l'est, derrière la gare, le ***Parcheggio della Funicolare*** *(plan D1)*, **gratuit.** Le funiculaire *(lun-ven 7h20-20h30, w-e 8h-20h30, puis bus 20h30-minuit ; aller-retour env 2 €, bus vers le centre compris)* conduit à la piazza Cahen *(plan C1-2 ; bus A ttes les 10 mn pour la piazza Duomo et bus B ttes les 20 mn pour la piazza della Repubblica et la piazza Ranieri)*.
P À l'ouest, le *parking* ***Campo della Fiera*** *(plan A2)*, **payant** *(entrée 7h-minuit ; 1 €/h ; 11 €/j. ; 5h gratuites avec la carte* Orvieto Unica*)*, relié à la ville par un ascenseur (arrivée près du Complesso San Giovanni) et un escalier mécanique *(plan A2)*.

Adresses et infos utiles

i ***Office de tourisme*** *(plan B3)* **:** *piazza del Duomo, 24. ☎ 0763-34-17-72. ● info@iat.orvieto.tr.it ● regioneumbria.eu ● Lun-ven 8h10-13h50, 16h-19h ; w-e et j. fériés 10h-13h, 15h-18h.* Documentation complète et renseignements sur les transports.
– ***Carta Orvieto Unica :*** *● cartaunica.it ● 18 € ; réduc. Achat piazza Duomo, 23 (à côté de l'office de tourisme), au* Parcheggio della Funicolare *et aux billetteries des principaux monuments.* Accès libre à 9 sites, dont ceux du Museo dell'Opera del Duomo, la torre del Moro, le Pozzo San Patrizio et Orvieto Underground. Permet un voyage gratuit en funiculaire, le libre accès aux bus A et B, ainsi que 5h gratuites au parking *Campo della Fiera*. Donne droit à des réductions dans les hébergements, restaurants et commerces partenaires.
✉ ***Poste centrale*** *(plan B2)* **:** *largo Maurizio Ravelli. Sur l'arrière du théâtre Mancinelli, situé sur le corso Cavour, au n° 122. Lun-ven 8h-18h30 ; sam 8h-12h30.*
■ ***Téléphones publics : Blue Bar,*** *via Garibaldi, 23 (plan A-B2). Tlj sf dim.*
@ Plusieurs adresses :
– ***Biblioteca pubblica Fumi :*** *piazza Febei (plan B3). ☎ 0763-30-64-50. Ouv lun-mar et jeu-ven 8h30-13h30 et mar-jeu 15h-18h.*
– ***Copisteria Espa :*** *via Felice Cavallotti, 9/9 A (plan B2). ☎ 0763-34-14-31.*
– ***Internet@caffè Montanucci*** *(plan B2,* ***33****)* **:** *corso Cavour, 23. Voir plus loin « Où déguster une glace... ? ».*
■ ***Urgences médicales :*** *☎ 0763-30-18-84 (gardes de nuit et j. fériés).*
■ ***Police municipale :*** *piazza della Repubblica. ☎ 0763-34-00-88.*
■ ***Taxis :*** *à la gare. ☎ 0763-30-19-03.*
■ ***Toilettes publiques :*** *sous la piazza Duomo (plan B2) et via Filippeschi (plan A2).*

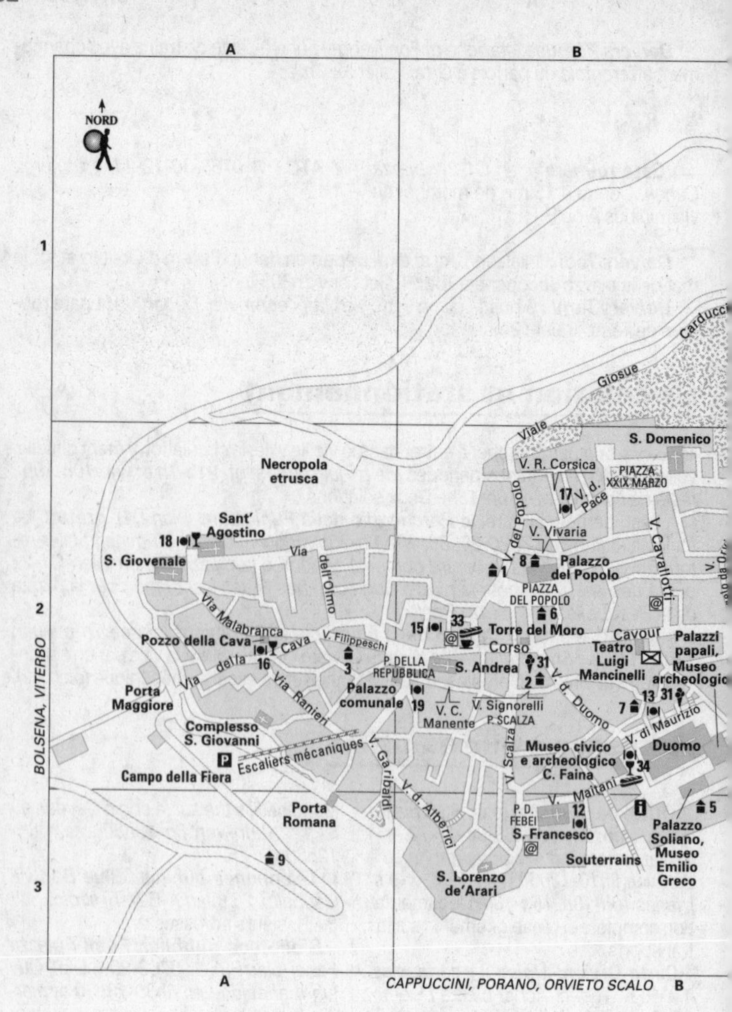

Adresses utiles

- Office de tourisme
- @ 33 Internet@caffè Montanucci
- Parkings

Où dormir ?

1 Istituto San Salvatore
2 Hotel Posta
3 Albergo Filippeschi
4 Hotel Corso
5 Casa Religiosa di Ospitalità Villa Mercede
6 Grand Hotel Reale
7 Hotel Duomo
8 Valentina
9 Casa Sèlita

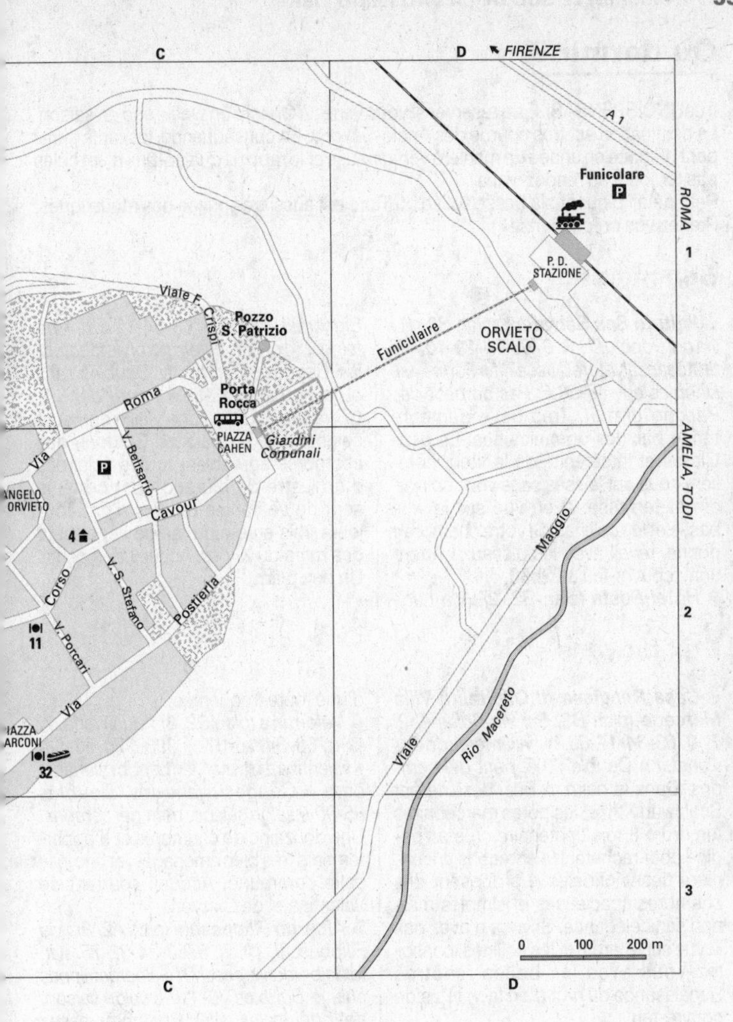

ORVIETO

Où manger ?

- **11** Pizzeria Charlie
- **12** Al San Francesco
- **13** Il Giglio d'Oro
- **15** Trattoria dell'Orso
- **16** La Bottega del Buon Vino (Pozzo della Cava)
- **17** La Volpe e l'Uva
- **18** Al San Giovenale
- **19** La Palomba

Où déguster une glace, boire un verre et manger sur le pouce ?

- **31** Gelateria Pasqualletti
- **32** Bar San Paolo
- **33** Internet@caffè Montanucci
- **34** Cantina Foresi

Où dormir ?

Il est INDISPENSABLE de réserver si vous venez à Orvieto un week-end en saison. La destination est très courue des Anglo-Saxons. En conséquence, les tarifs grimpent d'année en année de manière vertigineuse et le rapport qualité-prix n'est hélas pas toujours au rendez-vous.
Petit détail piquant : la basse vallée du Tibre est aussi très prisée des moustiques. Prenez vos précautions !

Bon marché

Istituto San Salvatore *(plan B2, **1**) : via del Popolo, 1. ☎ 0763-34-29-10. • istitutosansalvatore@tiscali.it • Fermé juil. Doubles env 48-58 €. Pas de petit déj. Parking gratuit.* Très belle demeure tenue par des dominicaines. La gentillesse et la sérénité de la sœur hôtelière nous ont laissés sans voix. Joli jardin et terrasse, avec vue sur la ville basse et les collines. Si votre chambre y donne, réveil avec les oiseaux ! Attention : couvre-feu à 22h30.

Hotel Posta *(plan B2, **2**) : via Luca Signorelli, 18. ☎ 0763-34-19-09. • hotelposta@orvietohotels.it • orvietohotels.it • Congés : 10-31 janv. Doubles sans ou avec bains 43-56 € ; petit déj 6 €. CB refusées.* Dans une vieille demeure seigneuriale, le palazzo Guidoni, des chambres agréables, toutes éclairées d'un lustre de Murano dont certains sont de véritables œuvres d'art. Toujours frais en été du fait de l'épaisseur des murs du XIVe s. Accueil très gentil. Un bon plan.

Prix moyens

Casa Religiosa di Ospitalità Villa Mercede *(plan B3, **5**) : via Soliana, 2. ☎ 0763-34-17-66. • villamercede@orvienet.it • Double 70 €, petit déj compris.* Dans le palazzo Buzi dessiné par Scalza au XVIe s, les pères mercédaires (un ordre 8 fois centenaire créé à l'origine pour racheter les chrétiens prisonniers des « infidèles ») proposent des chambres spacieuses et simples mais non sans élégance. Si vous n'avez pas la vue sur le jardin et les collines, consolez-vous avec les belles fenêtres Renaissance du mur d'en face ! Pas de couvre-feu.

Casa Sèlita *(plan A3, **9**) : strada di Porta Romana, 8. ☎ 0763-34-42-18. 📱 339-225-40-00. • info@casaselita.com • casaselita.com • Résa indispensable, et longtemps à l'avance ! Doubles 65-80 € selon saison, avec AC, petit déj compris.* Un aperçu du paradis : un coin de campagne au pied des murs de la ville (à 5 mn de l'ascenseur), des chambres élégamment décorées et avec terrasse ouverte sur la vallée, un copieux petit déj, un accueil chaleureux et francophone. Dommage que la maison soit située dans l'épingle à cheveux d'une route fréquentée.

Valentina *(plan B2, **8**) : via Vivaria, 7. ☎ 0763-34-16-07. 📱 393-970-58-68. • valentina.z@tiscali.it • bandbvalentina.com • Congés : janv-fév. Doubles 65-90 € selon saison, petit déj compris.* Une douzaine de chambres et d'appartements très bien aménagés, et une jolie salle commune. Accueil souriant de Valentina et de Carmen.

Albergo Filippeschi *(plan A2, **3**) : via Filippeschi, 19. ☎ 0763-34-32-75. • info@albergofilippeschi.it • albergofilippeschi.it • Doubles 70-110 € selon saison, petit déj inclus. Wifi.* Chambres assez petites, modernes et plutôt agréables, toutes avec TV satellite, AC et coffre-fort. Celles donnant sur la rue sont un peu bruyantes. Confortable salle de lecture. Bon accueil.

Hotel Corso *(plan C2, **4**) : corso Cavour, 343. ☎ 0763-34-20-20. • info@hotelcorso.net • hotelcorso.net • ♿ Fermé à Noël. Doubles avec AC 93-108 € selon saison, petit déj inclus.* Une quinzaine de belles chambres dans les tons ocrés, avec de belles tentures. Très calme, mais à quelques minutes des quartiers animés.

Grand Hotel Reale *(plan B2, **6**) : piazza del Popolo, 27. ☎ 0763-34-12-47. • hotelreale@orvietohotels.it • Congés : 6 janv-20 mars. Doubles 86-106 € selon chambre et saison, petit déj inclus.* Dès le corridor d'entrée, on sent le poids des ans. Le palazzo Bracci, enfilade labyrinthesque de salons et de petits couloirs, date du XIIIe s. Vous y croiserez peut-être les fantômes de Mastroianni, du roi Farouk ou de Steinbeck. Sa centaine de pièces accueille 32 chambres et suites, meublées bien sûr à l'ancienne. Offrez-vous une nuit de folie dans la suite du roi Umberto I, avec son plafond à caissons et sa baignoire en marbre de Carrare *(160 € la nuit)*. Le service n'est hélas pas toujours à la hauteur du lieu.

Chic

Hotel Duomo *(plan B2, **7**) : vicolo di Maurizio, 7. ☎ 0763-34-18-87. • hotelduomo@tiscali.it • orvietohotelduomo.com • ♿ Congés : janv. Selon saison, doubles 100-130 €, petit déj compris ; suites 120-160 €. Garage payant. Wifi. Réduc de 10 % sur présentation de ce guide.* Un hôtel confortable, bien situé, mais qui manque un peu d'âme. Contrairement aux suites, les chambres n'ont pas de vue directe sur le *Duomo*.

Où dormir dans les environs ?

Tout près d'Orvieto

Agriturismo Cioccoleta : *loc. Bardano 34, 05019 Orvieto. ☎ 0763-31-60-11. • cioccoleta@cioccoleta.it • cioccoleta.it • Prendre la route d'Avellano ; à Fontanelle di Bardano, tourner à gauche vers Bardano puis, après 150 m, chemin de terre à gauche (fléché). Doubles 58-90 €.* À 4 km d'Orvieto et déjà dans la campagne, des chambres simples et spacieuses proposées par un jeune couple fort sympathique. Angela et Alessandro feront tout leur possible pour rendre votre séjour agréable.

Au nord du lac de Corbara

Agriturismo San Giorgio : *loc. San Giorgio 6, 05019 Orvieto. ☎ 0763-30-52-21. • agrisgiorgio@libero.it • agriturismosangiorgio.net • ♿ À 6 km d'Orvieto, prendre la direction d'Arezzo et, après le fleuve, suivre Todi ; fléché à gauche. Résa nécessaire. Apparts 85-155 € pour 3-6 pers (max 590 €/sem pour 3 pers) ; séjours à la sem slt à certaines périodes estivales.* Graziella et Mario mettent à votre disposition, à plusieurs km de leur ferme, un fabuleux petit coin de nature, au milieu d'une forêt protégée (100 ha), près d'un torrent et de nombreux sentiers. Dans un très ancien moulin (arc romain et mur étrusque !), apparts agréables et spacieux avec mobilier de qualité, cuisine bien équipée, cheminée et bois à disposition. Piscine au milieu d'une grande pelouse entourée par la forêt. VTT à disposition. Buanderie. Et vous repartirez avec une bouteille produite par l'exploitation (huile ou vin à votre convenance). Un de nos gros coups de cœur.

Agriturismo Ma'Falda : *SS 79 bis, km 21, 05100 Prodo. ☎ 075-874-96-46. • info@fattoriamafalda.com • fattoriamafalda.com • Gîtes (2-10 pers) 400-1 100 €/sem, ou 25-45 €/pers et par nuit. Petit déj 5 €. CB refusées. Panier dégustation offert sur présentation de ce guide.* À mi-chemin entre Orvieto et Todi, une famille cosmopolite (on y parle le français) applique des principes d'agriculture et d'élevage respectueux de l'environnement. Les gîtes ont une cuisine équipée et les produits de la ferme sont en vente. Le routard de passage peut participer aux activités (si vous n'avez jamais trait une chèvre, c'est le moment ou jamais !). Un bain de nature et d'authenticité, à une distance raisonnable des richesses culturelles de la région.

🏠 |●| ***Fattoria di Titignano :** loc. Titignano 7, 05019 Orvieto. ☎ 0763-30-80-00. • info@titignano.com • titignano.com • À 25 km d'Orvieto ou de Todi. Fermé à Noël. Double 90 €, petit déj inclus. ½ pens 60 €/pers. Resto avec menu à 20 €, à la carte env 25 €. Internet.* Aux abords d'un grand parc planté de cyprès et de pins, un petit village médiéval surplombant le lac, avec sa cour pavée et son église, entièrement transformé en hôtel. La vue sur les collines, le lac et les vignes de la propriété est d'une totale sérénité. Vous êtes ici chez le prince Corsini de Florence. Les chambres du château sont meublées d'époque, alors que celles des dépendances ont une déco plus moderne. Les repas sont pris à une grande tablée commune ; spécialité de gibier. En plein cœur du *Parco regionale fluviale del Tevere,* le lieu est propice aux promenades à pied ou à vélo dans les forêts de la propriété. Piscine et tennis. Vente de produits, entre autres viticoles. Une adresse d'une grande originalité.

À l'ouest du lac de Corbara

🏠 |●| ***Tenuta di Corbara :** loc. Corbara 7, 05019 Orvieto. ☎ 0763-30-40-03. • info@tenutadicorbara.it • tenutadicorbara.it • À 15 km d'Orvieto ; direction Terni puis suivre le fléchage. ♿ Si l'accueil est fermé, dirigez-vous vers la maison Caio (fléché), à quelques km. Doubles 70-100 € ; ½ pens 55-70 €/pers ; apparts (4-8 pers) 140-250 €/nuit selon appart, saison et durée. Menu 16 € ; à la carte env 27 €. Sur présentation de ce guide, apéritif offert et 10 % sur le prix de la chambre.* Immense exploitation agricole répartie sur une vallée entière. Plusieurs hectares à flanc de colline, parsemés de petites maisons habillées de calme et, tout en haut, celle de *Caio,* avec son superbe panorama et une piscine. Vous y trouverez quelques chambres charmantes et un personnel très gentil. À table, vous serez comblé : bons produits de la ferme. Promenades à cheval et à pied.

Au sud du lac de Corbara

⛺ ***Il Falcone :** loc. Vallonganino, 2 a, 05023 Civitella del Lago. ☎ 0744-95-02-49. • info@campingilfalcone.com • campingilfalcone.com • De la route SS 248, suivre la fléchage. Accès par le bus D partant de la piazza Cahen (ATC, ☎ 0744-40-94-57, • atcterni.it •). Ouv avr-sept. Selon saison, 18-24 € pour 2 avec tente. 2 bungalows 45-65 €.* Un beau terrain en hauteur dans une oliveraie, peu ombragé (un olivier n'a pas une ramure très fournie...), avec vue sur la vallée. Petite piscine. Extrêmement paisible.

Où manger ?

Attention, la ville abonde en restos en tout genre proposant des cartes sans grand relief à des tarifs fantaisistes. Si l'envolée des prix s'explique partiellement par l'explosion de ceux du foncier, nous tiquons sur l'attitude de beaucoup de restaurateurs qui, profitant d'une clientèle majoritairement anglo-saxonne, friquée et peu exigeante en la matière, servent n'importe quoi et n'importe comment. Pas étonnant que nos lecteurs nous fassent part de leur mécontentement ! Lors de notre dernier passage, de nombreuses tables se sont avérées décevantes.

Bon marché

|●| ***Al San Francesco** (plan B3, **12**) : via B. Cerretti, 10. ☎ 0763-34-33-02. • info@ristorantealsanfrancesco.it • ♿ Tlj jusqu'à 22h30, sf lun-mer soir oct-avr.*

Congés : janv. Le midi, menu self-service 15 €. Le soir, à la carte env 23 € et pizzas 5-7 €. Ambiance cantoche d'entreprise à midi, car c'est là que déjeunent les groupes de passage, mais avec de belles arches au lieu d'un plafond de béton ! Cuisine correcte si l'on prend en considération le nombre de couverts. Le soir, beaucoup plus intime, surtout sur la terrasse ouvrant sur une place très tranquille.

De prix moyens à chic

|●| ***La Palomba*** *(plan B2,* ***19****) : via Cipriano Manente, 16. ☎ 0763-34-33-95. De la piazza della Repubblica, prendre l'arche derrière la pharmacie, c'est dans une ruelle à gauche. Tlj sf mer. Congés : juil. Résa conseillée. À la carte env 25 €.* Ces 3 salles de *trattoria* classiques, tenues par la même famille depuis 1965, sont l'endroit idéal pour déguster le sanglier, en *bocconcini* ou en sauce avec des tagliatelles... un bonheur. Quant à la palombe (ou pigeon ramier) qui donne son nom au resto et qui, bien empaillée, vous observe du haut d'une étagère, elle évoque un plat typique servi les jours de fête, le *piccione alla leccarda.* Vins *della casa* pas chers et service tout sourire. Allez-y tôt (ou très tard !) car c'est très fréquenté. Très bon rapport qualité-prix.

|●| ***La Volpe e l'Uva*** *(plan B2,* ***17****) : via Ripa Corsica, 1. ☎ 0763-34-16-12. • ristorantevolpeuva@imail.it • Fermé lun-mar. Congés : janv. Repas env 30 €.* Faites donc comme le renard de la fable, entrez, et votre appétit sera satisfait. Ni vraiment taverne ni resto chic, avec ses nappes à carreaux et ses gravures anciennes aux murs, ce resto propose une carte associant produits du terroir et succulentes inventions. Desserts maison. Service agréable.

|●| ***Pizzeria Charlie*** *(plan C2,* ***11****) : corso Cavour, 194. ☎ 0763-34-47-66. • info@pizzeriacharlieorvieto.it • Tlj sf mar jusqu'à 23h30. Pizzas 7 € ; à la carte env 27 €. Café offert sur présentation de ce guide.* Sur le très passant corso Cavour, il suffit de s'éloigner quelques mètres du *via-vai* (« va-et-vient ») pour trouver des *pizzerie* qui ne soient pas des attrape-touristes. Quelques tables en terrasse et salle rustique. Bonne carte de bières. Service jeune et aimable.

|●| 🍷 ***La Bottega del Buon Vino*** *(Pozzo della Cava ; plan A2,* ***16****) : via della Cava, 26. ☎ 0763-34-23-73. • bottega@pozzodellacava.it • ♿ Dans une rue qui monte de la porta Maggiore. Tlj sf lun le midi slt. Congés : 11 janv-2 fév. À la carte env 25 €.* Cuisine simple mais correcte. Bon choix de pâtes (dont les *umbricelle,* faites maison). Le patron est très fier de son puits étrusque (lire « À voir. À faire »). Bons vins d'Orvieto, en vente à la boutique attenante ou au verre pendant le repas.

|●| ***Trattoria dell'Orso*** *(plan B2,* ***15****) : via della Misericordia, 18. ☎ 0763-34-16-42. Tlj sf lun-mar jusqu'à 22h. Congés : fév et juil. À la carte env 27 €. Digestif offert sur présentation de ce guide.* La plus ancienne *trattoria* d'Orvieto, où un patron américain s'évertue à maintenir la traditionnelle cuisine locale. Le problème est que tout dépend de son humeur du jour : vous trouverez parfois porte close ! Mais quand l'ours ouvre sa tanière, la chère y est bonne.

|●| 🍷 ***Al San Giovenale*** *(plan A2,* ***18****) : piazza S. Giovenale, 6. ☎ 0763-34-06-41. • info@alsangiovenalediorvieto.it • Tlj. Menu 27 €. À la carte env 32 €. Pizzas midi et soir 5-9 €.* Cet établissement a pour originalité d'avoir installé une structure métallique ultramoderne dans une ancienne église, érigée en 1264. L'approche culinaire est similaire à l'architecturale : faire du contemporain sur de solides bases traditionnelles. Belle terrasse avec vue sur la vallée.

|●| ***Il Giglio d'Oro*** *(plan B2,* ***13****) : piazza del Duomo, 8. ☎ 0763-34-19-03. • ilgigliodoro@libero.it • Tlj sf mer jusqu'à 23h. À midi,* Quick lunch *avec choix d'*antipasti *10 €, de* primi *12 €, de* secondi *14 € et de* dolci *8 €. Sinon, à la carte env 50 €.* Le resto le plus prestigieux d'Orvieto. Des risottos, des pâtes maison et diverses préparations traditionnelles de viande, toujours revisitées avec une pointe d'originalité. De plus, sauf à préférer la salle très classe, on

mange en face du *Duomo* ! Pour midi, c'est un excellent plan, permettant de goûter une excellente cuisine à prix très juste.

Où déguster une glace, boire un verre et manger sur le pouce ?

Internet@caffè Montanucci *(plan B2,* ***33****) : corso Cavour, 23. Tlj.* Dans une salle aux murs tapissés de journaux, ou sur la terrasse à l'arrière, bonnes salades, petits en-cas façon salon de thé chic et pâtisseries à foison. Un long étalage de succulents chocolats invite encore à la gourmandise. Possibilité de surfer sur le Net. Mais mieux vaut avoir une bourse bien remplie, car la nourriture, virtuelle ou réelle, n'est vraiment pas donnée.

Bar San Paolo *(plan C2,* ***32****) : piazza Marconi, 9. Repas rapide 10-15 €.* À l'opposé de la *trattoria* attrape-touristes, un rade familial et sa demi-douzaine de tables. Les bons jours, vous aurez droit à une scène de ménage sur fond de TV berlusconienne... un vrai film de Dino Risi ! Assiettes d'*antipasti*, jambon de Parme et melon, *caprese*, *panini*, burgers, portions de pizza, *piadine*, *foccacia*... Simple et typique.

Gelateria Pasqualletti *(plan B2,* ***31****) : piazza del Duomo, 19 et corso Cavour, 56.* La meilleure *gelateria* d'Orvieto. Pendant les grosses chaleurs, goûtez leurs glaces aux fruits frais (pamplemousse, pêche, melon...). Les crèmes glacées ne sont pas mal non plus !

Cantina Foresi *(plan B2,* ***34****) : piazza del Duomo, 2.* ☎ 0763-34-13-80. Plats rapides 5-12 €. Verres de vin 3-5 €. Œnothèque à la terrasse ombragée, avec vue sur le *Duomo*.

Achats

Oenothèque du complexe San Giovanni *(plan A2) : ouv lun-ven ; mai-sept 11h-13h, 17h-19h ; oct-avr 11h-13h, 15h-17h.* ☎ *0763-39-35-29.* Visites guidées des caves et dégustations.

À voir. À faire

Dans les murs

Duomo *(plan B2) : tlj ; avr-oct, 9h30-19h30 (w-e et fêtes 13h-17h30) ; nov-mars, 9h30-13h, 14h30-17h30 (w-e et et fêtes slt l'ap-m). Entrée : 2 € ; avec la chapelle San Brizio 3 €. Billet cumulé pour le* Museo dell'Opera del Duomo, *comprenant, outre la chapelle, le palazzo Soliano (museo Emilio Greco), les palazzi papali et la chiesa Sant'Agostino : 6,50 € ; réduc.*

Pour parler sans détour, le *Duomo* d'Orvieto, qui a ébloui des générations de voyageurs, est sans conteste le plus beau de toute l'Ombrie et l'égal des monuments florentins les plus élégants. Entre 1290, date à laquelle Fra Bevignate entreprend sa construction pour abriter les reliques du miracle de Bolsena, et 1330, où il est terminé par Lorenzo Maitani, artiste dont les sculptures en façade évoquent l'Ancien et le Nouveau Testament, quelque 300 architectes, sculpteurs, peintres et mosaïstes ont travaillé sur ce joyau de l'art gothique italien.

– De la ***façade,*** on ne sait ce qu'il faut admirer le plus : les mosaïques, la rosace, les bas-reliefs... Des mosaïques, vous apprécierez sans doute la richesse de la polychromie qui, les jours de beau temps, vous permettra de réaliser de jolis clichés, surtout en soirée. Faut-il dresser l'inventaire de toutes ces mosaïques, attirer votre attention sur la beauté du *Couronnement* ou l'ancienneté du *Baptême du Christ* ? De la rosace (œuvre d'Andrea Orcagna), entourée d'un carré et de niches abritant les statues des apôtres et des prophètes, on soulignera l'extrême délicatesse des sculptures, qui en fait un véritable joyau. Des bas-reliefs ornant les quatre pilastres (surmontés des symboles des évangélistes) et illustrant les principales scènes de la Bible, il serait facile de parler inlassablement, tant sont époustouflantes de réalisme ces images gravées dans la pierre. Parmi celles-ci, *Le Jugement dernier* et sa cohorte d'affreux personnages (pilastre au bout à droite), rivalisant de laideur et de brutalité, mérite d'être regardé à la loupe (ça tombe bien, la scène est quasiment à hauteur d'œil). La terreur qui se lit sur les visages des pauvres pécheurs vous fera méditer sur votre comportement envers vos compagnons de voyage.

– ***Les murs latéraux*** alternent travertin blanc et basalte gris-bleu, d'où un effet de rayures que l'on retrouve un peu partout dans la ville. Celle-ci l'a d'ailleurs pris pour emblème, présent sur nombre de documents touristiques.

– ***L'intérieur*** de la cathédrale est divisé en trois nefs aux grandes colonnes alternant elles aussi travertin et basalte, et portant de riches chapiteaux. Admirez la charpente apparente, recevant la lumière des grands vitraux ; les fonts baptismaux, à côté desquels se trouve une *Vierge à l'Enfant* de Gentile da Fabriano ; les fresques du chœur ; le buffet d'orgue richement orné, le groupe sculpté de la *Pietà* d'Ippolito Scalza...

– ***La cappella del Corporale,*** à gauche, entièrement couverte de fresques, abrite le reliquaire du miracle de Bolsena, un incroyable petit chef-d'œuvre de l'orfèvrerie siennoise datant de 1300, en or, argent et émaux de Limoges. Notez la subtilité des verts et des bleus.

– ***La cappella di San Brizio*** est décorée de fresques illustrant l'Apocalypse, qui font partie des sommets absolus de l'art italien et dont l'intensité dramatique a inspiré Michel-Ange pour la chapelle Sixtine. Fra Angelico et Benozzo Gozzoli ont peint la voûte en 1447, et Luca Signorelli les murs de 1499 à 1504. Ce dernier a enrichi l'œuvre par plusieurs épisodes comme les *Histoires de l'Antéchrist*, les *Prophéties* et la *Fin du monde.* La composition est particulièrement saisissante, et étonnamment moderne comme lorsque les personnages sortent du cadre en s'enfuyant face aux démons. Notez l'expression des visages désemparés et déformés par une indicible terreur, et regardez à gauche, dans la scène de l'Antéchrist : Signorelli s'y est représenté lui-même, en noir, aux côtés de Fra Angelico. Vous le reconnaîtrez aisément maintenant, émergeant de la mêlée de démons et d'humains condamnés à l'Enfer... Sigmund Freud lui-même avait été très impressionné par ces personnages de noir vêtus, au point d'oublier le nom de Signorelli et d'autoanalyser ce trou de mémoire dans sa *Psychopathologie de la vie quotidienne.*

– ***Les portes*** montrent que la création pour le Duomo continue. Dès le début du XXe s s'était fait jour la nécessité de remplacer les vieilles portes de bois altérées par les ans. Après plusieurs concours, différents artistes ont été dépositaires de cet honneur, mais seul Emilio Greco vit son projet mené à bien en 1964, ce qui provoqua une controverse médiatico-artistique qui perdura pendant six ans. Pourtant, si on ne vous en avait pas parlé, vous auraient-elles choqué de quelque manière que ce soit ?

MARQUÉ AU SUAIRE ROUGE

C'était en 1264. Doutant de manière éhontée que le pain se tranformât en corps du Christ et que le vin en devînt le sang, un prêtre, alors qu'il célébrait la messe à Bolsena, près d'Orvieto, vit l'hostie saigner. Miracle ! Depuis, le Corporale *(le suaire ensanglanté par l'hostie) est placé dans un reliquaire porté en procession lors de la Fête-Dieu (Corpus Domini), en juin.*

👍👍 ***Palazzi papali*** *(plan B2) : contourner le Duomo par la droite. Avr-sept, tlj 9h30-19h ; oct-mars, tlj sf mar 9h30-13h, 15h-17h (18h mars et oct). Entrée : fait partie du* Museo dell'Opera del Duomo ; *voir plus haut « Duomo ».* Dans la salle du bas, collection de fresques des XIIIe et XIVe s issues de divers édifices religieux. Ici, elles sont à hauteur de vos yeux : profitez-en pour examiner le travail sur la matière réalisé par ces peintres peu connus. Dans les salles du haut, éblouissante *maestà* autrefois positionnée sur la lunette de la porte principale du Duomo, peintures et sculptures des XIIIe et XIVe s, mosaïques et peintures maniéristes des XVIe et XVIIe s, et une avalanche d'objets liturgiques plus beaux et plus intéressants les uns que les autres. Nous avons longtemps musardé en salle 2, fascinés par le *Coro lineo* du XIIIe s, les toiles de Simone Martini (dont une *Madonna con Bambini e angeli*) et les étonnants vêtements liturgiques de l'évêque Vanzi.

Museo archeologico nazionale *(plan B2)* **:** *piazza del Duomo, dans les palazzi papali. Ouv 8h30-19h30. Entrée : 3 € ; billet cumulé avec la Nécropole étrusque : 5 € ; réduc.* Objets en provenance des nécropoles étrusques proches, et reconstitution d'un tombeau excavé dans le tuf, avec ses fresques évoquant le passage dans l'au-delà.

Palazzo Soliano – museo Emilio Greco *(plan B2)* **:** *piazza del Duomo. Mêmes horaires et billets que les palazzi papali.* À sa mort, le créateur des portes du Duomo a légué à la ville 60 œuvres graphiques et 32 sculptures, pour la plupart des bronzes mais aussi quelques marbres. Parmi les pièces remarquables, le bas-relief original du *Monument au pape Jean XXIII* de Saint-Pierre de Rome, avec son sens aigu de la fragilité humaine et de la transcendance de l'idée de Dieu.

Museo civico e archeologico Claudio Faina *(plan B2)* **:** *piazza del Duomo, 29. Avr-sept, tlj 9h30-18h ; oct, tlj 10h-17h ; nov-mars, tlj sf lun 10h-17h. Entrée : 4,50 € ; réduc.* Dans le palais Faina, collections numismatiques, nombreux vases grecs et étrusques, sarcophages et urnes cinéraires. C'est avant tout un hommage à Mauro Faina, archéologue passionné de la fin du XIXe s dont une vidéo retrace la vie.

Chiesa San Francesco *(plan B3)* **:** *de la piazza del Duomo, prendre la via Maitani.* En dehors de son beau portail de marbre, il ne reste rien de l'époque où cette église gothique a vu Boniface VIII canoniser notre bon roi Saint Louis (le 12 août 1267 pour être précis). Son ornementation baroque ne vous laissera pas de grands souvenirs.

Chiesa San Lorenzo de' Arari *(plan B3)* **:** *quittant San Francesco et ses pieux souvenirs, prendre sur la gauche la via Scalza. Ouv 9h30-13h, 15h-19h.* C'est en 1291 que les frères mineurs du couvent Saint-François, importunés par la fréquence et la ferveur des offices de cette modeste église romane, obtinrent qu'on la déplaçât pour la reconstruire sur son emplacement actuel ! Derrière son humble façade se cachent quelques fresques du XIVe s : *La Vie et le Martyre de saint Laurent* (dans la nef centrale) et *Le Christ donnant la bénédiction du haut de son trône entouré de quatre saints* (dans l'abside). Un petit coup d'œil sur le maître-autel, quelques génuflexions accompagnées de prières... et vous pouvez continuer votre chemin de croix.

Pozzo della Cava *(plan A2)* **:** *via della Cava, 28. Prendre la via Alberici puis, au terme de celle-ci, la via Ranieri à gauche, que l'on suit jusqu'à son extrémité. ☎ 0763-34-23-73. • pozzodellacava.it • Tlj sf lun 9h-20h. Congés : 6 janv-2 fév. Entrée : 3 € ; réduc.* Le propriétaire de *La Bottega del Buon Vino* (voir « Où manger ? ») a trouvé, en creusant dans sa cave, un atelier médiéval de céramiques et un énorme trou dans le tuf de 36 m de profondeur qui, pendant 27 siècles, a connu des utilisations variées. En effet, ce puits, initialement creusé par les Étrusques, avait été agrandi sur ordre du pape Clément VII puis bouché en 1646. Aujourd'hui, l'ensemble est aménagé pour la visite, avec des cartels en français. On y voit entre autres des *butti,* les vide-ordures de l'époque (une aubaine pour les archéologues !), un four à céramique, une fosse encore mal identifiée qui pourrait être un tombeau transformé en foulon (bac où l'on rendait les tissus plus compacts et plus moelleux) ainsi que des cavités plus grandes qui resteront certainement à jamais mystérieuses...

¶ ***Chiesa San Giovenale*** *(plan A2) : prendre la via della Cava vers le centre, tourner tt de suite complètement à gauche via Malabranca et la suivre jusqu'à son terme, puis prendre à gauche. Ouv 8h30-12h, 16h-18h30.* Charmante église à trois nefs avec arcs romans, bâtie dès 1004 en remplacement d'une église primitive dédiée à saint Juvénal, évêque de Narni, à qui vous offrirez une prière. Nombreuses fresques, pour la plupart assez altérées.
– Près de sa façade, un portillon et un petit escalier permettent d'accéder à un jardinet public à la végétation un peu folle, d'une tranquillité absolue.

¶¶ ***Chiesa Sant'Agostino*** *(plan A2) : revenir en arrière, contourner san Giovenale et tourner à gauche. Mêmes horaires et billets que les palazzi papali.* Lorsque les pères augustins ont trouvé l'église Santa Lucia trop petite, ils ont voulu en bâtir une nouvelle, et ce fut un échec ; sa structure est occupée par le restaurant *Al San Giovenale* (voir « Où manger ? »). En remplacement, Sant'Agostino a été construite. Elle est aujourd'hui le lieu d'exposition des statues Renaissance de marbre blanc (1556-1644, sauf deux plus tardives) ôtées du Duomo en 1896 pour lui redonner son aspect d'origine. Bel ensemble de dessins maniéristes de Franceschini (1648-1729), pour une église de Gênes détruite par un incendie. Seule tache colorée, une morbide tête de saint Jean-Baptiste en terre cuite polychrome, d'Ippolito Scalza.

¶ ***Piazza della Repubblica*** *(plan A-B2) : reprendre la via Malabranca puis, dans son prolongement, la via Filippeschi.* C'est là que se trouvait le forum romain, lui-même implanté sur des structures étrusques. Au sud, elle est fermée par la masse imposante du *palazzo comunale,* édifié au XIIIe s avant d'être reconstruit au début du XVIIe s. À côté, l'*église Sant'Andrea,* dominée par un surprenant campanile dodécagonal reconstruit en 1926. À l'intérieur, belle chaire en mosaïque du XIIIe s et restes de fresques des XIVe et XVe s.

¶¶ ***Torre del Moro*** *(plan B2) : prendre le corso Cavour. Ouv mars, avr, sept et oct, 10h-19h ; mai-août, 10h-20h ; nov-fév, 10h30-13h, 14h30-17h. Entrée : 2,80 € ; réduc.* Haute de 47 m, elle doit son nom soit à une tête de sarrasin qu'on y installait et contre laquelle les doux chevaliers du Moyen Âge brisaient leur lance lors des joutes de la Quintaine, soit à Raffaele di Sante, dit « il Moro », qui vécut au XVIe s et donna son nom au quartier. Sur sa terrasse, vous vous retrouvez le souffle coupé, d'abord par l'ascension des 240 marches (170 si vous avez pris l'ascenseur), puis par la vue à 360° sur les toits de la ville et la région qui l'entoure.

¶ ***Piazza del Popolo*** *(plan B2) : continuer corso Cavour et prendre à gauche la minuscule via Constituente.* C'est la plus grande place d'Orvieto, dominée par le *palazzo del Popolo,* édifice de style romano-gothique au majestueux escalier extérieur, revêtu de tuf comme bon nombre de bâtiments de la ville et transformé en centre de congrès. De l'autre côté de la place, la petite *église Saint-Roch (ouv slt pour des expos)* renferme quelques fresques très altérées du XIVe s.

¶ ***Chiesa San Domenico*** *(plan B2) : traverser la piazza del Popolo, prendre au coin la via Corsica et tourner à droite via della Pace. Ouv 10h-12h30, 15h-18h30.* Construite au XIIIe s dans le style gothique, elle fut entièrement transformée par d'innombrables remaniements. Mais peu importe, car ne vous venez ici que pour le monument au cardinal Guillaume de Braye, de l'ordre des Templiers, réalisé par Arnolfo di Cambio en 1282.

¶¶ 👪 ***Pozzo San Patrizio*** *(plan C1) : viale Sangallo. Prendre la via Roma jusqu'à son terme, puis suivre le fléchage. Tlj : janv, fév, nov et déc, 10h-16h45 ; mars, avr, sept et oct, 9h-18h45 ; mai-août, 9h-19h45. Entrée : 5 € ; réduc.* Ce puits, d'une profondeur de 53 m, constitue l'un des temps forts de toute visite d'Orvieto. Clément VII (encore lui !), cherchant à assurer à la ville l'alimentation en eau dont elle aurait besoin en cas de siège, ordonna son creusement en 1527. Achevé en 1537, il est depuis toujours source d'admiration. Cependant, il a perdu sa raison d'être et vous n'avez plus aucune chance de rencontrer les bêtes de somme qui, naguère, allaient y chercher l'eau. Plus déconcertant, remontant vers la clarté (qui atteint les escaliers grâce à 72 fenêtres), vous ne croiserez aucun de vos semblables en route vers les ténèbres. En effet, l'escalier est formé d'une double rampe hélicoïdale, une descendante de 248 marches et une montante de 247 marches... à moins que ce ne soit le contraire, nous comptons sur vous pour nous le faire savoir. Enfin, sachez que, si ce puits fut baptisé du nom de Saint Patrick, c'est en référence à la légende du gouffre gémissant que Dieu aurait indiqué au saint irlandais, pour l'aider à convaincre ses ouailles de l'existence du Purgatoire.

Giardini Comunali : *entrée piazza Cahen. Tlj 8h-16h30 (19h30 mai-sept).* Après toutes ces pierres, un peu de verdure vous fera du bien... Sous des arbres multiséculaires, profitez d'un beau panorama sur les collines avoisinantes.

Sous les murs

Orvieto Underground *(plan B3) : billetterie piazza Duomo, 23, à gauche de l'office de tourisme, tlj 10h30-12h30, 14h30-17h30. Rens : ☎ 0763-34-06-88. 339-733-27-64. • orvietounderground.it • Visites guidées en italien (en français slt si le nombre de pers le justifie) tlj à 11h, 12h15, 16h et 17h15. Entrée : 5,50 € ; réduc.* Orvieto compte environ 1 200 cavités, dont 440 cartographiées. Leur creusement était très organisé, selon le fil de la roche et toujours vers le bas, afin de ménager les fondations des bâtiments en surface. C'est là que l'on travaillait, à l'abri du soleil, et que l'on conservait les aliments, car il y faisait frais et sombre. Au cours des siècles, elles ont connu de nombreux usages : citernes, carrières, caves à vin, à huile et à fromage, et même abris antiaériens durant la Seconde Guerre mondiale. Les points saillants de la visite sont un ancien moulin à huile, un puits étrusque d'une section de 80 sur 120 cm (telle qu'un homme de l'époque, mesurant en moyenne 1 m 45, pouvait y descendre), et d'anciens pigeonniers (leurs occupants étaient appréciés pour leur viande autant que pour leur fiente, servant d'engrais).

Hors les murs

Necropola etrusca di Crocifisso del Tufo *(nécropole du Crucifix du Tuf) : bus sur demande d'un nombre suffisant de pers ; s'adresser piazza Cahen. Tlj 8h30-19h (17h oct-mars). Entrée : 3 € ; billet cumulé avec le Musée archéologique national : 5 €.* Après la visite, vous saurez tout de la société égalitaire des Étrusques : les tombeaux, du IVe s av. J.-C., sont organisés comme une petite cité. Ils ont tous la même taille (4 m sur 3) et portent, à l'entrée, le nom du mort et celui de son père.

A passegio sotto la rupe *(en promenade sous la falaise) : 5 points d'accès répartis autour de la ville ; dépliant à l'office de tourisme.* Une belle balade de 3 h vous permet de faire le tour de la ville au pied de ses remparts. Si la roche de tuf volcanique constitue, à elle seule, un rempart naturel, l'homme n'hésita pas à perfectionner et à renforcer cette fortification originelle pour se protéger des multiples ennemis. Église troglodytique, aqueduc médiéval, nécropoles et vénérables portes agrémenteront votre balade.

Manifestations

– **Palio dell'Oca :** *fin mai ou début juin.* Comme nombre de villes ombriennes, Orvieto cherche à retrouver ses racines (ou à attirer les touristes ?) à travers cette fête récemment remise au goût du jour. Au programme : reconstitutions historiques et querelles de clocher entre quartiers rivaux... Autant vous prévenir : c'est plutôt réussi, mais ça ne vaut pas les courses de Sienne.

– ***Festa della Palombella :*** *dim de Pentecôte, à midi.* Instituée au XVe s, elle se déroule au pied du *Duomo.* C'est une occasion solennelle, dont le peuple tirait naguère de bons ou de mauvais augures pour l'année agricole.

– ***Fête-Dieu*** *(Corpus Domini)* ***:*** *le 2e dim après la Pentecôte.* C'est la fête du corps et du sang du Christ, et on y commémore donc le miracle de Bolsena. Le reliquaire abritant le suaire est porté dans toute la ville, précédé d'un cortège de 400 figurants en costume médiéval. Un grand moment de ferveur religieuse, à ne rater sous aucun prétexte.

– ***Orvieto con gusto :*** *un w-e mi-oct.* ☎ *0763-31-42-22.* • *orvietocongusto.it* • Gastronomie à la fête pendant 2 jours. Pour visiter les propriétés viticoles, prenez rendez-vous. Une liste est fournie à l'office de tourisme.

– ***Umbria Jazz Winter :*** *festival d'hiver.* • *umbriajazz.com* • Au théâtre Luigi Mancinelli, au palazzo Soliano et au musée Emilio Greco. Fêtes et concerts tard dans la nuit. Saint-Sylvestre animée.

OUVREZ, OUVREZ LA CAGE AUX OISEAUX

Chaque dimanche de Pentecôte à midi, pour commémorer la descente de l'Esprit saint, une innocente et blanche colombe subit la frayeur de sa vie. La pauvrette est enfermée dans une cage décorée de rubans dans laquelle on ajoute quelques fusées de feu d'artifice. À midi pile, on fait glisser le tout le long d'un filin tendu entre la lanterne de l'église San Francesco et la piazza Duomo... en ayant bien sûr allumé les fusées ! On nous a assuré que la colombe était toujours arrivée entière et vivante. La tradition veut que le dernier couple marié dans la cathédrale soit chargé de la recueillir.

LES VALLÉES DE LA NERA ET DE SES AFFLUENTS

Les collines prennent ici plus d'altitude, et la forêt devient plus dense. Des falaises abruptes apparaissent au tournant des routes, dotées de vieilles tours et de châteaux en ruine, tandis que vous longez la profonde vallée creusée par la rivière Nera. Au bout commence la chaîne des Apennins, culminant à 2 476 m avec le mont Vettore. À ses pieds, le parc des monts Sibyllins, considéré au Moyen Âge comme le royaume des démons, des nécromanciens et des fées. L'antre de la Sibylle et ses légendes côtoient le savoir-faire très empirique des moines de Preci qui pratiquaient déjà la chirurgie au XIIIe s. La nature y demeure sauvage, à l'image de ces bergers de Castelluccio, aux visages brûlés par le soleil de montagne. La fière tribu des Sabins occupait autrefois ce territoire, avant qu'il ne tombât dans l'escarcelle des Romains, des Ostrogoths, des Byzantins puis des Lombards. Le pape, bien sûr, prit la relève. C'est d'ailleurs ici que saint Benoît de Nursie jeta les bases du monachisme occidental, et que sainte Rita de Cascia reçut les stigmates du Christ. Certes, un tel palmarès de saints attire les foules pieuses. Mais comment résister à d'autres formes de mysticisme face aux plateaux immenses et dégagés de Castelluccio qui rappellent étrangement le Tibet ?... Vous l'aurez compris, ces vallées ont bien des secrets à vous dévoiler !

LA VALNERINA

La Valnerina, c'est le nom de la vallée de la Nera, que nous vous suggérons de remonter à la rencontre de ses eaux vives nées dans les monts Sibyllins. Avant de mêler ses eaux à celles du Tibre, dont elle est le principal affluent, la rivière arrose un large bassin où l'homme a implanté ses industries. Mais c'est dans le haut de son parcours que le voyage se fait le plus plaisant. Elle creuse son lit dans une vallée encaissée où vous rencontrerez, ici et là, de charmantes bourgades propices à une petite halte, quelles que soient vos attentes, car bien peu de régions allient ainsi la richesse culturelle aux possibilités de pratique sportive.

Adresses utiles

Le nord de la vallée de la Nera dépend de l'office de tourisme régional de Cascia et le sud, à partir de Ferentillo, de celui de Terni. Amelia dispose de son propre office de tourisme.

Office de tourisme de l'Amerino : *via Roma, 4, 05022 Amelia. ☎ 0744-98-14-53. • info@iat.amelia.tr.it • ameliainumbria.it • Tlj sf dim et lun ap-m (et sf sam mat oct-mars) 9h-13h, 15h30-18h30.*

Office de tourisme de Terni : *via Cassian Bon, 4, 05100 Terni. ☎ 0744-42-30-47. • info@iat.terni.it • terni.regioneumbria.eu • marmore.it • Lun-sam 9h-13h, 15h-18h.* Quelques brochures en français sur la ville et la région.

Office de tourisme de Cascia et de la Valnerina : *voir plus loin à cette ville.*

AMELIA

À 50 km au sud-est d'Orvieto par la SS 205, via Baschi et Lugnano in Teverina. En train et bus : Amelia est à 18 km de la gare d'Orte, grand nœud ferroviaire accessible de tte l'Ombrie ; 6 bus/j. en sem depuis la gare, 2 slt le w-e.

Perché et entouré de très vieux remparts, ce bourg tranquille domine la vallée du Tibre aussi bien que celle de la Nera.

Scoglio dell'Aquilone : *via Orvieto, 23, 05022 Amelia (à 2 km en direction d'Orvieto et Lugnano). ☎ 0744-98-24-45. • scogliodellaquilone@tiscali.it • scogliodellaquilone.it • Double 60 €, petit déj inclus, TV, AC. Resto tlj sf mar. Menus 15-24 €. À la carte env 25 €.* Chambres ultra-classiques. Gestion familiale. Resto tenu par 2 sœurs fines cuisinières, Daniela et Laura. Viandes grillées dans la cheminée, pigeon et sanglier en saison. De la salle, vue spectaculaire de la ville sur son rocher, surplombant une gorge verdoyante.

D'Amelia, l'une des plus anciennes villes d'Italie, on retiendra la ***loggia del Banditore,*** piazza Marconi, tribune typiquement médiévale d'où étaient proclamés les édits communaux ; la ***cathédrale,*** décorée de fresques de Luigi Fontana et dotée d'une tour à douze côtés de 1050 ; le ***théâtre ad Operina,*** avec son plan en forme de fer à cheval ; et des ***citernes romaines :*** *☎ 0744-978-436. • ameliasotterranea.it • Sam 16h30-19h30 (oct-mars 15h-18h) et dim 10h30-12h30, 16h30-19h30 (oct-mars 15h-18h). Entrée : 4 €.*

Lugnano in Teverina *: à 12 km à l'ouest d'Amelia.* Ce charmant village, protégé derrière ses remparts, renferme la collégiale *Santa Maria Assunta* du XIIe s *(ouv 8h30-12h, 16h30-19h),* délicieuse église qui, à elle seule, mérite une petite halte.

NARNI

À 14 km à l'est d'Amelia par la SS 205. Accessible en train (ligne Rome-Ancône) et en bus depuis Terni.
Narni bénéficie d'une situation pittoresque, en haut d'une colline dominant la Nera, à l'endroit où cette rivière se fraie un passage vers le Tibre à travers une gorge étroite. Si elle est, comme sa voisine Terni, très industrielle dans la vallée, elle possède un centre médiéval bien conservé.
Office de tourisme : *piazza del Priori, 3. ☎ 0744-71-53-62. Tlj sf lun mat 9h30-12h30, 17h-19h.*

Ponte di Augusto : *dans la descente en direction de la* superstrada *vers Pérouse (petit parking avec belvédère).* De son passé romain (elle fut l'une des premières colonies romaines établies en Ombrie), Narni n'a conservé que peu de chose. Le pont d'Auguste, du temps de sa jeunesse, parvenait allègrement à enjamber la Nera avec ses 130 m de long. Il en reste une belle arche.

La ville médiévale : ramassée autour de la *piazza dei Priori,* où se trouve le *palazzo del Podestà,* et du *Duomo san Giovenale,* bâti au XIe s en croix latine à trois nefs, complété au XVe s par une quatrième.

Museo della Città e del Territorio : *palazzo Eroli, via Aurelio Saffi. ☎ 0744-74-72-69. • museoeroli.it • Juil-août, tlj 10h30-13h, 16h30-19h30 ; avr-juin et sept, tlj 10h30-13h, 15h30-18h30 ; oct-mars, ven-dim 10h30-13h, 15h-17h30. Entrée : 5 € ; réduc.* Section archéologique et historique (la ville replacée dans l'organisation romaine, la formation des cités-États...) et pinacothèque avec de belles œuvres du Maestro della Dormitio di Terni et du Maestro di Narni. Mais le clou est *L'incoronazione della Vergine* de Domenico Ghirlandaio, exposée dans une salle bunker climatisée et en clair-obscur, où l'œuvre est décortiquée avec un éclairage sélectif des différentes zones de la toile (en français sur demande préalable). Cafétéria et terrasse avec vue panoramique.

Rocca Albornoz : *tt en haut ! Ouv w-e 11h-13h, 15h-18h. Entrée : 3 €.* On monte à la forteresse surtout pour la vue panoramique parfaite sur la ville et la vallée de la Nera.

Narni Sotterranea : *via San Bernardo, 12. ☎ 0744-72-22-92. • narnisotterranea.it • Visites guidées avr-oct sam 15h et 18h, dim 10h, 11h15, 12h30, 15h, 16h15 et 17h30 (juil-août aussi lun-ven 12h et 17h) ; nov-mars dim 11h, 12h15, 15h et 16h15. Entrée : 5 € ; réduc.* Citernes et aqueduc souterrain construits par les Romains, chapelles souterraines et cellules utilisées par l'Inquisition. C'est fou ce qui s'est passé sous le pavé des rues de la ville...

TERNI

À 13 km au sud-ouest de Narni par la SS 3. Située à l'intersection de la SR 209 qui suit la vallée de la Nera et de la via Flaminia (axe Rome-Spolète), et proche de la SS 3 bis qui remonte vers Todi et Pérouse.
En train comme en bus, bonnes liaisons avec Pérouse, Spolète, Todi (voir à ces villes).
Terni vit naître saint Valentin, le patron des amoureux. Les couples égarés ici seront néanmoins bien tristes car, depuis longtemps, cette capitale provinciale de 110 000 habitants s'est adonnée à l'industrie. Les amateurs de sites antiques profiteront de leur passage pour faire un crochet jusqu'à Carsulae.

Poggio del Sole : *loc. San Rocco di Collepizzuto, 05029 San Gemini. À 15 km au nord de Terni. ☎ 0744-33-40-72. 📱 338-498-94-89. • info@ilpoggiodelsole.it • ilpoggiodelsole.it • À San Gemini, prendre vers Montecastrilli, puis à gauche vers Collepizzuto (panneau visible slt dans l'autre sens !) et tra-*

verser le village jusqu'à une maison jaune à gauche. Congés : nov-déc. Doubles 70-90 € selon saison, petit déj compris (2 nuits min). ½ pens 55-65 €/pers selon saison. Réduc de 10 % sur le prix de la chambre en basse saison sur présentation de ce guide. Une adorable ferme près de laquelle gambadent moutons, chèvres et poules. Jolies chambres aux dessus-de-lit en patchwork, réalisés par la très accueillante maîtresse de maison. Spécialité de pâtes *picchiarelli*, à déguster dans une belle salle. Petite piscine, jardin en terrasses, très fleuri, et belle vue sur les alentours.

Les églises : Sant'Alo, romane, dévolue à la communauté roumaine *(visite slt dim ap-m)*. ***San Salvatore,*** à la place d'un temple du Soleil prétendument antique qui s'avéra finalement dater du XIe s. ***San Francesco,*** avec sa chapelle Paradisi ornée des fresques de Bartolomeo di Tommaso. Enfin ***San Valentino*** qui abrite les restes du saint évêque de Terni, décapité à Rome en 273 et dont on voit la dépouille *(9h-12h, 15h30-19h)* gardée depuis des lustres par des carmes italiens.

CAOS (Centre Arti Optificio Siri) : *viale Campofregoso, 98. ☎ 0744-28-59-46. • info@caos.museum • caos.museum • Tlj sf lun : nov-mars, sem 10h-13h, 16h-19h, sam 10h-minuit, dim 10h-19h ; avr-oct, sem 10h-13h, 17h-20h, sam 10-minuit, dim 10h-20h. Entrée : 5 € (7 € avec l'accès à Carsulae) ; réduc.* Complexe constitué de deux musées.

– ***Museo d'Arte moderna e contemporanea,*** avec une section consacrée au peintre naïf Orneore Metelli et une autre à la collection Aurelio De Felice, mais comportant également, malgré son nom, la pinacothèque municipale et ses œuvres de la Renaissance (dont les remarquables *Nozze mistiche di Santa Caterina d'Alessandria* de Benozzo Gozzoli et *Pala dei Francescani* de Piermatteo d'Amelia) ;

– ***Museo archeologico,*** avec deux sections, une préromaine (sépultures de guerriers ombriens, objets funéraires, bronzes votifs...) et une romaine (évocation de la ville d'alors, statues...).

Carsulae : *à 15 km au nord-ouest de Terni. Fléché depuis la E 45. Bus n° 16 de la gare de Terni. ☎ 0744-33-41-33. Tlj 8h30-19h30 (17h30 oct-mars). Entrée : 5 € ; 7 € avec les musées de Terni associés ; réduc. Parking immense et sans ombre (payant en saison).* Carsulae rumine depuis longtemps, dans une superbe solitude, sa grandeur passée. Promenant votre mélancolie, ou votre chien, au milieu de ces ruines, vous reconnaîtrez ici le forum, là la basilique, ailleurs les lieux des spectacles. Séparant Carsulae en deux, la via Flaminia, qui reliait jadis Rome à Rimini, a conservé son pavement antique. Légèrement excentrée, une porte, symbolisant l'entrée de la ville, se tient encore debout malgré son grand âge. Au-delà de celle-ci commence la zone des morts, reconnaissable à un tombeau. Cela ne vaut pas Pompéi mais, pour peu qu'on ait un minimum d'intérêt pour l'Antiquité romaine et un brin d'imagination, on pourra encore entendre résonner l'écho des applaudissements à son entrée dans l'enceinte du théâtre. Une belle visite au pied de verdoyantes collines.

CASCATA DELLE MARMORE E PIEDILUCO

En voiture, de Terni, accès soit par la SS 79 en direction de Rieti (belvédère supérieur), soit par la SR 209 (belvédère inférieur). En train, la ligne Terni-Rieti donne accès au belvédère supérieur des cascades (10 trains/j., trajet 15 mn). Le bus n° 21 donne accès aux deux belvédères et le n° 24 à Piediluco (départ de la gare routière de Terni, 10 bus/j., env 30 mn).

Terni doit beaucoup à la cascade de Marmore, qui draine chaque année un demi-million de visiteurs. Tout proche, le charmant petit lac de Piediluco.

Camping le Marmore : *loc. Campacci, 05030 Marmore. Jouxte le parking du belvédère supérieur. ☎ 0744-671-98. • camping.marmore@hotmail.it • campinglemarmore.com • Ouv d'avr à mi-oct. Selon saison, 15-19 € pour 2* *avec tente. Bungalows 2 pers 27-30 €.* Camping bien ombragé, fonctionnel mais sans grand charme.

⛺ ***Camping Cuore Verde :*** *loc. Valle Spoletina, 05100 Piediluco. À quelques km du village.* 📱 *349-498-74-23.* • *info@campingcuoreverde.it* • *camping cuoreverde.it* • *Ouv w-e de mi-avr à fin mai et tlj de juin à mi-sept. Selon saison, 18-23 € pour 2 avec tente. Caravanes 22-38 € selon saison et équipement (sans draps). Pizzeria. Piscine. Internet. Réduc de 1 €/j. et par adulte sur présentation de ce guide.* Sur les rives du lac de Piediluco, ombragé et bien tenu. Propose diverses activités sportives, du nautisme (location au village) au vélo en passant par le tennis.

Cascata delle Marmore *(la cascade des Marmore) :* ☎ *0744-62-982.* • *ar goweb.it/ternano/marmore.fr.html* • *Les eaux étant utilisées tantôt à des fins touristiques pour les lâchers d'eau, tantôt pour la production hydroélectrique, horaires d'accès complexes : juin-août, lun-ven 11h-13h, 16h-18h, 21h-22h et w-e 10h-13h, 15h-22h ; le reste de l'année, très variable. Entrée : 5 € ; réduc. Sur place, deux terrasses panoramiques : le belvédère supérieur et le belvédère inférieur, avec une billetterie à chaque niveau. Les w-e et j. fériés avr-oct, liaison par bus entre les belvédères, comprise dans le prix.*

Cette cascade, contrairement à ce que l'on pourrait penser, n'est pas un cadeau de la nature, mais le fruit du travail de l'homme. Au IIIe s av. J.-C., le consul Manlius Curius Dentatus décida de ménager une brèche dans un barrage naturel de travertin derrière lequel s'accumulaient des eaux qui inondaient la plaine de Rieti. Il en résulta cette chute d'une hauteur totale de 165 m en trois sauts, qui subit encore quelques aménagements entre 1546 et 1788. Aujourd'hui, elle écoule les eaux de la rivière Velino et celles du lac de Piediluco, dans un spectacle époustouflant, surtout au moment des lâchers d'eau. Du belvédère inférieur, on est rafraîchi par les embruns, et du belvédère supérieur, on approche la première chute d'eau qui fait 80 m de haut. Entre les deux, un petit sentier complété, à mi-parcours, par une boucle qui permet de frôler l'eau à de multiples endroits. Les routards fatigués et ceux habitués à tutoyer la cigarette plutôt que l'air des alpages n'iront peut-être pas jusqu'au bout. Tentez tout de même d'aller jusqu'au *balcon des Amoureux,* via un petit tunnel creusé dans la roche. Enfin, pour les plus courageux, une troisième terrasse a été aménagée sur le mont Pennarossa, sur l'autre rive de la Nera, presque au-dessus de l'entrée du belvédère inférieur. Encore quelques marches... et une vue imprenable ! Bonnes chaussures nécessaires (le terrain est glissant), ainsi qu'un imperméable pour le passage du tunnel.

UNE CASCADE QUI FIT COULER DE L'ENCRE

Si ce site incroyable n'attira que peu les grands peintres (Corot fut l'exception), il s'avéra une source d'inspiration intarissable pour les écrivains, et ce à n'importe quelle époque. Côté romain, Virgile dans l'Énéide *et Cicéron en furent les chantres... Côté romantiques, Lord Byron, qui avait pour l'Italie un petit penchant, en chante la beauté dans son long poème* Le Pèlerinage de Childe Harold.

Lago di Piediluco : un agréable lac semblable à ceux du Jura, à ceci près que les villages perchés tout autour, tel *Labro* fièrement campé sur sa colline, sont bien typiquement italiens.

FERENTILLO

À 18 km de Terni sur la route SR 209. En bus, sur la ligne Rome-Terni-Cascia, 2 bus/j.

Ferentillo, village situé où les versants de la vallée s'évasent, est un bon point de séjour pour rayonner dans la région. C'est sur son territoire que deux moines fondèrent un ermitage devenu, au fil des siècles, la belle abbaye de San Pietro in Valle.

Le Due Querce : *via del Piano 5, 05034 Ferentillo. Fléché depuis la route. ☎ 0744-78-04-41. 📱 329-440-64-07. • bellaumbria.net/agriturismo-leduequerce • leduequerce@virgilio.it • Doubles à partir de 40 € dans des apparts 4-8 pers. 14 € pour 2 avec tente. Réduc de 10 % sur présentation de ce guide.* Toutes les chambres ont une salle de bains privée et l'accès à des parties communes (dont la cuisine). Petit déj sous forme d'un bon utilisable au bar proche. Accueil sympa et tentes bienvenues dans le jardin.

Agriturismo La Pila : *Loc. La Pila, 3, 05034 Ferentillo. Fléché depuis le village. ☎ 0744-78-07-93. • agriturismolapila@tiscali.it • agriturismolapila.com • Doubles 50-70 € selon saison, certaines avec coin cuisine (10 € en plus). Repas 15-20 € avec les produits de la ferme ou des produits locaux.* Dans un hameau très tranquille, proche de sentiers, dans un beau cadre. Chambres fraîches, simples et agréables. Piscine. Parking couvert.

Residenza d'Epoca Abbazia San Pietro in Valle : *05034 Ferentillo. ☎ 0744-78-01-29. • abbazia@sanpietroinvalle.com • sanpietroinvalle.com • Congés : nov-mars. Doubles 119-139 € avec TV, AC et minibar, petit déj inclus. Suites 175-189 €. Resto attenant, à la carte env 35 €, ½ pens 25 €. Wifi. Café offert sur présentation de ce guide.* Une partie de l'abbaye est occupée par cette résidence d'époque, dont la terrasse panoramique s'ouvre sur une nature sereine et d'une beauté sauvage, que l'on croirait à des lieues de tout endroit habité. Chambres simples et belles. Suites somptueusement meublées, dont celle du duc Faroaldo, avec poutres apparentes et, pour certaines, lit à baldaquin. Petit déj servi sous les arcades du cloître. Sauna, salle de lecture et de billard. Les bénédictins trouvaient la paix intérieure par la prière, mais le luxe fonctionne aussi...

Il Vecchio Ponte : *via Circonvallazione, 3, 05034 Ferentillo. ☎ 0744-38-00-16. À gauche avt le musée des Momies. Tlj sf mer. Menu pizzas-bruschette 15 €. À la carte env 23 €.* Cuisine savoureuse à souhait, pour une halte terrestre avant les visites spirituelles. Courte carte de spécialités locales ou de saison.

Museo delle Mummie *(le musée des Momies) : crypte de la chiesa San Stefano (fléché). ☎ 0744-78-07-08. Avr-sept, 9h-12h30, 14h30-19h30 ; mars et oct, 9h-12h30, 14h30-18h ; nov-fév, 10h-12h30, 14h30-17h. Fermé dim mat pdt la messe (9h30-10h15). Traduction écrite en français. Entrée : 3 €.* Lorsque, au XIe s, l'actuelle église a été bâtie, l'église primitive a été transformée en cimetière et utilisée comme tel jusqu'à la création d'un cimetière extérieur. Or, la nature minérale particulière du sol associée à la présence de champignons a permis la momification de certains des cadavres inhumés : il fallait pour cela qu'ils soient à l'abri de toute infiltration. Dans le cas contraire, le processus habituel suivait son cours, ce qui explique la collection de crânes... Quelque 25 momies sont exposées dans des vitrines, et les conditions du décès de chacune de ces personnes vous sont racontées. Les expressions, parfaitement préservées, sont étonnantes et, parfois, les vêtements sont même intacts !

Abbazia di San Pietro in Valle : *fléché depuis la SR 209. Avr-sept, lun-ven 15h-17h, sam-dim 10h-12h30, 15h-17h ; oct-mars, slt sur résa au 📱 333-45-97-228. Entrée au-dessus de la résidence. Après la visite, une obole sera la bienvenue.* Lazare et Jean (deux moines syriens arrivés on ne sait comment dans les parages) décidèrent de fonder ici un ermitage. Pour honorer leur mémoire, le duc de Spolète, Faroaldo II, fit construire, sur le lieu même de l'ermitage, une abbaye dans laquelle il finit par se retirer, évincé du pouvoir par son intrigant de fils (720). Ainsi commença, il y a bien longtemps, l'histoire de San Pietro in Valle, qui connut par la suite de sombres heures à cause des ignobles Sarrasins qui la détruisirent (fin IXe s). Reconstruite au début du XIe s, puis embellie par des cycles de fresques au Moyen Âge et à la Renaissance, elle n'a depuis, bien que passant de main en main, pas trop subi l'usure du temps et les outrages des hommes, ce qui lui vaut d'être considérée comme l'une des plus belles abbayes d'Italie centrale. Elle trône au milieu d'un paysage sublime sur le plateau du monte Solenne, dominant la vallée.

Après le tour du propriétaire pour apprécier de l'extérieur l'ensemble des bâtiments conventuels, vous pénétrerez dans le saint des saints, c'est-à-dire l'église dominée par un beau campanile. L'intérieur, à nef unique et éclairé de petites fenêtres, devait être merveilleux quand les fresques (celles de la nef et de l'abside) étaient encore pimpantes. De cette jeunesse perdue, de beaux vestiges demeurent toutefois, qui feront tomber les âmes sensibles en pâmoison. Les autres porteront leurs regards sur les murs de la nef où se déploie un magnifique cycle de fresques relatant sur plusieurs registres des épisodes de l'Ancien et du Nouveau Testament. Certaines figurations sont encore lisibles, telles que la *Création du Monde*, le *Péché originel*, le *Baptême du Christ*, le *Calvaire*... Elles datent des alentours de 1190 et sont considérées comme les tentatives, encore balbutiantes, de libération de l'influence picturale byzantine. Encore ému par tant de beauté, vous n'oublierez pas, avant de quitter les lieux, de jeter un coup d'œil sur le cloître, aujourd'hui inclus dans la résidence.

LA HAUTE VALLÉE DE LA NERA

Suivre la route SR 209 qui emprunte la vallée de la Nera.
Entre Ferentillo et Triponzo, connu depuis la nuit des temps pour ses sources sulfureuses, la route vous permet de découvrir tour à tour trois villages perchés. Les environs permettent toutes sortes d'activités sportives (rafting, escalade, VTT, randonnée pédestre, trekking avec des mulets...). L'association écologique *Legambiente*, qui dispose d'un point d'information sur la SR 209 à Borgo Cerreto, non loin de Triponzo, pourra vous aiguiller vers un tourisme compatible avec le développement durable (*345-561-64-55.* • *legambientenera.it* •).

CHARLATANS ET SALTIMBANQUES

Petite leçon d'étymologie dérivée des toponymes. Selon des recherches ethnologiques récentes, la tradition des charlatans est née au XVIe s, dans le village de Cerreto di Spoleto, proche de Triponzo... En effet, ses habitants avaient l'habitude de quitter leur village pour vendre des onguents, des herbes ou pour accomplir des miracles de guérisseurs dans les villes. Habiles avec les mots et avec les mains, les cerretani étaient connus comme les ciarlatani, *des charlatans. Et pour attirer le public sur la* piazza, *ils sautaient sur des bancs... salt' in banco !*

Sant'Anatolia di Narco : petit bourg médiéval construit autour d'un château du XIIe s et ceint d'une muraille du XIVe s. Il abrite désormais un écomusée consacré au chanvre *(tlj 10h-13h, 15h-18h, entrée gratuite)*, situé à côté de l'église. On y trouve des métiers à tisser, des rouets, des tissages blancs et bleus typiques d'Ombrie et du linge ancien donné par les habitants.

Castel San Felice : dans cette bourgade fortifiée au sommet d'un piton rocheux, petite abbaye bénédictine du XIIe s, dont vous remarquerez les colonnes et mosaïques de l'autel. Elles sont d'époque romaine et ont été réutilisées au Moyen Âge.

Vallo di Nera : ce village est considéré comme l'un des plus beaux d'Italie et l'un des mieux conservés de la Valnerina. Vous y verrez un ensemble de maisons en pierre et, au centre, l'*église franciscaine de Santa Maria* datant du XIIe s. Si elle n'est pas ouverte, vous pouvez demander la clé à la maison portant le n° 3. De style gothique simple, elle a conservé toutes ses décorations murales et des peintures réalisées par un élève de Giotto (épisodes de la vie de Jésus, de la Madone et de saint François). Sur les murs de la nef, des ex-voto en fresques. Sur le mur de droite, près de l'autel, une procession de pénitents en blanc, une bise de la réconciliation remarquable, couronnée par un angelot à deux têtes et, enfin, une série de cochons noirs, propres à la région de Nursie, race disparue depuis.

➢ Les amateurs de balades se procureront à l'office de tourisme de Cascia la brochure *Passegiate in Valnerina, Cerreto di Spoleto-Sant'Anatolia di Narco-Scheggino-Sellano-Vallo di Nera,* qui détaille 15 itinéraires de 3 à 7 km de difficulté variable, dont beaucoup en boucle.

CASCIA

(06043) 3 300 hab.

Cascia doit sa renommée au safran et à sainte Rita, patronne des causes perdues et des cas désespérés, pour qui un sanctuaire fut construit entre 1918 et 1936. Cette populaire sainte a ses fidèles dans le monde entier et plus de 2 millions de pèlerins viennent lui rendre visite chaque année. Si elle profite largement de ce tourisme religieux, la région cherche également à promouvoir les activités sportives dans les environs.

Arriver – Quitter

En bus : avec *SSIT.* ☎ *0743-21-22-08.* • *spoletina.com* •
➢ ***De/vers Spolète :*** 3 liaisons/j. (2 le w-e), avec changement à *Nursie.* Trajet :1h30.
➢ ***De/vers Nursie :*** 8 bus/j. (4 le w-e) via *Serravalle* (30 mn) ou *Agriano* (1h).
➢ ***De/vers Rome*** *(Tiburtina)* ***:*** 2 bus/j. (1 le w-e). Trajet : 3h.

LA VALNERINA

Adresse utile

Office de tourisme de Cascia et de la Valnerina : *piazza Garibaldi, 1.* ☎ *0743-71-147. Tlj (dim mars-oct slt) 9h-13h, 15h30-18h30.* • *info@iat.cascia.pg.it* • *regioneumbria.eu* • Une avalanche de luxueuses plaquettes... mais en italien !

Où dormir ?

Hotel Cursula : *viale Cavour, 3 (juste à l'entrée de Cascia).* ☎ *0743-762-06.* • *info@hotelcursula.com* • *hotelcursula.com* • *Congés : janv-fév.* *Selon saison, doubles 60-90 € avec TV et suites 4 pers 80-120 €, petit déj compris. Menu 20 €, à la carte env 27 €. Wifi. Réduc de 10 % sur le prix de la chambre lun-jeu sur présentation de ce guide.* Une partie des chambres a été remeublée et redécorée, à vous donc de choisir selon votre bourse et vos attentes ! La famille a 60 ans de tradition d'accueil et, si vous aimez les vieux objets, vous vous entendrez comme larrons en foire avec le patron. Son *ristorante della Locanda Giustini* propose des plats savoureux, comme un risotto aux truffes d'été, des soupes d'épeautre, des saucisses de foie sucrées ou des gâteaux « pauvres ».

Agriturismo Valle Tezze : *loc. Valle Tezze.* ☎ *0743-76-111.* • *info@valletezze.it* • *valletezze.it* • *À 2 km de Cascia. Doubles 55-60 € selon saison, petit déj compris. ½ pens 45-50 €, boisson comprise.* 9 chambres assez vastes, décorées sobrement mais bien équipées. Piscine. Le resto ne manque pas de charme et les vues sont magnifiques. Belle sélection de charcuteries, pâtes et viandes grillées. Les propriétaires produisent eux-mêmes leurs légumes.

Azienda agrituristica Casale S. Antonio : *loc. Casali S. Antonio.* ☎ *0743-76-819.* *333-321-23-44.* • *info@casalesantantonio.it* • *casalesantantonio.it* • *À 1 km de Cascia en direction de Monteleone di Spoleto (fléché à gauche). Doubles 45-50 €, petit déj compris ; apparts 46-60 € pour 2 pers. Repas (midi et soir) 25 €. Digestif offert sur présentation de ce guide.* Une vraie ferme dans un environnement de verdure sur les hauteurs, avec une belle vue sur la vallée, qui propose un hébergement au calme et un resto avec des produits bio de la ferme, dont des variétés locales risquant l'extinction. Chambres avec coin cuisine, certaines avec coin salon et mezzanine. Barbecue. Départ de sentiers. Très bon accueil.

À voir. À faire

Basilica di Santa Rita : ☎ *0743-75-091. Avr-oct, 6h30-20h ; nov-mars, 6h45-18h. Monastère : visites guidées slt, avr-oct 8h (9h dim)-17h30 ; nov-mars 10h-16h.* Derrière cette façade austère, typique de la période mussolinienne, vous attend un intérieur chatoyant, avec son autel d'inspiration Art déco et ses fresques très colorées du début des années 1950, proches de celles des Mexicains Siqueiros et Diego Rivera. Consacré par Pie XII en 1955, le sanctuaire abrite, dans une chapelle, le corps intact de Rita. Dans l'église se trouve également la relique du « Miracle eucharistique », sous forme des pages d'un livre de prières taché du sang qui, en 1330, aurait coulé d'une hostie consacrée. Près du sanctuaire, le monastère renferme la cellule où Rita vécut et mourut en 1457, ainsi que l'oratoire où elle reçut les stigmates.

Palazzo Santi e chiesa di Sant'Antonio : ☎ *0743-75-10-10. Ouv 10h30-13h, 15h-18h (16h-19h juil-août) ; tlj en août ; ven-dim mai-juil et début sept ; w-e avr, fin sept et oct. Entrée : 3 €.* Le musée propose notamment un ensemble de statues de bois polychromes caractéristiques de l'art religieux médiéval. Dans le chœur de l'église, fresques de Nicolà di Siena représentant la Passion du Christ (1461). Dans la nef, épisodes de la vie de Sant'Antonio Abbate, du début du XIVe s.

– À 5 km, on visite le petit bourg de ***Roccaporena*** où Rita naquit, devint épouse, mère et veuve. Maison natale, maison maritale, église locale... à réserver aux fervents pèlerins ou aux voyageurs fascinés par la dévotion poussée à l'extrême.

➢ Les amateurs de balades se procureront à l'office de tourisme la brochure *Passegiate in Valnerina, Cascia-Monteleone-Poggiodomo,* qui détaille 15 itinéraires de 3 à 9 km de difficulté variable, dont beaucoup en boucle. Le plus difficile est l'ascension du *Monte Meraviglia* (1 392 m) avec ses 450 m de dénivelée.

➤ DANS LES ENVIRONS DE CASCIA

***La Biga etrusca di Monteleone di Spoleto :** à 18 km au sud, sur la route de Leonessa. Fléché en contrebas et à droite de l'église San Francesco. Si c'est fermé, s'adresser au bar. Obole bienvenue.* Ce petit village perché à près de 1 000 m d'altitude sur une colline verdoyante fut habité dès l'Antiquité. Pour preuve, un char *(biga)* en bois étrusque, recouvert de bronze martelé mettant en scène des épisodes de la victoire d'Achille sur Hector, a été trouvé dans les environs en 1902. Aujourd'hui, seule une copie est visible, agrémentée d'une petite expo, car l'original est exposé depuis 1903 au *Metropolitan Museum of Art (MET)* de New York. L'objet est vraiment beau et la copie de qualité.

LA BIG BAGARRE DE LA *BIGA*

*Quand, en 1902, Isidoro Vannozzi prend sa pioche pour agrandir sa maison, il ne sait pas qu'il va trouver un tombeau étrusque du VIe s av. J.-C., ni qu'un vrai trésor va lui glisser entre les doigts. Il construit un nouveau mur avec les pierres du tombeau et vend les objets à vil prix. Parmi eux, la biga, achetée par un antiquaire de Cascia, passant ensuite par Rome puis Paris, avant d'être acquise par le MET de New York. Mais en 2005, la presse américaine dévoile les objets frauduleusement achetés par le MET au début du XXe s avec, en tête de liste, la biga de Monteleone ! Depuis, la commune a monté l'*Operazione recupero biga *et la bataille juridique fait rage...*

NORCIA E EL PARCO NAZIONALE DEI MONTI SIBILLINI (NURSIE ET LE PARC NATIONAL DES MONTS SIBYLLINS)

À cheval sur l'Ombrie et les Marches, au pied du mont Vettore, ce très beau parc constitue la seule zone vraiment sauvage de l'Italie centrale. Pendant des siècles, on disait le massif peuplé de fées et de la mystérieuse Sibylle. Aujourd'hui, c'est un refuge pour le loup, l'aigle royal, le faucon pèlerin et le hibou grand duc. Accros des versants escarpés, des vallées profondes et des cirques glaciaires, vous êtes ici chez vous ! C'est la petite ville de Nursie (5 000 habitants), qui en constitue la clé d'accès. Petite ville mais grand renom, car d'une part saint Benoît, patriarche des moines d'Occident, y naquit en 480, d'autre part le simple nom de *Norcia* fait saliver tout gourmet italien : sa foire à la Truffe noire *(Nero Norcia, dernier w-e de fév et premier w-e de mars)* constitue une occasion unique de goûter à toutes sortes de spécialités à base de truffes mais aussi à moult cochonnailles, fromages et produits céréaliers.

Arriver – Quitter

En bus

À Nursie, ***l'arrêt des bus*** *est porta Romana ou, à l'opposé, porta Massari.*

■ ***SSIT :*** *☎ 0743-21-22-08. • spoletina.com •*

➢ ***De/vers Rome*** *(Tiburtina)* ***et Terni :*** 2 départs/j. (1 le w-e). Trajet : env 3h.
➢ ***De/vers Spolète :*** 5 bus/j. (4 le w-e). Départ de la gare ferroviaire de Spolète. Trajet : 1h. À Spolète, correspondances pour de nombreuses villes.
➢ ***De/vers Cascia :*** 8 bus/j. (4 le w-e) via *Serravalle* (30 mn de trajet) ou *Agriano* (compter 1h).

En voiture

➢ ***De Spolète :*** à 42 km à l'est de Spolète via le tunnel que l'on prend à Eggi, sur la route de Foligno, puis la SR 209 jusqu'à Triponzo où on tourne à droite.
➢ ***De Terni :*** 65 km en suivant la SR 209 qui emprunte la vallée de la Nera (voir chapitre « La Valnerina ») jusqu'à Triponzo où on tourne à droite.

Adresses utiles

Il n'existe pas d'office de tourisme dans le parc. Le musée de Nursie ainsi que l'office de tourisme régional de Cascia distribuent quelques dépliants avec une bonne volonté évidente mais ne sont pas compétents sur les aspects nature.

ℹ ***Case del Parco*** *(maisons du Parc) : • sibillini.net • Ouv juil-août 9h30-12h30, 15h30-18h30.* Informations, dépliants et cartes (y compris topographiques).
– ***À Nursie :*** *piazza San Benedetto. 📱 334-222-76-98. • info.norcia@sibillini.net •*
– ***À Preci :*** *via del Mulino, borgo Garibaldi. 📱 329-781-81-13. • info.preci@sibillini.net •*
– Plusieurs autres dans les Marches (Visso, Castelsantangelo sul Nera, Acquacanina...).

✉ ***Poste :*** *à Nursie, au début du corso Sertorio, près de la porta Romana.*

Où dormir ?

À Nursie

Bon marché

Casa religiosa di ospitalità San Benedetto : *via delle Vergini, 13, 06046 Norcia. ☎ 0743-82-82-08. • monastero.s.antonio@tiscali.it • Proche de la chiesa San Giovanni et du Tempietto. Ouv avr-oct. Accueil 9h30-21h30 ; entrée libre le soir avec la clé. Double 59 € avec petit déj.* Corps de bâtiment constitué d'un monastère de bénédictins et d'un couvent de clarisses reliés par une passerelle. Assez austère, chambres simples mais impeccables, avec bains. Salle de TV et cloître d'humble facture. Très calme. Accueil qui donne tout son sens au mot « hospitalité ».

De prix moyens à chic

Hotel Da Benito : *via Marconi, 4, 06046 Norcia. ☎ 0743-81-66-70. • info@hotelbenito.it • hotelbenito.it • Doubles 65-80 €, petit déj compris.* Petit hôtel familial de 8 chambres, simples mais très bien, avec TV et wifi. Resto de bonne réputation, avec terrasse.

Hotel Grotta Azzura : *via Alferi, 12, 06046 Norcia. ☎ 0743-81-65-13. • info@bianconi.com • bianconi.com • ♿ Donne sur le corso Sertorio au niveau de la piazza Vittorio Veneto. Doubles 49-135 € selon confort et saison, petit déj compris. Wifi.* Tenu par une très vieille famille de Nursie qui fit fortune en prélevant l'impôt sur le grain. Chambres confortables, parfois un peu exiguës mais bien équipées. Éviter celles, très bruyantes, donnant sur la rue ou situées près de l'escalier. Les Bianconi proposent aussi *Les Dependances (doubles 44-83 €)* et un hôtel très chic, le *Palazzo Seneca (doubles à partir de 125 €).*

Agriturismo Casale nel Parco : *loc. Fontevena, 8, 06046 Norcia. ☎ 0743-81-64-81. • agriumbria@casalenelparco.com • casalenelparco.com • À 1 km de Nursie, en direction de Preci. Congés : nov et janv-fév. Résa indispensable. Doubles 90-110 €, petit déj compris. Lors des w-e prolongés, ½ pens obligatoire 65-85 €/pers. Menu 30 € ou à la carte. Digestif offert sur présentation de ce guide.* Dans une ancienne ferme rénovée, exploitation produisant huile et céréales. Déco de très bon goût. Salon commun avec piano. Petite cuisine commune pour les chambres qui n'en sont pas pourvues. Buanderie. Petit déj à l'heure que vous souhaitez, cuisiné à base de produits bio cultivés sur place. Très belle piscine donnant sur le monte Patino. Vente de produits de la ferme. Nombreuses activités proposées.

À Preci

B & B Nonna Rosa : *loc. Fiano di Abetoi, 06047 Preci. ☎ 0743-93-80-24. 📱 33-93-79-97-27. • info@nonna-rosa.it • nonna-rosa.it • À 8 km de Nursie ; prendre la direction de Preci sur 4 km, puis fléché à gauche. Congés : nov et janv. Doubles 60-70 €, petit déj compris ; sdb dans le couloir. Internet. Café offert et réduc de 10 % en avr et mai sur présentation de ce guide.* Chambres toutes mignonnes, chacune avec sa propre tonalité, meublées à l'ancienne. Joli jardin pour se détendre et des km de nature pour se balader. Petit déj maison, sucré ou salé au choix, servi dans la cuisine de style rustique. Accueil très gentil. Votre hôtesse, Federica, vous indiquera où prendre vos repas au meilleur prix. Un lieu de toute quiétude et un excellent rapport qualité-prix.

À Castelluccio

🏠 🍽 ***Rifugio Perugia :*** *loc. Forca Canapine, Castelluccio, 06046 Norcia. ☎ 0743-82-30-19. • info@rifugioperugia.it • rifugioperugia.com • Ouv Pâques-oct. À mi-chemin entre Nursie et Castelluccio. Nuit en dortoir 20 €. Draps 3 €. Petit déj 6 €. ½ pens 48 €/pers. Repas env 15-20 €.* Un grand refuge fonctionnel pour les adeptes de montagne et d'air pur. Bon resto avec viandes cuites aux braises de la cheminée. Goûtez à la *scamorza* fondue et aux raviolis au beurre et à la sauge. Accueil pas toujours souriant.

🏠 ***Albergo Sibilla :*** *via Piano Grande, 2, Castelluccio, 06046 Norcia. ☎ 0743-82-11-13. • info@sibillacastelluccio.com • sibillacastelluccio.com • Sur la place du village. Ouv avr-oct. Arrivée avt 22h30. Résa indispensable. Double 65 €, petit déj compris. Appart pour 4-6 pers 130 €.* Un grand chalet moderne à la décoration simple mais efficace. Certaines chambres bénéficient d'un splendide panorama sur le *piano Grande* et les Apennins.

Où manger ?

À Nursie

Négliger une halte gastronomique à Nursie est impensable car vous êtes ici au cœur du pays des truffes noires, des truites de la Nera, des lentilles et des *salumi*. Des sangliers empaillés à chaque coin de rue signalent les épiceries ou *norcinerie*, débordantes de succulents jambons et de saucisses en tout genre.

Bon marché

🍽 🧺 Pourquoi pas un ***pique-nique*** près de Nursie, puisque vous êtes dans un temple de la charcuterie et du fromage ? ***Brancaleone da Norcia*** *(corso Sertorio, 17)*, une *norcineria* à la devanture évocatrice, propose pas moins d'une cinquantaine de produits typiques à des prix en phase avec leur qualité. Les multiples déclinaisons de saucissons font rêver, et les fromages de Nurcie sont fameux. Pour un bon pain, vous irez au ***panificio Coccia*** *(via Roma, 16)*. Plus popu, pour emplir votre panier un poil moins cher qu'en ville, sachez qu'une usine de charcutailles *(**Antica Norcineria Fratelli Ansuini,** viale della Stazione, ☎ 0743-81-68-09, • fratelliansuini.com •)* et une chocolaterie *(**Cioccolateria Vetusta Nursia,** viale della Stazione, 41, ☎ 0743-81-73-70, • norciaciok.it •)* sont ouvertes au public, à quelques centaines de mètres en direction de Castelluccio.

🍽 ***Taverna del Boscaiolo :*** *via Bandiera 9, 06046 Norcia. ☎ 0743-82-85-45. Tlj sf lun. Pizza (env 6 €). À la carte env 20 € (sans truffe).* Dans une ancienne cave voûtée au crépi clair et aux fresques en trompe l'œil, 2 salles accueillent les convives. Plats régionaux. Bons *primi* et viandes à prix correct.

Prix moyens

🍽 ***Trattoria dal Francese :*** *via Riguardati, 16, 06046 Norcia. ☎ 0743-81-62-90. Derrière la basilique San Benedetto. Tlj jusqu'à 21h45, sf ven oct-mai. Menu dégustation 46 €. À la carte env 25 € sans truffes et 40 € avec.* La *trattoria* « du Français » appartenait à un émigré originaire de Nursie qui, après une pause en France, revint dans sa ville natale y fonder cet excellent resto. Les gens du pays le surnommèrent « le Français » jusqu'à la fin de sa vie. L'enseigne est restée, tenue par son fils, et l'on y mange dans un cadre boisé tout à fait convivial. Petite carte des vins. Service sympathique.

|●| ***Taverna de Massari :*** *via Roma, 13, 06046 Norcia. ☎ 0743-81-62-18. • info@tavernademassari.com • Tlj sf mar jusqu'à 21h. Env 28 € à la carte.* Cuisine typique et raffinée : *gnocchetti alla norcina,* soupe d'épeautre aux truffes, filet aux cèpes et aux truffes... Bon choix de vins de la maison. 2 belles salles avec AC, l'une en sous-sol, très agréable.

À Castelluccio

|●| ***La Vostra Cantina :*** *piazzale Monte Vettore, Castelluccio, 06046 Norcia. ☎ 0743-82-12-06. • info@lavostracantina.com • ♿ Sur la place du village. Ouv 9h-19h, tlj août, tlj sf jeu avr-juil et sept-nov, w-e déc et mars. Repas env 13 €. Digestif offert sur présentation de ce guide.* Une agréable épicerie-rôtisserie avec quelques tables en terrasse pour les beaux jours. On peut emporter son *panino* ou déguster le *pecorino* local avec un plateau de charcuteries, des *bruschette* mixtes et, pour les appétits robustes, un plat de lentilles et saucisses ou une soupe d'épeautre.

|●| ***Sibilla :*** *via Piano Grande, 2, Castelluccio, 06046 Norcia. Sur la place du village. À la carte env 25 €.* Juste en dessous de l'hôtel du même nom. Restaurateur passionné de bonne chère à base de produits locaux : lentilles, truffes, *tortelloni alla ricotta* (faites maison), agneau et chevreau. Bonne sélection de vins de Montefalco. Fait aussi glacier.

À voir. À faire

➢ Les amateurs de balades se procureront à l'office de tourisme la brochure *Passegiate in Valnerina, Norcia-Preci,* qui détaille 14 itinéraires de 3 à 10 km de difficulté variable, dont beaucoup en boucle.

🍴 ***Norcia :*** sur la *piazza San Benedetto,* cœur de la ville, se trouvent les plus beaux édifices. La *basilica San Benedetto,* d'architecture gothique et étonnamment dépouillée, abrite dans sa crypte les ruines d'une maison romaine qui, selon la légende, aurait vu la naissance de saint Benoît et de sa vertueuse sœur, sainte Scholastique. De la fastueuse période de l'indépendance que connut Nursie aux XIIIe et XIVe s, le *palazzo comunale* n'a conservé qu'un antique portique. Le *museo civico diocesano « La Castellina » (☎ 0743-81-70-30 ; en été, tlj 10h-13h, 16h-19h ; le reste du temps, se renseigner ; entrée : 3 € ; 4 € avec les collections archéologiques ; réduc),* dans un austère palais bâti au XVIe s par Vignola à la demande de Sa Sainteté Jules III, renferme des sculptures sur bois et sur pierre (XIIIe au XVIe s) et quelques peintures.

🍴🍴 ***Abbazia Sant'Eutizio :*** *à 15 km au nord de Norcia. Tlj sf mar, en été 10h-13h et 15h-19h (18h sam-dim), en hiver 10h-18h.* Dès le Ve s, des moines syriens élevèrent dans un site idyllique un oratoire, bientôt fréquenté par le futur saint Benoît. L'actuelle abbaye, bâtie à flanc de colline, date du début du XIIIe s. Elle abrita une véritable école de chirurgie qui pratiquait différentes opérations dont la castration qui, à partir du XVIe s, a permis d'obtenir les voix aiguës si particulières dont raffolaient les auditeurs de l'époque. Baladez-vous tout autour des bâtiments, visitez la nef, très dépouillée, admirez les rosaces, recueillez-vous devant les cendres de saint Eutizio et jetez un coup d'œil au petit musée où sont conservés les instruments de chirurgie des moines *(entrée 2 € ; réduc ; conservez votre ticket pour obtenir une réduction dans les autres musées diocésains comme Spolète, Pérouse, Assise...).*

🍴🍴🍴 ***Castelluccio et le piano Grande :*** *à 30 km à l'est de Nursie. Slt 2 bus/sem (le jeudi !) au départ de la porta Ascolana. Parking pour camping-cars (pour une nuit inoubliable).* Un site de sérénité et de beauté auquel on accède par une route magnifique s'élevant graduellement au-dessus de la vallée. Tel un amphithéâtre bordé de montagnes souvent enneigées, le piano Grande, plaine d'origine karstique, forme

LA VALNERINA

un paysage différent de tout ce que vous pourrez voir en Italie, qui nous a évoqué le Tibet, les Andes ou encore le Grand Nord. De fin mai à mi-juin au moins, il se pare de ses plus belles couleurs pour la *fiorita,* tapis chaque jour différent de coquelicots, de pâquerettes, de renoncules, de jacinthes ou de bleuets que l'on vient voir de partout. Dominant cette plaine, le petit village de Castelluccio, perché sur une colline à 1 452 m d'altitude, semble un peu perdu dans cette immensité. Il est renommé pour ses lentilles blondes d'appellation contrôlée et pour sa *ricotta.* Lorsque le temps se couvre, Castelluccio flotte au-dessus d'une mer de nuages.

Parco nazionale dei Monti Sibillini : en voiture, on aura un aperçu en poursuivant la route de Castelluccio vers *Castelangelo sul Nera,* où l'on rejoint la rivière Nera, puis jusqu'à *Visso,* un gros bourg au centre médiéval conservé, d'où l'on peut revenir à Nursie via Preci. À pied, faites-vous détailler les itinéraires de randonnée si vous souhaitez explorer la richesse du parc. Parmi les sentiers les plus populaires, celui de la gorge de l'*Infernaccio,* bien moins terrifiante que son nom ne le laisse présumer, en 3h30 aller-retour à partir de *Montefortino* (à 75 km de Nursie par Acquasante). Le très beau *lago di Pilato* (des buffles auraient tiré le corps inerte de Pilate jusqu'aux profondeurs de ce lac « démoniaque ») est accessible par deux itinéraires différents, l'un facile et l'autre moins. Le premier, partant de Foce, hameau de Montemonaco à 77 km de Nursie, se parcourt en 5h aller-retour. L'autre, partant de Forca di Presta à 33 km de Nursie, passe par *Forca Viola* et le *Monte Vettore* et nécessite 8h aller-retour.

➢ *Les VTTistes* trouveront de nombreux itinéraires de différents niveaux de difficulté.

➢ *Les cavaliers* trouveront à Castelluccio des propositions de randonnée à la journée ou à la demi-journée.

– *Deltaplane* et *parapente* se pratiquent à Castelluccio, y compris si vous êtes débutant. C'est un paradis pour le vol libre, et des adeptes y convergent du monde entier.

– *Les skieurs de fond* se régaleront sur le piano Grande ou, dans les Marches, à Acquacanina au nord de Castelluccio. Les *skieurs alpins* trouveront des descentes dans plusieurs communes des Marches, et notamment à Frontignano, tout proche de Castelluccio.

NOS NOUVEAUTÉS

NANTES (avril 2011)

« Ni tout à fait terrienne, ni tout à fait maritime [...], juste ce qu'il faut pour faire une sirène. » Julien Gracq avait raison. Il ne fut pas le seul à tomber sous le charme de la métropole de Nantes. Résolument tournée vers le futur, malgré un glorieux passé, la ville est une vraie boîte à idées, toujours en quête de nouvelles manières de conjuguer le « vivre ensemble ». Avec des propositions culturelles bouillonnantes, un maillage de transports hors du commun, un secteur piéton important, une architecture liant habilement le fil des siècles, des espaces verts en abondance, Nantes a de quoi séduire. Pas étonnant qu'elle connaisse la deuxième plus forte croissance des métropoles de France ! Et si la ville cultive le bien-vivre, l'événement phare « Estuaire 2011 » qui se tient tout au long de la Loire attire aussi bien les touristes que les artistes. Le magazine *Time Europe* désignait, il y a quelques années, Nantes comme la ville la plus agréable d'Europe. Elle n'est pas près d'être détrônée.

SARDAIGNE (avril 2011)

Une île qui recèle parmi les plus belles plages de la Méditerranée. 1 850 km de côtes quasiment vierges aux eaux cristallines. Une nature intacte. Avec ses 20 millions d'années, une terre aussi vieille que la Corse. Le cœur montagneux de la Sardaigne livre nombre de gorges, falaises calcaires et vallées. Mon tout surplombe majestueusement plaines et hauts plateaux – un must pour les randonneurs, et beaucoup de bergers pour vous remettre sur le droit chemin. Ici, le maquis, les énormes forêts de chênes verts séculaires et les champs d'oliviers semblent posés directement sur la mer. Parmi les magnifiques églises romanes, on découvre des fêtes religieuses et païennes... Une par jour, dit-on ! Quant à la gastronomie, elle en surprendra plus d'un... Cessons donc de croire que la Sardaigne est une destination confidentielle réservée à la jet-set. Emparez-vous enfin de ces terres parmi les moins peuplées d'Europe et pourtant si étonnantes. Un monde à part, si proche et déjà si exotique. Vite, vous ne serez pas seul, les phoques moines, qu'on croyait disparus, viennent de réapparaître...

assurance **routard** WEEK-END & VOYAGES

Pour plus d'informations : Tél. : 01 44 63 51 00*
Fax : 01 42 80 41 57- www.avi-international.com

routard assurance

Voyage de moins de 8 semaines en Union Européenne

L'Assurance Voyage

BULLETIN D'ADHÉSION

❑ M. ❑ Mme ❑ Mlle

Nom : |__|__|__|__|__|__|__|__|__|__|__|__|__|__|__|__|__|__|__|__|__|__|__|__|

Prénom : |__|__|__|__|__|__|__|__|__|__|__|__|__|__|__|__|__|__|__|__|__|__|__|

Date de naissance : |__|__| / |__|__| / |__|__|__|__|

Adresse de résidence : |__|__|__|__|__|__|__|__|__|__|__|__|__|__|__|__|__|__|__|__|
|__|__|__|__|__|__|__|__|__|__|__|__|__|__|__|__|__|__|__|__|__|__|__|__|__|__|__|__|__|__|

Code Postal : |__|__|__|__|__|

Ville : |__|__|__|__|__|__|__|__|__|__|__|__|__|__|__|__|__|__|__|__|__|__|__|__|__|

Pays : |__|__|__|__|__|__|__|__|__|__|__|__|__|__|__|__|__|__|__|__|__|__|__|__|__|

Nationalité : |__|__|__|__|__|__|__|__|__|__|__|__|__|__|__|__|__|__|__|__|__|__|__|

Tél. : |______________________| Portable : |______________________|

Email : |__________________________|@|__________________________|

Pays de départ : |__|__|__|__|__|__|__|__|__|__|__|__|__|__|__|__|__|__|__|__|__|__|

Pays de destination principale : |__|__|__|__|__|__|__|__|__|__|__|__|__|__|__|__|__|__|

Date de départ : |__|__| / |__|__| / |__|__|__|__|

Date du début de l'assurance : |__|__| / |__|__| / |__|__|__|__|

Date de fin de l'assurance : |__|__| / |__|__| / |__|__|__|__| = |__|__| semaines

(Calculer exactement votre tarif en semaine selon la durée de votre voyage : 7 jours du calendrier = 1 semaine)

COTISATION FORFAITAIRE (Tarifs valable jusqu'au 31/03/2012)

❑ De 0 à 2 ans inclus 25 € TTC x |__|__| semaines = |__|__|__|__| € TTC

❑ De 3 à 50 ans inclus 17 € TTC x |__|__| semaines = |__|__|__|__| € TTC

❑ De 51 à 60 ans inclus 25 € TTC x |__|__| semaines = |__|__|__|__| € TTC

❑ De 61 à 75 ans inclus (sénior) 30 € TTC x |__|__| semaines = |__|__|__|__| € TTC

❑ **OPTION Risques graves**** 6 € TTC x |__|__| semaines = |__|__|__|__| € TTC

ou

❑ **OPTION Plongée***** 10 € TTC x |__|__| semaines = |__|__|__|__| € TTC

TOTAL À PAYER = |__|__|__|__| € TTC

PAIEMENT

❑ Carte Bancaire (Visa / Eurocard / Mastercard / American Express) Expire le |__|__| / |__|__|

N° |__|__|__|__|__|__|__|__|__|__|__|__|__|__|__|__| Cryptogramme |__|__|__|

❑ Chèque (sans frais en France) à l'ordre d'AVI International à envoyer au 28, rue de Mogador 75009 Paris

❑ Je reconnais avoir pris connaissance et accepté l'ensemble des dispositions contenues dans les conditions générales Pass'port Sécurité Routard Assurance ou Séniors, avec lesquelles ce document forme un tout indivisible.

❑ Je déclare être en bonne santé et savoir que toutes les conséquences de maladies et accidents antérieurs à ma date d'assurance ci-dessus, ne sont pas assurés, ni toutes les suites et conséquences de la contamination par des MST, le virus HIV ou l'hépatite C. Je certifie ne pas prévoir de traitement à l'étranger et ne pas voyager pour des raisons médicales.

❑ Je dispose d'un droit d'accès, de modification, de rectification et de suppression des informations me concernant figurant dans les fichiers d'AVI International dans les conditions prévues par la loi n° 78-17 du 6 janvier 1978 modifiée en contactant AVI International par courrier ou mail. Je reconnais que ces informations sont destinées à l'assureur, à AVI et à leurs partenaires pour les besoins de la gestion du contrat.

Date : |__|__| / |__|__| / |__|__|__|__| SIGNATURE :

* Coût d'un appel local.

** Extension de vos garanties aux conséquences d'un accident dont vous êtes victime, du fait de l'usage d'un véhicule à moteur à deux roues, de sports dangereux (surf, planche à voile, rafting, escalade, plongée sous-marine jusqu'à 20 m), d'une activité manuelle, stage en entreprise ou en laboratoire (Accident du travail).

*** Extension plongée jusqu'à 45 m, médecine hyperbare incluse.

INDEX GÉNÉRAL

A

B

C

D-E-F

G-I

L

M

N-O

P

R

S

T

V

OÙ TROUVER LES CARTES ET LES PLANS ?

Les Rout[illegible] parlent aux [illegible]

Faites-nous pa[illegible] de vos découverte[illegible] Indiquez-nous [illegible]rimés. Aidez-nous [illegible] jour. Faites profiter [illegible]s nouvelles, com[illegible]esse un exemplaire [illegible]tion à ceux qui no[illegible]ettres les meilleure[illegible] des informa[illegible]s. [illegible]ls cependant :

– En[illegible]yez nous votre courrier le plus tôt possible afin que l'on puisse insérer vos tuyaux sur la prochaine édition.
– N'oubliez pas de préciser l'ouvrage que vous désirez recevoir.
– Vérifiez que vos remarques concernent l'édition en cours et notez les pages du guide concernées par vos observations.
– Quand vous indiquez des hôtels ou des restaurants, pensez à signaler leur adresse précise et, pour les grandes villes, les moyens de transport pour y aller. Si vous le pouvez, joignez la carte de visite de l'hôtel ou du resto décrit.
– N'écrivez si possible que d'un côté de la lettre (et non recto verso).
– Bien sûr, on s'arrache moins les yeux sur les lettres dactylographiées ou correctement écrites !

En tout état de cause, merci pour vos nombreuses lettres.

Les Routards parlent aux Routards :
122, rue du Moulin-des-Prés, 75013 Paris

e-mail : ***guide@routard.com***
Internet : ***routard.com***

Photocomposé par Jouve
Imprimé en Italie par L.E.G.O. S.p.A - Lavis (Tn)
Dépôt légal : janvier 2011
Collection n° 13 - Édition n° 01
24/5032/8
I.S.B.N. 978-2-01-245032-5

La longue rue descendant de la Lizza à la piazza del Campo (*plan couleur centre, B-C1-2* ; vie dei Montanini et Banchi di Sopra) livre quelques monuments assez remarquables. En particulier, piazza Salimbeni, jetez un œil sur le côté et à l'intérieur du siège social de la ***Monte dei Paschi di Siena*** (banque la plus vieille du monde, fondée en 1472). Les architectes italiens ont réussi le tour de force d'aménager l'intérieur d'une façon ultramoderne tout en respectant les façades médiévales. Très réussi. Elle possède, en ses murs, un musée privé de peintures, malheureusement inaccessible au public, à moins d'être un client peut-être... Cette banque est encore une des grandes banques italiennes actuelles ; elle tient plus ou moins à bout de bras l'économie touristique siennoise via son mécénat artistique omniprésent et particulièrement généreux. ***Piazza Tolomei,*** autre banque superbement aménagée dans un palais (façade sobre et élégante avec ses deux rangées de fenêtres géminées). Encore une leçon à tirer ! Devant, la louve siennoise (de 1610) et la ***chiesa San Cristoforo,*** l'une des plus anciennes de la ville.
En continuant la via del Moro, accès à la ***basilica Santa Maria di Provenzano.*** Elle est traditionnellement dépositaire de l'étendard du Palio du 2 juillet.

Museo dell'Archivio di Stato (*le musée des Archives de l'État ; plan couleur centre, C-D2-3*) ***:*** *via Banchi di Sotto, 52.* ☎ *0577-24-71-45.* Dans l'enceinte du ***palais Piccolomini.*** Beau palais de pierre grise édifié en 1469 (de style Renaissance florentin). Modèle d'équilibre. Fenêtres à meneaux, blasons, vaste corniche sculptée. Particulièrement imposant. Contraste avec la petite demeure en brique à côté, avec son décor Renaissance. Construit pour le neveu du fameux pape siennois Pie II, dont Pinturricchio raconte l'histoire sur les murs de la *libreria* Piccolomini dans la cathédrale. Il abrite les archives de Sienne depuis le XIXe s et surtout une collection unique au monde de tablettes peintes du XIIIe au XVIIIe s, appelées *biccherne.* Exposées à la visite, on peut les voir, gratuitement, par groupes de 15-20 personnes maximum, du lundi au samedi. Visites libre ou guidée (durée : 1h) à 9h30, 10h30 et 11h30 (on vous conseille de réserver par téléphone ou directement au musée). Ce petit musée plongera les amateurs d'histoire et de peinture siennoise dans la vie quotidienne de la cité. Les *biccherne* étaient, au départ, des tablettes de bois peintes recouvrant les registres des impôts. Les fonctionnaires municipaux faisaient appel aux plus grands artistes siennois. Entre autres, Sano di Pietro, Giovanni di Paolo, Bernardino Fungai, Ambrogio Lorenzetti... Les *biccherne* deviendront au fil du temps de véritables peintures. Il n'en existe pas d'équivalent dans le monde. Certaines furent également destinées à recouvrir les registres de l'hôpital Santa Maria della Scala (l'échelle, symbole de l'hôpital, est alors présente). Les sujets sont souvent profanes et historiques (ce qui est très rare à cette période). Difficile d'en distinguer une plus qu'une autre, car toutes ont leur intérêt. Sachez qu'il y en a près d'une centaine. Dans un couloir adjacent, certains contrats anciens, dont celui de la fameuse *Maestà* de Duccio. Avant de sortir, on vous propose de passer au balcon pour jeter un coup d'œil sur la place.

Chiesa San Martino (*plan couleur centre, D3*) ***:*** *à côté de la loge du pape.* Intérieur à nef unique. Sur la gauche en entrant, une belle Vierge protégeant Sienne. Dans la nef à gauche, un grand tableau de Francesco Vanni et une magnifique *Nativité* de Beccafumi. Dans la nef à droite, une *Circoncision* de Guido Reni (grand peintre de l'école classique bolonaise du XVIIe s, dont les témoignages à Sienne sont rares) et une magnifique toile baroque du Guerchin. Mais surtout, demandez à visiter à gauche du chœur la chapelle *degli Agazzari* où se trouve un ensemble de fresques de l'école siennoise de la première moitié du XIVe s, récemment découvert et restauré.

Accademia musicale Chigiana (*palazzo Chigi Saracini ; plan couleur centre, C3-4*) ***:*** *via di Città, 85.* ☎ *0577-28-63-00.* • *chigiana.it* • *Entrée libre dans la cour ; avr-oct, visites guidées du palais ven-sam à 11h, 12h, 15h et 16h ; pdt les vacs de Noël, tlj aux mêmes horaires. Fermé le 1er janv. Entrée : 7 € ; réduc.* Fort beau palais gothique épousant harmonieusement la forme de la rue. La tour du XIIIe s est la

partie la plus ancienne. La petite histoire raconte que c'est de cette tour qu'on observa et annonça la victoire de Montaperti. Belle alliance de pierre et de brique, et élégantes fenêtres géminées. Vaste entrée menant à une cour avec galerie. Vieux puits. Fresques sur les voûtes. Sur la façade sur cour, larges baies en arcades. La nuit, on aperçoit les plafonds décorés. Balade très romantique.
Le palais abrite l'académie musicale Chigiana, qui organise des classes de musique et des concerts en été (très belle salle ornée de stucs et plafond peint). La visite guidée permet de découvrir un intérieur siennois du XVIIIe s, dont les murs sont couverts d'œuvres pour certaines exceptionnelles (splendide petite *Adoration des Mages* de Sassetta, magnifique Beccafumi). Également un petit musée des Instruments de musique (des stradivarius notamment), le piano de Liszt, etc.

Dans le quartier du Duomo

Duomo *(plan couleur centre, B3)* **:** ☎ *0577-28-30-48. Lun-ven 10h30-19h30 (18h30 nov-fév, 20h juin-août) ; sam-dim 13h30-17h30 (18h juin-août). Billetterie sous la loggia à côté du campanile. Entrée : 3 € (libreria Piccolomini comprise).*
– ***L'extérieur :*** imposant par ses dimensions et construit au plus haut de la ville, l'édifice religieux est entièrement revêtu de marbre en bandes alternées claires et sombres. L'alternance du blanc et du noir est, par ailleurs, emblématique des cathédrales toscanes (et plus particulièrement de Sienne, puisqu'il s'agit des couleurs de la ville elle-même). La façade révèle bien les deux époques de sa construction. En bas, les trois portails sont encore très proches de l'art roman, tandis que la partie supérieure est nettement gothique. Son ornementation foisonnante, le sommet de la façade couvert de dorures, la richesse des sculptures, son festival de marbres polychromes en font l'une des plus belles cathédrales d'Italie. Le haut de la façade rappelle d'ailleurs celle d'Orvieto. Harmonie totale dans les proportions avec les autres éléments de la cathédrale, le campanile et le dôme. Sur la façade toujours, on peut observer, in situ, les magnifiques sculptures de Nicola Pisano et de son fils Giovanni, dont les originaux se trouvent au museo dell'Opera. Leur conception est étonnamment puissante et réaliste, tranchant complètement avec les habitudes de la grande sculpture gothique francilienne. À noter, une *Vierge à l'Enfant,* sculpture de Donatello (florentin, XVe s), sur le tympan de l'entrée latérale, dite porte du Pardon.
L'édifice actuel n'est en fait que le transept de l'église primitivement prévue. En allant du côté du museo dell'Opera, on voit l'emplacement projeté pour la nef (avec les grandes arcades). Ce gigantesque plan fut interrompu au milieu du XIVe s pour deux raisons : d'abord, la grande peste qui décima la ville ; puis de graves défauts de conception originels qui provoquèrent l'effondrement des structures portantes et amenèrent, en 1357, les gouverneurs de la République à cesser les travaux. Aujourd'hui, on peut néanmoins accéder à une superbe vue de Sienne, en grimpant sur l'une des arches vestiges de ce projet pharaonique (par le museo dell'Opera). De loin notre vue préférée de Sienne et de sa fameuse place. Remarquez, en vous retournant une fois arrivé en haut, une très belle *Vierge à l'Enfant,* sculpture siennoise du XIVe s, de Giovanni di Agostino.
– ***L'intérieur*** (d'une longueur de 90 m) frappe par sa grandeur, son élégance, sa force et, toujours, cette obsédante alternance de bandes noires et blanches, baignée par une relative pénombre. À noter que certains des vitraux aux couleurs éclatantes auraient été réalisés par Duccio lui-même. Le pavement est l'une des curiosités les plus remarquables de Sienne. Sur près de 3 000 m^2, le sol est recouvert de 56 panneaux en marqueterie de marbre représentant, en général, des scènes bibliques ou des scènes sur l'histoire de la ville exécutées entre 1369 et 1541 à partir de dessins de grands artistes (dont Beccafumi, il Pinturicchio...). Les pavements sont entièrement découverts en septembre et octobre (on peut même passer derrière l'autel). Le reste de l'année, pour faire face aux piétinements des touristes, certains sont recouverts de cartons pour éviter qu'on ne les abîme. Une suggestion aux